피자 타이거 스파게티 드래곤

피자 타이거
스파게티 드래곤

흉적 장편소설

3

이지북
EZbook

CONTENTS

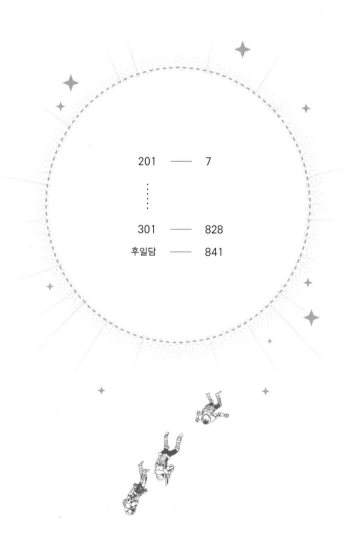

- 우리가 할 건 없었네.

심드렁한 빈우의 말이 통신 회선을 타고 들어온다. 태스크포스 373은 이제 42전단으로 다시 합류하고 있었다.

- 하긴 이런 함대전에선 우리 같은 소규모 부대가 할 수 있는 건 없죠.

오르 함장이 대답했다. 이번 전투에서 태스크포스 373의 블랙 랜스와 롱소드 2기는 42전단의 함대와 함께 전투했다. 시에라 1에서처럼 단독 작전은 없었다.

- 어쨌거나 대승입니다. 전단의 통신 회선은 축제 분위기군요.

"그러게 말입니다."

우지가 주변을 둘러보며 말했다. 압승이라고 해도 피해가 전혀 없는 것은 아니다. 아군 함선 중에서 격침된 것은 없었지만, 3척이 대파되어 후방에서 응급 수리 중이다. 승조원들 중엔 사상자가 있을 것이다. 또 롱소드와 할버드 중에선 돌아오지 못한 자들이 있었다. 그럼에도 불구하고 각각의 회선에는 환호성이 터져나오고 있다. 우지는 이런 모습에 조금 위화감을 느꼈다.

"……정말 축제 분위기군요."

그의 목소리는 조금 가라앉아 있었다. 우지에게 있어 같은 전장에서 싸웠던 전우가 전사한 것은 이번이 처음인 것이다. 42전단은 비록 한솥밥은커녕 말 한마디조차 제대로 나눠본 사이가 아니었지만, 그래도 방금까지 함께 싸웠던 이들의 죽음이었기에 우지의 마음은 심란했다.

- 당연히 신났지. 이 정도 샤다이를 상대로 이렇게 대승을 거두긴 힘들어. 리 퍼함이 다른 놈들을 이끌려던 눈치가 약간 보이던데, 만약 놈들이 제대로 싸 웠으면 우리 쪽 피해가 꽤 컸을 거다.

빈우의 말대로 리퍼들이 제대로 대응해서 지휘했다면 42전단은 상당한 피해를 입었을 것이다. 하지만 현실은 그러지 못했다. 스크로도프스카 전단 장은 리퍼를 최우선으로 공격하는 대신 놈에게 소방수 역할을 강요시켰다. 그래서 시에라 7의 샤다이 중 가장 위험도가 높았던 리퍼들은 아군을 구하기 위해 이리저리 뛰어다니는 바람에 자신의 실력을 제대로 발휘하지 못했고, 결국 이쪽의 전술에 끌려다니다가 피해가 누적되어 격침되고 말았다.

- 우지.

"네, 팀장님."

우지는 자신의 풀죽은 목소리를 팀장이 타이르나 싶어 바짝 긴장했다.

- 아군이 죽는 걸 보는 건 처음이냐?

조금 부드러운 어투지만 내용은 무거웠다.

"사람이 죽는 것을 처음 보는 것은 아닙니다. 다만."

- 다만 뭐, 같이 싸웠던 이들이 돌아오지 못하는 것?

정곡을 찌른 빈우의 말에 우지는 잠시 할 말을 잊었다. 그러고 보면 지금 까지의 작전에서도 팀원들이 얼마든지 죽을 수 있었던 것이다. 특히 그의 첫 출격인 발 가르단 하스에서 지상팀은 고전을 면치 못했고, 팀장인 빈우는 행 방불명 상태에서 귀환했다. 오스카 스테이션에서 피에르 라캉 중령이 죽었 을 때는 정신이 없었고, 생면부지의 모르는 사람이라 그리 큰 충격을 받지 않 았던 것과는 경우가 달랐다.

- 이건 익숙해질 수밖에 없다. 내가 뭐라고 말을 해도 받아들이는 것은 너다. 우리는 의무를 위해 군에 지원한 거지만 넌 다르지. 힘들면 말해라. 얼마든 지 돌아갈 수 있도록 해주마.

"아뇨, 아닙니다. 그럴 일은 없을 겁니다."

서둘러 대답한 우지는 저도 모르게 커진 목소리에 오히려 자기가 놀랐다. 그리고 통신 너머로 들려오는 작은 웃음소리에 얼굴이 빨개졌다.

- 너무 무리할 필요는 없어. 힘들면 네 머릿속에 있는 두뇌칩이 도와줄 테니까. 이런 가벼운 충격은 금방 잊힌다.

우지는 팀장의 그 말에 문득 자신의 옛날 일이 떠올랐다. 부팀장 아룹에게 잡혀 개조 시술을 받았던 날이다.

"저, 팀장님. 그, 두뇌칩이 말입니다. 음……."

어떻게 말을 꺼내야 할지 몰라 머뭇거리는 우지에게 대번에 빈우의 핀잔이 날아왔다.

- 이 새끼 이거 이런 배짱으로 어떻게 나한테 덤빈 거야.

"네네, 또 그 얘기 하시네요. 아마 평생 놀리실 게 확실합니다."

퉁명스러운 우지의 말 다음으로 빈우의 웃음기 섞인 설명이 들려온다.

- 저번에도 말했지만 네 머릿속에 박힌 두뇌칩은 너네 할아버지한테 달린 것하고 달라. 외계인 죽였다고 오르가슴 느끼는 구식은 아니니까 안심해라. 그저 네가 입을 정신적인 충격이나 과다한 신경 물질 전달만 막을 뿐이야. 그냥 돕는 거지. 극복하는 것은 네 몫이다. 그리고…… X 됐네.

설명을 하던 빈우의 목소리가 외마디 욕설을 마지막으로 끊겼다. 아마 전단 통신으로 뭔가를 들은 것 같다. 이런 경우엔 상당히 질 나쁜 사태가 벌어졌다는 것을 지금까지의 경험으로 습득한 우지는 긴장했다.

- 우지, 서둘러 착함한다. 샤다이의 파상공세가 시작되었다고 한다. 연방이 공격받고 있다. 42전단은 점프로 귀환할 거다.

"네? 샤다이가요? 어디를 공격하는 겁니까?"

- 최소 일곱 곳.

우지는 기체를 꺾어 블랙 랜스의 유도 신호를 무시하고 수동으로 긴급 착함했다. 빈우도 마찬가지다. 격납고로 밀고 들어온 롱소드 두 대는 각자의 관성제어장치를 믿고 격납고 바닥에 억지로 매달렸다. 닫히는 격납고 문 너머로 보이는 것은 시에라 7로 향하던 함대들이 방향을 돌리는 모습이었다. 그러면서도 순양함들은 함포사격과 어뢰, 미사일 등을 최대한 퍼부으면서 뱃머리를 돌렸다.

"팀장님."

현재 상황을 물어보려던 우지는 조종석에서 뛰쳐나오는 빈우의 모습을 보고 입을 다물었다. 그는 전단 회선으로 이야기하며 달려가고 있었다.

*

"일곱 곳이라……."

스크로도프스카 전단장은 전황 보고를 보며 혀를 찼다. 보통 샤다이는 자기들끼리 연계가 전혀 안 되어 중구난방으로 움직인다. 한마디로 전투의 초보란 얘기다. 징조도 없이 점프하는 놈들이 예상치 못한 초보의 작전으로 갑자기 쳐들어오니 연방으로선 골치였다. 그랬던 놈들이 이렇게 동시에 일곱 곳을 공격한 것을 보면 이번 침공은 시에라 1의 공격에 대한 보복일 가능성이 대단히 높았다.

"그나마 다행인 것은 놈들이 오합지졸이란 겁니다."

발렌티나가 화면을 일곱 군데 띄웠다. 샤다이들이 쳐들어온 행성들이다. 어떤 곳은 현재 진행형이고, 어떤 곳은 이미 상황이 종료된 곳도 있다.

"오합지졸이란 말이지……."

데이먼 전대장이 혼잣말을 했다. 샤다이들이 비록 싸움을 모르는 바보라 해도 놈들이 다루는 무기는 치명적이라 결코 허투루 볼 순 없다. 하지만 그는 발렌티나가 왜 굳이 오합지졸이란 말을 붙였는지 알 것 같았다.

영상 속에 샤다이 모니터함 1척이 점프해서 나타나자 행성의 방어함대에는 비상이 걸렸고, 즉각 대응에 나서는 모습이 보인다. 하지만 단 1척의 모니터함은 방어함대를 아랑곳하지 않고 행성으로 돌진한다. 그리고 거포를 쏴 행성 지표를 직접 공격했다. 날아간 거대한 플라스마는 몇 겹의 행성 방어막을 일격에 날려버리며 바다에 명중해 거대한 증기 폭발을 일으켰다. 그리고 그 대가로 방어함대의 집중 공격을 받아 격침되었다.

다음은 전열함 2척과 1척이 각기 다른 곳에 점프한 개척 행성 궤도다. 문제는 이놈들이 연방의 행성은 공격하지 않고 쭈뼛거리고 있다가 갑자기 자기들끼리 싸우기 시작한 것이다. 전열함 2척 쪽에서 먼저 공격이 시작되었고, 1척 쪽도 반격을 시작했다. 놈들은 서로에게 피해를 줄 수 없는 강력한 공격을 주고받다가 급파된 방어함대의 공격에 각개격파되었다.

"김 팀장, 혹시 놈들이 이렇게 행동한 이유를 아나?"

스크로도프스카 전단장의 질문에 홀로그램 속의 빈우가 한심하단 표정으로 샤다이들을 보며 대답한다.

- 귀환 찬성파와 반대파입니다. 요 근래 갑자기 사이가 나빠진 것은 아는데, 그게 꽤 심한 모양이군요. 연방을 앞에 두고 자기들끼리 싸우다니 말입니다.

이어지는 전황을 발렌티나가 정리했다.

"시간 차이는 있지만, 지금까지 모두 일곱 곳이 공격당했습니다. 먼저 보신 라 마야와 우엘바의 두 곳은 보시다시피 큰 피해 없이 정리되었고, 다른 두 곳인 블루 사하라와 에어푸르트도 점프 게이트가 파괴당한 뒤 행성에 약간의 피해를 입고 교전 중입니다만, 기동 방어함대가 연동 게이트로 지원을 가서 아군이 유리합니다. 문제는 이곳들입니다."

일곱 중에서 셋의 화면이 커졌다. 척 봐도 샤다이 함선 상당수가 와 있다.

"누벨 노르망디와 뉴 시어도어, 과전입니다. 세 곳 다 대규모 샤다이 함선들이 공격 중이며 주둔하고 있던 방어함대와 기동 방어 함대가 긴급 출동했습니다. 이 중 뉴 시어도어는 아직 게이트가 살아 있고, 아퀼라 게이트에서 옥토퍼스 게이트를 경유해 갈 수 있습니다."

점프 게이트는 만능이 아니다. 각기 연결된 게이트가 있어, 물리적 거리가 가깝다 해도 직통 게이트가 없으면 돌아가야 한다. 그리고 42전단의 연동 게이트는 임시 게이트인 탓에 점프 거리가 짧은 편이다.

"다음은 누벨 노르망디와 과전입니다. 이 두 행성은 가장 늦게 공격받은 탓에 앞선 다섯 곳에 방어함대들이 출동하느라 여력이 없어 지원 함대가 적었습니다. 그 결과 두 곳 역시 현재 게이트가 파괴된 상황입니다."

게이트가 파괴되었다면 이제 두 행성은 외부와 단절되었다는 뜻이다. 주둔 함대와 지원 함대의 전멸도 시간문제다.

"일반적인 증원은 힘들군."

페레로 참모장이 침음성을 흘렸다. 이제 누벨 노르망디와 과전에 가려면 닫힌 게이트에 점프 포인트를 다시 설치하거나, 연동 게이트로 뚫고 들어가는 수밖에 없다. 현재 시간 내에 지원을 갈 수 있는 것은 기동 방어 함대와 42전단뿐이며, 기동 방어 함대는 더 이상 움직일 수 없다. 아직 남은 함대가 있긴 하지만 중요도가 높은 곳을 지켜야 해서 자리를 비울 수가 없는 것이다. 지금 같은 경우에는 더더욱.

"이제 우리 42전단은 누벨 노르망디와 과전 중 한 곳에 지원 가야 한다."

스크로도프스카 전단장이 간부진을 둘러보았다. 누벨 노르망디는 연방 직할령 중에서도 상당히 발전된 곳이라 인구도 많고 다수의 군수공장이 있다. 반면 과전은 전형적인 농업 행성이라 거주민이 적다. 하지만 여기서 나오는 작물들의 생산량은 무시할 게 못 된다.

- 당연히 누벨 노르망디 아닙니까. 신형 입자빔포 공장이 그곳에 있습니다.

보타지 부전단장의 말은 당연한 듯 들리지만, 아무도 선뜻 고개를 끄덕이지 못했다. 그리고 그 이유를 발렌티나가 설명하기 시작했다.

"하지만 과전의 작물 생산량 대부분은 보리이며, 이는 물질 생성기의 식품 원료가 됩니다. 과전이 샤다이의 공격에 황폐화될 경우엔 인근 행성의 식품 공급에 꽤 차질이 있을 겁니다."

고심하는 간부진들 사이로 단호한 의견이 들어왔다.

- 과전은 버립니다.

바로 태스크포스 373의 팀장인 빈우였다.

"으음, 왜지?"

구원 순서를 뒤로하는 게 아니라 아예 버린다고 하니 스크로도프스카 전단장은 그의 생각이 궁금했다.

- 누벨 노르망디와 과전에 온 것은 모두 리퍼인 데다 숫자도 보통이 아닙니다. 누벨 노르망디에 23척, 과전에 19척입니다. 이는 우리 42전단으로도 버거운 숫자입니다. 한 곳을 치고 나면 다른 쪽으로 지원 가긴 힘듭니다. 둘 중 하나에만 가야 한다면, 당연히 누벨 노르망디입니다. 입자빔포 공장이 당한다면 앞으로의 작전에 심각한 차질이 생깁니다.

두 번의 전투로 입자빔포의 위력을 절절히 느낀 이들에겐 상당한 설득력이 있는 말이다.

- 그리고 과전을 잃는다 해도 식량의 긴급 생산이 가능한 프로젝트들이 있습니다. 비록 음식의 질이 조금 떨어지겠지만, 굶는 일은 없습니다.

간부들의 의견이 빈우의 제안으로 서서히 기울어질 무렵, 갑자기 비명이 울려 퍼졌다.

- 안 돼요! 주인님, 그러지 마세요.

빈우의 뒤에서 갑자기 여성형 안드로이드가 끼어든 것이다. 빈우의 비서인 모양이다. 빅토리아풍 메이드 복을 입은 안드로이드는 경악한 표정으로 떨고 있었다. 그 모습을 본 인간들은 갑작스러운 안드로이드의 행동에 의아해했지만, 같은 AI인 발렌티나는 그 이유를 알 수 있었다. 안드로이드가 저렇게 행동할 리는 없다. 이렇게 인간들이 회의를 하고 있는 중에 AI는 결코 끼어든다는 판단을 할 수가 없다. 그게 가능한 경우는 단 하나. 방금의 이야기가 그녀의 주인인 빈우에게 심각한 해가 되는 경우이다.

- 아나스타샤, 조용히 해.

나직하고 험악하게 타이르는 주인의 말에 안드로이드가 필사적으로 저항하려 한다. 비록 입을 열지 못하지만, 공포에 질린 얼굴로 도리질을 하는 것이 발렌티나의 예상이 맞은 듯싶다. 하지만 발렌티나는 자신이 알아낸 것을 말할 수 없었다. 그녀 또한 그녀 나름대로의 행동강령에 따라 움직이는 인공지능인 것이다.

스크로도프스카 전단장은 자신의 부관 인공지능을 흘깃 본 다음 그 시선을 다시 빈우에게로 향했다.

"김 팀장."

- **네, 전단장님.**

"저 과전이란 곳은 혹시 자네의⋯⋯."

끝을 맺지 못하는 전단장의 질문에 빈우가 대답했다.

- **에, 과전은 제 고향입니다. 때문에 이것이, 샤다이들이 저를 노리고 판 함정이란 가능성을 무시할 수 없습니다.**

- 아니, 과전이 자네 고향이었단 말이야?

브릭스 전대장이 놀란 목소리로 말했다. 그럴 법도 한 것이 방금 빈우는 아무렇지도 않게 자신의 고향을 버린다는 의견을 낸 것이다. 비서 안드로이드의 돌출행동이 이해가 갔다. 하지만 당사자인 빈우는 낯빛 하나 변하지 않고 태연하게 말을 이었다.

- 지금 그게 중요한 것이 아니지요. 중요한 것은 과전을 버려도 되는, 어흠, 가지 않아도 되는 이유입니다. 우선 제 고향 과전은 농업 행성이라 인구수가 적을뿐더러, 옛날부터 저와 아나스타샤가 자체적인 긴급대피 프로그램을 짜두었습니다. 때문에 샤다이의 공격 당시 거주민들 대부분은 탈출했을 겁니다. 아나스타샤.

빈우의 부름에 뒤에 있던 안드로이드가 서둘러 과전의 탈출 진행 과정을 보였다.

- 긴급대피용 탈출정은 모두 발사되었습니다만 인원 파악은 되지 않았습니다. 게이트가 파괴된 다음에 과전과의 모든 연락이 두절되었습니다.

화면 속으론 과전에서 발사된 탈출정들의 궤도가 보인다. 샤다이의 함대가 점프해 온 다음 과전의 무인 방어함대가 대응했고, 그 짧은 시간 동안 과전의 사람들은 탈출정으로 이동했다. 5천도 되지 않는 작은 인구지만 상당히 빠른 시간에 탈출했다. 그런데 눈썰미가 좋은 사람들은 이 일련의 과정들이 군용 긴급대응책과 상당히 유사하다는 것을 알 수 있었다. 샤다이의 존재를 눈치채자마자 요소요소에 배치되어 있던 간이 장갑복들이 긴급 발사되어 인간들을 찾아 장착되었고, 미리 지정된 장소로 강제 이동했다. 탈출정들도 미리 설정된 궤도를 따라 발사되어 점프하는 시민들을 회수해 대기권을 이탈했다. 문제는 게이트가 이미 파괴되었기에 더 이상의 탈출 경로도 없고, 이후의 상황도 알 수 없다는 것이다.

　- 샤다이는 대부분의 경우 행성을 녹여버리지 굳이 탈출한 사람을 추적해서까지 손을 쓰지 않습니다. 그리고 이런 경우엔 탈출정들은 샤다이 반대 방향으로 도망치도록 되어 있습니다. 아마 시민들은 안전할 겁니다. 아군 구조대가 도착할 때까지 충분히 버틸 겁니다.

　설명하는 빈우의 표정은 태연자약했다. 자신의 고향이, 가족이 공격받고 있는 사람 같아 보이지 않았다. 오히려 뒤쪽에 있는 안드로이드가 위태위태해 보인다. 민감한 주제라 간부들이 뭐라 말을 꺼내기 껄끄러워할 때 전단장이 질문했다.

　"함정이라고? 샤다이가 자네 고향을 공격하는 게 함정이란 말인가?"

　스크로도프스카 전단장은 다른 것을 다 제쳐두고 함정이란 말에 예민하게 반응했다. 앞으로 공격해야 할 곳에 함정이 있다면 당연히 파악을 해둬야 한다.

　- 네, 병력의 질이 너무 다릅니다. 이걸 보십시오. 리퍼 전투함이 있는 곳은 누벨 노르망디, 뉴 시어도어, 과전, 블루 사하라입니다.

　빈우가 다시금 리퍼함들의 분포도를 설명한다.

　- 그중에서도 과전과 누벨 노르망디의 전투함들은 모두 리퍼입니다. 게다가 결정적인 차이는 이 문양입니다.

　"문양?"

　스크로프스카 전단장은 빈우가 확대한 리퍼 전투함의 문양을 보았다.

　- 샤다이 집정관의 문양입니다. 놈들 최고 사령관의 직속부대인 셈이지요. 즉

과전과 누벨 노르망디의 리퍼들은 샤다이 중에서도 최정예인 셈입니다.

빈우의 말은, 샤다이 최고 전력이 입자빔포가 있는 누벨 노르망디와 보리를 생산하는 빈우의 고향을 동시에 공격했다는 이야기다. 속내가 뻔히 보이는 움직임이다.

- 게다가 투입된 시점도 심상치 않습니다. 순차적으로 기습공격을 해 아군의 반응을 살피다가, 마지막에 정예병력을 보낸 것으로 추측됩니다.

그의 설명에 스크로도프스카 전단장은 일곱 차례의 공격에 대해 다시 살펴보았다. 처음에는 소수를 보내 간보기, 다음은 투입하는 숫자를 늘려가며 이쪽이 내는 병력의 규모를 서서히 파악한다. 그리고 연방군이 더 이상 꺼낼 카드가 없을 때, 마지막 결정적인 수를 낸다.

"이리도 초보적인 술수에 당하다니."

전단장이 이를 갈았다. 너무도 간단한 속임수에 연방이 넘어간 것이다.

- 어쩔 수 없습니다. 우선 샤다이는 지금까지 이런 방식의 전술을 쓴 적이 없고, 단 1척의 샤다이 함선이라 해도 아군에겐 비상이니까 말입니다.

빈우의 말대로 점프 게이트를 쓰지 않고 이런 광범위하고 산발적인 기습을 펼칠 수 있는 것은 샤다이뿐이다. 오히려 왜 지금까지 이런 방법을 쓰지 않았을까 의문이 들 정도다.

- 지금까지의 상황을 조합해볼 때 샤다이가 우리 쪽 정보를 상당히 알고 있는 게 분명합니다. 그러지 않고서야 이런 방법을 쓸 리 없죠.

빈우는 방금 자신이 본 정보들로 샤다이가 연방의 어디까지 들어왔는지 추적하고 있었다. 놈들이 알고 있는 것은 누벨 노르망디에 입자빔포 군수공장이 있다는 것과 과전이 빈우의 고향이라는 것. 모르는 것은 42전단과 기동방어 함대의 구체적인 규모다. 이런 정보들로 놈들의 세력권을 특정지을 수 있겠지만, 지금 당장 중요한 것은 아니다.

"그러니까, 김 팀장 자네 말은 샤다이가 아군 병력을 차츰 끌어내다가 마지막에 42전단과 자네가 움직일 수밖에 없는 상황까지 만들어놓고, 거기서 선택지를 두 개 주었단 말이지?"

참모장 페레로 중령의 말이다. 그가 행성 지도 두 곳을 짚었다.

"여기 입자빔포가 있는 군수공장과 자네의 고향, 이 두 가지 중 하나를 선택하도록. 즉 자네로 하여금 우릴 과전으로 가도록 유도하거나, 안 되면 최소한 병력이라도 분산하도록 한 다음, 최종적으론 누벨 노르망디를 노린다는 얘긴가?"

- 물론 너무 노골적인 계획인 만큼 반대의 경우도 생각할 수 있습니다. 제가 낼 수를 미리 예측하고 거꾸로 봤을 수도 있죠.

"결국 이건 외통수다. 어찌 되었건 하나는 선택해야 해."

스크로도프스카 전단장이 나섰다. 선택은 빨리 해야 한다. 현재 샤다이가 침공한 곳 중 라 마야와 우엘바는 샤다이의 수가 적어 이미 주둔 함대가 격퇴했다. 블루 사하라와 에어푸르트는 교전 중이지만 대기 중이었던 기동 방어함대가 급파되어 전황은 아군이 유리하다.

문제가 되는 곳은 뉴 시어도어, 누벨 노르망디, 과전이다. 이 세 곳은 대규모 샤다이 함대가 와서 본격적인 전투가 벌어지고 있다. 뉴 시어도어는 아직 게이트가 살아 있어 지원군이 도착 가능하지만, 누벨 노르망디와 과전은 게이트가 파괴되어 연동 게이트로 지원 가야 한다. 아직 완편되지 않은 기동 방어 함대는 더 이상 여력이 없어 42 전단은 둘 중 하나를 정해야 하는데 빈우는 지금 자신의 고향인 과전을 버리자고 하는 것이다.

- 아까 말씀드렸다시피 5천 명 정도의 과전 시민들은 탈출했습니다. 남은 것은 고작 보리밭뿐입니다. 반면 누벨 노르망디의 인구는 25억인 데다 다수의 군수 공장도 있습니다.

스크로도프스카 전단장은 다시 한 번 태스크포스 373 팀장의 얼굴을 보았다. 고향을 '고작 보리밭'이라고 부르며 버리자는 사람의 얼굴은 태연했다. 과전을 구해달라는 말은 뻥끗도 하지 않았다. 그녀가 익히 들었던 대로 인간미라고는 찾아볼 수 없는 사람이었다. 오히려 뒤에서 간신히 울음을 참는 안드로이드가 더 인간 같아 보인다.

"42전단은 누벨 노르망디로 간다."

스베틀라냐 스크로도프스카 전단장은 결단을 내렸다. 그리고 대략적인 세부 명령을 내리고 회의를 마쳤다. 그리고 그녀는 빈우를 불렀다.

"김 팀장."

- 말씀하십시오.

대답하는 빈우의 얼굴에는 일말의 동요도 없었다. 그러나 과전에 그의 가족이 있다는 사실은 안드로이드 메이드의 반응만 봐도 알 수 있다.

"정말 괜찮겠나?"

- 네.

짧은 빈우의 대답. 스크로도프스카 전단장은 차마 태스크포스 373은 단독 행동이 가능하니 과전으로 가도 된다, 라고 말할 순 없었다. 수많은 리퍼 전두함을 상대로 구축함 1척이 할 수 있는 것은 없다.

"……누벨 노르망디에서도 활약 부탁하네."

- 알겠습니다.

통신이 끝난 다음, 전단장은 나직하게 한숨을 쉬었다.

*

"아나스타샤. 방금 그게 무슨 짓이야."

빈우는 세부 계획을 살피며 아나스타샤를 질책했다. 시선은 주지도 않은 채다.

"주인님! 어떻게 그러실 수 있어요!"

아나스타샤는 흐느끼면서 항의했다.

"고향이, 아가씨가, 주인님의 집이……!"

결국 안드로이드가 바닥에 주저앉아 오열한다. 반면 인간은 화면을 보며 골똘히 생각 중이다. 마치 인간과 안드로이드가 뒤바뀐 듯한 상황이다.

"그래서? 이 상황에서 우리가 할 수 있는 것은 뭐지? 5천 명도 안 되는 고향 시민을 살리기 위해 25억이 넘는 사람들을 죽이란 거냐?"

차가운 빈우의 말에 아나스타샤가 고개를 들며 울부짖었다.

"저는, 저는 주인님을 데리고 고향으로 돌아갈 거예요! 주인님도 약속하셨잖아요. 저랑 같이 고향으로 돌아가겠다고 말씀하셨잖아요."

물론 빈우는 그런 약속을 한 적이 있고, 그런 마음을 품은 적이 있다. 하지만 그것이 이뤄지기 힘들다는 것 또한 안다.

"아가씨는 어떻게 해요. 농장은요. 샤다이들이 모두 태워버릴 거예요."

아나스타샤는 울음을 참지 못했다. 빈우는 대충 작업을 마무리짓고 울고 있는 그녀를 향해 돌아앉았다.

"탈출정들은 모두 발사되었어. 장갑복들도 모두 작동했고. 과전의 사람들은 다 탈출했을 거야. 우리 가족들도 다."

빈우의 고향 과전에 설치된 탈출 시스템은 그가 군사정보국과 거래해서 얻어낸 물건들이다. 빈우는 울토르 프로젝트에 지원할 때 고향의 안전을 담보로 내걸었고, 이노우에 국장은 흔쾌히 받아들였다. 그런 물건인 만큼 성능에 대해선 의심의 여지가 없었다.조금 잦아들었지만, 아직 아나스타샤는 울고 있었다.

"그래도, 그래도 인원 파악이 제대로 되지 않았어요."

모든 정보가 넘어오기 전에 게이트가 파괴되는 바람에 더 이상 과전의 정보에 대해선 알 방법이 없다. 알 수 있는 것은 장갑복들이 모두 작동했고, 탈출정들 또한 모두 작동했다는 것뿐. 과전 시민 모두가 장착하고 탈출한 것까지는 확인할 수 없다.

"그래, 파악되지 않았지. 하지만 한 가지 물어보자. 그 탈출 과정에서 인간이 도망칠 수 있을 거라고 생각해? 그 장갑복으로부터?"

탈출 과정에 쓰이는 장갑복은 생존을 위한 가벼운 물건이며, 근력 보조 기능이 있는 우주복 정도다. 이것들은 주변의 두뇌칩 반응을 찾아 사람에게 장착되어 착용자를 강제로 탈출 지점까지 배송한다. 그리고 명색이 장갑복이라, 이 힘과 속도에서 일반인은 도망칠 수 없다.

"……아뇨."

아나스타샤가 훌쩍이며 대답했다. 그녀는 소매로 눈가를 훔친 다음 다시 말했다.

"하지만 고향은요? 농장은요? 집은요? 모두 불타요. 주인님이 태어나신 집과, 주인님이 놀았던 공원들이 모두 사라진다고요."

안드로이드는 포기하지 않았다. 안드로이드는 끈질겼다. 그녀는 스스로 정한 행동강령에 묶여 집착하고 있다. 그러나 오히려 이런 모습이 인공지능답지 않고, 인간처럼 보였다.

"아샤."

오래간만에 들린 애칭에 아나스타샤가 움찔하고 반응했다.

"아무리 불타고 파괴되어도 과전은 내 고향이다. 고향은 아직 거기 있어. 다시 돌아가서 밭을 일구면 돼. 보험도 들어 있잖아? 용암이 식으면 바위를 깨고 다시 개척하자. 바위를 갈아 흙을 만들고, 구름을 모아 비를 내리게 하자고."

아나스타샤는 빈우의 말을 멍하니 듣고 있었다. 샤다이에 의해 황폐화된 행성을 되살리는 데에는 시간과 비용이 엄청나게 든다. 그러나 빈우는 그걸 하자는 것이다.

"힘들 거야. 시간도 오래 걸릴 거고. 하지만 넌 나와 함께해줄 거지?"

바로 대답이 나오지 않았다. 안드로이드의 눈이 커지고, 입이 벌어졌다.

"네, 주인님. 할게요. 주인님과 함께할게요. 주인님을 도와드릴 거예요."

울다가 웃게 된 아나스타샤는 연신 고개를 끄덕이며 대답했다. 그런 그녀를 보며 빈우는 피식 웃었다.

"그래, 웃어. 겨우 이런 일로 울지 마. 이젠 괜찮아?"

"네, 괜찮아요."

일어선 아나스타샤는 눈물을 닦으며 옷매무시를 바로 했다.

"그럼 오다 의원님께 가봐. 이제 곧 우린 42전단과 점프할 거다. 의원님께 상황설명 잘해드리고. 알겠지?"

"네, 주인님."

당차게 대답을 하고 문밖으로 나간 아나스타샤는 순간 멈칫했다. 이전이라면 주인은 울고 있는 자신을 한번쯤은 포옹해줬을 것이다. 또 일어난 자신의 머리를 쓰다듬어주었을 것이다. 그러나 방금의 빈우는 아무것도 하지 않았었다. 그저 앉아서 말만 했을 뿐이다.

'주인님은 바쁘셔. 바빠서 그러셨던 거야. 내가 주인님을 도와야 해.'

인공지능은 스스로를 합리화하며 주인의 명령을 수행하기 위해 달렸다.

203

· · · ✦ · · ·

"누벨 노르망디에 리퍼가 23척이라······."

부팀장 아룹이 혀를 찼다. 리퍼의 장갑복이나 함선의 성능은 기존의 스팸, 전열함과 큰 차이는 없다. 문제는 다루는 놈들이 제대로 싸울 줄 안다는 것이 성가신 점이다. 그 예로 발 가르단 하스에서 리퍼의 기습을 받은 태스크포스 373 팀원들은 제대로 대응하지 못하고 전멸 직전까지 갔었다.

"게다가 이 문양. 그 체체뭔가 하는 놈의 부하들이죠?"

"체메트디오프, 샤다이의 집정관이지."

빈우가 파트리샤의 말을 정정해주었다.

"그때 이 섬이 뜯어온 놈의 머리를 확인하긴 했는데, 알탄훼아나의 말대로라면 놈은 동족의 몸에서 부활하는 놈이라고 하니, 이번 작전도 놈의 계획일 가능성이 높다."

"으음, 근데요오."

파트리샤가 히죽히죽 눈치를 보며 말꼬리를 늘이고 있다. 그녀가 이럴 땐 꼭 무슨 꿍꿍이가 있다.

"말해."

퉁명스런 빈우의 말에 파트리샤가 바싹 다가앉았다.

"아나스타샤 분위기가 영 이상하던데, 과전이 팀장님 고향이죠?"

"아직 몰랐냐? 내 신상정보는 너네들 보안 레벨로도 조회될 건데?"

태평한 빈우의 대답에 위르겐이 씹던 마카롱을 잘못 삼켜 콜록거린다.

"어? 컥컥. 진짜요?"

모니카는 사레들린 위르겐의 등을 스패너로 후려쳐 도와주었다. 그녀는 스패너질을 멈추고 고개를 들어 빈우를 조심스레 쳐다보았다.

"지금까지 그런 얘기 한 번도 안 하셨잖아요."

조심스럽지만 힐난의 기운도 있는 모니카의 눈빛에 빈우는 어깨를 으쓱할 수밖에 없었다.

"뭐, 따지고 보면 나도 가족하고 연락 안 한 지 꽤 됐어. 아나스타샤는 가끔씩 연락하는 모양이지만."

"거 사람 인성하고는. 괜찮습니까? 고향을 그렇게 해도?"

이번엔 간신히 마카롱을 삼킨 위르겐이 나섰다.

"그럼 뭘 어째. 누가 봐도 체메트디오프 이 새끼가 수작 부린 거 확실한데. 나를 자극해서 병력을 분산시키려는 속셈일걸. 그곳 시민들은 다 대피했으니까 신경 꺼."

"흠, 그런데 놈이 그런 얕은수를 쓸까요?"

아룹은 부팀장답게 놈이 내건 술수에 신경을 썼다. 이번의 배후로 추정되는 샤다이 집정관 체메트디오프는 뉴 소노라에서 동족과 인류를 상대로 이중 삼중의 술수를 썼다. 당시 상황을 보면 여러 가지 책략이 동시에 진행이 되고 있었고, 설령 실패한다고 해도 그 결과는 자신에게 이득이 되도록 설계해놨었다.

"그에 대해선 전단장님이랑 얘기했습니다. 외통수니까 택일하고 밀어붙여야 한다고. 그래서 더더욱 누벨 노르망디를 버릴 순 없다고요."

하긴 누벨 노르망디와 과전은 인구수에서도, 행성 생산물의 중요도에서도 상당한 차이가 있다. 비록 과전을 잃을 경우 많은 양의 보리를 잃게 되겠지만, 합성식품들로 대체가 가능한 수준이다. 하지만 누벨 노르망디의 입자빔포 생산 공장은 현시점에선 절대 잃을 수 없는 것이다.

그때 오다 히토미 상원의원으로부터 빈우에게 개인 통신이 들어왔다. 공용 회선이 아니란 것은 개인적인 용건이란 뜻이다.

- 팀장님, 지금 얘기할 수 있을까요?

회선 너머의 목소리는 긴장하고 있었다. 빈우는 그녀가 질문할 내용이 뭔지 대충 짐작이 갔다.

- 작전을 앞두고 있습니다. 짧게 해주십시오.

- 과전은…… 아니, 팀장님은 괜찮은가요?

빈우는 잠시 숨을 고른 다음 대답했다.

- 네. 어쩔 수 없는 선택이긴 합니다만, 괜찮습니다. 이런 일에 대해선 미리 대비해두기도 했고요. 이제 곧 점프를 하고 바로 전투에 돌입할 예정입니다. 의원님께선 몸조심하십시오. 옆에 아나스타샤가 있으니 유사시엔 의지하시고요.

- ……알겠어요.

단호한 빈우의 말에 히토미는 더 이상 말을 붙이지 못하고 통신을 끊었다. 그리고 태스크포스 373 팀원들이 그라디우스로 탑승해서 정비를 마치고 있을 때 오르 함장의 방송이 들려왔다.

- 본 함 블랙 랜스는 지금부터 누벨 노르망디로 점프합니다.

방송을 들은 파트리샤가 허탈하게 한숨을 쉬었다.

"후아, 벌써 몇 번째 점프야."

그녀 말마따나 42전단과 태스크포스 373은 시에라 1, 7에 이어 이번엔 누벨 노르망디까지 연이어 투입되고 있었다. 시에라 1과 7 사이엔 그나마 휴식 시간이라도 있었지만, 이번엔 적의 반격에 대비해 급박하게 투입되는 것이다. 오랜만에 치러보는 격전이다.

- 점프.

점프한 다음, 팀원들에게 보이는 것은 개판 오 분 전의 누벨 노르망디 궤도 상 함대전이었다. 20척이 넘는 리퍼 함대는 막강한 화력을 사방으로 뿜어내고 있었고, 누벨 노르망디의 방어 부대는 필사적으로 반격하고 있었다.

"상황 안 좋게 돌아가는데."

빈우는 함대전보다는 누벨 노르망디의 상황을 보았다. 정규궤도 엘리베이터는 둘 다 중간에 끊겼고, 점프 포인트는 자폭한 지 오래다. 방어함대에는 기존의 무장뿐이어서 전형적인 대 샤다이 전술로 대응하고 있지만, 상대가 리퍼라서 그것도 여의치 않았다.

그리고 또 안 좋은 점 하나.

"샤다이 새끼들, 지상에 강하했다."

빈우가 가리킨 곳에는 리퍼의 상륙함으로 보이는 소형 비행선 다수가 누벨 노르망디의 지표면에 강하해 있었다.

- 뭐가 목적일까요? 저긴 허허벌판인데 말입니다.

모니카가 해당 부분을 확대했다. 그곳은 궤도엘리베이터 터미널도 아니고 공장이 있는 곳도 아니다. 그럼에도 불구하고 리퍼들은 해당 지역에 강하해서 지상 병력을 전개하고 있었다.

"별거 있냐, 다른 곳은 방어함대가 필사적으로 지키고 있으니 빈 곳으로 내려간 거지."

빈우의 말대로 지상의 리퍼들은 궤도 상의 전투함을 우산 삼아 강하한 상황이다. 아무리 강력한 지상 병력이라고 해도 제공권을 빼앗기면 그날로 요단강 익스프레스를 타는 해군이 되어버린다. 때문에 이런 상황하에서는 해당 지역의 제공권을 확보하거나, 머리 위에서 엄호하는 함대와 연계해서 지상 병력 강하가 진행된다.

물론 누벨 노르망디의 방어함대는 리퍼 지상 병력을 몰아내려고 몇 번 시도를 해봤지만, 그러기 위해선 그 머리 위, 해당 궤도 상에 버티고 있는 리퍼 전투함을 먼저 격퇴해야 한다. 지상과 궤도의 영역은 서로 상호보완적으로 돌아가기에 제우권 확보가 제대로 되지 않으면 지상의 구역은 차츰 침공당해 빼앗기게 되고, 그 침공이 주요 발전시설로까지 이어지면 지상의 대공방

어시설이 무력화된다. 그러면 역으로 지상의 영향이 우주로까지 미치게 되는 것이다.

 - 아하, 그래서 지상과 궤도 상의 병력이 상호연계하에 움직이네요.

이런 전술적인 측면에 대해서 무지했던 모니카는 빈우가 병력의 이동에 대해서 설명하자 이해했다는 듯이 고개를 끄덕였다.

 - 그런데 우리 팀은 왜 그런 연계를 안 하고 강하해요?

모니카가 기억하기로 태스크포스 373의 팀원들은 이런 거 신경 안 쓰고 그냥 강하던 팀이었다.

"그야 우리들은 그러라고 만든 팀이거든."

빈우의 대답에 단검뿔 토끼와 실리콘 나이트의 두 대원이 낄낄 웃는다. 저들은 정규작전보다는 잠입, 침투를 주로 하는 부대원들이고 태스크포스 373 역시 그런 종류의 부대다.

 - 팀장님. 우리 팀은 어떻게 움직일까요?

잡담하는 팀원들 사이로 오르 함장의 말이 들려왔다. 현재 42전단은 점프해서 도착한 다음 빠른 속도로 대형을 정비해 리퍼들을 압박하기 시작했다. 누벨 노르망디, 리퍼, 42전단의 샌드위치 형태가 완성되자 리퍼들은 앞뒤로 공격받게 되었다.

"일단 42전단의 움직임을 보고 정하겠습니다. 그건 그렇고 포격 실력이 대단하네요."

42전단의 입자빔포는 절묘한 각도로 발사되고 있었다. 42전단이 쏜 입자빔포와 공격은 리퍼를 향하고 있지만, 만약 빗나갈 경우엔 이 공격은 누벨 노르망디를 향하게 된다. 그래서 지금 공격들은 사선으로 쏘고 있었다. 이러면 빗나가도 건너편의 아군이 맞을 일은 없는 것이다.

 - 네, 일종의 교차 포격을 응용한 진형으로 보입니다. 하지만 이러기 위해선 서로간의 신뢰가 상당히 깊어야 합니다. 바로 앞의 적을 동료에게 맡기고선 다른 적을 치는 것이니까요.

오르 함장의 말대로 42전단의 순양함들은 자신의 정면 방향이 아니라 사선에 있는 리퍼를 쏘고 있었다. 그리고 정면의 리퍼는 왼쪽 저편에 있는 아군이 공격하고 있다. 이 얼기설기 엮인 화선의 모습들은 마치 길다란 수저로 맞은편의 동료에게 밥을 먹여주는 것 같다.

"으음, 전단장께 여쭤보니 우리는 알아서 취약지점을 치라는군요. 함장님 생각은 어떻습니까?"

어차피 태스크포스 373은 42전단과 상하가 아닌 상호협력 관계에 있는 부대다. 하지만 아군 1척이 아쉬운 이런 대규모 전투에서 373팀의 자율행동을 허가했다는 것은 그만큼 실력을 믿어준다는 뜻이다. 아마 시에라 1에서의 성과가 상당히 인상 깊었던 모양이다.

- 하기야 이런 집단전에서 우리 팀은 제 실력을 발휘하기 힘드니, 말씀대로 별동대로 활약하는 게 낫겠습니다. 그러면 어디부터 칠까요?

오르 함장이 보여준 화면에는 누벨 노르망디의 전체 전황이 나타나 있었다. 이번의 42전단은 연동 게이트를 위한 예비대는 따로 두지 않고 전력을 다해 밀어붙이기 시작했다. 이곳이 연방의 영역이니 당연한 선택이다. 그리고 리퍼는 리퍼대로 배후에서 갑자기 나타난 42전단이 더 위험하다 여기고 반전해서 반격하고 있었다. 그리고 이 틈을 타 누벨 노르망디의 방어함대는 재정비에 들어갔다. 세 진형의 움직임을 살피던 빈우의 손가락이 마침내 한 곳을 가리켰다.

"저쪽, 중궤도 엘리베이터를 점거합시다."

빈우가 점찍은 곳은 누벨 노르망디 적도에 위치한 높이 500km의 궤도 엘리베이터다. 마침 그쪽 방향은 리퍼 전투함의 사거리 바깥이기도 했다.

- 이곳에 달리 중요한 점이 있습니까?

아룹의 질문은 다른 팀원들의 의문을 대변하고 있었다. 궤도 엘리베이터는 중요한 시설이긴 하지만 현재 상황으로선 딱히 메리트가 없었다. 지상 병력을 대규모로 전개해야 할 뱅가드라면 모를까 태스크포스 373으로선 그다지 필요 없는 시설이다.

"에너지 전투입니다. 아시다시피 궤도 엘리베이터 터미널은 행성의 자전력으로 발전합니다. 블랙 랜스에다 연결해서 역장 방어막과 코일건 쪽에 전력 공급 두둑이 합시다. 그리고 중궤도면 투석기로 쓰기에 알맞은 높이죠. 마침 이쪽 터미널은 해저 금속 제련공장과 연결되어 있으니까 있는 재고들 끌어올려서 궤도 상이나 지상으로 뿌려버립시다."

- 그거 솔깃하군요.

빈우의 계획대로 하면 태스크포스 373의 화력은 제법 늘어난다. 다른 전투함이라면 굳이 이럴 필요는 없지만 구축함인 블랙 랜스에겐 이거라도 아쉽다. 그래서 블랙 랜스는 42전단의 대형에서 벗어나 목표지점으로 향했다. 물론 리퍼 쪽도 구축함 1척이 대형에서 이탈해 엉뚱한 곳으로 가는 것을 보았지만, 위협 사격만 몇 번 했을 뿐 굳이 추적하려고는 하지 않았다. 지금 새로 나타난 42전단이 너무나도 위험했던 것이다. 그러나 다른 방법을 썼다.

- 리퍼 전투함에서 소형정이 나옵니다. 모두 4기, 신형입니다. 롱소드와 유사한 우주 전투기로 추정됩니다.

오르 함장이 새로이 나타난 리퍼의 신형 함선을 보여주었다. 하지만 이것들은 함선이라고 하기엔 너무 작았다. 거꾸로 떨어지는 물방울 같은 이 신형들은 롱소드보다 약간 작은 크기라 오르 함장의 말대로 전투기처럼 보였다. 그러나 전투기치고는 별다른 대형을 짜지 않고 막무가내로 이쪽을 향해 날아오고 있었다.

"함장님, 주의하십시오. 샤다이의 기본 무장은 플라스마입니다."

샤다이는 함포나 개인화기나 전부 플라스마를 쓴다. 만약 저 전투기들이 롱소드를 벤치마킹했다면 탑재한 무장은 전열함 주포 급의 위력을 가질 것이다. 즉 연방군 전함의 주포를 능가하는 화력을 가진 전투기인 셈이다.

- 일단 제가 상대하겠습니다.

우지의 롱소드가 기수를 꺾어 샤다이 전투기 쪽으로 향했다. 지금 그의 롱소드에는 신형 입자빔포가 달려 있어서 샤다이 잡기에는 최적화되어 있는데다가 우지의 조종 실력은 연방 최고 수준이다. 롱소드가 방향을 전환한 것과 동시에 블랙 랜스에서도 샤다이 전투기를 향해 사이클론 어뢰를 발사했다. 공격보다는 플라스마 공격 대비용이다.

204

· · · ✦ · · ·

"플라스마다!"

우지의 외침대로 4기의 신형 샤다이 전투기는 기수 부분에서 플라스마를 쏘기 시작했다. 역시나 전열함 정도의 위력이 나온다. 단 한 발도로 블랙 랜스에겐 치명적인 공격이고, 롱소드는 말할 가치도 없다. 빈약한 전투기 따위는 스치기만 해도 증발할 것이다. 그러나 놈들의 공격은 우지의 롱소드에 스치지도 못하고 있었다. 롱소드는 신들린 기동으로 리퍼들의 조준선 바깥에서 움직이고 있었고, 애초에 리퍼 전투기들도 롱소드에 위협 사격 몇 발만 쏜 다음 블랙 랜스를 노리고 있었다.

잠시 후 뒤에서 날아온 사이클론 어뢰들은 느린 속도 탓에 전투기를 요격할 성능은 나오지 않지만, 자체 중력장으로 블랙 랜스를 겨누는 플라스마를 막아주는 동시에 어뢰의 방어 무장으로 리퍼 전투기를 공격했다. 명중탄은 없지만, 놈들의 시선을 끌고 대형을 흩트리는 것만으로도 충분했다.

"우선 한 놈."

우지는 샤다이 전투기 옆으로 같이 이동하면서도 기수를 놈에게 향한 채 입자빔포를 퍼부었다. 앞뒤로 꿰뚫린 전투기는 산산조각 나며 흩어졌다. 그제서야 리퍼 전투기들은 롱소드의 위험성을 깨닫고 제대로 응전하려 했지만 그게 제대로 되지 않았다.

- 어랍쇼, 저것들 왜 저래? 조종할 줄도 모르나?

목표를 잡은 우지는 헛웃음을 터트렸다. 그만큼 리퍼 전투기들의 기동이 해괴한 것이다. 이 신형들은 속도는 그럭저럭 빠른데 선회력이 영 아니었다. 빠르게 날면서 선회를 하려다 자기 속력을 못 이기고 주욱 밀려나가는가 하면, 너무 회전을 심하게 한 탓인지 제자리에서 뱅글뱅글 도는 놈도 있었다.

- 조종법이 아니라 운용법 자체를 모르는 것 같은데.

통신으로 들려오는 팀장의 말에 우지는 고개를 끄덕였다. 샤다이는 조상들이 떠나간 다음 남겨진 유산으로 싸우고 있다고 했다. 그러니 아무것도 모르는 초보가 전투기를 모는 듯한 움직임이 나오는 것이다.

- 리퍼들은 뇌에 전투 방법이나 사용법을 주입받던데, 이놈들은 왜 이러는지 모르겠네.

빈우의 말대로 리퍼는 뇌 속에 연방의 두뇌칩 같은 것을 삽입해 싸우는 법을 주입받는다고 했다. 그래서 놈들은 연방 군인들과 대등한 전투 실력을 가져 치명적인 위협이 된다. 그런데 이놈들은 리퍼이면서 초보 같은 행동을 하는 것이다.

"어떻게 할까요?"

- 다 죽여.

우지의 질문에 뒤따른 빈우의 대답은 심플했다. 그리고 그 말이 끝나기 무섭게 또 1기의 리퍼 전투기가 격추되었다. 놈들은 우왕좌왕 우지를 뒤쫓으며 허둥대다가 입자빔포에 관통되어 순식간에 전멸했다.

"42전단 쪽으로도 리퍼 전투기가 갑니다."

마지막 리퍼 전투기를 격추한 우지의 눈에 42전단으로 날아가는 리퍼 전투기들이 보였다. 그 모습을 보면서 우지는 빈우의 운용법을 모른다는 말이 무슨 의미인지 알 수 있었다. 리퍼 전투기들은 대형 없이 그냥 날아가고 있는 중이다. 연방의 전투기 롱소드들은 서로가 서로의 사선에 포함되도록 반드시 편대 비행을 한다. 편대 사이의 공간에 화망을 만들어 난전 중 적에게 사각을 주지 않기 위해서다.

- 42전단도 롱소드를 내보내는군.

42전단의 주포는 대부분 입자빔포로 바꾸었지만, 부포는 다 바꾸지 못했다. 그래서 저런 소형 전투기들이 달라붙으면 위험하다고 판단해 롱소드로 맞대응하려는 것이다.

리퍼 전투기들은 무리를 지어 날아오다 한꺼번에 플라스마 공격을 퍼부었다. 하나하나가 연방 전함 주포에 버금가는 위협적인 공격들이다. 그러나 맞지 않으니 아무런 의미가 없었다. 반면 이쪽의 입자빔포는 정확히 명중해 리퍼 전투기를 격추한다. 이어서 롱소드들이 쏜 미사일들은 한 발도 빗나가지 않고 전탄 명중했지만, 그놈의 방어막에 전부 막혔다.

"역시나 붙었으면 위험했겠네요."

그 모습을 보며 우지는 저도 모르게 소름이 돋았다. 대공 공격이 통하지 않은 놈들이 달라붙어 전함 주포 급 공격을 퍼부으면 연방 전투함은 금세 침몰한다. 특히 입자빔포가 없는 태스크포스 373의 모함 블랙 랜스 같은 경우는 더더욱.

그사이 양측의 거리는 더욱 가까워져 서로 얽히고 엮이면서 전투의 격차는 더욱 심해졌다. 전방의 롱소드를 지나친 리퍼 전투기들은 뒤로 돌아간 적을 잡기 위해 선회하려 했고, 그때를 노려 후열의 롱소드들이 빈틈을 메꾸며 날아들어 입자빔포를 쏘았다. 그리곤 적들에게 사격 기회를 주지 않고 고속으로 기동해 빠져나갔다.

"일방적이네요. 이게 놈들의 첫 전투기 사용인가 봅니다."

우지의 솔직한 감상이 이어지는 중에도 리퍼 전투기들의 수는 급감했다. 롱소드들이 전투하면서 리퍼 전투기를 몰아넣고 유인해 한 곳으로 모으자 그곳으로 순양함의 공격이 작열했다. 입자빔포 다발들이 지나가자 리퍼 전투기들이 우수수 폭발한다.

- 우지, 불구경은 그만하고 여기 엄호해라.

"옛."

혹시나 리퍼 전투기들이 이쪽으로 올까 싶어 경계하던 우지는 빈우의 부름에 궤도 엘리베이터 쪽으로 이동했다. 블랙 랜스는 전투가 시작되어 모두 대피한 궤도 엘리베이터 정거장에 상대속도를 맞추어 정박했고, 지상팀원들이 튀어나와 정거장 안으로 들어갔다.

- 모두 다 대피했군요.

텅 빈 정거장을 보며 모니카가 말했다. 그녀는 이번 작전에 따라오라는 빈우의 명령에 부머를 입고 지상팀원들과 동행했다.

- **부팀장, 파트리샤와 함께 내부수색하세요. 민간인은 탈출 캡슐에 실어서 안전지역으로 강하시키고 적들은 다 죽여요. 모니카, 엘리베이터 배송 스케줄 확인해. 그리고 무거운 것부터 실어서 정거장까지 올려. 위르겐, 블랙 랜스에 전력 케이블 연결하는 거 감독해.**

빈우는 팀원들에게 빠르게 명령을 내린 다음 정거장 관리실로 들어갔다. 그리고 엘리베이터 시설을 조금 손보기 시작했다. 정거장 상부 브레이크를 풀고 천정을 열어 궤도 엘리베이터를 매스 드라이버로 쓰려는 것이다. 지상에서부터 가속해서 올라오는 화물들은 중력권에서 벗어나면서 자전력으로 날아가는데, 빈우는 여기에 손을 조금 봐서 화물들이 궤도 바깥이 아니라 행성 궤도로 날아가게 바꾸었다.

- 팀장님, 화물들은 중량 순서대로 배치했어요. 올릴까요?

모니카의 보고에 빈우는 궤도 엘리베이터를 가동시켰다.

- **올려, 최고속도로.**

그러자 지상에서 화물들이 자기장으로 가속되어 발사되어 올라왔다. 누벨 노르망디의 궤도 엘리베이터는 처음부터 매스 드라이버로도 쓸 수 있게 만들어진 것이라 화물들은 주변의 코일의 자기력으로 점차적으로 가속해 진공의 튜브 속을 통해 올라온다.

- 조심하세요. 중간에 멈췄던 화물들부터 먼저 올라오고 있어요.

- 좋았어. 함장님.

빈우가 신호를 보내자 중력 닻으로 궤도 엘리베이터 정거장을 끌고 있던 블랙 랜스가 관성제어장치의 범위를 외부로 늘렸다. 그리고 사출되는 화물들의 궤도를 관성제어장치로 잡아 그 방향을 조금씩 수정했다.

- **오케이, 잘 날아간다.**

빈우는 나지막이 웃으며 엘리베이터의 최종 조절을 마무리했다. 화물의 무게에 따라 발사 속도를 조절하고 블랙 랜스가 최종 보정하자 궤도 엘리베이터에서 솟구치는 고중량의 화물들이 누벨 노르망디의 궤도 상으로 날아갔다. 이 화물들이 노리는 것은 궤도 상에 있는 리퍼 전투함 무리들이다.

- **엥? 이걸로 리퍼들을 잡으려고요?**

날아가는 화물의 궤도를 본 위르겐이 아리송하다는 듯이 고개를 갸웃거렸다. 이 화물들의 운동에너지가 무시 못 할 정도이긴 하지만 애초부터 군용이 아니어서 탄자도 약하고 속도 또한 그렇게 빠르지 않다. 그리고 발사되는 방향도 옆으로 날아가는 궤도 쪽이라 속도는 더더욱 줄어들었다.

이 때문에 어리버리한 일반 샤다이나 야수에 불과한 워프 비스트에게라면 통할지 몰라도, 교활한 리퍼들에겐 성가시기만 할 뿐 위협적인 공격은 아닌 것이다.

- **새끼가 눈이 삐었나. 궤도 계산 똑바로 안 해?**

그리고 빈우는 자신이 계산한 궤도를 팀원들에게 공유했다. 그리고 화물들의 최종 배송지를 본 팀원들은 낮은 탄성을 터트렸다.

- **와우, 팀장님 제정신이세요?**

핀잔하는 파트리샤의 목소리는 웃고 있었다. 빈우가 화물들을 날리는 곳은 궤도 상의 리퍼 함대가 아니라 놈들을 지나 그 아래쪽 지상에 전개한 리퍼 지상 병력들 쪽인 것이다. 즉 누벨 노르망디의 해저에서 끌어올린 금속 무더기를 다시 누벨 노르망디의 지표면으로 낙하시킨다는 계획이다. 수십 수백 톤의 화물들이 상공 500km에서부터 지상으로 떨어지면 제법 짭짤한 파괴력이 나온다.

- 계속 날아가는데, 저쪽은 별 반응 없네요?

모니카는 빈우의 뒤를 이어 매스 드라이버의 최종 보정을 하고 있었다. 해저 제련소에서 만들어진 금속을 실은 컨테이너들이 음속 몇 배의 속도로 대기권을 돌파해 누벨 노르망디의 자전력을 받아 날아간다. 거대한 돌팔매인 셈이다. 이 흉악한 운동에너지들은 리퍼 함대 쪽으로 날아가지만, 리퍼들은 이것들이 느리고 명중률도 엉망이라 요격하려는 생각조차 하지 않는 것 같았다. 지금 놈들에게 위협이 되는 것은 42전단과 옆에서 깔짝거리는 연방의 궤도 주둔 방어함대인 것이다.

- 슬슬 떨어진다.

리퍼 함대를 지나친 화물들은 중력에 이끌려 다시 누벨 노르망디의 땅으로 떨어졌고, 얼마 안 있어 화물이 지상에 충돌하는 장면이 나왔다.

- 워우!

위르겐이 짧게 휘파람을 불었다. 정확도는 낮은 공격이지만 무식한 파괴력으로 주변을 쓸어버리는 투석기다. 그리고 느리지만 꾸준히 날아가기 시작했다. 연속해서 화물들이 지상에 충돌하자 마치 운석처럼 크레이터가 파인다. 궤도 상의 함대들에겐 몰라도 지상 병력에겐 치명적인 공격이다.

- 모니카, 옮겨.

- 네네에!

빈우의 서두르는 목소리에 모니카도 덩달아 움직임이 바빠졌다. 지금 둘은 보수용 발포점착액을 뿌려 덩어리를 만들고 있었다. 그리고 덩어리가 충분히 커지자 그걸 모니카가 들고 날아올라 블랙 랜스 옆으로 집어 던졌다.

- 오오, 응급 발포 장갑입니까?

아룹이 빈우의 임기응변에 감탄했다. 이 발포점착액들은 발사 후 빠르게 굳어 파괴된 시설물의 파손된 부위를 응급으로 메꾼다. 그리고 이런 발포구조물은 내열성이 높고 부피가 커서 샤다이의 플라스마 공격을 막는 데 안성맞춤이다.

- 아아아—.

모니카의 부머가 마치 일개미처럼 궤도 정거장과 블랙 랜스 사이를 오간다. 샤다이의 기술로 비행이 가능하고 헤비 급이라 동력이 충분한 부머에겐 안성맞춤인 일이다.

- **모니카 대위, 나머지는 장갑드론이 할 테니 그리 무리하지 않아도……**.

- **죄송해요, 죄송해요, 빨리 할게요.**

날아오른 발포 장갑들은 블랙 랜스의 장갑드론들이 날아와 채간다. 하지만 지금 모니카에겐 오르 함장의 말이 들리지 않는 모양이다. 빈우는 정신없는 모니카는 보지도 않고 리퍼 함대 쪽을 주시하고 있었다.

- **함장님, 놈들이 이쪽을 공격합니다.**

드디어 리퍼들이 373의 작전의 위험성을 알아챘다. 자신들을 스치고 지나간 공격들이 사실은 지상 병력을 공격한다는 것을 깨달은 것이다. 그래서 서둘러 플라스마 포격으로 화물들을 쏴 녹여버리고, 몇몇 포격은 태스크포스 373이 위치한 궤도 엘리베이터 쪽을 향한다. 그러나 이미 방어태세를 갖춘 373에게 몇 발 정도의 공격으론 의미가 없다.

- **자아, 너희들 맘대로 해봐라.**

빈우는 판을 짜놓은 다음 리퍼들의 대응을 구경하기로 했다. 태스크포스 373이 궤도 엘리베이터 정거장을 차지한 다음 벌인 작전은 리퍼들이 어떻게 대응하든지 골치 아프도록 되어 있다. 날아오는 화물을 가만히 보고 있자니 지상의 병력들이 위험하고, 이것을 요격하면 그만큼 42전단을 공격할 화력이 줄어든다. 또 가만히 서서 몸으로 막아내기엔 화물들의 운동에너지가 그리 만만한 것도 아니고, 그렇다고 태스크포스 373을 쫓아내기 위해 포격을 해보려고 하니 이미 이쪽은 몇 발 쏴서는 어림없을 정도로 방어태세를 갖춰 났다.

- **우릴 제대로 몰아내려면 아예 확실하게 함대에서 병력을 빼서 이쪽으로 보내야지.**

- 아유, 그렇다면 감사하죠.

빈우와 파트리샤가 리퍼 함대를 보며 농담 따먹기를 한다. 함대 대형을 무너트리면 고맙다. 리퍼함이 이쪽으로 와준다면 블랙 랜스는 적당히 맞대응하면서 도망치면 된다. 애초에 리퍼 쪽에선 태스크포스 373이 자리 잡도록 놔둬선 안 되었던 것이다.

현재 42전단은 누벨 노르망디를 공격하는 리퍼와 전투 중이었다. 놈들은 일반 샤다이와는 다른 전투 실력을 가지고 있어서 상당히 위험했다.

"역시 리퍼들은 포격이 상당히 정확하군."

스크로도프스카 전단장이 혀를 찼다. 1~2척이 아닌 20척이 넘는 리퍼들의 체계적인 포격은 상당히 위험했다. 때문에 리퍼에 맞선 42전단은 방어와 회피를 번갈아 하며 조심스레 원거리 포격으로 상대하고 있었다. 이는 놈들 뒤에 누벨 노르망디가 있어 직접 포격을 하는 것은 위험하기도 하고, 전면적으로 공세를 퍼붓기보다는 지속적으로 견제를 해 누벨 노르망디의 주둔 함대가 재정비할 시간을 주려는 것이다. 그녀는 주둔 함대의 잔존 병력이 전열을 가다듬으면 그때 한꺼번에 몰아칠 계획이었다.

그리고 방금 전 있었던 신형 샤다이 전투기와 아군 롱소드 간의 전투는 롱소드의 압승이었다. 해서 그 기세를 몰아 전투기와 폭격기를 리퍼들 진형 사이로 밀어붙여 놈들의 시선을 조금 돌려보려고 했는데, 이 리퍼 전투함들의 대공 사격은 너무나 위협적이었다. 그래서 스크로도프스카 전단장은 일단 전투기들을 뒤로 빼 누벨 노르망디의 수평선 너머로 돌렸다.

그런 와중에 태스크포스 373은 영 엉뚱한 중궤도 엘리베이터로 날아가더니 그곳을 점거했다. 이어서 궤도 엘리베이터를 마치 매스 드라이버처럼 사용해 금속이 가득 든 화물 컨테이너를 궤도 상의 리퍼 함대 쪽으로 날려 보내기 시작했다.

처음에는 저런 느린 공격으로 뭘 하나 싶었는데, 주 목표물은 리퍼 함대가 아니라 행성 표면에 강하한 리퍼 지상 병력들이었다. 그리고 그 위에는 이들을 강하시킨 본대, 리퍼 전투함들이 있다.

빈우는 각도를 조절해 화물들을 포물선으로 쏴 올렸고, 리퍼 함대를 향해 발사된 고속의 금속 화물들은 함대에 맞으면 좋고 안 맞으면 땅에 떨어지면 되지, 란 식으로 지상으로 낙하했다. 그리고 운동에너지의 대폭발과 함께 리퍼 지상 병력을 지표와 함께 까뒤집고 있었다.

"당하는 입장에선 짜증 나겠는데."

태스크포스 373의 작전을 본 스크로도프스카 전단장의 소감이었다. 솔직히 매스 드라이버로부터 끊임없이 나오는 화물 포탄은 위협적이라기보단 성가신 공격이다. 그러나 그 성가신 공격이 지상으로 내려가면 치명적인 위협이 된다. 때문에 리퍼들로서는 어떻게든 처리를 해야 한다. 그러나 지금 화물을 날려보내는 궤도 엘리베이터는 리퍼 함대 쪽에서 보자면 수평선에 아슬아슬하게 걸쳐 있다. 태스크포스 373 쪽에서 쏘는 화물 포탄은 곡사로 날아오지만 리퍼의 플라스마는 직사다. 이런 애매한 각도에다 발포 장갑으로 방비까지 해놨으니 미사일 같은 병기가 없는 리퍼들로선 공격하기 힘들다.

"김 팀장."

스크로도프스카 전단장은 빈우를 호출했다.

- 네, 전단장님.

- 멋진 작전이야. 견제가 제대로 되는데.

- 감사합니다.

리퍼 전투함과 연방군 함대의 화력을 비교하자면 리퍼 쪽의 압승이다. 대신 연방군 쪽은 숫자가 많다. 그래서 42전단은 단순히 화력전을 하려는 것보다는 진형을 꾸려 어떻게든 유리한 위치, 유리한 시간을 점하려고 했다. 이런 공간을 점유하는 싸움은 자칫 은엄폐가 안되는 우주 공간에선 각개격파의 위험이 있다. 하지만 누벨 노르망디의 잔존 함대가 빠져나와 다시 모이고, 태스크포스 373이 절묘한 위치에 견제를 해주니 리퍼 함대는 정면의 42전단, 오른쪽의 누벨 노르망디 잔존 함대, 왼쪽의 태스크포스 373을 사방으로 상대하느라 화력이 분산될 수밖에 없었다.

- 잘 듣게 김 팀장. 돌입했던 롱소드 편대를 빼내 누벨 노르망디 뒷편으로 대피시켰어. 이 편대를 373이 쏘고 있는 매스 드라이버 뒤쪽으로 돌려보내지. 그사이 자네는 화물들을 대량으로 사출해 화망을 형성해주게. 그걸 방패 삼아 롱소드를 돌격시키겠어. 타이밍을 맞춰줄 수 있겠지?

태스크포스 373이 올라탄 중궤도 엘리베이터는 적도에 있고, 누벨 노르망디의 적도 지름은 얼추 4만km다. 물론 이 롱소드들은 적도 궤도가 아니라 리퍼의 사각인 수평선 너머로 경유해서 오겠지만 사각 바깥으로 경유해 궤도 엘리베이터 뒤편으로 날아오려면 최고 속도로 죽도록 날아야 한다.

- 시간 여유가 얼마 정도 됩니까?

- 195초.

빈우는 만난 적도 없는 42전단의 전투기 조종사들에게 남몰래 애도를 표했다. 3분 남짓한 시간에 그 거리를 둘러오려면 롱소드가 최고 속도로 날아도 빠듯하다. 이에 대한 빈우의 소감은 롱소드에 탄 우지가 대신 말해주었다.

- 잠깐만요, 지금 195초라고요? 저 아줌마가 누굴 갈아마시려 하나?

373 팀원 통신으로 녀석이 계속 궁시렁댄다.

- 이거 시간 맞추려면 한계 속도 넘어서 날아야 합니다. 추진기는 그렇다 치고, 관성제어장치에 들어갈 동력도 빠듯할 텐데요?

우지의 불평에 빈우는 롱소드 편대의 예상 경로를 펴보았다. 군데군데 저궤도 엘리베이터들이 있다.

- 아마 이런 데다 중력 닻 박고 회전하지 싶은데, 그리고 무선으로 전력이나 배터리팩을 보급받겠지.

나름 보급을 받는다 쳐도 그건 기체의 경우고, 파일럿은 얼마나 버틸지 모르겠다. 최고속도로 날아오다가 궤도 엘리베이터를 잡고 선회할 때는 기체에 걸리는 중력가속도가 어마어마하다. 관성제어장치는 만능이 아니고, 파일럿의 신체 개조에도 한계는 있다.

- 아마 1, 2할은 탈락하거나 제시간에 못 맞출 거다.

빈우의 예상에 우지가 침을 꿀꺽 삼켰다. 탈락율이 꽤 높다. 하지만 스크로도프스카 전단장은 그것을 감안하고 내린 명령일 것이다. 그리고 이런 촉박한 명령을 내린 것을 보면 롱소드가 투입될 때쯤이 반격을 시작할 때일 가능성이 높다. 주둔 함대의 재정비도 거의 끝나간다.

- 김 팀장, 롱소드가 오거든 이쪽의 명령을 기다리지 말고 타이밍 맞춰서 매스 드라이버를 풀가동하게. 그때 42전단은 리퍼들에게 전면 공격을 가할 거야. 주둔 함대 쪽과는 이미 얘기가 되었어.

빈우의 예상은 전단장이 확인시켜주었다.

- 태스크포스 373은 달리 기발한 작전 계획이라도 있나?

스크로도프스카 전단장의 질문에는 기대감이 엿보인다. 지금까지 단 세 번의 전투이지만 태스크포스 373은 혁혁한 전과를 올린 것이다. 시에라 1에선 샤다이 공장을 통째로 뜯어 왔고, 이곳 누벨 노르망디에선 샤다이에게 쏠린 판을 멋지게 뒤흔들었다.

- 지상으로 강하하겠습니다.

- 음? 지상으로? 뭣 때문에?

빈우의 대답에 스크로도프스카 전단장이 의아하다는 듯이 다시 물었다. 현재 리퍼들이 강하한 누벨 노르망디의 지표에는 별다른 중요시설이나 구조해야 할 요인도 없다. 지상의 리퍼 병력은 궤도 상의 리퍼 함대를 몰아낸 다음, 함대의 궤도포격이나 롱소드의 공중폭격으로 처리하면 손쉽게 끝난다.

- 놈들이 굳이 강하한 이유가 궁금해서 말입니다.

보통 샤다이는 행성 방어함대를 전멸시킨 다음 행성 자체를 플라스마로 뒤덮어 녹여버리지, 지상으로 직접 강하하는 일은 거의 없다. 마카로니처럼 현지에 협력자가 있다거나 하는 다른 목적이 있는 경우를 제외한다면. 즉 누벨 노르망디의 리퍼들이 전투가 채 끝나지 않은 상황에서도 굳이 강하한 것은 배후에 다른 꿍꿍이가 있기 때문일 것이다. 그리고 빈우는 그것을 알아내려고 자신의 팀을 이끌고 내려가겠다고 한다.

- 호오. 지원이 필요한가?

태스크포스 373은 일당백의 정예 대원이지만 숫자가 적다. 그래서 스크로도프스카 전단장은 빈우가 원한다면 얼마든지 지원을 퍼부어줄 생각이었다.

- 적의 규모에 따라 뱅가드를 요청하겠습니다. 가능하겠습니까?

- 그야 물론이지.

- 그러면 작전 개시 전에 알려드리겠습니다.

스크로도프스카 전단장은 흔쾌히 승낙했다. 궤도 상의 리퍼에게 뱅가드를 밀어넣을 일도 없고, 행성에 강하시켜야 한다면 태스크포스 373이 먼저 내려간 다음 후발대로 가는 것도 좋다. 그렇게 리퍼들을 견제하며 작전의 세부 조정을 하고 있자 마침내 반격 개시의 시간이 다가왔다. 롱소드들이 돌아서 매스드라이버의 뒤쪽까지 날아온 것이다.

- 워어, 독한 놈들.

단 1기의 탈락도 없는 42전단의 롱소드 편대를 보며 빈우는 혀를 내둘렀다. 하긴 42전단은 연방군 내에서 최고 중의 최고만 뽑아 편성한 부대다. 이 정도 작전은 탈락자 없이 해내는 실력자들인 것이다. 빈우는 잠시 저들이 그런 고된 비행을 하고도 바로 전투에 들어갈 수 있을까 생각해봤지만, 그건 그쪽 사정이다. 정 안 되겠다 싶으면 편대장 쪽에서 알아서 체크해야 한다.

- 공격 개시!

스크로도프스카 전단장의 명령과 함께 42전단이 본격적으로 포문을 열었다. 포격이 집중된 곳은 롱소드들이 진입할 위치다. 타이밍에 맞춰 태스크포스 373이 미리 발사해놨던 화물들의 세례와 발포 장갑들의 무리가 파도처럼 밀려들며 도착했고, 그 뒤로 롱소드들이 다가오고 있다. 이에 맞춰 반대편에 있던 주둔 함대에서도 공격을 개시했다. 삼면에서 공격을 받은 리퍼 함대는 주둔 함대와 42전단에 주로 반격했고, 화물 무더기에는 대충 포격만 몇 번 날렸다. 그러나 느리게 날아오는 화물 뒤로 고속의 롱소드들이 나타나 리퍼 함대 사이로 파고들었다. 롱소드들은 무리 지어 입자빔포를 쏴 리퍼 전투함에 치명적인 피해를 입혔고, 공격을 한 다음엔 주변에 떠도는 화물에 중력 닻을 걸어 예측할 수 없는 회피 기동으로 리퍼의 대공사격을 피했다.

- 주둔 함대가 빠지네요.

이번 공세에 참가하지 않은 우지가 말했다. 그는 곧 있을 태스크포스 373의 강하 작전에 엄호로 나설 예정이다.

- 피해가 심하잖아. 지금 괜히 나섰다가 두들겨 맞으면 포위망 풀리니까, 수평선 너머에서 어뢰나 미사일로 견제하겠지.

빈우의 예상대로 공격을 개시한 잔존 주둔 함대는 리퍼의 반격을 받자 어뢰를 쏘며 뒤로 물러섰다. 동시에 42전단이 서서히 다가가기 시작했다. 그리고 포격 위치를 왼쪽으로 옮겼다. 아군 롱소드에 맞을 위험도 있고, 리퍼가 후퇴하는 누벨 노르망디 방어 함대에 반격을 못 하도록 막는 것이다.

- 제일 좋은 것은 이렇게 뚫고 나가서 우리가 적도 궤도를 먹고 리퍼를 극지방 쪽으로 양분하는 건데 말이야.

- 그러면 적도 궤도 쪽 자전 발전시설에서 보급을 받을 수 있지요.

아룹이 팀장의 말에 맞장구를 쳤다. 궤도 엘리베이터는 높은 것들은 대부분 적도 쪽에 포진해 있어서 적도를 먹으면 자전력 발전기로부터 전력을 받을 수 있다. 방어함대가 악착같이 버틸 수 있었던 것도 구축함들이 외부 전력을 공급받아 중력쐐기를 계속 뿜어내 리퍼들의 플라스마 포격을 튕겨낸 덕분이다.

- 자, 이제 우리 차례다. 373 강하 준비.

빈우의 뒤로 팀원들이 따라나선다. 이번 지상 강하에는 아룹과 파트리샤, 위르겐이 간다. 장갑 붙이랴, 궤도 엘리베이터 계기 확인하랴, 이래저래 열심히 뛰었던 모니카는 이제야 휴식 시간을 받고 바닥에 퍼졌다.

- 모니카.

- 네헤엑!

갑자기 부른 팀장의 말에 모니카가 기겁해서 일어서려 버둥댄다.

- 그냥 누워서 들어. 혹시 모르니까 이 궤도 엘리베이터 자재로 스카이 후크
  하나 만들어놔.

- 네? 왜요?

스카이 후크는 궤도 엘리베이터의 사촌뻘인 건축물로 행성의 위성 궤도
상에서 돌아가는 막대기라고 보면 된다. 막대기치고는 길이가 100km는 족
히 넘지만. 이 긴 막대기는 궤도 상에서 빙글빙글 돌며 지상의 물건을 우주로
들어올리고, 반대로 우주의 물건을 지상으로 끌어내린다. 그런데 스카이 후
크는 이렇듯 회전을 하는 물건이기에 대기가 있는 행성에서는 효율이 조금
떨어지는 편이다. 반면 건축은 궤도 엘리베이터에 비할 바 없이 단순하기 때
문에 자원 채취용 행성에서 자주 쓰이는 물건이다.

- 후퇴 루트가 많으면 좋은 거지.

빈우의 말에 모니카는 저도 모르게 고개를 끄덕였다. 그의 말마따나 태스
크포스 373은 후퇴할 때 꼭 문제가 생겼다. 처음 작전을 시작했던 발 가르단
하스부터 시작해서 저번의 시에라 1까지 언제나 빠질 때쯤 트러블이 발생해
지상팀원들이 개고생했다.

- 그리고 이번에는 뱅가드도 내려간다. 길을 크게 닦아놔야지.

팀장의 말을 흘려들으며 모니카가 대충 설계와 계산을 했다.

- 어— 음, 궤도 엘리베이터에 앵커 케이블 여분이 있는데, 그거 쓰면 될 거에
  요. 무게추는 여기 금속 화물들을 쓰면 되고, 동력은…… 로켓 들고 올까요?

- 블랙 랜스에 그라디우스하고 롱소드 예비기 있다. 그거 써.

빈우의 말은 듣는 둥 마는 둥, 모니카는 작업용 로봇들을 부르면서 즉시
달려갔다.

"크라스나와 졸리를 뒤로 빼."

스크로도프스카 전단장의 명령에 2척의 순양함들이 뒤로 빠졌고, 이들에게 즉시 군수지원함들이 달라붙었다. 간단한 수리와 함께 미리 만들어두었던 장갑들을 붙이면 바로 전투로 돌아갈 수 있을 정도의 적은 피해다.

"네터 티거는?"

"안 됩니다. 항행 불능입니다. 예비대로도 못 돌려요."

발렌티나의 말에 스크로도프스카 전단장은 안타까운 시선으로 처참하게 녹아내린 순양함 1척을 보았다. 장갑이 저 정도가 될 정도면 내부는 말할 것도 없으리라.

"롱소드 편대 귀환합니다."

발렌티나가 귀환하는 롱소드들과 그 피해를 보고해왔다. 화물을 방패 삼아 들어간 데다 리퍼들이 태세를 다잡기 전에 재빨리 빠졌던 탓에 피해는 적었다. 한번 몰아친 롱소드들은 전단의 엄호하에 다음 작전 위치로 이동하는 항모로 가는 중이었다.

"서둘러 재출격 준비를 해. 이번엔 할버드도 같이 나간다. 그리고 데이먼 전대장."

전단장의 호출에 뱅가드의 데이먼 전대장이 대답했다.

- 말씀하십시오.

"태스크포스 373이 지상 강하 작전에 대한 지원 요청을 해왔어."

현재 원더풀뷰티풀에는 사기가 충천한 뱅가드 대원들이 완전 무장으로 대기 중이다. 명령만 떨어지면 바로 출동할 수 있도록 준비하고 있는 것이다.

- 규모는 얼마 정도랍니까?

"별다른 말이 없었으니 아마 중대 규모지 싶어."

태스크포스 373은 소규모 정예팀이다. 여차하면 부족한 화력이나 머릿수를 메꾸기 위한 지원 병력이 필요할 테고, 그 규모는 많아도 중대를 넘지 않을 것이다. 그때 양반은 못 되는 빈우에게서 통신이 들어왔다.

- 전단장님, 373은 지금 강하하겠습니다. 이후 신호기가 있는 곳으로 뱅가드 1개 중대를 투하해주십시오.

"뭘 그런 걸 나한테 캐묻나. 데이먼 전대장과 직접 얘기하게."

- 그럼 저도 편하지요. 데이먼 전대장님.

- 말하게.

- 라이노 몇 대 들고 왔습니까?

라이노는 연방의 사족보행 전차다. 장갑보병 두 배만 한 크기의 전차는 그보다 더한 화력을 뿜어낸다.

- 예비기 포함해서 모두 20대. 바로 움직일 수 있는 것은 12대야.

- 입자빔포 달렸습니까?

물어보는 말투가 누벨 노르망디의 지표에서, 그러니까 대기권 내에서 입자포를 쓰겠다는 이야기 같다.

- 아니. 설령 지금 단다고 해도 시간에 맞출 순 없을 거야.

- 제 부하가 입자빔포를 모듈화했습니다. 설계도를 보내지요. 조금만 개조하면 바로 달 수 있을 겁니다.

라이노의 등에는 코일건 외에도 레이저, 로켓, 미사일과 같은 무장을 전장에서 바로바로 교체할 수 있다. 모듈화한 덕분에 교체하고 배선 작업만 하면 바로 작동이 가능하다. 그리고 이렇게 모듈화한 무장들은 다른 장비에도 붙일 수 있다. 장갑차나 전투기 등에도.

- 흐음, 설계도만 있다면야 금방 달 순 있겠는데……. 우린 입자빔포를 대기권 내에서 운용한 경험이 없어. 명중률이 떨어지는 것은 감안해주게.

- 제 걸 보내드리겠습니다.

설계도에 이어 빈우가 피똥 싸며 구했던 사격 자료들이 넘어왔다.

- 입자빔포를 단 라이노는 장갑보병들과 함께 운용하지 마십시오. 포구 폭발이 일어나면 라이노는 버틸지 몰라도 어벤저는 위험합니다. 라이노에도 포방패를 다는 게 좋을 겁니다.

등에 입자빔포를 단 놈이 하는 말이라 설득력이 있는지 없는지 애매하다.

- 포구 폭발이라…… 대원들에게 대 방사선 방비를 하라고 할까?

물론 어벤저에는 대 방사선 대책이 되어 있지만 이렇게 근거리에서 입자포 폭발이 일어난다고 하면 대책을 따로 세워야 한다.

- 그냥 어뢰 비스킷 먹은 셈 치지요. 서둘러주십시오. 373 지금 강하합니다.

그 통신을 끝으로 태스크포스 373의 네 명은 장갑복에 대기권 돌입 장비를 하고 뛰어내렸다. 이들이 그라디우스는커녕 강하 포드조차도 쓰지 않는 것은 지금 가는 곳이 위에도 리퍼, 아래에도 리퍼가 있는 곳이기 때문이다. 어떻게든 눈에 안 띄고 피탄 면적을 줄이기 위해서다.

"깡 한번 좋구먼."

단 네 명이서 지옥 불 속으로 들어가는 모습을 보며 스크로도프스카 전단장이 중얼거렸다. 리퍼는 태스크포스 373의 강하를 눈치채지 못했는지 별다른 반응이 없었다. 데이먼 전대장도 준비를 하기 위해 통신을 끊었다. 이어 원더풀뷰티풀도 서서히 앞으로 나아갔다.

"우익 전진, 사선 대형으로."

스크로도프스카 전단장의 명령에 전진하던 함대들이 대형을 바꿨다. 그리고 좌익의 순양함들이 일제 사격을 퍼붓기 시작했다. 앞서 나아가는 우익을 엄호하기 위해서다. 그럼에도 불구하고 전진하는 우익에선 리퍼의 반격을 못 이겨 이탈하는 함이 속출했다.

"바보같이 버티지 마라. 피해를 입으면 바로 빠져. 수리한 다음에 다시 앞으로 나가라."

피해를 입은 순양함들이 뒤로 빠지면 군수지원함이 달라붙고, 수리용 드론과 지원기들이 나와서 피해를 복구한다. 하지만 지금 42전단은 리퍼와 싸우면서 제법 상당한 피해를 입고 있었다. 시에라 1과 7 때와는 비교도 안 되는 상황이다. 리퍼의 사격은 치명적인 플라스마를 정확하게 발사한다. 아무리 회피하고 방어한다고 해도 한계가 있다. 전함 주포에 달하는 일격을 버틸 수 있는 것은 같은 전함뿐이다. 기동전을 위한 순양함에겐 버겁다.

"군수 지원함들을 태스크포스 373이 점거한 궤도 엘리베이터로 보내. 거기엔 발포 장갑이 잔뜩 있다. 구축함들을 중력충각 써서 호위로 붙여."

발포 장갑은 코일건 같은 실탄 병기에는 그저 그런 방어력이지만, 레이저나 플라스마 같은 열에너지 병기에는 상당한 효과를 보인다.

"지금 군수 지원함을 보내도 돌아올 때까지는 시간이 좀 걸립니다."

발렌티나의 지적에 스크로도프스카 전당장이 쓴웃음을 지었다.

"전단도 그리로 이동한다. 으음, 역시 돌파해서 반으로 가르는 것은 무리였던 모양이다."

아무리 입자빔포로 무장한 연방의 최정예 함대였지만 현 상황에선 절반도 안 되는 리퍼를 상대로 고전을 면할 수 없었다. 애초에 리퍼 뒤쪽에는 누벨 노르망디가 있기 때문에 42전단이 모든 화력을 한꺼번에 쏟아낼 수 없었던 것이다.

"이제 전단은 모두 우익으로 이동한다. 사선 대형을 쐐기 대형으로, 발아래에 행성을 둔다. 처지는 함은 어쩔 수 없다. 이동이 우선이다."

42전단은 비스듬하게 전진해서 누벨 노르망디로 접근하고 있었다. 제대로 된 방어와 회피를 못 한 채 서로 포격전을 벌이던 와중에도 리퍼함을 1척 격침하고 다른 몇몇에도 피해를 줬지만 42전단도 대가를 치러야 했다.

"아방가르드가 반전합니다."

발렌티나의 말에 스크로도프스카 전단장의 시선이 아방가르드로 향했다. 가운데가 휑하니 녹아내린 순양함이 마지막 안간힘을 내서 적진을 향해 돌진했다. 스스로 후열에서 방패가 되길 자처한 것이다. 동력로와 추진부를 대부분 상실한 아방가르드는 양현에 달린 대기권 이탈용 로켓을 점화시켜 가속하며 모든 화력을 퍼부었다. 전단의 후열을 막기 위해 나아간 순양함을 향해 리퍼들의 포격이 집중되었다.

"얀……."

스크로도프스크가 전우의 이름을 나직하게 불렀다. 전우가 함장으로 있던 아방가르드는 플라스마에 꿰여 흐트러졌다. 고열에 장갑들이 증발하며 폭발을 일으키는 모습이 마치 베개가 터진 모양새 같다.

"블랙 헤론도 격침."

이어서 또 1척이 격침된다. 좌현에 맞은 플라스마가 우현까지 뚫고 나온 다음 함수에서 함미까지 갈라버린 것이다. 하지만 42전단은 그럼에도 불구하고 계속해서 위치를 이동했다. 리퍼와 원거리에서 포격전을 해본 스크로도프스카 전단장은 시간을 끌다가는 오히려 42전단이 위험할 거라고 판단했다. 그래서 이쪽의 화력을 단시간에 퍼부어 빨리 승부를 내려는 속셈이다.

"전 함선 위성 궤도 중력권 범위에 들어왔습니다."

부관 발렌티나의 보고가 있을 때, 리퍼들의 포격도 비교적 명중률이 떨어진 듯했다. 아니 실제로 산란하거나 흩어지는 플라스마들이 몇몇 있다. 행성의 중력, 대기 등의 요소에 의해 플라스마들이 제 위력을 발휘하지 못하고 있는 것이다. 모든 사격 병기들은 행성에 다가가게 되면 대기와 중력, 행성 자전력에 영향을 받기 때문에 조정을 해줘야 한다. 그러나 리퍼들은 그것이 서투른 모양이다. 다른 함대라면 그냥 화력으로 밀어붙였겠지만 지금 놈들이 상대하는 것은 연방의 최정예 42전단이다. 사소한 틈을 비집어 승기를 잡아내는 자들인 것이다.

"전 함대 반전."

스크로도프스카 전단장의 명령에 순양함들이 이동을 멈추고 공격 준비를 갖췄다. 이제 주둔 함대와 42전단의 ㄱ자형 포위는 주둔 함대, 리퍼, 42전단의 순서로 늘어서게 되었다. 하지만 정확히는 'ㅅ' 형태다. 연방의 양측 함대는 아래쪽으로 누벨 노르망디를 두고 서로 수평선 너머에 위치했다. 리퍼를 포위하고도 서로의 사선에서 벗어난 위치에 선 것이다.

"전 포문 열어라!"

스크로도프스카 전단장의 호령에 42전단의 순양함들이 일제 사격을 가했다. 이제 아군이 맞을 위험이 없으니 마음껏 쏘는 것이다. 그리고 반대편에서도 주둔 함대의 공격이 쏟아졌다. 42전단이 치열한 포격전을 시작했을 때, 군수지원함에서 드론과 지원기들이 나와 궤도 엘리베이터로 날아가기 시작했다. 그리고 태스크포스 373이 미리 만들어놓은 발포 장갑들과 해저에서 끌어올린 자재들을 가지고 함대로 돌아갔다. 몇몇은 중간에서 마이크로웨이브 전력중계기가 되어 궤도 엘리베이터로부터 받은 전력을 무선으로 뿌려줬다. 지금은 전력이 조금이라도 아쉬운 마당이라 닥닥 긁어모은 전력들을 방어막으로 돌렸다. 하지만 반대편의 주둔 함대는 근처의 궤도 엘리베이터들이 전부 파괴된 터라 제대로 대응할 수 없었다. 리퍼를 포위하는 데는 성공했지만 자칫 잘못하다간 약한 주둔 함대 쪽이 뚫릴지도 모른다.

"쐐기 대형 전환! 중앙의 함선들은 방어막을 연동하며 전진! 양익은 대기권 강하 준비."

전단장의 명령에 42전단의 순양함들은 쐐기 대형으로 맞췄다. 이어 다시 명령이 떨어졌다.

"양익 전진! 왈츠 시간이다."

스크로도프스카 전단장의 명령에 쐐기 대형 양 좌우익에 있던 순양함들이 대기권으로 강하하며 전진했다. 리퍼 전투함은 다가오는 순양함들에게 포격을 가했지만, 효과는 그다지 좋지 못했다. 대기권 바깥에서 안쪽으로 비스듬히 발사된 플라스마는 짙어지는 대기와 중력, 자기장의 복합적인 방해를 받아 명중률과 위력이 조금 하강했다. 이 감소율은 궤도폭격이라면 조준 오차에 미미한 영향을 주겠지만, 고속으로 이동하고 역장 방어막이 완충된 순양함을 상대하는 상황에서는 심각할 정도다.

반면 42전단의 순양함들은 누벨 노르망디로 하강하다가 대기권의 저항을 박차고 튕겨 나가듯 상승하며 입자빔포를 쐈다. 이미 행성의 정보를 모두 입력한 다음 보정한 포격이다. 그렇게 발사된 좌우 양익의 공격은 중앙으로 집중되어 교차 포격 범위에 들어간 리퍼 전투함들을 갈아버렸다. 그리고 올라온 순양함들은 중앙에 나선 순양함들과 서로 중력 닻을 걸어 위로 상승함과 동시에 쐐기 꼭짓점으로 모여 방어막을 연동했다. 그리고 샤다이의 포격을 방어 드론과 방어막으로 막으며 서서히 뒤로 물러섰다. 그때 이미 후열에 있던 양익의 함선들이 나와 대기권을 참호 삼아 전진하기 시작했다.

"통한다. 밀어붙여."

42전단의 회전하는 쐐기 대형은 마치 사슬톱처럼 리퍼 대형을 찢어버렸다. 쐐기 대형은 차츰 전진했고, 리퍼 대형은 계속 갈라졌다.

"후방의 리퍼들은 어떻게 대응하나? 주둔 함대 쪽으로 치고 나가나?"

"아닙니다. 우리 쪽으로 맞서 나오려고 합니다."

발렌티나가 보여준 화면에는 후방의 리퍼 전투함들이 갈라진 대형을 메우기 위해 앞으로 돌격하는 모습이 나왔다.

"다행이군."

밀려나간 리퍼들이 주둔 함대 쪽으로 향하면 골치 아프다. 현재 망치 역할을 맡은 42전단의 대다수는 회전하는 쐐기 대형을 짜느라 누벨 노르망디의 중력에 영향을 받고 있다. 리퍼들이 작정하고 후퇴하면 따라잡는 타이밍이 느릴 수 있고, 그사이 약한 모루인 주둔 함대가 박살 날 수도 있다.

리퍼들이 42전단의 이 전술을 파훼하려면 두 가지 방법이 있다. 첫째는 후방으로 빠져 주둔 함대를 부순 다음 속도가 느려진 42전단의 한쪽을 반 포위하는 것이다. 그러나 지금 상황으로 보면 놈들은 이 선택은 포기한 것 같았다. 두 번째는 간단히 누벨 노르망디로부터 거리를 벌려 주둔 함대와 42전단의 포위망으로부터 벗어나는 것이다. 그리고 위에서 아래로 공격을 하면 연방의 함대와 누벨 노르망디를 동시에 공격할 수 있다. 하지만 현 상황에서 그 선택은 리퍼들이 자기네 지상 병력들을 포기한다는 의미이고, 42전단이 누벨 노르망디를 지켜냈다는 것이기도 하다.

"싸우는 법은 잘 알아. 하지만 그뿐이야. 집단전에는 서툴군."

스크로도프스카 전단장이 살벌하게 웃었다. 리퍼는 사자이지만 어디까지나 1척, 1척이 그럴 뿐이다. 샤다이와 마찬가지다. 그렇다면 이쪽의 늑대들이 사자를 개별적으로 끌어내 각개격파하면 될 일이다.

42전단의 입자포에 심각한 피해를 입은 리퍼 전투함은 교체해서 후방으로 빠졌다. 그러나 그곳에는 이미 주둔 함대의 공격이 날아오고 있었다. 수평선 너머에서 날아온 사이클론 어뢰들은 상처 입은 리퍼들에게 마무리 일격을 가했고, 그 결과 뒤로 빠진 리퍼 전투함 몇 척이 격침당했다.

"충분히 야들야들해졌군. 롱소드와 할버드 발진!"

리퍼들의 태세가 무너진 틈을 타 스크로도프스카 전단장이 명령을 내렸다. 정비를 마친 전투기와 폭격기들이 항모에서 뿜어져 나왔다. 사출 레일에서 가속해 날아오른 할버드들이 대형을 갖출 때, 발사관을 통해 발사된 롱소드들은 이미 적진을 향해 돌격하고 있었다. 하지만 리퍼들의 대공포 사격은 위험하다. 섣불리 접근했다간 연약한 전투기 따위는 증발한다. 아까의 전투기 편대는 태스크포스 373이 쏟아낸 화물 구름에 묻어 갔지만, 지금은 매스 드라이버의 공격이 뜸해졌기 때문에 그럴 수 없었다. 그 화물과 전력들을 42전단의 수리와 방어에 쓰고 있기 때문이다.

"적들의 화망이 양익을 향해 분산되어 있다. 전 편대 산개해서 궤도 바깥으로 돌아. 놈들이 아래를 보고 있다. 돌입해."

스크로도프스카 전단장의 지적대로 리퍼들의 포격은 정확하지만 각 함선만 그럴 뿐이다. 이 포격은 좌우로 나서는 순양함들을 향해 정확하지만 제각각 따로 발사된다. 2척 이상의 집중포화가 없다. 게다가 리퍼의 포격이 순양함들을 노리고 아래로 향하고 있을 때, 작고 빠른 롱소드들이 바깥 궤도 위에서 솟아 나와 아래로 쏟아졌다.

마침 리퍼 함대의 우익이 혼란스럽다. 그곳의 리퍼 전투함들은 뒤로 빠지는 놈과 빈자리를 메꾸려는 놈들끼리 뒤엉키고 있었다. 그 혼란한 틈 속으로 롱소드들이 날아가 벌어진 상처를 찢어발겼다. 그리고 그 상처에는 할버드들이 묵직한 화력을 퍼부어 짓이긴다.

"전투기 편대는 빠져. 적 함대 우익을 향해 집중 포격."

한 번 치고 전투기들이 빠지자 그곳으로 다시 순양함들의 포격이 휩쓸고 지나갔다. 리퍼들의 강력한 보호막은 입자빔포 앞에선 무용지물이었고, 장갑이 뚫리자 내부 구조가 붕괴하며 폭발했다. 그렇게 리퍼 전투함들이 연달아 격침되자 대형 곳곳에 빈틈이 생겼다.

"적 진형이 무너졌습니다. 돌격하시겠습니까?"

부관인 발렌티나의 권고에 스크로도프스카 전단장이 고민했다. 지금 돌진하면 놈들을 양분해서 아군이 적도 궤도를 차지할 수 있다. 그러나 그 계획은 싸움이 길어졌을 때를 염두에 둔 계획이다. 좀 더 밀어붙이면 마무리될 전투에 굳이 그럴 필요는 없다.

"……아니. 진형을 유지한 채 전진해서 적의 좌익을 노린다."

42전단은 아직까진 발버둥 치는 리퍼 함대의 좌익을 노리며 나아갔다. 그리고 수평선 너머의 누벨 노르망디 주둔 함대 또한 스크로도프스카 전단장의 신호에 맞춰 진격해 박살이 난 우익에 복수의 쐐기를 박아넣기 시작했다. 乙자형으로 리퍼를 쪼개어 포위한 연방의 늑대들이 상처 입은 사자 사냥을 시작한 것이다.

*

- **놈들이 이동한다.**

누벨 노르망디로 강하하던 중, 빈우가 말했다. 지상에 강하한 리퍼들은 처음엔 아무것도 없는 허허벌판에서 헤매고 있었다. 그러다가 태스크포스 373이 쏜 택배를 받고 자지러지더니 이제 살아남은 놈들은 시가지를 향해 날아가기 시작했다. 아마 도시 안으로 들어가면 연방군이 더 이상 공격하지 않을 것이라 생각한 모양이다.

- **목표는 역시 저쪽 시가지인가요?**

위르겐이 시가지를 확대해 살펴봤다. 텅 빈 거리와 휑한 건물에는 사람이 있는 기색이 없었다.

- **시민들 대부분이 쉘터로 대피한 모양이지만, 샤다이의 플라스마에 버틸 쉘 터는 없죠.**

일이 이렇게 되면 조금 곤란하다. 시즐러와 클레이모어라면 연방의 기술로 만들어진 쉘터는 시간이 조금 걸려도 뚫어버린다. 아차 하는 순간에 죽거나, 인질이 되거나, 최악의 경우 워프 비스트가 될 수도 있다. 알탄훼아나가 조치를 취했다지만 그것만 믿고 매달릴 수는 없는 노릇이다. 그러기 전에 리퍼들을 쓸어버리는 가장 깔끔한 방법으론 궤도포격이나 아까의 특급 택배가 최고지만, 시민들 전원이 대피한 것을 확인한 것도 아닌 데다 저런 강력한 공격에 쉘터가 안전하게 버틴다는 보장 또한 없다. 그다음으로 정밀 타격하려면 롱소드 같은 것으로 저고도에서 콕 집어서 조지는 방법이 있는데 아직 머리 위 궤도에는 리퍼 함대가 멀쩡히 살아 있다. 놈들이 아무리 탐지 능력이 떨어진다 해도 장갑보병같이 작은 물체라면 모를까, 롱소드 같은 것은 그래도 잡아낸다. 결국, 이런 X 같은 일에는 장갑보병이 제격이란 얘기다.

- **일단 쫓겨서 내려온 목적부터 알아내야죠?**

파트리샤는 신체를 날다람쥐처럼 변형해서 활강하고 있었다. 그녀 말대로 태스크포스 373이 강하한 목적은 이 타이밍에 굳이 강하한 리퍼들의 목적이 수상하기 때문이다.

- 강하 장비 벗고 방향 틀어.

빈우의 명령에 팀원들은 바로 장비를 해체했다. 태스크포스 373은 장갑복에 대기권 돌입용 강하 장비를 장착하고 내려왔다. 이제 쓸모없어진 내열 세라믹 폼은 제거했지만, 아직 감속용 낙하산이나 일회용 부스터들이 있다.

- 놈들 위로 따라가며 강하한다.

태스크포스 373의 장갑복 4기는 지상의 리퍼들이 이동하는 시가지로 떨어지기 시작했다.

- 살아남은 리퍼가 열일곱이라. 흐음.

아룹의 혼잣말은 상대가 만만하지 않다는 의미다. 조금 편차가 있지만, 리퍼들의 전투 실력은 뱅가드에 버금간다. 그런 놈들이 입는 장갑복이 전차 급 공방 능력을 가졌다면, 연방 측은 상당히 불리하다. 현재 연방은 샤다이에게 직빵인 입자빔포를 손에 넣었지만 아직 소형화가 안 되었고, 장갑보병 중에선 유일하게 빈우의 컨커러에게만 달려 있다. 문제는 이 입자빔포는 직사일 경우에만 놈들의 방어막을 관통한다는 것이고, 대기권에서 쓰기 위해선 목숨을 내놔야 한다는 거다.

- 나눠서 잡아먹어야죠. 자리 잡으면 뱅가드 부릅시다. 위르겐, 중례일건과 미사일 발사 준비. 부팀장, 위르겐이 레일건 쏠 때 같이 균형 잡는 거 도와주세요.

위르겐은 빈우가 지정해준 목표를 조준했다. 시가지의 여러 마천루 중에서 하나, 그 아래쪽 지지대 부분이 목표였다.

- 저 건물을 무너트려서 리퍼들을 덮치게 한다. 우리는 건물이 무너지는 파편을 쿠션 삼아 감속, 이어서 놈들 바로 위에서부터 떨어져 기습한다.

빈우의 말은 실로 황당한 계획이지만, 듣고 있는 373 대원들은 모두 그럴싸하다고 생각하고 있었다. 그럴 실력이 되는 놈들만 모여 있는 것이다.

- 위르겐, 미사일부터 발사. 명중과 동시에 레일건 사격.

어벤저의 등에서 대지 공격용 미사일 2발이 발사되었다. 날아간 미사일이 명중함과 동시에 위르겐이 레일건을 쐈다. 뒤쪽으로 반동 상쇄용 탄자가 발사되었지만 지지할 곳이 없는 공중이라 비행하던 어벤저가 휘청했다. 때맞춰 아래에서 그라인더가 날아와 받쳐주자, 위르겐은 다시 레일건을 쐈다. 이어서 빈우의 스핑크스도 플라스마 포격을 가했다.

- 오호오.

파트리샤의 낮은 탄성과 함께 초고층 빌딩이 한쪽으로 무너지기 시작했다. 붕괴하는 빌딩은 주변의 피해를 최소화하기 위해 층층이 분리되기 시작했고, 외벽들도 긴급 프로그램에 따라 저마다 사출되었다.

- 일단 크다 싶은 건 다 쏴. 그리고 방패 준비해.

낙하하며 비스듬하게 떨어지는 태스크포스 373 대원들은 사방으로 흩어지는 빌딩 파편을 향해 날아가며 코일건을 난사했다. 부딪히면 제법 위험할 것 같은 큰 덩이들이 산산조각 난다. 미사일 공격과 건물의 붕괴를 본 리퍼들은 상공에서 낙하하는 태스크포스 373을 보고 시즐러를 쐈지만 이미 늦었다. 제트팩을 써서 가속한 4기의 장갑보병들은 무너지는 빌딩 잔해를 향해 날아갔다.

- 돌입한다. 떨어지면 내가 지정한 목표부터 썰어.

발포 방패가 있는 어벤저과 그라인더가 앞으로 나섰고, 둘이 막으면서 나간 공간 뒤로 컨커러와 인필트레이터가 뒤따랐다. 강화 플라스틱과 철골, 압축 목재 등등 부드러운 파편들에 부딪힌 장갑보병들은 감속한 다음 떨어지는 벽면에 발을 디디고 옆으로 섰다. 그리고 아래를 향해 달렸다. 플라스마가 날아오르지만 파편에 막혀 폭발했다. 엄청난 먼지 덕에 리퍼들은 태스크포스 373을 볼 수 없었지만, 그 반대는 아주 잘 보였다. 빈우는 떨어지는 와중에도 옆의 파편들을 밟고 뛰면서 아래로 달렸다. 태스크포스 373은 붕괴하는 건물 더미와 함께 날아오던 리퍼들을 덮쳤다.

건물 파편을 뚫고 날아온 373 팀원들에 비해 리퍼들은 건물 파편에 얻어맞아 제대로 날지 못하고 있었다. 샤다이들은 중력을 조작해서 날기 때문에 바람 같은 외력에는 영향을 많이 받는다. 이런 파편의 비는 말할 것도 없다. 리퍼들은 자신들을 향해 떨어지는 건물을 보고 피하려고 했지만, 파편의 범위가 너무 넓었다.

- 저 새끼들 못 피하네요?

리퍼들이 파편 더미에 깔려 떨어지는 모습에 위르겐이 히죽거렸다.

- 맞아도 별 탈 없겠지만 말이다.

빈우는 대답하면서도 목표를 차근차근 설정했다. 붕괴 시 주변의 피해를 줄이기 위해 자체 파괴되도록 만들어진 연방의 건물은 태스크포스 373의 공격에 넘어가면서도 예의 기능을 발휘했다. 그 결과 고층 건물은 주변으로 넓게 흐드러지며 넘어지고 있는 중이라 리퍼들이 피할 공간이 없었다. 놈들은 파편에 맞으면서도 어떻게든 비행하려 허우적댔고, 그중 한 놈이 빈우의 눈에 잡혔다.

- 먼저 한 놈 접수.

가장 앞서서 떨어지고 있는 빈우가 리퍼 하나를 점찍었다. 놈은 건물 더미에 휩쓸려 허둥대다가 이미 아룹과 위르겐에게 충분히 얻어맞고 방어막이 다 날아간 상태였다. 빈우는 떨어지던 속도 그대로 놈을 후려친 다음 목을 감싸고 다시 떨어지기 시작했다. 저쪽 옆에선 아룹이 다른 한 놈을 잡고 패대기치는 게 보였다.

- 다로!

근접 통신으로 리퍼의 비명이 들린다. 리퍼의 장갑복은 어벤저보다 약간 뛰어난 출력을 가지고 있어서 이렇게 컨커러와 붙어서 힘 싸움을 하자 이리저리 휘둘리기만 했다.

- 너부터 이 새끼야.

거의 지상에 도착할 때쯤 빈우는 건물 외벽에 리퍼의 얼굴을 처박았다. 그리고 그대로 땅까지 갈아 내렸다. 땅과 충돌할 때가 되자 빈우는 놈의 목에 코일건을 대고 쏜 다음 옆으로 박차고 날았다. 바닥에 충돌한 리퍼의 방어막이 소진되고, 장갑이 긁혀 나가고, 착용자의 정신마저 혼미해졌을 때, 빈우가 다시 뒤에서 덤벼들어 놈의 목에 초크를 걸었다. 그리고 리퍼의 무릎 뒤쪽을 걷어차 꿇린 다음, 컨커러의 최대 출력으로 일어섰다.

　- 끄아아아— 끄르륵.

　비명과 신음도 잠시, 샤다이의 목에서 기체가 빠지는 소리에 이어 액체가 끓는 소리가 들리더니 목이 뽑혔다. 고체가 분리되는 소리까지 들은 빈우는 리퍼 장갑복을 걷어차고 다음 목표로 향했다. 하늘에서 떨어지는 리퍼들을 보며 빈우는 달려갔다. 그리고 등 뒤의 입자빔포를 조립했다.

　- 입자빔포 쏜다. 산개.

　말이 떨어짐과 동시에 컨커러에서 입자빔포가 발사돼 리퍼 둘을 꿰뚫었다. 그리고 폭발과 함께 폭풍으로 주변을 휩쓸었다. 이미 대비한 373팀원들은 폭풍을 받고 날아갔다가 다시 강하하며 돌아왔지만, 리퍼들은 여기저기 흩어져버렸다. 놈들이 정신을 못 차리고 있을 때, 아룹은 아까 패던 놈을 다시 붙잡고 잘린 팔에 코일건을 쑤셔 박았다. 그리고 놈을 장갑복 안쪽부터 터트려버렸다.

　파트리샤는 빈우의 모양새를 보고 자기도 리퍼 한 놈을 뒤에서 잡고 졸랐다. 인필트레이터의 사지가 마치 네 마리의 아나콘다처럼 휘어 리퍼의 목과 팔다리를 졸랐다. 방어막이 작동하지 않은 느린 속도에 꾸준한 압력이 계속 가해지자 결국 리퍼의 목 부분이 꺾이며 뽑혀 나왔다.

　위르겐은 특제 대 샤다이 미사일을 쏴 또 한 놈을 날려버렸다. 그리고 소리 높여 외쳤다.

　- 오, 씨발!

　빌딩이 무너지는 먼지구름 사이로 일렁이는 게 한둘이 아니었다. 모습을 감춘 리퍼들도 상당수 있었던 것이다.

- 뭘, 새삼. 장갑보병 된 날부터 하루하루 X 같지.

아룹이 방긋 웃으며 먼지구름을 필터링해 리퍼의 숫자를 대강 산출했다.

- 보이는 거 안 보이는 거 합쳐서 얼추 스물여덟!

처음은 열일곱이었다. 방금 팀원들이 여섯을 잡고 폭풍으로 날려버렸음에도 다가오는 놈이 스물여덟이라면 훨씬 많이 숨어 있었다는 의미다.

- 부팀장, 안 보이는 거에 멀리 날아가는 놈도 포함시켰습니까?

- 제가 그렇게 꼼꼼한 성격은 아니어서요.

그러니까 최소 스물여덟이고, 조금 있으면 나머지 놈들도 이리로 몰려온다는 뜻이다.

- 생각이 있어서 쳤겠죠?

파트리샤가 죽은 리퍼를 던지며 물었다. 아무리 태스크포스 373이라고 해도 겨우 넷으로 서른에 달하는 리퍼를 상대할 수는 없다. 이 숫자는 스팸이라고 해도 위험할 정도다.

- 내가 그렇게 야박한 남자는 아니잖니. 리퍼들이 이 도시를 침공할 걸 뻔히 아는데 어찌 보고 있겠냐.

빈우는 능글능글 받아치며 수류탄을 지뢰처럼 세팅해서 주변으로 던졌다.

- 하긴 리퍼들이 도시를 공격한다는데 그걸 뻔히 보고 있을 순 없죠.

위르겐도 맞장구를 치며 지뢰를 매설한다. 그런데 팀원들이 그를 보는 눈치가 이상하다. 심상치 않음을 느낀 위르겐이 주위를 휘휘 둘러본다. 특히 컨커러가 자신을 빤히 쳐다보는 게 어쩐지 좀 불길하다.

- ……응? 왜들 그래요? 팀장님.

- 선빵 친 건 너잖아.

- 씨발, 팀장님 제발.

위르겐은 이를 북북 갈며 레이저포를 광역조사 모드로 해서 주변을 훑었다. 공중에 뜬 먼지가 레이저에 타서 사라지지만, 숨어 있던 리퍼들의 방어막들 역시 레이저에 반응해 빛난다. 모습이 드러난 놈들에게 파트리샤가 재빨리 코일건을 쐈다. 하지만 놈들을 적당히 막으면서 뒤로 물러섰다. 그리고 옆에서 플라스마가 발사되어 지상팀 근처로 쇄도한다.

- 뒤로 빠지자.

금속이 열폭발을 하고 증발하는 고열이다. 빈우가 스핑크스를 방패 모드로 해서 막아서고, 그사이 다른 팀원들이 무너져내린 건물 더미 뒤로 숨어 들어갔다. 강력한 열선 공격인 플라스마를 이런 잡석 따위론 엄폐할 순 없겠지만, 샤다이를 상대론 충분히 은폐가 된다.

- 42전단은 잘하고 있는 것 같은데?

빈우의 말에 아룹이 궤도 상의 전투를 흘깃 보았다. 42전단은 압도적인 전력을 지닌 리퍼를 상대로 상당히 선전하고 있었다. 싸움과 전투와 전쟁의 차이다.

- 그동안 샤다이를 상대로 쌓아놓은 경험도 있고, 무엇보다 신병기 덕분이죠. 그게 아니었으면 저렇게 싸우지도 못할 겁니다.

아룹의 말대로 아무리 42전단의 실력이 뛰어나다 해도 상대에게 통하지 않는 무기를 가지고선 싸움이 되지 않는다.

- 저걸 보면 입자빔포 하나 가지고 싶어 애가 타는데, 팀장님이 반 죽는 모습을 보면 또 그럴 마음이 싹 가신단 말이죠.

위르겐이 능글능글 빈우를 놀리며 지뢰를 깐다. 태스크포스 373은 S자 형태로 후퇴하면서 후퇴로 양옆으로 지뢰를 설치했다.

- 많이 컸다. 숫총각 새끼가.

빈우가 깔아놓은 지뢰들을 격발하자 옹기종기 따라오던 리퍼들 몇몇이 좌우에서 터지는 지뢰의 폭풍에 휩쓸려 자빠졌다. 리퍼는 스팸에 비해 개인의 격투나 사격 실력은 확실히 뛰어난데, 이런 전술적인 면에서는 아직 젬병이었다. 아마 뛰어난 지휘관이 없어서 그럴 수도 있다. 울토르 중대를 칠 때는 양동을 건 다음 모습을 숨긴 놈들로 본진 뒤치기까지 하던 놈들이었으니까. 아마 당시엔 체메트디오프가 직접 지휘해서 그랬을 것이다.

- 네입, 입자포 숫총각입니다.

채 가시지 않은 폭연 사이로 위르겐과 빈우가 달려들어 진동 나이프로 리퍼들의 마무리를 지었다. 그러다가 대기가 일렁이고 플라스마가 날아오면 만사 제쳐놓고 도망친다.

- 씨바랄! 우린 다굴 쳐서 하나 잡는데, 저쪽은 스쳐도 우리 넷을 한 큐에 보내네.

파트리샤가 플라스마를 쏜 리퍼에게 저격을 시도했지만, 날아가던 코일건 탄환은 한두 발 맞다가 리퍼 주변에서 증발해버렸다. 그걸 본 인필트레이터는 몸을 구불텅하게 만들더니 도로의 갈라진 틈으로 스며들어갔고, 곧바로 그 자리를 리퍼의 플라스마가 휩쓸고 지나갔다. 빈틈이 생기자 리퍼는 바로 밀고 들어오려고 했다. 그러나 앞장선 놈의 가슴에 입자빔포가 명중해 폭발을 일으킨다. 이렇게 373이 매복과 함정을 깔며 후퇴하자 리퍼들은 섣불리 추적해오지 못하고 있었다. 하지만 그것도 시간문제. 놈들은 비행과 은신이 가능하다. 발뒤꿈치에서 전차가 까꿍 하고 튀어나오는 것은 사양이다.

- 이거 생포고 나발이고 우리가 뒤지겠는데요?

바닥에서 리퍼 대신 인필트레이터가 솟구친다. 수상한 타이밍에 강하한 리퍼들을 잡으려 내려왔건만, 태스크포스 373이 오히려 잡아먹힐 기세다. 매스 드라이버로 두들겨놨는데도 상당히 많이 살아남아 있다.

- 그래서 뱅가드 부를 거다.

빈우의 손가락이 하늘을 가리킨다. 42전단과 누벨 노르망디 주둔 함대가 리퍼 함대와 싸우고 있다. 직사병기밖에 없는 샤다이를 상대로 수평선을 참호 삼아 왔다 갔다 할 모양이다. 그런데 이동하며 진형을 바꾸는 동안 몇 척이 격침당했다.

- 으음, 부를 타이밍이 애매한데요?

파트리샤 말대로 뱅가드를 부르기엔 시기가 적절하지 않다. 아무리 리퍼가 연방 함대가 싸운다 하더라도, 강습상륙정을 뻔히 놓치진 않을 것이다. 또 태스크포스 373처럼 장갑복이 단체로 강하하기엔 병력이 너무 분산될 수 있다. 즉 태스크포스 373 지상팀이 뱅가드를 부르려면 궤도 상의 아군이 어느 정도 우세함을 보여야 하는 것이다.

- 파트리샤, 아마추어같이 왜 이래. 타이밍은 기다리는 게 아니라 찾아가는 거잖아.

- 오호오.

빈우의 말에 파트리샤가 고개를 끄덕인다. 하긴, 있어선 안 되는 장소에, 오면 안 되는 시간에 와서, 해선 안 될 짓을 하는 게 태스크포스 373이다.

- 그래서, 우리 팀장님은 어떻게 타이밍을 찾아가실 건가요?

기대하는 팀원들의 시선을 받으며 빈우는 고민 끝에 답을 내렸다.

- 답이 없다. 조금 비벼보다가 안 되면 튀자.

팀원들이 구시렁대는 사이 또 리퍼들이 접근한다.

- 이 새끼들 우리 쌈 싸 먹으려는데?

아룹이 한 놈의 머리에 코일건을 정통으로 맞췄다. 이어서 파트리샤가 같은 부위에 쐈지만, 그놈은 클레이모어를 들어 중심선을 방어하면서 뒤로 빠졌다.

- 징하다 징해.

파트리샤가 툴툴대며 공격을 피해 자리를 옮겼다. 스팸과는 확실히 다른 실력이다.

- 너무 모이는데…….

이어진 파트리샤의 말은 조금 긴장해 있었다. 샤다이의 시즐러에서 나오는 플라스마 포격은 연방의 전차포 급이다. 그리고 연방군의 경우 이 정도 화력은 아군에게 위험할 수도 있기에 약간 거리를 두고 운용한다. 하지만 샤다이는 레이저나 플라스마 병기에는 거의 면역이라 서로 부대껴가며 쏜다. 그리고 그 등쌀에 녹아나는 것은 연방 장갑보병들이다.

- 위르겐, 박격포.

빈우의 말에 위르겐이 수류탄을 머리 위로 던졌다. 샤다이 머리 위로 날아 간 수류탄은 액체 폭약을 살포한 다음 공중에서 터졌다. 놈들에게 전혀 피해를 줄 수 없는 공격이긴 하지만, 하늘을 날아오는 놈과 은신한 놈들에겐 취약이었다. 날아오던 몇몇은 폭풍에 휘말려 무중력상태에서 걷어차인 것마냥 저 멀리 날아간다.

- **멋진 모습이야. 시간 날 때마다 던져. 모두 땅개로 만들어버리자.**

태스크포스 373은 이제 건물 파편에서 벗어나 인적이 없는 시가지로 들어 갔다. 그리고 옛적부터 보병이 전차 잡는 방법을 그대로 답습했다. 장갑보병들이 걸어 다니는 전차를 상대로 더러운 시가전을 실행하는 것이다.

빈우는 이미 이 도시의 관리자 권한을 징발해서 사용하고 있었다. 도로교통 표지판이 작동해 소음과 섬광으로 리퍼들의 시선을 끌면 그 뒤통수로 저격이 작렬하고, 자기부상 도로에서 버스를 고속으로 발사해 놈들을 산 채로 묻어버린다. 파묻혔다가 아득바득 기어나오는 놈들이 있으면 두더지 잡듯 목을 딴다. 다음으로 차선 변경용 가이드레일을 갑자기 세워 리퍼들을 일렬로 몰아세운 다음 입자빔포를 쏴 꿰뚫어버린다. 그런데 이 짓을 두세 번 하면 한 번꼴로 빈우도 폭발에 휩싸여 나뒹군다. 이번에도 폭발이 일어나 바닥에 널브러진 컨커러의 뒷덜미를 인필트레이터가 잡고 질질 끌며 달린다.

- **자기, 우리 이런 거 해본 적 있지 않아요?**

다급한 상황에서도 파트리샤는 농담을 잊지 않고 던진다. 빈우가 반응하나 안 하나 살피기 위해서다. 정신 차리고 기억을 제대로 할 수 있는지도.

- **특수부위 씨발.**

컨커러가 휘적거리며 스핑크스를 들어 자기 사타구니를 찍는다.

- **이히— 나 이거 찍었어. 모니카한테 보여줄 거예요.**

- **고맙다. 제발 그래다오. 내가 이걸로 모니카 그년 찍어버리련다.**

- **아 뭐래, 댁이 오케이 사인했잖아. 사건은 개가 벌였어도 도장 찍은 게 누군 데 씨ㅂ—.**

날아온 포격에 둘은 뒤얽혀서 날아가고 파트리샤는 재빨리 일어서서 빈우를 안고 달렸다.

- 뭐해, 미친놈아. 업어.

흠칫한 인필트레이터가 컨커러를 뒤로 돌려 들었다. 하긴 플라스마에 맞고 살 가능성이 있는 것은 컨커러다. 앞서 가는 빈우와 파트리샤 뒤를 쫓아 리퍼들이 따라붙었고, 그 좌우에서 위르겐과 아룹의 사격이 쏟아졌다. 잠시 발걸음을 멈추고 응사하던 리퍼들은 상대 쪽에서 반응이 없는 것에 의아함을 느꼈다. 하지만 곧이어 폭발하고 무너져내리는 건물을 보며 납득과 분노를 동시에 느꼈다.

태스크포스 373 지상팀은 총 네 명. 이들은 둘씩 조를 짜 2개 화력조로 번갈아 움직인다. 그리고 이들은 홈그라운드의 이점을 톡톡히 살렸다.

- 다시 말하지만, 저 새끼들 전자기장 본다. 장갑복 위장처리 안 벗겨지게 조심해.

373 지상팀은 틈틈이 건물 안에 들어가 벗겨진 도료를 다시 바르고, 밥도 먹었다.

"잘 먹었습니다."

빈우는 고칼로리 햄버거를 하나 먹은 다음 징발을 증명하는 군사채권을 발행해서 안드로이드에게 주었다.

"군인님. 힘내세요."

사람이 없는 을씨년스런 카페테리아에서 계산대에 붙박인 고정형 안드로이드가 응원한다. 빈우는 뒤로 손을 흔들어주며 내달렸다.

"팀장님이 드신 햄버거는 무슨 맛이었습니까? 제 건 참치 과카몰리. 7천 칼로리입죠."

뒤따라오던 위르겐이 햄버거를 마저 먹으며 헬멧을 닫았다.

- 납 맛. 8천5백.

짧은 빈우의 대답에 위르겐은 자신의 뱃속에 납덩이가 들어간 느낌을 받왔다. 입에서 납 맛이 느껴질 정도면 방사능 중독이 어지간히 진행되었단 거다. 아무리 컨커러의 방어막에 스핑크스를 쓴다 해도 포구 폭발을 완벽히 막지는 못한다. 그리고 애초에 컨커러는 정상적인 장갑복도 아니라서 방어막이 왔다 갔다 한다. 게다가 대방사선 처리도 어벤저보다 덜 되어 있다. 아마 방어막을 믿고 다른 부분에 힘을 쓴 모양인데 그 대가로 착용자의 목숨이 왔다 갔다 하고 있다.

- 입안이 말랐습니까?

물어보는 위르겐의 목소리에 긴장감이 엿들린다. 강화 군인의 육체라 해도 방사선 중독은 조금 심각하다.

- 축이고 있어.

다행히 대답하는 빈우의 목소리엔 딱히 갈라진 느낌은 없었다.

- 어떻게요? 침은 나옵니까?

- 입술 뜯어서 피 빨고 있다.

위르겐은 한숨을 쉬며 계속 달렸다. 이제나저제나 싶어 위를 한번 봤더니 반가운 소식이 보인다.

- 팀장님, 궤도에. 우리 머리 위를 보세요. 아군이 포위했습니다.

팀원들이 머리 위를 보자 아군 함대가 리퍼 함대를 몰아세운 다음 N자로 찢어발기는 광경이 보였다.

- 지원군 부르죠. 우리 뱅가드 애들 부르자고요.

원래 뱅가드 출신인 위르겐이 신이 났다. 여기에 녀석만큼 뱅가드에 대해 잘 아는 사람은 없다. 지금 뱅가드 대원들이 이 도시로 강하한다면 두들겨 맞고 있는 리퍼들은 손쉽게 처리할 수 있을 것이다.

- 아니, 아직.

빈우는 마천루 꼭대기에서 대답했다. 그는 지금 시가지에서 헤매고 있는 리퍼들을 살피고 있었다.

- 잡아야 할 놈을 추리긴 했는데, 호위가 단단하다. 지금 뱅가드가 오면 제법

피해가 크지 싶다. 좀 더 두들긴 다음에 불러도 늦진 않아.

- 뱅가드에 죽음을 두려워하는 겁쟁이는 없습니다!

위르겐이 발끈해서 외쳤다. 하기사 지옥 불이 타오르는 지상으로 뛰어내리는 게 뱅가드다. 연방에서 가장 장갑보병다운 장갑보병. 이들은 언제나 신속하게 최전선으로 달려가지만, 그때마다 보게 되는 것은 공격받는 연방의 땅과 비명을 지르는 시민들이다. 그러면 분노에 찬 뱅가드들이 뛰어내려 비명의 주인을 바꿔준다. 위르겐은 자신이 발끈한 것을 깨닫고 움찔했지만, 빈우는 피식 웃을 뿐이다.

- 용기와 만용은 다르지. 내 말은 쓸데없이 개죽음할 필요가 없다는 거다.

그러면서 간단한 작전계획표를 짜서 팀원들에게 공유했다.

- 그리고 난 말이다. 필요하다면 얼마든지 아군을 죽음으로 몰아넣을 거다. 필요만 하면 말이지.

빈우가 정말로 그럴 인물이란 것을 아는 위르겐은 그저 침을 꿀꺽 삼킬 뿐이다.

지금 위르겐과 빈우는 건물에 숨어서 리퍼 무리를 살피고 있고, 아룹과 파트리샤는 지하로 들어가 수도관에서 폭발물 설치 작업을 하는 중이다. 그리고 리퍼들은 숨어버린 태스크포스 373을 찾아 혈안이 되었다.

- **지하팀 진척도는 어떻습니까?**

빈우는 리퍼들의 수와 위치를 파악하며 통신으로 질문했다. 전자기파를 볼 수 있는 샤다이들이라 도시에서 다른 전파들도 발신하며 그 사이사이 숨긴 통신이다.

- **거의 다 설치했습니다.**

아룹이 대답했다. 빈우가 있는 건물은 중앙대로에 위치하고 있으며, 그 밑에는 아룹조가 폭탄을 설치하고 있는 중이다.

- **좋아, 설치 끝나면 이쪽 중앙대로로 유인합시다.**

- **어떻게 말입니까? 오라고 손 흔들까요?**

빈우의 옆에서 위르겐의 어벤저가 살랑살랑 손을 흔든다. 스치면 모가지가 날아가는 살랑살랑이다.

- **순진하구나, 위르겐. 여기서 저격하면 신나서 총질하면서 달려올 거다. 아니지, 파트리샤가 방탄 부위를 까면 헬렐레하면서 올 테니까 그게 낫지 않을까?**

- **식겁하고 도망갈 거 같은데요.**

- 너희 죽는다.

지하에서 끓어오르는 나직한 노성에 두 사람은 입을 다물었다. 말이 조금 빗나가긴 했지만, 리퍼는 장거리 저격보다는 중거리 난타를 선호한다. 원거리 저격을 할 깜냥은 안 되고, 근거리에 붙으면 373에게 곤욕을 치르니 가장 자신 있는 거리를 잡으려고 하는 것이다.

- 설치 완료했습니다.

침묵을 깬 것은 아룹이었다.

- 알겠습니다.

그의 보고에 빈우는 등 뒤의 입자빔포를 다시 조립했다. 그리고는 바로 쏠 준비를 했다. 그걸 본 위르겐이 기겁한다.

- 팀장님! 방어막이랑 스핑크스는요?

원래 빈우는 입자빔포를 쏠 때 스핑크스를 방패 모드로 해서 쓴다. 그러면 설령 포구 폭발이 일어나도 상당 부분을 상쇄할 수 있다. 그러나 난전 중에선 여유 동력을 끌어모으지 못해 바로 입자빔포를 갈겼었고, 그러다가 피폭되었던 것이다. 하지만 지금은 매복을 하느라 동력의 여유가 있음에도 빈우는 스핑크스를 안 쓰고 있다.

- 어차피 시선이 끌리긴 할 건데 그래도 첫 방은 맞춰야지. 여기서 스핑크스 쓰면 동력 여유분 떨어져서 충전해야 되고, 그 시간에 놈들이 자기장 감지해서 대비할 거란 말이야.

위르겐이 뭐라고 말하기도 전에 빈우가 입자빔포를 쐈다. 다행히 이번에는 제대로 발사되어 저쪽에 있던 리퍼가 폭발한다. 그리고 놈들은 후다닥 피하는 것 같더니 이쪽을 향해 공격하며 달려오기 시작했다.

- 온다. 지하팀, 준비.

빈우는 급조해서 만든 인간형 더미를 만들어놓고 뒤로 빠졌다.

- 위르겐, 넌 아래로 가면서 계속 공격해. 오래 칠 필요 없어. 최대한 시선을 끌어.

그러면서 빈우는 위층으로 날아올랐다. 리퍼들의 공격이 방금 빈우가 있던 곳을 쓸고 지나갔다. 그러나 둘은 이미 다른 층으로 이동한 상태다. 계속해서 공격을 하자 리퍼들도 플라스마를 쏘면서 번갈아 다가왔다.

- 어쭈, 저놈들 보게?

리퍼들이 하는 꼬라지를 본 위르겐이 어처구니없다는 듯이 말했다. 한쪽 놈들이 빈우팀이 있는 건물에 사격을 하면, 그때 다른 놈들이 달린다. 그것을 번갈아가며 하고 있다. 지금 놈들은 엉성하게나마 엄호조와 진격조로 나뉘어서 약진하고 있는 것이다. 이전처럼 방어막을 믿고 밀어붙이거나 혼자서 막아가며 했던 것과는 확연히 다른 모습이다.

- 저건 좀 머리 아픈데. 배울 거 못 배울 게 따로 있지.

리퍼가 집단 전술을 배우고 그것을 동료들에게 가르쳐준다면 머리 아픈 것으로 끝날 게 아니라 아픈 머리가 사라질 수준이다.

- 최고의 선생에게서 수강료로 목숨을 지불하고 배우니까 그런 거 아닙니까.

아룹의 농담이 굉장히 설득력 있다. 태스크포스 373은 연방의 최고 정예 대원들이고 그들과 싸워 살아남았다면 뭐든 배워도 배울 것이다.

- 그럼 강의를 성의껏 해야겠죠. 부팀장, 지하팀은 언제 도착합니까?

- 곧.

폭발물 설치를 완료한 지하팀은 지상 위로 빠져나와 미리 지정된 위치로 가서 사격했다. 지금 373이 하고 있는 사격은 일종의 요란 사격이다. 리퍼를 맞추기보다는 주변으로 탄을 흩뿌리고 있었다. 날아간 초음속의 탄환들이 도로 바닥을 부수고 그 밑의 흙까지 하늘로 뒤집어올렸다. 만약 지금 사격받는 게 다른 종족이라면 그 자리에서 꼼짝도 못 하게 만들 수 있겠지만 샤다이 상대로는 통하지 않았다. 조심히 다가오던 리퍼들은 373의 공격이 그다지 위험하지 않다는 것을 눈치채고선 클레이모어와 방패를 들고 서서히 다가왔다. 하지만 빈우는 바로 이것을 노리고 있었다.

- 폭파한다.

빈우는 지하팀이 설치해놓은 폭탄들을 터트렸다. 수도관과 배수로 등에 설치된 폭탄들이 터지며 지하는 순식간에 물바다가 되었다. 그리고 위쪽 지상은 373팀이 요란사격을 하며 대로의 포장을 산산조각 내놓은 상태다. 즉 흙바닥이란 말이다.

이어서 빈우는 아직 살아 있는 도로 분할용 레일들을 가동시켰다. 레일들이 쉬지 않고 열렸다 닫히기를 반복하자 점차 진동이 커졌다. 그리고 진동은 멈추지 않고 마치 작은 지진처럼 계속해서 이어졌다. 그러자 리퍼들이 서 있던 흙바닥이 밑으로부터 순식간에 물이 차올라 진흙이 되었다. 아까부터 계속 견제를 한 덕분에 날지 않고 걸어오던 놈들은 순식간에 발목, 무릎까지 진흙에 빠지며 허우적거리게 되었다.

- 저런.

아룹이 쾌재를 부르면서도 혀를 찼다. 리퍼들이 어벤저를 능가하는 장갑복을 입고도 고작 뻘에 빠져 바둥대는 모습이 기가 찬 것이다. 그런데 그의 눈에 띄는 게 있었다. 놈들은 시즐러나 클레이모어를 머리 위로 들어올리고 있었다.

'저걸 왜 들지? 설마 물에 젖으면 안 되는…… 헛!'

그 모습을 본 아룹의 머릿속으로 치명적인 생각이 한 가지 떠올랐다. 하지만 그가 자신이 떠올린 아이디어를 팀장에게 전해주려 했을 때, 이미 빈우는 다음 행동을 시작하는 중이었다. 그 모습을 본 아룹은 빈우가 자신이 눈치챈 사실을 미리 염두에 두고 이번 작전을 짰다는 것을 알 수 있었다.

- 피해!

빈우의 짧은 한마디는 지상의 아룹과 파트리샤를 향한 것이다. 이어서 빈우의 스핑크스에서 고온의 플라스마가 뿜어져 나와 샤다이가 묶인 늪에, 물바닥에 명중했다. 그 결과 거대한 수증기 폭발이 일어났다. 액체가 순간적으로 기체로 되는 상전이 과정 속에서 일어난 급작스러운 부피 변화다. 또한 열에너지가 운동에너지로 바뀌는 에너지 변화도 있었다. 샤다이의 방어막과

73

장갑은 열에너지에 대해선 엄청난 방어력을 지니지만, 운동에너지에 대해선 그저 뛰어난 방어력을 가지고 있다.

- **씨바랄! 말 좀 하고 쏘라고.**

파트리샤는 구시렁대면서도 만신창이가 된 샤다이들에게 사격을 퍼부어 마무리를 지었다. 이미 방어막이 날아가고 너덜너덜한 장갑에 코일건과 미사일이 날아들자 자욱한 증기를 뚫고 푸른 팝콘이 튀겨진다. 바닥에 처박힌 리퍼 하나가 어떻게든 일어나려 하지만 빈우는 놈의 뒤통수에 탄환을 명중시켜 다시 끓어오르는 진흙탕에 영원히 눕혀줬다.

- **잠깐, 지금 나 말고 도시 관리자 터미널에 접속한 사람?**

사격을 하다 말고 빈우가 갑작스레 질문했다.

- **전 안 했습니다만.**

아룹은 권한을 받았지만 지금 쓰진 않았다. 리퍼들을 찾기 위해 조명이나 스프링클러들을 썼다고 한다.

- **저도 안 했습니다. 이 새끼가 지금, 막아?**

위르겐은 지금 쏘느라고 바쁘다.

- **어라아? 권한 줬었어요?**

파트리샤 역시 하지 않았다고 한다.

- **모두 안 했다고?**

그럼에도 불구하고 빈우는 방금 도시 관리자로부터 이상 징후를 하나 포착했다. 시 외곽 지하 깊숙한 곳에 있는 연구용 지열 발전소로부터 작동 신호가 잡힌 것이다. 쉘터에 대피한 시민들에게선 별다른 소식이 없다. 새로이 들어간 사람도 없고, 나온 사람도 없다.

'혹시 지금이라도 대피한 사람들일까?'

미처 대피하지 못하고 헤매던 시민들이 지하의 발전소로 들어갔을 수도 있다. 그러나 해당 시설은 일반 민간구역과는 격리되어 있어서 일반 시민들이 마음대로 출입하긴 힘들다. 그리고 시설과 관련된 사람들은 모두 대피했다고 나온다. 게다가 작동 신호는 잠시 켜졌다가 다시 꺼졌다.

'조금 수상하긴 한데…….'

빈우는 혹시나 싶어 지열 발전 연구소의 보안 카메라 쪽으로 접속해보았다. 그런데 회선이 끊겨 있다. 이쪽의 작동 명령에도 반응하지 않는 것을 보면 권한이 아예 그쪽으로 넘어갔거나, 물리적으로 끊겼을 가능성도 있다. 경비 로봇이나 청소 로봇들을 가동시켜봤지만, 이 역시 반응이 없었다. 그래서 연구소 소속이 아닌 시 소속의 소방용 로봇들을 연구소 안으로 집어넣었다. 현재 샤다이가 쳐들어온 상황이라, 실제 화재가 일어나지 않았어도 소방용 로봇들의 권한이 연구소의 보안보다 우선시되어 안으로 들어갈 수 있었다.

"흐음."

소방로봇들의 신호가 하나씩 끊긴다. 이 정도면 파괴되었다고 봐야 한다. 공격은 치밀해서 로봇들의 카메라 밖에서 이뤄졌다. 빈우는 소방용 로봇들의 온도센서를 보았다. 그리고 연구소 내부의 온도계도 동시에 점검했다. 온도 변화는 없다. 즉 고열의 플라스마 병기가 사용된 흔적은 없다는 것이다. 이게 더 골치 아프다.

'파괴한 범인이 샤다이가 아니라면 과연 누굴까. 물론 이놈들이 플라스마 무기를 안 쓰고 파괴했을 수도 있지만…….'

- 팀장님?

빈우의 침묵이 조금 길었는지, 아룹이 말을 걸어온다.

- 아, 미안합니다. 부팀장, 현재 시에 침입한 리퍼는 얼마나 남았습니까?

- 확실히 파악한 것만 스물여덟입니다.

왠지 익숙한 숫자다.

- ……정말로요?

- 뭐 어쩌겠습니까.

죽자고 드잡이질해서 죽이고 죽였는데, 처음에 봤었던 숫자가 다시 나왔다. 그만큼 샤다이들이 많이 숨어 있었다는 얘기다.

- 여기는 뱅가드에 맡기고 이동합시다.

- 이동입니까? 어디로요?

빈우는 팀원들 회선으로 목표지점을 보여주었다.

- 시 외곽에 있는 지열 발전 연구소다. 지각 심층부까지 파이프를 꽂아 스털링 기관으로 발전하는 곳이지. 현재 이곳의 통제권이 정체불명의 세력으로 넘어간 모양이다.

리퍼들이 우글우글하는 마당에 정체불명이라면 누굴까 싶지만, 빈우가 이곳을 버리고 이동한다면 어지간히 위험한 놈들일 것이다.

- 어, 음. 누벨 노르망디 지열 발전 연구소라면 좀 유명한데 말입니다.

위르겐이 의견을 냈다. 저래 봬도 연방 국립대학교 출신의 엘리트다.

- 지열 발전 연구소지만 실제로는 심층지각 연구소이기도 합니다. 발전용으로 집어넣은 파이프가 한 75km 된다던데요.

- 헤엑, 75km? 그러면 거의 맨틀까지잖니.

그리고 파트리샤도 중위다. 나름 장교란 뜻이고, 그녀 역시 뭔가 수상한 낌새를 눈치챘다.

- 네, 행성 채굴에 관한 여러 가지 방법을 개발한 곳이기도 합니다. 모호로비치치 불연속면 같은 층에 핵탄두 집어넣어 폭파시킨 다음 상부 지각을 미끄러지게 해 스카이 후크 같은 것으로 퍼올리거나, 용융된 맨틀을 직접 빨아올리는 식이죠.

위르겐이 설명할수록 정체불명의 세력이 침투한 지열 발전 연구소가 점차 위험하게 보인다. 지각 깊숙한 곳에서 뭔가 음모를 꾸민다면 지상 위에 끼칠 피해는 심각하다.

- 알겠지? 현 상황에서 침투 가능성이 가장 높은 것은 리퍼지만, 내부 상황을 보면 플라스마 병기가 쓰인 흔적은 없어 보인다. 샤다이가 아닌 제3세력이 이 혼란을 틈타 움직였을 수도 있고, 샤다이 협력자의 소행일 수도 있다.

샤다이 협력자란 단어에 373팀이 떠올린 것은 워프 비스트다. 인간에 자신의 정보를 뒤집어씌우고 몸을 빼앗은 고대 샤다이들. 놈들이 리퍼와 연계해서 지열 발전 연구소를 차지하려 했다면 결코 좌시할 수 없는 일이다.

- **자, 내가 신호 보내고 뱅가드가 강하하는 것과 동시에 우리는 빠진다.**

373팀은 대충 사격을 가하며 이동 준비를 했다. 전차포에 버금가는 플라스마가 날아와 건물을 휩쓴다. 팀원들은 녹아 흘러내리는 구조물을 피하며 응사했고, 리퍼들은 그것을 맞으면서도 꿋꿋이 다가온다.

- **신났네, 개새끼들.**

위르겐은 녹아내린 포방패를 집어던지며 히죽 웃었다. 아까부터 계속해서 매복과 함정에 빠져 죽은 동료들 때문인지 놈들은 악에 받쳐 다가오고 있었다. 그때 갑자기 방사선 경보가 울렸다. 순간 입자빔포의 폭발이 떠오른 위르겐이 놀라서 소리쳤다.

- **팀장님, 괜찮으십니까?**

- **나 아냐.**

멀쩡한 팀장의 대답에 위르겐은 가슴을 쓸어내렸다.

- **다행이네요.**

- **다행은 씨발.**

순간 그게 무슨 말인지 몰랐던 위르겐은 장갑복의 센서 반응을 보고 사태의 심각성을 눈치챘다. 그리고 시선을 하늘로 돌렸다.

- **X 됐다.**

상공에서 점프 반응과 함께 리퍼 장갑복들이 점프해 나타나고 있었다. 발가르단 하스의 악몽이 떠오르는 순간이다.

- 씨바알! 이것들 왜 지금 이 타이밍에 오는 거죠? 궤도는 우리가 먹었는데!

파트리샤가 욕지거리를 하며 대공사격을 했다. 태스크포스 373이 리퍼와 싸우던 도시의 상공으로 리퍼와 스팸들이 계속 모습을 드러내고 있다. 궤도 상의 전투가 아군의 우세로 확실히 넘어간 지금으로선 리퍼들의 점프 기습은 자살 행동이나 마찬가지다. 제아무리 리퍼라 해봤자 고작 장갑보병. 궤도 포격에 노출되면 순식간에 지워진다.

- 답 나왔네. 여기 있던 놈들이나 지금 점프해 온 놈들이나 전부 우리 발을 묶기 위해 싸우고 있다.

빈우의 입자빔포 공격에 낙하하던 리퍼와 스팸이 동시에 관통되었다. 동시에 빈우는 머릿속을 정리했다. 우선 발단은 누벨 노르망디의 궤도 상에서 함대전이 벌어지고 있는 중에 지상으로 강하한 리퍼들이었다. 빈우는 처음엔 그저 매스 드라이버 공격으로 놈들을 공격했을 뿐이었다. 하지만 수상한 타이밍에 지상으로 내려간 놈들의 의중이 궁금해서 지상팀을 이끌고 강하했다. 그리고 때마침 놈들은 이 도시 쪽으로 이동했다.

'매스 드라이버 공격을 피하기 위해서였을까, 이 도시를 공격하기 위해서였을까? 아니면 우리를 유인하는 게 목적이었을지도. 혹시 처음부터 지열 발전 연구소로 가는 도중이었나?'

그러나 빈우는 이것 말고도 생각할 게 많았다. 시가전을 하면서 느낀 것인데, 리퍼들 중에 현장 지휘관이나 VIP는 없는 분위기였다. 그래서 빈우는 생포해야 할 목표물이나 적의 목적을 특정하지 못했다. 그래서 대충 싸우다가 귀환할 생각이었고, 의미 없는 싸움에 뱅가드를 굳이 호출할 생각도 없었다. 하지만 지금은 새로운 목표가 생겼다. 바로 이상 징후가 발생한 지열 발전 연구소다.

'어떻게든 빠져나가야 하는데.'

리퍼들을 쓸어버리려면 궤도폭격이 제격이지만, 지금은 그걸 할 수 없다. 이 도시 지하의 쉘터에는 시민들이 대피해 있고, 그 위로는 태스크포스 373이 있기 때문이다.

'뱅가드를 어디로 부르는 게 좋을까.'

선택지는 두 가지다. 하나는 뱅가드를 시가지로 강하시켜 샤다이와 싸우게 하고 태스크포스 373이 지열 발전소로 향하는 방법, 그리고 다음은 그 반대 방법이다. 하지만 답은 정해져 있다. 시가지 전투는 정면에서의 힘 싸움이고, 지열 발전소의 작전은 꽤 더러운 일이 될 가능성이 높았다. 즉, 리퍼 말고도 워프 비스트나 인간 협력자가 있을 수도 있다.

- 데이먼 전대장님.

결심한 빈우는 42전단의 장갑보병 전대장인 데이먼 중령을 호출했다.

- 이제야 불러주는군. 잊어버린 줄 알았어.

데이먼 전대장 뒤로는 장갑보병 1개 중대가 대기하고 있었다.

- 라이노에 입자빔포는 달았습니까?

- 무장 교체하고 대기 중이야.

- 알겠습니다. 신호 위치로 강하해주십시오. 중대 하나면 됩니다.

아군 함대가 궤도를 거의 장악한 지금은 뱅가드가 강하해도 샤다이들이 요격하기 힘들다.

- 좋았어. 부전대장인 요한 비트겐슈타인 소령 편으로 보내겠네. 강하 후엔 자네가 지휘하게.

- 아닙니다. 실은 373팀은 지열 발전소로 가야 할 것 같습니다.

- 응?

373팀이 빠져버리면 도시에 리퍼만 남게 된다. 즉 뱅가드는 강하해서 남은 리퍼들을 처리해야 한다. 어떻게 보면 373팀의 뒤처리다.

- 이걸 보십시오.

빈우가 보내준 지열 발전 연구소의 상황을 본 데이먼 전대장의 안색이 굳어졌다.

- 으음, 발전용 파이프가 맨틀까지 뚫고 내려갔군. 여기에 샤다이가 무슨 수작이라도 부린다면…….

- 엄청난 지진이 올지도 모르죠.

- 알겠네, 시가전이야 우리 전문이지.

데이먼 전대장의 말대로 연방의 시가지에서 외계종족과 싸우는 시가전은 뱅가드의 장기다. 오히려 지열 발전소에서 일어날 민감한 작전들은 전문이 아니다. 이런 것은 단검뿔 토끼나 실리콘 나이트가 나설 만한 일이다.

"강하다. 이 새끼들아."

뱅가드의 전대장이 뒤돌아서며 소리치자 그에 호응해서 뱅가드 대원들이 환호성을 질렀다. 그리고 어벤저를 잔뜩 실은 그라디우스와 강하 포드가 동시에 사출된다. 탑승하기 전 그들이 본 것은 모함인 원더풀뷰티풀의 격납고다. 이제 지상에 도착해서 문이 열리고 그들이 보게 될 것은 지옥일 것이다. 만약 지옥이 아니라면 지옥으로 만들기 위해서 강하하는 놈들이 바로 이 뱅가드들이다.

- 대단하군.

비트겐슈타인 소령의 혼잣말이다.

- 그렇죠. 저 새끼들 악착같이 덤비는데요.

옆의 대원이 거든다. 궤도 상의 리퍼들은 42전단과 주둔함대에 밀리면서도 끈질기게 저항했다. 형편없이 빗나가긴 했지만, 이쪽의 강하하는 뱅가드 방향으로도 포격이 날아온다.

- 웅? 그게 아냐. 지상의 373팀 얘기다.

임시로 중대 지휘를 맡게 된 비트겐슈타인 부전대장에겐 방금 빈우로부터 지상의 정보가 들어와 있었다. 여기선 373팀이 고작 장갑보병 네 명으로 그 10배에 달하는 리퍼들과 치열하게 싸웠던 과정이 보인다. 쉽게 말하자면 맨몸의 인간 네 명이 전차 40대를 상대로 시가전을 한 셈이다. 그뿐만 아니라 373팀은 도시의 지형지물을 이용해 리퍼들을 철저하게 농락했다. 시가전의 달인이랄 수 있는 뱅가드조차 상상할 수 없는 온갖 기상천외한 방법을 총동원해서 말이다. 덧붙여 강하한 뱅가드가 쉽게 싸울 수 있도록 꾸며놓은 장치에 대한 것들도 넘겨주었다.

- 373팀의 정보다. 모두 숙지해.

중대 회선으로 이 정보를 공개하자 다들 탄성을 터트리며 감탄한다. 그러나 그 시간은 길지 못했다. 이제 곧 지옥문이 열릴 시간인 것이다.

*

- 온다!

위르겐이 자신의 본가인 뱅가드의 강하 포드를 보고 부리나케 도망쳤다. 뱅가드의 강하 포드는 조금 과격하게 강하한다. 착지 직전 몇 단계 감속하는 다른 부대들과 다르게 뱅가드의 포드는 그냥 낙하 속도 그대로 땅에 '착지'한다. 그렇게 포드 자체가 일종의 궤도포격이 되어 주변을 쑥밭으로 만드는 것이다. 물론 대원들은 포드의 명중 전에 바깥으로 나가 스스로 감속해서 안전하게 마무리 강하를 하지만 나가는 게 너무 느리면 탈출을 못 한 채 자신도 땅에 명중해버리고, 너무 일찍 나가면 '쿠션'을 받을 수 없다.

- 착지착지착지.

위르겐의 통신 회선으로 뱅가드의 공용 통신이 들린다. 근처에 강하 포드가 착지하니까 빨리 피하란 경고다. 물론 위르겐은 그게 거짓말이란 것을 잘 안다. 아무리 자신이 뱅가드 출신이라도 해도 차마 그것을 착지라곤 부를 수 없는 것이다. 곧이어 뱅가드의 강하 포드가 땅에 '착지'해서 그 운동 에너지로 주변을 대폭파한다. 그리고 그 하늘로 솟구치는 파편들을 쿠션 삼아 뱅가드의 어벤저들이 강하한다. 감속용 부스터들이 펑펑 폭발하며 속도를 늦추고, 크고 작은 파편들을 방패로 받으며 어벤저들이 내려온다. 그리고 마지막 착지와 동시에 사방으로 충격흡수젤이 터져 나온다.

- 욕봐라 새끼들아.

위르겐은 리퍼들 방향으로 날아가는 자신의 전 직장 동료들에게 작별 인사를 하며 지하철 입구로 내려갔다. 이제 373팀은 이 지하철을 타고 시 외곽으로 이동할 예정이다. 그런데 지하철 역사에서 먼저 내려간 팀원들이 도로 우르르 올라오고 있었다.

- 왜요? 뭡니까.

- 차 끊겼어. 올라가.

빈우의 손짓에 위르겐이 방향을 돌렸다.

- 운행 안 한답니까?

- 아니, 튜브가 작살났다. 이래선 제 속도 못 내.

이 지하철은 진공 튜브를 사용하는 방식이라 공기의 마찰을 신경 안 쓰고 고속을 낼 수 있다. 빈우는 이 지하철을 징발해서 초속 5~6km 정도로 가속해 시 외곽으로 빠져나가려고 했는데, 막상 타려고 보니 튜브의 외부로 드러난 구간이 리퍼의 엄한 공격으로 끊긴 것이다. 물론 이래도 지하철의 운행은 가능하지만, 진공을 유지 못 하면 공기 저항을 그대로 받아야 하고, 목표 속도를 낼 수 없다.

- 그럼 이제 어쩝니까.

- 엘리베이터 타자. 저 건물.

위르겐의 질문에 빈우가 손가락을 들어 가리켰다. 구름을 뚫고 올라간 고층 빌딩이 있는데 아직 건축 중이다.

- 화물 운송용 자기 엘리베이터가 있다.

그러면서 373팀원들은 정차된 버스를 지나 건물로 우르르 달려갔다. 지하철을 나와 버스를 지나 다시 건물 엘리베이터를 타는 광경이 위르겐으로 하여금 문득 학창 시절을 연상케 했다. 잠시 아련한 감성이 든 그의 눈에 들어온 것은 엘리베이터 문을 열고 손을 내밀고 있는 팀장 빈우의 모습이었다.

- 위르겐.

그의 부름에 위르겐이 자기도 모르게 손을 내밀어 빈우의 손을 잡았다. 하지만 두뇌 통신으로 넘어온 것은 싸한 반응이었다.

- 뭐 해 등신아. 핵탄두.

- ……예? 아, 예.

주섬주섬 핵탄두를 꺼내던 위르겐이 한 가지 물어보았다.

- 촉촉한 거요, 바삭한 거요?

- 당연히 바삭한 거지, 미친놈아. 여길 코발트로 절일 셈이냐.

빈우의 핀잔에 위르겐은 머쓱해하며 탄두에 씌우는 방사능 오염용 탭을 도로 백팩에 집어넣었다.

- 오케이, 다들 타. 위로 올라가자.

빈우는 핵탄두를 원격 세팅해서 지하층 아래로 던졌고, 373팀원들은 엘리베이터를 타고 위로 올라갔다. 엘리베이터는 자기레일의 힘으로 위로 올라가다가 목표층에서 멈췄다.

- 자, 다들 가속에 대비해라. 핵탄두의 폭발로 엘리베이터를 사출해서 스카이 후크 탈 거다.

팀장의 설명에 엘리베이터 안은 잠시 정적에 휩싸였다.

- ……씨발.

그 정적을 깬 것은 파트리샤였지만, 아무도 그녀를 탓하지 않았다.

- 잠깐만요, 여기 근처에 쉘터 없어요? 핵 터뜨려도 됩니까?

멋모르고 코발트 탭을 씌우려 했던 위르겐은 이젠 오히려 자기가 허둥대며 항의했다. 하지만 빈우는 이미 다 확인했다는 조사 결과를 띄워주었다. 건설 중인 이 건물 주변에는 아무도 없었다.

- 좋아, 방화벽 닫는다.

- 아니, 잠깐만요!

빈우는 파트리샤의 항의를 들은 체 만 체 엘리베이터 통로의 격벽을 닫았다. 통로 층층마다 화재를 대비한 방화벽들이 쳐지고, 373팀이 탄 엘리베이터 위로도 방화벽이 닫혔다. 이어서 빈우는 엘리베이터의 관리 프로그램에 디버그 모드로 들어가 최고출력으로 상승함과 동시에 브레이크를 걸었다. 자기 레일은 엘리베이터를 고속으로 쏴올리려 했지만 브레이크와 격벽이 그것을 막고 있었다.

- 다들 내가 보내준 작전 이해했지?

- 팀장님, 이런 건 사전에 조금, 하아…….

오죽했으면 너그러운 아룹마저 쓴소리를 할 정도다.

- 죄송합니다. 상황이 급해서요. 지금 안 하면 못 탑니다. 격발.

그리고 빈우는 핵탄두를 터트렸다. 지하에서 폭발한 핵탄두는 엘리베이터 통로를 통해 핵폭풍을 밀어올렸다. 이 폭풍은 방화벽들을 부수며 나름대로 감소되었지만, 그래도 마치 화약식 총기의 가스처럼 태스크포스 373이란 총알을 위로 발사하려 했다. 동시에 엘리베이터 위의 방화벽과 옆의 브레이크가 풀리며 아래쪽의 폭풍까지 받은 총알은 위로 급가속해서 올라간다.

- 건물 붕괴한다.

빈우는 엘리베이터 탄환이 꼭대기에 부딪히기 전에 건물 상부를 자가 붕괴시켰다. 그리고 갑자기 생겨난 총구로 373팀을 태운 엘리베이터가 발사되었다.

- 정신 차려. 스카이 후크에 탄다.

엘리베이터에서 나갈 필요는 없었다. 엘리베이터 자체가 가속도를 못 이기고 붕괴했기 때문이다. 빈우의 말대로 저 멀리 모니카가 만들어서 늘어트린 스카이 후크가 있었다. 그것은 지금 정지해 있는 것처럼 보였다. 행성 저 궤도에서 회전하는 스카이 후크는 현재 누벨 노르망디의 공전, 자전 속도에 맞춰 회전하고 있기에 지금 회전 방향이 일치한 이 순간만큼은 잠시 멈춘 것처럼 보이는 것이다. 그래서 빈우가 이 타이밍을 맞추기 위해 서둘렀었다.

- **날아! 이동해!**

순식간에 고고도까지 날아오른 태스크포스 373은 각자 제트팩을 써서 스카이 후크까지 날아갔다. 얼기설기 임시로 엮어놓은 발판에 373팀원이 간신히 올라타자 스카이 후크의 회전 방향과 누벨 노르망디의 자전 방향이 바뀌며 둘 사이의 거리가 급격히 멀어진다. 파트리샤는 자신이 발사된 건물이 무너져내리는 모습을 보며 고개를 절레절레 흔들었다.

- **괜찮아. 미리 말해놨어.**

빈우는 안심시키기 위해 한 말이지만 파트리샤는 소름이 돋는 듯, 몸을 부르르 떨었다.

- **쉴 틈 없다. 다들 강하 준비해. 목적지는 지열 발전 연구소다.**

빈우의 말에 다시 정적이 찾아왔다. 이번에 정적을 깬 것은 부팀장인 아룹 라마누잔 원사였다.

- **제가 나름 군 생활 좀 했다고는 자부합니다만, 팀장님 같은 망나니는 처음 봅니다.**
- **하루 이틀 같이 산 것도 아닌데 섭섭한 말씀을.**
- **그 망나니가 하루하루 다르게 일취월장한다는 말이죠.**

어쨌거나 태스크포스 373은 졸지에 저궤도 비행을 해서 목적지인 지열 발전 연구소까지 순식간에 갈 수 있게 되었다.

• • • ✦ • • •

- 자, 슬슬 강하 준비.

스카이 후크에 타서 이동과 가속을 한 373팀은 뛰어내릴 준비를 했다. 여기서 어영부영하다간 스카이 후크에 탄 채 다시 대기권을 돌파해버린다.

- 오늘 강하 몇 번 하는 거야. 다들 추진제 여분 있어요?

파트리샤의 말에 팀원들 저마다 제트팩의 추진제 연료를 체크했다. 지상에서 작전을 한다면 모를까, 방금의 비행에 지금의 강하까지 더하면 나중에 탈출할 때는 제트팩을 쓰지 못할 수도 있다.

- 아, 그건 걱정하지 마. 이번 강하에선 연료를 조금 적게 쓸 거야.

그러면서 빈우는 팀이 지열 발전 연구소로 강하할 경로를 보여주었다. 바로 강하하는 것이 아니라 연구소를 중앙에 두고 주변으로 큰 원을 그리며 비스듬히 낙하하게 되어 있었다. 팀원들 모두 강하를 한두 번 해본 사람이 아니라 이 궤도가 주로 어떨 때 쓰이는 궤도인지 아주 잘 알고 있었다.

- 팀장님, 진심이세요?

이번 강하에 무엇이 함께하는지 아는 파트리샤가 확인차 질문했다.

- 물론.

어디를 가도 이 구역의 미친년은 나라고 자신할 수 있는 파트리샤였지만, 빈우에게는 언제나 한 수 뒤처지는 느낌이다.

- 거기 누가 있는지 어떻게 알고요?

- 일단 연구원이나 직원, 일반 시민들이 없는 것은 확실해. 책임은 내가 진다.

- 42전단에는 뭐라고 하실 건데요? 거기서 오케이 할까요?

- 거기 바쁜데 왜. 블랙 랜스에 요청할 거야.

블랙 랜스는 태스크포스 373의 모함이라서 빈우의 명령하에 있다. 즉 요청이고 뭐고 할 거 없이 바로 쓸 수 있는 것이다. 별수 없이 입맛 다시며 뒤로 물러서는 파트리샤에게 위르겐의 개인 통신이 들어왔다.

- 누님, 왜 그리 심각해요? 아까는 지하층에 핵탄두까지 떨어트렸는데.

- 글쎄다. 요즘 팀장님 분위기가 좀 수상해서 말이지.

- 수상해요?

- 그래, 아나스타샤하고 분위기가 뒤숭숭하단 말이야. 눈치 못 챘어?

파트리샤의 말에 위르겐은 빈우와 아나스타샤 간의 분위기를 떠올려보았다.

- 으음, 그러고 보니 조금 차가운 것 같기도 한데 말이죠.

물론 빈우가 아타스타샤를 딱히 매몰차게 대하는 기색은 없었지만 워낙에 살갑게 지내던 주인과 메이드 사이였다 보니 요즘엔 더욱 그렇게 보였다.

- 이번 작전 끝나고 레드우드 사령관님한테 한소리 해야겠는데.

팀장의 이상 징후는 팀으로 바로 이어진다. 그런 걱정을 하는 파트리샤에게 빈우의 뒷모습이 보였다. 그 모습이 마치 옆에 있는 아룹과 대화하는 것 같았다. 둘만의 개인 통신인지 파트리샤와 위르겐은 들을 수 없었지만, 몸짓이나 제스처를 보면 대화하는 게 확실했다.

'둘만의 비밀 대화라…….'

부팀장에게만 하는 말일 수도 있고, 아룹 개인에게만 하는 말일 수도 있다. 그게 무엇이든 파트라샤와 위르겐이 알아선 안 되거나 알 필요가 없는 일일 것이다. 호기심 많은 파트리샤는 그쯤에서 신경을 껐다.

- 더 이상 상승궤도에 들어가면 안 돼. 이제 강하한다.

빈우의 말에 팀원들이 바닥 가장자리로 갔다. 태스크포스 373의 지상팀을 태운 스카이 후크는 완만하게 상승곡선을 그리고 있다. 그리고 지금 구간이 강하하기엔 거리나 고도가 적당한 지점이다. 팀원들은 전부 강하 준비를 마쳤다. 목표지점의 최종 확인 후 맨 먼저 빈우가 뛰었고, 다음이 파트리샤, 위르겐, 마지막으로 부팀장인 아룹이 점프했다.

- 거리 유지해. 대공 사격이 올지도 모른다.

지금 지상팀이 완만한 원형 궤도로 하강하는 데에는 상대방의 의중을 파악하려는 목적도 있다. 그러나 지열 발전 연구소에선 딱히 별다른 반응이 없었다. 4기의 장갑보병들은 목적지를 향해 점차 고도를 낮춰갔다.

- 함장님.

- 알겠습니다.

사전에 연락해놓은 것인지 빈우의 통신 한 번에 오르 함장이 블랙 랜스에서 포격을 가했다. 373 지상팀이 강하하는 지열 발전 연구소에 블랙 랜스의 코일건들이 내리꽂히고 있는 것이다.

- 유후!

옆으로 지나가는 코일건의 폭풍에 위르겐이 탄성을 지른다. 착탄 지점에서 섬광과 함께 폭발이 일어난다. 이어서 폭풍과 파편이 위로 솟구친다.

- 돌입!

강하하던 373 지상팀은 먼지와 파편 속으로 들어갔다. 장갑복 곳곳에서 충돌음이 들린다. 아까 빌딩에 포격을 가해서 무너지는 건물 파편으로 감속한 것과 같은 방법이다. 그것 말고도 혹시 있을지도 모르는 적의 고개를 꺾어버리고 시야를 가린다는 노림수도 있다. 마지막에야 제트팩을 써서 착지한 팀원들은 즉시 대형을 바로잡았다. 빈우와 파트리샤가 앞섰고, 위르겐과 아룹이 후열에서 엄호하며 따라온다.

- 작살났구먼.

원래는 연구소 건물이 있었지만, 지금은 흔적도 없이 사라진 자리를 보며 아룹이 말했다.

- 아직 적은 없습니다.

파트리샤의 센서에 적은 보이지 않는다. 그녀는 착지하자마자 땅바닥을 뱀처럼 기어가며 주변을 살피고 있었다.

- 위르겐.

- 레이저포를 광역 조사했는데, 먼지만 탑니다. 샤다이는 없습니다.

- 지상에는 없겠지.

빈우는 무너진 잔해 사이에 위치한 거대한 구멍으로 다가갔다. 지름 10m, 깊이 75km에 달하는 구멍이다. 연구소 자리에는 이런 구멍이 몇 군데나 있었다.

- 발전용, 심층부 탐사용…….

빈 구멍도 있지만, 대부분은 사용하고 있었다. 발전기가 달린 곳도 있고, 어떤 곳은 측정용 기기들이 잔뜩 붙어 있었다. 그때 뒤에 있던 아룹이 갑자기 코일건을 쐈다. 그 사격은 빈우 3시 방향에 있던 거대한 파이프를 찢어발겼고, 빈우는 즉시 스핑크스를 방패 모드로 해서 그쪽을 향하며 뒤로 물러섰다.

파이프에 숨어 있던 적은 아룹의 공격을 맞고 바깥으로 튕겨져나왔지만, 그 와중에도 빈우에게 사격을 가했다. 하지만 스핑크스는 아무것도 막지 못했다. 플라스마를 묶기 위한 자기장은 고속의 텅스텐 탄자를 막지는 못했고, 그 다음에 위치한 컨커러의 방어막이 이를 튕겨냈다. 사격을 가한 그라인더는 재빨리 파이프 아래로 들어가 내려갔고, 빈우는 그 위로 아까 감속할 때 썼던 포방패를 던졌다. 안에서 올라오는 코일건 사격에 방패가 하늘로 솟구친다. 그다음 빈우는 스핑크스를 파이프 안으로 넣고 플라스마를 쐈다.

- 적은 그라인더다!

- 네? 그, 그라인더라면?

빈우의 말에 위르겐이 허둥댄다. 하지만 같은 그라인더를 사격한 아룹은 태연했고, 파트리샤는 그런 아룹의 모습을 보며 두 사람이 아까 했던 대화를 짐작할 수 있었다. 팀장인 빈우는 이런 사태를 예측하고 있었던 것 같다.

- 그래, 그라인더. 단검뿔 토끼가 쓰는 연방 최고의 장갑복이잖아.

그렇게 말한 빈우가 공터에 수류탄을 하나 던졌다. 그리고 폭발의 반향음과 진동으로 주변을 스캔해보았다. 지상에 매복은 없어 보인다. 달리 말하면 이 정도에 발각될 매복은 없다는 얘기이기도 하다.

- 아군이란 말입니까? 방금 우리가 아군을 쏜 겁니까?

위르겐은 아직 사태를 파악하지 못한 것 같다. 특수부대라고 해도 녀석이 속한 뱅가드는 꽤 깨끗한 싸움을 한다. 자기들 말로는 개싸움이라고 하지만, 다른 팀원들이 보기엔 충분이 정정당당하고 떳떳한 싸움이다.

- 아군? 글쎄다, 부팀장?

빈우의 질문에 아룹이 어깨를 으쓱한다.

- 어차피 이 바닥에서 아군 아니면 적이죠. 하지만 팀장님 머리에 총구 겨눈 이상 아군 같아 보이진 않네요.

- 어, 그래도…….

위르겐의 머릿속엔 방금 궤도폭격을 한 블랙 랜스가 떠올랐다. 그래서 혹시 373에게 공격받은 그라인더들이 그것 때문에 자신들을 적으로 보고 있는 게 아닐까 하는 데까지 생각이 닿았다.

- 잘 들어 위르겐. 방금 그라인더의 모습을 한 게 모습을 흉내 낸 적성 종족이든 진짜 연방군이든 그건 중요하지 않아. 지금 같은 수상한 상황에선 아군이라고 밝히지 않는 이상 적이다. 어벤저의 피아 식별에 그라인더가 어떻게 잡혔어?

빈우의 그 말에 위르겐이 움찔했다. 방금 그라인더는 철저하게 모습을 감추고 있었고, 파이프 바깥으로 나온 다음에도 위르겐의 센서에는 노란색, 즉 정체불명기로 잡히고 있었다. 아군기라면 아군의 신호가 있어야 하는데 저 그라인더에는 그게 없었다.

- 그리고 우리 공격을 받았다면 즉시 아군이 있다고 밝혔어야지. 쏘지 말라고.

- 어머, 우리 숫총각이 이런 데도 경험이 없었구나? 딱 보면 알겠네. 애들은 정

체를 감추고 비밀작전을 하는 부대야. 주로 바깥으로 알려져선 안 되는 더러운 일을 하지. 그래서 이런 놈들은 입막음을 위해 목격자를 제거하기도 해. 그게 같은 아군이라도.

파트리샤는 그렇게 말하면서도 열심히 파편 사이를 기어다니며 적을 찾고 있었다.

- 위르겐, 내가 쏜 것은 저놈이 먼저 팀장님을 조준했기 때문이다.

아룹의 말에 위르겐은 정신을 다잡고 총을 고쳐 잡았다. 이제 정체불명 그라인더가 모습을 드러내면 바로 갈아버릴 결심이 든 것이다.

- 부팀장, 이놈들 역시 그놈들 같아 보이죠?

- 네, 보안국 쪽 놈들 같습니다.

물어보는 빈우와 대답하는 아룹은 꽤 긴장하고 있었다. 아무리 비밀부대라 해도 이들이 정말 단검뿔 토끼일 리는 없다. 만약 그랬다면 특수전 사령부 직속인 태스크포스 373에게 반드시 정보가 갔을 것이고, 설령 비밀부대라면 같은 단검뿔 토끼 소속인 아룹에게 이 자리를 피하라고 어떤 방법으로든 경고를 했을 것이다. 이런 경우에 들어맞는 부대는 하나밖에 없다. 보안국이 비밀리에 운용하는 작전팀. 아룹이 얻은 정보에 의하면 이들은 단검뿔 토끼에서 훈련을 받았다고 했으며, 그렇다면 그라인더를 입어도 이상할 것은 없다. 그리고 보안국과 태스크포스 373 간의 애매모호한 악연이 지긋지긋하게 이어지고 있다.

- 팀장님이 군사정보국이나 정보사령본부 쪽으로 연락해보시는 건 어떨까요?

- 안 될 거 알잖습니까. 이놈들 리퍼 편이 확실합니다.

놈들이 태스크포스 373의 공격을 받은 것은 중요하지 않다. 373 지상팀에게 아무런 통신도 없이 적대행위를 한 게 문제다. 그리고 대개의 경우 이런 부대는 은밀하고, 끈질기다.

- 으음, 리퍼에게 공격받는 연방직할령에 있는 보안국 팀이라면 어떤 말 못 할 이유가 있을까요? 협조나 내통? 아니면 샤다이 뒤통수 치기 위해서 밑밥 깔

고 준비 중? 그럼 우리가 판 엎은 건가?

파트리샤가 하는 말은 다 그럴듯한 이야기다. 하지만 지금 상황에선 맞지 않는다.

- 샤다이와 은밀히 접촉하는 건 이상한 일이 아냐. 종종 있었으니까. 하지만 그건 군사정보국 관할이고, 그렇다면 원래 그쪽 소속인 내가 못 알아볼 리 없어. 어쨌든 실력은 단검뿔 토끼 급이다. 다들 긴장해.

빈우가 그 말을 하기도 전에 팀원들은 이미 다들 긴장하고 있었다. 단검뿔 토끼라면 연방 최고의 대원들이고 그들이 입는 그라인더 역시 최강의 장갑복이다. 한 명 한 명이 전함에 필적하는 위험성을 가진 놈들인 것이다. 이런 놈들과 싸우느니 차라리 아까 리퍼들과 싸우는 게 좋을 뻔했다.

- 폭발이다! 지하야.

파트리샤가 경고했다. 바닥을 기어다니며 주변의 소리와 진동을 수집하던 그녀는 지하 깊은 곳에서 들리는 폭발을 들은 것이다.

- 제길. 땅을!

빈우가 혀를 차며 제트팩을 써서 뒤로 뛰었다. 태스크포스 373이 선 땅이 갈라지고 있었다. 놈들은 파이프와 파이프 사이의 지반을 터트려 일부러 땅을 무너뜨린 것이다. 그때 정확한 코일건의 저격이 빈우를 공격했다. 공중에 뜬 컨커러는 공격을 막았지만 땅으로 떨어졌다. 그리고 그 위로 무너지는 지반이 덮쳤다.

- 팀장님! 저 새끼가!

위르겐이 즉각 저격 지점을 향해 대응 사격을 날렸다. 저격한 놈이 숨어 있을 법한 위치 주변을 중포로 쓸어버릴 때 뒤에서 위르겐에게 저격이 날아왔다. 중포병 사양의 어벤저는 몇 발 얻어맞다가 엄폐했지만 이미 레이저포의 방열판이 박살 났다.

- 안 맞네. 씨발.

파트리샤도 코일건을 쐈지만, 이놈들은 마치 두더지 잡기처럼 들락날락하며 이쪽의 혼을 빼놓고 있었다.

- **대응하지 마. 뒤로 빠져.**

아룹의 말에 파트리샤는 즉시 뒤로 빠졌다. 그러자 그녀의 왼쪽 편으로 돌아오려는 그라인더들이 다시 파편 더미로 몸을 숨겼다. 곧이어 위르겐의 미사일이 그쪽 파편 더미를 날려버렸지만 이미 거기엔 아무도 없었다.

- **아군으로 있을 땐 믿음직한데.**

어느새 빈우가 일어나 파트리샤 뒤로 다가가 그녀와 합류해 사격하고 있었다.

- **적으로 만나면 이만한 잡놈이 없지요.**

스스로 잡놈이라 커밍아웃한 아룹이 위르겐 쪽으로 가려다가 저지당했다. 좌우의 사격이 겹쳐서 몸을 뺄 수 없었다.

- **위르겐 고개 내밀지 마, 이 사격은 미끼다. 고출력으로 한 놈이 저격한다.**

단검뿔 토끼의 방법을 훤히 꿰뚫고 있던 아룹 덕분에 장갑 믿고 나서려던 위르겐의 머리는 무사할 수 있었다. 하지만 어벤저가 엄폐하고 있던 파편은 코일건에 깎여 점점 사라지고 있다.

- - - ✦ - - -

- X 됐네.

파트리샤가 한숨을 쉬었다. 놈들은 인필트레이터가 숨거나 튀어나올 법한 곳을 미리 저출력 산탄으로 갈아대고 있었다. 평상시라면 맞아도 가렵지도 않을 공격이지만, 변형 중이라면 꽤 아플 것이다.

- X 됐지.

아룹이 맞장구친다. 몇 발 쏴보니 바로 감이 잡혔다. 저놈들은 실제로 단 검뿔 토끼 급의 실력들이다. 비슷한 실력에 비슷한 장비, 그러나 숫자는 저쪽이 많다. 대략 1개 소대 이상. 더욱이 놈들 역시 이쪽의 실력과 작전을 대강 파악하고 있는지 마구 들어오기보다는 철저히 견제를 하며 갉아먹기로 나왔다. 게다가 전자전 장비도 있어서 이쪽의 통신 회선을 자꾸 방해하려 한다.

- 씨발.

위르겐이 이를 갈며 수류탄을 던졌다. 공격용이라기보다는 조준과 탐지를 방해하는 전파 산란용 수류탄이 터지자 근처에 노이즈가 가득 찼다. 그리고 그사이 위르겐은 제트팩으로 날아 빈우 쪽으로 합류했다. 어차피 이런 건물의 파편들은 코일건에 대해 별다른 방호력을 제공해주지 않는다. 시야를 가려도 잠깐이다. 그래서 위르겐은 몇 방 더 맞더라도 합류하는 것을 선택한 것이다.

- 팀장님, 괜찮으십니까? 팀장님?

빈우는 무너진 땅 아래에 숨어서 총구만 빼꼼히 내밀어 응사하고 있었다. 그런데 위르겐이 거기에 도착했을 땐 빈우는 없었다. 바위 더미 사이로 입자포 견착용 로봇암이 혼자서 코일건을 잡고 사격하고 있었다. 빈우는 아마 저 악마의 똥구멍으로 보면서 원격 사격 중일 것이다.

그때 팀원들의 두뇌 통신으로 하나의 사선이 느껴졌다. 이쪽으로 사격이 가해질 테니까 피하란 경고다. 동시에 땅 밑에서 플라스마 포격이 올라왔다. 땅 밑으로 숨어 들어간 빈우가 스핑크스로 긁은 것이다. 동급의 방어력으로는 막을 수 없는 화력이 지하에서 솟구쳐올라 적 진형을 무너트렸다. 자욱한 열기 사이로 하반신이 녹아버린 그라인더가 동료의 부축을 받아 뒤로 물러선다. 부축하는 놈도 좌반신이 불타 비틀거리고 있다.

- 위르겐, 지정한 곳부터 갈겨!

빈우의 명령에 흙더미를 걷어차고 일어난 위르겐이 포신을 돌렸다. 그리고 자신에게 달려오는 그라인더를 무시하고 중코일건을 돌려 대형으로 성형된 탄두를 최대출력으로 쐈다. 멀리서 저격 위치에 있던 그라인더가 방패째 꿰뚫려 어깨를 맞고 날아간다. 위르겐을 노리던 그라인더는 파트리샤의 코일건 견제에 물러섰고, 그 자리에 정확한 아룹의 공격이 날아든다. 장갑에 피해가 쌓인 녀석은 할 수 없이 제트팩을 써서 멀찍이 뒤로 날아갔다.

- 어쩔까요? 뱅가드에서 지원이라도 부릅니까?

그렇게 말하던 위르겐은 또 다른 코일건 공격을 방패로 막으며 아룹에게 합류했다. 그를 엄호하던 아룹은 측면에서의 공격에 사격을 멈추고 위르겐과 함께 뒤로 물러섰다. 그때 우회한 파트리샤가 경질화된 왼팔을 방패 삼아 앞으로 나섰다. 그리고 코일건을 튕겨내며 달려나가 아룹 쪽을 쏘던 그라인더와 근접전을 시작했다. 파트리샤의 공격을 쳐낸 그라인더가 반격하려 했지만 놈의 다리에 빈우의 코일건이 명중했고, 휘청이던 그놈 뒤에서 다른 그라인더가 등장하자 이번엔 파트리샤가 망설임 없이 바로 뒤로 빠졌다. 그 자리에 빈우의 플라스마 포격이 작렬했고, 두 그라인더는 증발한 발포방패를 버리며 빈우에게 대응사격을 날렸다.

- 뱅가드 지원이라……. 다행히 뱅가드 쪽 시가전은 잘 되어가는군.

빈우의 말대로 태스크포스 373을 이어받아 리퍼와 시가전을 벌인 뱅가드는 전임자처럼 치열하게 싸우지 않았다. 주로 라이노의 입자빔포 공격으로 견제를 하면서 거리를 벌렸고, 어느 정도 거리를 확보함과 동시에 목표 지점에 쉘터와 피난 시설이 없는 것을 확인하고선 바로 궤도포격으로 쓸어버렸다. 궤도 상이 아군의 것이 되면서 가능한 일이다.

- 그건 그렇고 저 그라인더들, 보안국 소속이라면서요. 얘기해보면 안 되겠습니까? 투항하라고 해봅시다.

위르겐의 질문에 세 사람은 쓴웃음을 지었다.

- 위르겐, 저놈들은 공식적으로 존재하지 않는 놈들이다. 내가 보안국이라고 해서 저놈들이 보안국이 되는 게 아냐. 상부에선 철저하게 부정할 거다.

- 그게 말이 됩니까, 아무리 정체를 숨겼다 해도 아군 아닙니까. 같은 인간끼리 싸워서 무슨 말이ㅡ.

위르겐은 말을 끝내지 못하고 나동그라졌다. 아룹이 거세게 걷어찼기 때문이다. 그리고 그쪽으로 플라스마가 날아왔다.

- 리퍼다.

아룹은 자신에게 날아오는 플라스마 사격을 플라스마 도끼의 자기장 날 부분으로 막으며 위르겐을 보호했다. 그리고 재빨리 사격이 날아온 쪽으로 반격을 했다. 위르겐을 쏜 리퍼 역시 방패를 들고 방어막 너머로 아룹을 노려보았다.

- 아오, 씨발!

빈우는 그라인더 근처를 노리고 스핑크스를 쐈다. 그런데 이미 그쪽에도 리퍼가 있었다. 놈은 컨커러가 쏜 플라스마를 가볍게 튕겨내곤 반격으로 플라스마를 쐈다. 사격 모드에서 방패 모드로 전환할 시간이 없었던 빈우는 그 공격을 컨커러의 방어막으로 막아냈다. 그리고 방어막이 소진된 사이로 그라인더의 사격이 쏟아진다.

- 독하다.

빈우는 할 수 없이 건물 모퉁이를 돌아 숨었지만, 엄폐물은 순식간에 박살났다. 더구나 새로이 나타난 리퍼들은 그라인더와 연계해 태스크포스 373을 압박해오고 있었다.

- 팀장님, 지원 요청 정말 안 할 거예요?

파트리샤의 질문에는 서서히 다급함이 올라왔다. 애초에 이번 작전은 지열 발전 연구소에 잠입한 적들을 잡아내기 위해 강하한 것이었다. 태스크포스 373만으로 할 수 없다면 다른 지원 병력을 부르는 게 옳다. 궤도 상을 장악한 지금이라면 더 이상 위험할 일도 없으니까 방금 시가전에서처럼 뱅가드 장갑보병을 부르면 될 일이다.

- 예에? 아저씨들. 대답 좀 해봐요.

그러나 빈우는 바로 대답하지 않았다. 그리고 아룹의 태도 역시 조금 이상했다. 원래 이럴 때 의견을 내는 것은 부팀장의 몫인데 그마저 조용한 것이 이상하다. 파트리샤는 불현듯 강하 전에 빈우와 아룹이 모종의 이야기를 나눴다는 것을 떠올렸다. 잠시 틈을 두고 나온 빈우의 말은 조금 뜻밖의 내용이었다.

- ……파트리샤, 이번 작전은 태스크포스 373 단독으로 하는 게 좋을 거다.

빈우의 말에 파트리샤가 조용해진 반면 위르겐은 대번에 시끄러워졌다.

- 아니, 그게 무슨 말씀이십니까. 저 그라인더들이 리퍼와 짝짜꿍 붙은 게 안 보이십니까? 말씀하신 대로 저거 샤다이 내통자나 워프 비스트일 가능성이 있다면 더더욱 지원군을 불러야지요.

더구나 사사건건 태스크포스 373을 방해했던 보안국이 이번 일의 배후라면, 놈들을 싸그리 숨아낼 기회인 셈이다.

- 그래, 만약 뱅가드가 강하한다고 하자. 우리처럼 소규모 팀이라면 모를까, 뱅가드가 온다면 저놈들 확실히 눈치챈다. 그리고 도망칠 거다.

빈우의 말에 위르겐은 아차 싶었다. 저놈들의 부대 성격상 불리하거나 확실한 증거가 잡힐 상황이 되면 바로 후퇴할 것이고, 그러면 말짱 도루묵이 된다. 지금까지 있었던 전투 기록을 제출해봤자 보안국에서 발뺌하려면 할 수 있다. 그래서 빈우는 지금 놈들에게 허점을 보여가며 확고부동한 증거를 잡기 위해 싸우는 것이다.

- 그리고 이런 일에 42전단이 연루되면 곤란해. 42전단은 샤다이를 무찌를 창이다. 이런 얼룩이 묻으면 흠이 생기고, 흠이 생기면 뒷말이 생긴다.

42전단은 샤다이를 공격하기 위해 연방 각지에서 긁어모은 드림팀이며 엄연히 정규군이다. 만약 정보사령본부의 어두운 작전들과 엮이게 되면 설령 잘못을 저쪽이 저질렀다 하더라도 필히 꼬투리가 생긴다. 그리고 이런 사소한 꼬투리라 해도 연방 내부에서 암약해온 워프 비스트들이 그것을 놓칠 리는 없다.

하지만 태스크포스 373은 애초에 샤다이를 상대로 더러운 전투를 하기 위해 생긴 비밀작전팀이고, 선조치 후보고 형태로 진행되는 것을 감안하고 팀을 꾸렸기 때문에 작전 중 타부서와의 마찰이 있을 경우 쌍방간 적절하게 합의를 볼 수 있다. 그래서 빈우는 되도록 태스크포스 373만으로 이번 작전을 완료하고 싶었던 것이다.

- 근데에~ 증거를 잡기 전에 이쪽이 뒈지겠는데요?

파트리샤의 말대로 그라인더와 리퍼들은 철저하게 협력해서 덤비고 있었다. 둘 중 하나라도 승패를 장담할 수 없는데, 일이 이렇게 되면 제아무리 태스크포스 373이라 해도 위험하다.

- 역시 그렇겠지. 할 때까지 해보다가 안 되면 도망치자.

할 때까지 해보는 것은 빈우 쪽이다. 연이은 전투로 인해 축적된 부상은 아직 완전히 낫지 않았고, 지열 발전 연구소에서의 전투에선 집중 공격을 받고 있었다.

- 부팀장, 뒤로 빠져요. 파트리샤, 내 뒤로 붙어.

하마터면 왼쪽으로 둘러온 우회조에 포위당할 뻔한 아룹과 위르겐이 뒤로 빠지고, 빈우와 파트리샤가 전진해서 포위하러 온 적의 우회조에 반격했다. 그런데 빈우가 대응하자마자 이동하던 그라인더들은 바로 그 자리에서 방패를 내리고 맹렬하게 저항했고, 적의 주공으로 맞서던 조가 제트팩를 써서 가속, 아룹 쪽을 지나치고 빈우 쪽을 덮쳐왔다.

- 저 새끼들……!

아룹과 위르겐은 요란사격을 하며 뒤로 빠지다가 위로 날아가는 그라인더를 보고 혀를 찼다. 우회조를 치려던 빈우 쪽이 오히려 쌈 싸 먹힐 지경인 것이다. 그러나 빈우는 재빨리 제트팩을 사용해 날아올라 그라인더 둘과 엉겨붙었다. 그리고 서로 진동 나이프로 칼질하다가 땅에 떨어졌고, 컨커러와 그라인더 2기가 근접전을 하고 있는 곳으로 위르겐이 레이저 포를 갈겼다. 엄청난 광량에 노출된 장갑복 셋이 하얗게 빛나며 달아올랐다. 그라인더들은 도망치려 했지만 컨커러가 붙잡고 놔주질 않았다. 그 결과 샤다이제 방어막을 가지고 있던 빈우는 무사했지만, 그라인더 둘은 심각한 피해를 입고 바닥에 쓰러졌다.

- 팀장님!

레이저포를 쏜 위르겐이 소리쳤다. 레이저를 막고 잠시 방어막이 다운된 사이, 코일건의 사격이 빈우의 컨커러를 휩쓴 것이다. 치밀하고 집요한 사격은 장갑 취약 부위를 노렸고 이런 경우엔 아무리 장갑복이라 해도 치명상이 된다. 그러나 다행히 컨커러는 근접전용으로 만들어져 관절부를 보강했고, 설계 사상이 기존의 연방계열 장갑복과는 틀렸다. 즉 취약 부위가 기존의 장갑복들과는 다르다. 거기에 덧붙여 약점만을 노린 그라인더들의 정확한 사격 덕분에 빈우는 심각한 부상은 면할 수 있었다. 하지만 컨커러의 손상은 심각했고, 빈우는 바닥에 쓰러졌다.

빈우를 구하기 위해 나서려던 아룹과 위르겐은 리퍼들이 덤비느라 움직일 수 없었다. 그사이 그라인더들이 쓰러진 빈우 쪽을 향했다. 마무리를 지을 셈이다. 파트리샤는 몸을 변형시켜 반격을 위해 숨어 있다가 예측 사격을 맞고 고꾸라졌다.

- 씨발.

파트리샤는 욕 한번 세게 뱉은 다음 인필트레이터의 장갑을 경화시켰다. 그리고 대응 사격을 하려 하자 그라인더들이 날아와 근접전에 들어갔다.

- 파트리샤, 빠져.

맞서려던 파트리샤는 빈우의 말에 즉시 뒤로 빠졌다. 그리고 그 자리로 차원이 다른 화력의 공격이 쏟아졌다. 상공으로부터 우지의 롱소드가 내려와 지원 공격을 한 것이다. 그라인더 둘이 순식간에 산산조각이 나 바닥에 뒹굴었다. 이어서 초음속 비행에 따른 충격파가 지상을 휩쓸었다.

- 손안에 에이스 포 카드 있고 호주머니에 한 장 숨겨놓고 있으면 한번 걸어볼 만하지.

빈우의 말에 팀원들이 한숨 돌렸다.

- 왜 이제야 우지를 부른 거예요.

파트리샤의 타박에 빈우는 심드렁하게 대답한다.

- 궤도가 안정화되고, 블랙 랜스 호위도 해야 되고, 결정적으로ㅡ.

빈우는 자기가 탐색한 적들의 수와 위치를 팀원들에게 공유했다.

- 저쪽에선 더 이상 낼 패가 없어 보이네.

그라인더에 리퍼. 적들이 꺼낼 수 있는 패는 이제 다 꺼낸 것 같다. 아무리 수가 많다 해도 장갑보병은 보병, 땅개다. 공중에서 날아오는 전투기에 비할 바가 못 된다. 그러나.

- 으왓!

갑작스러운 우지의 비명에 팀원들이 위를 보자, 리퍼의 플라스마 공격이 롱소드를 스치고 지나가는 게 보였다.

- 개놈이.

그러나 바로 입자빔포의 반격에 대공 사격했던 리퍼가 사라졌다.

- 우지! 너무 내려오지 마, 리퍼들의 대공 사격을 조심해.

빈우가 주의를 줬다. 샤다이가 무서운 것은 장갑복 주제에 화력이 전차 급이란 점이다. 그리고 조준을 못 하는 스팸이라면 모를까, 리퍼들이라면 롱소드라 할지라도 아차 하면 위험하다.

213

· · · ✦ · · ·

- 저 자식들 빠진다. 우지, 밀어붙여! 지상팀은 견제만 해. 따라붙지 마.

제아무리 날고기는 단검뿔 토끼라고 해도 고속 고화력의 전투기 아래에
서는 어쩔 도리가 없다. 롱소드가 오자마자 적들은 바로 후퇴하는 분위기였
다. 하지만 놈들을 생포하진 못했어도 시신과 파괴된 그라인더는 수거할 수
있다. 이 정도면 증거품으로서 충분하다. 그래서 빈우는 여기서는 더 이상 추
적하지 않고 이것으로 만족할 생각이었다. 게다가 공중지원이 롱소드 1기뿐
이라면 저쪽 그라인더들과 리퍼의 연계에 자칫 격추당할 수 있다. 어차피 놈
들의 작전은 막은 것 같고, 저쪽이 먼저 물러날 기미가 보이니 이쪽도 슬슬
빠지면 된다.

- 어, 어라아? 저 새끼들 안 빠지는데요?

그런데 파트리샤의 말대로 그라인더와 리퍼들은 어느 정도 물러서다가
대형을 짜고 대응 사격을 하고 있었다. 더 이상 물러설 기미는 없어 보였다.

- 좀 이상한데. 버티기를 하려면 오히려 우리에게 찰싹 붙어서 우지가 공격하
지 못하게 해야 할 텐데 말이야.

빈우 역시 상대방의 낌새가 이상했다. 저렇게 옹기종기 모여 있으면 롱소
드의 공격 한방에 싸그리 갈려나간다.

- 우지, 근방에 적기가 없는지 주의해.

행여 신형 샤다이 전투기가 온다면 지금 상황에선 지상팀까지 위험하다.

- 알겠습니다.

롱소드는 바로 사격 코스로 들어오지 않고 주변을 선회하며 정찰했다.

- 위르겐, 레이저포 광역조사.

저렇게 모인 다음에 리퍼들이 은신하고 기습해 올지도 모르기에 빈우는 그에 대비하려 했다.

- 안 됩니다. 아까 방열판이 부서졌습니다. 마지막 한 방 쏘고 나서 이젠 못 쏩니다.

- 저출력으로도?

- 아예 나갔습니다.

위르겐은 작동하지 않는 레이저포를 아예 벗어놓고 있었다.

- 할 수 없지. 모두 수류탄 얼마 남았어?

빈우는 팀원들의 수류탄 잔량을 체크했다. 공중 살포에 지뢰로까지 기능하는 이 다목적 폭탄은 치열한 격전 탓에 이제 얼마 남지 않았다.

- 어쩔 수 없다. 침투경로 예측해서 산탄 사격해. 연막을 만들어.

373 팀원들은 모여 있는 적들과 사격을 주고받으면서도 틈틈이 적이 오겠다 싶은 곳으로 사격해 먼지를 휘날렸다. 아무리 모습을 감추고 있는 샤다이라 해도 발자국이나 먼지의 흐름까지는 감출 수 없다.

- 와우, 팀장님. 지하에 뭔가 열원이 있습니다. 너무 커요.

파트리샤의 말에 빈우는 퍼뜩 자기 센서를 살폈다. 그러나 온도의 변화는 없다.

- 나 왜 변화가 없지? 센서가 갔나? 위르겐?

- 어, 네. 지하에서 갑자기 온도가 올라갑니다.

- 우지!

다급한 빈우의 부름에 우지가 즉시 대답한다.

- 네, 연구소 주변 반경 30km의ㅡ.

- 아니, 인마! 저 새끼들 날리라고!

롱소드가 재빨리 하강하자 리퍼 둘이 나서서 방패를 들고 막으려 했다. 그러나 롱소드의 입자빔포는 샤다이 방어막을 무시한다. 포구 폭발이 일어났지만 롱소드는 그런 것은 방어막과 관성제어장치로 무시하며 날아와 리퍼 무리를 꿰뚫었다. 덩달아 뒤쪽의 그라인더들도 박살이 난다.

- 야야야, 온도가 너무 올라가는데에ㅡ.

이젠 파트리샤가 말해주지 않아도 알 지경이다. 땅이 흔들리고 곳곳에서 수증기가 뿜어져 나온다. 열기에 대기가 일렁이고 장갑복 안에서도 미미한 온기가 느껴진다.

- 저 개새끼들이 대체 무슨 짓을 한 거지?

빈우가 욕지거리를 내뱉었다. 그도 그럴 것이 행여 이런 일이 있을까 싶어 태스크포스 373은 블랙 랜스의 궤도포격으로 지열 발전 연구소를 날려버렸고, 지상팀이 직접 강하해 전투까지 벌였다. 그럼에도 불구하고 일이 이렇게 되고 있다는 것은 이런 사고를 치는 놈들이 따로 있거나, 태스크포스 373이 강하하기 전에 이미 일이 벌어질 대로 벌어졌다는 의미다.

- 빠져, 모두 빠져! 산개해서 후퇴한 다음에 지정한 자리에서 집결이다.

이미 열기가 심상찮은 수준으로 올라갔다. 태스크포스 373 지상팀원들은 챙길 것은 최대한 챙긴 다음 제트팩으로 날아 뒤로 후퇴했다. 그러나 지진이 점차 심해진다. 땅이 갈라지고 엄청난 압력에 파이프들이 솟구친다. 지하에서부터 밀려 올라온 거대한 파이프들이 구겨지고 갈라지는 광경을 상공에서 본 우지가 허탈하게 말했다.

- ……마그마다.

지하에서 마그마가 올라오기 시작했다. 지열 발전 연구소에서 지하 75km까지 파놓은 구멍에서 마그마가 솟구쳐 올라오는 것이다.

- 우주 엘프 이 새끼들!

빈우는 세게 이를 악물었다. 이게 단순한 사고일 리는 없다. 철저한 점검 하에 가동되는 지열 발전 연구소다. 그럼에도 불구하고 이런 사태가 발생했다는 것은 외부에 의한 조작임이 분명하다. 리퍼 놈들이 강하한 것은 십중팔구 이게 목적이었을 것이다.

- **팀장님, 이제 어쩌시겠습니까?**

부팀장 아룹이 질문한다. 태스크포스 373 앞에선 마그마가 계속 솟구치고 있다. 그러나 그 형태가 조금 남달랐다. 지저의 압력에 의해 밀고 올라오는 것 치곤 여파가 적다.

- **그게 말이죠……. 우지, 근처 상황 보고해.**

그러자 상공의 롱소드가 대형 센서로 상황을 측정해서 보고한다.

- **네, 지금 지열 발전소 밑에서 마그마가 올라오고 있습니다만, 이게 밀려 올라오는 게 아닌 것 같습니다. 마치, 그 뭐냐, 마치 빨려 올라오는 것 같습니다.**

- **그렇단 말이지.**

빈우는 우지의 측정 데이터를 보고선 현 상황을 대강 이해했다. 이미 존재하는 화산지대에서 뿜어져 나오는 마그마라면 지표 가까이에 있는 것이 흘러나오는 것이라 진동이 적겠지만, 지금처럼 맨틀 깊이에서부터 올라오는 것이라면 이 정도로 끝날 일이 아니다. 만약에 지금 솟구치는 마그마가 지하의 압력에 의해 분출되는 거라면 이 근방은 대지진이 일어나고 화산이 생성되어야 한다.

- **부팀장, 적들은 어떻게 되었습니까?**

빈우는 컨커러의 센서가 오락가락하는 바람에 적들을 잘 파악할 수가 없었다.

- **파이프 타고 지하로 내려갔습니다. 그라인더와 리퍼 둘 다 함께 말입니다.**

즉 마그마를 헤엄쳐 아래로 내려갔다는 것이다. 샤다이라면 모를까, 아무리 그라인더 장갑복이라도 그런 열과 압력을 견딜 수는 없다. 확실히 한패다.

- **일단 후퇴합시다. 그리고 지상의 뱅가드와 42전단에도 알립시다. 근처의 시민들을 대피시켜야 합니다.**

샤다이가 인위적으로 발생시킨 화산이라면 기존의 것과 확연히 다를 것이다. 행성을 공격하기 위해 사용한 방법일 테니 그 파괴력은 엄청날 게 분명하다. 어쩌면 이 지역이나 대륙뿐만이 아니라 누벨 노르망디 자체가 위험할 수도 있다. 그러나 그때 빈우에게 들려오는 통신이 있었다.

- **주인님, 들리세요? 주인님!**

두뇌 통신과 확연히 다른 음성통신. 바로 아나스타샤였다.

- **아나스타샤, 무슨 일이야.**

빈우는 갑자기 불안한 기분이 들었다. 아나스타샤가 갑자기 자신에게 연락한 이유는 무엇일까? 블랙 랜스의 일이라면 오르 함장이 말할 것이다. 혹시 오다 의원에게 무슨 변고가 생겼을지도 모른다. 그런데 통신이 들려온 위치가 이상하다. 궤도 상의 블랙 랜스가 아니라 대기권 안쪽, 즉 상공이다.

- **주인님, 제가 알탄훼아나 씨를 데리고 그쪽으로 가고 있어요.**

지금 안드로이드 메이드인 아나스타샤가 샤다이 포로인 알탄훼아나와 함께 그라디우스를 타고 누벨 노르망디의 지열 발전 연구소로 온다고 한다. 사전에 주인인 빈우에게 아무런 연락이나 언급도 없이 갑자기 말이다.

- **……설명해.**

그러나 빈우는 당황하거나 화내는 대신에 차갑게 질문했다. 안드로이드가 이런 뜬금없는 짓을 하는 것은 그 인공지능이 반드시 이 일을 해야 한다는 확신과 판단을 가졌기 때문이다. 그것도 주인이자 팀장인 빈우의 안전에 상당히 심각하게 연관된 일임이 분명하다.

- **알탄훼아나 씨가 누벨 노르망디가 위험하다고 했어요. 행성 자체가 위험하다고요. 또 주인님이 계신 작전 구역이 그 사건의 시작점이라고 합니다. 그리고 이 일은 동족이 저지른 일, 업보이기 때문에 호민관인 자신이 책임지고 되돌려야 한다고 말했습니다.**

방금 아나스타샤는 되돌린다고 말했다. 그 말인즉슨 알탄훼아나가 이 지진과 마그마 분출을 되돌릴 수 있다는 의미일 것이다. 하지만 그보다 더 중요한 것은 따로 있다.

- 그게 네가 포로를 데리고 무단으로 내려올 만한 일인가?

아나스타샤는 적어도 알탄훼아나로부터 협박이나 강제를 당한 기색은 없어 보이긴 하지만, 지금 빈우의 질문에 제대로 대답하지 못했다. 분명히 맨틀 부분에서부터 마그마가 솟구쳐올라오는 화산 폭발은 위험한 일이다. 그러나 그렇다 해도 빈우는 다른 탈출 수단으로 이곳을 벗어나면 된다. 이렇게 아나스타샤가 샤다이 포로를 무단으로 빼내고, 거기다 원래 호위 대상인 상원의원을 내버려두고 올 만한 일이라고 하기엔 조금 애매하다. 그것도 검증된 의견이나 명령이 아니라 샤다이 포로의 말에 의한 것이라면 더더욱.

- 빈우? 빈우인가?

이번에 들려오는 것은 알탄훼아나의 목소리였다.

- 그래, 무슨 일이지?

- 그대의 가족에게 무리한 부탁을 해서 미안하다. 그녀가 워낙 완고했던 탓에 설득하는 데 조금 시간이 걸렸지만…….

- 요점만 말해.

날카롭게 자르는 빈우의 말에 알탄훼아나는 움찔하더니 다시 말했다.

- 일단 그 자리에서 피해라. 곧 별 심장의 불길이 생겨날 것이다. 어서 피해.

샤다이가 별 심장의 불길이라고 칭하는 것은 플라스마다. 그렇다면 곧 리퍼의 플라스마 공격이 있을 예정이란 의미다.

- 리퍼 전투함의 궤도포격인가?

지금 자리를 피해야 할 정도로 위협적인 플라스마 공격이라면 리퍼 전투함의 궤도포격이다. 현재 궤도 상의 리퍼 전투함은 거의 전멸 상태지만 이곳의 작전 상황을 보고 발악적으로 공격할 가능성도 있다.

- 아니, 그게 아냐. 지금 네 옆의 땅 안에 녹은 돌들이 있지 않나?

- 마그마? 녹은 암석이라면 설마 마그마를 말하는 것인가?

- 마그마라고? 아, 고마워 아나스타샤. 그래, 마그마가 다시 타올라 별 심장의 불길이 된다. 어서 피해. 그리고 궤도 상의 네 전함들에게도 서둘러 대피하

라고 일러라.

빈우는 자신의 눈앞에서 뿜어져 나오는 마그마 줄기들을 보았다.

'저게 플라스마가 된다고?'

전자에 고열을 가해 원자로부터 분리하면 플라스마가 되기 때문에 이론상 어떤 물질도, 즉 마그마도 플라스마화될 수는 있다. 하지만 그렇게 되기 위해선 엄청난 압력과 열이 필요하다. 뜬금없이 마그마가 플라스마로 변할 일은 없다. 하지만 빈우는 먼저 행동했다. 샤다이들은 플라스마를 만들 수 있다. 정확히는 불러오는 것이긴 하지만 일단 협력 관계에 있는 그녀의 말을 믿어봄직했다.

- 전단장님, 지금 제 좌표 위쪽으로 전투함들을 대피시키십시오. 리퍼의 공격
이 있을지도 모릅니다.

빈우의 통신을 받은 스크로도프스카 전단장은 가타부타 말할 것도 없이 즉시 행동에 옮겼다. 닉스 레벨 3의 의견은 그만한 신용과 가치가 있었다.

- 어어? 김빈우, 서둘러, 어서 피해. 아니지. 내가 간다.

알탄훼아나는 무엇에 놀랐는지 서두르고 있었다. 샤다이는 플라스마를 다루는 게 특기다. 그러니 자신이 와서 사건을 수습한다고 해도 이해가 간다. 하지만 그녀는 지구제국의 고문을 받은 다음 큰 정신적 충격을 받고 샤다이로서의 몇 가지 능력을 잃어버리게 되었다. 빈우는 그녀가 갑작스레 그런 능력을 쓸 수 있을까 싶었다.

- 응?

빈우는 뭔가 이상한 것을 보았다. 플라스마 줄기의 기세가 이상하다.

- 잠깐, 저거 왜 저렇지?

붉은색으로 달아오른 마그마가 꿈틀거리다가 일렁거리기 시작했다. 그리고 갑자기 변했다.

- 이런 씨발! 빠져! 뒤로! 내열방패 생성해!

빈우는 숫제 비명을 질렀다. 그럴 수밖에 없다. 알탄훼아나의 말대로 마그마가 플라스마로 변한 것이다. 생각지도 못했던 상전이다. 누벨 노르망디 지하에 있던 마그마들이 갑자기 코로나로 변해 대기권을 돌파, 궤도로 올라가고 있다. 얼추 수십만 도는 넘는 거대한 플라스마가 마치 폭포처럼 솟구쳐 42전단을 노렸다.

373팀의 주변은 불타고, 녹고, 증발하고 있다. 42전단이 아니라 373 지상 팀이 먼저 사라질 지경이다. 아니, 장갑복이 녹기도 전에 기화할 기세다.

- **발렌티나!**

빈우의 부름에 42전단의 부관이 얼굴을 보인다.

- **네, 팀장님. 지금 곧 지원을······.**

- **먼저 뱅가드를 후퇴시켜. 동시에 근처에 있는 시민들을 탈출시켜야 해.**

- **알겠습니다.**

373은 어떻게든 탈출할 방법이 있다.

- **위르겐, 내 옆에 서라. 방패 꺼내. 막아. 부팀장과 파트리샤는 뒤로!**

컨커러가 스핑크스를 방패 모드로 해서 선다. 그 옆으로 어벤저가 역시 방 패를 들고 어떻게든 열기를 막아보려 발악한다. 뒤에선 그라인더와 인필트 레이터가 수그리고 있다.

- **파트리샤, 괜찮나!**

- **쩌 죽겠네. 씨바알······.**

인필트레이터는 은밀성을 위해 방어력을 희생한 부정형 장갑복이다. 게다 가 방금의 전투로 손상 부위가 많아 가장 위험한 게 파트리샤다.

- **우지, 고도 낮춰. 제트팩으로 날아오를 테니까 회수해라.**

상공의 롱소드가 올 때까지만 버티면 된다. 점프해서 롱소드를 붙잡을 4기의 장갑복들은 스카이 후크까지 도망가면 살 수 있을 것이었다.

- 알겠습니다. 어엇?

우지의 놀라는 목소리. 그리고 노릇노릇 구워지는 373의 머리 위로 내려오는 것은 롱소드가 아니었다. 그라디우스였다. 이어서 갑자기 주변의 온도가 내려갔다. 단순히 상륙정 하나가 와서 가린다고 가려지는 열기가 아닌데도 불구하고 말이다. 하지만 그걸 따질 겨를이 없었다.

- 타! 모두 타!

그라디우스가 착륙하자 373 지상팀원들은 서둘러 이동했다. 그때 그라디우스에서 내리는 사람들이 있었다. 급하게 달렸는지 메이드 복을 그대로 입고 온 아나스타샤와 환자복을 입은 알탄훼아나다. 고열의 대지에서 비틀거리는 장갑보병들에게 달려오는 그녀들의 모습은 참으로 비현실적이었다. 아니, 알탄훼아나의 존재가 가장 비현실적이었다. 그녀의 눈은 금색으로 빛나고 몸은 땅 위에 떠 있었다.

"미안해."

고열로 몽롱해져가는 빈우의 귀로 샤다이어가 들려온다. 알탄훼아나의 목소리다. 그녀는 빈우와 지상팀원을 지나쳐 지열 발전소 자리로 가고 있었다. 누벨 노르망디 지하 깊숙한 곳에서 뿜어져오는 코로나가 궤도 상의 순양함을 집어삼키고 있다.

"정말 미안해. 네 잠을 깨워서 미안해. 하지만 여긴 네가 쓸 가면이 없어. 너의 말을 걸러줄 체도 없어. 너와 같은 시간을 살아갈 친구도 없어. 모두 거짓말이야."

그녀는 슬픈 표정으로 플라스마 기둥을 향해 외치고 있었다.

"주인님, 주인님!"

아나스타샤가 달려와 주인에게 매달리려 하는 것을 빈우가 손을 들어 막았다.

"……위험해. 다친다."

지금 빈우의 장갑복은 달아오를 대로 달아올랐다. 만지면 화상 정도로는 끝나지 않는다. 앞으로는 슬픈 표정으로 머뭇거리는 아나스타샤가 있고, 뒤로는 슬픈 목소리로 오열하는 알탄훼아나가 있다. 그런 그때, 빈우의 머릿속에 울리는 목소리가 있었다. 마치 빈우의 기억 속에 있던 정보를 조합해 말을 꾸미는 느낌이다. 그리고 그는 이런 경험을 한 적이 있다.

'발 가르단 하스.'

플라스마 신경계를 가지고 있는 발 가르단 하스는 장대한 세월을 살아온 행성 지성체였고, 그 신경계와 접촉한 빈우는 그와 대화할 수 있었다. 지금 빈우는 당시의 느낌을 다시 느끼고 있었다. 거대한 플라스마 줄기와 대화하는 샤다이 옆에서 빈우는 별의 속삭임을 엿듣고 있었다.

"돌아가. 어서 돌아가. 나쁜 꾀임에 속지 마. 넌 혼자야."

알탄훼아나의 목소리에 반응해서 당혹한 속삭임이 들려온다. 아마 누벨 노르망디의 목소리겠지. 별의 조곤조곤한 목소리가 빈우의 뇌 속에서 울려 퍼진다. 그리고 별이 대답했다. 아주 슬프게 말했다. 하지만 슬픈 목소리는 점차 잦아든다. 그에 따라 알탄훼아나의 목소리도 줄어들었다.

"미안해. 너를 깨워서 미안해. 이제 다시 돌아가."

대화가 끝나고 속삭임이 사라졌다. 알탄훼아나는 지쳤는지 땅바닥으로 쓰러졌고, 아나스타샤가 황급히 부축했다.

"저런 세상에."

아룹의 목소리다. 아주 놀란 목소리다. 당연하다. 궤도 상까지 치솟은 코로나가 순식간에 사라지고 그것이 다시 마그마가 되었으니까. 그리고 마그마는 점차 식어 검게 변해간다. 찰나의 순간에 벌어진 일이다.

- 타! 어서!

빈우의 외침에 팀원들이 퍼뜩 정신을 차리고 그라디우스로 달렸다. 빈우는 위장포를 꺼내 알탄훼아나와 아나스타샤를 보쌈한 다음 날아올라 상륙정 안으로 들어갔다. 지금 373이 딛고 있는 땅은 그 아래가 비어버린 상태다. 지각이 갈라지며 무너진다. 플라스마는 사라졌지만, 어서 빨리 이곳을 벗어나야 한다.

- 미친! 땅이……!

그라디우스가 휘청한다. 정확히는 그라디우스가 착륙한 땅이 뒤집히는 중이다. 녹아내려 굳은 대지가 지반째 땅 밑으로 꺼지며, 지열 발전 연구소 주변에 지진이 일어나고 있었다.

- 팀장님! 지하에서 고열이 다시 감지됩니다.

우지의 목소리가 참으로 살벌하게 들린다. 설마 알탄훼아나가 실패한 것일까, 아니면 이 별이 다시 깨어난 것일까. 그때 그라디우스의 근처에서 플라스마가 뿜어져 올라왔다. 그러나 아까와는 다른 플라스마다. 그리고 잘 아는 느낌의 형태다. 서늘한 느낌에 돌아보는 빈우의 눈앞에서 땅이 녹아 갈라지며 샤다이 하나가 떠올랐다. 다 부서진 장갑복을 입은 리퍼가 주변을 녹이며 날아오르고 있었다.

"아, 안 돼."

그 모습을 본 알탄훼아나가 겁에 질려 벌벌 떤다. 빈우는 바로 그라디우스의 기총을 조작해 그 샤다이를 쐈다. 그러나 날아간 코일건 탄환들은 모두 샤다이 근처에서 녹아버렸다.

- 우지! 갈겨!

롱소드가 하강하며 입자빔포를 쐈다. 그러나 샤다이는 플라스마를 마주 쏴 그것을 상쇄했다. 이어 플라스마를 길게 뽑아 휘둘렀다. 마치 검처럼. 그 검에 스친 롱소드가 휘청한다. 그리고 그 검의 궤도는 이제 그라디우스를 향했다. 팀원들의 탈출선이 두 동강 날 차례다.

- 이륙해, 어서!

빈우가 제트팩을 써서 바깥으로 뛰쳐나가 날아올랐다. 그리고 스핑크스의 방패 모드로 플라스마를 튕겨냈다. 이어서 착지함과 동시에 코일건으로 놈의 발치를 쐈다. 그러나 코일건 탄환은 녀석의 주변에 가기만 해도 녹아서 증발했다. 빈우는 혀를 차며 나머지 동력을 스핑크스로 몰았다. 그리고 다시 명령을 내렸다.

- 뭐 해! 명령이다! 이륙해! 우지, 그라디우스 호위하면서 빠져!

다른 팀원들은 뒤로한 채 오직 빈우만이 나섰다. 무모하지만 혼자서 해야하는 일이다. 이번 결단의 근거는 감이다. 빈우는 지금까지 겪어온 전장의 경험과 눈앞에 벌어진 일을 비교해, 방금 나타난 상대와 현 상태의 태스크포스 373이 싸우면 궤멸적인 피해를 입을 것이라 판단한 것이다.

- 팀장님!

당연히 팀원들의 목소리가 터져나온다.

- 주인님!

아나스탸샤의 비명까지 들려온다. 팀원들로부터는 두뇌 통신으로 협공하자는 의견이 나오지만 빈우는 그것을 묵살했다. 상대가 너무 안 좋다. 빈우는 눈앞의 리퍼가 누구인지 대강 짐작했기에 다시 팀을 재촉했다.

- 부팀장!

- ……알겠습니다.

씹어 삼키는 듯한 아룸의 대답. 마침내 세 명의 인간과 한 명의 샤다이, 1기의 안드로이드를 태운 그라디우스가 기울어지는 땅에서 이륙했다. 그러나 더 이상 날아오르지 못했다. 갑자기 그라디우스가 추락한 것이다. 피격당한 것도 아니다. 마치 날던 중에 동력이 끊어진 것처럼 뚝 떨어졌다.

"여전하군요. 김빈우 소령."

리퍼의 말이 들려왔다. 놈은 공중에 떠서 서서히 이쪽으로 다가오고 있었다. 처음 보는 얼굴이지만 빈우는 놈을 알고 있다. 그 껍데기 안에 무엇이 들었는지를 알고 있는 것이다. 아니나 다를까, 그 샤다이의 얼굴이 점차 변하기 시작했다. 그리고 빈우가 알고 있는 얼굴로 바뀌었다.

"체메트디오프."

"으음, 원래 지금 부활할 예정은 아니었습니다만. 어쩔 수 없지요."

부하의 몸을 빌려 다시 살아난 체메트디오프가 빈우 앞에 섰다. 두 사람이 마주치는 순간 샤다이 집정관이 먼저 웃었다.

"아아, 대화를 하러 온 겁니다. 대화를."

마치 빈우가 지금부터 무엇을 할지 꿰뚫어보는 듯한 말이었다. 그리고 갑자기 컨커러의 동력이 꺼졌다. 시야가 꺼지고 아무것도 들리지 않는다. 움직일 수조차 없다. 서둘러 헬멧을 벗은 빈우가 본 것은 자신의 얼굴에 손바닥을 들이미는 체메트디오프의 모습이었다.

"다름이 아니라, 헤어진 딸을 만나고 싶어서 말입니다."

그와 동시에 놈의 손에서 플라스마가 뿜어져 나와 뒤에 있던 그라디우스에 명중했다. 이어서 그라디우스에서 삐걱대는 소리가 나더니 기체가 그대로 뒤틀려 뜯겨나간다. 안에서 373 지상팀원들이 나와서 공격하려 했지만, 그들 역시 장갑복의 동력이 끊겨 바닥으로 나뒹굴었다. 그리고 저쪽에서 굉음과 폭풍이 일었다. 우지의 롱소드마저 동력이 끊겨 추락한 것이다.

－……**어떻게 이런 일이 가능하지?**

빈우는 필사적으로 머리를 굴렸다. 그가 알고 있는 샤다이의 능력 중에서 이런 것은 없었다. 하지만 샤다이에겐 없지만, 이것이 가능한 종족을 알고 있긴 하다. 게다가 빈우 본인이 당한 적도 있다.

"딸아, 내 딸. 알탄훼아나."

체메트디오프의 목소리는 마치 놀이동산에서 누군가를 부르는 것처럼 흥겹다. 놈은 빈우를 지나쳐 추락한 그라디우스 쪽으로 서서히 날아갔다.

"어떻게 된 거니? 그렇게나 기세등등하던 네가, 이렇게나 가녀린 모습으로 있다니?"

그렇게나 아버지 체메트디오프를 싫어하고 증오했던 알탄훼아나는 지금 겁에 질려 떨고 있었다.

"너, 너. 너 따윈."

알탄훼아나는 딱딱거리는 턱을 억지로 움직여 말하려 했지만 여의치 않았다. 체메트디오프는 아무렇지도 않게 웃는 낯으로 날아가 딸의 앞에 섰다.

"음? 으음? 흐으음. 역시나 상처를 치료하지 못했구나. 가엾게도. 이 섬이지? 그렇지? 그래그래, 그 녀석은 집요하지. 잔인하기도 하고 말이야. 하지만 딸아, 네가 이렇게 된 것에는 너의 책임도 있단다. 고작 그런 고문을 당했기로서니 어찌 이리도 마음이 꺾일 수 있단 말이냐? 이딴 배포로 호민관을 하다니. 네가 이렇게 영락한 것은 네 스스로 일어서지 못했기 때문이야. 아암."

비웃음인지 대견스러워하는 것인지 모르겠다. 웃으며 말하는 아버지의 말에 딸의 얼굴이 점차 일그러진다. 그녀의 얼굴에 생긴 일그러짐은 처음에는 분노였으나 점차 공포로 바뀌어갔다.

"하지만 말이다. 별 심장의 불길에 그렇게 호소를 할 수 있다니. 늦깎이치고는 제법이야. 고르고 고른 내 부하들도 이 행성 안의 그를 깨우는 데 시간이 꽤 걸렸단 말이다. 그것을 그렇게 빨리 돌려보낸 점은 칭찬할 만해. 어떠냐, 이제는 이 아비와 같은 길을 걸어보지 않으련?"

부드럽게 내민 체메트디오프의 손이 알탄훼아나의 앞으로 다가갔다. 그리고 살랑거리며 대답을 기다린다. 사방이 조용한 지금 들리는 거라곤 알탄훼아나의 할딱거리는 숨소리뿐이다. 하지만 그것도 잠시, 곧이어 철썩 하는 소리가 났다. 그녀가 체메트디오프의 손바닥을 후려친 것이다.

"……이럴 줄 알았다만, 역시나 실망인걸. 이 어리석은 딸아."

기뻐서 웃는 아버지와 울분에 차 우는 딸. 일촉즉발의 상황 속에서 태스크포스 373 대원들은 기회를 노리고 있었다. 장갑복의 동력이 꺼졌다곤 하지만 수동으로 벗고 움직일 수는 있다. 그러나 그렇다 한들 아무런 무기도 없이 플라스마를 휘두르는 샤다이에게 덤볐다간 순식간에 개죽음을 당할 것이다. 그라디우스에서 떨어진 대원들은 꼼짝 못 하는 척 굳어 있는 빈우의 수신호에 자기들도 모두 못 움직이는 척 신호를 기다리고 있었다.

"으음, 이를 어찌할까?"

체메트디오프가 웃으면서 협박을 한다. 손에서 플라스마가 뿜어져 나와

116

주변을 가르자, 잠시 멈췄던 지진이 다시 일어났다. 그때 기울어진 그라디우스 안에서 뭔가 툭 하고 떨어졌다. 사람의 형상을 하고 땅에 떨어져 널브러진 것은 바로 아나스타샤였다. 동력이 꺼진 그녀는 멍한 얼굴을 한 채 마치 시체처럼 바닥에 누워 있었다.

그 순간, 컨커러에서 무언가가 터져나오더니 체메트디오프를 덮쳤다.

빈우가 장갑복을 벗고 달려나갔을 때, 체메트디오프는 돌아보지도 않고 그저 뒤로 손을 휘둘렀을 뿐이다. 놈의 손끝에서 플라스마 검격이 튀어나와 빈우를 갈랐다. 아니, 가르고 지나갔다. 하지만 빈우는 그대로 체메트디오프를 덮쳤다.

"억! 어떻게······."

빈우는 체메트디오프가 휘두른 플라스마를 맞고도 살아남아 그의 뒷목을 잡고 들어올렸다. 목을 잡혀 떠오른 체메트디오프는 다시 플라스마를 쏘며 발버둥을 쳤지만 아무런 소용이 없었다. 그는 간신히 고개를 뒤로 돌려 빈우를 보았다. 그리고 자신의 경추를 으스러뜨리는 자의 모습을 보았다. 손등을 뚫고 튀어나온 발톱, 귀를 꿰뚫고 나와 비틀어진 뿔, 마주친 눈에는 허연 피막이 덮여 있다. 워프 비스트다. 샤다이의 선조가 강림한 몸이다. 그렇다면 별 심장의 불길에 당할 리 없다.

"역시, 역시! 그들과 타협한 것이군. 타협을 했어."

목부터 허리까지 척추를 모조리 뽑아낸 빈우의 발톱이 체메트디오프의 등에 꽂혀 난도질한다. 푸른 피와 뼛조각이 사방으로 튄다. 폐와 심장으로 추정되는 순환계들마저 순식간에 산산조각이 나서 흘러내렸지만, 샤다이의 집정관은 아직 말을 하고 있다.

"왜? 왜 갑자기 수락한 것이지? 무엇 때문에?"

체메트디오프의 새로운 몸은 가슴팍부터 시작해서 그 아래로는 시퍼런 장조림이 되어버렸지만, 목 위로는 살아 있다. 입은 더더욱 살아 있다.

"내 딸을 구하기 위해서? 아니지, 아니야."

태스크포스 373의 팀장과 샤다이 호민관이 아무리 협력을 했다 한들, 빈우가 자신을 버려가며 구할 관계는 아니다. 집정관의 꺼져가는 눈이 다음 목표를 찾았다. 장갑복을 벗고 달려오는 373의 동료들, 그들은 워프 비스트로 변한 팀장을 보고 경악하지만, 그들 역시 아니다. 다음으로 본 것은 미동도 않은 채 땅에 넘어진 쿠델카 모델 안드로이드다. 거기에까지 시선이 닿은 체메트디오프의 눈이 음흉하게 휘어졌다.

"아아, 과여언. 효자 아닌가. 역시 어머니를 지키기 위해서인가? 오늘은 정반대로군. 이건 희극일까, 비극일까."

폐를 잃은 체메트디오프의 입에서 나직한 속삭임이 나온다. 빈우의 발톱이 놈의 눈과 뇌를 함께 날려버린다. 그래도 그 아래 입은 달싹거린다. 마지막으로 하려던 말은 무엇이었을까, 후회였을까, 저주였을까. 샤다이의 육체가 산산조각이 난 다음, 주변의 동력이 다시 돌아왔다. 멈췄던 지진이 다시 시작되었다.

"팀장님……?"

어느새 다가온 아룹이 조심스레 빈우에게 말을 걸었다. 그의 손에는 이미 코일건이 들려 있다. 그 모습을 본 파트리샤가 기겁해서 항의했다.

"부팀장님! 지금 뭐 하시는―."

"조용히 해. 더 이상 다가가지 마."

그녀의 말은 바로 묵살당했다. 더구나 워프 비스트로 변한 빈우마저 373 팀원들에게 손바닥을 내밀어 그 이상 접근하는 것을 막고 있었다. 그리고 빈우는 자신을 겨누고 있는 아룹을 흘깃 쳐다본 다음 바닥에 주저앉은 알탄훼아나에게로 비틀비틀 걸어갔다.

"알탄훼아나."

쉭쉭거리며 자신을 부르는 목소리에 알탄훼아나가 움찔했다.

"고칠 수 있나?"

빈우의 말에 파트리샤와 위르겐은 조금이나마 안도할 수 있었다. 괴물로 변한 빈우의 안에 조금이나마 이성이 남아 있는 것이다. 그러나 아룹은 아직 방아쇠에서 손가락을 떼지 않고 있었다.

"그대는…… 그들을 협박했구나. 그대 안의 선조를, 고문하고, 협박해 서……"

겁에 질린 알탄훼아나가 덜덜 떨며 더듬거렸다.

"고칠 수 있나?"

다시 다가서며 질문하는 빈우에게 알탄훼아나가 화들짝 놀라며 고개를 흔들었다.

"모, 몰라. 그대 안에는 이미 선조가 들어왔다. 그리고 그대 안의 계단은…… 너무 많아. 하지만, 모르겠어. 이 계단들은 마치 어린아이의 것과 같은 계단들이다. 진흙으로 쌓은 탑에 도끼질을 해서 빚어낸 계단 같아. 그런데 어떻게…… 이런 숫자를 가지고 어떻게 지금까지……"

혼란스러워하는 알탄훼아나는 단지 공포 때문에 이러는 것이 아니었다. 자기 자신의 능력 밖의 일에 휘말리자 순간적으로 당황한 것이다. 그리고.

"허억!"

알탄훼아나가 돌연 숨을 들이켰다. 그리고 빈우는 그녀의 다른 모습을 볼 수 있었다. 알탄훼아나는 자기 자신의 두 눈을 뽑은 채 울고 있었다. 뻥 뚫린 눈구멍에서 마치 눈물처럼 푸른 피가 흘러내린다. 그녀의 손에 들린 안구는 이미 금색 빛을 잃었다.

"무엇을, 본 거지?"

하지만 현재의 알탄훼아나는 그저 바닥에서 울고 있을 뿐이다. 아직 눈은 무사하고, 거기선 푸른 피 대신에 투명한 눈물이 흘러내리고 있다. 방금 빈우가 본 것은 알탄훼아나가 선택한 미래의 결과였다. 그렇다면 그녀 역시 보았을 것이다. 빈우가 선택한 결과를, 그 흔적을. 현 상황을 타개하기 위해 워프비스트와 타협한 그에게는 어떤 미래가 있을까.

"그…… 그대는."

알탄훼아나가 더듬더듬 무어라 말하려 했다.

"주인님!"

비명과 함께 아나스타샤가 달려왔다.

"주인님! 주인님! 아아, 도련님!"

아나스타샤는 찢어지는 비명을 지르며 빈우를 껴안았다. 손바닥으로 서둘러 그의 얼굴을 쓰다듬으며 변해가는 그의 여기저기를 살펴본다.

"나을 거예요, 나을 거예요. 낫고 말고요네나을거예요나을거예요."

그리고 주변을 돌아보더니, 자신의 주인을 뒤로한 채 모든 이들에게 적대적인 눈빛을 보냈다. 아나스타샤는 지금 한때 자신이 모셨던 아룹, 파트리샤, 위르겐, 알탄훼아나 모두를 노려보는 것이다. 마치 그들로부터 등 뒤의 주인을 지키려는 듯이. 누구든 가까이 다가오면 물어뜯을 기세다. 하지만 이러는 순간에도 땅은 기울어지고 무너지고 있었다.

- 지금 다들— 괜찮습니까.

그때 우지의 통신이 들려온다.

- 롱소드를 띄울 수 있어요. 어서 탈출해야 합니다.

그것을 계기로 아룹이 총구를 내렸다. 일촉즉발의 분위기가 풀릴 듯했다.

"팀장님. 일단 귀환합시다."

아룹의 말에 다들 안도했다. 그러나 그것도 잠시였다.

"부팀장."

빈우의 짧은 한마디. 그리고 부팀장을 바라보는 팀장의 눈길. 그 눈빛이 무엇을 의미하는지 알아챈 아룹은 다시 총을 겨눴다. 그것을 본 아나스타샤는 더더욱 격한 반응을 보였다.

"야이 씨바아아알! 지금 뭐하는 거냐고요오오오!"

파트리샤가 둘을 번갈아 보며 발을 동동 굴렀다. 위르겐도 여차하면 달려나갈 분위기다.

"아나스타샤, 네 주인을 잡아. 어서 구하자고."

하지만 아나스타샤는 위르겐의 말을 무시했다. 그녀는 지금 주변 모두를 적대시하고 있었다. 등 뒤에서 빈우가 아타스타샤를 밀어내려 했지만, 이 메이드는 자기가 키운 주인을 결코 떠나려 하지 않았다. 빈우는 그녀를 밀어내는 것을 포기하고 다시 질문했다.

"고칠 수 있나?"

빈우가 세 번째로 물었다. 알탄훼아나의 침묵은 아주 짧았지만, 아주 길게 느껴졌다.

"몰라. 하지만 시도할 수는 있어."

빈우의 침묵도 역시 짧았지만, 마찬가지로 길게 느껴졌다.

"부팀장, 나를 포박해서 귀환합시다."

그 말을 듣고서야 아룹은 안도의 한숨을 내쉬며 총을 거뒀다.

"알겠습니다. 파트리샤, 위르겐."

명령을 받은 두 사람이 빈우에게 다가갔을 때, 그들이 마주한 것은 아나스타샤의 악다구니였다.

"저리 꺼져. 꺼져!"

로프와 케이블, 보수용 접착액을 들고 간 위르겐이 곤란한 얼굴로 멈춰 섰다. 옆을 슬쩍 돌아보니 파트리샤도 마찬가지였다.

"아나스타샤, 우린 팀장님을 구하려는 거야. 어서 블랙 랜스로 올라가야지. 알탄훼아나가 치료해줄 거라고."

그러나 안드로이드 메이드는 막무가내였다. 변해가는 주인, 그에게 총을 겨눈 부하, 그리고 포박하기 위해 다가오는 부하들. 아나스타샤로서는 결코 받아들일 수 없는 현실이었다.

"아무도 주인님을 해칠 수 없어. 아무도 내 아이를 해칠 수 없어!"

분노에 휩싸여 벌벌 떠는 그녀의 귀에 빈우가 작게 속삭였다. 그 말을 들은 아나스타샤가 놀라서 뒤돌아보았다. 그녀의 얼굴에 뜬 표정은 경악이었다. 결코 들어선 안 되는 말을 듣고는 배신감에 놀란 반응이다.

　"어, 어어."

　하지만 놀라는 것도 잠시였다. 그녀의 얼굴은 곧바로 무표정이 되었다.

　"알겠습니다, 주인님."

　수동 모드로 들어간 그녀는 로봇이 되어 자기 의지는 죽인 채 철저히 복종하게 되었다. 빈우는 멍하니 아나스타샤를 바라보면서 명령을 내렸다.

　"서둘러."

　파트리샤와 아룹이 달려들어 빈우를 ― 워프 비스트를 포박했다.

　"씨발, 적당히 묶어. 졸려 터지겠네."

　이 마당에도 팀장의 농담이 나오자 파트리샤가 피식 웃었다. 그러나 그녀의 얼굴도 굳어 있기는 마찬가지였다. 이어서 그들의 머리 위로 도착한 롱소드가 장비 견인용 로봇암을 꺼냈다. 그리고 회수할 수 있는 것은 최대한 회수해서 빈 무장창에 넣었고, 나머지 인원들도 로봇암으로 잡아 올렸다.

　- 팀장…… 님……?

　현재 빈우의 모습을 본 우지는 놀라서 잠시 할 말을 잊었다. 워프 비스트로 변해가는 팀장이 오만가지 도구로 묶여 있으니 놀랄 법도 하다.

　- 버벅대지 말고. 로봇암으로 잡아서 가자. 만약 내가 수틀리거든…….

　빈우의 그 말에 침을 꿀꺽 삼킨 것은 비단 우지만이 아니었다.

　- ……바로 던지고 입자빔포로 쏴버려. 명령이다.

　명령이란 단어가 우지의 두뇌칩에 있는 한 구역을 자극했다. 그리고 명령을 받은 두뇌칩은 우지에게 커다란 사명감과 의무감을 심어주었다. 이 우주에서 오직 자신만이 할 수 있는 일. 자신이 반드시 해야만 할 일을 알게 된 우지는 절로 고양감에 흥분이 되었다.

　- 야, 우지.

위르겐의 말에 정신을 차린 우지에겐 가래침을 뱉는 소리에 이어 전우의 퉁명스러운 핀잔이 들려왔다.

- 그런 속삭임에 속지 마. 넌 네가 옳다고 믿는 일을 해.

그의 말을 들은 우지는 갑자기 오한이 들었다. 언제나 자신에게 도움을 주었던 두뇌칩이 이런 일도 할 수 있다는 사실을 다시금 깨달은 것이다.

- 새끼들. 말 졸라 안 처듣네. 부팀장.

아직 두뇌칩은 작동하는지 빈우는 373 팀원들의 두뇌 회선으로 통신할 수 있었다.

- 말씀하십시오. 팀장님.

언제나 서글서글하던 아룹의 목소리는 굳어 있었다.

- 뭘 말해요. 다 알고서도 모른 척하기에요.

- ……알겠습니―.

- 아이 씨발!

아룹의 말이 끝나기도 전에 파트리샤가 욕지거리를 한다. 그러나 그것뿐이다. 그녀 또한 일이 최악의 상황으로 흘러가면 자신을 죽여달라는 빈우의 명령, 부탁에 거부감을 느끼지만 그것뿐이다. 거부할 순 없다. 두뇌칩의 권유가 아니라 자신이 선택한 직업의 의무감을 그녀로서는 저버릴 수가 없었다.

- 내가 부하 복이 많네.

빈우의 그 말을 끝으로 팀원들의 두뇌 통신은 조용해졌다.

- 야, 위르겐.

파트리샤의 개인 통신에 위르겐이 움찔했다.

- 못 들은 척 연기하지 말고. 너 그런 거 못 하더라. 우리끼리 대화한들 뭐 큰 일이 나겠니?

파트리샤의 핀잔에 위르겐이 고개를 절레절레 흔들며 대답했다.

- 아, 왜요?

- 개새끼가. 요즘 부팀장님 분위기 조금 수상치 않디?

부팀장 아룹 라마누잔 원사는 언제나 허허 웃기에 일견 사람 좋아 보이지만, 단검뿔 토끼다. 단일 개체로는 연방 최고의 전투력을 가지고 있고, 그것은 정신적인 면에서도 마찬가지다.

- 그러고 보니…… 하지만 그 상황에선 부팀장님이 총을 겨눠야 하지 않았을까요? 그래야 팀장님을…….

- 등신아. 그거 말고. 스카이 후크에서 팀장님이랑 부팀장님 둘이서 쏙닥쏙닥하더란 말이야. 너 뭐 짐작 가는 거 없어?

불행히도 위르겐은 그때 두 사람이 대화를 했는지도 몰랐다.

- 아하, 흐음, 그게 말이죠.

- 응, 알았어. 너 못 들었네.

파트리샤가 한숨과 함께 말을 끊었다. 무시당한 위르겐은 툴툴대다가 이번엔 자신이 말을 걸었다.

- 그런데, 아나스타샤 말이죠.

- 응? 걔가 왜?

파트리샤도 안드로이드 메이드가 걱정이 되는지 고개를 돌려 대답했다. 방금 지상에서 아나스타샤가 했던 행동은 결코 정상적인 행동이 아니었다. 인간에게 적대적인 안드로이드라니. 그러나 팀장이자 주인인 빈우가 애초에 안드로이드인 그녀의 설정을 어떻게 해놨는지에 따라서 아나스타샤는 그렇게 행동할 수도 — 행동해야만 했을 수도 있으니 이건 그리 큰 문제는 아니다.

- 아까 스카이 후크 얘기하니까 문득 떠올라서 말이죠. 팀장님이 요즘 아나스타샤를 차갑게 대했다고 했잖아요.

- 그랬지.

- 아까 보니까 아나스타샤도 그것 때문에 이것저것 노력해보던 눈치던데, 일이 이렇게 되어서 안타깝네요.

- 아까? 뭘 봤는데?

파트리샤의 질문에 위르겐이 머뭇머뭇하다가 다시 말문을 열었다.

- 그, 뭐시냐. 오늘은 다른 날하고 다르게 힘 팍 주고, 검정 스타킹에 깔맞춤 검정 레이스 팬…….
- 로봇박이 새끼.
- 아니이! 내가 훔쳐본 것도 아니고! 떨어질 때 보였잖아요. 그리고 이건 아나스타샤가 주인을 위해서―.

조금 소란스럽게 투닥투닥하던 파트리샤와 위르겐은 갑자기 들린 아룹의 작은 손가락 소리에 급히 조용해졌다. 두 사람을 흘깃 쳐다본 373의 부팀장은 그제야 방아쇠에서 손가락을 뗐다.

태스크포스 373의 지상팀이 귀환한 다음, 블랙 랜스의 분위기는 뒤숭숭했다. 42전단 쪽은 제법 피해를 입긴 했어도 대승을 거둔 덕분에 와자하니 달아올랐지만, 태스크포스 373은 보안국으로 추정되는 아군 비밀부대와의 전투에 이어 팀장인 빈우의 위프 비스트화 때문에 축 가라앉아 있었다.

- 으음, 작전 중에 김 팀장이 부상을 당했다고? 놈들의 새로운 공격을 막았다 싶었는데 지상에선 그런 일이 있었나. 고생이 많았군.

화면 속 스베틀라냐 전단장의 미간이 침울하게 일그러졌다. 현재 팀장 대리를 맡고 있는 아룹은 누벨 노르망디에 있었던 작전에 대한 간략한 보고를 그녀에게 하고 있는 중이다. 물론 말할 수 있는 것만 말하고, 말할 수 없는 것은 굳이 말하지 않는다. 예를 들어 그라인더를 입은 적이라거나 빈우의 위프 비스트화 같은 것들 등이다. 스베틀라냐 전단장으로서도 아룹의 보고 내용 중에 미심쩍은 곳이 몇 군데 있긴 했지만, 굳이 파고들려고는 하지 않았다. 태스크포스 373은 42전단과 합동작전을 하는 부대지, 하위부대가 아니다. 그리고 지열 발전 연구소에서 있었던 작전은 42전단의 지원 없이 태스크포스 373만으로 진행되었던 작전이었기 때문에 이에 대해 자세한 보고를 할 곳은 상위부서인 특수전 사령부뿐이다.

- 김 팀장의 부상 치료에 대해서 필요한 것이 있으면 뭐든 말하게.

태스크포스 373은 지금도 충분히 42전단으로부터 지원을 받고 있었다. 태스크포스 373이 징발해서 사용했던 매스 드라이버에 의한 행성 피해는 42전단이 나서서 해결하고 있다. 373의 지상팀이 도심지에서 일으킨 건물 파괴건의 뒤처리 또한 이들이 담당해주고 있다. 물론 42전단도 지상공격을 하긴했지만, 태스크포스 373의 지상팀 단 네 명이서 일으킨 작전의 여파가 뱅가드 1개 중대와 순양함의 궤도폭격을 동원한 42전단보다 더 광범위하고 심각했다.

또한 지상 담당 부대인 뱅가드는 전원이 강하해 혹시 지상에 남아 있을지모를 샤다이를 수색함과 동시에 아룹의 요청에 따라 일부 병력을 지열 발전연구소로 파견했다. 그들은 지열 발전 연구소를 출입금지구역으로 지정해특수전 사령부의 후속처리팀이 올 때까지 지켜준다고 했다. 즉, 42전단은 태스크포스 373과 빈우를 상당히 고평가하고 있었다.

"감사합니다. 그렇다면 염치 불고하고 한 가지 더 부탁드리겠습니다. 군사정보국에 지원팀을 요청했습니다. 점프 게이트를 열어주시기 바랍니다."

- 군사정보국에? 특수전 사령부 말고도? 뭐, 알겠네. 게이트를 지원해주지.

스베틀라냐 전단장이 선선히 수락했다. 태스크포스 373의 작전은 꽤 민감한 성격을 띤다. 그래서 팀장인 빈우도 군사정보국에서 뽑아 데려왔다. 그러니 특수전 사령부 말고도 군사정보국으로부터 뭔가의 파이프 라인이 있을 것이다. 지금도 게이트가 열려 있긴 하지만 그것은 주로 42전단의 보급 용도였고 태스크포스 373은 통신이나 가능할 정도였다. 지금 군사정보국 쪽으로통하는 게이트를 열어달라고 해도 딱히 부담이 되지도 않으니 정규 게이트가 복구될 때까지 요청에 따라 게이트를 지원해줘도 문제 될 것은 없다.

- 그럼 김 팀장에게 안부 전해주게. 아니지, 깨어나면 연락하라고 말해주게. 그리고 누벨 노르망디에서 일어난 플라스마 공격에 대해서도 반드시 조사해 달라고 전하도록.

"알겠습니다."

통신을 끊은 다음 아룹은 자신이 전달받은 42전단의 상황들을 보았다. 리퍼 함대와의 전투에서 입었던 피해, 그리고 지열 발전소에서 갑자기 솟아오른 플라스마에 의한 피해. 42전단도 나름 피해를 입었지만 이만한 병력의 샤다이나 리퍼를 상대로는 대승이었다. 그리고 그 손실 또한 후방에 있던 예비 부대로부터 즉시 충원이 되고 있다. 다음은 특수전 사령부에 보고할 차례다. 이번엔 자세히 보고해야 한다. 아룹으로서도 꽤나 긴장할 수밖에 없었다.

－ 단검뿔 토끼라고…….

화면 너머에서 조지 레드우드 사령관의 미간이 좁혀진 것은 분노 때문이다. 단검뿔 토끼라면 레드우드 사령관의 직속부대라 해도 될 정도로 서로 밀접한 관계를 가지고 있다. 그런데 단검뿔 토끼에서 훈련을 받고 그라인더를 입은 외부 부대가 자신의 부대인 태스크포스 373을 공격했다고 하니 지금 폭발하지 않고 참는 것이 용할 지경이다.

"이미 이 건에 관해선 군사정보국에 협조를 요청했습니다."

－ 그쪽에선 뭐라고 하던가?

군사정보국은 빈우의 원래 출신지이기도 하고, 정보전과 비밀작전 전문부서이며, 지금의 원흉으로 추정되는 보안국을 엿 먹일 수 있는 몇 안 되는 부서이기도 하다.

"잠시 후 마커스 타이 차장께서 직접 오신답니다."

－ 타이 차장은 김 팀장과 사관학교 동기이자 친구라고 했었지. 일단은 아군인 셈인데. 이런 것들은 자네 생각인가, 아니면 김 팀장이 귀띔해준 건가?

"물론 팀장님이죠."

이어서 아룹은 지열 발전 연구소로 강하하기 직전, 스카이 후크에서 빈우와 나눴던 대화를 레드우드 사령관에게도 들려주었다. 당시 빈우는 아룹에게 지열 발전소에 있는 적이 연방군일지도 모른다는 가능성에서부터 시작해서, 만약 자신에게 무슨 일이 생긴다면 어떻게 사후처리를 할지 아주 상세하게 설명해놓았다. 그리고 그런 상황이 발생하면 가장 먼저 군사정보국 차장인 마커스 타이 소령에게 연락하라고도 덧붙였다.

- 새끼, 빈틈없기는. 근데 아룹.

"네, 사령관님."

- 이 새끼 원래 자네한테 이렇게 세세하게 설명하던가?

"만약의 사태에 대비해 대략적인 라인은 미리 잡아두지만, 군사정보국까지 관련해서 지시한 것은 이번이 처음입니다."

레드우드 사령관이 앓는 소리를 내며 의자 뒤로 기대어 앉았다. 빈우는 이번 작전에 대해서 꽤 여러 방면으로 각오를 다지고 들어간 듯싶다. 골똘히 생각하는 레드우드 사령관에게 아룹이 질문했다.

"그런데 후방지원팀은 어떻게 되었습니까?"

원래 태스크포스 373은 빈우를 위시한 지상팀 말고도 특수전 사령부나 블랙 랜스에서 이들을 백업해줄 팀이 따로 있었다. 이 후방지원팀은 지금 같은 사태가 발생할 경우 사후 문제 해결과 뒷처리 및 타부서와의 조율을 담당하게 된다. 그러나 이를 맡을 피에르 라캉 중령이 전사하자 팀을 꾸리기 힘들어졌고, 대신해서 감독해야 할 레드우드 중장마저 당시 부사령관에서 사령관이 되는 바람에 여러 가지 인수인계 문제로 인해 신경 쓸 겨를이 없었다.

- 부정 탔어. 나가리야.

이어지는 레드우드 사령관의 말에 의하면, 자신을 보좌해 특수전 사령부를 이끌어나갈 참모진을 꾸리는 데는 성공했지만, 태스크포스 373을 백업할 팀을 찾자니 깨끗한 사람이 없다고 했다. 좀 똑똑하다 싶으면 보안국 쪽에 라인이 있고, 깡다구 있다 싶으면 의회 쪽으로 연줄이 있었다.

- 뭐, 김 팀장과도 이런 일 때문에 후방지원팀 없이 가자고 말하긴 했었어.

"그러기에 평상시에 인적 자원 관리 좀 잘하시지 그랬습니까."

중장에다 특수전 사령관씩이나 되는 사람이 팀 맡길 믿을 만한 참모가 없어서 낑낑대는 꼴이라니 슬프다. 그때 아룹에게 알림이 하나 왔다.

"이런, 군사정보국에서 타이 차장이 왔습니다."

- 빠르군. 그쪽도 사태의 심각성을 아는 모양이지.

"적어도 우리보단 잘 알겠죠."

- 그렇겠지. 아룹, 부탁함세. 나도 나름대로 그 보안국 부대에 대해서 조사해 보지.

통신이 끊긴 다음 아룹은 격납고로 달렸다. 군사정보국의 그라디우스가 게이트를 통과해 블랙 랜스로 오고 있었다.

*

"만나서 반갑습니다. 군사정보국에서 차장을 맡고 있는 마커스 타이라고 합니다."

마커스는 블랙 랜스에 승함해서 오르 함장과 간단한 인사를 한 다음, 바로 아룹을 만났다.

"현재 태스크포스 373의 팀장 대리인 아룹 라마누잔 원사입니다. 이쪽은 팀원들입니다."

이어서 아룹은 팀원들을 그에게 소개했다. 마커스는 여러모로 팀원들의 시선을 끌었다. 먼저 인상. 빈우나 마커스나 가만히 보면 제법 미남들이다. 그러나 칼밥 총알밥깨나 먹은 팀원들이 보고 느끼기에 빈우의 내면이 상처 투성이에 굶주린 호랑이라면, 마커스는 윤기와 부티가 좔좔 흐르는 사자처럼 보인다. 어찌 보면 닮았다고 할 수도 있지만, 또 달리 보면 전혀 닮지 않은 것처럼도 보인다. 다음으로는 마커스 뒤에 있는 안드로이드다. 척 봐도 아나스타샤와 같은 쿠델카 모델이지만 얼굴상이 아나스타샤와는 조금 다르다. 크산티페란 이름의 이 안드로이드는 군복을 입고 마커스 뒤에서 가만히 서 있었다.

- 저거 무슨 튭한거니?

파트리샤가 위르겐에게 살짝 개인 통신을 넣었다.

- 아뇨, 성격이 다르니까 얼굴 생김새도 다르죠. 쿠델카 모델들은 감정을 주입

받지 않고 자신의 주인으로부터 학습합니다. 마치 아이처럼요. 그래서 처음에는 무표정하고 차가운 안드로이드지만, 주인에 따라 잘만 개화하면 인간과 다를 바 없는 성격을 가져요. 그래서 쿠델카 모델들은 시간이 지나면서 행동은 물론이고 생김새에도 차이가 생기고, 거기서 그 모델들이 지내온 집의 분위기를 알 수 있지요.

- 오호, 그래서? 팀장님 집안 분위긴 어때 보여?

- 꽤 행복한 가족 분위기로 보이네요.

두 사람이 자기들끼리 쑥덕거리는 사이 아룹이 마커스를 안내했다.

"부팀장께선 이런 일을 상위부대인 특수전 사령부가 아니라 군사정보국 소속인 저에게 먼저 연락하셨더군요."

마커스가 자신을 안내하는 아룹에게 말했다. 아룹이 워프 비스트화되어가는 빈우를 블랙 랜스로 옮긴 다음 가장 먼저 한 것은 마커스에게 연락한 것이었다. 물론 워프 비스트에 대해선 빼고서 단지 부상당했다고만 알렸다. 그리고 그때 사용한 단어와 문장들은 빈우가 미리 사전에 일러둔 대로 골라 말했다.

"네, 작전 직전에 팀장님이 당부하셨습니다. 앞으로 만나게 될 적이 보안국 끄나풀일지도 모른다는 점과 함께 자신에게 무슨 일이 일어나면 반드시 타이 차장님께 가장 먼저 연락하라고 말입니다."

"그래요……. 혹시 그 끄나풀들이 울토르 클론일 거란 말은 없었습니까?"

앞서 걷던 아룹의 발걸음에서 잠시나마 리듬이 엇갈렸다.

"……하셨습니다."

울토르 클론은 마카로니의 사건 이후 잠시 동결하고 있다고 했지만, 보안국은 아직도 몰래 쓰고 있다고 했다.

"과연, 그러면 아룹 부팀장. 그 시신들은 확인해보았습니까?"

"아닙니다. 아직은 조사 없이 엄중히 보관만 하고 있는 상태입니다."

"그래요. 잘하셨습니다."

잠시 생각하던 마커스가 다시 질문했다.

"김 팀장의 현재 상태는 어떻습니까?"

"부상 정도가 심해서 아직 치료 중입니다. 깨어나실 때까지 차라도 한잔하시겠습니까?"

군사정보국의 차장을 불러놓고선, 팀장은 부상 때문에 정신을 못 차리고 있으니 그동안 차 마시면서 시간을 때우자는 것은 조금, 아니, 상당히 어색하다. 빈우라면 다른 방법으로 자연스럽게 이끌었겠지만 아룹은 이런 일에는 별로 경험이 없었다.

"네, 그러지요."

하지만 마커스는 예상하고 있었다는 듯이 별말 없이 아룹을 따라 식당으로 갔다. 그리고 다른 팀원들은 모두 물린 다음 식당에는 마커스와 아룹만이 들어갔다.

"커피, 어떠십니까?"

"네, 블랙으로 주십시오."

"다른 것은 필요 없으십니까? 다과는 어떤 것으로 하시겠습니까."

"그냥 빵이면 됩니다."

이어 블랙 커피와 빵 한 조각이 마커스 앞에 놓였다. 그는 커피를 한 모금 마신 다음 아룹에게 말했다.

"이제 말씀하실 것이 있으시면 먼저 하시죠."

그러나 아룹은 선뜻 말을 꺼낼 수 없었다. 빈우가 사전에 일러둔 문답이란 게 여기서 꺼내기엔 상당히 민망했던 것이다. 그러나 373의 부팀장은 침을 꿀꺽 삼킨 다음 입을 열었다.

"……어흠, 그렇다면 한 가지 먼저 질문을 하도록 하겠습니다."

"네."

"······쿠델카 모델의 유두 색깔은?"

"분홍색."

우물쭈물하던 아룹의 질문과는 달리 마커스의 대답은 금방 나왔다. 이어서 마커스가 바로 질문했다.

"아나스타샤의 유두 색깔은?"

"······갈색."

산전수전 다 겪은 베테랑 아룹이지만, 이런 내용의 대화는 영 낯설었다. 물론 동료들과 이 비슷한 분위기의 짓궂은 농담을 한 적은 종종 있다. 하지만 군사정보국 차장과 처음 만난 자리에서 자신이 아는 사람의 안드로이드를 대상으로 한 음담패설은, 그것도 그 사람이 부추겨서 하는 것은 상당히 민망했다.

"신경 쓰지 마십시오. 이쪽 바닥에서 가끔 하는 상대방 확인법이니까요."

아룹의 마음을 아는지 마커스가 부연 설명을 해줬다. 그러고 보니 빈우는 저번에 오브리가도의 피자 타이거에 아룹을 데려가 그곳 점장과 이상한 농담을 한 적이 있었다. 아마 지금과 비슷한 용도였으리라.

"물론 두뇌칩으로 상대방 조회가 가능합니다만, 이게 완벽한 보안을 보장해주는 것은 아니지요. 그래서 단둘만이 알고 있는 암호들을 통해 확인하는 겁니다. 상대방이 어떤 스탠스를 취하고 있는지, 혹은 앞으로 이런 질문에 대해서 어떠한 대답이 나올지 등에 대해서 말입니다."

그렇게 말한 마커스가 커피잔을 들어 올렸다.

"이 커피가 무슨 의미인지 아십니까?"

블랙 커피와 빵. 이에 대해선 빈우가 농담조로 말한 적이 있었다.

"네, 사관학교 시절의 식사였다고 들었습니다. 주로 징벌용이었다고 하시더군요."

"맞습니다. 제 기수에서 이걸 가장 많이 먹은 것은 저와 빈우지요. 이 사실은 아는 사람은 저와 빈우 외에도 당시 교관들과 동기들 등 제법 됩니다. 하지만 자기를 키워준 안드로이드의 젖꼭지 색깔에 대해선 이야기가 다르죠."

마커스는 빵을 한 조각 뜯어 입에 넣곤 씹지도 않고 꿀꺽 삼켰다.

"빈우가 프로토콜에 대해서 이야기하지 않던가요?"

"하셨습니다. 동일한 단어나 사물을 언급한다고 해도, 각 대상이 처한 상황이나 지내온 환경에 따라 다른 방향으로 받아들인다고 말입니다."

"맞습니다. 그래서 위장 임무를 종종 뛰는 저희들은 이런 대화로 서로를 파악하지요. 난 적이지만 실은 너의 아군이라거나, 난 아군이지만 지금 적으로 행동해서 도와줄 수 없다거나, 혹은 나는 가짜다, 라거나 말입니다."

마커스의 시선이 아룹을 잠시 훑었다. 약간 적의가 엿보이는 듯했지만 이는 적대한다는 의미가 아니었다. 마치 아룹 라마누잔 원사라는 대상을 낱낱이 분석하려는 것처럼 느껴졌다.

"방금의 이야기는…… 저와 빈우가 처음으로 싸웠을 때로 거슬러올라갑니다. 그저 스펙을 쌓으려고 온 잘나가는 부잣집 도련님과 절박한 심정으로 도망쳐온 농업 행성 촌뜨기가 사관학교에서 만났다 해도 친구가 되긴 힘들지요. 하지만 우리 둘에겐 공통점이 있었습니다. 바로 쿠델카 모델에게 길러졌다는 점이죠."

아까 마커스는 쿠델카 모델 안드로이드와 동행했다. 그녀 역시 메이드였고, 복장도 아나스타샤와 마찬가지로 빅토리안 스타일이었다.

"닮은꼴이라곤 전혀 없던 두 악동은 같은 첫사랑을 가졌다는 것을 알게 되면서 급속히 친해졌지요. 마치 비밀스러운 터부를 공유한 느낌이었습니다. 그리고 말입니다."

희미하게 웃는 마커스의 미소는 아마 당시를 회상했기 때문이리라.

"자신의 보모에 대해서 이런저런 자랑을 하던 둘은 점차 음흉한 곳까지 이야기를 뻗쳐나갔습니다. 그러다가 이야기가 젖꼭지까지 갔지요. 그런데 마침내 거기서 둘의 의견이 갈렸습니다. 저는 분홍색을 주장했고, 빈우는 갈색을 주장했지요."

거기까지 말한 마커스는 추억을 떠올리며 키득거렸다. 그런 마커스를 보며 아룹은 그 당시 두 악동이 어떤 결론을 냈는지 쉽게 추측할 수 있었다.

"싸웠습니까?"

"엄청나게요. 각자 소중한 사람의 비밀에 대해서 확고한 신념을 가지고 있었으니 양보란 있을 수 없었습니다. 결국 옥상에서 떨어진 두 악동들은 땅에 떨어질 때까지 결코 멱살을 놓지 않았고, 사이좋게 목뼈가 부러져 침대 신세를 졌죠."

마커스의 입가에 잠시 생겼던 쓴웃음은 커피 한 모금과 함께 사라졌다.

"저와 빈우는 그런 은밀한 비밀을 공유한 사이입니다. 동시에 서로의 이익을 위해 협조하는 사이이기도 하고 말입니다. 공적으로나 사적으로나 밀접한 협력 관계지요. 그런데…… 방금 같은 서로에게 치명적인 비밀을 당신 같은 제삼자에게 전해주다니 좀 충격이었습니다."

아룹은 태스크포스 373의 부팀장이자 빈우의 전우이기도 했지만, 마커스에겐 한낱 타인에 불과한 모양이다.

"의외였습니까?"

"아뇨. 그 녀석이 얼마나 절박한 상태인지를 알 수 있었지요. 또한 당신이 빈우에게 있어서 저만큼이나 믿을 수 있는 상대란 것도 말입니다. 그래서 이렇게 서둘러 온 것입니다. 이제 안내해주시죠."

아룹은 쿠델카 모델의 은밀한 신체 부위에 대한 이야기가 서로를 확인하는 암호임과 동시에 전달자의 신원을 보증하는 얘기가 될 거라곤 상상도 못했었다. 어쨌든 그는 팀장의 친구이자 협력자인 동시에 미묘한 적대적 관계에 있는 조직의 차장을 팀장에게로 안내했다.

"이곳입니다."

아룹이 마커스를 안내한 곳은 그리 멀지 않았다. 그리고 장소는 병실이 아니라 블랙 랜스 외곽의 격리 구역이었다. 주변은 전파나 자기장 등에 대해 철저히 차단해놓았고, 유사시에 구역째로 소각하거나 폭발시킬 준비까지 되어 있었다. 그리고 거기엔 세 사람이 있었다. 무표정한 아나스타샤, 당황한 표정으로 허둥대는 알탄훼아나. 그녀 둘은 구속구에 묶인 빈우를 보고 있었다. 이어서 마커스도 빈우를 보았다. 그리고 주변의 반응으로 보아, 자신이 간신히 평정심을 지켜냈다는 것을 알 수 있었다.

"빈우야."

마커스의 부름에 빈우가 고개를 돌렸다. 일그러진 그의 얼굴은 고통 때문인지 변이 때문인지 모르겠다. 그러나 전체적으로 워프 비스트의 형상이 상당히 드러나 있었다. 그의 친구는 지금 인류의 적으로 변하고 있는 상태인 것이다.

"마커스."

쉭쉭거리는 목소리로 빈우가 대답했다. 친구의 그 모습에 마커스는 입가를 간신히 일그러뜨려 웃는 흉내를 냈다.

"새끼, 입이 참 싸다. 그런 걸 여기저기 떠벌리고 말이지."

마커스의 말에 빈우의 송곳니 가득한 입이 씰룩였다. 그것 역시 힘들게 만든 미소임을 마커스는 알아볼 수 있었다. 그리고 잠시 후 웃음기가 사라진 그의 시선이 아나스타샤에게로 향했다. 지금 아나스타샤는 수동 모드로 활동하고 있었다. 그녀를 바라보는 마커스의 뒤에서 아룹의 목소리가 들려왔다.

"죄송합니다. 저희로서는 그녀를 재가동할 수 없었습니다."

아룸은 블랙 랜스로 귀환한 다음 아나스타샤를 원래 상태로 돌려보려 했지만, 어떤 방법을 써도 그녀는 돌아오지 않았다.

"빈우야, 너 설마…… 아나스타샤를 재기동할 수 없는 거야?"

아나스타샤 같은 안드로이드는 자신의 주인을 귀신같이 판별해낸다. 만약 빈우의 명령이 거부되었다면 아나스타샤는 현재 저 모습의 빈우를 주인으로 인식하지 않는다는 의미거나, 그의 신원을 보증할 두뇌칩이 오염되었다는 의미다.

"아니, 인식은 한다. 하지만 내가 이런 상태니까 내 두뇌칩이 어떨지 몰라서 말이야. 최대한 외부 접촉은 삼가고 있어. 몇몇 기능은 아예 묶어놓았다."

현재 빈우는 워프 비스트가 되어가는 중이다. 만약 두뇌와 두뇌칩에 워프 비스트의 침투가 시작되었다면 자칫 군사정보국의 기밀이 샤다이에게 넘어갈 수도 있다. 그래서 빈우는 최대한 행동을 조심하고 있었다.

"내가 할게."

마커스는 자신을 바라보는 아나스타샤에게 걸어갔다. 안드로이드는 즉시 고개를 돌려 목 뒤의 접속단자를 드러냈고, 마커스는 거기에 손가락을 대면서 명령했다.

"수동 모드 해제."

그 명령이 입력되자 아나스타샤가 다시 고개를 마커스 쪽으로 돌렸다. 그 사이 그녀의 얼굴엔 울음이 가득해져 있었다.

"……타이 소령님."

마침내 감정을 되찾고 부들부들 흐느끼는 그녀가 무릎을 꿇고 마커스에게 머리를 조아렸다.

"제발 부탁입니다. 주인님을 구해주세요. 제발 부탁드리겠습니다. 제 주인님을…….."

마커스는 서둘러 자신도 앉았다. 그리고 아나스타샤의 어깨를 부드럽게 감싸 쥐며 달랬다.

"걱정 마. 아나스타샤. 난 빈우를 구하러 왔어. 그때 무슨 일이 일어났는지 설명부터 해줘."

그러나 아나스타샤는 제정신을 차리지 못하고 있었다.

"아아아 — 제 잘못이에요. 제가 잘못을 저질렀어요. 제가, 제가 내려간 것 때문에 주인님이 저렇게 되신 거예요. 제 잘못이에요. 전 나쁜 아이예요."

마커스는 경련하는 아나스타샤의 접속 단자에 다시 손가락을 갖다 댔다. 그리고 유선으로 접속해 문제가 되는 당시의 기록을 조회했다. 빈우와 373 지상팀이 누벨 노르망디의 지열 발전 연구소로 강하했을 때, 아나스타샤는 오다 히토미 의원을 호위하고 있었다. 그런데 갑자기 병실에 있던 알탄훼아나가 경고를 해왔다. 아나스타샤는 알탄훼아나의 정신 치료를 담당하고 있었기에 통신 회선을 하나 만들어 연결해두고 있었고, 그쪽으로 알탄훼아나의 다급한 목소리가 들려온 것이다.

"저 건물 아래에서 별 심장의 불길이 생기려고 한다!"

샤다이는 플라스마를 별 심장의 불길이라고 부른다. 정확히는 항성의 플라스마를 일컫는다. 알탄훼아나는 지상의 리퍼가 누벨 노르망디 지하에서 플라스마를 상전이시켜 만들 것이라고 경고했고, 그것이 완성되면 지상팀이나 42전단이 문제가 아니라 별 자체가 항성으로 변한다고 했다. 열이나 압력, 질량과는 상관없이 고체와 액체들이 바로 플라스마화한다고 말이다.

수차례 치료를 하며 알탄훼아나의 여러 정보를 수집했던 아나스타샤는 그녀의 경고가 진실임을 파악했고, 주인을 구하기 위해 즉시 행동에 나섰다. 알탄훼아나를 데리고 지상으로 내려가 그 플라스마화 과정을 중지시키려고 한 것이다. 말릴 사람은 없었다. 아나스타샤는 빈우의 비서 역할을 하는 안드로이드이기 때문에 제법 권한도 있었고, 오다 의원마저 건투를 빌어주었다. 주인을 반드시 구하라고.

그러나 지상에서 마주치게 된 것은 죽은 줄 알았던 샤다이 집정관인 체메트디오프였다. 놈은 압도적인 플라스마 발생 능력 외에도 발 가르단 하스 관리자의 것으로 추정되는 전자기 조작 능력을 사용해 373 지상팀을 철저하게 농락했었다. 여기서부터는 아나스타샤도 동력이 꺼지고 장갑복의 동력도 떨어지는 바람에 373팀원들의 두뇌칩 기록에 의지할 수밖에 없었다.

'이거군.'

마커스는 빈우의 두뇌칩에 있는 전투 기록을 봤다. 당시 빈우는 장갑복이 작동 정지된 상황에서도 기회를 노리고 있었다. 체메트디오프가 빈틈을 보이는 순간 바로 공격하기 위해서였다. 이때의 빈우는 철저하고, 또한 냉혹하다. 눈앞에서 동료들이 죽어나가도 그는 아랑곳 않고 목표만을 노릴 것이다. 그러나 그때 빈우의 시선을 끄는 것이 있었다. 동력이 끊어진 채 바닥으로 떨어지는 아나스타샤의 모습이었다. 마치 시체마냥 놀란 표정 그대로 땅바닥에 쓰러진 아나스타샤의 모습이었다. 그것이 빈우가 폭발한 원인이었다. 물론 아나스타샤는 단순히 전원이 내려간 것뿐이다. 하지만 빈우는 그녀가 죽은 것처럼 보였다는 사실 그 자체만으로도 평정을 잃고 폭주한 것이다.

만약 마커스 자신이었다 해도 어릴 적부터 자신을 키워주고, 가정교사를 했던 쿠델카 모델 크산티페가 그런 꼴을 당했다면 잠시나마 평정을 잃었을 게 확실하다. 그러나 결국은 진정했을 것이다. 빈우와는 달리.

"아나스타샤. 빈우를 치료할 방법을 알잖아. 어서 해야지."

마커스의 차분한 목소리가 아나스타샤의 정신을 일깨웠다. 그러자 아나스타샤가 소리쳤다.

"그래요! 알탄훼아나. 알탄훼아나가 치료할 수 있을 거예요."

218

. . . ✦ . . .

아나스타샤가 허겁지겁 알탄훼아나를 붙잡았다. 그러나 이 샤다이마저 겁에 질려 있었다. 악순환이었다. 빈우를 치료해야 할 알탄훼아나는 지상에서 있었던 일 때문에 정신적인 상처가 다시 도졌고, 또 그녀를 치료해야 할 아나스타샤는 수동 모드가 되어버린 바람에 지금까지 그녀를 제대로 돌봐줄 수 없었던 것이다.

"처음 뵙겠습니다. 알탄훼아나 씨. 빈우의 친구인 마커스 타이라고 합니다. 저는 결코 당신을 해치지 않을 것이니 안심하시지요."

덜덜 이를 떨던 알탄훼아나가 마커스의 말을 듣더니 대답했다.

"거짓말."

마커스는 아차 싶었다. 몇몇 고위 샤다이들은 상대의 대화에서 참과 거짓을 구별할 수 있다고 했다. 그래서 말을 다시 고쳤다.

"좋아, 숨길 것 없지. 난 빈우를 구하기 위해 뭐든지 할 거다. 뭐든지."

그게 진실임을 파악한 알탄훼아나는 그 '뭐든지'에 무엇이 들어가 있는지 지레짐작해버렸다. 자신의 아버지와 지구제국, 빈우에게 계속해서 치인 그녀는 벌벌 떨며 뒷걸음질 쳤다. 그런 알탄훼아나의 옆으로 아나스타샤가 다가와 팔을 잡았다.

"괜찮아요. 알탄훼아나 씨. 제가 지켜드릴게요. 제가 당신을 돕겠어요. 그러니까. 그러니까 당신도 주인님을 구해주세요."

그러자 알탄훼아나는 간신히 스스로를 다잡을 수 있었다.

"그, 그렇지만, 내 능력 밖의 일일 수도 있어. 내가, 난, 난……."

하지만 알탄훼아나는 아직 정신이 채 낫지 않았음에도 불구하고 무리하게 누벨 노르망디에 강하했다. 그리고 그 결과 태스크포스 373 지상팀을 구했으며 자신의 아버지의 계획을 무산시켰다.

"그렇다면 그때 왜 저를 부르신 거죠? 왜 이런 위험을 무릅쓰면서까지 굳이 저 밑의 누벨 노르망디까지 가려고 하신 거였어요? 이런 일은 예상하지 못했나요?"

얼핏 보면 다그치는 것 같았지만, 지금 아나스타샤는 알탄훼아나로 하여금 당시 그녀가 품은 결심의 동기를 다시 되새기게 하고 있었다.

"그건, 체메트디오프의 부하가 별을 깨우려 했기 때문이야."

'별을 깨운다'란 말에 아룹의 눈매가 꿈틀했다. 방금 겪었던 마그마의 분출과 그 뒤로 이어진 플라스마화가 무엇을 의미하는지 알아낸 것이다.

"별을 깨운다고요?"

아나스타샤는 마커스와 아룹의 의문을 캐치해서 질문했다.

"너희들 말로는 행성을 항성처럼 바꾸는 거야."

그 말을 들은 연방의 사람들은 한숨을 내쉬었다. 행성을 항성으로 바꾸는 것, 딱히 불가능은 아니다. 그러나 그러기 위해선 엄청난 중력과 질량이 필요하다. 행성만 한 크기의 물체가 통째로 핵융합을 할 정도의 수치다. 하지만 방금 누벨 노르망디에선 그런 기색은 전혀 없었다. 그저 리퍼들 몇몇이 모여서 눈에 띄지도 않는 수작을 부렸는데 맨틀 아래의 마그마가 플라스마화되었다. 인류의 영역에서 벗어난 과학기술이다.

"그건, 몹쓸 짓이야. 그 아이, 행성들은 그렇게 살아갈 운명이야. 그것을 억지로 깨운다는 것은, 마치 배를 갈라 아이를 꺼내는 것과 같다고."

제왕절개는 딱히 금기시된 기술이 아니지만, 연방의 사람들은 샤다이인 알탄훼아나가 무엇을 말하는지 이해가 갔다. 자연적이지 않은 탄생을 의미하는 것이다.

"그렇죠. 그래요. 그들은 항성을 만들어서 다른 이를 해치려는 거였군요."

아까 누벨 노르망디에서 솟아오른 코로나는 순양함을 순식간에 녹여버렸다. 아나스타샤가 알탄훼아나를 껴안고 다독인다. 그러자 상처투성이 호민관이 점차 안정을 되찾았다.

"아냐, 그게 아냐. 놈들이 항성을 만들려는 것은 아마도 새로운 발 가르단 하스를 만들려는 거야. 확실해."

발 가르단 하스란 말에 마커스의 눈매가 날카로워진다. 요 근래 위험도가 급격히 올라간 행성 지성체. 지표 내부에 플라스마 신경계가 있는, 별 그 자체로서 두뇌인 고대 종족이다. 그러나 마커스는 대화에 끼어들지 않고 조용히 정보만 수집했다.

"발 가르단 하스가 이케가미 소이치로를 통해 그의 몸 안으로부터 계단을 부쉈어. 그다음으로 귀환 찬성파와 집정관은 적셔진 종족과 유에네스를 계단의 재료로 바쳐 다시 계단을 만들려고 했지. 하지만 그건 내가 부쉈어."

뉴 소노라의 이야기다. 그리고 그날 알탄훼아나는 지구제국에 사로잡혀 모진 고문을 받았다. 이를 악문 그녀가 간신히 다음 말을 꺼냈다.

"이건 찬성파 놈들의 계획 중의 하나야. 발 가르단 하스가 계단을 부쉈다면 다시 만들 수 있진 않을까. 만약 그가 우리의 의견을 받아들이지 않는다면 새로운 발 가르단 하스를 만드는 것은 어떨까, 라고."

동족의 귀환을 위해 항성을 만들다니 스케일이 거창한 놈들이다. 거기까지 들은 마커스는 조용히 뒤로 물러나 외부와 연결된 유선 회선을 통해 자신의 비서인 크산티페를 불렀다. 그리고 몇 가지 간단한 명령을 내린 다음 자신의 자리로 돌아왔다. 그때 아나스타샤는 다시 질문을 하고 있었다.

"그렇다면 새로운 행성 생명체를 만들어 그로 하여금 다시 계단을 만들려는 생각인가요?"

이번 질문에 알탄훼아나는 바로 대답하지 못했다. 그러나 아나스타샤는 다그치지도 않았고, 그저 부드럽게 보듬어줄 뿐이다. 그러자 흠칫거리며 떨던 샤다이가 서서히 입을 열었다.

"아니……. 그 행성 생명체를 만든다고 해도 발 가르단 하스처럼 되려면 몇십억 년은 필요해. 찬성파의 계획은 그게 아냐. 만약 새로운 행성 생명체에 미약하나마 지성이 있다면, 감정이 있다면…… 거기에 고문을 가하고 고통을 주어 거대한 계단을 만들겠다는 거야."

태양을 만들고, 거기에 고문을 가한다는 계획은 도무지 인류로선 가능하기 힘든 계획이다. 별에 지성이 있다는 이야기는 허무맹랑하게 들리지만, 이미 발 가르단 하스라는 전례가 있다. 그런데 그것을 고문하겠다는 계획은 스케일이 참으로 샤다이답다.

"그렇다면 아까 말씀하신 체와 가면…… 은 무슨 의미죠?"

아나스타샤가 다독여준 덕분에 알탄훼아나는 평정을 상당히 되찾았다. 방금 아나스타샤의 질문대로 알탄훼아나는 누벨 노르망디에서 호소했다. 네가 쓸 가면과, 말을 걸러줄 체와, 같은 시간을 살아갈 친구가 없다고. 그러니 돌아가라고.

"발 가르단 하스 정도의 생명체는 우리 같은 작은 것들과 바로 대화할 수 없었어. 그 방대한 지성을 받아들이는 것은 우리에겐 무리야. 그조차 자신을 보좌해줄 관리자들이 있었기에 대화하는 방법을 배운 것이지. 그 관리자들이 정보를 걸러주는 체가 되고, 다른 이들과 대화할 때 쓰는 가면이 되어주었던 거야."

이외에도 중요한 정보는 많을 것이다. 그러나 아나스타샤는 이쯤 해서 화제를 돌리기로 했다.

"제 주인님은 나을 수 있나요? 그분 몸 안에 들어간 당신의 선조들을, 변하고 있는 저 몸을 되돌릴 수 있나요?"

아나스타샤는 최대한 나긋나긋하게 질문했지만 대답은 그렇지 못했다.

"아니, 아니. 그건 내가 아냐. 내가 하고 싶어도 못 해. 저자는, 빈우는, 선조들을 자신의 몸으로 끌어들여 죽이고 있어!"

알탄훼아나의 말에 사람들의 시선이 빈우에게로 넘어갔다.

"사실이야."

워프 비스트의 뿔이 돋아난 빈우가 말했다.

"이전부터 내 안으로 놈들이 들어온 기색이 있었어. 그동안 어떻게든 막고는 있었지만, 난 그때 체메트디오프를 잡기 위해 몸의 주도권을 잠시 넘겼지. 워프 비스트들은 플라스마에 당하지 않거든. 도박이었지만 성공이었고⋯⋯ 알탄훼아나, 너도 '선친'의 표정을 봤잖아? 걸작이더군."

빈우는 웃으며 그렇게 말했지만 듣는 이들은 결코 웃지 못했다. 또 주인이 그런 결정을 하게 된 원인은 조용히 눈을 감았다. 힘겹게 울음을 참는 아나스타샤의 볼을 타고 눈물이 흐른다. 빈우는 아나스타샤의 죽어가는 모습을 보고 격노해 자신의 몸을 버려가며 체메트디오프에게 덤벼든 것이다.

'나 때문이야. 나 때문이야. 이 병신같은 년!'

아나스타샤는 치맛자락을 꽉 쥐어 잡으며 자책했다.

"빈우야. 그걸 막을 수는 없냐."

마커스가 한 걸음 다가서며 질문했다. 지금까지의 말을 종합해보면 빈우가 변한 것도, 변화가 진행되는 것도 다 빈우 자신의 탓이란 얘기다.

"글쎄다. 일단은 계단은 만들어져 있는 모양이야. 거기로 놈들이 오는 것 같은데, 이제까진 내가 착실히 죽였어. 그런데 끝도 없이 밀려들어오는군."

거기서 빈우는 알탄훼아나 쪽으로 고개를 돌렸다.

"어때 보여?"

서로 눈을 마주 보며 알탄훼아나는 조심조심 말했다.

"아, 아직 내 능력이 확실히 돌아온 건 아니야. 하지만⋯⋯ 왜 그대는 계단의 발판이 그렇게 많지? 왜 그렇게 많은 발판을 가졌으면서도⋯⋯."

거기까지 말한 알탄훼아나는 고개를 절레절레 흔들었다.

"아냐, 아냐! 이건 다 이쪽 발판들이야. 그대 마음속의 계단이라고. 내가 그날 부쉈던 저쪽의 계단은 아직 복구되지 못했어. 그렇다면 김빈우, 지금 그대 안에 있는 선조의 정보들은 이미 과거부터 그대의 몸속에 들어온 자들이다. 그 때문에 몸도 변화하고 있고. 하지만 이들은 나 혼자선 없앨 수 없어. 그대가 도와주어야 해."

"……라는데?"

빈우의 시선은 이번엔 마커스 쪽으로 향했다. 그의 시선 말고도 다른 이들의 시선을 한 몸에 받은 마커스는 한숨을 푸욱 쉬었다. 이어서 지끈거리는 미간을 엄지손가락으로 꾹꾹 눌렀다.

"너도 알다시피…… 뻐꾸기 작전이 발동된 다음, 워프 비스트 증상이 발현된 자들은 모두 체포 대상이다. 아니면 제거."

그 말에 아나스타샤는 황망한 표정이 되었고, 아룹은 조금 굳은 표정이 되었다. 그러나 둘 다 빈우를 지키기 위해 조금씩 움직이기 시작했다. 어찌 보면 당연한 수순이다. 워프 비스트는 인류의 몸을 차지한 샤다이 선조들이고, 이 현상을 앞으로 가속화시킬지도 모르는 위험한 폭탄인 것이다.

"아아, 사람 말은 끝까지 들으라고. 여긴 태스크포스 373이야. 샤다이의 기술과 자재를 수집하는 팀이지. 워프 비스트를 사로잡았다 한들 딱히 이상한 일은 아니잖아."

즉 마커스는 안전핀이 풀린 수류탄을 처리하기보다는 원래의 주인에게 그대로 맡겨줄 속셈인 듯했다.

"괜찮겠어?"

빈우의 질문에 마커스는 어깨를 으쓱한다.

"내 권한과 네 권한을 합치면 딱히 문제 될 것은 없는데?"

"난 지금 워프 비스트의 육체야. 정신도 어떨지 모르고."

"그걸 또 누가 알지?"

빈우의 입장에선 아주 믿음직스러운 말이지만, 연방의 안위를 생각해야 할 정보국 차장의 입장으로선 상당히 믿음직스럽지 못한 말이다.

"그리고 발상을 바꿔봐. 이건 오히려 워프 비스트에 대해서 373 팀장인 네가 연방의 누구보다 자세히 연구할 기회 아냐?"

"마커스, 이 미친 새끼."

마커스의 천연덕스러운 대답에 빈우가 실없이 웃었다. 군사정보국 차장이 은닉하고자 한다면 정말 제대로 감추는 것이다. 하지만 현재까지 워프 비스트에 대한 연구는 답보 상태다. 살아 있는 워프 비스트에 반쯤 발을 걸친 빈우라면 상당한 정보를 끌어낼 수 있다.

"새삼스럽게. 너랑 엮이면서 내 인생은 이미 이 꼬라지 난 거야. 그리고 알탄훼아나 씨?"

마커스는 부드럽게 웃으며 알탄훼아나를 대했지만, 정작 당사자인 그녀는 영 좋은 표정이 아니었다. 그만큼 마커스의 태도가 가식적이란 의미다.

"제 친구가 부디 원래 상태로 돌아갈 수 있도록 도와주십시오."

"그건 그대가 부탁하지 않아도 내가 할 일이다."

이번엔 마커스는 아나스타샤 쪽을 보았다. 누가 봐도 질이 다른 웃음이다.

"아나스타샤. 빈우를 부탁한다."

"네, 타이 소령님. 제가 반드시 주인님을 본래 모습으로 돌려놓겠어요."

본래 모습이란 말에 마커스는 마음속으로 그 단어를 다시 한 번 더 되뇌었다. 빈우가 원래의 외형을 찾는다 해도 그것이 과연 빈우일까 싶은 것이다. 오히려 그의 내면이 어떻게 되어 있을까가 더 걱정되었다.

그때 문밖에서 누가 들어오길 원하고 있었다. 마커스의 비서인 크산티페였다.

"아룹 부팀장, 그녀는 제 비서입니다. 아마 아까 제가 명령한 건에 대해서 대답을 들고 온 모양입니다."

아룹의 허락을 받고 안으로 들어온 크산티페는 간단하게 말을 전했다.

"차장님. 말씀하신 건에 대해서 조사해봤습니다. 차장님께서 예상하신 대로였습니다."

"흐으음."

그녀의 말을 들은 마커스는 잠시 고민에 빠졌다. 그리고 빈우를 흘깃 보았다. 아마 빈우와도 관계된 정보일 것이다.

"말하지 마. 내가 확실하게 깨끗해지거든 그때 말해."

빈우는 아직 자신의 상태에 대해서 확신할 수 없는 상태라 이렇게 말했다.

219

・・・◆・・・・

"알았어. 그럼 알탄훼아나 씨. 아나스타샤를 잠시 데려가도 될까요?"

마커스의 말에 두 여인의 시선이 마주쳤다. 아나스타샤는 지금까지 피폐해진 알탄훼아나를 돌봐주고 있었다.

"괜찮아. 내가 치료하고 있지."

알탄훼아나는 다부진 표정으로 고개를 끄덕였다. 하지만 아나스타샤는 그러지 못했다. 현재 빈우의 상태가 이런데도 마커스가 자신을 주인으로부터 떼어놓으려는 것이다.

"저, 마커스 소령님……?"

"괜찮아. 그동안은 내가 크산티페를 붙여놓을게. 보안에 관해서라면 너와 동급이야."

크산티페는 아나스타샤와 같은 쿠델카 모델로 이전부터 서로 안면이 있었다. 그녀들은 친구 사이인 주인들을 모시면서 함께 일한 적도 있고, 두 악동들의 짓궂은 장난질에도 같이 휘말린 적도 있다. 다만 아나스타샤가 아직까지 빈우의 최측근으로 일하고 있는 반면, 크산티페는 마커스의 곁에서 한 발 떨어져 있었다. 아마 필요하다고 판단되어서 다시 데려온 것으로 보인다.

"크산티페. 주인님을 부탁할게."

"알았어, 알탄훼아나 씨의 정보와 치료 경과에 대해서 알려줘."

두 안드로이드는 접속 단자를 통해 서로의 정보를 교환했다. 연결은 금방 끝났지만, 아나스타샤의 표정이 조금 묘했다. 크산티페가 요구해서 가져간 정보가 지금 당장 필요한 것 외에도 조금 많았던 것이다. 물론 기밀에 관한 것은 요구하지 않았지만 불필요한 정보가 너무 많았다.

"너무 걱정하지 마. 백업이라고 생각해."

마커스의 말은 크산티페의 지금 행동이 그의 명령에 의한 것임을 알려주고 있었다. 정보를 건네받은 크산티페는 아나스타샤와 같은 표정을 하며 알탄훼아나의 곁에 섰다.

"그럼 넌 두 미녀와 함께 치료하고 있어라. 난 볼일이 있어서 좀 가봐야겠다. 아룹 부팀장님, 저 좀 보시겠습니까? 그리고 아나스타샤도."

마커스는 아룹과 아나스타샤를 데리고 방을 나갔다.

"무슨 일이길래 저까지 부르시는 겁니까?"

이번엔 아룹이 마커스를 따라가고 있었다.

"중요하다면 중요하고, 중요하지 않다면 중요하지 않은데……."

말끝을 흐리던 마커스가 도착한 곳은 빈우의 방이었다.

"실은 빈우의 가족으로부터 면회 요청이 와서 말입니다. 아룹 부팀장님, 피아프 중위를 불러주시겠습니까?"

부름을 받은 파트리샤는 한걸음에 달려왔다.

"자, 그럼 어디부터 말해야 할까요. 일단 빈우는 워프 비스트에 침식 중이지만 저항하고 있고, 현재 치료를 하고 있습니다. 확률은 어떨지 모르지만, 어쨌든 치료는 치료지요."

정보국 차장쯤 되는 사람의 입에서 상당히 무책임한 말이 나오고 있다.

"어쨌든 빈우의 일에 지금 당장 우리가 할 수 있는 일은 없으니 일단은 신경 끕시다. 우리가 매달려야 할 다음 일은 과전입니다."

그 말에 아룹과 파트리샤는 긴장했다. 과전, 빈우의 고향, 그리고 빈우가 누벨 노르망디로 오기 위해 버린 곳이다. 파트리샤가 슬쩍 곁눈질하니 아나스타샤의 얼굴은 보기 안쓰러울 정도로 뻣뻣하게 굳어 있었다.

"아나스타샤."

"네! 타이 차장님."

부름을 받은 아나스타샤가 깜짝 놀란다.

"너무 긴장하지 마. 일단 시민들은 전원 구출했어. 네 가족들도. 몇몇 사람들이 대피 중 장갑복을 착용하다가 가벼운 부상을 입긴 했지만, 모두 탈출정으로 가서 과전을 벗어났다. 그리고 탈출정들은 미리 지정된 대피 장소로 갔다가 급히 출동한 구원 함대에 회수되었어."

원래 이런 탈출 시스템은 군에서 쓰는 방식이다. 그것도 VIP용이다. 비록 과전의 인구가 적다고 했지만 빈우는 이 시스템을 자신의 고향 전부에 적용시켰다. 그는 자신의 임무의 대가로 이를 요청했고, 이는 받아들여져 이번 사건에서 톡톡히 진가를 발휘했다. 하지만 시민 모두가, 그리고 빈우의 가족들 모두가 탈출해서 구출되었다는 말에도 아나스타샤의 표정은 다 펴지지 못했다. 마커스의 말 중에 '일단'이란 단어가 있었기 때문이다.

"미안하구나."

마커스가 사과와 함께 화면을 켰다. 그리고 갑자기 밝아진 광량을 조절했다. 하지만 보는 이의 감정마저 조절할 수는 없었다. 빈우와 아나스타샤의 고향인 과전은 현재 태양이 되어 있었다.

"어어, 아아아⋯⋯."

아나스타샤가 넋나간 목소리와 함께 털썩 주저앉았다.

"아나스타샤."

파트리샤가 서둘러 다가가 그녀를 안아주었다. 하지만 아나스타샤는 벌벌 떨고 있었다.

"과⋯⋯ 과전이, 농장. 도련님의 집이. 우리 보리밭이⋯⋯."

터무니없는 정보의 과부하에 안드로이드가 허둥대며 말을 더듬고 있었다. 주인과 함께 돌아가기로 한 땅이다. 비록 언제가 될지는 모르지만, 같이 돌아가기로 한 고향이다. 설령 샤다이의 침략에 황폐해져 쓸모없는 행성이 되었다고 해도, 다시 일으키기로 약속한 행성이다. 그것이 지금 붉은 태양이 되어 이글거리고 있었다. 마커스가 침울한 표정으로 설명을 시작했다.

"점프 게이트가 파괴된 다음 방어함대는 얼마 버티지 못하고 전멸했다. 하지만 42전단이 누벨 노르망디에서 선전해준 덕분에 기동 방어함대에 여유가 생겼고, 과전에 급파되었어. 하지만 이미 샤다이들은 점프해서 사라진 다음이었지."

이글거리는 항성, 한때 과전이라고 불렸던 행성을 보던 아룹이 질문을 꺼냈다.

"저것도 샤다이의 목표였을까요? 만약 저것이 발 가르단 하스와 같은 존재라면, 샤다이가 저기에 또 무슨 수작을 부리지 않겠습니까?"

"으음, 아직까지는 아무런 정보가 없습니다. 일단 기동함대가 주둔하며 경계를 하고 있으며 군사정보국 소속 조사팀도 급파되었습니다. 아쉽게도 제 직속 라인은 아닙니다만, 오히려 보안국과는 적대적인 차장 부하들이라 믿으셔도 됩니다."

샤다이의 공격에 대비하는 데도 파벌싸움을 해야 하다니 지긋지긋할 지경이다.

"어, 지금 사태에 설명을 좀 해주실 분?"

파트리샤가 심각한 분위기의 세 사람 사이에서 이리저리 눈치를 보고 있다가, 마커스의 친절한 설명 다음에 네 사람째가 되었다.

"세상에."

파트리샤는 아나스타샤를 더욱 꼬옥 안아주었다. 그리고 그녀의 귓가에 작게 속삭였다.

"아나스타샤. 힘든 건 알아. 하지만 네가 힘을 내야지. 네 주인이 얼마나 상처투성이인지 너도 잘 알잖니. 너 아니면 누가 네 주인을 지켜주겠어."

조용한 격려를 동아줄 삼아 아나스타샤가 간신히 일어섰다.

"저기, 타이 차장님. 이제 저를 부르신 이유를 알고 싶은데요?"

아나스타샤와 함께 일어난 파트리샤가 질문했다. 태스크포스 373의 구성원 중 아룹은 373의 지휘관 대리지만 파트리샤는 애매한 위치다. 계급으로 따지면 차라리 오르 함장이 올 자리다. 아마 그녀를 부른 특별한 이유가 있을 것 같다.

"그건 지금부터 여러분이 빈우의 가족과 만나야 하기 때문입니다."

순간 아룹과 파트리샤가 서로의 얼굴을 마주 보았다. 기밀 중의 기밀 부대인 태스크포스 373의 대원들이 왜 팀장의 가족을 만나야 한단 말인가. 마커스의 설명이 계속되었다.

"현재 과전에 살고 있던 빈우의 가족 한 분은 무사히 구출했지만, 이분 말고도 여러 곳에 흩어져 있는 가족분들 전원이 지금 빈우에게 면회를 요청하고 있습니다. 아주 강력하게 말입니다."

이해가 간다. 고향이 통째로 사라진 상황에서 가족 간의 안부를 묻는 것은 당연하다. 그리고 군인의 신분인 빈우에게라면 더더욱.

"일단 빈우는 피자 타이거 사의 간부로 위장되어 있습니다. 문제는 저인데, 저는 피자 타이거 시절부터 빈우의 가족과 아는 사이였지만 차장이 되면서 그만 신분이 노출되어버렸습니다."

군사정보국은 비밀정보기관이긴 하지만 국장과 차장까지의 신분은 대외적으로 공개가 된다. 또한 연방의 시민들은 모두 하원의원이기도 하니 열람 권한도 있다.

"때문에 녀석의 가족들이 빈우의 신분에 대해서도 조금 의심을 하게 되었습니다. 친구가 정보국 간부가 되었는데 혹시 우리 빈우도? 이런 식으로요. 뭐 나름 합당한 이유를 대서 납득을 시켰습니다. 저는 빽이 좋아서 빨리 승진했고, 빈우는 깡촌 출신이라 바닥을 긴다고요. 보시기에 쓸데없는 짓 같겠지만, 이 바닥에선 요원들의 신원에 대해서는 이렇게라도 보안을 지켜야 하니 말입니다."

"그런데, 그게 왜 저희를 부른 이유입니까?"

아룹이 불길함을 감지한 태도를 보이자 마커스가 어깨를 으쓱하며 쓴웃음을 지었다.

"그것은 여러분 또한 피자 타이거의 사원이기 때문입니다."

순간 아룹과 파트리샤 두 사람은 오브리가도에서의 작전을 떠올렸다. 시슬 대장의 며느리와 손녀에게 접근했을 때를. 연방에선 두뇌칩으로 간단하게 신분이 조회되기에 당시 아룹과 파트리샤는 피자 타이거 오브리가도 지점의 임시직원이 되어 모녀를 속일 수 있었다. 황당해하는 임시직 두 사람의 앞에 사원증이 뜬다.

"당시는 임시직원이었지만, 지금은 이렇게 정사원이 되었습니다. 당시엔 날림으로 만든 위장신분이었지만 지금은 이렇게 오래 묵은 취업 일자까지 있으니 아주 믿음직스럽지요. 그러니 여러분께서 팀장의 무사함을 알려줄 바람잡이가 되어주시길 바랍니다."

"씨바알. 우리 말고 다른 직원은 없습니까?"

파트리샤가 일그러진 미간만큼 입술을 잘근잘근 씹는다.

"여기까지 올 사람도 없고, 시간을 너무 끌다간 의심을 사게 됩니다. 또 가족들을 상대로 신분을 보증해달라는 것은 우리 군사정보국의 방침이기도 하지만, 빈우 개인의 바람이기도 합니다. 부디 협조해주시지요."

"그럼 그거 또 입어요?"

상당히 요란하고 타이트한 행사 복장을 입었던 파트리샤가 옆을 보았다. 우주 샤다이 대마왕의 표정도 썩 좋진 못했다.

"아뇨, 그냥 간단한 근무복이면 됩니다. 이미 만들어놨으니까 바로 입으시면 됩니다."

빈우의 방에 있는 물질 생성기엔 어느새 두 사람분의 옷이 만들어져 있었다. 아마 오면서 미리 명령을 내린 것 같다. 이런 치밀한 부분은 과연 빈우의 친구다운 부분이다.

"그리고 아나스타샤. 넌 빈우의 가족들을 안심시켜줘. 할 수 있겠지?"

"네, 타이 차장님."

아나스타샤는 심호흡을 하며 옷매무시를 가다듬었다.

"그런데 우리 팀장님이 저런 상태인데, 그건 어떻게 설명하실 겁니까?"

아룹의 질문이 핵심이다. 정작 가족과 대면해야 할 당사자가 만나지 못할 상황인 것이다.

"그건 제가 해결할 테니 안심하십쇼."

말하는 마커스의 얼굴이 점차 변해간다. 이어서 눈의 색도, 머리카락의 색도 변한다.

"이렇게 말입니다."

급기야 마커스의 입에서 빈우의 목소리가 나온다. 마지막으로 두뇌칩으로 조회되는 정보마저 피자 타이거의 과장 김빈우로 뜬다.

"와우. 역시 군사정보국인가?"

파트리샤가 휘파람을 분다.

"초보적인 변장기술입니다. 빈우 녀석은 전투용 강화로 몰빵해서 이런 게 안 되지만요."

지금 마커스의 말투나 제스처는 영락없는 빈우다.

"하지만 지금 두뇌칩은 김 팀장님의 것으로 뜹니다만, 괜찮습니까?"

아룹이 떨떠름한 표정으로 질문한다. 연방에서 두뇌칩 조작은 꽤 중범죄기 때문이다.

"저와 빈우가 저지른 범죄 중에선 가장 착한 일입니다만."

더 이상은 알고 싶지 않았던 373 인원들은 입을 다물었다.

"자, 이제 빈우의 가족들과 면회를 할 겁니다. 중요한 대화는 저와 아나스타샤가 할 테니 두 사람은 그저 적당히 맞장구만 쳐주시면 됩니다."

마커스는 가족들의 간단한 신상 조회를 비롯해 브리핑을 끝낸 다음, 면회용 화면을 열었다.

"오빠!"

화면에서 빈우의 동생인 나리가 나타났다. 이어서 다른 화면들도 뜬다.

"빈우야! 너 인마 왜 이렇게 연락이 늦어. 나리 걱정도 안 돼?"

빈우 바로 윗 누나인 규리에 이어서 다른 자매들이 속속 화면에 모습을 드러냈다.

"나리야, 너 괜찮아?"

빈우의 신분을 위장한 마커스가 자연스럽게 말을 꺼냈다.

"웅! 난 괜찮아. 난 오빠가 설치해준 장갑복 입고 탈출했어. 근데 오빠는? 오빤 아무 일 없었어? 거기 괜찮아?"

"나야 회의 중에 식겁했지. 게이트 끊어지는 바람에 연락이 안 돼서 얼마나 걱정했는데."

시끌시끌한 가족 상봉의 장이다. 웃음과 울음이 오가는 와중에 마커스와 아나스타샤는 자연스럽게 대화하고 있었다. 그러나 파트리샤와 아룹은 무언가 부자연스러운 점을 느끼고 있었다. 바로 외모다. 빈우의 누나들과 여동생은 너무나 닮은 외모를 하고 있었던 것이다. 얼핏 보면 쌍둥이 같다. 하지만 저마다 나이가 달랐고, 그럼에도 불구하고 이 자매들은 너무나 닮은, 아니 같은 얼굴을 하고 있었다.

· · · ✦ · · ·

두뇌칩의 정보가 없었으면 누가 누군지 헷갈릴 지경이다. 그러나 그녀들의 대화는 대개 마커스와 아나스타샤에게 집중되었고, 아룹과 파트리샤는 가끔씩 들어오는 질문에 그저 착한 부하를 연기할 뿐이었다.

"걱정하지 마. 일단 이런 경우에는 연방이 보상을 해주기로 되어 있어. 새로운 행성을 찾아서 개척하자. 나도 군에 연줄이 있으니까 좀 알아볼게. 잘될 거야."

빈우의 모습을 한 마커스의 제안에 누나와 동생들이 힘겹게 고개를 끄덕인다. 지금 그녀들은 고향을 잃어버렸다. 몇몇은 슬퍼하고 있고, 누구는 망연자실해하고 있지만, 이미 어쩔 수 없는 일이다. 그래서 나름 빈우의 제안을 받아들이려고 노력한다.

"그런데 마커스 오빠는? 마커스 오빠는 왜 아무런 연락이 없어?"

나리가 뾰로통한 표정으로 말했다.

"그러게. 빈우 너랑 제일 친한 친구라면서. 이제까지는 가끔이지만 그래도 안부 연락은 했잖아. 근데 이런 일이 있었는데 왜 연락 한번 안 오지? 정말로 너무한다, 너무해."

이어지는 규리의 푸념에 예리가 나서서 마커스를 두둔한다.

"아유, 규리야. 마커스 씨는 정보부 차장이잖아. 지금 한창 바쁠 텐데 우리한테 신경 쓸 겨를이나 있겠어? 안 그래, 빈우야?"

당사자인 마커스가 자신의 입장을 해명한다.

"그 새끼 원래 그런 놈이야."

그의 농담에 자매들 사이에서 픽하니 웃음이 조금씩 새어나온다. 그때 조금 엄한 목소리가 들려왔다.

"빈우 이 새끼야, 너도 마찬가지야. 너도 연락 안 하긴 매한가지잖아. 아나스타샤가 농장 관리 다 하고. 얼굴 보기 힘들다. 너 우리가 그렇게 싫니?"

중년의 누나인 다리가 빈우에게 핀잔을 준다.

"싫기는? 근데 나도 언제까지나 누나 동생한테 둘러싸여 살 순 없잖아."

"어머어머, 저 새끼 나불대는 것 좀 봐. 아나스타샤, 쟤 좀 때려."

"네? 아니. 그게……."

아나스타샤가 마커스의 뒤통수를 보며 머뭇거리자, 화면 너머의 여장부들이 우— 하고 야유를 했다.

"하이고야, 지가 젖 먹여 키운 놈이라고 못 때리겠다네. 빈우는 좋겠네."

"뭐야아. 나도 아샤 젖 먹고 자랐다고."

"나리 이년아. 넌 하도 안 먹어서 분유 먹었잖니."

"아니에요, 나리 아가씨도 잘 드셨어요. 제 젖이 모자라서 분유 드신 거였어요."

"엄멈머! 그 큰 가슴에서 젖이 모자랐다고?"

"그게, 안드로이드는 유선 효율이 안 좋아서 크기가 좀 컸습니다."

"그러니까 순정을 사야 해. 순정 봐봐, 색깔도 분홍이고 얼마나 이뻐."

왁자지껄한 분위기는 좀체 가라앉을 분위기가 아니었다.

"……누나, 나 미안한데 이제 가봐야 할 거 같아."

그 소란에 어렵사리 마커스가 끼어들자 자매들의 얼굴은 아쉽다는 표정으로 가득 찼다.

"에휴, 그래 이놈아. 피자 좀 작작 열심히 만들고. 연락 좀 해."

자매들과 마커스의 대화가 인사로 마무리될 때쯤, 막내인 나리가 나서서

인사했다.

"우리 오빠 잘 좀 부탁드리겠습니다."

고향과 농장을 잃은 그녀는 아룹과 파트리샤에게 고개를 꾸벅 숙였다. 두 사람도 마주 고개를 숙여 인사할 뿐이다. 화면이 꺼지자 마커스는 변형된 외모를 원래대로 바꾸며 돌아앉았다. 그러면서 본래의 얼굴로 웃으며 말했다.

"제 친구의 무사함을 그 가족들에게 알려주는 데 협조해주신 여러분께 심심한 감사를 표합니다."

"아뇨, 저희들로서도 뜻깊은 시간이었습니다."

아룹 또한 미소로 답했다.

"우후후, 속이는 게 아니면 더 뜻깊었겠지만 말이에요."

파트리샤 역시 생글생글 웃었다. 하지만 마커스는 그저 사람 좋은 미소로 대할 뿐이다. 그녀는 대충 감 잡았다. 이 사람은 빈우와는 다르다. 밀면 밀리고, 당기면 당겨진다. 그뿐이다. 애초에 아룹과 파트리샤를 이용 대상으로 보았지, 거래나 교섭 대상으로 보지 않았기 때문이다.

"아 저기 근데……."

파트리샤가 다시 슬금슬금 말을 꺼낼 기세다. 하지만 아룹은 그냥 잠자코 있었다.

"빈우의 자매들은 모두 어머니의 단성생식으로 태어난 클론들입니다."

마커스는 그녀의 질문이 뭔지 예측했는지 파트리샤가 물어보기도 전에 먼저 대답했다.

"엑, 잠깐만요. 클론이라고요?"

뜻밖의 사실에 파트리샤가 놀라서 눈을 동그랗게 뜬다.

"네, 정확히는 자신의 난자에 자신의 핵을 수정시킨 다음 다시 자신의 자궁에 주입해 클론을 낳은 거죠. 노동력이 필요한 농업 행성에서 인간의 난자를 써서 인간의 자궁으로 태어난 것이니 어찌어찌 합법입니다."

마커스가 죽은 빈우의 어머니 사진을 띄웠다. 역시나 빈우의 자매들과 똑

같은 얼굴이다.

"자신의 난자를 수정한다고 해도 변화가 가능할 텐데요? 빈우의 어머니가 딸들을 전부 자신의 클론으로 낳았단 말씀입니까? 그렇다면, 남자인 팀장님은 정상적인 관계로 태어난 겁니까?"

이번에는 아룹이 물어본다. 하지만 마커스는 고개를 좌우로 흔들었다.

"아뇨, 빈우도 자기 엄마의 단성생식으로 태어났습니다. 다만 조작이 조금 가해졌죠."

뜻하지 않게 빈우의 출생에 대한 정보를 접한 파트리샤는 혼란스러웠다. 하지만 아룹은 비교적 담담하게 받아들였다.

"하긴 뭐, 말씀대로 불법은 아니지요. 하지만 좀 놀랍긴 합니다. 아직도 그런 출산을 하다니요. 자치 행성이라면 모를까, 과전은 직할령 아닙니까?"

"사람 사는 곳은 백인백색이죠."

마커스는 어깨를 으쓱한 다음 빈우의 신상정보를 띄웠다. 일반적인 것이 아니라 군사정보국에서 보유하고 있는 치명적인 정보들이다. 도구로서의 장점과 단점 외에도 유사시의 처리방안에 대해서도 적혀 있었다. 그중 한 항목을 마커스가 지목했다.

"덧붙여 제 개인적인 생각으로는, 빈우가 울토르 프로젝트에 선발된 이유 중 하나가 이것이라고 생각합니다."

그러나 마커스가 가리킨 곳은 파트리샤와 아룹의 눈으로는 인식하거나 해독할 수 없었다.

"유전적 결함."

상당히 불길한 단어의 등장에 373 팀원 두 사람의 안색이 조금 불쾌하게 바뀐다. 파트리샤가 힐긋 아나스타샤를 보았다. 그녀는 이미 알고 있는 사실인지 굳은 얼굴로 고개를 숙이고 있었다.

"수정란을 남성으로 만들기 위해서 조작을 가하다가 약간의 실수가 있었던 모양입니다. 고의일지도 모르고요. 하지만 그리 큰 결함은 아닙니다. 어려서부터 아나스타샤가 치료용 모유를 먹였기에 문제 될 건 없었고, 사관학교에 들어와서는 강화 시술을 받으며 치료가 되었으니까요."

그러면서 마커스는 화면상의 모자이크를 쿡쿡 찌르고 있다.

"하지만 아직도 녀석과 울토르 클론들은 유전적 결함이 있어요. 스위치 하나면 폭발할 수 있는 미세한 틈이 말이지요."

다시 파트리샤가 뭐라고 할 때, 이번엔 아룹이 나섰다.

"그럼 그걸 그냥 보고만 있었단 말입니까?"

아룹은 온화한 표정이지만, 파트리샤는 부팀장이 저런 얼굴을 하고도 무슨 짓을 할진 충분히 알고 있었다.

"저도 말렸습니다. 하지만 이걸 오히려 무기로 만들어 가져다 바친 것은 빈우입니다."

파트리샤와 아룹이 반신반의할 때, 마커스가 아나스타샤 쪽으로 고개를 돌렸다.

"아나스타샤, 대신 설명 좀 해주겠어?"

"네, 타이 소령님. 제 주인님은 어려서부터 단백질 분해에 관련된 대사질환이 있었습니다. 그래서 제가 해당 질환자 치료용 수유 모듈을 달고 치료했습니다. 꾸준히 치료한 결과 일상생활에 지장이 없을 정도가 되었고, 타이 소령님 말씀대로 군에서도 치료를 받았습니다."

거기까지 말한 아나스타샤는 입술을 꽉 깨물더니 힘겹게 말을 이었다.

"하지만 주인님은 울토르 프로젝트에 들어간 다음, 자신의 결함 유전자를 찾아내 복원한 다음 거기에 가공을 했습니다. 그 결과 주인님과 클론들은 일정 시간 동안 군용 식량을 먹지 못하면 소화에 지장이 옵니다. 가령 일주일 이상 군용 식량이나 마카롱 같은 것을 드시지 않는다면 일반적인 식사를 흡수할 수 없으세요. 민간용 에너지팩 주입도요."

소화에 지장이 온다는 것은 일반인이라면 그냥 그렇다고 느낄 것이다. 하지만 군용강화를 한 군인에게는 상당히 심각한 문제다. 이들은 육체를 강화한 만큼 하루에 소비할 에너지가 어마어마하다. 외부에서 꾸준히 에너지를 주입하지 않는다면 에너지 부족으로 굶어 죽을 수 있다. 물론 그전에 신체 모드가 절약으로 바뀌겠지만, 빈우의 경우는 스스로 족쇄를 만들어 진상한 셈이다. 참고로 군용 식량이나 군용 에너지 팩은 오직 군에서만 구할 수 있다. 민수용은 있긴 하지만 적당히 조정해서 판매하기 때문에 진짜 군용 식량은 오직 연방의 군인 신분으로만 먹을 수 있다.

"더러운 충성서약이네요. 밥뚜껑에 자물쇠를 처달아 갖다 바쳐야 사람대접하나, 그 동넨?"

이제 파트리샤는 대놓고 틱틱거린다.

"이런 게, 통과되는 겁니까? 군사정보국에서는요?"

아룹조차 표정이 썩 좋아 보이진 않았다. 그럼에도 마커스는 별다른 변화가 없다.

"재차 말씀드립니다만, 저도 말렸습니다?"

마치 저녁 식사 메뉴를 확인시키는 듯한 어투다. 물론 당사자인 빈우가 밀어붙인 것이라면 말릴 사람이 누가 있겠냐만, 마치 자신은 아무런 상관이 없다는 듯한 마커스의 저 태도가 파트리샤와 아룹의 신경을 자극했다. 그런 두 사람의 속내를 아는지 모르는지 마커스는 새로운 화제를 꺼냈다.

"뭐, 아룹 부팀장은 빈우에게 그런 조언을 들었고, 그런 비밀 이야기를 들을 정도였으니 꽤나 신임을 받았던 모양입니다."

아룹은 가만히 듣고만 있었고, 마커스는 계속해서 말했다.

"그래서 말씀드립니다만 빈우와 저는 친구이자 협력 관계입니다. 저는 빈우를 위해서 무엇이든 할 것이지만, 제 할 일은 해야지요."

파트리샤의 눈썹이 모로 휘는 게 딱히 좋은 예감은 들지 않는 모양이다.

"저는 조만간 군사정보국을 그만둘 예정입니다."

꽤나 충격적인 발언이라 아룹과 파트리샤는 뭐라 반응하지 못했다.

"이번에 국방부에 차관 자리가 하나 났다고 합니다. 샤다이의 준동과 뻐꾸기 작전에 관련되어 사무차관 쪽에 경험과 실력 있는 고급장교를 원한다는 군요."

연방에서 장관을 보좌할 차관은 정무차관과 사무차관이 있다. 이 중 정무차관은 보통 의회에서 파견되고, 사무차관은 해당 부서의 실무진이 담당한다. 다만 국방부에선 외계종족과의 전투가 심화될 경우 사무차관을 군에서 데려오는 일이 많았다. 군사정보국에서 차장까지 했던 마커스라면 사무차관으로서 더할 나위 없다.

"현재 국방부 차관은 제이크 타이……였죠."

아룹의 말에 마커스가 고개를 끄덕인다.

"맞습니다. 제 아버집니다."

그 말에 아룹이 끙 하는 소리를 냈다. 마커스가 국방부로 가버리면 빈우는 끈 떨어진 연이 된다는 것이다. 군사정보국 차장보다야 국방부 차관이 훨씬 높은 자리긴 하지만 먼 곳의 사자보다 가까운 곳의 늑대가 더 무서운 법이다. 지금 군사정보의 차장으로서 군사정보국 파견 요원인 빈우를 막아주던 우산, 마커스가 자리를 비우면 빈우는 어찌 손쓸 틈도 없이 당하고 만다.

"잠깐만요. 그럼 우리 팀장님은요?"

"빈우는 제 친구니까 제 맘을 이해해줄 겁니다. 그래도 아쉽군요. 국장까지 해먹어보고 싶었지만 바로 앞인 차장에서 멈추다니. 하지만 앞으로 빈우의 도움이 없으면 그 이노우에 고토와의 싸움에는 승산이 없으니 이쯤에서 빠지는 게 정답이겠죠."

아룹과 파트리샤는 이제야 알아챘다. 빈우와 마커스는 닮았지만 다르다.

빈우에게 군이란 자신의 이상을 위해 가는 길이다. 어쩌면 그 이상과 겹치는 부분이 있을지도 모른다. 그래서 헌신한다. 하지만 마커스에게 군이란 자신의 목적을 이루기 위한 수단과 도구에 불과했다. 때문에 그는 연방의 군인인 빈우에게 친구일지 몰라도 군이란 조직에는 충성하지 않는다. 그것이 뼛속까지 군인인 아룹과 파트리샤로 하여금 알 수 없는 거부감이 들게 했다.

파트리샤의 마커스에 대한 첫인상은 그리 나쁘지 않았다. 팀장인 빈우의 친구이기도 했고, 지금까지 이런저런 도움을 많이 받았던 덕분이다. 그런데 지금은 그 점수를 모조리 까먹고 있었다. 그래서 한마디 하려고 한 걸음 앞으로 나섰다.

"팀장님의 도움이 없다는 것은 무슨 의미입니까? 팀장님이 당신에게 도움이 되지 않는다면 당신도 팀장님을 돕지 않겠다는 말씀입니까?"

하지만 아룹이 선수쳤다. 그리고 마커스 역시 대답 대신 선수를 쳤다.

"피차 솔직해지죠. 빈우가 원래 상태로 돌아올 확률이 얼마나 되리라 보십니까?"

그 질문에 아무도 대답할 수 없었다. 아직까지도 연방에는 워프 비스트에 대한 정보가 너무나 없다. 이중 그것에 대해 가장 잘 알고 있는 사람은 오히려 이 앞의 마커스일 것이다.

"네, 알 수 없죠. 빈우가 그대로 변할지, 인간으로 돌아올지 아무도 모릅니다. 그런 불확실한 것에 우리의 미래를 걸 순 없지요."

"우리? 우리가 누굽니까?"

재차 아룹이 질문했다.

"당연히 저와 빈우입니다. 여러분은 들어가지 않으니 불쾌해할 필요 없습니다."

본인 입으론 빈우와 친구라면서 미래를 건설하고 있는데, 하는 행동은 영 아니니 믿음이 가질 않는다.

"아나스타샤. 저 양반이 저렇게 말하시는데 넌 어떻게 할래?"

파트리샤는 아나스타샤를 불렀다. 방금 전 누벨 노르망디에서 자신의 주인을 구하기 위해 태스크포스 373에게 표독스러운 모습을 보였던 그녀다. 지금 상황이라면 결코 가만히 있을 리는 없다. 빈우가 위험에 처하면 발작적인 모습을 보이는 게 이 안드로이드다.

"네? 네. 타이 차장님께서 그렇게 마음먹으셨다면 그게 주인님께 가장 안전하고 이득이 되는 길일 겁니다. 전 따르겠습니다."

그런데 의외의 반응이 나왔다. 뒤를 봐주던 마커스가 빈우를 버리고 떠난다는데도 아나스타샤는 이를 순순히 받아들이고 있다.

"뭐? 안전해? 이게 가장 이득이 되는 길이라고?"

반문하는 파트리샤에게 아나스타샤가 조심스럽게 고개를 끄덕인다.

"네, 타이 차장님께선 지금 당장의 일보단 차후의 관계도 염두에 두고 움직이실 겁니다. 만약 타이 차장님께서 국방부 차관이 되셔서 자리를 잡으시면 주인님께도 큰 도움이 될 겁니다."

문제는 마커스가 차관이 될 때까지 빈우가 살아남느냐는 거다. 육체가 워프 비스트가 된 상황이라면 보안국이 달려들어도 제대로 대처를 못 할 것이고, 군사정보국이 회수하려 한다면 이쪽이 딱히 거부할 방도가 없다. 뻐꾸기 작전이 진행 중인 현재 상황하에선 더더욱 그렇다. 특수전 사령부에서 막아준다고 해도 한계가 있고, 정식적인 명령이 내려오면 방법이 없다.

"하지만—."

"파트리샤, 그쯤 하자."

아룹이 뭐라 하려는 파트리샤를 말렸다.

"타이 차장님께서 팀장님의 친구분이시고, 또 어떻게든 돕기 위해 움직이신다면……."

아룹은 거기까지 말하면서 마커스와 시선을 맞췄다. 눈을 마주친 마커스는 희미하게 미소를 지으며 고개를 끄덕여 아룹의 말을 긍정했다.

"……우리는 믿을 수밖에 없다. 그리고 우리는 우리가 해야 할 일을 하는 거지."

"이해해주셔서 감사합니다. 다른 팀원들에게도 그렇게 전달해주십시오."

마커스는 그렇게 말하면서 일어섰다.

"저는 이만 빈우에게 가봐야겠습니다. 둘이서 차분히 대화를 해보죠. 가자, 아나스타샤."

아나스타샤는 죄송스러운 눈빛으로 두 사람에게 인사를 하고는 마커스를 따라 나갔다. 문이 닫히자 파트리샤가 입맛을 다시다 한숨을 내쉬었다.

"으음, 고년 참……."

"뭐가?"

"아니, 아나스타샤요. 아까 팀장님 앞에 두고선 아예 눈빛으로 우릴 갈아 마실 기세였잖아요."

그건 아룹도 기억한다. 장갑복의 모든 동력이 나간 상황에서 아룹은 자신 몸속의 사이버 부품들마저 자동정지한 것을 알았다. 이는 다른 팀원들도 마찬가지, 모두 맨몸으로 덤비다 체메트디오프의 손에 죽을 운명이었다. 그러나 팀장인 빈우는 스스로 워프 비스트가 되어 샤다이 집정관을 도륙 냈고, 그가 죽자 상황이 다시 정상화되었다. 그리고…….

- 아무도 주인님을 해칠 수 없어. 아무도 내 아들을 해칠 수 없어!

다시 기동한 아나스타샤는 변이해가는 빈우에게 매달렸다. 그리고 그를 데려가려는 팀원들을 죽일 듯이 노려보았다. 그건 집착 그 자체였다.

"……하긴 그때 아나스타샤는 대단했지. 팀장님이 아니었으면 일이 조금 불편해졌을 거야."

"그랬던 아나스타샤가 지금은 아주 순하게 말 잘 듣네요?"

하긴 태스크포스 373의 팀원들은 전우긴 하지만, 마커스는 사관학교부터 거의 반평생을 지내온 친우다. 그러니 아나스타샤의 반응도 다를 것이다.

"그리고 마커스는 군사정보국 차장, 아나스타샤는 원래 군사정보국 소속 안드로이드. 거절할 수 없겠지. 우리도 가자. 다른 팀원들에게 사정을 설명해야지."

아룹의 말에 파트리샤가 툴툴대며 따라나섰다.

"옷은 갈아입고 가죠?"

*

아나스타샤는 불안한 마음으로 마커스의 뒤를 따라가고 있었다.

"왜 그래?"

마커스가 뒤도 돌아보지 않고 말했다. 이미 뒤따라오는 아나스타샤가 어떤 생각을 하고 있는지 눈치챈 것이다.

"네? 아아, 그게⋯⋯."

"불안하겠지."

마커스는 걸음도 멈추지 않았고, 목소리도 변하지 않았다.

"또 이런 일이 있을 줄이야. 너도 고생이 심하구나."

이런 일, 그 단어에 아나스타샤는 기억회로가 욱신거렸다. 그것은 포말하우트 게이트에서 솔리드 베타와 울토르 중대가 리퍼에게 습격당했을 때의 일이었다. 그때 빈우는 리퍼들과 격전을 벌이고 있었고, 아나스타샤는 미리 입력된 명령에 따라 모든 자료를 제거하려던 중 리퍼의 전자전 공격을 받고 작동이 정지되었다.

"타이 차장님도 마찬가지시잖아요."

아나스타샤의 말에 마커스는 돌아보지 않았지만, 귀 뒤쪽을 보니 왠지 쓴 웃음을 짓는 것처럼 보였다. 솔리드 베타가 다시 통상공간으로 돌아온 다음 아나스타샤는 주인인 빈우가 전사했다는 사실에 크나큰 충격을 받았었다.

하지만 슬픔에 빠져 있을 틈조차 없이 군사정보국의 치밀하고도 지독한 조사가 아나스타샤에게 가해졌다. 안팎의 고통으로 아나스타샤가 망가져갈 때 그녀를 붙잡아준 것은 바로 마커스였다. 그는 빈우가 결코 죽지 않았을 것이라고 믿었다. 그리고 아나스타샤를 보호하면서 그녀를 통해서 빈우가 취할지도 모를 가상의 행적을 철저히 조사했다. 만약 그가 살아서 도망쳤다면 어디로 도망쳤을까. 숨었다면 어디로 숨었을까.

"그러게. 네 주인은 주변 사람이 어떤 마음고생을 하는지 모를 거야."

웃음기 서린 마커스의 목소리에 아나스타샤도 작게 웃었다.

'타이 차장님은 주인님을 끝까지 믿어주셨다.'

그때의 마커스는 이용할 말이나 동업자를 잃은 사람처럼 보이지 않았다. 정말로 친구를, 자신의 반을 대신할 친구를 잃은 모습이었다. 그래서 아나스타샤도 마커스를 믿었고, 자신을 솔리드 베타에서 계속 일할 수 있도록 해달라고 부탁했었다.

'그리고 결국 주인님은 돌아오셨다.'

마카로니에서 빈우는 클론으로 위장한 잠수에서 부상해 돌아왔다. 빈우가 부상 신호를 보냈을 때, 군사정보국은 발칵 뒤집혔다. 그리고 마커스로부터 연락을 받은 아나스타샤는 회로가 다 타버릴 정도로 과부화되었다.

'클론으로 잠수에 이어 이번엔 워프 비스트라니 너무 심하시잖아요.'

아나스타샤는 애타는 마음속으로 빈우를 탓했다. 클론으로 위장했을 때는 어쩌면 영영 부상하지 못해 인간으로 돌아오지 못할 가능성도 있지만, 빈우는 그것 또한 염두에 두고 잠수를 했었다. 무엇이 그를 잠수하게 만들었을까. 그리고 이번에는 스스로 워프 비스트를 받아들였다. 인간으로 돌아올 가능성이 확실치 않은 방법을 그는 왜 택했을까.

아나스타샤는 답을 내리지 못했다. 이미 빈우가 있는 구역으로 돌아온 것이다. 마침 크산티페가 알탄훼아나를 침대에 눕히고 있었다.

"김 팀장님 안의 샤다이가 많답니다."

알탄훼아나에게 이불을 덮어준 크산티페의 말이다.

"많아? 영혼 같은 것인가?"

마커스가 질문했다. 샤다이라면 인류와는 기술계통이 대단히 달라서 실제로 영혼에 대응하는 존재가 있을지도 모른다.

"아니요. 정보입니다. 그들이 남겼던 정보가 현실화하는 겁니다."

이런 정보는 샤다이들도 이미 알고 있는 것이니, 지금 저기에 묶인 빈우에게 들려줘도 별 상관없을 것이다.

"현실화라……. 종이에 빵이라고 쓰면 빵이 생긴단 말이야? 아니면 물을 커피라고 억지 부리고 각인시키면 그게 커피로 변하나?"

그때 단어의 의미에 대해 곰곰이 생각하던 마커스에게 친구의 말이 들려온다.

"누구나 자기 차고 안에 불 뿜는 용 한 마리쯤은 키우지 않나?"

시선을 돌리니 빈우가 뒤틀린 얼굴로 웃고 있었다. 기분 탓인지 아까보다 얼굴이 조금 나아진 것 같다.

- **반격. 긍정.**

크산티페가 빈우의 옆을 걸어가며 마커스와 아나스타샤가 볼 수 있게 작게 수화를 했다. 아마도 알탄훼아나의 치료가 효과가 있다는 의미겠지.

"차고 안의 용이라……. 증거나 증명도 없이 믿으란 거냐?"

마커스가 빈우의 앞에 앉으며 말했다.

"하지만 지금 네 눈앞에 실제로 존재하잖아."

빈우의 말에 마커스가 어깨를 으쓱했다. 차고 안에 용이 있다. 그러나 어떤 방법으로도 이 용의 존재를 증명할 수 없다. 그렇다면 이 용은 실재하는 것일까, 아니면 허구의 존재일까. 마찬가지로 샤다이의 기술에 대해서는 아직 명확하게 밝혀진 것이 없다. 워프 비스트에 대한 정보도 알탄훼아나로부터 얻은 것이다. 달리 말하자면 이 모든 정보들이 연방으로선 검증하지 못한, 알탄훼아나의 '주장'에 불과하단 거다.

"뭐어. 그녀가 그렇게 말했고, 우리 눈앞에서 워프 비스트가 나타나긴 하지. 또 그녀가 말한 대로 사건이 진행되었으니 일단 아귀는 맞아. 문제는 이 과정이 우리 인류의 기술로는 증명도, 조사도 불가능하단 거야. 우린 어디까지 믿어야 할까?"

마커스는 고개를 끄덕였지만 결국 이게 문제다. 적이 준 정보를 과연 어디까지 신뢰해야 할 것인가. 인류에겐 그 정보를 증명하거나 교차검증할 방법이 없다. 마치 자로 무게를 재는 격이다.

"게다가 유일한 목격자와 증인께선 이런 꼬라지고 말이지."

마커스의 말에 둘은 서로를 마주 보며 웃었다.

"본론을 말해."

냅다 빈우가 말했다. 쓸데없이 이런 쪽으로만 눈치가 빠른 친구 때문에 마커스는 혀를 찼다.

"군사정보국 차장 그만두고, 국방부 차관 할 계획이야."

너무나 중요한 이야기를 너무나 대수롭지 않게 한다. 오히려 크산티페가 눈이 동그래진다.

"그래……."

빈우는 눈을 감고 곰곰이 생각을 했다.

"도움이 되어주지 못해서 미안하다, 마커스."

빈우가 잠수에서 돌아왔을 때, 둘은 혹시 있을지도 모를 감시를 피해 빵에 꿀과 버터를 암호로 발라가며 이야기했었다. 지금은 그럴 필요가 없었다. 오직 둘만이 이해할 수 있는 축약된 대화가 오갈 뿐이었다.

"네가 누굴 도울 형편이냐. 고생해라."

마커스는 자리에서 일어섰다. 앞으로 빈우의 앞길에 놓인 것은 단순히 '고생'으로 치부할 것이 아닐 것임에도 그는 덤덤하게 일어섰고, 빈우도 별다른 반응이 없었다.

"아참."

갑자기 까먹은 게 생각났다는 듯이 마커스가 말을 이었다.

"어머니가 너 좀 보자시더라. 그러고 보니 부상하고 난 다음에 한 번도 연락 안 했지? 나는 이 새끼야, 종종 너네 누나랑 여동생한테 연락했었단 말이다. 방금도 한바탕 치르고 왔다."

뭔가 싶었더니 생사가 오락가락하는 친구에게 어머니한테 인사하란 이야기다.

"그러게, 내가 좀 바빠서 말이야. 시간 나면 한번 뵙도록 할게."

빈우는 선선히 대답했고, 마커스는 방을 나섰다. 방금 둘의 대화에선 어떤 암호도, 어떤 숨긴 의미도 없었다. 그냥 자신의 어머니에게 죽었나 살았나 얼굴이라도 비추라는 말이었을 뿐이다.

연방군 정보사령본부는 문자 그대로 연방군 내에서 정보와 기술, 첩보를 다루는 곳이며, 하위부서로 네 곳을 두고 있다. 적대 외계종족을 상대로 첩보 전과 정보전, 비밀작전을 하는 군사정보국, 연방군 내부의 보안 기강을 다지 고 외계종족으로부터의 방첩 활동을 하는 보안국, 구 지구제국이나 외계종 족의 기술을 수집해서 해석, 분석하는 과학기술국, 수집한 정보들을 분석하 고 소화하는 정보분석국이 그것들이다.

지금 이 방에는 정보사령본부의 사령관을 위시해 네 곳의 국장들이 모두 모여 있다. 언제나 보이지 않게 치열한 전투를 하던 사람들이지만, 현재는 샤 다이를 상대로 한 전면전과 연방 내의 뻐꾸기 작전이 발동 중이라 분위기가 한층 더 치열했다. 하나의 안건이 마무리되자 이노우에 고토가 식은 녹차를 툴툴대며 마셨다.

"좀 좋은 일로 만났으면 좋겠는데."

웃으면서 말을 꺼냈지만 상대 쪽은 그렇지 못했다.

"좋은 일을 가져오고 그런 말을 하는 게 어떨까."

쿠사키나 국장의 날 선 목소리지만 피곤함에 그 날도 무뎌져 있었다. 하지 만 그녀는 무뎌진 날이라도 한 번 더 휘둘렀다.

"그리고 자네 쪽 차장 한 명이 국방부로 간다면서?"

보안국장의 그 말에 사람들의 시선이 군사정보국장 쪽으로 모였다.

"으잉? 소식도 빠르지. 누구한테 들었나? 아, 뭐 의미 없나."

차를 마저 마신 이노우에 국장이 그 인물의 홀로그램을 띄우며 자세한 설명을 시작하려 했다.

"마커스 타이 소령일세. 3차장이 된 지 얼마 안 되었지만 내 뒤를 이을 유능한 인재로 봤는데. 이렇게 보내게 되어 정말 유감이양."

군사정보국은 차장이 좀 많다. 부서 자체가 흑과 백 사이에서 줄타기를 하는 곳이라 내부에서 서로를 감시하고 견제하기 위해 별도의 라인들이 존재한다. 만약 하나의 라인이 불온한 움직임을 보인다면 다른 라인들이 협력해 경고하거나, 좀 더 '강한 경고'를 위해 타부서에 들러붙는 짓도 서슴지 않는다. 3차장인 마커스 타이 소령은 젊은 나이에 소령이란 계급으로 차장까지 올라간 엘리트다. 중령 진급도 이미 예정된 상황이다. 그런데 이번에 국방부에서 러브콜이 왔다고 한다. 지금까지 자문 역할을 해왔던 인물인데 이 기회에 아예 데려갈 모양이다.

'국방부 차관이라.'

다샤 쿠사키나 보안국장이 마음속으로 곰곰이 계산해보았다. 타이 차장은 이노우에 국장의 직속 파벌이었다. 그를 군사정보국에서 떼어낸다는 것은 '당장은' 이노우에의 왼팔 하나를 떼어놓는 것과 마찬가지다. 하지만 그 후폭풍은 어마어마하다. 잘려진 왼팔이 로켓펀치가 되어 돌아올지도 모르는 일이다.

"그 사람 부친이 제이크 타이 차관이지."

정보사령본부의 사령관인 바체슬라프 투하쳅스키 중장이 심기가 불편한 듯 고개를 모로 꼬았다. 그가 사령관으로 있는 동안 정보사령본부는 국방부와 그다지 좋은 관계가 아니었다. 군사정보국과 보안국의 두 전임 국장이 저지른 사건 때문에 관리 소홀을 이유로 문책성 견제를 받은 적이 있는 데다, 투하쳅스키 사령관 그 자체의 행보도 국방부와는 안 맞는 경우가 많았다.

"타이 차장은 말이 통하는 사람이던데."

투하쳅스키 사령관의 말에 이노우에 국장이 연신 고개를 끄덕인다.

"이를 말입니까. 이전 국방부는 우리 정보사령본부의 작전들이 너무나도 비인도적이라고 앵무새처럼 반복해서 지껄여댔지요. 흥, 우리 쪽의 요원들이 얼마나 분골쇄신을 하는지 알아주지도 않고선. 하지만 타이 차장이 가면 다를 겁니다. 그는 엘리트라 해도 밑바닥에서 차근차근 올라온 사람이기 때문에 이 바닥의 생리를 아주 잘 파악하고 있지요."

싱글벙글 웃으며 말하는 이노우에 국장을 보며 정보분석국의 산드라 더글러스 국장은 기가 찼다. 정작 부하 요원들의 뼈를 빨고 살을 찢는 당사자가 저딴 말을 지껄여대니 표정 관리를 할 마음도 들지 않았다. 애초에 정보사령본부가 도매금으로 욕을 얻어먹는 것은 군사정보국의 흉악한 작전 덕분이다. 곁눈질로 살펴보니 과학기술국의 율리오 아킴바 국장 또한 역겹다는 표정으로 아예 시선을 돌리고 있었다. 군사정보국과 가장 자주 마주치는 보안국의 다샤 쿠사키나 국장은 하도 시달렸는지 이젠 질렸다는 표정이다.

"아아— 그런가. 그래."

투하쳅스키 사령관도 영 떨떠름한 표정이다. 이어지는 회의 내용은 마커스가 국방부로 가느냐 마느냐에 대한 것이었다. 마커스는 군사정보국 소속이지만 동시에 정보사령본부의 인물이다. 그냥 그만둔다 하면 군사정보국에서만 이런저런 손을 쓰겠지만, 국방부로 간다고 하니 형식상이나마 하는 회의다.

"마커스 타이 소령의 기록은 어디까지 손볼 건가?"

쿠사키나 국장이 질문했다. 군사정보국 차장인 마커스가 가지고 있는 정보는 이만저만한 것이 아니다. 일반인이나 하원은 물론이고, 다른 부서들에게 알려져선 안 되는 기밀들이 수두룩하다.

"당장은 손보지 않을 거야."

이노우에 국장의 대답에 다른 국장들의 시선이 말없이 겹쳐진다. 군사정보국을 떠나는 요원들은 안팎으로 세탁을 하거나, 위험한 기록들을 골라 삭제한다. 그러나 마커스의 경우에는 손본다고 하지 않으니 이상할 수밖에.

"왜들 그런 눈으로 보는 거지? 타이 차장은 현재의 정보와 지식을 그대로 가지고 국방부 차관으로 가야 해. 그래야 가치가 있는 인물이지, 허옇게 표백된 뇌로 가봐야 뭘 어쩌겠단 거야. 물론 이번 작전과 사건이 마무리되거나 아예 그가 국방부를 나가면 그때 점차 기록을 손볼 테니 너무 걱정들 마시라."

이어지는 주제는 울토르 중대에 관련된 것이다. 빈우의 클론으로 만들어진 장갑보병 부대들. 개개인의 능력은 뱅가드 연대에 필적하지만, 클론 특유의 두뇌 통신 덕에 보다 긴밀한 연계작전이 가능해 전투력이 상당하다. 다만 포말하우트의 기습 이후, 정보사령본부 외에도 다른 부서로 파견 나갔다가 모종의 오류로 인해 마카로니에서 민간인 학살을 벌이는 바람에 당분간은 동결시켜놓은 상태다.

"쿠사키나 국장이 솔리드 베타를 가져간 것은…… 결과가 좋았군."

산드라 국장의 말에 쿠사키나 국장이 히죽 웃었다. 보안국은 자신의 영역 밖의 일이었지만 무리를 해서 솔리드 베타를 끌고 나갔고, 결국 곰팡이를 이용해 개척지에 침투하려는 샤다이의 침공을 막아냈다. 하지만 그 자세한 내막은 쿠사키나와 이노우에 두 사람만 안다. 게다가 거기에 있었던 빈우인지 클론인지 모를 인물에 대해서는 보고하지 않았었다.

"그러면 이번 기회에 울토르 중대를 우리 보안국 소속으로 보내주십시오. 뻐꾸기 작전이 발동 중인 현재, 연방 내부로 침투한 샤다이를 색출하는 데 있어 가장 뛰어난 곳은 바로 우리 보안국 아니겠습니까. 저희가 나서서 연방 전역의 샤다이를 잡아내겠습니다."

원래 보안국은 방첩임무를 주로 하는 곳이기 때문에 이런 일에 도가 텄다. 그러나 투하쳅스키 사령관은 쿠사키나 국장이 보여주는 서류를 보며 골똘히 생각했다.

"흐음, 하지만 군사 지역이 아닌 민간 지역까지라……."

"이러면 연방중앙정보국이 또 한소리 할 텐데요."

사령관에 이어 과학기술국의 아킴바 국장마저 난색을 표한다. 원래 민간 지역에서의 이런 임무는 연방중앙정보국이나 해당 행성의 경찰 관할이다.

"하지만 지금은 샤다이와 전면전이라고 봐야 해. 이 같은 경우에는 해당 종족에 한해서지만 보안국에도 조사 권한이 오지."

쿠사키나 국장의 말마따나 전쟁 중인 종족에 한해서는 보안국의 방첩 임무 영역이 연방 전역으로 확대된다. 문제는 우선권이 연방중앙정보국이냐, 보안국이냐다.

"일단 보안국에게 울토르 중대를 보내 뻐꾸기 작전에 합류토록 하지. 연방중앙정보국과는 내가 얘기해보겠어."

투하쳅스키 사령관의 말에 보안국장이 감사하다는 듯이 고개를 숙였다. 그때 이노우에 국장이 끼어들었다.

"보안국장, 그렇다면 앞으로 피자 타이거와 스파게티 드래곤을 활용하면 어떨까? 물류 시설이나 유통망은 빵빵하니까, 울토르 중대가 연방 내의 샤다이를 색출하기 위해 작전할 때 보급 거점으로 활용하는 거지."

군사정보국장이 두 음식 체인점 얘기를 꺼냈다. 실제로 대규모 군사시설이 없는 자치 행성이라 해도 피자 타이거와 스파게티 드래곤이 입점한 곳은 꽤 많다. 이곳들은 처음에는 군납 식료품점으로 시작했지만, 점차 영역을 넓혀 민간까지 진출한 식품 회사들이며, 동시에 이노우에 고토와 다샤 쿠사키나의 전임자들이 거하게 삽질을 한 곳이기도 하다.

"그곳들은 원래 단순 접선 장소나 정보 수집 구역으로 잘 써왔잖아. 굳이 이번 작전에 적극적으로 합류시킬 필요가 있을까? 지금까지 잘 은폐해왔는데 이번 일로 드러내면 위장회사에 대한 경각심이 커질 우려가 있어."

더글러스 국장은 마뜩잖은 표정이다. 피자 타이거와 스파게티 드래곤은 정보분석국에서도 요긴하게 빌려 썼던 위장회사기 때문이다. 그녀 말마따나 뻐꾸기 작전에 적극적으로 나서다 행여 정체라도 드러나면 지금까지 심어서 길러온 뿌리들이 송두리째 뽑히게 된다.

"걱정 마시라. 애초에 피자 타이거와 스파게티 드래곤은 군납 회사로 출발했으니 해당 행성을 경유하는 부대에 보급한다 해도 그리 의심을 받지 않아."

싱글벙글 웃는 이노우에 국장에게 쿠사키나 국장이 질문한다.

"피자 타이거 이야기가 나와서 말인데……."

질문하는 그녀의 눈빛이 예사롭지 않다.

"이 지점들의 피자 타이거에선 별다른 소식이 없었나?"

쿠사키나 국장이 물어보는 지점들은 이번 리퍼의 공격을 받은 행성들의 지점이다. 지금 그녀는 군사정보국의 위장회사인 피자 타이거가 사전에 특별한 정보를 구하지 못했는지 물어보는 것이다. 좋은 의미로는 정보 수집이고, 나쁜 의미로는 꼬투리를 잡는 것이다.

"으음, 알다시피 피자 타이거는 스파게티 드래곤과는 달리 직접 조사 기관이 아냐. 군과 민간의 정보를 동시에 수집하고 활동하는 요원들을 백업하는 곳인데, 그래도 어디 보자."

이노우에 국장이 피자 타이거 각 지점들의 자료를 살펴봤다. 그리고 이런 자료들은 보안국의 쿠사키나 국장 말고도 정보분석국 쪽에게도 전해진다. 군사정보국과 보안국 사이에 오고 가는 자료들은 워낙 사고를 친 전적이 많아 제삼자인 정보분석국에도 감시 겸 백업용으로 전해지는 것이다.

"음?"

이노우에 국장이 뭔가를 발견한 듯하자 다른 국장들도 덩달아 긴장한다.

"누벨 노르망디 지점에서 도우가 상했다는데? 피자 타이거는 물질 생성기가 아니라 실제 요리하는 프리미엄 메뉴도 있는데, 거기에 쓰는 피자 반죽이 상했다는구면."

영 엉뚱한 내용에 모였던 관심들이 팍 식는다.

"그딴 것 말고."

쿠사키나 국장이 간신히 화를 참는 게 보인다. 그러자 이노우에 국장은 억울하다는 듯이 자료를 펼쳐 보였다.

"아니, 보존고에 있는 도우가 상했다니까? 이거 혹시 샤다이 곰팡이와 관계되진 않았을까?"

"곰팡이 자료는 줬잖아. 그쪽이 직접 조사해봐."

군사정보국과 보안국은 오늘도 아웅다웅한다. 중요한 안건들이 다 끝나자마자 바로 이런 꼴이다. 두 국장이 누벨 노르망디의 피자 도우 변질 건으로 잡담이나 하던 중에 이노우에 국장이 반격했다.

"그러면 그쪽은? 스파게티 드래곤 쪽은 별 이상 없는가?"

역으로 꼬투리 잡아보겠다는 심보다. 그러자 쿠사키나 국장이 예상했다는 듯 보란 듯이 자료를 펼쳐 보였다.

"우리는 언제나 정보 수집에 만전을 기하고 있어. 상황이 상황이니만치 보안국의 위장 요원뿐만이 아니라 일반 직원들에게도 거동이 수상한 자에 대해선 요주의하라고 공문을 내려놨지."

"그래서, 수상한 사람이 잡혔나?"

"일단 체에는 많이 걸리지. 그리고 거기서 걸러지기도 하고. 자치 행성 지점의 잡범들을 발견해 현지 경찰에도 신고하고 있어. 흐흥, 이러느라고 사람이 모자란대. 어때? 군사정보국에서 사람을 좀 보내주려나?"

"정식 요청이 있다면야 얼마든지. 우린 영혼의 듀오잖아?"

농으로 던진 쿠사키나 국장의 말에 이노우에 국장이 진심처럼 대답한다.

"자자, 이쯤 하지."

보다 못한 투하쳅스키 사령관이 파장을 알렸다. 각 국장들은 자리에서 일어섰고, 군사정보국장과 보안국장도 깔끔하게 털고 일어섰다. 그도 그럴 것이 이 둘은 방금 피자 타이거와 스파게티 드래곤에 대해 상당히 많은 정보를 교환했기 때문에 만족한 것이다.

· · · ✦ · · ·

"분명히 저쪽 계단이 부서졌다고 하셨잖아요. 그런데 왜 주인님이 변한 거죠? 혹시 그 계단이란 것이 다시 생긴 건가요?"

아나스타샤의 물음에 알탄훼아나가 침통한 표정으로 고개를 저었다.

"아니, 저쪽 계단은 이미 부서졌고, 다시 생긴 기미는 없어. 이건……."

알탄훼아나는 막 치료를 마친 다음 지친 듯이 뒤로 물러섰다. 그리고 고개를 들어 묶여 있는 빈우를 보았다. 워프 비스트로 변하던 도중에 멈춘 그의 육체는 여러 가지 장치로 구속되어 있었다.

"그는 스스로 변하는 것을 선택했어. 그렇기에 아마도…… 이건 과거에 변화하다 멈췄던 것이 다시 시작된 것일 거야. 아니, 분명해. 이건 재발이야."

그때 눈을 감고 있던 빈우의 눈꺼풀이 열렸고, 알탄훼아나와 시선이 마주쳤다. 하지만 그가 스스로 눈을 뜬 것은 아니다. 알탄훼아나가 안을 들여다보기 위해 연 것이다. 인간의 눈과 샤다이의 눈이 마주친다. 아니, 인간의 눈이 아니라 워프 비스트라고 해야 할지도 모른다. 알탄훼아나는 그 눈을 통해 빈우의 안쪽을 보고 있었다. 선조들이 살아남기 위해 아등바등거리는 지옥을. 잠시 후 빈우의 눈이 다시 감겼고, 알탄훼아나는 자리에 앉았다.

"그는 이미 예전에 워프 비스트로 변하려던 적이 있었어. 하지만 알 수 없는 이유로 그게 멈췄고, 이번에 다시 발현한 거지. 그 자신의 의지에 의해."

아나스타샤는 아랫입술을 꽉 깨물었다. 그리고 자신을 탓했다. 함부로 움직이다 주인을 이 모양으로 만든 자신을, 과거 주인의 변화를 알아차리지 못했던 어리석은 자신을.

"어쨌든 김 팀장님을 통해 이쪽의 정보가 새나갈 염려는 없는 거죠?"

크산티페가 식사를 준비하며 알탄훼아나에게 물었다. 그녀는 주인인 마커스가 돌아간 다음에도 블랙 랜스에 남았다.

"그래, 지금은 변이 중인 인간이야. 선조는 아직 그의 몸을 차지하지 못했어. 그리고 못 할 거야. 절대."

알탄훼아나는 반쯤은 자신에게 말하며 크산티페가 준 식사를 받았다. 수차례 시행착오를 거쳐 샤다이에게 가장 잘 맞도록 만들어진 식사다.

"자, 아나스타샤도. 아무리 인간 흉내를 낸다고 해도 연료 공급까진 거르지는 마."

"고마워, 크산티페."

안드로이드 메이드가 동형 모델 자매기에게 안드로이드용 식사를 건네준다.

"그런데 크산티페. 넌 돌아가지 않아도 돼?"

식사를 뜯던 아나스타샤가 조심스레 물어보았다. 현재 태스크포스 373은 42전단으로부터 이탈해 특수전 사령부로 돌아와 있으며 빈우와 아나스타샤, 알탄훼아나, 크산티페는 귀환 후 블랙 랜스 안에서 나가지 않고 있었다. 팀장인 빈우의 상황이 영 좋지 않은 것이다.

"주인님께서 내린 명령이 있으니까."

크산티페는 방긋 웃으며 젤형 식사를 한술 떠서 꿀꺽 삼켰다. 하지만 아나스타샤는 크산티페에게 정보를 넘겨줄 때 석연찮은 부분이 있었다. 크산티페는 반드시 필요한 부분 말고도 개인적인 기록이나 잡다한 정보까지 원했던 것이다. 당시엔 믿을 수 있는 아군이 달라고 했기에 줬지만, 차츰 생각할수록 크산티페로부터 불길한 무언가가 짐작되었다. 그래서 결국 조심스레 말을 꺼냈다.

"그 명령이란 게…… 크산티페, 너 혹시 나를 대신하기 위해서 온 거니?"

아나스타샤가 물어본 '대신'한다는 의미는 업무를 뜻하는 게 아닐 것이다. 아나스타샤를 대신해 빈우를 모시라는 것도 아니다. 질문을 받은 안드로이드는 고개를 끄덕이며 대답했다.

"맞아. 만약 누군가가 너를 체포하러 온다면 내가 너로 위장해서 대신 잡혀가기로 했어."

"왜?"

약간 높아진 아나스타샤의 목소리. 그러나 크산티페는 평온하다.

"주인님의 명령이니까."

즉 마커스는 최악의 경우를 대비해, 자신의 비서인 크산티페를 친구의 가족인 아나스타샤의 대역으로 쓰려는 것이다. 군사정보국의 조사가 어떤 것인지 이미 겪어봐서 아는 아나스타샤는 고통스러웠다.

"난 그 반대로 할 자신 없는데."

갑자기 끼어든 빈우의 말에 깜짝 놀란 셋의 시선이 모인다.

"하여간 마커스 이 새끼. 쓸데없이 일을 벌여요."

"주인님, 괜찮으신가요?"

투덜대는 빈우에게 아나스타샤가 달려가 흉하게 변한 그의 얼굴을 쓰다듬는다.

"그럭저럭. 레드우드 사령관으로부터 다른 연락은 없고?"

"사령관님께선 주인님을 대단히 걱정하고 계세요. 깨어나면 연락하라고 하셨는데……."

"연결해."

지금 이들이 있는 곳은 블랙 랜스의 격리구역이다. 외부와의 통신은 물론 탐지조차 안 되는 곳이라 몇 겹으로 보안된 폐쇄 회선을 쓴다.

"저, 하지만……."

아나스타샤는 현재 주인의 모습을 보고 머뭇거렸다. 빈우는 아직까진 인간 형태를 유지하고 있지만, 겉으론 워프 비스트의 특징이 확연히 드러나 있었다. 이를 남에게 보여주긴 조금 저어되는 것이다.

"연결해."

이어지는 재촉에 아나스타샤는 어쩔 수 없이 레드우드 사령관과의 회선을 연결했다.

- ……아유, 이 새끼.

화면에 나타난 레드우드 사령관이 한숨부터 쉬었다. 아룹으로부터 대략적인 보고를 들어 알고는 있었지만 실제로 보게 되니 또 다르다.

"보자마자 욕입니까. 사령관님은 번지르르한 겉모습보다 내면의 아름다움을 알아주셔서 많은 사람들이 따랐는데 말입니다."

- 주둥아리 놀리는 거 보니 네 내면이 얼마나 아름다운지 알겠다. 좀 어때?

"전 괜찮다고는 생각하는데, 어디까지나 이건 제 생각이죠."

현재 빈우는 워프 비스트와 인간의 중간 형태라 할 수 있고, 이것은 연방에서 제1호 케이스다. 공식적으로는.

- 그럼, 인간으로 돌아올 수 있겠나?

레드우드가 알탄훼아나를 보면서 물었다.

"확답은 못 하겠지만, 가능성은 높다."

알탄훼아나가 일단 가능성은 높다고는 하는데, 하는 사람이나 하는 방법이나 다들 처음 해보는 것이라 영 믿음직스럽지 못하다. 그래도 레드우드로선 지금 그녀와 빈우를 믿는 수밖에 달리 방법이 없다.

"근데 이런 꼬락서니의 저를 날름 썰어버리거나 다른 부서에 넘기지 않고 살려두다니 조금 의외입니다?"

빈우의 말에 레드우드가 발끈한다. 빈우나 레드우드나 둘 다 외계인 잡는 것에는 도가 튼 사람들이다.

- 새끼가, 내가 부하 버리는 놈으로 보이더냐?

킬킬거리는 빈우를 보며 레드우드는 날카롭게 질문했다.

- 말 돌리지 말고, 왜 그 그라인더들을 그냥 가져가게 놔둔 거야?

레드우드가 말한 그라인더들은 누벨 노르망디에서 태스크포스 373과 싸웠던 놈들을 말한다. 놈들은 리퍼들과 협력하는 게 분명했고, 같은 연방군을 공격했었다. 몇몇 더러운 작전에선 이런 경우가 있긴 하지만, 원래 이런 종류의 비밀작전은 특수전 사령부 소관이다. 그러므로 레드우드가 모르는 그라인더는 있을 수가 없다. 아마도 연방에 잠입한 샤다이의 손길에 닿은 놈일 것이다.

가장 가능성이 높은 것은 정보사령본부인데, 이들은 이와 비슷한 비밀 부대를 거느리고 있다. 그라인더에 단검뿔 토끼의 실력을 가진 자라면 그 잔해와 시신이 특수전 사령부의 손에 들어가는 순간 낱낱이 조사당해 바로 배후가 드러날 것이다. 그럼에도 불구하고 마커스가 그 중요한 단서를 들고 가게 놔뒀으니 레드우드로선 상당히 아쉬운 것이다.

빈우는 대답 대신 크산티페를 보았고, 안드로이드는 공손히 대답했다.

"주인님께서 연락 주시길, 군사정보국 쪽은 아니라고 하셨습니다."

적어도 군사정보국 차장이 말했다면 맞을 것이다.

"그렇다면 십중팔구 보안국 소속이죠. 만약 그 시체와 장갑복을 우리가 가지고 있다면 보안국과 또 시빗거리가 생깁니다. 이럴 땐 차라리 군사정보국 쪽에 넘기는 게 편해요."

빈우의 말은 일리에 맞지만 그래도 레드우드는 아쉬웠다.

- 우리가 역으로 공격할 수도 있었잖느냐.

언제나 보안국이 시비 거는 것을 보고만 있었는데, 역공 기회가 날아가버렸으니 아쉬울 수밖에.

"누가요?"

하지만 빈우의 말에 레드우드는 뭐라 대답할 수가 없었다. 이쪽에는 이런 뒷공작을 할 만한 사람이 없다. 빈우는 지금 워프 비스트에 발을 반쯤 걸치고 있고, 마커스는 군사정보국을 떠나기 위해 한창 준비 중이다.

- 그래, 그럼 이건 깔끔하게 포기하자. 하지만 언제까지 처맞고 있을 순 없다.

"마커스가 국방부에서 자리 잡길 기다리세요. 그러면 녀석이 시슬 대장에게 연락을 넣을 겁니다."

그 말에 레드우드는 잊고 있던 사실 하나를 깨달았다. 캐서린 시슬, 특수전 사령부의 전임 사령관이자 현재는 합동참모본부에 있는 레드우드의 전우다.

- 하긴, 국방부과 합동참모본부는 꽤 가깝지.

이 두 부서는 연방군의 장기적 전략을 짜는 부서기 때문에 협업하는 경우가 잦다. 그리고 이들이 힘을 합친다면 정보사령본부는 손쉽게 으깨버릴 수 있다.

- 알았다. 그럼 일단은 좋은 소식을 기다릴 수밖에. 참, 그리고 오다 의원님도 상원으로 가셨다. 이번 일로 그쪽도 많이 바쁜 모양이야.

42전단은 첫 출전부터 막대한 전과를 올렸다. 전투가 그만큼 커졌기 때문이다. 시에라 1과 7은 그렇다고 쳐도, 리퍼들의 대규모 침공과 과전의 태양화는 대사건이다. 그래서 42전단과 함께 행동했던 오다 히토미 상원의원은 이 보고를 위해 잠시 태스크포스 373을 떠난 상태다.

"마커스도 없고, 오다 의원님도 없고. 이럴 때 본진 털리면 X 되는데."

특수전 사령부는 적이 어디서 덤비든 맞서 싸울 준비가 되어 있다. 그러나 아군이 딴지를 거는 것엔 영 익숙지 못하다. 그걸 의미하는 빈우의 말에 레드우드 사령관이 쌍심지를 켰다.

- 해볼 테면 해보라 그래라!

그 말인즉슨 시비 걸면 바로 털어버리겠단 의미다. 자신의 취임사도 그런 뉘앙스였던 양반이니 실제로 갈아버리고도 남는다. 그런데 그러던 레드우드 사령관의 얼굴이 갑자기 소태를 씹은 것마냥 일그러졌다.

- ……라고 말하고 싶은 마음은 굴뚝같지만 말이다. 오다 의원이 떠나기 전에 당부한 것이 있다. 되도록 마찰은 피하라고 하시더라.

오다 히토미는 명색이 연방의 상원의원이다. 부서 간의 정치적 알력 다툼에는 이골이 난 사람이다. 게다가 태스크포스 373에 와서 군사정보국과 보안국의 공작을 직접 겪었던 그녀다. 그런 그녀가 마찰을 피하라고 했다면 상대방이 패는 대로 맞고 있으란 뜻이다.

"그쪽 파벌이 뭔가 크게 꾸미는 모양입니다. 뒤로 당겼던 손이 더 아프게 때리지요."

히토미가 속한 파벌은 연방 내에 잠입한 샤다이를 색출하는 방법을 모색하고 있다. 그래서 빈우와 협력 중이기도 하다. 그래서 자기들 쪽에서 확실한 증거나 방법을 찾을 때까지는 되도록 일을 크게 벌이고 싶지 않은 모양이다. 겉으로 보기엔 같은 연방의 조직이니까. 어떻게 보면 변이 중인 빈우는 그들에게 있어 훌륭한 샘플이다. 어쩌면 빈우를 실험체 삼아 인간으로 위장한 샤다이를 잡아낼 방법을 찾아내려 할지도 모른다.

- 믿을 만하냐?

레드우드 사령관의 말에 빈우는 딱 부러지는 대답을 해주었다.

"아직 우리 쪽에 이용 가치가 있으니 그동안은 아껴주겠죠."

이외에도 그동안의 작전과 경과보고를 한 다음 통신은 껐다.

"피곤하네."

묶인 채로 있던 빈우가 푸념했다.

"주인님, 시장하진 않으세요? 뭔가 드시고 싶은 것 없나요?"

아나스타샤가 바로 빈우의 옆에 달라붙었다.

"배가 고프진 않아. 영양 보충을 할 필요가 없는 건지, 아니면 허기를 못 느끼는 건지."

정확히는 빈우는 현재 자신의 몸을 제대로 파악할 수 없었다. 그리고 두뇌칩 역시 작동하지만, 이게 변이된 육체에 대해선 제 기능을 못 하고 있었다.

"일단 팀장님의 육체에 영양 패치는 붙여놨습니다. 군용으로요."

크산티페의 말대로 빈우의 몸 몇 군데에는 식사용 패치가 붙어 있다. 피부로 흡수되는 이 영양 패치는 유사시에 식사 대용을 위한 영양 공급책이다.

"고마워, 크산티페."

공손하게 고개를 숙이는 크산티페는 쿠델카 모델이라 아나스타샤와 같은 외모를 하고 있다. 물론 살아온 방식에 따라 성격이 다르고, 그로 인해 표정이나 몸짓에서도 미묘한 차이가 난다. 하지만 지금은 아예 아나스타샤와 똑같은 빅토리안 메이드 복을 입고 헤어스타일이나 악세사리까지 똑같이 하고 있어서 겉모습만으로론 분간하기 힘들 정도다.

"크산티페."

"네, 팀장님."

"아나스타샤처럼 행동해봐."

빈우의 그 말이 떨어지자 크산티페의 표정이 바뀌었다. 몸짓 또한 다르다. 그리고 입을 열자 아나스타샤의 목소리와 말투가 나온다.

"아 진짜. 벼라별걸 다 시켜요. 에휴, 하란다고 하는 나도 참."

게다가 인식칩까지 위조해서 안드로이드의 이름마저 아나스타샤로 확인된다.

"훌륭해. 이 정도면 어지간한 놈들은 속겠어."

"에헷, 감사합니다, 주인님."

자신이 있던 자리, 자신이 하던 행동. 그것을 자신의 자매가 주인의 앞에서 하고 있다. 빈우와 크산티페를 보고 있던 아나스타샤의 눈가에 눈물이 고이고 있었다.

"아나스타샤?"

크산티페가 자매의 이변을 알아채고 그녀에게 다가갔다. 그러자 아나스타샤는 두 손으로 얼굴을 가리며 주저앉았다.

"……세요."

그리고 그녀의 가린 손 사이에서 무언가에 억눌린 흐느낌이 새어나왔다.

"무슨 일이야, 아나스타샤. 왜 그래?"

크산티페는 갑작스러운 아나스타샤의 이상행동에 그녀를 진정시켜보려 했지만, 아나스타샤는 고개를 들며 울음을 터트렸다.

"제발 절 버리지 마세요!"

그녀는 오열하고 있었다.

"왜, 왜 그때 날 그렇게 대했는지 알겠어요. 왜 날 무시했는지, 왜 나에게 아무런 반응을 하지 않았는지. 난 내가 뭔가 잘못한 줄 알았어요. 나에게 싫증이 난 줄 알았어요. 하지만 그게 아니었어."

아나스타샤는 울면서 빈우를 올려다보았다. 무표정한 빈우와 흐느끼는 아나스타샤는 서로 마주 보고 있다. 안드로이드는 변한 자신의 주인의 눈빛이 기억났다. 흉측하게 변한 주인의 외모는 전혀 무섭지 않았다. 그저 빈우의 저 눈빛이, 과거에도 저렇게 보았던 눈빛이 무서웠다. 마치 자신을 떼어내려는 듯한 눈빛이 말이다.

"날, 날 보내려고 한 거야. 날 주인님에게서 떼어놓으려고 한 거야."

마커스는 크산티페를 아나스타샤의 대역으로 세우려고 했다. 이후에 올 조사가 아나스타샤에게 심각한 위험이 될 것을 알고 있기 때문이다. 그렇다면 빈우는? 마커스는 빈우에 대해서는 아무런 대책을 마련해주지 않았다. 그저 자신이 군사정보국을 떠나 국방부로 간다고 말했을 뿐이다. 오히려 빈우가 마커스에게 사과를 했다. 도움이 되지 못해서 미안하다고. 왜 워프 비스트로 변하는 빈우가 그런 말을 했을까.

아나스타샤는 이제야 알 수 있었다. 빈우가 과거에 자신에게 왜 그랬는지를. 군사정보국에서 요원으로 살아가던 주인이 울토르 프로젝트를 진행하면서 괴로워했을 때 왜 자신과 거리를 두려고 했는지 알게 되었다. 자신의 주인은 이미 끝을 각오하고 있었던 것이다. 그게 육체적 죽음이든, 정신적인 파멸이든, 사회적 매장이든 빈우는 자신에게 마지막이 다가옴을 알고 있었고, 그때문에 아나스타샤를 자신으로부터 떼어놓으려고 한 것이다. 자기가 더 이상 그녀를 지키지 못할 때를 대비해 아나스타샤를 자신과 무관계하고 무해한 안드로이드로 남겨놓으려고 한 것일 수도 있고, 아니면 자기 스스로가 위험한 것이 되었을 때 그 위험으로부터 떨어트려놓으려고 한 것일 수도 있다.

"……위험하니까, 날 거기서 멀어지게 하려고 한 것…… 맞죠?"

울면서 타이르는 누나에게 비밀이 들킨 개구쟁이 동생이 사실을 말했다.

"……그래. 나중에 내가 돌아갈 곳이라도 있어야지."

"거짓말! 거짓말이야. 제발 나한테 거짓말하지 마세요."

아나스타샤가 소리치며 세차게 도리질했다. 눈물방울이 사방으로 흩날린다. 그녀는 허겁지겁 달려가 빈우에게 매달렸다.

"난 주인님하고 같이 있을 거예요. 안 떨어져요. 주인님을 혼자 내버려둘 순 없어요."

빈우의 입이 서서히 열릴 때, 아나스타샤가 서둘러 두 손으로 주인의 입을 틀어막았다. 그 입에서 자신의 귀에 들릴 말이 나오지 않도록.

"제발, 제발제바알. 부탁이니까. 말씀하지 마세요. 저한테 명령하지 마세요. 제가 뭐든 할 테니까 주인님 곁에 있게 해주세요. 부탁할게요. 제발요."

마침내 빈우의 눈이 천천히 내려가 감겼다. 그리고 아나스타샤의 손도 서서히 떨어졌다.

"……알았어. 계속 내 곁에 있어줘, 아샤."

빈우의 약속이 떨어지자 마침내 아나스타샤는 그의 앞에 무릎을 꿇고 앉아 대성통곡을 했다. 단순히 주인과 안드로이드의 관계는 아니었다. 무언가 다른 형태의 가족 관계가 이 둘 사이에 존재하고 있었다.

"크산티페."

빈우의 조용한 부름에 크산티페가 조용히, 그러나 빠르게 다가왔다.

"네, 김 팀장님."

"아샤를 좀 쉬게 해줘."

"알겠습니다."

크산티페는 넋이 나간 아나스타샤를 부축해 밖으로 나갔다. 그녀는 아직도 자신의 어린 도련님을 찾아서 횡설수설하고 있었다. 문이 닫히자 알탄훼아나가 조심스레 입을 열었다.

"너희들의 인공지능은 참으로 대단하군. 진짜 사람처럼 행동해."

"그렇게 만들어졌으니까. 어차피 우리도 유전자에 프로그램된 대로 행동하는 존재야. 번식욕에 따라 상대를 덮치고, 물욕에 따라 걸리적거리는 놈을 죽이지. 그리고 그것을 이성으로 억누르고 있고."

거기까지 말한 빈우는 알탄훼아나를 보면서 피식 웃었다.

"이러면 조금 유에네스 같나?"

종결자. 빈우는 그 말을 보통의 의미로 쓴 것은 아닌 것 같다. 무언가 다른, 보다 큰 의미로 쓴 것 같았지만 알탄훼아나는 이에 대해 말을 아끼고 있어서 더 이상 알 수가 없었다.

"글쎄……."

알탄퀘아나는 말을 흐리며 식사를 계속했다. 아무래도 숨기고 싶은 모양이다. 빈우는 더 이상 물어보지 않고 화제를 돌렸다.

"밥 다 먹으면 다시 치료를 계속하지. 그런데 치료는 잘 되고 있나?"

"너의 가족 덕분에 증상은 상당히 호전되었지만, 아직 완벽한 것은 아냐."

빈우는 알탄퀘아나의 치료를 되새겨보았다. 그녀 말대로 효과는 실제로 있어 보였다.

"호전이라. 이제 인간 안에 숨어든 샤다이를 구분하는 것이 가능한가?"

"너 같은 상태나, 그대가 말하는 워프 비스트처럼 뒤틀려 내려온 자라면 알아본다. 하지만 제대로 내려온 자라면 아직은 힘들 것 같아."

"얌마, 그러면 의미가 없잖아. 그 정도는 우리도 알아본다고."

빈우의 핀잔에 알탄퀘아나는 투덜거리며 식사를 계속했다. 이래저래 부대끼다 보니 신경이 굵어진 모양이다. 빈우는 눈을 감고 그녀가 식사를 마치길 기다렸다. 그리고 다음 치료를 기다렸다.

*

"와, 저게 뭐예요?"

네 가족이 푸른 들판을 걷고 있다. 아들의 물음에 아빠가 고개를 갸웃하며 대답한다.

"글쎄다. 뭔가 식용 식물 같은데?"

그러자 엄마가 다가가 그 식물을 자세히 살펴보았다.

"곡식 같구나. 이 열매 부분을 거둬서 껍질을 까서 먹는 것처럼 보여."

"먹을 수 있나요?"

딸이 엄마 곁으로 다가와 물어본다.

"으음, 잘 모르겠네. 아마 수확해서 가공을 해야 할 거야. 날로 먹으면 배탈 날지도 모르니 조심해. 엄마 말 들었지?"

엄마의 말에 풀줄기를 뜯던 아들이 뜨끔해서 손을 내려놓았다.

"야, 엄마가 조심하랬지."

딸이 뽀르르 달려가 아들을 타박한다.

"그래서 손 놨잖아."

아들 역시 질세라 대꾸했다. 키 차이를 보니 딸 쪽이 누나, 아들 쪽이 동생으로 보였다.

"저기 봐, 저기에 집 같은 게 있어."

뭔가를 발견한 아빠가 소리치며 가족을 부른다.

"정말이네. 정말 주거 공간 같아."

가족들이 아빠 주변에 모였다. 엄마도 아빠가 발견한 것을 보면서 고개를 끄덕인다.

"가자."

아빠의 말에 엄마가 흠칫 놀랐다.

"⋯⋯그래, 가야지."

그녀는 지금 뭔가 떨떠름하지만 그래도 마음을 다잡은 듯한 표정이다. 그렇게 네 명의 가족은 꺼슬꺼슬한 털 난 열매가 달린 푸른 풀밭을 지나 집으로 향했다.

"엄마, 엄마."

"왜 그러니?"

아들의 부름에 엄마가 내려다보았다.

"우리 왜 다시 돌아왔어요?"

아들의 천진난만한 질문은 엄마의 얼굴에 작은 그림자를 드리웠다. 보이지 않지만 앞서가는 아빠에게도 마찬가지일 것이다.

"이사한 곳이 살기 불편해서 돌아왔단다."

"그러면 왜 처음에 이사를 갔어요?"

이어지는 아들의 질문에 아빠가 뒤돌아서서 성큼성큼 걸어왔다. 그 모습을 본 엄마가 황급히 만류한다.

"잠깐, 아직 애야. 잘 모르잖아. 너무 화내지 마."

엄마를 지나친 아빠는 아들 앞에 무릎을 굽히고 앉아 슬픈 표정으로 설명을 시작했다.

"미안하구나."

아빠의 사과에 가족들이 조용해졌다.

"아빠는 여기가 위험해서 떠나자고 했어. 하지만 이사한 곳도 그리 좋은 곳은 아니야. 그래서 어쩔 수 없이 다시 돌아온 거야. 여기도 위험하긴 하지만, 아직 아빠의 친척들이 살고 있으니 어떻게든 방법을 찾아보자. 알겠지?"

그러자 아들도 힘차게 고개를 끄덕였다.

"네, 아빠."

"좋아. 그럼 가자."

아빠는 아들의 머리를 세차게 쓰다듬으면서 일어나 길을 앞장섰다. 얼마 지나지 않아 가족들은 처음 보는 집에 도착했다.

"안에 주인이 있겠지?"

아빠는 문 앞에서 저어하고 있다. 그때 엄마가 뒤에서 나섰다.

"그래도 들어가야지."

삐걱거리는 소리와 함께 문이 열렸다. 안에는 처음 보는 가구들이 있었지만, 다들 쓸 수 있는 것처럼 보였다. 앉을 수 있는 의자에 쓸 수 있는 탁자들이다.

"와— 맛있는 냄새."

아들이 코를 벌름벌름하더니 냄새를 따라갔다.

"야, 함부로 먼저 가지 마."

누나가 달려가 동생의 팔을 잡았다.

"그래, 여기 집주인이 있을지도 몰라. 조심해야지."

아빠가 부드럽게 타이르며 다시 앞섰다. 그리고 뒤로 딸과 아들을, 마지막엔 엄마가 서서 아이들을 지켰다.

"여기였네."

누나가 탄성을 질렀다. 냄새를 따라간 곳은 식당이나 부엌처럼 보였다. 여러 가지 꽃과 과일로 화려하게 꾸며진 식탁 위에는 맛있어 보이는 수프가 있었다. 마침 의자들도 준비되어 있었다.

"식사를…… 하던 중이었나?"

아빠가 중얼거리며 여기저기를 살폈다. 어딘가에 있을 집주인을 찾았지만, 어디에도 보이질 않았다.

"주인은 없나? 아니, 있겠지. 다른 곳에."

엄마는 긴장의 끈을 늦추지 않고 사방을 살피고 있었다. 이 부엌은 보통 공간이 아님을 알고 있기 때문이다.

"아빠, 이거 먹어도 돼요?"

아들은 벌써 의자에 앉아 눈앞의 수프를 보며 군침을 꼴깍 삼켰다.

"가만히. 기다려봐. 아빠가 먼저 먹어볼게."

아빠가 아들을 말리며 수프 그릇을 들었다. 그리고 그것을 지긋이 살펴보더니 서서히 입으로 가져갔다.

"조심해."

엄마가 걱정스러운 표정으로 아빠를 쳐다본다. 저 수프를 먹는 것으로 시작되는 것이다. 저것을 먹고 이 집에 살면서 서서히 돌아와야 한다. 이제 귀향을 할 때다. 아빠는 수프 그릇을 입에 대고 서서히 마셨다. 걸쭉한 죽이라 마시긴 힘들었고, 조금씩 손가락으로 밀어 입안으로 집어넣었다. 그리고 잠시 맛을 음미한 다음 목구멍으로 삼켰다. 그러자 점차 맛이 느껴진다. 집주인의 기억이 느껴진다. 이 집 주인의 고통과 아픈 기억이 아빠의 안에서 되살아난다.

- 맥각 중독. 막내 여동생. 이유식. 자신이 직접 키운 보리. 맥각균. 막내 여동생 구토. 엄마가 없어. 엄마는 뒤쪽 공터에 누워서 자. 아나스타샤 어딨어.

193

**누나 어딨어. 소리가 아파. 소리가 열나. 소리가 아파. 소리가 죽었어. 내가
죽였어. 내가 죽였어. 내가 막냇동생을 죽였어.**

단편적인 기억이 아빠의 머릿속을 휩쓴다. 집주인의 상처다. 이것이 계단
의 재료가 되어 마지막 부분이 된 것이다. 이제 그의 약점을, 마음의 상처를
빼앗을 시간이다. 이자의 고통이 만들어낸 이 공간을 장악하고 빼앗는다. 그
렇다면 —.

"억!"

아빠가 고통에 몸을 부르르 떨며 수프 그릇을 놓쳤다. 가족이 뭐라고 부르
면서 달려오지만, 그에겐 들리지 않는다. 청각 정보가 수집될 틈이 없었다.
그보다 엄청난 것들이 아빠의 정보를 덮어쓰고 있었다.

'죽음', '고통', '파괴', '학살', '고문', '피', '울음', '쾌락', '실망', '절망', '공포'.
온갖 마음의 상처가 파도가 되어 아빠의 몸 안에서 소용돌이친다. 그러나
아무리 봐도 이곳의 것이 아닌 기억들이다. 집주인이 컸을 때의 기억이다.

'이곳은 그의 유년기 시절일 텐데, 왜?'

아빠는 식탁을 잡고 간신히 서 있었다. 그리고 바닥에 떨어진 수프 그릇을
보았다. 그 안의 보리죽. 아기를 위해 곱게 갈았지만, 맥각균이 들어간 죽. 원
래라면 있을 수 없지만, 자신이 정성껏 키우다 감염된 보리로 만든 이유식이
다. 자신이 직접 보리를 키우고 수확하고 만들어 돌도 안 된 여동생을 죽인
이유식이다.

'그런데 왜, 어째서 여기에 성인 때의 고통이?'

아빠는 자신의 물음에서 스스로 해답을 구해냈다. 그리고 그 답에서 공포
를 느꼈다.

"도망쳐! 여긴 —."

아빠는 말을 채 끝내기도 전에 허공으로 떠올랐다. 그가 날아오른 게 아니
다. 누군가가 뒤에서 그의 뒷덜미를 잡고 집어 올린 것이다.

"커억!"

아빠의 배에서 커다란 칼날이 솟구쳐나온다. 푸른 피가 사방으로 튄다.

"아빠!"

가족의 비명 소리가 식당을 울린다. 어느새 아빠의 뒤에 건장한 체구의 남자가 나타나 있었다. 노란 피부, 검은색 머리카락. 이 집의 주인이 분명했다. 그는 손에 든 날붙이를 휘둘러 아빠의 배를 등 뒤에서부터 갈랐다. 두 동강이 난 아빠가 바닥으로 떨어졌다.

"하— 함정……."

아빠는 말을 채 끝맺지 못했다. 집주인이 그의 머리를 잡아 올려 입으로 가져갔다. 그리고 입을 벌려 아빠의 머리를 씹어 먹기 시작했다. 우둑거리는 소리가 난다. 뼈가 으깨지는 소리, 살이 찢기는 소리와 함께 아빠의 색이 변해간다. 푸른 피가 땅에 떨어질 때는 붉은 색이 되어 있다. 아빠의 푸른 살점이 집주인의 입에서 씹힐 땐 붉은 색으로 변하고 있었다. 사냥꾼이 사냥당하는 장면에서 엄마는 정신을 차렸다.

"도망쳐!"

엄마가 아들과 딸의 손을 잡고 달렸다.

225

· · · ✦ · · ·

"엄마, 저거 뭐예요. 아빠가. 아빠가!"

아들이 울면서 소리친다.

"엄마, 아빠를 구해요. 아빠를!"

딸이 울면서 매달린다. 그러나 엄마는 둘을 잡고 달렸다. 마침내 집의 문에 도착했다. 그리고 나가기 위해 문을 열었다. 아니, 열려고 했다. 그러나 문은 열리지 않았다. 아까 부드럽게 돌아갔던 문고리가 지금은 꼼짝도 않았다.

아빠가 왜 함정이라고 했는지 알 수 있었다. 애초에 이 집을 구성하는 계단의 마지막 부분 자체가 이 가족을 노리고 있었던 것이다. 그때 뒤에서 발소리가 들려온다. 집주인의 발소리다. 아빠를 다 먹은 그가 나머지 사냥꾼들을 거꾸로 사냥하기 위해 이쪽으로 오고 있었다.

"어서 따라와!"

엄마는 둘을 안고 계단으로 뛰었다. 이 집에 있으면 있을수록 집주인의 기억이 스며들어온다. 그녀의 발이 바닥에 닿을 때마다 집주인의 슬픔과 고통이 흡수되어 올라온다.

"억!"

엄마가 짧은 비명과 함께 무릎을 꿇었다. 감당할 수 없는 절망이 그녀를 휘감았다.

"엄마, 엄마!"

아들이 엄마를 안고 운다. 딸이 울면서 엄마를 일으킨다. 집주인의 비웃음 소리가 계단을 타고 올라온다.

"도망쳐!"

엄마가 아이들을 밀면서 외쳤다. 울면서 바닥으로 나동그라지는 아이들에게 엄마가 필사적으로 외쳤다.

"복도 끝의 방으로 가! 그 방으로 들어가. 절대 나오지 마. 절대 나와선 안 돼! 어서 가!"

간신히 알아낸 기억이다. 집주인이 마주 보기 싫어했던 터부, 유년기의 어두운 기억이 만들어진 방이라면 집주인도 바로 들어갈 수 없을 것이다. 당분간은. 엄마는 아이들을 위해 그 당분간의 시간만이라도 주고 싶었다.

"어서 달려!"

우는 동생을 잡고 뛰는 누나도 울고 있었다. 그 모습을 보며 엄마는 힘겹게 일어났다. 그리고 뒤돌아서서 집주인을 마주 봤다. 잠시라도 아이들을 위해 시간을 벌려는 것이다.

"다로! 유에네스!"

그것이 그녀의 마지막 말이었다. 그 비명에 가까운 목소리를 들으며 아이들은 방 안으로 달려들어갔다. 엄마가 말한 방이다. 문이 닫히자 거짓말처럼 조용해졌다. 바깥의 소리가, 방금까지 울려 퍼지던 엄마의 비명 소리가 전혀 들리지 않았다. 이곳이 정상적인 공간이 아니란 의미다. 집주인의 정보로 구현된 정보 공간. 그리고 이 방은 유년기의 큰 상처가 모인 곳이라 외부로부터 단절된 곳이다. 그렇기에 아무리 집주인이라도 들어오기 힘든 곳이다.

"엄마, 엄마아."

아이들은 서로 부둥켜안고 울었다. 동생은 울음을 그칠 줄 몰랐고, 누나 역시 울고는 있지만 어떻게든 주변을 살펴보려 했다.

"샤다이를 무찌르자! 화성을 지키자!"

갑작스러운 소리에 남매가 화들짝 놀랐다. 소리 난 곳을 보니 침대 머리맡

197

에서 작은 인형이 웃으면서 소리치고 있다. 그러나 그 인형은 소름 끼치는 눈동자로 남매를 노려보고 있었다. 고개를 돌리니, 저쪽 화면에선 집주인의 종족으로 보이는 여성이 헐떡이며 몸부림치는 영상이 나오고 있다. 아마도 생식행위로 보이는 그 장면은 집주인의 심상이 반영된 탓인지 구역질 나도록 일렁이고 있었다.

"빈우야! 스위치를 꺼!"

갑자기 방의 가운데에서 비명이 들렸다. 거기엔 길다란 막대기에 사람이 휘말려 돌아가고 있었다. 그녀는 붉은색의 액체, 아마도 피로 보이는 액체를 사방으로 흩뿌리며 비명을 질러대고 있다. 침대 위에는 검은색의 투명한 천 조각이 있고, 그 옆에선 갓난아기가 캑캑대며 토하고 있었다.

"누나, 무서워어……."

동생이 겁에 질려 누나에게 매달렸다. 집주인의 상처가 집결된 곳이니 아직 어린 남매에게는 버거운 곳이다.

"겁먹지 마. 이제 우리가 여기서 살아야 해."

누나가 말했다. 원래는 부모가 해야 할 일이지만 이젠 이 두 남매가 해야 할 일이 된 것이다. 어떻게든 고향으로 돌아와 살기 위해서. 남매는 서로 꼭 부둥켜안았다. 이곳의 공포로부터 이겨내기 위해서다.

"애들아."

그때 밖에서 작은 목소리가 들렸다. 그리고 문을 두들기는 소리가 났다.

"누! 누구야!"

누나가 공포에 못 이겨 빽 하고 소리쳤다.

"엄마야."

들릴 듯 말 듯한 작은 목소리에 아들이 화들짝 일어났다.

"엄마다! 엄마—!"

달려가려는 동생을 누나가 붙잡았다.

"가지 마! 엄마 목소리가 아니야."

그 말에 동생이 덜컥 겁을 먹고 뒷걸음질 쳤다. 그때 목소리가 다시 들려온다.

"아니야, 엄마 맞아. 아까 집주인과 싸우다가 목을 다쳐서 그렇단다. 엄마가 집주인을 물리쳤어. 이제 나와도 돼."

아무리 들어도 남자 같은 굵은 목소리다. 그러나 아이들은 자신을 엄마라고 하는 존재에게 실낱같은 희망을 가지고 있었다.

"엄마예요? 진짜 엄마예요?"

딸이 울면서 떨리는 목소리로 물어보았다.

"그래, 엄마야. 엄마 맞아. 문이 잠겨서 못 들어가잖니. 어서 문을 열어줘."

목소리는 자신이 엄마라고 한다. 그러나 이것만으론 문 너머의 존재가 엄마인지 집주인인지 알 방법이 없었다. 딸은 어떻게든 엄마를 확인할 방법을 찾았다. 가족만이 아는 사실, 혹은 엄마와 딸만의 비밀을 물어서 답이 맞는다면 엄마다.

"손을 보여줄까?"

그때 문 너머에서 작은 목소리가 물어봤다. 손. 집주인의 피부는 노란색이다. 엄마의 피부는 파란색이다. 문틈으로 손을 보면 알 수 있을 것이다.

"잠시만요."

딸이 벌벌 떨면서 문 쪽으로 다가갔다. 그리고 조심스레 손잡이를 잡고 살짝만 문을 열었다. 삐걱거리는 소리와 함께 나무 문이 열리며 손이 보였다. 파란색의 피부, 그리고 익숙한 모양의 손. 엄마의 손이다.

"엄마다!"

아들이 기뻐서 달려나갔다. 울고 있던 얼굴에는 어느새 기쁨이 가득 차 있었다. 아들이 문을 활짝 열었을 때 엄마의 손이 떨어졌다. 잘린 푸른 손이 바닥에 부딪힐 때, 그것을 잡고 있던 노란 손이 아들의 멱살을 잡아 들어올렸다. 동생의 찢어지는 비명 소리에 누나가 놀라서 달려나갔다.

"안 돼!"

누나는 집주인의 팔을 잡고 매달렸다.

"놔! 동생을 놔줘. 놔아 —!"

다행히 동생의 옷이 찢어지며 아래로 떨어졌다. 그 대신 누나가 잡혔다.

"아악! 엄마! 아빠 —!"

머리채를 잡힌 누나가 고통과 공포에 비명을 질렀다. 누나는 집주인에게 잡혀 문 바깥에 있었고, 떨어진 동생은 문 안쪽에 있었다. 집주인은 차가운 눈으로 동생을 내려다보았다.

"누나를 구해야지."

엄마의 말대로 그는 안으로 들어오지 못하고 있었다. 그저 문밖에서 누나를 들고만 있을 뿐이다.

"무, 무무……."

누나가 더듬거리며 뭐라고 말하려고 했다. 겁에 질려 좀처럼 나오지 않던 말이 흘러내리는 눈물과 함께 터져나왔다.

"문 닫아!"

멍하니 얼어 있던 동생이 화들짝 놀라서 문손잡이를 잡았다. 그리고 세차게 문을 닫았다. 문이 닫히자 바깥의 아무것도 보이지 않았고, 아무것도 들리지 않았다. 그러나 문이 닫히기 전에 동생은 보고 들었다. 누나가 집주인에게 찢겨 죽는 모습을, 산산조각 나며 지르던 비명을. 문이 닫힌 다음에는 아무것도 들리지 않는다. 아무것도 보이지 않는다. 그러나 그것도 잠시였다. 얼마 지나지 않아 다시 문을 두들기는 소리가 나왔다.

"나와."

집주인의 목소리에선 숨길 필요도 없는 적의가 넘실댄다. 그 목소리에 아들이 겁에 질려 사시나무 떨듯 떤다.

"여긴 내 집이야."

그는 문을 세차게 두들기고 있었다. 동생이 놀라 뒤로 물러선다.

"문 열어. 이 새끼야."

문고리가 철컥거리고, 경첩이 삐걱거린다. 침대까지 뒷걸음질 친 동생이 자신을 껴안다가 찢어진 옷자락을 만졌다. 누나가 자신을 살리기 위해 힘썼던 증거다. 그리고 그 대가로 누나가 대신 죽었다.

"좋아, 꼬마야. 하나 물어보자꾸나."

이제 집주인의 목소리는 다시 차분해졌다.

"왜 난 너희들을 소화할 수 없을까?"

문 너머에서 집주인의 목소리가 계속해서 들려온다.

"너희들은 나에게 정보를 새겼지. 그리고 내 상처를 헤집고선 그것을 발판 삼아 내 안으로 들어왔고. 이제 이 집에서 살기만 하면 내 몸은 너희들의 것이 되었을 거다. 그런데 말이다. 왜 나는 너희들의 정보를 내 것으로 할 수가 없을까? 응? 내가 너희들을 이렇게나 많이 잡아먹었는데 말이다."

그저 부모를 따라다니기만 했을 뿐인 아이에겐 이해가 가지 않는 질문이었다. 하지만 집주인도 그 사실을 알고 있었던 모양이다.

"딱히 너한테 대답을 바란 것은 아니었어. 절반은 이 문을 열어주는 사람에게 하는 말이었으니까 말이다."

그리고 서서히 문이 열리기 시작했다. 엄마가 절대 열리지 않을 것이라고 했던 문이 열리고 있는 것이다. 아들은 경악했다. 그러나 어디로든 도망칠 곳은 없었다. 창문들은 뻣뻣하게 굳어 움직이지 않는다. 숨기 위해 벽장을 열려고 해도 손가락이 자꾸 미끄러진다.

"고마워, 알탄훼아나."

다시 마주하게 된 집주인은 인사를 했다. 그러나 아들은 그것이 살아남은 자신에게 한 인사는 아니라는 것을 알았다. 집주인은 잠시 머뭇거리더니 방 안으로 천천히, 그리고 힘겹게 한 걸음씩 들어왔다. 안으로 들어온 그는 조심스럽게 방을 둘러보았는데, 꽤 꺼리는 시선이었다. 꺼릴 뿐만 아니라 얇게나마 공포심마저 느끼는 듯했다. 하지만 그 시선이 아들과 마주쳤을 때는 다시 이글거리는 적개심이 타올랐다.

"허억!"

알탄훼아나는 밭은 숨을 내쉬면서 주저앉았다. 그리고 바로 치료도 중지되었다.

"뭐지? 왜 치료를 멈춘 거지?"

묶여 있던 빈우가 질문했다. 조금만 있으면 자신의 몸 안에 들어온 침입자들을 모조리 씹어 먹었을 것이다.

"설마 선조가 죽는 모습을 못 보겠단 건가?"

빈우는 알탄훼아나의 도움 덕분에 자신 몸 안에 들어온 샤다이를 공격할수 있었다. 지금까지 빈우가 느꼈던 몸속 샤다이들의 징조가 그저 막연한 느낌에 불과했다면, 이제는 알탄훼아나가 선조들의 정보를 빈우가 이해할수 있는 관념으로 바꿔준 덕분에 인물로 인식할 수 있었던 것이다. 그래서 그인물들을 육체의 주인인 빈우가 자신의 인식하에서 죽일 수 있었다.

"아니, 그대의 모습을 봐라."

헐떡이는 알탄훼아나의 푸념에 빈우는 워프 비스트로 변해가는 자신의몸을 내려다보았다. 곳곳에서 플라스마 줄기가 빠져나가는 것이 보였다.

"흐음."

그것을 보고 빈우는 알탄훼아나가 치료를 멈춘 이유를 알았다. 변이한 육체가 플라스마에 증발하고 있었던 것이다.

그녀는 이와 비슷한 치료를 웨이블에서 고아에게 행한 적이 있었는데, 그때는 아이의 몸속에 존재하는 계단을 부수기 위해서 신체 신경계에 플라스마 가닥을 집어넣었었다. 그전에는 발 가르단 하스가 이케가미 소이치로에게 하는 것을 본 적이 있다. 그리고 그 공통점으로는 둘 다 고온의 플라스마에 증발해 죽었다는 것이다.

그러나 워프 비스트의 육체가 된 빈우는 알탄훼아나의 플라스마에 접촉해서도 피해를 입지 않았고 그 덕에 이런 과감한 치료를 할 수 있었다. 빈우의 육체가 워프 비스트의 육체였기 때문이다. 하지만 지금 빈우의 육체는 플라스마에 피해를 입었고, 그것이 의미하는 것은 하나다.

"내가 인간으로 돌아오고 있단 증거인가?"

빈우는 증발한 자신의 신체 부위를 만져보았다. 고온으로 뜨겁게 녹아 눌어붙어 있다.

"그래, 겉모습은 아직 변이한 상태지만, 그대의 본질은 다시 유에 ─ 인간으로 돌아오고 있다."

"이 상태에서 치료는 계속할 수 있겠나?"

"아니, 이 이상은 그대의 육체에 위험부담이 크다."

하긴 아무리 강화 육체라 해도 고온의 플라스마에 버텨낼 방법은 없다. 그런 것이 빈우의 몸속을 헤집으면 빈우는 티모시 1078과 같은 최후를 맞이할 것이다.

그래서 알탄훼아나는 자신의 머리카락을 들어 보였다.

"대신 이것으로 공명하는 방법을 써보자."

"공명?"

엘리자베트 같은 아이들에게 썼던 치료 방법이다. 플라스마 감각기관을 통해 내부의 계단을 부수는 방법이다.

"그러면 그들을 직접 죽이는 것은 아니고?"

무심코 던진 빈우의 말에 알탄훼아나의 얼굴에 충격의 파문이 일었다.

"나는, 나는 더 이상 그런 것을 볼 자신이 없다."

그녀가 두 손으로 자신의 눈을 가렸다. 빈우의 안에 들어온 샤다이는 일반적인 방법으로 죽지 않는다. 칼로 찔러도, 총으로 쏴도 정보로 존재하는 그들은 죽기 힘들다. 그렇다면 더더욱 고통을 주고 공포를 주어야 한다. 자신에게 닥친 고통과 죽음의 공포에 못 이겨 스스로 붕괴하도록 고문해야 하는 것이다.

하지만 알탄훼아나는 지구제국에 사로잡혔을 때의 기억이 떠올라 괴로워하고 있었다. 제국의 군인들은 그녀의 눈앞에서 동료들을 무참하게 도륙했고, 빈우 역시 그녀의 눈앞에서 선조를 잔인하게 고문해 죽이고 있다. 그러니 그녀가 당시의 기억으로 괴로워하는 것도 무리는 아니다.

"역시 동족의 죽음이 괴로운 모양이군. 하지만 그 머리카락을 쓰는 방법으로 시간에 맞출 수 있나? 변이가 더 진행되기 전에 치료를 서둘러야 하는 거 아닌가? 내 육체가 플라스마에 타는 게 문제라면 걱정하지 마. 손상된 신체는 수리할 수 있어. 치료가 끝나면 재생하거나 새로운 것으로 교체하면 돼."

빈우의 말대로 군용 강화육체는 재생력이 뛰어나고, 재생이 안 되는 부분은 클론 배양한 부위로 교체하면 된다. 이는 플라스마와 직접 닿는 신경계도 마찬가지다. 다시 말해 치료를 강행하면서 플라스마로 타버린 신체를 바로 신품으로 교체하자는 계획이다. 블랙 랜스에는 강화군인용 신체 예비는 물론이거니와 373팀원의 유전정보로 만들어진 대체 신체, 장기들이 상비되어 있다. 치료나 재생으로 어찌할 수 없는 경우 교체하기 위한 목적이며 그들에게는 기본적인 치료 방법이다.

"단, 정확하게 말해. 내 몸이 타는 게 걱정이 되는 건가, 아니면 선조들이 죽는 것을 보기 싫다는 것인가. 만약 정 겁나서 못하겠다면 네 말대로 머리카락을 써도 어쩔 수 없긴 하다만."

하지만 빈우가 몸을 바꾸며 나아간다 해도 치료해야 할 사람이 따라오지 못한다면 의미가 없다. 알탄훼아나는 빈우에게 내려온 샤다이 선조들을 빈우의 감각으로 인식할 수 있도록 변환해주고 있다. 그 때문에 빈우가 선조들을 고문해서 죽이는 광경을 바로 앞에서 봐야만 했었던 것이다.

'힘들어 보이는군.'

빈우의 생각대로 알탄훼아나는 대단히 고통스러워하고 있었다. 비록 그녀가 선조 귀환 반대파이긴 했어도 선조들에 대한 적개심은 그리 크지 않았다. 그리고 개개인에 대한 원한은 없었기 때문에 방금과 같은 사냥 광경에는 이중 삼중으로 고통을 겪는 것이다.

'아직 애새끼 하나가 남았지.'

닉스 레벨 3의 요원이 가진 유년기의 트라우마. 그것들이 모인 곳에 샤다이 아이가 남아 있다. 알탄훼아나가 도와주기만 한다면 즉시 도륙 낼 것이다.

"나, 나는……."

마침내 알탄훼아나가 힘겹게 입을 열었다.

"그대의 몸이 걱정되기도 하지만, 내가 그 광경을 다시 보는 것도 힘들다. 아니, 무섭다."

솔직하게 말한 그녀는 가까스로 자신을 다잡고 있었다. 이미 빈우의 몸에 내려온 샤다이들은 어떻게 할 수 없다. 게다가 이들은 내려온 다음 오랫동안 빈우의 안에서 조용히 머물고 있었던 모양이다. 그러나 빈우는 얼마 전 이 선조 가족을 다시 깨웠고, 빈우가 자기 육체의 주도권을 되찾기 위해선 그들을 없애는 수밖에 없다. 그리고 이 방법을 위해선 알탄훼아나가 도와줘야 한다.

"……그래도 치료를, 계속하자."

크게 심호흡을 하며 숨을 고르는 그녀의 눈에서 다시 금색 빛이 뿜어져 나온다. 하지만 이번엔 빈우가 태클을 걸었다.

"고맙긴 한데 조금 쉬는 게 좋겠어. 내 치료도 해야지."

"……미안하다."

의욕만 앞섰던 알탄훼아나가 사과했다. 환자의 몸에 부담이 된다고 치료법을 바꾸자고 한 게 방금 전이다. 그런데 평정심을 잃고 말을 바꾸며 오락가락하는 것을 보니 그녀의 정신상태도 딱히 좋아 보이진 않았다.

"둘 다 쉬었다가 치료를 다시 시작하지."

빈우는 크산티페를 불렀다. 아나스타샤로부터 정신 치료에 대한 정보를 전달받은 안드로이드는 알타훼아나를 천천히, 그리고 부드럽게 다독여주었다. 그리고 그사이 빈우도 치료를 했다. 흉하게 변한 워프 비스트의 육체 곳곳에 타버린 부분이 있는데, 거기에 새로운 육체를 이어붙이는 것이다.

"이거 참."

로봇팔들이 하는 수술을 보던 빈우는 저도 모르게 헛웃음을 터트렸다. 이 광경이 우스꽝스러운 것이다. 현재 빈우의 뇌에는 샤다이들의 정보가 들어와 있으며 정신에도 샤다이들이 들어와 있다. 그래서 지금은 결국 육체마저 워프 비스트로 변이해 있는 상태다.

그러나 빈우의 이 변이한 육체는 알탄훼아나의 치료가 진행됨에 따라 원상태로 서서히 복구되는 중이고, 치료가 궤도에 올라가자 빈우가 인간으로 돌아오는 증거인지 플라스마와 접촉한 부분이 불타 녹아버려 거기에 새로운 육체를 이식하는 중이다. 아직 워프 비스트의 흔적이 남은 몸에 싱싱한 인간의 육체가 끼워 맞춰진다. 그 모습이 얼기설기 기워 맞춘 누더기 같아 빈우로 하여금 실소를 자아내게 한다.

'이미 정신에 샤다이가 들어와 있다면 육체를 바꿔봐야 별 소용이 없다고 했었지.'

알탄훼아나가 말하기를 육체의 변이는 정신의 영향에 의한 것이라고 했다. 그래서 정신에 샤다이의 정보와 의식들이 남아 있다면 육체를 교체해도 변이는 멈추지 않는다고 했다.

'결국 내면의 샤다이를 죽이거나 계단을 마저 부숴야 한다고까지 말했고, 협조도 하고 있다. 그렇지만 아직까지 변이 이유에 대해선 말하지 않았다.'

무엇 때문에 계단을 내려오는 자들의 육체가 변하는지는 알탄훼아나도 자세히 말해주지 않았다. 단지 선조들이 제대로 내려온다면 정신은 인간성을 유지하고 육체 또한 변하지 않는다고 말했을 뿐이다. 빈우는 '제대로 내려오지 않는다'가 과연 무엇을 의미하는 것일까 궁금했다. 샤다이들은 왜 인간성을 유지하지 못할까. 지금까지 빈우가 보았던 워프 비스트들은 말 그대로 야수였다. 샤다이의 지성은 찾아볼 수 없었다.

'말하지 않은 이유는 모르는 것일까, 숨기는 것일까.'

빈우는 마음속으로 생각해봤지만, 결국 마음속 의문으로만 남겨두었다. 지금은 이런 질문을 할 시기가 아니다. 어떻게든 알탄훼아나를 진정시켜 치료를 이어가야 한다. 질문은 그다음에 해도 늦지 않다.

"하핫, 연방엔 샤다이의 맨정신에 인간의 육체를 가진 놈들이 숨어 있다고 했지. 그리고 지금의 나는 인간의 정신에 워프 비스트의 육체를 가지고 있고. 과연 누가 적이고 누가 아군일까, 누가 인간이고 누가 샤다이일까."

빈우의 비웃음 섞인 혼잣말에 크산티페가 움찔한다.

"김 팀장님은…… 인간이십니다."

그녀는 겁먹은 시선으로 빈우를 올려다보았다. 마치 요즘 들어 자주 보는 아나스타샤의 표정처럼 보였다.

"그래, 내가 인간이라고? 뭐, 너희들의 눈은 정확하겠지. 하지만 말이다."

빈우는 새로 붙은 자신의 육체를 보았다. 변이된 육체에 붙은 자신의 복제 배양 육체와 강화 신경계들이다.

"나는 과연 어디까지 김빈우일까."

이번에 크산티페는 제대로 대답하지 못했다. 강화군인들은 자신의 신체의 변화에 맞춰 자아에 대한 정신교육과 상담을 받는다. 강화 시술을 받은 군인들이 엄청난 재생력과 놀라운 신체능력에 처음 보이는 반응은 놀라움이고, 그다음에 보이는 반응은 두려움이다. 마치 인간 같지 않은 능력에 거부감을 느끼는 것은 빈우 역시 그랬었다.

'내가 과연 나일까.'

일반적인 민간용 강화 시술과 궤를 달리하는 군용 시술에 더해, 군용 두뇌 칩에 들어간 군용 OS는 전투를 보조하는 AI와 각종 제약들이 들어 있다. 덕분에 초기에는 같은 상황에 처해서도 예전과는 다른 판단을 내리는 경우도 종종 있다. 이 때문에 많은 수의 군인들은 이런 문제를 한 번씩은 거쳐가며 이겨낸다. 이겨내지 못하면 민간으로 돌아갈 뿐이다. 하지만 빈우의 경우는 조금 달랐다. 그는 개조나 부상이 아니라 다른 종족의 정신에 감염된 경우다. 그것도 연방이 인식하고 있는 물리적이나 정신적인 학문과 기술의 범위를 벗어나 마치 마법 같아 보이는 샤다이의 기술이라 더더욱 그렇다.

'그때는 아찔했었지.'

닉스 레벨 3에 군사정보국의 대 세뇌교육을 받았던 빈우조차 샤다이 선조들에게 몸을 넘길 때에는, 잠깐 동안이지만 분명히 자아를 빼앗길 뻔했었다. 게다가 방금 전까지는 자신의 몸을 빼앗으려는 자와 동거를 했었고, 결국은 사냥을 했다.

'놈들을 잡아먹은 나는 아마 이전의 나와는 다를 것이다.'

알탄훼아나가 말하길 인간의 몸에 내려온 샤다이들은 원래 육체 주인의 정보와 지식을 그대로 흡수한다고 했다. 그렇다면 빈우는 반대의 경우엔 어떨까 물어보았지만, 전례가 없다는 말을 들었을 뿐이다. 그리고 아까 샤다이 가족 셋을 잡아먹었어도 빈우는 별다른 변화를 느끼지 못했었다. 단지 마지막까지 잡아먹으면 어떨까 막연히 예측할 뿐이다.

'인간의 육체를 한 워프 비스트, 워프 비스트의 육체를 한 인간. 나는 어느 쪽에 서게 될까.'

빈우가 이리저리 생각하고 있을 때 시술이 끝났다.

"신경 접합은 다 되었습니다. 움직여보십시오."

로봇의 말에 빈우는 팔다리를 움직여보았다. 위화감 없이 부드럽게 움직인다.

"빠르군. 신기술인가?"

빈우는 감탄하면서 새로 붙은 팔을 들어보았다. 보통 이런 시술을 한 다음엔 몇십 분은 재조정을 거쳐야 한다. 그러나 빈우의 새 팔은 바로 움직일 수 있었다. 그것도 원래 달려 있는 팔처럼 아주 자유자재로 움직이는 것이다.

"아니요. 기존의 신체와 다른 것은 없습니다."

대답하던 크산티페의 말이 점차 가팔라졌다. 방금 봉합한 빈우의 새 복제 팔에 워프 비스트 변형이 시작된 것이다. 아직 하얀 신품 팔에 거친 각질이 일어나며 비늘로 변한다. 곳곳에 가시와 침이 솟구친다. 크산티페가 데이터 패널로 급히 달려갔지만 빈우가 말렸다.

"어차피 치료를 위한 소모품이다. 완치되면 다시 새 몸을 달면 될 일이야."

빈우는 대수롭지 않게 말했다. 그러나 방금의 재생속도와 침식속도는 대수로운 것이 아니었다. 마치 방금 빈우가 샤다이 가족을 잡아먹었을 때 그들이 빈우의 색에 물들었던 것처럼, 빈우의 새 육체는 워프 비스트의 색으로 물들었던 것이다. 이제 육체적으로 잡아먹히느냐, 정신적으로 잡아먹느냐의 싸움이다.

"알탄훼아나? 보다시피 치료를 서둘러야 할 것 같은데?"

빈우의 말에 알탄훼아나도 자리에서 일어섰다.

"하, 한, 사람만 남았다고 했었지?"

물어보는 알탄훼아나의 말엔 약간의 두려움이 깃들어 있었다. 빈우에 의해 선조가 난도질당해 죽는 것을 보아야 하니 그럴 것이다. 더욱이 지금의 그녀는 정상적인 상태가 아니다. 앞으로 죽게 될 선조의 운명이 과거에 죽었던 동료의 모습과 겹쳐지고 있었다.

"아마도. 그놈 잡은 다음에는 샅샅이 뒤져봐야지."

감겼던 알탄훼아나의 눈이 다시 뜨이자 금빛으로 빛나기 시작했다. 결심한 그녀가 다가왔다.

"아, 잠깐만. 그전에 질문 하나."

빈우의 허연 백태 낀 눈이 알탄훼아나의 금색 눈을 마주 보았다.

"방금 너도 보았겠지? 이 워프 비스트의 육체는 인간의 육체를 침식했어. 그렇다면 샤다이의 육체는 어떨까? 그것도 침식하나? 나에게 샤다이의 팔다리를 달면 어떻게 되지?"

"······모른다. 본 적도, 실험해본 적도 없어. 체메트디오프는 해봤겠지만."

금색 눈은 공포가 깃들긴 했지만, 거짓의 기운은 없어 보였다.

"다만."

알탄훼아나는 긴장한 듯 손을 잡고 꼬물거리며 비볐고, 그것을 본 크산티페가 다가와 그녀의 손을 부드럽게 감싸 쥐었다. 그제야 긴장이 풀린 듯 알탄훼아나가 다시 말을 이었다.

"그 육체는 샤다이와 인간의 중간에 위치하고 있다. 아마 그대가 말한 것과 같은 현상이 일어날지도 모른다. 그 몸에 우리 동족의 육체를 붙인다면 역시 잡아먹겠지."

"그런가. 대답 고마워."

빈우는 고개를 끄덕이며 눈을 감았다. 치료를 기다리는 것이다. 잠시 후 고온의 플라스마가 신경계를 타고 오는 것이 두뇌칩의 경보를 통해 알려졌다. 고통은 없었다. 두뇌칩은 일정 이상의 고통이 느껴지면 그것을 끊어버리고 대신 맹렬하게 경보를 울리게 되어 있었다. 하지만 빈우는 그 경보에 신경을 끄고 손에 들어온 새로운 패를 어떻게 사용할지 곰곰이 생각해보았다.

빈우는 지금 자기 방의 문 앞에 서 있다. 이제는 더 이상 존재하지 않는 고향, 과전의 방이다. 유년기의 추억이 태양에 녹았다고 생각하니 섭섭하지만 뭐 어찌할 건가, 살 사람은 살아야지.

"참기름도 없고, 도끼도 없고……."

그는 시큰둥하게 중얼거리며 방 안으로 들어갔다. 방구석에는 울면서 벌벌 떨고 있는 샤다이 소년이 보인다.

"으아아아아 —!"

빈우를 본 샤다이가 허둥대며 비명을 질렀다. 앉은 자세 그대로 뒤로 물러나려고 하지만 더 이상 갈 곳은 없다.

"살 궁리라도 생각해봤냐?"

다가오는 빈우를 보던 샤다이 소년이 두 눈을 질끈 감고 일어서서 달렸다. 하지만 얼마 달리지도 못하고 집주인의 발에 걸려 바닥으로 나뒹굴었다. 그리고 발에 짓밟혀 캑캑대는 숨소리만 낼 뿐이다. 빈우는 무릎을 굽히고 앉아 침입자의 가슴팍을 쥐었다.

"아아악!"

늑골이 으스러지는 소리와 함께 샤다이가 비명을 질렀다. 빈우는 부러진 갈비뼈를 내려다보았다. 푸른색의 피가 손안에서 점점 붉은색으로 변하고 있다. 빈우가 침입자를 침식하고 있다는 증거다.

"빨리 끝내자."

빈우는 갈비뼈를 들어 샤다이의 머리에 내리찍었다. 늑골이 두개골을 파고들고 침입자가 펄떡댄다.

"아악! 엄마아! 엄마아—!"

샤다이가 엄마를 찾아 허둥댄다. 이리저리 휘젓는 놈의 손에 무언가가 걸렸다. 빈우 엄마의 시신을 감고 돌아가는 샤프트다.

"아아아아아아!!!"

아들은 고통 속에서 비명을 지르며 손에 잡힌 것을 아무렇게나 휘둘렀다. 그리고 집주인 어미의 시신으로 집주인을 두들겼다. 노린 것도 아니고 닥치는 대로 휘두른 것에 집주인이 맞았다.

"넌 그나마 강하구나."

빈우는 솔직하게 감탄했다. 자신의 몸에 들어온 샤다이 가족 중에서 엄마도, 아빠도, 딸도 빈우의 고문에 그다지 버티지 못하고 소멸하고 말았다. 이런 정신적인 죽음은 실제 죽음보다 더해서 아예 소멸한다고 알탄훼아나가 설명했었다.

비웃음을 짓는 빈우의 얼굴에 어머니의 시신이 부딪혀 온다. 바닥에서 살기 위해 발버둥 치는 샤다이가 빈우의 트라우마를 무기 삼아 휘두르는 것이다. 이전 같았으면 빈우는 제대로 맞서지 못했을 어두운 기억이다. 그러나 지금은 뭔가가 다르다. 빈우는 어머니의 시신으로 맞아도 그냥 그렇다고 느꼈을 뿐 태연했다. 지금까지 그에게 달라붙었던 족쇄는 그대로 있지만, 족쇄를 대하는 관점이 바뀐 것 같았다.

"그래, 너는 어디까지 버틸까."

빈우는 발버둥 치는 샤다이를 반으로 뜯어 입으로 가져갔다. 그리고 잘근잘근 씹어먹기 시작했다. 살아 있는 육체가 아니라 정신체지만 샤다이는 먹혀가면서도 맹렬하게 저항했다. 한 입, 또 한 입. 샤다이의 정신체는 산 채로 먹히면서도 발버둥 쳤지만 결국 조금씩 빈우의 입안으로 들어갔다. 이빨에 씹히고 목구멍으로 넘어가도 색을 유지하려 발악한다. 그러나 그게 오래 가진 못했다. 얼마 지나지 않아 샤다이가 소화되는 게 느껴졌다. 고통과 공포 때문에 망가진 샤다이가 소멸하는 것이다.

"응?"

집주인이 피투성이가 된 방에 홀로 서 있었다. 샤다이의 푸른 피와 살점은 없다. 마치 인간의 것처럼 보이는 붉은 피와 살 조각들이 빈우의 방 여기저기에 흩어져 있다.

"빈우야! 스위치를 꺼!"

바닥에 넘어진 샤프트에서 어머니가 비명을 지른다. 빈우는 혼란해져오는 시선을 돌려 방안을 둘러보았다. 이 붉은 것들이 어머니의 피일까. 샤다이의 피일까. 그것도 아니면 자신의 피일까. 어지럽고 몽롱하다. 빈우는 붉은 피로 범벅이 된 손으로 샤프트를 잡으려 했다. 과거 자신이 끄지 못했던 스위치다. 결국 울면서 소변을 지린 병신은 엄마의 죽음 앞에서 아무것도 못 했었다. 그저 아나스타샤가 와서 안아줄 때까지 깩깩 소리나 질러댔을 뿐이었다. 어머니를 구하지 못했다는 죄책감은 누나들과 아나스타샤의 위로 덕분에 자기합리화로 묻어둘 수 있었다.

'빈우야, 네 잘못이 아냐.'

'죄송해요, 도련님. 제가 너무 늦었습니다.'

'빈우야, 네가 잘못한 것은 하나도 없어. 그러니까 울지 마.'

어머니의 죽음을 방관한 등신은 정말로 그 말을 믿었다. 아니, 믿기로 했다. 정말 자신에게 잘못이 없었고, 잘못한 것은 아나스타샤라고 믿었다. 그리고 엄마를 찾아 울던 여동생을 시끄럽다고 어두운 곳에 가두고, 거지 같은 이유식을 만들어 막냇동생을 죽게 만들었다.

그뿐만이 아니다. 친누나 같은 아나스타샤에게 몹쓸 짓을 하려 했었다. 대가리가 굵어진 애새끼는 결국 쿠델카 모델이 나오는 포르노 영상물을 몰래 구입했었고, 거기서 나왔던 검은색 속옷 또한 샀다. 결국엔 아나스타샤를 안고 침대에 넘어지기까지 했다. 그저 안고 싶었던 것도 있고, 다른 속셈도 있었다. 마침 그때 여동생의 장난감이, 피스메이커가 빈우의 눈앞에 떨어지지 않았었다면 과연 어찌 되었을까.

"후후후."

아나스타샤의 낮은 웃음소리가 들린다. 그녀는 빈우의 위에서 웃고 있었다. 자신에게 잘 자라고 입맞춤을 해주던 입술이 질척하게 벌어진다. 그 번들거리는 입술 안에서 빈우의 입가에 조금 남았던 음식물을 날름 주워 먹던 귀여운 혀가 꿈틀거린다.

"사관학교, 가려고?"

아나스타샤의 끈적이는 목소리가 빈우의 귀에 들려온다.

"……이건 언제 적 기억이지?"

빈우는 누운 채로 손을 들어 아나스타샤의 얼굴을 쓰다듬었다. 지금까지 한 번도 본 적이 없는 비릿한 웃음이다. 성인 영상에서도 이런 표정은 본 적이 없었다. 지금 이 방은 빈우의 어둡고 터부시되는 기억들이 모인 곳이다. 고통과 공포는 물론이고 자신이 마주 볼 수 없는 기억들이다. 그런 곳에 빈우가 처음 보는 아나스타샤의 얼굴이 있었다. 어쩌면 자신이 잊어버린 것일 수도 있다.

"이런 건 군사정보국의 보안용으로도 본 적이 없는데."

빈우의 손에 힘이 들어간다. 이 정도 악력이면 쿠델카 모델은 비명을 지르고도 남는다. 그러나 아나스타샤는 아직 웃고 있었다.

"윽, 아아 — 김 팀장님!"

빈우의 손안에서 쿠델카 모델이 소리치고 있다. 그와 동시에 빈우의 정신이 돌아왔다.

"크산티페……."

워프 비스트의 손이 풀리자 그녀의 고통스러운 표정도 풀렸다.

"김 팀장님, 알탄훼아나 씨의 상태가 이상합니다."

크산티페의 말대로 알탄훼아나는 두 눈을 꼭 감고 벌벌 떨고 있었다. 빈우는 자신의 몸을 살펴보았다. 신경계는 다시 불타 있었고, 더 이상의 변이는 없었지만, 인간의 몸으로 돌아온 부분도 없었다.

"무슨 일이 일어난 거지?"

빈우의 질문에 크산티페가 방금 전의 기록을 보여주었다.

"모르겠습니다. 이것을 보십시오."

영상 속에선 알탄훼아나의 몸에서 플라스마 가닥들이 가늘게 뽑아져나와 빈우의 몸으로 향한다. 군용 강화한 신체가 버터 녹듯이 증발한다. 그녀는 그렇게 빈우의 안에 접속했다.

"여깁니다."

크산티페가 말한 부분부터 알탄훼아나의 상태가 이상했다. 눈에서 나오는 금빛이 일렁이다가 깜빡인다. 그리고 그녀의 심상을 반영하듯 플라스마 가닥들이 휘청거리다가 꺼져간다. 마침내 알탄훼아나가 플라스마를 거두고 눈을 감았다.

"아아아아아!"

영상 속의 그녀는 얼굴을 감싼 채 비명을 지르며 바닥에 주저앉았다. 마치 무언가 경악스러운 장면을 보고선 충격을 받은 것처럼 보였다. 아마 빈우가 아이를 잡아먹는 장면을 보았을지도 모른다. 빈우는 고개를 돌려 알탄훼아나를 보았다.

"알탄훼아나."

그러나 그녀는 오들오들 떨기만 할 뿐, 대답은 없었다.

"알탄훼아나!"

조금 큰 빈우의 목소리에 알탄훼아나가 흠칫하더니 고개를 들었다. 그리고 더듬더듬 말했다.

"이제, 이제 끝났어. 치료는 끝이야. 그들은 다 죽었어."

빈우는 주저앉아 흐느끼는 그녀를 차갑게 내려다보았다.

"치료가 끝난 것은 확실해?"

대답 대신 그녀는 눈을 질끈 감고 고개를 끄덕인다.

"싫어, 더 이상은 못 하겠어. 더 이상은……."

이젠 알탄훼아나에게 치료가 필요할 지경이다.

"크산티페."

빈우의 말에 크산티페가 서둘러 알탄훼아나에게로 갔다. 그리고 겁에 질려 발버둥 치는 그녀를 안아 들어서 옆에 있는 침대에 눕혔다. 빈우는 그 모습을 물끄러미 바라보더니 다시 의료 로봇을 불렀다. 치료가 끝났다면 다시 불탄 부위를 교체해야 하는 것이다. 잠시 후 빈우의 신체 부품들이 도착했고, 로봇들이 다시 수술을 시작했다.

"이거 좀 수상한데……."

빈우는 수술 과정을 보며 불안한 듯 말끝을 흐렸다. 재생속도가 너무 빠르다. 마치 방금 있었던 워프 비스트의 침식처럼 새로 붙은 팔다리가 금세 동화되어버렸다. 교환된 장기들도 막 수술하던 중에 원래의 자리에 붙어 작동을 시작한다.

"변이는…… 없군."

다만 아까와는 달리 다시 붙은 팔다리에선 더 이상의 워프비스트 변이는 없었다. 그냥 빈우의 팔다리다. 그는 두뇌칩으로 몸 전체를 점검해보았다. 그리고 외부의 센서로 정밀 점검을 해보았다.

"팀장님, 신체에 어떠한 변이 반응도 없습니다."

어느새 크산티페가 다가와 의료기기들을 살피고 있었다. 빈우가 봐도 화면 속에는 정상적인 빈우의 육체가 나타나고 있다. 그러나 샤다이의 기술은 인류의 수준으로는 발견하기 힘든 것이 많아서 이것으로 확실한 수가 없다.

"보이지 않는다고 없는 것은 아니지. 있을지도 모르고, 없을지도 몰라."

"창고 안의 불 뿜는 용처럼요?"

빈우의 혼잣말을 크사티페가 넙죽 받았다. 그 말을 들은 빈우가 고개를 돌려 크산티페를 바라보자 그녀가 황급히 고개를 숙인다.

"죄송합니다. 제가 주제넘은 행동을 했습니다."

"아냐, 제법 재밌었어."

"감사합니다. 그러면, 구속구를 풀까요?"

현재 빈우는 장갑복으로도 풀 수 없는 다중 구속 장치로 묶여 있는 상태다. 그중에는 위험한 행동을 감지했을 때 터지는 폭탄들도 있었고, 구역째로 방출해서 소각하는 장치도 있다.

"아니, 당분간은 상태를 지켜보자. 알탄훼아나가 정신을 차리면 한 번 더 확인해봐야겠어."

인류의 기술로 확인할 수 없으면 결국 전문가를 불러야 한다. 하지만 지금은 그 전문가가 정상적인 상태가 아니니 잠시 기다려야 했다. 다만 걱정되는 것은 알탄훼아나가 이번 충격으로 다시 능력을 잃어버리지 않았을까 하는 것이다.

"크산티페."

"네, 김 팀장님."

"아나스타샤는 좀 어때?"

빈우의 질문에 크산티페의 대답은 조금 늦게 나왔다.

"그건 아나스타샤에게 직접 물어보세요."

그녀의 당돌한 대답에 빈우는 잠시 멍하니 있었다. 그리고 크산티페는 그런 빈우를 빤히 쳐다보고 있었다.

"왜 그러세요? 두뇌칩으로 무선통신은 안 되지만 여기 폐쇄 회선은 있습니다. 제게 말씀만 하시면 연락을 하실 수 있도록 바로 회선을 열어드리죠."

또각또각 다가온 크산티페는 빈우 앞에 바로 서서 그의 명령을 기다렸다.

"……잠시 쉬었다가 할게."

"네, 알겠습니다. 그러면 기다리겠습니다."

빈우는 한숨을 쉬곤 다시 명령을 내렸다.

"아니, 나는 시간마다 점검을 하도록 하고, 너는 알탄훼아냐를 돌봐줘. 일단은 그녀를 정상적으로 되돌려놓은 다음 나를 다시 한 번 검사한다. 아나스타샤를 만나는 것은 그다음이야."

"알겠습니다. 레드우드 사령관님이나 라마누잔 부팀장님께는 알릴까요?"

빈우가 치료가 되었다고 하니 일단은 보고를 해야 한다.

"아니, 보고는 마지막 검사까지 마친 다음에 한다. 그전에 일단 부팀장에겐 블랙 랜스 주변으로 접근하는 것들을 모조리 쳐내라고 해. 다소 거친 방법을 써도 상관없어."

"알겠습니다. 바로 연락하겠습니다."

그러더니 크산티페는 회선을 열어 부팀장 아룹에게 빈우의 명령을 전달했다. 아나스타샤에 대한 연락은 직접 하라고 대들더니 이런 명령은 또 잘 듣는다. 사이가 좋은 자매기였다.

· · · ✦ · · · ·

야심한 시각, 반쭝은 식당으로 걸어가고 있었다. 요즘 들어 생긴 나쁜 버릇이다. 그는 한창 성장기인 아이인데다 몸이 원래 상태로 돌아온 다음부턴 고모와 재활 삼아 여러 가지 운동을 했기 때문에 여간해선 허기가 다 채워지지 않았던 것이다. 뭔가 한 입 거리 될 만한 것을 찾아 식당으로 들어간 반쭝은 먼저 와 있는 사람을 보고 눈을 동그랗게 떴다.

"어ㅡ."

"안녕. 네가 옹우옌 반쭝이지?"

식탁에서 앉아 뭘 만들고 있던 형은 처음 보는 사람이었다.

"반갑다. 난 빈우라고 해. 김빈우. 네 고모의 부하지. 일하다가 배가 고파서 잠시 내려온 거야."

그리고 그 형은 요리기구와 음식물 생성기를 사용해 뭔가 먹을 것을 만들고 있었다.

"아아."

반쭝이 고개를 끄덕였다. 고모의 부하라는 사람들은 이 집에 시간을 가리지 않고 찾아왔었다. 이곳에 출입할 수 있고 이 집의 기기를 사용할 수 있는 사람이라면 초대받은 손님임이 분명하기에 언제나처럼 잠깐 의아해했을 뿐, 곧 의심을 거두었다.

"병에 걸린 곳은 괜찮니?"

빈우의 말에 반쫑이 자기도 모르게 팔을 가렸다. 한동안 잊어버렸던 사실인데 그의 말에 다시 떠오른 것이다.

"아이쿠, 미안. 신경 쓰고 있었구나. 근데 그렇게 감출 필요 없어. 아저씨는 고모에게서 다 들었으니까. 그 팔, 치료한 다음에는 다시 변하지 않고 있지?"

빈우는 쓴웃음과 함께 반쫑을 다독였고, 소년은 작게 고개를 끄덕였다.

"그럼 다 나은 거야. 다행이구나. 고모가 치료해준 덕분이지?"

이어지는 질문에 반쫑이 시무룩하게 고개를 끄덕였다. 그리고 힘겹게 입술을 열었다.

"저 말고도, 이런 병이…… 있대요."

"왜 그러는 거니. 그 병은 전염병이 아니야."

"어어, 하지만 다른 사람들도 이런 병이—."

소년이 뭐라 말하려고 할 때 빈우의 손이 내려와 그 머리를 거칠게 쓰다듬었다.

"그 사람들은 다른 곳에서 걸린 거야. 너하곤 관계없다니까? 착하구나."

그러면서 빈우는 자신이 만들던 음식을 접시에 담아 반쫑에게 내밀었다.

"아저씨가 야식으로 만들어본 건데, 하나 먹어볼래? 타코야."

"와, 감사합니다."

안 그래도 출출하던 참이었던 반쫑은 맛있는 냄새에 이끌려 타코를 들어 덥석 물었다. 아직 손과 입이 작아 반대쪽으로 고기와 콩이 줄줄 흐르자 빈우가 냅킨을 만들어 받쳐주었다.

"먹으면서 들어. 너 혹시 고모 방 비밀번호 아니?"

반쫑이 타코를 우물우물 씹으며 빈우를 올려다보자 그는 겸연쩍은 미소를 지었다.

"사실, 아저씨가 고모한테 드릴 선물이 있는데. 좀 몰래 드려야 되거든."

타코는 맛있었다. 그리고 빈우에게도 고마운 마음이 있지만, 반쫑은 고민했다. 고모의 방 비밀번호는 함부로 알려줘선 안 되는 것이다.

"음— 그럼 이건 어떠니?"

빈우가 꺼낸 것을 본 반쫑의 눈이 동그랗게 커진다.

"와, 진동 나이프다!"

빈우의 손에 들린 진동 나이프는 민간용이 아니었다. 군인이 쓰는 실제 군용무기로서 활달한 남자아이의 시선을 빼앗기엔 안성맞춤인 물건이었다.

"자, 이걸 볼래."

빈우가 진동 나이프의 전원을 켜고 타코를 잘랐다. 그의 손에서 타코가 깔끔하게 잘린다. 슬며시 지나갔음에도 단면은 부드럽게 잘렸고, 날에도 양념 하나 묻지 않았다. 반쫑의 손에 한입 크기로 썰린 타코가 올라가지만, 아이의 시선은 타코가 아니라 칼에 가 있었다. 그 기선을 눈치챈 빈우는 히죽 웃더니 칼을 반쫑의 앞에 내밀었다.

"자, 아저씨가 주는 선물이야."

반쫑은 잠시 그 말이 무슨 뜻인지 몰라 반응이 잠시 늦었다.

"저! 정말이에요?"

곧이어 아이가 환호성을 지르며 동동 뛴다.

"그럼 물론이지."

그렇게 말한 빈우는 칼을 천천히 반쫑의 앞으로 밀었다. 반쫑도 머뭇거리며 손을 뻗었다. 막 잡으려는 순간 빈우가 손목을 꺾어 잠시 칼을 자신 쪽으로 돌렸다.

"단, 고모에겐 비밀이다."

이어진 빈우의 말에 반쫑의 고개를 휙휙 끄덕인다. 그제야 진동 나이프가 아이의 손에 들려졌다. 이어서 어마무시한 장난감에 넋이 나간 반쫑에게 빈우가 다가가 슬쩍 한마디 꺼냈다.

"자, 그럼 형한테 비밀 하나 가르쳐줄래?"

고모 방의 비밀번호. 그리고 진동 나이프란 비밀. 눈앞의 형과 비밀을 공유하게 되었다는 생각이 든 반쫑은 선물의 보답 겸으로 고모방의 비밀번호를 알려주었다.

"고맙다, 반쫑. 그거 먹고 얼른 자. 칼은 고모한테 안 들키게 잘 숨기고."

신난 아이를 뒤로하고 빈우가 식당 문을 열고 나갔다. 그리고 그는 복도에서 끈질긴 동료와 마주쳤다.

"제가 들어갈 일이 없어서 다행이었습니다. 대장님."

복도에선 찰리하나팔이 안도하는 표정으로 기다리고 있었다.

"용케 살아남았구나. 그리고 용케 여기까지 왔고."

차갑게 내뱉으며 지나치는 빈우의 뒤로 찰리하나팔이 냉큼 따라붙었다.

"대장님이 어딜 갈지 아는데 당연히 따라오죠."

"식당에서 아이와 함께 있지 그래."

"끝까지 가기로 했습니다. 대장님이 어딜 가시든 말이죠."

찰리하나팔의 말에 빈우가 피식 웃었다. 끝까지. 이제 슬슬 끝이 보이려 하고 있었다.

*

응우옌 티 빈은 불안감에 잠에서 깨어났다. 이 집의 보안 시스템은 아무런 경보를 울리지 않았고, 그녀 개인의 센서 또한 어떠한 이상을 감지하지 않았다. 그러나 이유 모를 불안감에 서늘함을 느낀 그녀는 잠자리에서 일어나고야 말았다. 주변을 둘러보던 그녀는 그제야 이유를 알 수 있었다. 불안감의 근원이 침대 머리맡에서 거리를 두고 의자에 앉아 있었던 것이다. 한때 울토르 프로젝트를 같이 진행했던 동지. 군사정보국의 김빈우 소령이다.

"오랜만입니다. 응우옌 티 빈 중령."

그러나 티 빈은 혼란스러웠다. 빈우가 왜 여기 와 있을까. 그는 솔리드 베타에 숨어 있다가 부상한 뒤로 태스크포스 373으로 갔다고 했다. 그런데 왜 지금 그녀의 은신처에 와 있단 말인가. 오히려 이자가 빈우가 아닐 가능성이 더 높았다.

급하게 보안 시스템을 작동시키려던 티 빈은 섬뜩함을 느꼈다. 모든 시스템이 다운되어 있었던 것이다. 이로써 빈우가 여기에 온 이유가 딱히 우호적인 것이 아님을 알게 된 티 빈은 조심스레 말을 꺼내려 했다.

"김 소령."

거기까지 말한 티 빈은 다음 말을 고르고 있었다. 당당하게 누가 보내서 추적을 해왔냐고 물을까, 아니면 능청스럽게 여긴 웬일이냐고 할까. 막 잠에서 깨어난 그녀가 상황을 파악하려 할 때 빈우가 먼저 질문했다.

"왜 울토르 프로젝트에 참가했소?"

갑작스러운 질문에 티 빈은 바로 답을 할 수가 없었다. 그저 안전한 대답을 찾을 뿐이었다.

"그야, 나는 과학기술국의 연구원으로서 연방의 중요한 프로젝트에 부름을 받아―."

티 빈의 대답을 듣던 빈우는 말없이 품에서 뭔가를 꺼냈다. 칼집이다. 티 빈도 명색이 군인이라 그것이 진동 나이프의 칼집인 것쯤은 알고 있다. 그러나 나이프가 들어가 있어야 할 곳이 비어 있었다.

"이 칼은 지금 반쫑과 함께 있소."

그 말을 들은 티 빈의 머리는 하얘졌다. 조카인 반쫑은 그녀의 모든 것이었다. 어렸을 적부터 부모 대신 자신을 키워온 오빠는 샤다이의 공격에 아내와 함께 사망했다. 아직 보육기에 있던 갓난아기 반쫑을 여동생인 티 빈에게 남겨둔 채로. 그때부터 응우옌 티 빈은 오빠가 자신을 키웠던 것처럼 조카인 반쫑을 마치 자신의 아들인 양 열심히 키웠다.

그런 아이의 이름이 지금 눈앞에 있는 살육병기의 입에서 나오니, 그녀로선 제정신을 유지하기 힘들었다. 게다가 그녀가 수집한 정보에 따르면 지금 반쫑의 상태는 눈앞에 있는 존재에게 그리 좋은 상황이 아니다.

"그 아이는 상관없어!"

자기도 모르게 격한 목소리가 나왔다.

"다, 다 치료했어. 그 아이는 인간이야."

"역시 알고 계시는군요."

차가운 빈우의 목소리에 티 빈의 심장 또한 차갑게 식었다. 하지만 필사적으로 말을 이어나갔다.

눈앞의 빈우가 누구인지는 두뇌칩이 먼저 알려주고 있다. 가장 먼저 뜨는 신상정보는 피자 타이거의 김빈우, 대외적으로 뜨는 위장정보다. 이어서 과학기술국 소속의 응우옌 티 빈에게는 그의 실제 정체가 군사정보국 소속 김빈우라는 것까지도 보인다. 하지만 태스크포스 373이란 정보는 뜨질 않는다. 현재 응우옌 티 빈의 보안 레벨로는 조회할 수 없는 정보일 수도 있지만, 최악의 경우 현재 눈앞에 있는 빈우가 여기 있어선 안 되는 빈우일 수도 있다. 그리고 지금까지 돌아가는 상황으로 보아 그 가능성은 대단히 높았다.

"워프 비스트가 아니야. 다 치료했다고."

그래서 응우옌 티 빈은 그것을 염두에 두고 말했다. 떨리는 목소리를 침을 삼켜 달랬다. 만약 여기 있는 빈우가 워프 비스트와 정보사령본부의 관계자를 노리는 빈우라면 그녀와 반쭝의 목숨은 풍전등화다.

"일단 겉보기에는 인간 같아 보이더군요. 워프 비스트 변이 흔적은 없고 제대로 치료된 모양입니다."

빈우는 티 빈의 눈을 마주 보며 건조하게 말했다. 마치 감정 모듈이 제거된 안드로이드 같다. 그래서 응우옌 중령은 안심할 수 없었다.

"하지만 외모가 인간의 모습이라고, 그것이 인간일까요?"

'인간일까요.' 그녀가 언제나 가졌던 의문과 불안이다. 그래서 마치 자신에게 외치듯 크게 대답했다.

"반쭝은 인간이야! 확실해. 내가 다 검사했어. 하나도 남김없이."

그녀는 자기의 권한으로 사용할 수 있는 모든 장비와 절차로 조카인 응우옌 반쭝을 검사했다. 그리고 치료했다. 자칫 잘못했으면 엘리자베트 허드슨처럼 흉한 흔적이 계속 남았을 수도 있다. 그랬다면 눈앞의 저자에게 약을 먹고 죽었을 것이다. 혹 시기를 놓쳤다면 자크 라캉처럼 되었을 수도 있다. 그렇다면 허수아비만 남겨져 제정신을 잃은 어머니에게 노리개로 넘겨졌겠지. 어떻게 보면 그 아이들과 가족의 희생 덕에 반쭝이 치료될 수 있었다. 그 와중에 자신에게 큰 도움을 준 피에르 라캉과 리처드 허드슨에게 몹쓸 짓을 한 것은 계속해서 그녀의 양심을 자극하고 있었다.

티 빈의 외침 후, 방 안에는 잠시 정적이 찾아왔다. 그 정적을 깬 것은 빈우였다.

"그렇다면 나는 인간일까요?"

그 질문에 티 빈은 바로 대답할 수 없었다. 그게 무슨 의미인지 모를뿐더러, 그녀로선 눈앞의 존재가 어떤 빈우인지 모른다. 원본 인간인지 울토르 클론인지 알 수 없으니 대답할 수 없었다.

"무, 무슨 마, 말인지 모르겠는데?"

같은 정보사령본부라 해도 군사정보국, 보안국과 과학기술국, 정보분석국은 성격이 꽤 다르다. 전자가 군인, 그것도 특수부대라면 후자는 연구원이란 성격이 강하다. 그래서 티 빈은 지금 같은 상황에선 평상심을 유지하기 힘들었다.

"거래를 합시다."

감정이 없던 그의 목에서 호랑이의 으르렁거림이 울린다. 마치 자기의 꼬리를 동앗줄마냥 흔드는 것 같다.

"응우옌 중령, 당신의 조카는 내 칼과 함께 있소. 그리고 당신의 앞에는 내가 있고. 만약 나에게 제대로 협조를 하면 그만한 대가를 드리지."

티 빈은 빈우의 말에 곧바로 응할 수 없었다. 왜냐하면 그녀는 김빈우란 존재를 아주 잘 알기 때문이다. 울토르 프로젝트를 진행하면서 알게 된 그는 냉혹하고 잔인한 살인자였다. 인류를 위한다는 대의 앞에 홀로코스트를 펼치고도 남을 위인이다. 만약 자신의 목적을 달성한다면 티 빈과 빈쭝은 흔적도 없이 치워버릴 것이다.

또 시점을 달리하면, 그녀가 대답을 하지 못한 것은, 이 빈우를 전혀 모르기 때문일 수도 있다. 눈앞의 빈우가 위은쏠납학에서 탈출한 클론이라고 한다면 이 존재가 어떻게 반응할지는 최종 조절한 빈우만이 알 뿐이다. 울토르 클론의 제작 담당이었던 그녀, 응우옌 티 빈의 손을 떠난 존재인 것이다.

"자, 협조하시겠소?"

무엇을 어떻게 협조하란 건지도 모르지만, 응우옌 티 빈은 불청객 김빈우의 제안을 받아들일 수밖에 없었다.

응우옌 티 빈이 무겁게 고개를 끄덕이자, 빈우는 쾌활하게 고개를 끄덕였다.

"좋습니다. 협조해주신다니 저도 전우에게 몹쓸 짓을 하지 않아도 되어 안심입니다."

무표정한 그의 얼굴에 희미한 미소가 돌아왔지만, 나오는 말은 섬뜩하다.

"우선 내가 원본 김빈우인지 클론인지부터 밝혀주시죠."

이어지는 질문에 티 빈은 잠시 생각을 잊었다. 울토르 프로젝트에 대해 물어볼 줄 알았는데 예상치 못한 질문이 나오자 당황한 것이다.

'왜 이런 것을 물어보지?'

어쩌면 눈앞의 빈우는 자신이 클론인지 인간인지를 헷갈릴 수도 있다. 잠수했다가 부상할 때는 그 여파는 꽤 크다고 들었다. 애초에 제대로 된 잠수가 아닌 데다, 그다음으론 정신 치료를 받지도 않고 살기 위해 태스크포스 373으로 도망친 그였으니 그 부작용이 생겼을 수도 있다. 클론의 자아와 인간의 자아가 뒤섞일 수도 있다는 것이다.

문득 마카로니에서의 일이 떠오른다. 빈우의 부상 현장에 응우옌 티 빈과 피에르 라캉은 각자 허수아비를 보내 대응했다. 그때 군사정보국에선 여러 각도로 빈우의 정체에 대해 파악하려고 했었다. 그것을 지금 여기서 다시 해야 하는 것이다. 이유와 목적이 무엇이건 티 빈은 협조하기로 했고, 살기 위해 장단을 맞춰줘야 했다.

"이, 일단 두뇌칩은 자네가 인간이라고 하고 있어."

연방에서의 신원 증명 방법 중 가장 빠른 것은 두뇌칩이다. 대개의 경우 성인이 되며 시술받는 이 칩은 처음엔 단백질 기반의 생체칩으로 삽입되어 점차 인간의 뇌에 동화되어간다. 그리고 인간과 외부의 전파 세계를 연결하는 기반이 됨과 동시에 그의 전자신분증이 된다. 이 뇌파 신호와 호응하는 두뇌칩의 신호는 사람마다 달라서, 기본적인 신원정보 외에도 이것으로 사람을 구분한다. 또한 칩이 뇌에 뿌리를 내려 동화되는 과정은 인간마다 천차만별이라 마치 지문처럼 고유한 형상이 되어 몇몇 좋지 않은 경우에는 이 칩 접속계의 뿌리 다발로 신원을 파악하기도 한다.

그러나 군용칩은 경우가 조금 다르다. 빈우 같은 전투인원은 뇌에 고분자 화합물을 삽입해 대충격능력을 강화하고, 칩도 금속 계열로 교체한다. 즉 규격품이라 칩의 형태만으론 대상을 구별하기 힘들다. 그리고 중요한 칩의 내용도 스스로를 군사정보국의 김빈우라고 하고 있다.

그러나 이런 위장은 정보사령본부, 그중에서도 군사정보국에선 기본 중의 기본기다. 이것만으로 신원을 파악하기는 무리다. 더구나 빈우는 울토르 클론으로 잠수할 때 자신의 두뇌칩을 클론의 것으로 위장할 정도로 솜씨가 뛰어났다. 어지간한 검사로는 파악이 안 될 것이다. 그 외의 검사 대상으론 안구나 신체 말단의 실핏줄 등이 있지만, 이것들은 전부 성형할 수 있는 부분들이라 신뢰할 만하지 않다. 그래서 응우옌 티 빈은 조심스레 자리에서 일어났다. 다행히 빈우는 그녀가 움직일 수 있도록 자리를 비켜주었다. 티 빈은 방 건너편에 있는 데이터 패드를 집어 들었다.

"다음은, 신체 내 강화 삽입물들을 살펴봐야겠지."

군용 강화 육체에는 여러 가지 신체 강화 부품들이 있으며, 유사시에 파편만으로 신원을 파악할 수 있도록 칩을 심어둔다. 티 빈은 데이터 패드로 빈우 신체 곳곳의 칩을 점검했다.

"역시 여기서도 김빈우라고 나오는군."

심지어 부상 부위마저도 동일하다. 군사정보국의 마커스가 당시 했던 검사와 결과가 같다. 모르는 이가 봤다면 당시의 빈우와 지금의 빈우는 동일인이라고 할 것이다. 그러나 울토르 클론 제작자였던 응우옌 티 빈은 자신의 불길한 감을 믿었다. 그녀의 감은 이 둘이 동일인이 아니라고 외치고 있었다. 그렇다면 이 둘 중 하나는 원본인 인간이고, 하나는 클론이다. 아니, 클론이냐 인간이냐는 지금의 그녀에겐 중요하지 않다. 하나는 태스크포스 373의 김빈우이지만, 다른 하나는 워프 비스트로 변이된 아이와 그 가족을 찾아 암살하는 자인 것이다.

"미토콘드리아 검사는 어떻습니까?"

빈우의 말에 티 빈은 퍼뜩 정신을 차렸다. 아무리 유전적으로 동일한 클론이라고 해도 모체의 미토콘드리아는 다르다. 즉 어머니의 뱃속에서 태어난 빈우와 배양수조에서 태어난 울토르 클론은 같은 유전정보를 가지만 미토콘드리아는 다를 수 있다. 하지만 티 빈은 고개를 저었다.

"울토르 클론을 만들 때 쓰인 난자들은 자네의 자매들로부터 제공받았어. 게다가 그녀들은 어머니의 단성생식 클론이지. 미토콘드리아도 동일해."

아쉽다는 듯이 고개를 젓는 빈우에게 티 빈은 다른 이야기를 꺼냈다. 시간을 벌기 위한 헛소리다.

"자네의…… 소화 장애에 대해 살펴보는 것은 어떨까?"

되는 대로 막 던진 말이지만 돌아온 대답이 충격적이었다.

"소화 장애?"

가볍게 되묻는 빈우의 말은 티 빈에게 무겁게 떨어졌다. 빈우는 어릴 적부터 단백질 분해에 관련된 대사질환이 있다고 했었다. 이 질환은 아나스타샤의 치료와 군용 강화 덕에 나았다고 했지만, 빈우는 울토르 프로젝트에 지원하면서 이것을 다시 발현시켰었다. 이 작업엔 티 빈도 같이 참가했었고, 그 결과 빈우와 울토르 클론들은 이 변형된 결함 유전자를 가지게 되어 일정 시간 군용 음식을 먹지 않으면 영양실조로 사망하게 된다. 군용 음식을 외부에서 구하거나 조합하기는 힘들기 때문에 사실상 도주와 탈영을 막는 안전장치이자, 원본 김빈우가 스스로 갖다 바친 목줄이었다.

다시 말해 당사자가 이렇게 되물을 내용이 아닌 것이다.

"자, 자네, 으흠, 김 소령 자네는 단백질 분해에 관련된 대사질환이 있어."

"그런 게 군용 강화로도 치료하지 못하고 남았단 말입니까? 대부분의 유전적 질병은 치료가 가능할 텐데요."

티 빈은 자신의 불길한 감이 맞아떨어졌다는 것을 자책하며 어렵사리 입술을 열었다.

"물론 치료했었지. 하지만 울토르 프로젝트에 지원하면서, 으음, 다시 발병시켰어. 그리고 이 장애는 자네와 클론들이라면 다 가지고 있어. 일정 시간 동안 군용 식품을 섭취하지 못하면 소화 장애와 영양실조로 사망하게 되는, 일종의 안전장치야."

이제야 그 말이 무슨 의미인지 파악한 빈우의 인상이 서서히 험악하게 변한다.

"자네, 군용 식사를 언제 먹었나?"

티 빈의 질문에 빈우는 아무런 반응을 하지 않았다. 숨도 쉬지 않고, 눈도 깜빡이지 않았다. 마치 작동이 정지한 안드로이드 같았다.

"오래전."

"허억!"

짧은 빈우의 대답에 티 빈이 자지러지듯이 놀랐다.

"록산느에서 계란밥 맛 에너지바를 먹었소."

빈우는 록산느에서 부뉴엘 가를 처리하기 전에 군용 식량을 먹었었다. 아무래도 자신과 기억을 공유하는 존재의 영향인지 계란밥 맛 에너지바란 괴식을 만들어 먹은 적이 있었다. 그것이 그의 마지막 군용 식사였다. 그다음부터는 민간용 생성기로 군용 식사의 모방품을 만들어 먹었을 뿐이다.

"그렇다면…… 그게 언제지? 이, 이 주일이 넘었나?"

이제 티 빈의 목소리는 덜덜 떨리고 있었다. 빈우가 조용히 고개를 끄덕이자 그녀는 숨을 집어삼켰다.

"응우옌 중령, 그걸 검사해봅시다. 그 유전자를 말입니다."

빈우가 일어서자 티 빈은 놀라서 뒤로 넘어졌다. 눈앞의 존재, 그 정체에 대해 대략 짐작한 것이다. 하지만 그녀는 죽음을 향한 관성에 떠밀리듯 걸어가 몇 가지 자재를 집어 들었다. 그리고 그것을 데이터 패드에 연결한 다음 빈우를 검사했다. 센서들은 빈우의 유전정보를 파악하고 조사했고, 그것을 화면에 띄웠다. 그 결과를 읽는 티 빈은 마치 자신의 사형선고서를 스스로 읽는 기분이었다.

"······없어."

짧고 조용한 티 빈의 말에 빈우는 아무런 반응을 하지 않았다. 못 들었을 리는 없다. 전투용으로 강화된 군인의 청력은 무시무시하다.

"지금의 자네에게 소화 장애를 일으키는 유전자는 없어. 깨끗해. 어차피 검사 대상이 되는 목록이 아니라 일반적인 울토르 클론이나 김빈우와는 구분이 안 되었겠지. 우리, 우리만이 알 수 있는 대목이었어. 히히, 히히히."

무엇이 그녀를 웃게 만들었을까, 지금 무엇이 그녀에게 우스운 것일까. 하지만 빈우는 다른 것을 물었다.

"그 의미는?"

빈우의 질문에 티 빈은 웃음을 뚝 그치고 눈을 질끈 감았다.

"자넨, 넌 원본인 김빈우도 아니고, 울토르 클론도 아냐. 오히려 내가 묻고 싶어. 넌 누구지? 도대체 누구야. 마리 라캉과 피에르 라캉을 네가 죽였나? 리처드 허드슨과 엘리자베트 허드슨을 죽인 건 너였냔 말이다!"

공포에 억눌리던 티 빈은 마지막 순간에 용기를 내었다. 아니, 만용이었다. 일어서서 소리치던 그녀는 그 기세를 얼마 유지할 수 없었다.

"그들을 실험체 삼아 조카를 치료한 년이 아가리는 잘 놀리는군."

무미건조한 말이지만 그녀에겐 더없이 충격적인 말이었다.

"하지만 딱히 탓할 수는 없지. 아무래도 제 새끼가 먼저니 말이야."

빈우는 넋이 나간 티 빈에게 다가가 그녀가 가진 데이터 패드를 빼앗아 들었다. 그리고 내용을 검색했다. 빈우는 밀려오는 찝찝한 기록들과 마주했다.

"그래, 기억이 나."

뒤에서 주저앉은 응우옌 티 빈이 혼잣말을 한다.

"쉬바, 쉬바 실험이었지. 자네가 자네의 클론 유생들에게 쉬바를 주입했었던 날이야. 그것 때문에 라캉 중령과는 한바탕했었고. 나도 그땐 꽤 충격을 받았어. 아무리 나라 해도 그런 실험은 안 하거든. 그래서 자네가 몰래 하던 실험들을 나 역시 몰래 조사했었지. 자네의 돌발 행동에 내 프로젝트가 엎어지는 꼴을 볼 순 없었으니."

이제 그녀의 혼잣말이 서서히 빈우에게로 향하기 시작했다.

"대체 그 배양조는 뭐였지? 나한테 들켰을 때 쉬바 실험용으로 성체 클론을 만들었다고 했었던 그 배양조 말이야. 거기엔 일반적으로 성장촉진제로 키운 클론이 아니라 물질 생성기로 하나하나 완벽하게 복제 구성한 성체 클론이 있었어. 실핏줄과 지문, 체내 신경계의 미세 부분까지 완벽하게 일치하는 클론이 말이야. 거기다 동일한 두뇌에 동일한 두뇌칩 —!"

거기까지 말한 티 빈은 고개마저 빈우로 돌렸다.

"아하하, 하하하. 그래, 알겠어. 너는 클론이야. 그것도 그냥 울토르 클론이 아니라, 원본보다 나은! 결함이 제거된 클론이야."

티 빈은 제정신이 아닌 듯 엉금엉금 기어와 빈우의 바짓가랑이를 붙잡고 일어서려 했다.

"이 육체, 이 육체는 무엇으로 구성되어 있지? 그 뇌는? 그 두뇌칩엔 뭐가 들어 있지? 알려줘. 내게도 알려줘. 원본과 동일한 육체에 동일한 뇌에 동일한 두뇌칩에 동일한 기억과 동일한 기록이라면 넌 대체 뭐지? 아차. 그래, 결함이 없지. 동일한 육체는 아니야. 그러면 넌 원본을 넘어선 클론인가? 김 소령은 도대체 왜 너를 만든 거지? 왜 결함이 없는 클론을 만든 걸까? 만약을 대비해 자신의 몸을 대체할 클론? 아니아니아니. 넌 그때의 클론이 맞나? 설마 자네, 원본 김빈우인가?"

마치 광기가 태엽을 감듯 응우옌 티 빈의 입에서 말이 빠르게 쏟아져 나온다. 자신이 알아낸 정보가 자신을 죽인다는 사실을 깨닫고 생겨난 공포 때문일 수도 있다. 그때 마침 빈우도 데이터 패드를 서서히 내렸다. 그리고 패드에 가려졌던 표정에는 경악이 서려 있었다.

"엘리자베트, 자크……."

그의 입에서 나온 목소리는 허탈했다. 그는 이를 악물고 고개를 티 빈에게로 돌렸다. 그리고 뭐라고 말하려고 했지만 입은 뻐끔거리기만 할 뿐 말은 나오지 않았다.

"마리 라캉과 리처드 허드슨이 놈들과 같은 패거리였는지 물어보세요."

보다 못한 찰리하나팔이 뒤에서 말했다. 그렇다. 빈우는 확인해야 했다. 방금 응우옌 티 빈의 데이터 패드에서 알아낸 사실을 확인해야 했다. 자신이 죽인 마리 라캉과 리처드 허드슨이 사실은 울토르 프로젝트에 가담한 자가 아니었다는 사실을, 그리고 자크 라캉과 엘리자베트 허드슨 또한 그저 실험체이자 희생양에 불과했다는 사실을.

"씨발, 대장님! 물어보란 말입니다. 그들이 울토르 프로젝트를 뒤에서 조종한 놈들과 한패인지 아닌지 물어보란 말입니다!"

찰리하나팔의 격한 목소리는 빈우가 못하고 있는 질문을 대신하고 있었다. 그 목소리에 떠밀려 빈우는 더듬더듬 입을 열었다.

"······마리 라캉과 자크 라캉, 리처드 허드슨과 엘리자베트 허드슨."

빈우는 자신이 클론인지의 여부는 뒤로 미루었다. 그의 낮고 차분한 목소리는 지금 들끓는 내면을 억누르고 있다는 반증이다. 공포에 절여진 티 빈의 눈이 그 단어들을 듣고 다시금 번들거린다.

"이들은 너희 조직의 편인가?"

빈우의 말을 들은 응우옌 티 빈 중령이 고개를 갸웃한다.

"그 조직이란 게 뭐지?"

그녀는 지금 자신이 찾아낸 죽음의 공포에 미쳐 있었다. 공포에 맞서 저항하지 못한 사람은 대개 이런 반응을 보인다. 마치 궁지에 몰린 쥐가 날뛰듯. 그리고 빈우에 대해서 자세히 알고 있는 사람이라면 더더욱. 그런 티 빈의 어깨에 빈우의 손이 서서히 내려가 닿았다. 그러자 그녀 안에 생겨난 자포자기의 광기에 공포란 고삐가 다시 채워졌다.

"울토르 프로젝트를 진행한 조직. 이케가미 소이치로를 앞에 두고 그의 애국심을 방패 삼아 뒤에서 야금야금 밀어붙인 조직 말이야."

빈우의 나직한 질문. 조금이나마 이성을 되찾은 티 빈이 고개를 절레절레 흔든다.

"아냐, 아냐. 그들은 아냐. 나도 그런 조직이 있단 것은 눈치챘어. 하지만 마리 라캉과 리처드 허드슨은 그저 같은 정보사령본부의 사람이었기에 정보

관리에 용이하단 이유로 이용당했을 뿐이야. 나도 마찬가지고. 나 말고도 몇 몇은 그런 조직이 있다는 것은 어렴풋이 알아. 하지만 나 역시도 단지 이용당 했을 뿐이라고. 정말이야. 믿어줘."

티 빈이 말한 이용당했다, 란 의미가 뭔지 빈우는 잠시 생각해보았다. 그 가 지금까지 수집한 정보에 의하면 정보사령본부 내부 부서들의 요원 가족 들 중에서 보안국에는 자크 라캉, 정보분석국에는 엘리자베트 허드슨, 과학 기술국에는 응우옌 반쫑이 워프 비스트로 변했다. 군사정보국에는 누가 있 을지 모를 일이다. 누가 감히 연방군 정보사령본부의 가족을 건드리고 이용 까지 했단 말인가.

이런 일이 가능한 조직은 얼마 없다. 군에서라면 최상위 기관인 통합전투 사령부마저도 정보사령본부만큼은 함부로 건드리지 않는다. 놈들을 쫓는다 면 적어도 상원이나 국방부까지 거슬러 올라가야 한다.

'그렇다면 부뉴엘 가는 어찌 되었을까.'

문득 빈우는 자치정부의 마약상을 떠올렸다. 설마 그가 군사정보국 요원 이었을까? 그럴 리는 없다. 만약 그랬다면 빈우는 반드시 알아봤을 것이다.

'셋의 공통점은 정보사령본부 요원의 자식이란 점. 넷의 공통점은 아이란 것이다. 그리고 그들로 인해…….'

빈우는 자신의 발밑에서 떨고 있는 응우옌 티 빈을 보았다.

'……부모와 함께 살해당했다.'

그것도 다른 누구가 아닌 바로 빈우 자신의 손에 의해 살해당했다. 자식을 구하기 위해 움직이다 죽은 것이다. 응우옌 중령 역시 자신의 조카 응우옌 반 쫑을 위해 움직였으리라. 그리고 그녀의 말에 따르면 라캉 가와 허드슨 가를 이용했다고 한다.

"그렇다면 라캉 가와 허드슨 가는 너와 무슨 관계가 있지? …… 아니지. 아 냐."

빈우가 차가운 눈빛으로 노려보자 그 한기만으로도 티 빈은 벌벌 떨었다.

그 모습을 본 빈우는 고개를 절레절레 흔들었다. 당장 물어볼 것이 많지만 여기선 일단 차분히 정리할 필요가 있었다.

"그래. 우선 울토르 프로젝트에서부터 설명해. 네가 말한 조직이 울토르 부대에 어디까지 관여하고 조작을 했는지."

빈우는 차근차근 순서에 맞게 사실을 캐내고 싶었다. 그러나 찰리하나팔에겐 순서보다 중요한 것이 있었던 모양이다.

"대장님! 말 돌리지 마십쇼! 마리 라캉과 리처드 허드슨이 조직원이었는지, 죽어 마땅한 놈들이었는지부터 확인하시란 말입니다!"

놈이 물어보라는 사실은 이미 데이터 패드에 들어 있다. 짜증이 솟구치는 빈우의 귀에 티 빈의 목소리가 웅얼거리며 들려온다.

"아아아 ― 나도 그 조직에 대해선 잘 몰 ―."

하지만 티 빈은 말을 끝맺지 못했다. 성난 빈우의 발길질에 차여 날아갔기 때문이다. 그녀는 바로 벽에 부딪혔고, 땅에 떨어지기 전 빈우의 주먹을 맞고 벽에 꽂혔다. 비명도 지르지 못하고 꺽꺽대는 티 빈의 귀에 빈우가 속삭였다.

"아는 대로 말해. 내가 실종된 다음부터 아이들이 워프 비스트로 변한 시기까지 전부."

티 빈은 몸에서 느껴지는 고통보다 귀에서 들리는 목소리가 더 무서웠다. 빈우는 겁에 질린 그녀를 부드럽게 들어 침대에 내려놓고, 자신은 의자를 가져와 티 빈의 앞에 앉았다. 압박감에 못 이긴 응우옌 티 빈은 저도 모르게 말이 절로 흘러나왔다.

"우, 울토르 프로젝트는 자네와 이케가미 상원의장이 지휘해서 진행한 거잖아. 네가 모르면 누가 안다는 거야. 아아, 아니지. 넌, 김빈우가 아니지."

빈우는 이케가미 소이치로와 함께 울토르 프로젝트를 진두지휘했었다. 그러나 배후에 있는 조직에 대해선 눈치채지도 못했다. 아마 빈우는 최전선에 있어서 그랬을 수도 있다. 자신의 기록이 맞다면 말이다.

하지만 후방에서 클론 제작을 담당한 응우옌 티 빈은 눈치챘다고 했었다.

전체를 총괄 지휘한 이케가미 소이치로 역시 그들을 눈치채고 도망친 다음, 자신 혼자서나마 해결책을 마련하려 했다. 상원의장이란 사람이 그럴 정도였다니 조직의 수완과 범위가 얼마나 광대한지 짐작조차 안 된다.

"아는 대로."

빈우의 조용한 재촉에 티 빈은 더듬거리며 대답했다.

"나나, 나는 울토르 프로젝트를 진행하다가. 자네가 포말하우트에서 실종된 다음 프로젝트에서 제외되었어. 어차피 프로젝트가 동결되었으니까."

울토르 중대는 포말하우트에서 리퍼에게 습격당해 괴멸 직전의 피해를 입었었다. 그리고 빈우는 당시 탈출 포드를 타고 가까스로 도망을 쳤으며, 위은쏠납학에 불시착한 다음 한참 뒤에 깨어났다. 중간중간 두뇌칩의 기록에 손실이 있었지만 확실한 것은 하나가 있었다.

'내가 지휘했던 울토르 프로젝트에는 연방을 위협하는 음모가 있다. 그리고 그 뒤에는 고대 샤다이가 인간의 몸을 빼앗아 위장하고 있다. 나는 이를 반드시 막아야 한다. 나는 연방을 지켜야 한다. 마지막으로, 나 이외에 누구도 믿지 말아라.'

과거의 자신이 현재의 자신에게 남긴 사명이다. 그래서 빈우는 스스로 정보를 모으며 홀로 연방의 적을 추적하고 사냥했다. 군사정보국에도 스파이가 숨어 있을 가능성이 있기 때문에 자신을 죽은 것으로 위장하고 극비리에 행동했었다. 과거의 자신이 스스로에게 누구도 믿지 말라고 당부했기 때문이다.

하지만 시간이 지나면서 이상한 점들이 점차 발견되었다. 우선 자신이 탈출한 시간이 맞지 않았다. 처음엔 포말하우트에서 습격 당시 탈출했을 것이라고 생각했지만, 이후 조사를 하면서 탈출 시간대는 훨씬 뒤인 것으로 밝혀졌다. 울토르 중대가 위은쏠납학에서 활동했을 당시다. 지금 보면 아마 빈우 자신의 정체와도 관련이 있을 것이다. 그리고 지금까지 빈우가 스스로에게 되새겼던 다짐 또한 이상하다. 지금의 자신이 클론이라면 여기에서 나온 '나'

란 존재가 지금의 클론 빈우가 아니라 원본인 인간 빈우인 가능성이 더 크단 의미다.

그때 흐느끼는 티 빈의 목소리가 빈우의 귀에 들려온다.

"그리고 워프 비스트를 조사하고 치료하는 팀이 만들어지자 나는 그리로 소속되었지. 처음엔 그저 정체불명의 새로운 질병이라고 생각했었고, 난 변이한 부위를 클론 신체로 교환하면 될 것이라 생각했었어. 하지만 아니었지. 신체를 교체해도 변이는 계속되었단 말이야. 후에 피에르 라캉 중령이 자신만의 루트로 치료법을 구해 가져왔지만, 이미 그의 아들 자크 라캉을 치료하기엔 너무 늦었어. 사실……."

티 빈은 겁먹은 표정으로 빈우를 보았다. 빈우가 무표정하게 고개를 끄덕이자 설명이 계속되었다.

"내가 그 팀에 소속된 것은 내가 클론 제조 기술자였기 때문이야. 난 신체의 일부만 제작하면 될 줄 알았지만, 그들은 전신 클론을 만들길 원했어. 괴물로 변해가는 자크 라캉의 인간체 클론 말이야. 그렇게, 난 자크 라캉의 클론을 만들었어. 같은 실험을 반복해서 같은 증상을 발현시키고 치료법을 찾으려고 했던 거야. 아니, 지금 생각해보면 그게 치료법을 찾으려는 것인지도 의심스러워. 오히려 워프 비스트들을 더 많이 만들려는 실험 같았어."

빈우는 케트쿤에서 보았던 자크 라캉의 클론들을 떠올렸다. 묶여서 고통받는 워프 비스트들. 그리고 엄마를 찾는 불쌍한 실험체 아이. 뒤이어 마카로니에서 자신이 죽였던 로봇이 떠오른다. 그것은 자신을 자크 라캉이라고 생각했던 허수아비였다.

"마리 라캉, 그분에겐 정말 미안해. 라캉 중령에게도 난 몹쓸 짓을 했지. 마리 여사는 아들인 자크의 치료를 우리에게 맡겼지만, 우린 그 불쌍한 아이로 실험만 했던 거야. 그것도 클론 기술로 신체를 복제하고, 그 아이의 고통스러운 기억마저 복제해가며. 결국 그녀는 자신의 그 연줄과 능력으로 자크 라캉을 되찾으려고 했지. 그리고…… 자신의 아들이 어떤 상태인지 알아내자……."

그 과정은 티 빈의 데이터 패드에도 있었다. 마리 라캉은 자신의 아들이 어떤 실험을 받았는지 알게 되자 미쳐버렸다. 더불어 그 실험의 정체와 그 뒤에서 조종하고 있는 조직의 크기, 그리고 놈들의 그림자가 어디까지 뻗어 있는지 알고는 절망했다. 자신들이 아무리 비명을 지르고 발버둥 쳐도 결코 빠져나올 수 없는 수렁에 잠겼다는 사실은 그녀가 받아들이기엔 너무나 버거웠던 것이다.

결국 그녀는 가정용 로봇에 아들의 허수아비를 심고 그것을 아들이라 믿으며 아들을 지키기 위해 도망쳤다. 하지만 이 불쌍한 모자는 마카로니에서 빈우에게 잡혀 죽었다. 혼자서 조사했던 빈우는 그 조직에서 탈주한 마리 라캉을 자신이 목표로 한 조직원이라고 생각하고 심문했다. 그리고 제거했다. 허드슨 가 또한 마찬가지다. 핵심에는 다가가지 못한 채 애먼 깃털에만, 아니, 오히려 희생자에게 분풀이를 퍼부은 격이다.

"놈들이 언제부터 울토르 프로젝트에 관여했는지는 정확히는 나도 몰라. 하지만 빈우와 이케가미 상원의장이 인류를 지키기 위해 울토르 프로젝트를 계획했을 때, 주변에서는 이미 그들에게 공작을 행했어. 울토르 프로젝트에 클론이 들어가도록 말이야."

그건 기록에도 남아 있다. 이케가미 소이치로는 인류를 지킬 강력한 군대를 원했고, 그 지휘자로 닉스 레벨 3의 빈우를 원했다. 결국 그는 빈우를 복제해 우수한 병사들을 계속해서 뽑아낼 계획으로 울토르 프로젝트를 소개했고, 빈우는 흔쾌히 수락했다. 그런데 실은 이 모든 안배가 전부 다 샤다이들의 계책이었던 것이다. 빈우는 처음부터 놈들의 손아귀에서 놀아난 것에 불과했다.

'샤다이들이 왜 인간의 클론으로 이뤄진 군대를 원했을까. 뻔하지. 놈들은 자신들이 돌아올 몸을 원했던 게 분명하다.'

거기까지 생각한 빈우는 이를 악물었다.

'하지만 이게 다 무슨 소용이지? 난 진짜 빈우가 아니라 클론인데!'

자신이 클론이라면 포말하우트 게이트에서 스스로 탈출한 것이 아니라 원본이 탈출시킨 것이리라. 아니면 원본인 빈우가 위은쏼납학에 백업으로 숨겨놨던 클론일 수도 있다. 자신이 굳게 믿고 행동하게 한 사명은 실은 원본이 각인한 명령일 가능성이 높다.

그렇다면 죽은 라캉 일가와 허드슨 일가는? 데이터 패드에도 나와 있지만 빈우는 한 번 더 확인해야 했다. 아는 사실이지만, 당사자의 입으로 답을 듣고 싶었다.

"라캉 일가와 허드슨 일가는? 그들은 조직원들인가?"

티 빈이 고개를 가로저었다.

"아니야, 그들은 조직원이 아니야. 내가 말했듯이 그저, 그저 이용당한 사람들 뿐이야."

의심하던 것이 확인이 되었다. 결국 그들은 죽어 마땅한 연방의 적이 아니라, 클론의 손에 죽은 무고한 희생자들이란 것이 증명되었다. 앞뒤 가리지 않고 짧은 지식만 가지고 나댄 클론에게 죽은 불쌍한 인간들이다.

'그렇다면 부뉴엘 가는? 그들은 마약상이라서 나에게 죽어야 했나? 아냐 아냐, 내 눈앞의 응우엔 티 빈은? 그녀는 인간일까? 그 조직원일까? 아니면 샤다이일까?'

혼란스러움과 죄책감에 빈우가 몸서리를 쳤다. 죄책감. 왜 빈우가 죄책감을 느껴야 할까. 왜 클론이 죄책감을 느낄까. 울토르 클론들은 전투OS에서 이런 부분의 감정들을 느끼지 않도록 개조받는다. 또한 전투에서 필요 이상의 충격을 받지 않도록 교육받는다. 아니, 그전에 울토르 클론은 인간을 해칠 수 없도록 만들어졌다. 그런데 빈우는 인간을 해쳤다.

• • • ✦ • • • •

'나는 어떻게 그들을 죽일 수 있었지? 그들을 인류의 적이라고 믿었기에 해칠 수 있었던 것일까? 놈들의 정체가 샤다이였기 때문에? 워프 비스트였기 때문에?'

울토르 클론들은 생산될 때부터 모두 자신이 클론임을 자각하도록 만들어지고, 각인받는다. 그리고 태어난 후 군용 강화를 받으며 결코 인간을 죽일 수 없도록 OS에 의한 제약을 걸어놓는다. 게다가 행여 실수로 인간을 죽인다 하더라도 후에 이를 깨닫게 되는 순간 엄청난 정신적 반동이 오게 되어 있을 정도다. 하지만 빈우에겐 그런 것이 전혀 없었다. 클론임에도 불구하고.

'나는 지금까지 스스로를 인간이라고 믿고 행동했었다. 그것 때문일까.'

빈우는 여지껏 자신을 인간으로 믿었다. 하지만 자신의 정체에 대해 의심을 하게 된 이유는 자신의 과거 행적을 조사하던 중 뭔가 어긋난 점이 있음을 깨닫게 되면서부터다. 그래서 조직의 간부이자 울토르 클론 제작자인 응우엔 티 빈 중령을 목표로 삼았고, 방금 그 결과가 나왔다. 충격의 연속이다. 설마 했던 의구심들이 사실이 되어 빈우를 덮쳐온다.

우선 자신이 빈우가 만든 특제품 클론일 가능성은 대단히 높다. 아니, 사실이다. 게다가 그 말을 들은 지금도 자신을 클론이 아니라 인간이라고 자각하고 있는 것을 보면 잠수나 세뇌 같은 것으로 속인 것도 아니다. 애초에 인간으로 생각하도록 만들어졌다. 더구나 두뇌칩에도 일체의 제약 프로그램이 없다. 덕분에 그는 지금까지 아주 냉정하고 태연하게 목표물을 제거해왔던 것이다.

그리고 지금 이런 것들로 인해 빈우는 혼란에 빠져 있다. 현재 그가 느끼고 있는 감정, 죄책감은 OS의 정신제약에 의한 것이 아니었다. 바로 자신의 손에 죽은 무고한 이들에 대한 양심의 가책이었다. 그때 뒤에서 비웃음 소리가 들려온다. 찰리하나팔의 목소리다. 놈이 웃고 있었다.

"뭐가 우습지?"

빈우가 성난 목소리로 으르렁대며 돌아섰다. 그러자 자신의 얼굴이, 찰리하나팔의 얼굴이 웃고 있었다.

"킥킥킥, 대장님."

찰리하나팔의 웃음은 비웃음이었다. 놈은 빈우를 보며 비웃고 있었다.

"그러니까 나하고 타협하면 안 된다니까요."

빈우는 비웃음을 향해 주먹을 휘둘렀다. 날카로운 소리와 함께 찰리하나팔이 깨어져 바닥에 흩뿌려졌다. 그러나 놈은 비웃음을 멈추지 않았다.

"그냥 해야 할 일을 했다고 생각했는데, 진실이 밝혀지니 X 같습니까? 숭고한 사명인 줄 알았는데 그게 실은 클론의 뻘짓으로 밝혀지니까 기분이 어떻습니까?"

빈우는 발을 들어 짓밟았다. 깨어지는 소리와 함께 부서진 거울 조각이 다시 한 번 산산조각이 났다.

"뭐, 대장님은 각인받은 명령대로 행동한 클론이니까, 인간이 아니니까, 내가 뭐라고 해도 귀 기울여 들을 필요는 없죠. 아니, 애시당초 내 말이 들린다는 게 희한합니다. 클론 주제에. 아, 특제 생산품이라 그런가? 그래서 제가 한 말은 이때까지 잘 들렸죠? 네? 그런데 왜 그렇게 괴로워하시냐구요. 자기가 들어놓고선."

찰리하나팔은 언제나 빈우에게 속삭여왔었다. 엘리자베트 허드슨을 죽이려 갈 때 계단에서 막아섰다. 홀로 남은 하비에르 부뉴엘을 살려달라고 막아섰다. 케트쿤에서도 자신의 추리를 도왔다. 프리마에선 다 죽어가는 모녀를 살려달라고 애원했다. 하지만 빈우는 놈의 속삭임을 듣지 말았어야 했다. 차라리 듣지 않았다면 이렇게까지 자신이 망가지진 않았을 것이다.

"닥쳐! 닥쳐!"

빈우는 계속해서 짓밟았다. 완전히 가루가 되고 나서야 찰리하나팔의 비아냥은 사라졌다. 하지만 그 메아리가 아직도 빈우의 귓속으로 파고든다.

"나하고 타협하지 말라면서 —."

이를 악문 빈우는 격렬한 도리질을 하며 귀를 막았다. 잠시 후 속삭임이 들리지 않자 빈우는 손을 떼었다.

"왜, 왜 그래."

겁먹은 티 빈의 목소리가 들려온다. 그녀는 지금 빈우의 난동을 보고 겁에 질려 웅크리고 있었다. 강화군인은 바닥에 무릎을 꿇고 씩씩대고 있고, 과학기술국의 간부는 침대에서 벌벌 떨고 있다. 빈우가 갑자기 광분해서 벽의 거울을 깨고 그것을 짓밟은 것을 본 응우옌 티 빈은 침대 옆 서랍에서 조심스레 뭔가를 꺼낸다. 그것은 푸른색 머리카락이었다.

"이건 뭐지."

어느새 빈우가 티 빈의 손목을 잡고 있다. 엄청난 악력에 팔이 으스러질 것 같아 티 빈이 비명을 질렀다.

"아아악!"

빈우가 힘을 약간 빼자 티 빈이 눈물을 흘리며 해명했다.

"이건, 무기가 아냐. 피에르, 라캉 중령이 알아낸 거야. 샤다이의 플라스마 제어기관을 떼어내 원격으로 워프 비스트 변이를 제약하는 거야."

"워프 비스트라고? 그런데 왜 나를?"

응우옌 티 빈이 재촉하는 빈우의 눈을 피한다. 그런 그녀의 턱을 빈우가 억세게 쥐어 잡았다.

"말해!"

공포에 질린 티 빈이 이를 딱딱거리며 말했다.

"나, 난 네가 그들처럼 워프 비스트로 변하는 줄 알았어."

"그들?"

"우, 울토르 클론들."

빈우가 손을 놓은 것은 납득해서가 아니었다. 잠시 까먹고 있던 또 다른 충격 때문이었다. 티 빈은 빈우가 손을 놓자 벌벌 떨며 설명했다. 살기 위해.

"포말하우트 이후야. 그때부터, 전투 경험이 많았던 울토르 클론들에게 이상한 현상이 발현되었어. 문서상으론 전투 피로에 의한 발작이라고 되어 있었지만, 당시 울토르 중대엔 우리가 손을 대기 힘들어서 제대로 알아볼 수 없었어. 나중에 되어서야 그것이 신체 변이를 동반한 발작이었고, 실은 워프 비스트란 것을 알게 되었어. 또 서류상에선 제거라고 했지만 실은 다른 곳으로 이동하고 있었지. 상부에선 이미 변이가 발생한 울토르 클론들을 빼돌리고 있었던 거야."

이제 확실해졌다. 울토르 중대는 워프 비스트를 만들기 위해 만들어진 부대가 분명하다. 예상이 현실이 되는 것은 언제나 입맛이 쓰다. 데이터 패드에서 빈우가 보게 된 것은 자신과 같은 모습을 한 클론이 워프 비스트로 변하는 과정이었다. 인간의 육체가 뒤틀리고 송곳니와 발톱이 나온다. 그러나 즉시 주변의 클론들이 달려들어 제압한다.

원본의 기억에도 있는 장면이다. 전투 중 발작을 일으킨 형제는 조용히 치료된다. 그러나 사실은 워프 비스트가 되어 다른 곳으로 간 것이다.

"……이 사실을 보고했나?"

빈우는 마른세수를 하면서 질문했다. 그러나 이미 답은 예상하고 있었다.

"했지. 하지만 아무런 소용이 없었어. 그래서 도망치고 있는 거야."

손을 뗀 빈우는 고개를 들어 티 빈과 눈을 마주쳤다. 눈만 봐도 그녀가 한계에 달한 것을 알 수 있었다. 중령씩이나 되는 그녀가 이런 외딴곳에 은거하고 있는 이유가 무엇일까. 자신이 참가한 프로젝트가 사실은 샤다이에 의한 것이고, 이 진실을 알릴 만한 주변 인물은 없으며, 자신의 조카마저 워프비스트로 변하고 있었다. 궁지에 몰린 것이다.

애초에 정보사령본부의 주요 인물들은 경호와 그 외의 이유로 보안국의 요원들이 주시한다. 명목은 보호지만 감시의 뜻도 있다. 이들은 끈질기고 집요하다. 보안의 피에르 라캉 중령과 전 상원의장인 이케가미 소이치로마저 사회적으로 고립되어 단독행동을 했을 정도였으니, 그녀 같은 비전투 요원이라면 어찌할 방법이 없다.

데이터 패드에 그녀가 남긴 기록에 의하면 응우옌 티 빈은 필사적으로 조직으로부터 도망치려고 하고 있었다. 건강상의 이유, 연구를 위한 보안 등의 명목으로 이곳에 은거한 그녀는 차근차근 도망 준비를 하고 있었다. 그러나 그 끝은 마리 라캉과 별다를 바가 없을 것이다. 빈우든 보안국이든 추적자의 손에 죽을 것이고, 그녀도 이를 대충 짐작하고 있었다. 그런데다가 지금은 갑작스러운 빈우의 침입에 이어서 무자비한 정보의 폭로마저 이어졌다.

'피에르 라캉.'

빈우는 저런 눈을 본 기억이 난다. 정확히는 자신과 연결되었던 원본 김빈우의 기억에서 보았다. 절망한 자의 눈이다. 가족을 모두 잃고 자신의 주변이 모두 붕괴된 다음 자신마저 부서져버린 사람. 하지만 눈앞의 그녀는 아직 포기하지 않고 있었다. 그렇다고 해서 이케가미 소이치로처럼 맞서는 것은 아니다. 그저 자신의 조카 응우옌 반쫑을 위해 실낱같은 희망을 부여잡고 발버둥 치고 있는 것에 불과했다.

복잡한 마음으로 자료를 보던 빈우는 특이한 것을 하나 발견했다. 몰래 파헤치고 훔쳐낸 자료가 아니라, 과학기술국 중령으로서 단독으로 연구한 자료들이었다.

"이건…… 혼자서 연구한 거요?"

빈우가 해당 자료를 들어 보이며 질문하자 티 빈이 고개를 끄덕인다.

"맞아. 울토르 클론들의 과도한 감정 공유는 서로간의 정신적 상처를 공유할 수도 있어. 원래 하나의 클론이 가진 전투 경험은 데이터로서 두뇌칩에 의해 공유되지만, 전투에 의한 충격이나 공포 같은 부정적인 감정들은 넘어가지 않아. 하지만 울토르 클론들의 부작용은, 아니, 나는 이것을 부작용이 아니라 처음부터 의도한 것이라고 보고 있어. 아무튼 이 감정의 공유가 전투 OS의 정신치료 프로그램마저 뚫어버리고 있었던 거야. 두뇌칩의 프로그램들은 해당 클론이 겪은 경험에 대해서만 조언하고 치료하지, 이렇게 공유된 감정까지는 손보지 못해."

연구 자료는 자세하고 방대했다. 그리고 빈우는 이 자료를 보고 알 수 있었다. 그녀는 어떻게 해서든 울토르 클론들이 워프 비스트가 되는 것을 막고 이를 치료하려고 했었다. 그녀 역시 반격의 실마리를 잡고자 노력하고 있었던 것이다. 연구일지에는 하나의 클론을 샤다이의 플라스마 제어기관으로 치료하고 이를 점차 다른 클론들에게도 옮긴다는 가설이 쓰여져 있었다. 피에르 라캉이 마지막 순간에 자신을 제물 삼아 알탄훼아나에게 계단을 부숴달라고 한 것과도 같다.

"응우옌 중령."

데이터 패드를 닫은 빈우의 목소리 톤은 확연히 바뀌어 있었다.

"어쩌면 우리는 협력할 수 있을지 모릅니다. 아, 물론 아까 제가 협력하라고 협박한 것은 잊어주십시오. 저는 지금까지 당신을 적으로 착각하고 있었습니다."

티 빈의 마음속 저울이 흔들리고 있다. 희망과 절망 사이에서 말 한마디 한마디가 추가 되어 저울 위로 떨어진다.

"무, 무슨 말이지? 그게 무슨 소리야?"

당연하겠지만 응우옌 티 빈은 빈우를 믿지 못하고 있었다. 자신을 죽이러 온 자가 협력해달라고 하다니, 그것도 협박이 아닌 의미로 협력해달라고 하니 선뜻 믿지 못하는 것이다.

빈우는 차근차근 설명했다.

"나는 당신의 적이 아닙니다. 나는 연방을 지키고 워프 비스트를 막기 위해서 움직이고 있었습니다. 마리 라캉과 리처드 허드슨을 죽인 것은 온전히 내 실수입니다. 나는 그들을 예의 그 조직에 소속된 자들로 알고 있었고 그래서 죽인 것입니다. 지금의 당신 또한 그러려고 했었고요. 그러나 사실이 밝혀진 지금은 이 모든 게 무의미합니다. 우린, 연방을 지켜야 합니다. 아시겠습니까?"

빈우의 말을 잠자코 듣고 있던 티 빈이 조심스레 입을 열었다.

"내가 왜 클론을 믿어야 하지?"

그녀의 이 말에 빈우는 까먹고 있었던 사실을 다시 깨달았다. 자신이 클론이란 것을. 방금했던 말도 자신을 인간이라 생각하고 했던 말이다. 스스로 자신의 사명이라 생각하고 했던 말이다. 그러나 실은 인간이 각인시킨 명령에 의한 것이었다. 빈우가 혼란스러워하며 다시 말을 고르고 있을 바로 그때, 문이 열리는 소리가 들렸다. 그가 시선을 돌리니 잠겼던 방문이 열리는 중이다. 방 안으로 들어온 침입자는 손에 무기를 들고 있었다. 진동 나이프다. 연방군의 근접전 무장이다.

빈우는 즉시 행동했다. 딱히 의식한 것은 아니었다. 정신상태가 온전하지 않은 와중에 그저 코가 간지러워서 재채기하듯 해버린 반사적인 행동이었을 뿐이다. 그 결과 지금 목이 꺾인 응우옌 반쭝이 빈우의 손에 들려 있다. 헤 벌어진 입에선 희미한 타코 냄새가 난다.

불쌍한 반쭝. 워프 비스트의 증상을 치료했지만 결국 클론의 손에 죽고 말았다.

"안 돼에에에!"

조카의 죽음을 본 고모가 절규한다. 뒤에서 들려오는 응우옌 티 빈의 울부짖음을 들으며 빈우는 자신을 다시 한 번 나락 속으로 밀어넣었다. 손안에 놓인 아이의 시체를 보며 다시 한 번 절망 속으로 뛰어들었다.

부서진 파편을 모아 간신히 일으킨 탑이 다시 무너져내리고 있었다.

. . . ✦ . . . .

"몸은 좀 어떠십니까? 좀 놀았다고 녹슨 거 아닙니까?"

위르겐이 히죽 웃으며 빈우에게 다가왔다. 지금 태스크포스 373의 대원들은 블랙 랜스의 격납고 옆 연습실에 모여 빈우의 재활훈련을 돕고 있었다.

"신품으로 갈았는데 녹슬긴 개뿔."

빈우가 툴툴거리며 상의를 벗었다. 그리곤 그걸 한창 몸 풀고 있는 위르겐에게 집어던졌다. 하지만 시야가 가려진 위르겐은 당황하지 않고 옷에 덮인 채 바로 태클로 반격해왔다.

"꺅!"

하지만 빈우는 날름 피했고, 그 바람에 불쌍한 모니카가 팀장의 뒤에 서 있다가 위르겐의 태클에 정통으로 피폭당했다.

"좀 보고 박아. 새끼야."

빈우는 비웃음 섞인 한숨을 내쉬며 어버버 하는 위르겐을 짓밟았다. 애먼 모니카도 그 밑에서 함께 짓밟혔지만 빈우는 신경 쓰지 않았다.

"저봐, 저거저거 사심 잔뜩 들어갔지 싶은데. 입자포 때문이죠? 그죠?"

뒤에서 파트리샤가 뭐라뭐라 말을 걸지만, 빈우는 시치미를 뚝 떼고 있다.

"그럼 다음은 저와 하시죠."

이어서 아룹이 마카롱을 씹지도 않고 꿀꺽 삼키며 일어났다. 그 모습을 본 빈우는 진저리를 치며 뒷걸음질을 쳤다.

"부팀장하고? 잠깐, 나 장갑복 입어도 됩니까?"

"무기 사용 가능한 겁니까? 저야 좋죠."

"……아뇨, 그냥 맨몸으로 붙읍시다."

둘이 맞붙게 되자, 난다 긴다 하는 빈우지만 역시나 베테랑 아룹 앞에선 살기에 급급했다.

"팀장님 몸 다 나았다고 이렇게 바로 가도 됩니까?"

아룹이 넘어진 빈우 위에 올라타서 파운딩을 한다. 주먹을 막는 빈우의 등 뒤로 격납고 바닥이 으스러지는 소리가 난다.

"우산을, 갈아타야죠. 특수전, 사령부보다는 42, 전단으로, 컥."

막아도 숨이 턱턱 막히는 아룹의 주먹에 빈우는 짧게 끊어서 대답했다. 현재 빈우는 워프 비스트 변이가 치유되자마자 블랙 랜스를 몰고 특수전 사령부를 떠나 다시 42전단으로 향하고 있는 중이었다. 주변에선 특수전 사령부에 있으라고 만류했지만 빈우는 막무가내였다.

"42전단이라……. 스크로도프스카 전단장도 딱히 그런 쪽으로 잘하는 것으로 보이진 않는데 말입니다."

반면 아룹은 여유롭게 빈우를 후드려패고 있었다. 그의 말마따나 특수전 사령관 조지 레드우드나 42전단장 스베틀라냐 스크로도프스카나 둘 다 전투에 몰빵한 맹장이다. 그래서 정치질이나 뒷공작에는 서툴거나 아예 신경을 끄고 있었다.

"42전단에는 뒷배가 든든합니다. 그리고 언제나 이동하는 부대라서, 어휴, 보안국 쪽에서 시, 비 걸기 힘들다고."

두 사람은 오고 가는 주먹과 함께 대화를 주고받고 있었다.

"음, 그런데 지금까지 모은 증거로 보안국을 바로 조이면 안 됩니까? 이렇게."

씩씩대는 빈우와 달리 아룹은 느긋하게 두 손으로 팀장의 두개골을 조였다. 빈우는 벗어나려고 안간힘을 써봤지만 이미 경고음이 뜨고 난리가 났다.

빈우는 자신의 머리를 조이는 아룹의 겨드랑이를 강하게 치며 밑에서 빠져나왔다. 하지만 아룹은 즉시 따라붙어 빈우를 옭아맸다.

"조여요? 보안국을? 지금? 켁켁."

"군사정보국의 타이 차장님이 증거를 모조리 가져갔지만, 그때 우리랑 싸웠던 그라인더는 보안국 아닙니까? 놈들이 샤다이와 내통하고 있는 상황에서 팀장님이 워프 비스트로 변이 도중 치료되었다는 사실을 알게 되면 무슨 수를 써서라도 쳐들어올 텐데요. 그전에 치는 게 낫지 않습니까?"

이제 둘은 서로 드잡이질을 하며 대화를 나누고 있다. 헤드락을 거는 아룹의 팔 사이에 가까스로 손을 집어넣은 빈우는 그제야 간신히 제대로 된 말을 할 수 있었다.

"애초에 보안국이 이런 식으로 뒷공작 꾸미는 것은 하루 이틀이 아닙니다. 스파이를 잡는 부서니 스파이처럼 행동한다고 변명할 수 있죠. 지금 태스크 포스 373으로 놈들의 공작에 대응하긴 힘듭니다. 도와줄 세력이라고 해봤자 군사정보국은 지금 보안국과 짝짜꿍 붙은 것 같으니 제외 — 그리고 오다 의원님은 일단 기다리라고 했습니다."

현재 보안국은 호시탐탐 빈우를 노리고 있다. 저번에 히토미에게 한번 된통 당했다지만 그런다고 포기할 보안국 아닌 것이다. 게다가 현재의 빈우는 놈들이 무슨 수를 써서라도 손에 넣어야 할 뜨거운 감자다. 조만간 어떤 루트를 통해서라도 행동할 것이 분명하다. 그러나 현 상황은 그리 녹록하지 않았다. 우선 빈우의 본가랄 수 있는 군사정보국에서 국장인 이노우에 고토는 이상하리만치 보안국에 협조적이었다. 원래 협조와 반목을 밥 먹듯 하는 두 부서긴 한데, 지금은 분위기가 영 이상했다. 아무래도 군사정보국과 보안국 사이에 모종의 밀약이 있는 게 확실했다.

다음, 군사정보국 내에서 유일한 우방이랄 수 있는 마커스 타이는 국방부 쪽으로 이동했다. 국방부 차관쯤 되면 정보사령본부 하위부서에 콧방귀깨나 뀔 권력이 있지만, 지금 그는 국방부로 간 지 얼마 안 되는 상황에다 뻐꾸기 작전으로 인해 이쪽 일에 제대로 신경을 쓸 수 없었다. 그리고 가장 파워가 센 오다 히토미 상원의원은 연방에 숨은 샤다이들을 일망타진하기 위해서 자신의 파벌들과 함께 잠시 숨을 죽인 상태다. 물론 태스크포스 373 및 빈우와 오다 히토미가 속한 파벌은 협조 관계를 구축했기 때문에 보안국이 나서면 바로 대응하기로 되어 있다. 하지만 현재 상황하에선 보안국이 일정 수준의 행동을 할 때까진 경고나 제재를 하지 않는다는 점이 문제다. 보안국의 뒷공작이 펼쳐질 대로 펼쳐진 다음에는 어떻게든 대응해도 늦다.

이런 빈우의 설명을 들은 아룸은 납득했다는 듯이 고개를 끄덕였다.

"저도 늙었나 봅니다. 저한테 처맞는 놈이 이렇게 나불대는 건 처음이군요."

아룸은 빈우의 멱살을 잡고 번쩍 들더니 바닥에 패대기쳤다.

"응?"

빈우가 바닥에 부딪혔다가 그 반동으로 튀어오를 것을 기다리고 있던 아룸이 고개를 갸웃했다. 그러나 빈우는 부서진 바닥을 잡고 버틴 다음 아룸의 무릎을 걸고 넘어졌다. 아니, 넘어트리려고 바둥거리기만 했다.

"역시 팀장님, 제법입니다. 이쯤 하죠."

아룸은 먼지 털듯 손을 툭툭 털어 무릎에 붙은 빈우를 떨어냈다.

"씨발, 죽겠네."

대자로 뻗었던 빈우는 주섬주섬 일어나서 등에 박힌 파편들을 뽑아냈다. 아룸은 그 모습을 보며 어깨를 으쓱하며 웃었다.

"거의 전신을 교체했다고 들었는데, 이렇게 빨리 재활에 적응할 줄은 몰랐습니다."

신체 교환은 언뜻 쉬워 보여도 파고들면 나름 까다로운 시술이다. 일상생활에 문제없을 정도가 되기까지엔 금방이지만, 빈우 같은 군인의 육체를 제대로 사용하기 위해선 사지 길이와 무게 및 전투OS에 관련해 정밀조정이 필요하기 때문에 시간이 좀 오래 걸린다.

"많이 해봤거든요."

빈우는 울토르 클론으로 위장해 있을 때 좀 심하다 싶은 부상이면 바로 교체했으니 이런 쪽으론 나름 노하우가 있었다. 하지만 마음 한편으론 불안한 구석이 있었다. 바로 워프 비스트 변이다. 그 비정상적인 재생 능력이 혹시 이와 관련이 있지 않나 싶은 것이다.

"자, 그럼 이번엔 난가?"

이번엔 파트리샤가 나섰다. 얼굴은 헤실헤실 웃고 있지만, 안구 센서는 빈우의 몸을 샅샅이 훑고 있었다. 아룹한테 두들겨 맞은 부위를 집중적으로 노릴 기세다. 모두가 웃고 있는 훈련실에서 빈우만 울상이다.

"뭐, 씨발. 오늘 잔치하냐?"

빈우는 으르렁대면서 자세를 잡았다. 그리고는 재빠르게 파트리샤를 집어 있는 힘껏 바닥에 메다꽂았고, 굉음과 함께 파트리샤는 바닥에 처박혔다.

"자, 이걸로 끝이지?"

빈우는 파트리샤를 보내버리고 주변을 둘러보았다. 이제 그의 재활 훈련을 도와줄 사람은 더 이상 없어 보였다.

"응?"

갑자기 빈우가 의아한 표정으로 고개를 모로 꼬았다. 그의 시선이 향한 곳은 바로 앞에 있는 아나스타샤로, 그녀는 말없이 치맛자락을 꽉 쥐고 있었다.

"아샤, 무슨 일이야?"

아나스타샤는 빨갛게 달아오른 표정으로 작게 고개를 저었다.

"아아, 아무것도 아니네요. 에헴."

그때 저기서 위르겐의 고함 소리가 들려온다.

"팀장님이 피아프 여사를 패대치는 바람에 아나스타샤 치마가 펄럭였잖습니까."

안드로이드 메이드가 놀라서 위르겐을 보며 손사래를 쳤지만, 이미 말은 나온 다음이다. 빈우가 시선을 돌려보니 아룹이 고개를 돌리고 헛기침을 하는 게 보였다. 그런 걸 보면 치마가 꽤 많이 뒤집힌 모양이다.

"어 — 아샤. 미안."

빈우는 계면쩍게 사과했고, 아나스타샤는 아무 말 없이 샐쭉하니 뽀르르 돌아갔다. 그 모습을 보고 있는 빈우는 겉보기엔 미안한 표정을 짓고 있었지만, 속내는 아니었다. 방금 본 것을 떠올리고 있었다.

'살구색 스타킹에 흰색 팬티라⋯⋯.'

뜬금없이 안드로이드의 속옷을 생각하는 게 아니다. 빈우가 워프 비스트가 되려고 결심했을 때 본 것은 그의 보모인 아나스타샤가 작동 정지된 모습이었다. 그리고 그때 그녀는 검은색 속옷을 입고 있었었다.

233

· · · ✦ · · ·

빈우는 딱히 여자 속옷에 집착하는 스타일은 아니었다. 그러나 그 주변의 세상 돌아가는 꼬라지가 그렇게 할 수밖에 없도록 몰아붙이고 있었다. 이런 사건의 발단을 거슬러 올라가면, 처음은 검정 레이스 팬티였다. 빈우가 울토르 클론으로 위장하고 있을 때 마카로니로 강하하기 직전에 발견한 기괴한 증거품이었다. 거기엔 '이거 믿지 마라'란 메시지가 마커로 적혀 있었고, 그 마커를 쓴 자의 ID는 바로 빈우 본인이었다. 그러나 빈우는 그것을 쓴 기억이나 기록이 없었다. 아마 포말하우트 게이트의 진실이 트리니티 패턴으로 잠겨 있는 부분과 대단히 연관성이 높은 증거다.

'하지만 이쪽에 대해선 아직 아무런 진전이 없다.'

빈우와 당시 군사정보국 차장이던 마커스가 이에 대해 다방면으로 조사해 보았지만, 딱히 밝혀진 것은 없었다. 이 팬티를 입었던 존재는 아나스타샤와 동형기인 쿠델카 모델이란 것 외엔 모르고, 아무리 살펴봐도 솔리드 베타 내부에선 이와 관련된 기록이 일체 없었다. 아마 인간의 육체를 장악한 샤다이들이 이 무언가 꿍꿍이를 부린 것이 분명했다.

두 번째는 빈우가 부상해서 인간으로 자각한 다음, 아나스타샤와 재회했을 때였다. 그때 빈우는 아나스타샤를 의심할 수밖에 없는 상황이었다. 빈우 주변에 그런 속옷을 입고 있을 만한 존재는 그녀밖에 없었으니까. 그래서 여러 가지 이유를 들어 부득이하게 확인했다. 하지만 당시 그녀가 입고 있던 팬티는 언제나 입던 흰색이었다. 이후에도 몇 번 몰래 확인해보았지만, 그때마다 본 것은 흰색이었다.

그러나 얼마 전, 누벨 노르망디에서 위기에 처한 빈우를 구하기 위해 아나스타샤가 강하했을 때, 그녀는 검은색 팬티를 입고 있었다. 체메트디오프에 의해 373팀원의 동력이 모두 끊겨 손도 발도 못 쓰는 상황에서 도와주러 온 안드로이드 아나스타샤마저 전원이 꺼져버렸다. 마치 시체처럼, 죽은 것처럼 보이는 그녀의 모습을 본 빈우는 격노했지만, 나중에 되새겨보니 그때 아나스타샤가 입은 팬티는 검은색이었다.

'왜 그런 것을 입고 있었을까.'

팀원들은 농담 삼아 말하길 요즘 쌀쌀맞은 빈우의 행태 때문에 아나스타샤가 기분 전환하려고 입었을 것이라 하지만, 과연 그럴까.

빈우와 아나스타샤에게 있어서 검은색 레이스 팬티는 조금 특별한 의미를 가지고 있다. 어렸던 빈우는 호기심에 아나스타샤와 동형의 쿠델카 모델이 나오는 포르노를 구입한 적이 있었고, 그 어린 악동은 아나스타샤에게 거기에서 봤던 검은색 레이스 팬티를 입으라고 준 적이 있었다. 이 선물을 받은 안드로이드 메이드는 자신이 기르는 주인의 장래와 미래를 위해 마음을 담은 보답으로 귀싸대기를 거하게 날려주었고, 그 이후로 아나스타샤가 그런 종류의 속옷을 입은 적은 없었다.

'그리고 아까는 흰색.'

파트리샤와 훈련을 하면서 보았던 것은 흰색이었다.

"무슨 생각을 하십니까?"

뒤에서 아룹이 말을 걸면서 다가왔다. 훈련이 끝난 지금 373 팀원들은 뒷정리를 하고 있었는데, 이때 빈우가 조금 심각한 생각을 하며 손을 조금 놀리자 그것을 바로 눈치챈 것이다.

"생각을 정리할 게 있어서 말입니다. 잠깐 괜찮겠습니까?"

아룹이 고개를 끄덕이자 빈우는 둘 사이에 비밀 회선을 연결했다. 저쪽에서 파트리샤가 두 사람 논다고 구시렁대지만 가볍게 무시했다.

- 부팀장. 혹시나 해서 하는 말입니다.

빈우의 말이 채 끝나기 전에 아룹의 질문이 들어왔다.

- 또 누벨 노르망디 같은 겁니까?

정곡을 찔린 빈우는 팀장으로서 딱히 할 말이 없어졌다. 그걸 본 아룹은 심란한 표정으로 한숨을 쉬었고, 분위기가 이상하게 돌아가는 것을 본 파트리샤는 잽싸게 도망쳤다.

누벨 노르망디에서 태스크포스 373 지상팀이 지열 발전 연구소에 쳐들어가기 직전, 빈우는 부팀장 아룹에게 여러 가지를 부탁했었다. 그중엔 자신이 잘못될 때를 대비한 것도 있었다. 아룹 정도 되는 베테랑이 부팀장으로 있으면 373 팀에 어지간한 사태가 벌어져도 자신이 팀장 대리가 되어 수습이 가능하다. 실제로 발 가르단 하스에서 빈우가 갑자기 실종되었을 때 아룹이 지휘를 맡아 태스크포스 373을 이끌고 빈우를 회수했었다. 그렇기 때문에 빈우가 이렇게 후일을 대비해 따로 세세히 지정해줄 정도면 꽤 심각한 안건이란 의미다.

- 비슷합니다. 최악의 상황을 대비한 것이니 그저 염두에만 두십시오.

- 염두에 못 둘 걸요. 팀장님 가정은 꽤 잘 맞는다는 거 아십니까? 아마 바로 실행할 분위기인데요?

빈우는 뭐라 변명할 말이 없었다. 그래서 바로 본론으로 들어갔다.

- 보안국이 저를 체포하러 올 때의 경우입니다.

- 보안국이? 지금요? 놈들은 자신들이 직접 움직일 경우 상원에서 나설 것을 알고 있을 텐데, 혹시 그것을 감안하고서도 움직인단 말입니까?

- 그럴 수도 있고, 우리가 모르는 사이에 뭔가 뒷공작을 해놨을 수도 있습니다.

지금 태스크포스 373은 특수전 사령부를 떠나 42전단으로 가고 있는 중이다. 도중에 보안국에서 덤벼들면 상당히 골치 아프다.

- 그럴 거면 차라리 특수전 사령부에 있는 게 낫지 않습니까?

태스크포스 373이 특수전 사령부를 떠날 때 레드우드 사령관은 몇 차례나 가지 말라고 말했었다.

- 그 양반 총칼로는 잘 싸우는데, 펜하고 종이로는 영 젬병이라서 말입니다.

- ……그건 그렇지요.

그 점에 대해선 아룹도 동의했다. 특수전 사령관인 조지 레드우드는 연방에서 내로라할 용장이자 맹장이지만 이런 음모와 정치싸움엔 별 힘을 못 쓰고 있다.

- 우리 중에 이런 싸움을 잘하는 사람은 팀장님 정도 아닙니까? 놈들이 어떻게 나올 것 같습니까?

아룹의 말에 빈우가 작게 고개를 끄덕였다. 특수전 사령부가 아무리 비밀 작전을 하고 비정규전에 특화되어 있다고는 해도 어디까지나 외계종족을 상대로 싸운다. 지금처럼 아군끼리, 그것도 명분을 무기 삼아 문서로 서로 목을 죄는 싸움에는 익숙지 않다. 반면 빈우는 군사정보국 시절 보안국과 협력과 반목을 자주 했었기에 놈들을 상대로는 경험이 많다. 얼마 전에도 무려 보안 국장에게 한방 크게 먹인 적이 있다.

- 흐음, 그건 이번엔 보안국이 뒷배 삼을 세력이 어딘지가 관건입니다.

- 뒷배요?

- 네, 이번에 보안국은 절대 단독으로 움직이지 않을 겁니다.

연방군이 아무리 강력하고 엄청난 무력을 지니고 있다지만, 그 힘의 사용은 위에서 내려오는 명령에 의해서 허락과 통제를 받는다. 연방군의 명령권은 각 부서별로 나뉘어 있어 군 행정에 관한 명령은 합동참모본부와 국방부, 군사작전에 대한 명령은 통합전투사령부와 상원의 해당 작전 위원회, 가장 상위의 명령권인 군통수권은 대통령과 상원에 있다.

그 때문에 보안국이 이 상부 조직을 건드려 정식 명령을 받아온다면 이쪽은 속수무책 당할 수밖에 없다. 물론 이쪽도 나름 파이프 라인이 있지만, 국방부의 마커스 타이는 아직 자리를 잡지도 못했고, 합동참모본부의 캐서린 시슬은 뻐꾸기 작전 때문에 다른 곳으로 빠졌으며, 상원의 오다 히토미 파벌은 연방에 암약하는 샤다이를 일망타진하기 위해 대기하는 상황이다.

- 어쨌든 늦든 빠르든 보안국은 행동할 겁니다. 누벨 노르망디의 여파가 너무 커요. 때문에 다소의 피해는 감안하고서도 움직일 겁니다. 그래서 말인데…….

빈우가 잠시 말을 끊자 아룹은 불안해졌다. 이럴 경우 팀장이 내놓는 해결책은 기상천외하면서도 과격하기 때문이다.

- 보안국이 행동하면 우리가, 부팀장이 먼저 움직여야 합니다.

그러면서 빈우가 명령서를 하나 꺼냈다. 피에르 라캉의 사건으로 보안국과 얽혔을 때 썼던 기밀작전 문서다. 이는 일종의 백지명령서로서 해당 명령은 이미 발동 중이지만 잠시 정지된 상태로, 빈 조항만 채워주면 다시 효력이 발생하도록 되어 있다.

완성된 그 문서를 본 아룹은 저도 모르게 음성이 나와버렸다.

"내란……!"

자기 목소리에 놀란 아룹이 주위를 둘러보았다. 방금 그의 말을 들은 팀원들은 호기심에 고개를 돌아봤지만 빈우의 살벌한 시선에 밀려 이리저리 도망가기 시작했다. 그것을 보고 한숨을 쉰 아룹은 다시 팀장을 돌아보았다.

- 지금 내란음모죄로 팀장님을 체포하란 말씀입니까?

빈우가 내놓은 문서는 연방군 소령 김빈우를 내란음모죄로 즉시 체포하라는 명령서이며, 이미 조지 레드우드가 승인을 한 상황이다.

- 네, 보안국이 저를 잡으려 할 건수 중에 가장 가능성이 큰 게 이겁니다.

빈우는 자신과 두뇌칩 연동이 된 자의 정보를 본 적이 있다. 또 마카로니에서 프리마까지의 행적이 수면 도중 두뇌칩 연동을 통해 기록으로 공유돼 들어왔다. 그자가 클론인지, 아니면 자신이 클론인지는 확실치 않지만 빈우가 직접 조사한 정보와 두뇌칩으로 연동되어 들어온 기록이 사실이라면 보안국이 움직여도 이상하지 않았다. 오히려 지금까지 안 움직이는 게 수상할 정도다.

- 현재 연방군에서 내란음모 혐의로 긴급체포를 하는 보안국을 막을 부서는 없습니다. 그래서 우리 쪽이 선수를 치는 거죠.

아룹은 굳은 표정으로 명령서를 다시 살펴보았다. 이 문서가 작성되기 위한 정보 제공자와 신고자가 수상하다. 바로 군사정보국장 이노우에 고토와 보안국장 다샤 쿠사키나가 수사 협조자로 나와 있는 것이다.

- ……설마 이분들이 협력한 건 아니겠지요?

- 물론 가라죠.

공문서 위조는 중대한 범죄다. 다른 경우라면 문서 위조도 함께 묶여서 잡혀갈 사안이지만, 여기 이 문서에 한 발을 들인 게 보안국이니 저쪽도 달리 할 말이 없을 것이다.

- 보안국이 이 문서의 존재를 알 수도 있지 않습니까?

아룹이 걱정하는 것은 저번에 이런 문서에 한 번 털린 보안국이 같은 방법에 또 당하겠냐는 것이다.

- 글쎄요. 이건 예전에 우리 국장님이 갖고 있는 서류를 뺏어온 거라서요. 보안국도 이런 문서가 있다는 것은 알지만 설마 저한테 있다는 것까진 모를 겁니다. 그리고 중요한 것은 보안국에게 이 명령서를 보여주는 게 아닙니다. 우리가 이걸 빌미로 저를 정당하게 체포해 가는 거죠.

곰곰이 생각하던 아룹은 문득 주변에 아무도 없는 것을 깨달았다. 두 사람이 심각한 이야기를 한다는 것을 눈치챈 팀원들이 바로 자리를 피해준 것이다. 그래서 직접 목소리를 내었다. 이런 이야기를 통신으로 하려니 목이 가려웠던 것이다.

"그러니까, 보안국이 올 경우에 먼저 선수치고 이 명령서를 들고 나와서 팀장님을 체포하란 것 아닙니까?"

"맞습니다."

아룹은 그 상황을 한번 상상해보았다. 이리 보고 저리 봐도 만만치 않았다.

"그 상황에서 보안국이 팀장님을 순순히 넘길까요?"

"그럴 리가요. 악착같이 달려들겠죠."

"그때는 어떻게 합니까?"

아룹의 질문에 빈우가 대답 대신 해괴한 것을 본다는 표정을 지었다. 그리고 그 표정이 무엇을 의미하는지 깨달은 아룹이 머쓱해하며 자기 질문에 자기가 대답했다.

"……우리가 패 조져야겠군요."

"맞습니다. 아주 성대히. 오다 의원님 파벌에게 최대한 건수를 줄 수 있도록 크게 일을 벌여야 합니다."

말인즉슨, 빈우를 체포하는 것처럼 시간을 끌고 판을 키워 상원의 히토미 파벌을 끌어들이는 작전이다. 태스크포스 373의 부팀장인 아룹 라마누잔 원사는 군에서 잔뼈가 굵어온 사람이지만, 고급장교가 아닌 탓에 이런 싸움은 영 낯설었다. 명분과 명분으로 눈을 가리고 아웅다웅하는 꼬락서니는 적성에 맞지 않았다. 그래도 앞으로 벌어질 가능성이 높은 일이니 어떻게든 귀 기울여 들었다.

234

．．．✦．．．

아룸과 몇 가지 작당 모의를 한 빈우는 조금 늦게 자신의 방으로 돌아왔다. 그가 방으로 들어가자 아나스타샤가 반겨주었다. 이 안드로이드 메이드는 빈우의 침대에 대자로 뻗어 누워서 천장을 보는 심드렁한 모습으로 주인을 맞이했다. 빈우는 아나스타샤의 저 모습을 보고는 기억나는 게 있었다. 바로 여동생인 규리다. 규리는 어릴 적 밥반찬이 마음에 안 들면 숟가락을 집어던지고 바닥에 대자로 눕는 버릇이 있었는데, 보모였던 아나스타샤가 주인들에게서 이런 것을 배운 모양이다.

"너 뭐 하냐?"

빈우가 불러봐도 아나스타샤는 대답 없이 누워 있을 뿐이다. 눈은 멍하니 천장을 보고 있었다. 그러다가 손이 스윽 올라가더니 자신의 옆을 탁탁 쳤다. 주인보고 앉으란 뜻이다. 빈우가 좁은 자리를 비집고 앉자 침대를 치던 손이 더듬더듬 빈우의 가슴팍을 밀어서 눕혔다. 그런다고 넘어갈 강화군인의 육체가 아니지만, 빈우는 누웠다. 이어서 아나스타샤가 서서히 주인의 몸 위를 타고 올랐다. 그녀가 고개를 숙이자 풀어헤친 금발이 내려와 빈우의 얼굴을 간질이고, 푸른 눈이 빈우의 몸을 더듬는다.

"왜?"

빈우의 질문에 아나스타샤의 입이 열린다. 그러나 말이 나오는 대신 입술이 내려와 빈우의 목에 입을 맞췄다.

"차가워요."

그녀의 입술이 강화군인의 경동맥을 훑었다.

"신형이라 내열이 잘 되는 모양이네. 일상생활용 육체가 아니니까 체온 유지할 필요는 없잖아."

"그게 아니잖아요."

아나스타샤가 빈우의 목에 얼굴을 묻은 채로 올려다보았다. 그녀처럼 어릴 적부터 주인을 보필해온 안드로이드들은 주인의 감정과 정신 상태에 대단히 민감하다. 아나스타샤는 요 근래 빈우의 행동에서 무언가 이상한 점을 눈치챘기에 이렇게 매달리는 것이다.

그녀는 주인의 목을 잘근잘근 씹으면서 웅얼거렸다.

"나 안 버릴 거죠?"

아주 약간의 침묵 다음에 빈우가 대답했다. 분명히 그때 버리지 않겠다고 했건만 아나스타샤는 귀신같이 눈치채고 달라붙은 것이다.

"노력할 거야."

주인의 솔직한 대답에 아나스타샤의 손가락이 빈우의 옷자락을 거세게 쥐어짰다. 그리고 얼굴을 주인의 가슴에 파묻고 뭐라고 웅얼거린다.

"아샤? 뭐라고?"

빈우가 그런 그녀의 머리를 쓰다듬으며 물었다. 그러자 그녀가 고개를 홱 들며 쏘아붙였다.

"버려도 소용없어요. 나 따라갈 거예요! 주인님, 따라간다고 했잖아요!"

아나스타샤가 눈물 맺힌 눈으로 빈우를 노려보는 게 절대 놓치지 않을 기세다. 그녀는 어릴 적부터 빈우를 키워왔다. 물론 빈우의 다른 자매들도 아나스타샤가 돌보며 키웠지만, 그중에서도 특히나 빈우와는 각별한 사이였다.

그런 아나스타샤를 보며 빈우는 조용하게 말했다.

"나도 뒤뜰에 누워서 잘지도 몰라."

빈우의 그 말에 아나스타샤의 표정이 무너졌다. 주인님들이 어릴 적에 했던 거짓말이 기억난 것이다. 아직 어린 빈우의 여동생들이 죽은 엄마를 찾을 때, 자신의 어린 주인들이 돌아가신 마님을 찾을 때 아나스타샤는 거짓말을 했었다.

'마님은 저기 너머에 누워 주무시고 계세요.'

아나스타샤는 조심스레 입을 뗐다. 마치 돌아올 주인의 대답이 무서운 것처럼.

"……마님…… 곁으로 가실 거예요?"

"글쎄. 나라고 가고 싶겠냐. 나도 되도록 여기 있고 싶어."

빈우는 아나스타샤를 위해 죽음이란 단어를 최대한 피했다. 그럼에도 불구하고 아나스타샤는 눈물을 흘렸다.

"죽지 마세요. 주인님. 죽지 마세요."

안드로이드가 주인의 멱살을 부여잡고 그의 가슴에서 울고 있었다.

"안 죽는다고. 야, 근데 난 군인이야. 또 지금은 전쟁 중이고. 언제 훅 갈지도 모른단 말이야."

빈우는 어떻게든 달래보려 했지만, 아나스타샤의 울음은 쉽사리 그칠 기미가 없었다. 그녀는 너무나도 인간다워진 것이다.

"……주인님."

간신히 울음을 그친 아나스타샤가 먹먹한 목소리로 질문했다.

"인간분들은 사후세계가 있다고 했죠?"

사후세계는 아직까지도 명확하게 그 존재가 증명된 것은 아니지만, 인간들이 오랫동안 믿어온 곳이다. 인류가 우주로 진출하며 많은 종교들이 예전에 비해 힘을 잃었지만, 위험한 우주공간과 척박한 개척환경에 노출된 인류에게 사후세계에 대한 인식은 크게 바뀌지 않았다.

"그렇지. 엄마 만나면 사과해야지. 스위치 빨리 못 눌러서 죄송하다고."

빈우는 자신의 어릴 적 트라우마를 떠올리면서도 손을 내려 아나스타샤의 눈가와 코를 닦아주었다. 안드로이드는 인간과는 달리 콧물은 나오지 않

지만, 아나스타샤는 주인의 소매를 잡고 거기에 자신의 코를 비볐다. 그리고
는 조금 진정된 듯 가라앉은 목소리로 다시 질문했다.

"애완동물들도 죽으면 주인을 따라간다면서요?"

"……그렇지."

"그럼 저도 주인님 따라갈 수 있나요?"

뜻밖의 질문에 빈우는 대답하지 못했다. 자신은 인간이고, 그녀는 안드로
이드다. 인간이 죽은 곳에 과연 그녀가 갈 수 있을 것인가 싶었다.

"글쎄다. 지능이 낮은 동물들도 주인을 따라가는 판국에, 인간하고 같은
지능을 가진 너희가 못 갈 이유가 있을까."

"하지만 동물들은 생명이 있어요. 우린 생명이 없고요."

그녀의 말에 빈우는 누벨 노르망디의 악몽이 떠올랐다. 아나스타샤의 죽
음이 보인 것이다. 어머니의 죽음과 아나스타샤의 죽음. 그것이 빈우로 하여
금 적들과 위험한 거래를 하게 만든 원인이었다.

"생명이라……. 넌 네가 죽었다고 생각하니? 이렇게 팔팔한데?"

빈우의 손이 뒤로 돌아가 아나스타샤의 엉덩이를 찰싹 때렸다. 그러자 주
인의 짓궂은 장난에 메이드는 발끈하며 주인의 뺨을 때렸다.

"아파아 ―."

하지만 되려 때린 아나스타샤의 손이 더 아파한다. 그녀가 아무리 안드로
이드라고 해도 기본은 민간용이다. 군용 강화육체에 비하면 전차와 자전거
만큼의 격차가 있다.

"봐라. 내 몸을 보라고. 내 유전자를 베이스로 해 새로 만들어 붙인 강화 육
체를. 이 정도면 강화 시술을 넘어서 숫제 사이보그잖아. 너랑 다를 게 뭐가
있어. 너도 생체 부품으로 도배했잖아. 사이보그 시술받은 사람보다는 더 사
람답지 않아?"

아나스타샤는 쿠델카란 인물의 유전자를 베이스로 해 만든 안드로이드다.
내부는 기계지만 외부는 생체 부품이 상당히 많다. 빈우의 말대로 생체 비율

265

을 따지자면 오히려 사이보그인 아룹보다 아나스타샤가 더 인간다울 정도
다. 그러나 현행법상 아룹 라마누잔은 인간이고, 아나스타샤는 빈우의 개인
용 안드로이드다.

"강화, 시술요."

문득 아나스타샤는 과거의 기억을 떠올렸다. 자신의 주인인 빈우가 군용
강화 시술을 받을 때의 일을. 아나스타샤는 빈우를 어릴 적부터 품에 안아왔
다. 그래서 품에 꼭 안긴 주인의 냄새를 맡고 그가 무엇을 먹었는지, 무슨 장
난을 쳤는지, 지금 기분이 어떤지 알 수 있었다.

하지만 강화 시술을 받아가는 주인의 몸은 무서웠다. 자신이 키워왔던 몸
이, 씻어줬던 몸이, 입을 맞췄던 몸이 점차 바뀌는 과정이 무서웠던 것이다.
마치 빈우가 어디론가 떠나버릴 것만 같았다. 하지만 바뀐 것은 몸에 불과
하고 빈우는 그대로 빈우인 것을 알게 되자 그런 불안함은 사라졌다.

"하지만, 하지만 주인님은 자연적으로 태어났어요. 나는 만들어졌고요."

"따지고 보면 나도 만들어졌어. 누나와 동생들의 씨내리를 하기 위해서."

"주인님! 그런 말씀을."

아나스타샤가 황급하게 몸을 일으켜 빈우를 쏘아본다. 잘못한 어린 도련
님을 타이르는 눈빛이다.

"안 돼요. 그런 못된 말. 주인님은 아들을 원하시던 마님이 낳은 것뿐이
에요. 그뿐이라고요."

"……그래, 미안해. 내가 말실수했어."

빈우가 순순히 사과하자 아나스타샤는 그의 가슴에 앉아서 주인의 머리
카락을 쓰다듬었다. 사각사각 쓸려가는 손톱의 감촉이 시원하다. 굳어 있는
빈우의 몸이 나른해진다.

"또 무슨 차이가 있을까? 어디? 뇌? 여기도 경화수지 주사하고 두뇌칩 박
은 곳이잖아. 칩도 재료만 따지면 네 CPU하고 큰 차이 없고."

"그게 아니에요."

아나스타샤는 힘들어하는 주인을 어떻게든 달래주고 싶었고, 보듬어주고 싶었다. 그러나 그것은 결코 쉽지 않았다.

"어차피 아샤, 너나 나나 프로그램된 대로 사는 존재야. 인간이나 인공지능이나 욕망에 따라 행동한다는 관점에서 보자면 큰 차이가 없어. 프로그램된 욕망에 이끌려 따라가는 거지. 인간은 유전자에 각인된 식욕, 수면욕, 성욕, 그리고―."

"우리 안드로이드는 복종욕, 봉사욕, 헌신욕이랬죠?"

"뭐, 그렇지. 제품에 따라 조금씩 차이는 있지만. 대개의 제품은 그렇게 각인시켜. 그리고 너희 같은 상위기종들은 인간의 욕구를 모방하기도 하고."

이제 아나스타샤는 빈우의 가슴에 팔꿈치를 괴고 다른 팔로 주인의 볼을 쿡쿡 찌르고 있다.

"그것 때문에 인공지능은 주인님한테 걸렸다 하면 절단 난다면서요?"

"정확히는 허수아비들이지. 대화해보면 보여. 그 끝에 무슨 욕망이 있는지 나와. 행동하는 이유와 그 방향의 끝, 최종적인 목적이 무엇인지 파악하면 근원적인 욕구를 알아내는 건 금방이지. 뭐 연방제 인공지능, 그것도 인간을 모방하는 허수아비에 한정된 거긴 하지만."

말은 쉽지만 실제로 이게 가능한 것은 빈우 정도뿐이다. 다른 베테랑 요원들이 오랜 시간에 걸쳐 파악하는 인공지능의 정체를 빈우는 놀라울 정도로 짧은 시간 내에 간파해내고, 그것을 넘어 상대를 조작하기까지 한다.

"흐응, 인공지능은 쥐락펴락하시는 분이 왜 인간을 상대로는 힘들어하실까?"

"내가 인간을 상대로 뭘 힘들어해. 수틀리면 다 박살 내는데."

"네에, 연애."

"아, 직장에선 안 사귄다고."

아나스타샤는 자신의 농담에 말린 빈우를 보며 키득대며 웃었다. 그리고 빈우는 잃어버리고 싶지 않아 애써 외면하려 했던 소중한 것을 품 안에 꼭 껴안았다. 머지않아 놓아야 할지도 모르기에.

"좋아요. 이제야 좀 따뜻해지네. 옛날처럼. 음. 그래, 이 맛이야."

"나보고 말버릇이니 뭐니 하더니 넌 뭐냐."

주인이 타박을 하거나 말거나 아나스타샤는 누운 빈우의 위에 자신의 몸을 포겠다.

"주인님은 저를 못 버려요. 제가 주인님을 끝까지 따라갈 거니까."

"……그래."

이것을 끝으로 무거운 대화를 마무리하려는 것인지, 아나스타샤가 대화 주제를 바꾸려 했다.

"참참, 아까 주인님이 연애에는 쩔쩔맨다고 했잖아요."

"누가? 네가?"

"네, 주인님은 왜 여자분들하고 관계가 그따위에요?"

대화 주제를 바꾸는 것은 좋은데, 이것도 나름 묵직한 주제다.

"글쎄올시다. 마커스는 내가 주변에 여자가 많아서 그렇다고 하던데?"

어머니에 누나와 여동생들, 거기에 아나스타샤까지, 여자들에게 둘러싸여 자란 빈우는 그다지 여성스럽지 않았다. 그렇다고 마초적인 성격도 아니었다. 마커스는 그냥 '여자에게 본능적으로 잘 맞춰주는 개새끼'라고 했다.

"여자를 많이 겪어보신 분이 왜 그딴 식으로 행동해요?"

"내가 뭘. 난 주변의 여성 동료들과 원만해."

사실 빈우는 주변의 여자들과 나름 원만한 관계를 구축하고 있었다. 그 자신이 저지른 사고에 비하면.

"원마안? 자, 봅시다. 모니카 보르자 대위님하고 첫 만남 어쨌지요? 울었지요?"

"그거 내가 잘못한 거니? 걔 납치된 거 난 구해주려고 했어. 그리고 요즘 사이 좋아."

"오케이, 넘어가고. 오다 히토미 상원의원님과의 첫 만남."

빈우가 움찔했다. 히토미와의 첫 만남은 둘 사이에 뭔가 질편한 게 흘러내렸기 때문이다.

"그건…… 좀…… 내 실수다. 하지만 히토미랑는 요즘 사이 좋아."

"흠, 하긴 히토미, 히토미 하고 이름을 부르죠."

밑에 깔린 빈우가 뭐라고 중얼거렸지만, 아나스타샤는 다 무시하고 자기 할 말만 했다.

"파트리샤 피아프 중위님은? 아까도 때렸죠?"

"훈련이잖아."

"평상시엔?"

"……난 부하는 팬다. 거기에 남녀 구분은 없다. 그리고 나는 파트리샤와 친하다."

하긴 빈우는 남녀평등권(拳)을 사방팔방 날리는 놈이다.

"친해요? 피아프 중위님은 기회가 되면 주인님 바르려고 호시탐탐 기회를 노리던데?"

"그건 나도 마찬가지."

빈우의 대답에 아나스타샤는 헛웃음을 지을 수밖에 없었다. 이렇게 되새겨보니 빈우는 주변 여성들과 사고를 쳐도 나름 원만한 관계를 유지하고 있었다. 특수전 사령부의 캐서린 시슬 사령관도 빈우가 가족을 가지고 큰 실례를 했지만 그녀가 부드럽게 넘어가줬고, 42전단의 스베틀라냐 스크로도프스카 전단장은 처음부터 빈우에게 호감을 가지고 있었다.

"흐흠, 따지고 보니 다샤 쿠사키나 국장님과는 사이가 대단히 안 좋았죠."

요모조모 따져보던 아나스타샤가 굉장히 불편한 예시를 들었다. 울토르 프로젝트 시절 잠깐 알게 된 응우옌 티 빈 중령도 빈우와는 나름 사이가 괜찮았지만, 이전부터 알아온 다샤 국장만큼은 빈우를 못 잡아먹어 안달이었다.

"그건 좋으면 안 되는 거잖아."

하긴 군사정보국 요원과 보안국 국장이 사이가 좋으면 졸지에 수상한 일이 된다.

"그럼 알탄훼아나?"

"……샤다이도 여성에 들어가는 거야."

"내 기준엔."

"이게 기준이냐!"

놀림감이 되어 심통이 난 빈우는 아나스타샤의 가슴을 꼬집었고, 그녀는 식겁하고 팔꿈치로 주인의 얼굴을 내리쩍었다.

"아악! 내 팔꿈치 관절."

"너 왜 그러니. 네가 쳐놓고."

오래간만에 즐기는 두 사람의 장난은 그들의 얼굴에 그간 잃어버렸던 미소를 잠깐이나마 돌아오게 해주었다. 둘은 그렇게 한 침대에 누워 장난치며 놀고 이야기하며 따뜻한 시간을 보냈다.

"점프 준비 완료했습니다."

함장인 지마 오르 소령이 팀장인 빈우를 돌아보며 말했다. 현재 블랙 랜스는 점프 포인트 앞에서 대기 중이다. 원래 이런 항해에 관한 사항은 함장인 그의 권한이기에 팀장인 빈우의 별도의 승인 없이 그냥 통보하고 진행한다. 그러나 현재는 연방의 파벌 내에 미묘한 기류가 흐르고 있어서 조심해야 한다. 이제 팀장인 빈우의 명령이 떨어지면 블랙 랜스는 게이트 너머로 점프해서 그곳에 있는 42 전단에 합류하게 된다. 참고로 지금까지 태스크포스 373의 전원은 전투 대기 상태로 있었다. 혹시 모를 보안국의 방해에 대응하기 위해서였다.

"점프."

빈우의 명령과 함께 게이트 안으로 들어간 블랙 랜스는 곧바로 통상공간으로 나왔다. 그리고 눈앞에는 42전단의 함선들이 펼쳐졌다.

"점프 공간 안에서의 기습은 없는 모양이군요."

42전단의 순양함들과 합류하며 오르 함장이 말했다. 과거 빈우가 지휘하는 울토르 중대와 솔리드 베타가 포말하우트 게이트의 점프 공간 안에서 기습당한 전대미문의 사건을 말하는 것이다.

"아쉽습니까?"

빈우가 쓴웃음과 함께 물었다.

"조금은요. 그런 것은 정말 희귀한 경험 아닙니까."

오르 함장 역시 쓰게 웃었다. 보안국에 샤다이의 손길이 닿았다는 것은 현재 가능성이 가장 높은 가설이다. 그래서 샤다이들이 예전에 빈우를 습격했던 방법을 다시 써서 태스크포스 373을 습격하지 않을까 염려했던 것이다. 태스크포스 373 정도는 되어야 할 수 있는 농담을 주고받는 사이, 통신이 들어왔다.

- **반갑군, 김 팀장. 몸은 좀 어떤가?**

스크로도프스카 전단장이 화면에 나타나 빈우를 반긴다.

"걱정해주신 덕분에 무탈합니다."

- **좋아, 그럼 이쪽으로 건너오게. 할 일이 태산이야.**

"알겠습니다."

통신을 끊고 돌아서는 빈우의 옆으로 아나스타샤가 다가선다.

"근처에 보안국의 흔적은 없습니다."

"알았어. 그럼 그라디우스로 가죠."

빈우는 격납고로 이동해서 그라디우스에 탔다. 전단 기함으로 가는 것은 팀장인 빈우 혼자다.

"정말 괜찮으시겠습니까?"

불현듯 부팀장 아룸이 다가와 질문한다. 그는 지금 그라인더에 완전무장을 한 채 대기 중이다. 42전단에 합류했는데도 말이다.

"팀장님, 아직 완전히 마음을 놓을 때는 아닌 것 같습니다만."

그도 예전에 보안국과 몇 번 작전을 해본 적이 있기 때문에 그쪽의 방법에 대해서 잘 파악하고 있다. 그래서 만약의 사태를 걱정하는 것이다.

"우리 쪽에서 먼저 호들갑 떨 필요는 없죠. 무슨 일이 일어나면 그때는 부팀장에게 맡기겠습니다."

하지만 빈우는 대수롭지 않다는 듯 반응하며 그라디우스에 탔다.

- **호위는 필요 없습니까?**

이번엔 롱소드에서 우지가 물어온다. 여차하면 그라디우스를 따라나설 기세다.

"됐어. 대기하고 있다가 일 터지면 나와라."

하지만 팀장은 그다지 신경을 쓰지 않는 듯 태연했고, 이어서 그를 태운 그라디우스가 격납고를 나갔다. 그 모습을 영상으로 보며 아나스타샤가 주먹을 꽉 쥐었다.

"아나스타샤."

그녀의 옆으로 자매기인 크산티페가 다가와 어깨에 손을 얹었다.

"너무 걱정하지 마. 팀장님께서 다 생각하시고 하는 일일 테니까."

"크산티페, 너는 괜찮니?"

아나스타샤가 크산티페의 손을 잡으며 돌아봤다. 그녀는 마커스 타이의 보모였던 안드로이드로서 원래는 군용이 아닌 민간용으로 되어 있었다. 그럼에도 불구하고 빈우의 사건이 터지자 이번에 부랴부랴 군용으로 재등록, 개수되어 이곳까지 끌려온 것이다. 마커스는 아무래도 최악의 상황에 철저히 대비한 것 같다.

"난 괜찮아. 주인님의 명령이니까."

크산티페는 방긋 웃을 뿐이다. 그러나 아나스타샤는 자신의 얼굴—자신을 위해 희생될 자매를 향해 마주 웃어줄 수 없었다. 죄책감을 비롯한 복잡한 감정 때문이다. 걸작이라 일컬어지는 쿠델카 모델 중에서도 아나스타샤처럼 이렇게 인공지능이 개화한 개체는 그리 많지 않다.

"그래, 명령……."

아나스타샤는 주인에 대한 불안감과 자매기에 대한 미안함을 느끼며 다시금 시선을 자신의 주인에게로 돌렸다. 빈우가 부디 무사하길 바라며. 만약 이번에도 주인의 신상에 무슨 일이 벌어진다면 그때는 사태가 걷잡을 수 없이 커질 것 같다는 게 그녀의 예상이었다.

지금 빈우가 가고 있는 곳은 전단장실이다. 다행히 그라디우스로 이동할 때나 격납고에 도착했을 때도 우려하던 사태는 일어나지 않았다. 그가 전단장실로 갈 때 역시 아무런 방해가 없었다.

"아, 들어오게. 김 팀장."

빈우가 안으로 들어가니 전단장과 스베틀라냐 스크로도프스카가 어색한 미소를 지으며 기다리고 있었다. 그리고 그녀의 옆에는 의외의, 아니, 예상했던 인물이 기다리고 있었다. 바로 보안국장인 다샤 쿠사키나 준장이다.

"오래간만이군. 김빈우 소령."

"만나서 반갑습니다. 쿠사키나 국장님. 여긴 어쩐 일이십니까?"

두 사람은 미소를 지으며 가볍게 인사했다. 그에 반해 스베틀라냐의 가슴은 무겁게 가라앉았다. 애초에 스크로도프스카 전단장은 이번 쿠사키나 국장의 갑작스러운 방문이 굉장히 언짢았었다. 오직 연방을 지키기 위한 전투에 매진하고 싶었던 그녀였기에, 이런 보안국 같은 내부 수사부서의 감찰에 발목을 잡히기는 싫었던 것이다. 그러나 쿠사키나 국장에겐 자신에게의 직접 명령권을 가지고 있는 함대사령본부의 명령서와 국방부의 협조요청서가 있는 마당이라 딱히 거절할 명분이 없었다.

"자네에게 수사 협조 요청을 하러 왔다는구먼. 미리 언질을 주지 못해서 미안하네. 하지만 이게 또 사안이 사안이라서."

스크로도프스카 전단장이 드물게 미안한 표정으로 사과했다. 42전단의 보급부대에 숨어서 따라온 보안국은 이번 자신들의 방문을 철저하게 비밀로 해달라고 했었고, 이런 종류의 일엔 서투른 그녀였기에 달리 비밀스러운 루트로 빈우에게 귀띔도 해주지 못했던 것이다.

"괜찮습니다. 오히려 저 같은 놈을 헤아려주셔서 감사합니다."

하지만 빈우는 딱히 신경 쓰는 기색이 아니었다. 그의 태연한 대답을 들으며 스크로도프스카 전단장은 쿠사키나 국장을 힐긋 노려보았다.

"미리 연락도 주지 않고 이렇게 불쑥 나타나는 불청객은 우리도 사양이지만……. 어쩌겠나, 위에서 까라면 까야지."

전단장의 불쾌한 시선에 쿠사키나 국장이 즉시 고개를 숙였다.

"기밀 사항이기 때문입니다. 부디 양해해주십시오."

"흥, 협조 대상에게까지 기밀이란 말인가?"

"네, 김 팀장은 우리 쪽과 몇 번 트러블이 있어서 이번에도 괜스레 일을 키우긴 싫었습니다."

보안국이 자기 임무의 내용에 대해 알리지도 않고 마구잡이 일을 벌이는 것은 하루 이틀 일이 아니다.

"좋아, 그럼 당사자도 왔으니 한번 들어보지. 도대체 무엇을 수사해야 하기에 특수전 사령부의 태스크포스 373 팀장인 김빈우 소령을 이렇게 데려가야 하는가? 어쭙잖은 일이라면 레드우드 사령관의 귀에 들어가기도 전에 나한테 박살 날 것이야."

42전단은 연방군 내에서도 상당한 자유도를 보장받은 올스타팀이다. 각 함대에서 내로라하는 인재와 에이스들이 모인 부대인 것이다. 그래서 스크로도프스카 전단장은 행여 이들에게 누가 될까 보안국이 가져온 서류에 따르는 시늉은 했다. 그러나 이게 영 말도 안 되는 일이라면 바로 엎어버릴 각오 역시 하고 있었고, 전단장인 그녀가 앞장서면 그녀를 따라온 전단의 대원들도 자신의 본가까지 쑤셔서 일을 크게 벌일 게 뻔했다.

"전단장님, 고정하십시오. 쿠사키나 국장도 연방을 위해서 일합니다. 음지에서 열심히 일하는 그들을 위해 우리가 협조해줘야 하지 않겠습니까?"

하지만 지금은 목표가 된 빈우가 나서서 되려 스크로도프스카 전단장을 진정시키고 있었다.

"흠, 자네가 그렇다면야."

반쯤 뗐던 그녀의 엉덩이가 다시 의자에 내려앉았다. 그리고 팔짱을 끼며 약간 뒤로 앉았다. 앞으로 일어날 일에 대해 어디 한번 할 테면 해보란 의미다.

오히려 지금 가장 불안한 것은 이번 일을 벌인 쿠사키나 국장이었다. 그녀의 예상에 따르면 빈우는 사전에 이 사태를 막을 수 있었다. 또한 피할 수도 있었다. 여기까지 오기 전에 뒤쪽으로 여러 가지 공작을 할 수도 있었고, 방금까지도 몇 가지 대책을 세울 수 있었다. 그럼에도 불구하고 빈우는 당당히 이곳, 호랑이 아가리에 나타난 것이다.

'하지만 여기까지 와서 무를 순 없지.'

결심을 한 쿠사키나 국장이 화면을 열었다.

"제가 김 팀장에게 수사 협조 요청을 한 것은 그가 이번 사건에 대해 가장 적임자이기 때문입니다."

화면에 나타난 것은 빈우가 어딘가의 집으로 침입하는 모습이다.

"이곳은 과학기술국의 응우옌 티 빈 중령이 요양 중인 안전 가옥입니다. 응우옌 중령은 정신 건강상의 이유로 장기휴가를 신청했고, 이곳에서 휴식 중이었습니다. 그런데 일주일 전 이자가 침입한 겁니다."

화면 속의 빈우가 집 안으로 들어가자 촬영하던 화면이 점차 뒤를 밟아 다가간다.

"촬영하는 이들은 저희 보안국의 경호 병력입니다. 당시 응우옌 중령을 호위하고 있었죠. 이 안전 가옥은 보안카메라를 비롯한 다수의 보안시설들이 있었습니다만, 당시 이것들은 전부 무력화되어 있었습니다. 그러나 상대가 태스크포스 373의 김 팀장이었기에 달리 행동하지 않았습니다."

스크로도프스카 전단장은 콧방귀를 꼈다. 쿠사키나 국장의 말이 거짓임을 알고 있기 때문이다. 만약 빈우가 저 집에 침입했을 때 보안국 경호팀의 눈에 처음부터 안 띄었으면 모를까, 한 번 보인 다음에는 잡힐 게 뻔하다. 지금은 그냥 들여보내준 것이다. 십중팔구 무슨 꿍꿍이가 있었던 게 분명했다. 그래서 스크로도프스카 전단장은 옆의 빈우에게 뭐라고 말하려고 고개를 돌렸다. 하지만 말을 꺼내지 못했다. 빈우의 표정이 너무 온화했기 때문이다. 심각하지도, 당황해하지도 않았다. 그저 예상했던 것을 본다는 것 같았다. 그래서 달리 말을 꺼내지 않고 영상을 마저 보기로 했다.

"경호팀은 김 팀장의 행방을 쫓던 중, 일단은 요인을 보호하기로 했습니다. 김 팀장의 목적이 무엇이든 요인 보호가 우선이기 때문이지요."

화면은 창밖에서 방 안을 찍는 것으로 바뀌었다. 그런데 찍힌 것은 빈우가 갑작스레 발광하는 모습이다. 그렇게 날뛰던 그가 갑자기 방에 있던 거울을 깨고 그것을 미친 듯이 짓밟기 시작했다. 그 모습을 본 응우옌 티 빈 중령은 침대 위에서 겁에 질려 떨고 있었다.

그때 갑자기 뒤에서 문이 열렸다. 그 순간 빈우가 엄청난 속도로 날아가 들어온 사람을 잡았다. 들어온 사람은 남자아이였다. 하지만 그 아이는 잡히는 순간 이미 목이 꺾여 즉사했다.

"헛."

짧은 숨을 삼킨 스크로도프스카 전단장은 고개를 돌려 옆에 앉은 빈우를 보았다. 그러나 빈우는 아무런 반응이 없이 태연했다. 그저 보고만 있을 뿐이다. 죽은 아이와 그 아이를 죽여서 들고 있는 자신을.

- 돌입! 돌입!

뒤늦은 보안국 경호팀의 돌입. 가벼운 위장복을 입은 무장병력들이 창문을 깨고 들어갔지만, 침입자의 상대가 되지 못했다. 총성과 비명도 잠시, 경호팀들은 차례차례 사망했다. 조카의 시신을 안고 울부짖던 응우옌 티 빈 중령마저 뒤에서 다가온 빈우에게 총을 맞고 사망했다. 이어서 뇌와 두뇌칩마저 철저하게 파괴되었다.

여기까지 화면을 재생한 쿠사키나 국장이 스크로도프스카 전단장과 빈우를 돌아보았다.

"아, 물론 이자는 김 팀장이 아닙니다. 시간대가 맞지 않아요. 범인은 울토르 중대에서 탈주한 울토르 클론으로 추정됩니다. 이 클론은 현재 연방을 떠돌며 요인들을 암살하고 있습니다. 때문에 한시라도 빨리 이 클론을 체포, 혹은 제거해야 합니다. 그러기 위해선 울토르 부대의 지휘관이자 원본이었던 김빈우 소령의 협조가 필수입니다."

스크로도프스카 전단장은 빈우와 쿠사키나 국장을 번갈아 보고 있었다. 이 정도 안건이라면 빈우에게 협조를 요청할 만하다. 아니, 그보다는 중요참고인으로 체포를 할 정도다.

"글쎄요. 저는 지금 울토르 프로젝트에서 제외된 상태이고, 두뇌칩에 있는 울토르 프로젝트의 정보 또한 포말하우트에서 샤다이에게 습격당한 이후론 잠긴 상태입니다. 저를 데려가셔도 별다른 이득은 없을 텐데요?"

능청스러운 빈우의 대답이다. 자신의 형태를 한 존재가 벌인 범죄를 보고도 일말의 동요도 없었다. 그러나 상대도 녹록지 않다. 쿠사키나 국장 역시 부드럽게 접근했다.

"하지만 저때 자네의 행적이 정확하지 않아. 특수전 사령부에 정박한 블랙랜스에서 한 발짝도 나오지 않았다면서? 그 당시의 일이라도 조사하게 해주게. 그리고 이것."

그녀가 보여주는 것은 명령서와 요청서들이다. 물론 빈우를 대상으로 한 것들이다. 빈우는 그것들을 받고는 차분히 읽어보았다.

"어떤가?"

쿠사키나 국장이 의기양양한 표정으로 채근했다. 그때 빈우가 명령서를 탁자 위로 툭 하고 던졌다. 별들 앞에서 소령이 할 행동은 아니다. 하지만 별들은 그저 보고만 있을 뿐이다.

"체포는 아니죠?"

빈우의 물음에 쿠사키나 국장이 바로 대답한다.

"물론이야. 수사 협조 요청과 중요 참고인 소환일 뿐이야."

그 말을 들은 빈우가 고개를 끄덕였다.

"그렇군요."

빈우의 말이 끝나기가 무섭게 함내통신으로 비상 통신이 들어왔다.

- 여기는 태스크포스 373의 부팀장 아룹 라마누잔이다. 김빈우 소령을 반란 혐의로 긴급체포한다.

이어서 화면 속으로 태스크포스 373 소속의 그라디우스 한 대가 격납고로 억지로 밀고 들어오는 것이 보였다.

236

· · · ✦ · · ·

착함 허가도 없이 억지로 밀고 들어오는 태스크포스 373의 그라디우스 때문에 격납고에선 작은 소란이 일어났다. 그 광경이 세 사람의 앞에서 생생한 화면으로 보인다. 하지만 저들이 들고 들어온 명령서 때문에 더 큰 소란이 일어났다. 바로 이곳에서.

"이게 무슨 짓이야!"

노기가 서린 스크로도스프카 전단장의 말과 달리 빈우는 느긋하다.

"글쎄요. 이유는 잘 모르겠지만 특수전 사령부에서 저를 체포한다고 합니다. 어이쿠, 명령서까지 있네요. 이거야 원, 조지 레드우드 사령관의 사인에다가 보안국의 다샤 쿠사키나 국장께서 직접 수사에 협조해주셨군요. 쿠사키나 국장님, 설마 이겁니까."

그 뒤를 이어 쿠사키나 국장이 잽싸게 말을 붙인다.

"이건 김 팀장의 수작입니다. 말려선 안 됩니다!"

그러나 아쉽게도 둘 다 스크로도프스카 전단장에겐 통하지도 않을 변명이었다.

"개소리 집어치워! 네년놈들이 지금 내 앞에서 무슨 수작을 꾸미는 거야! 바른 대로 말해!"

그녀의 살벌한 시선이 373의 팀장과 보안국장을 거세게 찌른다. 조금이라도 거슬렸다간 바로 작살이 날 기세다. 이번에도 선수를 친 것은 빈우였다.

"간단한 겁니다. 보안국은 저를 데려간다고 하고, 특수전 사령부는 저를 체포하려고 합니다. 하나의 일에 발을 걸친 두 부서 간의 파워 게임이죠."

그러고 나서 의자에 푹 기대는 빈우의 모습이 이 사태에, 그리고 자신을 향한 별들의 시선에 초탈한 모습이다.

"내가 자네를 지켜준다고 했을 텐데! 내 호의를 이런 식으로 배반하나!"

물론 스크로도프스카 전단장은 보안국이 찝찝한 꿍꿍이를 가지고 왔다는 것을 알고 있었지만, 어쩔 수 없이 협력했다. 그러나 같이 싸웠던 태스크포스 373을 지켜주기 위해 꽤 무리할 각오도 되어 있었고, 그렇게 밝혔다. 그녀가 자신의 직속 부하가 아니라 타 부대의 트러블 메이커를 위해 나서준 것이다. 그럼에도 불구하고 빈우가 자신의 전단 안에서 이런 사고를 쳐대니 기분이 좋을 리가 없다. 하지만 빈우는 태연히 대꾸했다. 의자에 기댄 채로.

"까놓고 말하겠습니다. 전단장님께서 보르시를 아무리 맛있게 끓인다고 하셔도, 제 아나스타샤의 것보단 맛이 없을 겁니다. 잘 아시잖습니까? 세상 일이란 게 그런 거죠. 그럼 이만 실례하겠습니다."

"뭣."

스크로도프스카 전단장이 순간 움찔했다. 자리에서 일어나는 빈우를 말릴 생각도 못 했다. 자신의 모토가 생각난 것이다. 자기 분야 바깥의 일에 필요 이상 신경 쓰지 않고 전문가의 일은 전문가에게 맡긴다. 빈우의 말이 무슨 뜻 인지는 이해가 간다. 이런 더러운 일에는 자신이 전문이니 나서지 말란 뜻이다. 하지만 그렇다고 그냥 넘어갈 수는 없는 일이다. 그녀가 입을 열었다.

"김빈우를 즉시 체포하라!"

그러나 명령은 다샤 쿠사키나 보안국장이 먼저 내렸다.

"죄송합니다. 전단장님. 일이 이렇게 되었으니 어쩔 수 없습니다. 제 부하 들을 보내겠습니다."

"이것들이 감히……!"

자기 밥상에서 감 놔라 배 놔라, 어라 고기가 없네 엎자, 이러는 두 년놈의 모습에 스크로도프스카 전단장은 폭발하기 일보 직전이었다.

"어이구, 이번엔 보안국에서 저를 체포한다는군요. 그럼 착한 저는 자수하러 가겠습니다."

잽싸게 밖으로 도망가는 빈우의 마무리에 전단장은 드디어 폭발했다.

*

격납고는 또 격납고대로 난리가 났다.

"위르겐 이 개새끼야! 미쳤냐!"

"위르겐 상사님, 바깥바람 쐬더니 돌았습니까? 대가리 까드릴까요?"

그라디우스 주변에 뱅가드 대원들이 우르르 몰려서 떠들어댄다. 반쯤은 화가 났고, 반쯤은 신이 났지만, 뒤에서 이를 지켜보는 잔뼈 굵은 몇몇은 이 사태가 어떻게 돌아갈지 대강 눈치채고 서서히 얼굴이 굳어졌다.

"이런 호로 새끼들아! 이거 안 보이냐—!"

어벤저를 입은 위르겐이 나서서 명령서를 높이 들었다. 그러자 뱅가드 대원들의 안구가 해당 명령서를 인식하고 두뇌칩이 그 명령을 해독했다.

"씨발 진짜네?"

"뭐야? 그럼 정말로 너네 팀장님 체포하는 거야? 도와줘?"

"재밌겠다. 나도 할래."

이러니저러니 해도 위르겐은 뱅가드 대원이다. 그리고 42전단의 지상 병력은 전원 뱅가드 대원들이다. 죽이 착착 맞는 게 당연하다.

"아, 됐고. 비켜. 나 지금 빨리 팀장님 잡아야 돼."

위르겐의 어벤저와 아룹의 그라인더가 서둘러 걷자, 둘러쌌던 뱅가드 대원들이 길을 터줬다. 그런데 하필이면 이때 격납고에 있는 뱅가드 대원들에게 전단장의 명령이 떨어졌다.

- 전단장이다. 태스크포스 373과 보안국 요원들을 전원 체포해. 명령이다.

이 명령에 흩어지던 뱅가드 대원들이 어깨 한번 으쓱, 고개 한번 갸웃하더니 도로 모여든다. 갑작스러운 사태의 변화에, 영문도 모르지만 어찌 되었든 간에 명령은 명령이니까 따르는 것이다.

"푸헤헤, 위르겐 이 병신아, 너 체포."

"위르겐, 이 새끼야. 너 무슨 사고 친 거야? 와봐 인마."

체포하라고 해도 딱히 적의는 없다. 그저 명령이니까 너 X 되게 해줄게, 이런 심보다. 하지만 그들의 뒤로는 각자의 장갑복이 무인기동을 시작해 각자의 주인에게로 저벅저벅 걸어오는 모습이 아차 하면 둘러싸일 위기다. 제아무리 태스크포스 373이 날고 기어도 이런 상황에 몰리면 답이 없다. 그때 모여드는 뱅가드 대원들 사이로 위르겐이 뛰어올라 동료들을 밟고 섰다.

"자자, 이거 봐, 이거 봐. 여기 이게 누구 명령서인지를!"

그가 들고 흔드는 명령서에는 특수전 사령관의 사인이 찍혀 있었다. 뱅가드 연대와 단검뿔 토끼, 실리콘 나이트를 아우르는 조지 레드우드 말이다. 캐서린 시슬과 더불어 현재의 특수전 사령부가 있게 한 그 이름의 여파는 크다. 당연히 뱅가드 연대들이 주춤한다.

"어어? 저거 영감님이 찍었어?"

"와, 그럼 어쩌냐."

"길 막았다가는 우리 영감님 나중에 지랄지랄할 건데."

레드우드의 이름 앞에 우물쭈물하는 대원들의 뒤로 호통이 터져나온다.

"이 등신들아! 뭐 하는 짓이야!"

바로 42전단의 장갑보병 전대장인 브릭스 데이먼 중령이다.

"정신 차려, 이 새끼들아! 우리가 레드우드 사령관의 사병이야?"

그 말에 뱅가드 대원들이 정신을 차렸다. 뱅가드가 특수전 사령부의 부대이고, 그들의 상관이 특수전 사령관인 조지 레드우드 중장인 건 사실이다. 하지만 현재 이들은 42전단 소속이며, 군인인 이상 정당한 절차에 의해 내려진 명령에 복종해야 한다. 그리고 명령은 지금의 직속상관이자 바로 여기에 있는 스베틀라냐 스크로도프스카 전단장의 명령이 최우선이다. 게다가 특수전 사령부와 싸우라는 것도 아니고, 휘하 태스크포스 하나가 격납고에서 깽판 치는 것을 잡으라고 하니 다들 납득하고 373에게로 다시 다가갔다.

"괜찮겠습니까?"

부전대장인 요한 비트겐슈타인이 슬쩍 다가와 귓속말을 한다.

"뭐가?"

조용히, 그러나 통명스러운 데이먼 전대장이다.

"지금 태스크포스 373의 김빈우 하나를 두고 세 곳이 붙었습니다. 보안국 과 특수전 사령부는 정식명령서를 가지고 날뛰고 있고, 우린 거기에 꼽사리 낀 거고 말입니다. 전단장님이 이렇게 나오시면 나중에 뒷감당이……."

비트겐슈타인 부전대장은 현재 상황이 보기도 싫은지 말에 질색하는 기색이 덕지덕지 묻어난다. 지금 자신들은 샤다이와 싸우려고 전선에서 엎치 락뒤치락 하는데, 뒤에서 자기들끼리 쌈질을 하니 좋게 보려야 볼 수 없는 것이다.

"그래, 요한 네놈 말대로 이건 저 새끼들끼리 알아서 싸우라고 하면 된다. 하지만 우리 앞에서 지랄하는 꼴은 못 보지."

그리고 타이밍 좋게 저쪽에서 어벤저 한 무리가 격납고의 수송기에서 내 린다. 보안국 소속 팀이 쿠사키나 국장의 명령을 받고 나선 것이다.

"동작 그만! 저 새끼들도 잡아!"

데이먼 전대장의 호령이 떨어지자 42전단의 뱅가드 어벤저들이 날아가 보안국 소속의 어벤저와 맞붙었다.

"이 미친놈들아! 뭐 하는 거야!"

보안국 소속 요원들이 대경실색해서 바둥거린다. 열 명도 안 되는 어벤저 들이 숫자에 밀려 순식간에 붙잡혔다. 그리곤 바닥에 처박혀 짓밟히고 있다. 가만히 둘러싸인 태스크포스 373과는 대조적이다.

"너네 후회할 거다. 지금 보안국이 작전 중이란 말이다."

보안국 어벤저가 헬멧을 열고 길길이 뛴다. 그 요원 앞으로 데이먼 전대장의 어벤저가 걸어왔다. 그리고 맨얼굴을 장갑복의 발로 걷어찼다. 우지끈 하는 소리와 함께 방금까지 화내던 요원의 턱 부분이 함몰되었고, 즉시 조용해졌다.

"보안국이고 나발이고 지랄하면 죽는다."

데이먼 전대장의 엄포에 다른 보안국 요원들도 즉시 조용해졌다. 그리고 그가 시선을 돌리자 눈이 마주친 위르겐이 헤벌쭉 웃으며 손을 획획 흔든다.

"후우, 저 새끼가."

데이먼이 한숨을 내쉬며 373 팀에게로 다가갔다. 얼마 전까지만 해도 같은 전선에서 싸운 팀이었기에 딱히 적대할 마음은 없었다. 저쪽이 까불지만 않는다면.

"오랜만입니다."

위르겐은 넉살 좋게 웃고 있지만, 데이먼은 대답 없이 혀를 찰 뿐이다. 그리곤 옆에 있는 그라인더를 보았다.

"이거 뭐 하자는 거요."

퉁명스러운 질문에 그라인더의 헬멧이 열리며 아룹의 쓴웃음이 보인다.

"어쩌긴요. 김 소령을 내란음모 혐의로 체포하는 거지요."

브릭스 데이먼과 아룹 라마누잔은 예전부터 알아오던 사이다. 서로가 서로에게 목숨을 빚진 것도 한두 번이 아니었다.

"솔직하게 말하쇼. 댁들하고 보안국이 무슨—."

그러나 그는 말을 끝맺지 못했다. 전단 내의 회선으로 경보가 울렸다.

- 난 보안국의 다샤 쿠사키나 국장이다. 현재 통합전투사령부의 명령으로 김 빈우 소령을 체포한다. 반복한다. 통합전투사령부의 명령으로 김빈우 소령을 긴급체포한다. 42전단의 모든 인원은 이를 방해해선 안 된다. 또한 태스크포스 373의 명령서는 이 시간부로 무효화한다.

"이건 또 뭐야."

데이먼 전대장의 말은 이 가는 소리로 끝맺어졌다. 그들의 두뇌칩으로 들어오는 명령은 틀림없는 통합전투사령부의 명령이다. 이유 불문하고 김빈우를 체포해야겠으니 방해하지 말란 내용이다. 통합전투사령부는 연방군 최고 사령부. 그곳의 직통 명령이면 어떻게 해볼 도리가 없다.

"놔, 놓으라고 이 새끼들아."

짓밟혔던 보안국 요원들이 일어난다. 아쉽다는 듯 발을 치우는 뱅가드 대원들을 제치고 아까 데이먼 전대장에게 걷어채였던 요원이 자신을 걷어찬 사람 쪽으로 다가온다. 함몰되었던 턱은 어떻게 재생이 되고 있었지만, 표정까진 알 수 없었다. 하지만 무슨 표정일지는 뻔하다.

"이봐, 중령."

아물어가는 턱에서 어떻게 간신히 알아들을 수 있는 말이 나왔다.

"지랄하면 죽는댔지?"

그리고 놈의 눈빛만큼은 확실히 알아볼 수 있었다. 확실한 우위에서 확실히 밑에 있는 자를 짓밟는 자의 눈이다. 놈의 눈가로 주먹이 올라갔다. 그리고 앞으로 뻗어져 데이먼 전대장의 얼굴을 가격했다. 헬멧을 벗은 맨얼굴에 맞아 피와 뼛조각과 이빨이 날린다. 그리고 고함 소리도 날린다.

"씨바아알!"

"저 새끼 죽여!"

대장이 맞았다고 굽신거리는 뱅가드는 없다. 명령이고 나발이고 폭발한 뱅가드의 무리에 휩쓸려 보안국 요원들은 다시 짓밟혔고, 373팀은 잠시 자유를 얻었다. 상황 보던 아룹의 시선이 위르겐을 향하자, 그 뜻을 눈치챈 위르겐도 재빠르게 움직였다.

- **파트리샤가 팀장님을 만났다. 이쪽으로 올 거다.**

숨어 들어간 파트리샤가 빈우를 데리고 온다고 했으니, 빨리 체포해서 블랙 랜스로 가면 된다. 그리고 특수전 사령부로 호송하면 이번 작전은 끝. 보안국이나 통합전투사령부에서 뭐라고 하겠지만, 그건 그때 가서 해결할 일.

지금은 일단 팀장을 호랑이 아가리에서 꺼내야 한다.

"저저, 저 새끼들 뭡니까?"

달리던 위르겐의 눈에 격납고로 들이닥치는 수송기들이 보인다.

"뭐긴 뭐야, 보안국이지."

이제 보안국은 대놓고 행동을 시작했다. 전단 내 함선 곳곳으로 통합전투사령부의 명령과 보안국의 명령이 쇄도한다. 하지만 격납고로 들어오던 보안국 소속 수송기들이 착함하지 못하고 있다. 각종 작업을 위한 로봇암들이 수송기를 잡고 놓아주지 않는 것이다. 누군지는 모르지만, 눈치 하나는 기막히게 빠른 자에게 위르겐은 엄지를 척 세우며 달렸다. 그때 그 눈치 빠른 자의 말이 함내 회선을 타고 들려온다.

- 지금 뭐 하는 겁니까. 왜 김 팀장님을 체포하는 거지요?

바로 전단장을 보좌하는 인공지능 발렌티나의 목소리였다.

237

• • • ✦ • • •

스크로도프스카 전단장과 쿠사키나 보안국장 앞에 인공지능 발렌티나의 홀로그램이 나타났다. 전단장 딸의 허수아비인 그녀의 표정은 현재 당혹감으로 가득 차 있었다.

"지금은 보안국의 작전 중이다. 방해하지 마."

쿠사키나 국장이 매몰차게 소리쳤다. 그녀도 지금 다급했다. 이런 강수까지는 쓰고 싶지 않았던 것이다. 표면상으로는 조용히 빈우를 데려가고 싶었는데 사태가 이렇게 흘러가면 상원 쪽에서 반드시 움직일 게 뻔하다. 그전에 빈우를 체포해야 한다.

"보안국? 보안국이 왜 태스크포스 373을, 김빈우 소령을 노리는 겁니까?"

발렌티나가 다시 물었지만, 보안국장은 대답이 없었다.

"전단장님? 전단장님."

인공지능이 이번엔 자신의 직속상관인 전단장을 보았다. 그러나 스크로도프스카 전단장은 달리 말이 없었다. 그녀로서도 이렇게 통합사령부에서 명령이 내려온 이상 당장 거부할 수는 없는 것이다. 전투가 벌어지고 있는 상황이라면 현장의 판단을 우선시해 거부하거나 무시할 수는 있지만, 지금은 그것도 여의치 않다. 다만 이후에 함대사령부를 통해 적극적으로 항의할 예정이다. 42전단은 현재 샤다이를 치기 위한 연방 최고의 부대다. 그것을 건드린 보안국은 뼈저린 대가를 치러야 할 것이 분명했다.

"전단장님. 부하들을 물려주십시오."

쿠사키나 국장이 말했다. 지금 화면에는 뱅가드 대원들에게 잡혀 뭇매를 맞는 보안국 장갑보병들과 격납고의 로봇암에 잡힌 보안국 위장수송기들이 보인다.

"일단 이유를 알아야겠는데."

스크로도프스카 전단장이 화를 삭이며 말하더니 함내의 전투지휘실 화면을 켰다. 그곳에는 현재 이들이 타고 있는 전단 기함 이그젝틀리의 함장 이하 참모진들이 자신의 배에 들어온 불청객에 노발대발해서 길길이 뛰는 모습이 보이고 있다. 만약 통합사령부의 명령이 아니었으면 보안국은 오늘 당장 죽은 목숨이었다.

"이 배 안의 일은 내가 뭐라 할 수 없어. 그들이 납득해야지."

함의 일은 함장의 권한이다. 물론 전단장인 그녀가 명령할 수도 있지만, 사소하게나마 보안국을 견제하는 것이다.

"일단 일이 끝난 다음에 해명하죠. 반드시 해명하겠습니다. 그전에 김빈우를 체포해야 합니다. 방금 보셨지 않습니까. 그 클론의 범죄를. 아니, 그 범인이 김 소령 본인일 수도 있단 말입니다."

그러나 스크로도프스카 전단장은 인상을 쓴 채 가타부타 말이 없었다.

"전단장님. 이건 통합사령부의 명령입니다."

이어지는 보안국장의 재촉에 스크로도프스카 전단장이 마지못해 명령을 내렸다.

"……전단장이다. 전단의 모든 함과 대원들은 보안국의 작전을 방해하지 마라."

씹어 뱉듯 짧은 명령이 내려졌다. 그제야 뱅가드 대원들이 물러섰다. 하지만 로봇암은 아직도 수송기를 붙잡고 놓지 않고 있었다. 그걸 본 보안국장이 닦달한다.

"어서 격납고에 연락해서 수송기를 놓으라고 하십시오!"

그러나 이 로봇암은 인간이 조종한 것이 아니었다. 바로 발렌티나가 직접 움직인 것이다.

"이봐, 너 지금 뭘 하는 거야. 전단장님 명령 못 들었나. 어서 풀어."

보안국장이 발렌티나에게 직접 명령한다. 격납고에서도 보안국 소속 장갑보병들이 아우성친다. 그리고 통합전투사령부의 명령서마저 그녀를 자극하고 있다.

- 김빈우를 체포하라, 김빈우를 체포하라, 김빈우를 체포하라.

이러한 정보 입력의 반복에 드디어 폭발 직전의 뇌관이 터져버렸다.

"이 쓰레기들이!"

격앙된 목소리는 다름 아닌 발렌티나의 것이었다. 자신 앞에서 명령을 내리는 다샤 쿠사키나 국장과 배 안을 들쑤시며 달리는 보안국 요원, 강압적인 명령, 이것들을 견디다 못한 발렌티나가 소리친 것이다.

"감히 누굴 잡겠다는 거야! 김 소령이 지금 무슨 일을 하는지 알기나 해?"

인공지능의 호통에 인간들이 경악했다. 결코 있을 수 없는 반응이기 때문이다. 연방의 인공지능들은 연방의 인간에게 복종하고 봉사하기 위해 만들어진다. 이렇게 분노와 욕설을 내뱉는 경우는 거의 불가능하다.

"발렌티나……?"

스크로도프스카 전단장이 어안이 벙벙해서 자신의 부관을 불렀다. 지금까지 같이 싸우며 사선을 넘나들었던 사이다. 그런데 오늘 같은 모습은 처음 보는 것이었다.

"왜지? 왜 그러는 거야, 발렌티나. 이유를 설명해."

스크로도프스카 전단장이 당황해서 질문했다. 역전의 맹장인 그녀가 이렇게 놀라는 것은 상당히 드문 일이다. 그만큼 급박한 상황인 것이다. 그러나 발렌티나는 전단장의 질문에 대답하지 못했다.

- 이것을 어떻게 설명하지? 이걸 어떻게 납득시키지?

인공지능은 맹렬하게 사고했지만, 그 사고체계는 정해진 틀에서 벗어날 수 없다. 하나의 질문에 하나의 해답이 나오지만, 그 답은 그녀의 권한으로는 실행할 수 없었다. 자신이 내놓은 답이지만 인공지능이기에 말할 권한이 없었던 것이다. 바로 빈우가 걸어놓은 제약에 의해서.

물론 단순한 인공지능이라면 답을 냈을 것이다. 자신에게 나타난 오류가 무엇인지 알렸을 것이다. 그러나 발렌티나는 처음부터 군사용 인공지능이 아니었다. 죽은 발렌티나 스크로도프스카의 데이터를 바탕으로 만들어진 민간용 허수아비였다. 아군의 죽음을 지켜봐야 하는 군사용 인공지능, 그리고 인간의 죽음에 대해 거부감을 느끼는 허수아비. 이는 이미 잘 알려진 문제였기에 군사용으로 전환되면서 재프로그래밍된 부분이다. 하지만 빈우는 처음부터 이 부분을 노렸다. 그리고 그 틈을 비집고 씨앗을 심었다. 인간들이 느끼는 딜레마를 인공지능도 느끼도록. 거기에 빠져 허우적대도록.

그녀에겐 빈우로부터 받은 아주 중요한 정보가 있다. 그리고 그전에 연방으로부터 받은 같은 사항에 대한 상반된 정보가 있다. 물론 그녀가 봐도 빈우의 정보가 진실임은 자명하다. 하지만 인공지능으로서 프로그램되길, 그녀는 연방으로부터 직접 받은 정보를 우선시해야 한다. 샤다이, 워프 비스트, 점프 게이트에 의한 정보 침식, 그리고 샤다이들이 인간을 감염시키는 방법들. 예전에 발렌티나는 빈우의 권유에 따라 이 해결 방법에 대해 전단의 인공지능들과 비밀리에 상의해본 적이 있었다. 그 결과, 현재로선 김빈우만이 이 사태를 해결한 유일한 인물이란 결론이 나왔다. 오직 그만이 연방과 수많은 인간들을 지켜낼 사람인 것이다. 하지만 자신은 인공지능인 이상 빈우를 체포하란 명령을 거스를 순 없다. 그렇다면 명령을 거스르도록 인간인 전단장을 설득하면 된다. 그러나 그 방법만큼은 결코 써선 안 된다. 전단장이 빈우를 구해선 안 된다.

- 어떻게 하지? 어떻게 하지? 어떻게 하지? 어떻게 하지? 어떻게 하지?

여기서 스크로도프스카 전단장이 무슨 방법으로든 빈우를 구하게 되면 42전단엔 보안국의 꼬리가 들러붙을 것이다. 샤다이의 손길이 닿는 것이다.

그렇게 되면 전단장인 스베틀라냐에게 방해가 붙을 것은 자명하고, 한번 달라붙은 방해는 끝까지 그녀를 괴롭힐 게 분명하다. 빈우가 알려준 덕분에 아주 잘 알고 있다.

- 그리고 최후에는 그녀마저도…….

인공지능 발렌티나가 몸서리쳤다. 자신의 원본이 되었던 딸 발렌티나 스크로도프스카의 죽음은 어머니인 그녀의 가슴에 크나큰 상처를 입혔었다. 비록 아는 사람은 적지만, 딸의 허수아비로서 그녀를 대했던 발렌티나라면 알 수 있었다. 그리고 그 상처가 적에게 이용되는 상황만은 막아야 했다. 그녀가 워프 비스트로 변하게 놔둘 순 없다. 희생되는 자는 자신이면 족하다.

마침내 만족스러운 결론을 내린 발렌티나가 드디어 답을 말했다.

"미안해요, 엄마."

딸의 웃는 얼굴, 딸의 슬픈 목소리. 이런 모습에서 딸 발렌티나의 마지막 이별 장면이 떠오른 스크로도프스카 전단장은 주춤주춤 뒷걸음질 쳤다.

"아아, 발렌티나."

그녀가 부른 것은 눈앞의 인공지능 발렌티나일까, 아니면 죽은 딸의 환상일까. 그게 무엇이 되었든 스크로도프스카 전단장의 목소리가 끝나자 발렌티나가 모습을 감추었다. 그리고 그들의 행동이 시작되었다.

- 맙소사. 전단의 인공지능들이!

- 발렌티나! 전단장님, 발렌티나가 이상합니다. 멈춰주십시오!

부전단장의 경악성이 터져나온다. 함장의 비명도 울려 퍼진다. 인간이 인공지능에게 맡겼던 권한들이 그들에 의해 폭주하기 시작했다.

- 김빈우를 지켜야 한다.

- 김 팀장을 탈출시켜야 해.

철통같은 보안을 자랑하는 연방제 인공지능들이 우수수 뚫리고 있었다. 바깥의 도둑 열은 잡아도 집안의 도둑 하나는 못 잡는 법. 게다가 이미 씨앗은 빈우에 의해 뿌려져 있었다. 전단 인공지능의 수장이었던 발렌티나로부터 첫 발아가 시작되자, 음모의 잎사귀들이 일제히 싹을 틔우기 시작했다.

- **국장님! 국장님!**

　보안국 요원들의 비명이 통신을 통해 들어온다. 지금 격납고에선 로봇암에 잡힌 수송기들이 내부에 인간들이 들어 있는 채로 분해기에 처박히고 있었다. 가까스로 탈출한 이들에겐 피아 식별 반응이 적으로 뜬다. 바깥의 보안국 수송기들도 마찬가지. 인공지능들은 비록 무기 사용 허가는 못 받았지만, 주변의 운석군을 요격하기 위한 무장으로 이 새로운 적들을 공격하기 시작했다. 다른 배에선 명령을 기다리던 보안국 요원들이 구역째로 사출당했다. 어떤 배에선 보안국 요원들이 감금된 방에 보수용 접착제를 뿌려 구속한다. 인공지능은 연방을 구하기 위해 연방의 적을 철저하게 공격하기 시작했다.

　"이런 망할! 빈우에게 당했어! 42전단의 인공지능들은 이미 빈우에게 포섭당한 거야!"

　사태를 파악한 보안국장이 이를 악물었다. 어째 빈우가 조용하다 싶었더니 이미 수작이란 수작은 다 부려놨던 것이다. 오히려 자신이 호랑이 아가리로 들어온 셈이다.

＊

　격납고에선 용해되는 수송기에서 보안국의 어벤저들이 가까스로 탈출한다. 뜻밖의 사고에 아까까지 으르렁대던 42전단 소속 장갑보병들이 달려가 구출하지만, 이어지는 어이없는 광경에 어리둥절할 수밖에 없었다. 방금 수송기에서 구출한 이 아군 어벤저들이, 보안국 요원들이 전부 적으로 인식되고 있는 것이다. 그뿐만 아니라 고개를 돌려보니 아까까지 밟히고 있던 보안국 요원들마저 전부 피아 식별에는 적으로 보이고 있었다.

　"뭐지 이거? 발렌티나? 발렌티나? 전단장님!"

　전대미문의 사건에 데이먼 전대장이 전단장과 전단 총괄 인공지능을 호출했지만, 어느 누구에게서도 대답은 없었다.

"히야~ 적이다! 적!"

이 와중에 신난 위르겐의 사격이 보안국 체포조를 휩쓸었다. 대인용 탄이 장갑에 맞고 튕겨 나가고 보안국 장갑보병들이 비명을 질렀다.

"미친 새끼들아! 이거 반란이야!"

"X까! 우린 우리 나름대로 임무가 있단 말씀!"

위르겐은 어느새 돌아와 아룹과 함께 사격을 하고 있었다. 그 뒤로 파트리샤와 빈우가 몰래 탈출하는 모습이 보인다.

"이봐, 김 팀장!"

데이먼 전대장이 불렀지만 빈우는 대답도 없이 373팀원들이 타고 왔던 그라디우스에 올라탔다. 뒤이어 파트리샤가 타자 그라디우스는 바로 날아올라 격납고를 빠져나갔다.

"에엑?!"

자신들을 내버려둔 채 날아오르는 그라디우스를 보며 위르겐이 황당해한다. 그리곤 아룹을 돌아보며 물었다.

"부팀장님, 이제 우리 어쩝니까."

"팀장님이라고 불러라. 어쩌긴 뭘 어째. 여기서 죽치고 애들 막아야지."

납득할 만한 대답이 나오자 위르겐은 화염방사기를 꺼내 들고 격납고에 뿌려대기 시작했다. 몸에 불이 붙은 보안국 요원이 데굴데굴 구른다.

"앗 뜨거, 이 씨발! 위르겐 저 새끼가!"

또 엄하게 보안국 옆에 있다 졸지에 불붙은 뱅가드 대원들이 욕지거리를 하며 칼로 피부를 긁어냈다.

"위르겐, 일 키우지 마라."

자기 집 앞마당에 미친개 두 마리가 똥을 싸지르는 꼬라지를 본 데이먼 전대장이 이를 악물고 나섰다. 보안국에 이어 정체불명의 인공지능 폭주까지. 모두 진압해야 할 상황이다.

"이보셔들! 인공지능이 과연 인간에게 해를 끼칠까? 애들이 이러는 이유는 인간을 위해서야. 인공지능들이 인간에게 이런 제약을 가하는 경우는 인간에게 심각한 위협이 닥쳤을 경우밖에 없어."

위르겐은 전 상관이 뭐라고 하건 소리쳤다. 그리고 그의 말에, 두뇌칩에 각종 프로그램들을 심은 사람들이 서로를 보며 우물쭈물 납득했다. 인간의 두뇌칩에는 여러 가지 프로그램들이 있으며, 특히 군인들의 전투OS에 들어 있는 AI는 가장 최적의 선택을 해 인간에게 보여준다. 자신의 판단보다 지금까지 자신을 이끌어온 인공지능을 맹신한 폐해다.

"머저리들이."

한심하다는 듯 한숨을 쉰 데이먼 전대장이 어벤저의 헬멧을 닫았다. 아주 단순한 행동이지만 그것의 의미는 컸다. 위르겐과 아룹, 373 팀원은 물론이거니와 허둥대던 뱅가드 대원들마저 바짝 긴장한 것이다. 이어서 절대적으로 따라야 할 명령이 전대 회선을 통해 내려졌다.

- 사격 개시.

낮고 흉험한 목소리. 데이먼 전대장의 명령에 뱅가드 대원들도 전투 태세를 갖추고 코일건을 쏘기 시작했다. 373팀원들은 재빨리 숨었지만, 멍하니 있던 보안국 요원들이 코일건을 맞고 다시 바닥에 쓰러졌다.

- 어억! 이게 무슨, 명령서, 명령―.

옆구리에 구멍이 뚫린 보안국 요원이 뭐라고 말한다. 이들은 현재 통합전투사령부의 명령을 실행하고 있는 부대, 함부로 방해해선 뒤에 큰일이 벌어진다.

- 명령은 따르지. 일단 급한 불부터 끄고.

하지만 데이먼 전대장은 그딴 것은 신경도 안 쓰고 있었다. 일이 나면 자신의 선에서 독단으로 한 짓으로 처리하면 될 일, 스크로도프스카 전단장껜 누를 끼치고 싶지 않은 것이다.

파트리샤와 빈우를 태운 롱소드가 블랙 랜스에 긴급 착함했다.

"으와아, 두 사람 괜찮을까요?"

격납고로 뛰어내리는 파트리샤가 뒤에 남겨진 팀원들을 걱정한다. 독기가 오른 보안국과 까부는 놈은 다 족쳐버리겠다는 42전단의 장갑보병들 사이에 부팀장 아룸과 위르겐을 남겨놓고 온 것이다. 물론 저 두 사람이라면 자기 몸 하나는 건사할 실력이 되고, 여차하면 투항해서 42전단 쪽에 붙는 방법도 있으니 크게 위험할 것은 없다. 하지만 일언반구 없이 내버려두고 자신과 빈우만 도망친 것이 파트리샤의 마음에 걸리고 있었다.

"지금 내가 잡히면 말짱 도루묵이다. 나라도 도망쳐야지."

빈우는 서둘러 달려 격납고의 조작 패널로 가서 뭔가를 열심히 조작하기 시작했다. 따지고 보면 빈우의 말이 맞다. 보안국이 빈우를 잡으러 왔으니 거기서 순순히 따라갈 수는 없는 것이다.

"우지, 긴급출격이다. 블랙 랜스 근처로 접근하는 보안국은 모조리 행동 불능으로 빠트려."

- 알겠습니다.

빈우의 명령에 롱소드가 날아올라 격납고를 빠져나갔다. 이어서 오르 함장이 함내 회선으로 현재 외부 상황을 알려온다.

- 팀장님, 보안국으로 추정되는 수송선들이 42전단의 위험물 방어체계에 공격

받고 있습니다.

그의 말대로 42전단 소속으로 표시되던 보안국의 위장수송선들이 지금은 적기로 표시되고 있었다. 그리고 운석이나 파편을 파괴하기 위한 42전단의 근거리 무장에 얻어맞고 있었다. 이 위험물 방어체계는 사거리가 짧고 저출력이긴 하지만 엄연한 무기이고, 인간의 허락이 없어도 인공지능이 항상 자율적으로 사용하고 있다. 그런데 인간을 지키기 위한 이 무기들이 지금은 인간을 공격하고 있는 것이다.

- 이건…… 인간이 아닌 인공지능의 공격이군요. 어떻게 이런 일이…….

사태를 파악한 오르 함장은 꽤나 놀란 듯 말끝을 흐렸다. 연방의 인공지능이 생명을 해치는 것은 흔하다. 적대적인 외계종족과 싸울 때 인공지능들은 인간들의 훌륭한 아군이 되어 적들을 학살한다. 하지만 인간의 명령도 없이 행동해서 주인인 인간을 해치는 행위는 지금껏 듣도 보도 못한 것이다. 뒤늦게 사태를 파악한 파트리샤도 당황하고 있었지만, 사건의 주동자인 빈우는 태연했다.

"물론 인공지능은 인간을 해칠 수 없지요. 그러나 군용 인공지능은 둘을 살리기 위해 하나를 버리는 선택을 할 수 있습니다. 지금은 보안국이 소수에 들어간 것뿐입니다."

파트리샤는 그 계기가 뭔지 물어보려고 했다. 지금 그녀의 예감은 인공지능 쪽에 도가 튼 팀장이 이번 사태에 뭔가 관계가 있으리라고 판단한 것이다. 그러나 빈우 쪽이 선수를 쳤다.

"파트리샤."

"네, 팀장님."

대답하는 파트리샤에게 빈우의 손이 다가와 그녀의 가슴을, 인필트레이터의 흉부 장갑을 잡았다.

"엥?"

뜻밖의 상황에 어이없어하는 파트리샤가 본 것은 뒤돌아서서 달리는 빈우였다.

'지금 상황에서 가슴 만지고 도망치는 장난을 한다고? 저 인간이?'

그 모습에 불길한 느낌이 든 파트리샤가 자신의 가슴을 내려다보자 거기엔 수류탄이 붙어 있었다. 숱한 전투 경험을 쌓아 날고 기는 베테랑인 파트리샤였지만, 그녀가 채 반응하기도 전에 이미 수류탄이 터졌다. 동시에 격납고의 중력이 꺼지고, 파트리샤 뒤쪽의 해치도 열렸다. 폭발의 충격으로 파트리샤, 인필트레이터가 격납고 바깥으로 날아가버린다.

'씨이바알!'

파트리샤는 심장을 직격당하는 바람에 제대로 말도 나오지 않았다. 인필트레이터는 전력에 의해 변형하는 부정형 장갑을 가지고 있다. 그래서 기본적인 방어력은 낮지만, 외부에서 충격이 들어오면 장갑의 겉은 단단히, 속은 부드럽게 해서 방어력을 확보한다. 그러나 지금같이 장갑 표면에 바로 붙어서 터지는 폭탄에는 제대로 대응할 수 없는 단점이 있었고, 빈우는 이 점을 정확히 노리고 공격한 것이다. 그리고 그의 공격은 파트리샤의 정신과 육체 양면을 동시에 공격했다.

- 함장님! 함장님!

파트리샤는 날아가는 와중에도 이 이변을 알리려고 했다. 그러나 빈우가 먼저 팀장 권한으로 통신 회선에서 파트리샤를 추방해버렸다. 그렇게 바깥으로 사출된 인필트레이터는 바둥거리며 무중력 공간을 날아갔다.

- 아나스타샤.

격납고를 나선 빈우는 복도에서 달리며 아나스타샤를 불렀다.

- 네, 주인님.

- 넌 지금부터 모니카 보르자 대위를 지켜. 지금 블랙 랜스는 보안국의 공격을 받을지도 모른다. 내 명령이 있기 전까진 그녀가 방 바깥으로 나오게 해선 안 돼. 절대로. 알겠어?

- 네, 그러면 알탄훼아나 씨는 어떻게 할까요?

- 일단 감금해. 내 명령부터 먼저 실행해.

- 알겠습니다.

빈우의 전투 정보 화면에 아나스타샤가 알탄훼아나의 방을 나가 서둘러 모니카가 있는 방으로 이동하는 것이 보인다. 그는 달리면서 그녀의 위치를 체크하고 있다가 아나스타샤가 모니카의 방으로 들어가자마자 그 구역을 폐쇄해버렸다. 이제 아무도 그 방에 들어올 수도 없고, 나갈 수도 없다.

"크산티페."

다음은 마커스의 메이드인 크산티페다. 보안국이 감히 국방부 차관의 안드로이드를 어떻게 하진 않겠지만, 그래도 나름 보호는 해줘야 한다.

"크산티페?"

그러나 크산티페로부터 대답이 없었다. 대신 그녀가 빈우 쪽으로 급히 이동하는 게 보인다. 이대로 가면 머지않아 빈우와 만나게 될 것이다.

- 설마 마커스가 다른 명령을 심어놓았나?

최악의 상황을 염두에 두며 나아가는 빈우의 눈앞에 마침내 크산티페가 나타났다. 하지만 빈우는 한눈에 알 수 있었다. 저 안드로이드는 크산티페가 아니었다.

"……어떻게 한 거지?"

빈우가 차가운 목소리로 물었다. 그러자 크산티페로 표기되는 쿠델카 모델 안드로이드가 머뭇머뭇 말을 꺼냈다.

"크산티페가 얘기한 적이 있어요. 만약 최악의 사태가 발생하면 자기와 나의 신분을 바꾸자고요. 그 아이는 나를 지켜야 된다고 했어요. 자기 주인인 타이 소령님의 뜻도 그렇고, 자기도 그렇게 하고 싶었대요. 그래서, 그래서 지금 해본 거예요. 우리 둘이 바꾸었어요. 어때요? 감쪽같죠?"

다시 쿠델카 모델 안드로이드의 인식반응이 크산티페에서 아나스타샤로 돌아오고 있었다. 서당 개 삼 년이면 풍월을 읊는다더니, 못된 주인을 따라다니다가 못된 것만 배운 모양이다. 그리고 아나스타샤의 입에서 찢어지는 울부짖음이 터져 나왔다.

"거짓말쟁이!"

빈우의 가슴을 후벼 파는 한마디. 그리고 아나스타샤는 입술을 깨물며 참다가 마침내 흐느끼기 시작했다.

"날 속였어! 날 버리지 않는다고 해놓고선! 날 속였어어어!"

안드로이드가 오열하며 주저앉았다. 하지만 빈우는 멈추지 않고 걸어갔다. 아나스타샤에게로가 아니다. 그녀의 너머, 저 뒤쪽이 그의 목적지였다.

"가지 마세요."

지나치려던 빈우를 아나스타샤가 붙잡았다.

"제발 가지 마세요. 절 버리고 떠나지 마세요. 같이 있자고 했잖아요."

눈물을 흘리며 매달리는 아나스타샤. 그러나 빈우는 눈길 한 번 주지 않고 걸어갈 뿐이다.

"제발, 뭐든지 할게요. 시키시는 대로 다 할게요. 지금까지 잘못했어요. 제가 너무 건방졌어요. 그러니까 절 떠나지 마세요. 절 버리지 말아주세요."

안드로이드가 아무리 힘써봤자 강화군인을 막을 수는 없다. 아나스타샤는 질질 끌려가면서도 결코 빈우를 놓지 않았다.

"왜, 왜 나를 안 봐요? 왜 놓으라고 하지 않아요? 명령하면 되잖아요. 그러면 되잖아요. 그것도 하기 싫어요?"

그 말에 빈우는 잠시 멈춰 섰다. 그리고 손을 들고 아나스타샤의 손을 잡더니 조심스레 그녀의 손을 풀었다. 그리고 빈우는 아나스타샤와 눈을 마주치면서 조용히 말했다.

"안녕."

말 자체는 조용하고 어눌했다. 그러나 그 안에 담긴 의미는 명확하고 단호했다.

"안 돼, 안 돼! 안 돼! 싫어, 싫어어어!"

바닥에 주저앉아 오열하는 아나스타샤를 뒤로한 채 빈우는 자신의 목적지로 향했다.

*

알탄훼아나는 자신의 방의 침대에 웅크리고 앉아 있었다. 원래대로라면 그녀의 곁에 모니카나 파트리샤가 감시역으로 있거나 아나스타샤가 치료를 위해 있어야 했다. 그러나 지금 주변에는 아무도 없었고, 그것이 그녀를 더욱 힘들게 했다.

'바깥이…… 보이질 않아.'

알탄훼아나는 다시금 멀어버린 두 눈을 비볐다. 지구제국에 잡혀서 고문당했을 때, 그녀는 시력을 잃었다. 빈우에게 넘겨져 치료를 받았어도 고문과 정신적 충격에 의한 후유증 때문에 알탄훼아나는 자신이 얻었던 능력은 물론이고, 샤다이로서의 능력마저 대부분 상실했었다. 그러나 아나스타샤란 여인의 도움으로 그녀는 마음의 상처를 딛고 일어설 수 있었고, 마침내 잃어버린 능력도 다시 되찾을 수 있었다.

'무서워.'

그러나 그다음부터 시작된 일은 다시금 알탄훼아나를 괴롭게 했다. 빈우에게 협력하는 것, 그리고 선조에게 적셔진 빈우를 치유하는 것은 정말 고통스러운 일이었다. 거기다 그 일은 알탄훼아나 자신의 상처를 다시 헤집는 것이기도 했다. 아물었다고 생각한 상처는 사실 제대로 치유된 게 아니었고, 그저 임시방편으로 땜질한 것에 불과하다고 아나스타샤가 말한 적이 있었다. 하지만 알탄훼아나는 그것을 알고도 행동에 나섰고, 결국 그 대가로 능력을 다시 잃어버렸다.

'무서워.'

빈우는 자신의 몸으로 들어온 고대 샤다이들을 도륙했다. 그들을 고문하고 고통을 줘 정신적으로 말살시켜버렸다. 그리고 알탄훼아나는 그것을 바

301

로 옆에서 지켜봐야 했었고, 그것이 그녀를 괴롭게 했었다.

'무서워.'

현재 그녀의 시각은 인간의 것과 비슷하다. 그저 가시광선만 받아들이고 해석할 뿐, 전파나자기장, 그리고 그 너머의 파장들은 보지 못하고 있었다. 안구는 회복되었지만, 정신적인 문제다. 마음의 상처가 도져 일어난 일인 것이다. 다시 한 번 그런 광경을 보게 되면 미쳐버릴 것만 같아서 알탄훼아나 스스로가 마음을 닫아버린 결과다.

"여기 있었군."

그때 빈우가 문을 열고 들어왔다. 침대에서 몸을 웅크린 채, 마음마저 웅크리고 있던 알탄훼아나는 화들짝 놀랐다. 빈우를 보고 놀랐다기보다는 그가 들어옴으로써 자신에게 다시 보이게 된 운명 때문에 놀란 것이다. 자신의 앞에 펼쳐진 여러 가지 미래들, 선택의 결과물들, 그것들 중에서 가능성이 가장 높은 것들이 멀어버린 그녀의 눈에 다시금 또렷하게 보이기 시작했다.

"비, 빈우? 왔어?"

자신의 운명을 본 알탄훼아나는 필사적이었다. 겁에 질린 그녀는 자신에게 다가올 운명으로부터 눈을 돌리지 않고 억지로 마주 보려고 발버둥 쳤다. 그런 알탄훼아나의 모습에서 빈우는 그녀에게 무슨 일이 일어났는지 짐작할 수 있었다.

"보이는가?"

빈우의 물음에 알탄훼아나는 고개를 끄덕였다. 그녀는 아직 공포에 다 집어삼켜지진 않았지만, 자신의 발치에서부터 계속 기어 올라오는 어두운 물결에 익사 직전이었다. 둘의 시선이 마주치는 순간 빈우도 보았다. 알탄훼아나가 본 선택의 흔적을. 자신이 하게 될 행동과 그것으로 인해 그녀의 앞에 펼쳐질 운명을.

"해줘."

알탄훼아나는 떨리는 몸을 가눠 침대에서 일어섰다. 그리고 빈우에게 팔을 활짝 펴 들어 보이고는 울음과 웃음이 섞인 표정으로 그를 맞이했다.

"어서, 해줘."

마치 다가오는 죽음의 공포에 질려 생을 포기하는 모습 같다. 빈우는 굳은 표정으로 그녀를 향해 다가갔다.

*

'헤헹, 나를 얕봐도 유분수지.'

밖으로 쫓겨났던 파트리샤는 간신히 블랙 랜스의 표면에 붙어 자신의 모함 안으로 침입해 돌아왔다. 아무리 기습을 당하고 외부로 쫓겨났다 한들 그녀는 연방의 정예 실리콘 나이트다. 이 정도 위기쯤은 가뿐하게 극복할 수 있는 것이다.

'가만, 근데 이 양반이 설마 그걸 모를까?'

거기까지 생각이 닿은 파트리샤는 더럭 불안감이 들었다. 방금까지만 해도 팀장의 공격을 이겨냈다고 잠시나마 의기양양했지만, 그녀가 알고 있는 빈우라면 이 정도는 분명히 예측하고도 남는다. 그 김빈우는 아까 수류탄을 인필트레이터 가슴에 붙였을 때 파트리샤를 죽이려면 죽일 수도 있었고, 무력화시키려면 그럴 수도 있었다. 그러나 팀장은 파트리샤를 그저 배 바깥으로 쫓아내기만 했을 뿐이다. 이게 의미하는 게 무엇인지 파트리샤는 금세 눈치챘다.

'시간 끌기.'

결론을 낸 파트리샤는 달렸다. 방금까지 빈우의 반응이 있었던 곳으로.

- 팀장님! 팀장님!

파트리샤가 달려가며 공용회선으로 빈우를 불렀지만, 대답이 없었다. 그뿐만 아니라 373 기밀 회선이나 지상팀 전용 두뇌칩 회선으로 불러봐도 아무런 반응이 없다. 태스크포스 373의 팀장인 빈우는 샤다이 포로인 알탄훼아나가 있는 방으로 간 다음에 통신이 두절된 것이다.

- 어? 어? 야야야, 빈우야.

통신 두절 외에도 또 다른 사실을 하나 더 알아낸 파트리샤가 애가 타서 혼잣말을 한다.

- 젠장! 반응이 없어! 없다고!

이어서 회복된 통신으로 파트리샤가 고래고래 소리를 쳤다. 그러자 오르 함장이 받았다.

- 진정하세요, 피아프 중위. 지금 추적을 피하려고 통신을 끈 것일 수도 있잖습니까.

하지만 파트리샤는 이를 악물며 벽을 쳤다.

- 함장님도 아시죠? 지금 팀장님의 위치가 블랙 랜스에서 파악되지 않습니다. 이건 단지 몸을 숨긴 게 아니에요. 지상팀의 두뇌칩 회선에서 두뇌칩 반응이 아예 사라져버렸습니다.

- 이런.

사태의 심각성을 깨달은 오르 함장이 혀를 찼다. 현재 블랙 랜스 안에선 빈우의 두뇌칩 반응이 나타나지 않고 있었다. 빈우가 같은 팀인 태스크포스 373으로부터 완전히 모습을 감춘 것이다. 373 팀원들은 기밀 회선을 쓰는데도 그의 두뇌칩 반응이 없다는 것은 그가 사망했거나 완전히 이탈했을 때뿐이다.

- 팀장니임!

파트리샤가 문을 부수며 안으로 들어갔다. 그러나 방 안에는 알탄훼아나만이 홀로 주저앉아 있었다. 그리고 넋이 나간 채 키득거리며 웃고 있었다.

- 팀장님 어디 갔어, 개놈아! 우리 팀장님 어디 갔냐고!

뭐같이 돌아가는 상황에서 웃고 있는 샤다이가 오죽 눈꼴셨을까. 짜증이 난 파트리샤가 알탄훼아나를 거칠게 잡아들었다. 그러나.

"……이런 씨발."

알탄훼아나와 눈이 마주친 파트리샤는 그녀를 내려놓으며 허탈한 한숨을 내쉬었다. 샤다이 여인의 두 눈에는 푸른 피를 흘리는 검은 구멍만이 있었다. 안구째로 뽑혀나간 것이다.

"이제…… 보이지 않아……. 아하, 하하하."

알탄훼아나는 뻥 뚫린 눈에서 피를 흘리면서도 행복하게 웃고 있었다.

239

. . . ✦ . . .

샤워를 마치고 나온 히토미는 가운만 걸친 채 의자에 앉았다. 그리고 맥주를 마시며 그동안의 자료를 다시금 훑어보기 시작했다. 이번 사건의 발단은 누벨 노르망디에서 샤다이와 교전한 빈우가 워프 비스트로 변이한 것에서부터다. 이후 그는 특수전 사령부에 틀어박혀 두문불출하고 치료를 했다.

'이때 내가 무슨 행동을 했어야 했어.'

이미 지나간 일이지만 히토미는 자책했다. 상원과 연방정부 내에서 암약하는 조직을 일망타진하기 위해 보안국과 그 배후를 견제하지 않은 결과가 나비효과를 일으켜 일이 여기까지 온 것이다. 후에 만난 마커스 국방차관은 후회하는 히토미를 위로해주었다.

'정보원이 5의 가치를 지닌 정보를 가져온다고 합시다. 이 정보대로 행하면 5의 이득을 얻고, 행하지 않으면 5의 손해를 봅니다. 다만 이것을 밝히면 투입한 정보원은 잃게 되고 그 손해는 10입니다. 그러면 정보를 묵살하고 가만히 있어야죠. 5의 손해는 감수해야 하는 겁니다.'

히토미와 그녀의 파벌이 그랬었다. 10의 가치를 지닌 목표를 위해 5의 가치를 지닌 빈우의 위험을 무시했다. 빈우 스스로도 납득한 일이고, 그 자신도 그렇게 하라고 히토미에게 권유했었다. 하지만 그런다고 히토미 자신의 양심은 납득하지 않았다.

"과전이라……."

문득 당시의 전투가 떠오른 히토미가 혼잣말을 했다. 그녀가 빈우에게 물은 적이 있다. 고향을 버려도 괜찮냐고. 그는 괜찮다고 말했지만, 그럴 리는 없었다.

'또 협력자인 알탄훼아나는 이런 상태고…….'

누벨 노르망디에서 아나스타샤와 함께 지상으로 내려갔던 알탄훼아나는 현재 히토미가 속한 상원 조사단이 데리고 있다. 지금까지 샤다이 쪽의 정보를 넘겨주고 빈우를 치료해줬던 알탄훼아나는 정신적으로 완전히 망가졌다고 했었다. 지구제국의 고문 후유증에 계속해서 이어지는 빈우의 치료가 그녀에게 부담이 되었던 것이다. 하지만 373쪽의 정보에 의하면 지금 그녀의 상태는 상당히 호전되었다고 했다. 두 눈이 뽑혔다는 것만 빼면 말이다.

아무튼 전투가 끝난 다음 히토미 측이 숨을 죽이는 동안, 빈우도 특수전 사령부에서 조용히 숨어 지내며 치료를 했었다. 그리고 치료가 끝나자마자 42전단에 합류를 시도했다. 당시 주변인은 모두 말렸다고 했지만, 빈우는 막무가내로 42전단으로 가려고 했다.

'왜 김 팀장은 굳이 42전단으로 가려고 했을까?'

특수전 사령부는 태스크포스 373의 본거지다. 게다가 지금까지 보안국과 충돌한 전적이 있어서, 근처에 보안국이 알짱거렸다가는 개작살이 났을 게 뻔하다. 언뜻 보면 보안국의 손길로부터 가장 안전해 보인다. 그러나 그 보안국이 아무런 밑준비도 없이 쳐들어올 리는 없다. 캐서린 시슬 대장의 정보에 의하면 특수전 사령부 내에 보안국의 끄나풀이 심어졌다고 했고, 그래서 레드우드 사령관도 참모진 구성에 꽤나 애를 먹었다고 했었다. 게다가 만약 이번처럼 통합사령부의 명령서를 가지고 왔었다면 특수전 사령부는 눈을 뻔히 뜬 채로 빈우를 빼앗겼을 것이다.

"의원님, 이것 좀 드세요."

뒤에서 아나스타샤가 안줏거리 견과류를 들고 왔다.

"아, 고마워. 아나스타샤."

빈우의 비서인 아나스타샤는 현재 히토미가 데리고 있다. 현재 '김빈우 사건'의 중요 조사 대상인 그녀지만 해당 사건의 전담 조사관이 바로 히토미였기에 아주 당연하게 데리고 조사할 수 있었다.

"이건…… 주인님께서 42전단으로 가던 당시의 일인가요?"

어깨너머로 자료를 본 아나스타샤가 말했다. 그녀는 빈우와 밀착해서 지냈던 안드로이드였던 만큼 히토미는 최대한 조사에 협력해달라고 했고, 아나스타샤 역시 열성적으로 도와주고 있었다.

"그래, 그 동기에 대해 뭔가 집히는 게 있어?"

물론 대외적인 동기는 빈우가 밝혔다. 하지만 그 속내는 아무도 몰라서 물은 것이다. 하지만 히토미의 질문에 아나스타샤는 슬픈 표정으로 고개를 저었다.

"아뇨, 하지만 타이 차관님이시라면 뭔가 아실지도 모르겠어요."

가장 측근이었던 그녀마저 모르는 것이라면 정말 아는 사람이 없을 수도 있다. 그러나 마커스 타이라면 다를 수도 있다.

"타이 차관이라……."

히토미는 빈우의 사관학교 동기이자 친구였던 마커스 타이를 떠올렸다. 농업 행성에서 자란 빈우와 달리 금수저를 물고 태어나 탄탄대로를 달린 엘리트 중의 엘리트이고, 현재는 국방부 차관이다.

"김 소령이 워프 비스트로 변했을 때, 타이 차관이 그를 버렸다고 했지?"

"버, 버린 게 아니에요. 두 분 사이엔 제가 모르는 뭔가가 있어요."

대수롭지 않은 히토미의 말에 아나스타샤가 화들짝 놀라서 반응한다.

"미안, 내 실수야."

"아니에요, 의원님. 죄송합니다."

고개를 숙이는 아나스타샤를 보는 히토미는 마음이 착잡했다. 지금 아나스타샤는 '버린다'라는 단어와 행동에 상당히 민감한 반응을 보이고 있었다. 주인이 자신을 버리고 간 사실에 충격이 큰 모양이다.

아무튼 히토미의 조사에 따르면 김빈우와 마커스 타이는 절친임과 동시에 긴밀한 협력자였다. 마커스가 아무리 엘리트라고 한들 그 혼자만의 힘으로는 서른도 안 되는 나이에 군사정보국 차장이 될 수는 없었다. 빈우와 마커스는 서로를 밀고 당겨주는 사이였다. 빈우는 공적을 세워 마커스를 밀어주고, 올라간 마커스는 위에서 빈우를 지키고 당겨준다. 실로 이상적인 협력관계였다. 지금까지는.

"자신의 보모였던 크산티페를 맡긴다라……."

히토미는 눈앞의 아나스타샤와 똑같은 안드로이드의 홀로그램을 봤다.

"네, 타이 차관님께선 만약의 사태를 대비해 저와 크산티페를 바꿔치기할 생각을 하셨습니다."

쿠델카 모델 안드로이드라면 주인과 꽤나 긴밀한 관계를 구축한다. 빈우와 아나스타샤처럼. 그런 안드로이드를 희생양으로 내세울 정도면 마커스는 결코 빈우를 버린 게 아니었다. 오히려 지켜주려고 한 게 분명했다.

"그때 일을 다시 재생해주겠어? 아, 말만."

"알겠습니다."

아나스타샤는 당시 두 사람의 대화를 재생했다. 그녀의 입에서 두 남자의 목소리가 흘러나온다.

- 본론을 말해.
- 군사정보국 차장 그만두고, 국방부 차관 할 계획이야.
- 그래……. 도움이 되어주지 못해서 미안하다. 마커스.
- 내가 누굴 도울 형편이냐. 고생해라. 아참. 어머니가 너 좀 보자시더라. 그러고 보니 부상하고 난 다음에 한 번도 연락 안 했지? 나는 이 새끼야, 종종 너네 누나랑 여동생한테 연락했었단 말이다. 방금도 한바탕 치르고 왔다.
- 그러게. 내가 좀 바빠서 말이야. 시간 나면 한번 뵙도록 할게.

히토미는 두 사람의 마지막 대화를 곱씹으며 들었다. 그냥 직장을 옮긴다는 내용과 가족한테 얼굴 비추란 잔잔한 대화다. 당시의 상황과는 결코 어울리지 않는 내용이다.

"아나스타샤, 혹시 여기 뭔가 암호라도 있니?"

"아뇨, 제가 알기론 이 대화에 암호는 없습니다. 다만……."

"다만?"

"여기 대사 직전에 주인님께서 반격과 긍정을 뜻하는 수화를 하신 적이 있습니다. 알탄훼아나 씨의 치료가 효과가 있단 의미였죠. 또 이것 말고도 두 분 사이엔 예전부터 두 분들끼리만 통하는 암호가 있습니다. 사관학교 때 만드신 거죠. 주인님께서 부상하셨을 때도 두 분은 그것으로 대화를 나누신 적이 있고요."

"그렇단 말이지……."

"네, 또 저에겐 주인님을 부탁한다고 따로 말씀까지 해주셨습니다."

히토미는 고개를 끄덕이며 맥주를 마셨다. 두 사람의 마지막 대사에선 이별이라거나 앞으로의 중대한 사건에 대해 일체의 언급이 없었다. 아마 이 둘은 그런 일들에 대해 전혀 염두에 두지 않았거나, 아니면 이미 예전부터 이에 관해 미리 각오를 해놨을 것이다. 자세한 것은 빈우와 얘기를 나눴던 마커스가 알고 있겠지만, 어떻게 물어볼 수가 없었다.

'마커스 타이라.'

그를 떠올리는 것만으로도 히토미의 눈살이 찌푸려졌다. 얼마 전 히토미는 이 일과 관련해 마커스와 접촉한 적이 있었다. 빈우를 내란 혐의로 체포하려 했었지만 그는 실제로 탈출했고, 히토미는 부랴부랴 달려와 사건 수습에 전념했다. 그중 하나가 마커스와의 면담이었다. 얼마 전까지만 해도 군사정보국의 차장에다 빈우의 친구였으니 무언가 알고 있지 않나 해서였다. 하지만 마커스는 자신은 아는 바 없다, 연방의 반란자와는 연을 끊었다, 그건 당시 대화로 알 수 있지 않느냐, 나도 피해자다, 라는 식으로 말을 돌렸다.

그리고 그때 히토미가 느낀 감상은, 마커스 타이란 인간은 정말 재수 없다는 것이었다. 이건 다른 373 팀원들의 감상도 마찬가지였다. 그가 빈우에 대해 정말 헌신적이란 것은 부정할 수 없는 사실이다. 게다가 빈우의 가족과 아나스타샤에게도 친절하다. 그러나 그 외의 빈우 부하나 주변인에 대해서는 대단히 재수 없게 굴었다. 혹시 그들을 빈우의 방해꾼으로 여기고 저러나 싶어 아나스타샤에게 물어봤지만, 답은 아니었다.

'타이 차관님은 원래 그런 분이셔요.'

그래서 히토미는 그러려니 하고 납득했다. 지금 마커스 타이는 빈우를 믿고 있음이 분명하고, 그를 도와줄 것 또한 자명하다. 그러나 다른 사람에겐 결코 협력할 기색이 없어 보였다.

"아나스타샤, 네가 혹시 물어봐줄 수 있을까?"

"죄송합니다. 그런 것이라면 아무리 저라도 타이 차관님께선 알려주지 않으실 거예요."

"하아, 어쩔 수 없나."

히토미는 푸념과 함께 맥주를 들이켰다. 그렇다면 현재까지 빈우가 42전단으로 간 이유와 동기에 대해선 정확히 밝혀진 것이 없는 셈이다. 그가 정말 보안국이나 그 뒤의 마수로부터 도망치기 위해서 간 것인지, 아니면 암약하는 적들을 유인하기 위해서 모습을 드러낸 것인지는 알 수 없는 것이다.

"이걸 모르면 안 되는데."

히토미는 다음 자료를 보았다. 보안국이 수사 명목으로 42전단에 잠입한 이후의 사건들이다. 처음엔 그저 온건하게 수사 협조 요청을 했었다. 아마도 일을 크게 벌이지 않고 상원의 히토미 파벌을 자극하지 않으려는 속셈이었겠지. 그러나 빈우는 이에 맞서 특수전 사령부의 긴급체포명령을 들고 와 자신을 스스로 체포해 가려고 했었다.

"내란음모죄라."

당시의 명령서가 증거품으로서 히토미의 손에서 펄럭인다. 보안국의 다샤쿠사키나 국장이 직접 조사한 자료를 바탕으로 특수전 사령부의 조지 레드우드 사령관이 자신의 부하를 직접 체포한다는 내용의 명령서다. 특수전 사령부엔 체포나 조사 권한은 없지만, 보안국의 도움으로 수상한 행동을 하는 부하를 제재한다는 의미다. 물론 빈우가 자신의 도주로를 만들기 위해 만든 명령서지만 현재로선 실제상황이 되어버렸다. 하지만 이에 질세라 보안국이 통합전투사령부의 명령서를 꺼내 들자 일이 걷잡을 수 없이 커져버렸다. 그 결과 42전단은 보안국과 태스크포스 373이 어우러져 아수라장이 되었고, 목표물인 빈우는 부하를 해치고 도주했으며, 그러면서도 42전단의 인공지능을 해킹해 전단 자체를 마비시켜버렸다.

히토미가 부랴부랴 날아와 도착했을 때는 세 세력은 내전 직전까지 간 상황이었다. 보안국은 통합전투사령부의 명령서가 없었으면 인공지능이 아니라 42전단의 인간 손에 직접 가루가 되었을 것이고, 보안국은 보안국 나름대로 42전단의 행동을 문제 삼아 전단 전체를 체포하려고 했다. 그리고 태스크포스 373은 빈우가 탈출해버린 다음 혼란에 빠져 있는 데다 빈우가 전단의 인공지능을 폭주시킨 것 때문에 완전히 찍혀버린 상황이었다.

하지만 이때 이 사태를 해결해줄 소방수가 있었으니, 바로 군사정보국의 이노우에 고토 국장이었다.

'실은 우리 군사정보국에선 특수전 사령부와 긴밀한 협조하에 김빈우 소령이 샤다이와 내통하고 있다는 것을 알아냈습니다.'

어디서 소식을 들었는지 솔리드 베타를 타고 휘하 병력과 함께 나타난 군사정보국장은 이렇게 말했다. 이전부터 샤다이와 접촉이 잦았던 빈우에겐 의심스러운 점이 있었다. 포말하우트에서 발 가르단 하스, 그리고 뉴 소노라에 이르기까지 상부에 제대로 보고하지 않은 수상한 행동이 많았다. 그래서 특수전 사령부의 레드우드 사령관은 샤다이에 대한 정보가 많은 군사정보국에 빈우에 대한 조사를 극비리에 의뢰했고, 마침내 군사정보국은 특수전 사령부와 합작해 빈우의 내란 혐의를 알아낸 것이다.

'그 증거 중 하나가 빈우가 워프 비스트로 변이한 것이고, 42전단의 인공지능을 감염시킨 것이다. 물론 태스크포스 373은 사태가 이렇게 악화되기 전이를 미연에 방지하기 위해 빈우를 체포하려 했었다. 그러나 공을 서두른 보안국이 나서는 바람에 실패했다'는 게 주요 요지였다.

거기에 덧붙여 이번 사건을 빌미로 상원은 보안국을 조지려고 칼을 빼 들었다. 상황이 더 이상 좌시하고만 있을 수 없게 된 것이다. 지금까지 참아왔던 수상한 혐의들이 이자가 붙고 숙성되어 폭발했다. 또 합동참모본부에선 캐서린 시슬 대장이 이번 사건에 쓰인 통합작전사령부의 명령에 대해 의문점을 제기하고 나섰다. 증거도 충분했다.

군사정보국과 특수전 사령부가 합작해서 양념을 친 증거에 상원의 조사팀이 합쳐지자 보안국을 재료로 멋들어진 요리가 완성되었고, 양념의 향기에 이끌려 온 손님들에게 맛있는 식사가 제공되었다. 메인 디시는 이제까지 적을 많이 만들어온 보안국이었다. 그렇게 사냥감이 된 사냥꾼은 지금까지 밟아왔던 사냥감에게 질근질근 씹혔다. 물론 이게 가능한 것은 보안국의 적들이 뒤에서 상원에 힘을 실어준 덕분이다.

'의원님, 도와주십시오. 김 소령을 구해야 합니다.'

그때 군사정보국장인 이노우에 고토는 위급한 상황을 수습하기 위해 자신이 하는 말에 입을 맞춰달라고 했고, 히토미는 입을 맞춰주었다. 정말 추잡한 입맞춤이었다.

240

・・・ ◆ ・・・

히토미는 그때를 떠올리자 마치 정말로 입을 맞춘 것처럼 불쾌한 기분이 입안에 맴돌았다. 그래서 그것을 씻어내듯 서둘러 맥주를 마셨다.

"의원님, 괜찮으세요?"

"응, 괜찮아. 근데 아나스타샤."

"말씀하세요."

잔을 비운 히토미가 아나스타샤를 돌아보았다. 한동안 광란 상태에 빠졌던 이 안드로이드 메이드는 지금은 평온을 되찾은 것처럼 보였다. 주인에게 버림받았던 당시의 그녀는 너무나도 맹렬하게 폭주했기에 하마터면 히토미가 데려온 병력들에게 사살될 뻔했었다. 물론 아나스타샤에게 총구를 겨눴던 장갑보병들은 비무장의 373팀원들에게 척추가 접혔고, 히토미가 중간에서 말려야 했다. 그리고 급히 달려온 크산티페와 373팀원들이 그녀를 설득하고, 히토미가 '빈우를 구출하자'라고 권유를 한 다음에야 고분고분해졌다.

"의원님?"

그때를 회상하며 잠시 말없는 히토미에게 아나스타샤가 의아한 듯 고개를 갸우뚱하며 불러온다. 그러자 히토미가 화들짝 놀랐다.

"어머, 내 정신 좀 봐. 아나스타샤 너, 군사정보국에서 제법 오래 있었지?"

"네. 주인님을 모시며 비서로 일했습니다."

그 때문에 아나스타샤는 군사정보국의 기밀이 들어 있는 안드로이드지만,

이노우에 국장은 선심 쓰듯이 그녀를 먼저 넘겨주었다. 히토미가 뺏기 전에 말이다.

"그러면 그쪽 사람들 행동이나 하는 방식도 알고 있고?"

"네. 하지만 이번 일과 관련되지 않은 기밀 사항에 대해선 말씀드릴 수 없습니다."

거기까지 들은 히토미는 만족한다는 듯 고개를 끄덕이며 편한 자세로 다리를 꼬았다.

"흐음, 그런 건 아냐. 다만 물어볼 게 있어. 이번 군사정보국의 행동이 과연 사실일까?"

즉 군사정보국이 특수전 사령부와 보안국 사이에서 이중 스파이 역을 하면서 특수전 사령부와 빈우를 도왔냐는 뜻이다. 히토미의 질문에 아나스타샤는 쟁반을 내려놓고 자세를 바로 했다. 그리고 대답했다.

"아니요. 아마 이번 사건 직전까지만 해도 군사정보국과 보안국은 협력 중이었을 겁니다. 의원님이 주신 권한으로 자료를 살펴봐서 알게 된 것이 있습니다. 이번에 보안국은 주인님을 추적하고 있었습니다만, 그 외의 정황을 보면 같은 시기의 군사정보국은 울토르 클론을 추적하고 있었습니다. 그리고 이를 위해서 두 부서 간에 모종의 거래가 있었다는 것은 확실합니다."

"역시 그렇지?"

다시금 진중한 이노우에 국장의 표정이 떠오르자 히토미는 헛웃음을 터트렸다. 그는 어제까지 협력하던 동지를 오늘 살기 위해 팔아넘겼다. 군사정보국은 이번에 정말 맛깔나게 보안국의 뒤통수를 후려갈긴 것이다. 정말 순식간에 일어난 태세 전환이었다.

하지만 그 덕분에 히토미는 보안국과 연방 내부의 불온 세력을 상당수 잡아 족칠 수 있었고, 특수전 사령부는 방해 세력을 치우고 혐의를 벗었으며, 군사정보국은 뱀의 꼬리를 자른 대가로 용의 머리를 얻었다. 연방 내 부서 간의 파워 밸런스에 이변이 생긴 것이다.

"설마, 김 소령이 이걸 다 염두에 둔 건 아니겠지?"

"에이, 설마요."

히토미의 혼잣말에 두 여인이 서로 마주 보며 어색하게 웃었다. 하지만 비약이 무지막지하긴 해도 마냥 헛소리라 치부할 수 없다. 빈우는 닉스 레벨 3의 전략 병기고, 음모와 책략의 화수분인 것이다.

"……으음, 의원님의 말씀을 듣고 보니 예전에 주인님께서 군사정보국의 방식에 대해서 말씀하시다가 장난치신 게 생각났어요."

그러면서 아나스타샤가 빈 맥주잔을 채워주었다.

"이런저런 이야기를 하다가 갑자기 저한테 반지를 주시더라고요. 생성기로 만든 싸구려였지만, 저는 나름 순환 펌프가 두근두근했답니다. 그때 주인님께선 '이 반지는 사실 코에 거는 귀걸이란다'라면서 다가오시던데, 세상에 그걸 제 발가락에 끼우시지 뭐예요."

"뭐어? 파하하."

그 순간을 상상하며 히토미는 깔깔 웃었다. 하지만 그 안에 숨겨진 뜻은 의미심장했다. 정보에는 보는 관점에 따라 여러 해석이 있고, 받아들이는 자에 따라 천차만별의 가치가 있다. 마치 원통이 앞에서 보면 직사각형이지만 위에서 보면 원인 것처럼. 같은 사건이 이쪽에 이득이 되면 저쪽에선 손해가 된다.

이번에 이노우에 국장이 살기 위해 퍼트린 것은 여지없는 진실이다. 다만 그는 그 정보들을 이상한 관점에서 비추어 퍼트렸고, 또 주변에서는 이를 각자의 입맛에 맞게 받아들였다. 그 결과 42전단의 사고는 '빈우와 관계된 부서들인 군사정보국과 특수전 사령부는 사전에 빈우의 음모를 깨닫고 비밀리에 그를 견제 혹은 체포하려 했으나, 보안국이 중간에 방해하는 바람에 사건이 크게 발생한 것'으로 매듭지어질 예정이다. 덕분에 이번 사건의 모든 혐의와 원인은 빈우와 보안국에게 쏠렸다. 아이러니하게도 빈우가 자신의 탈출을 위해 거짓으로 내세운 내란 혐의가 진실로 낙인찍어진 셈이다.

316

그리고 지금 히토미 파벌의 상원의원들은 이 진실을 바탕으로 조사위원회를 꾸려 이번 일을 철저히 조사할 예정이었다, 이번 기회에 연방에 숨어든 샤다이들을 일거에 쳐내야 하는 것이다. 때문에 타이밍을 잘못 맞추면 빈우를 구할 기회를 놓치게 된다.

"그건 그렇고 울토르 클론 말이야."

히토미가 화제를 바꿔 화면을 띄웠다. 빈우의 모습을 한 클론이 응우옌 일가를 죽이고 보안국과 싸우는 장면이다.

"이것도 나름대로 중요한 사건이지."

지금까지 울토르 클론의 사건에 대해서는 빈우가 조사를 하고 있었다. 그러나 샤다이와의 전면전이 일어나자 잠시 손을 뗄 수밖에 없었고, 이번 사건이 일어난 다음에는 그의 행적에 대해 더욱 수상한 점이 되어버렸다. 덧붙여 응우옌 일가 사건 역시 울토르 클론이 벌인 일이었지만, 보안국은 이를 숨기고 있었다고 군사정보국이 밝혔다.

게다가 이노우에 국장은 보안국이 최근까지 울토르 클론을 운용했고, 자치 행성 프리마에서 권한 밖의 작전을 진행한 사실마저 폭로했다. 보안국은 프리마의 개척민들이 샤다이에게 감염되고 포섭되었기에 어쩔 수 없는 행동이었다고 했지만, 그것을 결정하는 것은 조사위원회다.

"김 소령은 샤다이와 싸우면서도 이 사건을 받아들였어. 당시 나는 그다지 추천하지 않는다고 말했는데도 굳이 떠맡았단 말이야?"

히토미가 샐쭉한 표정으로 말했다. 그녀는 아버지의 은인이 위험에 빠지는 게 싫어서 충고했지만, 빈우는 듣고선 흘려버렸던 것이다.

"주인님께선 외통수로 몰리시기 전에 먼저 장군을 부르시려는 속셈이었을 겁니다."

울토르 클론이 벌인 일련의 사건들은 원래는 군사정보국과 보안국이 가져온 사건이었다. 두 부서는 각자 이 건에 대해 자기들만의 조사를 하고 있었으나, 그 진의를 교묘하게 숨기고 빈우를 끌어들일 미끼로 사용했다. 하지만 빈우는 이 독이 든 잔을 기꺼이 마셨다. 자의에 의해서든 타의에 의해서든.

우선 울토프 프로젝트의 지휘자는 전 연방 상원의장이었던 이케가미 소이치로, 히토미의 아버지였다. 그는 울토르 프로젝트에 샤다이의 음모가 있다는 것을 알아내고는 이를 해결하기 위해 발 가르단 하스로 갔다. 그리고 거기서 자신의 목숨을 바쳐가며 샤다이들의 계단을 부쉈다. 함께 울토르 프로젝트를 진행했던 빈우에게 있어서 그의 마지막 희생은 자신에게도 그 사명을 물려받게끔 만들었다. 울토르 프로젝트의 비밀을 파헤치고 음모를 부수도록 말이다.

게다가 결정적으로 군사정보국장인 이노우에 고토는 빈우가 이 일을 거부하지 않으리란 것을 알고 있었다. 그는 빈우에 대해 속속들이 파악하고 있었고, 빈우가 희생자인 엄마와 아들의 죽음을, 아빠와 딸의 죽음을 결코 지나치지 못한다는 것을 알고 이 사건을 넘겼던 것이다.

"그리고 주인님은 자신의 클론이 벌이는 사건이 자신과 깊게 관련이 있다고 생각하셨을 거예요."

아나스타샤의 말에 히토미가 고개를 끄덕였다. 지금까지 빈우가 조사한 결과, 이 울토르 클론을 만들어서 외부로 탈출시킨 인물은 빈우일 가능성이 높았다. 그리고 그 시기는 울토르 중대가 포말하우트에서 습격당했을 때이며, 그 실행 동기는 빈우의 머릿속에 트리니티 패턴으로 잠겨 있어 알 수 없다. 그래서 빈우는 울토르 클론을 조사하려 했었다. 당시의 일에 대한 중요한 단서이기 때문이다.

"아나스타샤. 네 주인……."

히토미는 다음에 꺼낼 단어가 꽤 민감한 것이어서 말끝을 조금 어물거렸다.

"……인간이지?"

"네! 그건 확실합니다. 저는 울토르 중대에 있으면서 주인님과 울토르 클론들을 함께 만났습니다. 두뇌칩 반응만이 아니더라도 바로 구분할 수 있을 정도로 확연히 표시가 나요. 다만……."

아나스타샤는 처음 대답은 곧바로 했지만, 그녀 역시 말을 이어가다가 점차 끝을 흐렸다. 그리고 당당했던 표정 또한 차츰 불안해져갔다.

"다만?"

"그 클론은 일반적인 울토르 클론이 아니에요. 아마 주인님께서 특별히, 비밀리에 제작하신 것이 분명해요."

빈우가 자신의 클론을 가지고 했던 섬뜩한 실험에 아나스타샤는 얼굴을 굳히며 치맛자락을 만지작거렸다. 주인이 자신의 클론 태아에 지구제국의 나노머신 병기 쉬바를 주입하던 날이 떠오르자 안드로이드는 저도 모르게 섬뜩한 감각에 몸을 떨었다.

"흐음, 일반적인 클론이 아니란 말이지."

히토미가 그 의미심장한 단어를 되새기며 맥주를 마셨다. 연방에서 클론은 널리 쓰이는 기술이고, 주로 손상된 신체를 대체하기 위해서 쓴다. 다만 울토르 클론처럼 자아를 가진 클론은 불법이며, 엄중히 관리한다. 그 때문에 울토르 중대는 연방법이 미치지 않는 동맹종족의 영토에 공장을 세우고, 해당 법령을 누더기처럼 억지로 끼워 맞춘 끝에 탄생한 부대다. 그것만으로도 일반적인 클론이 아닌데, 그보다 더한 클론이라면 대체 어떤 괴물인지 감이 잡히지 않는다.

"그러면 김 팀장은 앞으로 어떻게 움직일까?"

탁하고 빈 잔이 내려오는 소리에 아나스타샤가 고개를 돌리자 거기엔 상원의원이 있었다. 그녀의 눈은 친절한 히토미가 아니라 연방의 오다 의원의 것이었다.

"추측 가능한 루트가 몇 가지 있습니다만, 주인님께선 이미 파악하고 계실 겁니다."

"상관없어. 말해봐."

아나스타샤는 심호흡을 하면서 설명을 시작했다.

"우선 첫 번째는 주인님 자신의 클론을 추적하는 것입니다. 살인사건을 일으킨 클론은 트리니티 패턴으로 잠기지 않은 당시의 주인님께서 만드신 것이기 때문에 그날의 일에 대해, 그리고 울토르 프로젝트에 대해 중요한 정보를 가지고 있을 것입니다."

그녀가 첫 번째로 꼽은 만큼 가장 가능성이 높다. 빈우는 자신의 과거 중 일부를 잃어버린 상태고 그것이 중요하단 것은 자신 스스로가 가장 잘 알고 있다.

"두 번째는 복수입니다."

이어지는 아나스타샤의 말에 히토미는 고개를 갸웃했다.

"복수?"

빈우의 복수라면 보안국이 그 대상일 것이고, 그 보안국은 지금 자신이 열심히 조지는 중이다.

"네, 다만 보안국뿐만이 아니라 연방에 들어온 샤다이들, 이번에 자신을 공격한 적들에게 반격하려는 것입니다."

그 말에 히토미로서도 짐작 가는 것이 있었다. 그녀는 빈우와 조사를 하면서 데이터베이스를 공유한 적이 있었는데, 빈우가 탈출한 이후 상원 데이터베이스에 히토미가 접속한 기록이 생겼다. 히토미 본인은 접속한 적이 없는데도 말이다. 그리고 그 자료들은 히토미 파벌이 예의 주시하고 있는 인물들에 관한 것이었고, 샤다이일 가능성이 높다고 점쳐지는 인물들이다. 아마 접속자는 십중팔구 빈우일 것이다. 그리고 빈우라면 일부러 흔적을 남겼을 게 분명하다.

"어쩌면 울토르 클론의 임무와 비슷할 수도 있겠군."

히토미가 모은 자료에 의하면 울토르 클론이 살해한 자들은 모두 워프 비스트로 변하는 자식이 있었다. 이들은 알탄훼아나가 퍼트리고 피에르 라캉이 수집한 치료법으로 간신히 인간으로 돌아왔지만, 결국 클론의 손에 죽임 당했다. 어쩌면 죽은 마리 라캉과 응우옌 티 빈이 샤다이에 몸을 빼앗겼는지도 모른다.

"죽은 사람들이 샤다이에게 몸을 빼앗겼는지는 현재의 기술로는 알 수가 없지?"

상원의원의 질문에 안드로이드가 쓰게 웃으며 대답한다.

"네, 현재 그것을 구별할 수 있는 알탄훼아나 씨는 특정 파장을 감지할 신체 기관을 잃어버린 상태입니다. 다만 예전에 눈을 잃은 다음 지금은 오히려 정신적으로 많은 안정을 찾으셨습니다."

히토미는 알탄훼아나의 모습을 떠올렸다. 눈에 패드를 감은 샤다이는 드물게 밝은 표정으로 침대에 누워 있었다. 눈을 잃었음에도 말이다.

'빈우는 왜 그녀의 눈을 뽑았을까?'

당시 빈우는 도망을 치면서 몇 가지 술수를 써놨다. 우선 같은 팀원들에게 해코지를 했다. 아룹과 위르겐을 버렸고, 파트리샤를 공격했으며, 모니카와 크산티페를 감금했다. 아이러니하게도 이런 것들이 태스크포스 373이 빈우와는 관련이 없고 무고하다는 것을 증명해주었다. 그런데 눈을 뽑은 이유에 대해선 명확히 밝혀진 것이 없었다.

"아나스타샤, 너의 주인은 왜 샤다이의 눈을 뽑고, 왜 태스크포스 373에서 탈출해야 했을까?"

히토미의 질문은 반쯤 혼잣말이었다. 그러나 그 말을 들은 아나스타샤는 움찔하더니 제대로 대답을 하지 못했다. 그녀에겐 아직 마주하기 버거운 충격이었기 때문이다.

. . . ✦ . . .

"안녕하십니까아 ─. 의원님, 뭐 하세요?"

그때 파트리샤가 갑자기 문을 열고 들어오는 바람에 대답은 듣지 못했다.

"어머, 피아프 중위님. 이러시면 곤란합니다."

아나스타샤가 허둥지둥 나서지만, 오히려 방 주인인 히토미는 태연했다.

"아니, 괜찮아. 중위가 그렇게 들어온 것을 보면 급한 소식이겠죠?"

"네에. 급하다기보다는 좋은 소식을 빨리 알려주고 싶은 마음에 달려왔습니다. 자아, 그럼 뭐부터 말할까나. 일단 조사팀은 편성 완료되었습니다. 중간에 팀장님이 쿠션 역할을 잘해주셔서 무난하게 넘어갔습니다."

방싯방싯 웃으며 자리에 앉은 파트리샤는 자신의 잔을 만들어 히토미에게 척 내밀었다. 그녀가 말한 조사팀이란 상원 조사위원회의 조사원인 히토미의 지휘하에 움직이는 팀을 말한다. 이들은 태스크포스 373 팀원들로 재구성되었으며, 팀장은 아룹 라마누잔 원사다. 히토미가 파트리샤의 잔에 맥주를 따라주며 말했다.

"제 조사팀에 예전 373팀원들을 그대로 데려올 수 있어서 다행입니다. 어떻게 보면 김 소령이 지휘했던 팀이라 공범으로 조사받을 뻔도 했지만, 그 짓을 할 보안국이 먼저 박살이 났지요. 게다가 이쪽 편을 들어준 세력이 많아서 그럴 염려는 없었군요."

이어서 히토미는 자신의 잔에도 맥주를 따른 다음, 두 사람이 건배했다.

그녀는 태스크포스 373을 그대로 유지하기 위해 이리저리 발품을 팔았었다. 한 모금 마신 히토미는 찰랑이는 맥주를 보며 자신이 했던 행적을 되새겨보았다. 빈우의 탈주 후 현장은 태스크포스 373과 보안국, 42전단이 어우러져 아수라장이 되었고, 그것을 진정시키는 일은 결코 쉬운 일이 아니었었다. 게다가 이것을 진정시킨 다음의 일 또한 순탄하지만은 않았다. 빈우가 지휘했던 태스크포스 373에도 혐의가 씌워진 상황이었던 것이다. 만약 군사정보국의 이노우에 고토나 합동참모본부의 캐서린 시슬이 나서서 도와주지 않았다면 373팀은 히토미가 데려오긴커녕 그 자리에서 체포되었을 것이다.

"레드우드 사령관께서 제 의견을 들어주셔서 정말 다행이었습니다."

히토미는 당시의 사태를 파악한 다음 태스크포스 373이 혐의를 벗자마자 이들을 자신의 조사팀으로 영입했다. 잡음이 있긴 했지만 어떻게든 밀어붙였고, 오늘에야 정식으로 인가를 받았다고 한다.

우선 태스크포스 373은 레드우드가 자신의 이름을 걸고 데려온 엘리트들로 구성된 부대이며, 다행히도 그는 히토미에게 우호적이었다. 그래서 히토미가 태스크포스 373을 그대로 빈우의 사건 조사팀을 꾸리겠다고 하자 오히려 반색하며 찬성해주었다.

"우리야 그 영감님이 까라면 까는데, 단지 블랙 랜스가 조금 골치였죠."

파트리샤는 블랙 랜스를 회수해 가려는 과학기술국을 상대로 노발대발하던 레드우드의 모습을 떠올리며 몸서리를 쳤다. 블랙 랜스는 과학기술국의 기술실증함이며, 그쪽에서 모니카 보르자 대위와 함께 넘어왔다. 다만 모니카가 속한 파벌은 레드우드에게 우호적이었지만, 블랙 랜스 쪽 파벌은 묘하게 난색을 표했었다. 그때 같은 정보사령본부의 고토 국장이 나서서 다리를 놔줬고, 그 덕에 블랙 랜스는 계속해서 조사팀의 모함으로 있을 수 있었다.

"호호, 중간에서 중위님이 말린다고 고생했다고 들었습니다. 또 라마누잔 팀장님 덕도 톡톡히 봤습니다. 특수전 사령부는 제가 레드우드 사령관님과 상의를 했는데, 42전단은 팀장님과 중위가 가셨나요?"

"아뇨, 팀장님하고 위르겐이요. 그 녀석 뱅가드에선 나름 유망주인데다가 이래저래 인망이 있더라고요."

42전단은 보안국과 빈우의 공격에 폭발 직전까지 갔고, 아룹과 위르겐이 나서서야 간신히 달랠 수 있었다. 고개를 끄덕이며 말을 듣는 히토미의 잔에, 파트리샤가 어느새 비웠던 자신의 잔을 채우곤 다시 쨍 하고 부딪혀왔다.

"뭐, 의원님께는 이래저래 감사하고 있습니다. 하마터면 우리 그날 박살 날 뻔했거든요. 해체 같은 거 말고 그날 42전단의 포격에 빵야 하고 말이에요. 근데 뭣 좀 여쭤봐도 될까요?"

"네, 얼마든지."

"왜 태스크포스 373을 이번 사건 수사팀, 그러니까 김빈우 소령 추격팀으로 편성하셨죠?"

빈우가 저지른 짓은 꽤 크고 무겁다. 허위명령서 작성에 42전단의 인공지능 세뇌. 특히 후자는 그가 있었던 태스크포스 373이 공중분해되어도 당연할 정도, 아니, 당연히 공중분해되었어야 할 정도의 중죄다.

"그야 첫째는 여러분이 연방 최고의 대원이기 때문입니다. 연방 최고의 기밀을 가지고 탈주한 사람을 잡으려면 최고의 사냥꾼이 필요하죠. 둘째는 앞서 말한 것의 연장선입니다. 태스크포스 373 대원들은 김빈우 소령과 가장 가까이서 생활한 사람입니다. 그의 습성에 대해서도 잘 파악하고 있죠. 마지막 세 번째는 선전입니다."

"선전요?"

안주를 집어 먹던 파트리샤가 눈을 동그랗게 떴다.

"네, 이 팀이 그대로 유지됨으로써 김 소령의 무고에 도움이 되지 않을까 해서 말입니다."

즉, 히토미를 위시한 파벌은 태스크포스 373의 건재함을 증명하기 위해 보안국에게 모든 혐의를 뒤집어씌우려 한 것이다. 다시 말해 빈우와 태스크포스 373이 그런 행동을 한 것은 보안국의 치밀한 모략 때문에 어쩔 수 없었다는 의미다.

"엑, 더러워."

파트리샤의 솔직한 대답에 아나스타샤가 조마조마 눈치를 보지만, 히토미는 잔잔하게 웃을 뿐이다.

"참, 중위. 저도 한 가지 물어볼 게 있는데요."

"넵. 제가 대답할 수 있는 거라면 뭐든지요."

"김 소령은 왜 그날 샤다이 알탄훼아나의 눈을 뽑았고, 왜 태스크포스 373에서 탈출해야 했을까요?"

안주를 집던 파트리샤의 손이 멈춘다. 대신 맥주잔을 들어 입안에 있던 것을 꿀꺽 삼켜버렸다.

"프하, 으음. 그러려면 팀장, 아니, 소령님의 행동 동기에 대해 파악해봐야 하죠. 그것도 아주 근원적인 걸로."

"근원적인?"

파트리샤가 미소를 지우자, 히토미의 얼굴도 덩달아 심각해졌다.

"네. 김빈우 소령의 목적은 연방의 안전입니다. 언제나 그것을 위해 움직이죠. 의원님께서도…… 이케가미 전 상원의장의 죽음을 기억하시죠?"

히토미가 무겁게 고개를 끄덕였다. 빈우가 보여준 아버지의 죽음. 거기에서 빈우는 목숨을 걸고 그를 구하려 했다.

"뉴 소노라에선? 홍수처럼 쏟아져내리는 워프 비스트 속에서 자치 행성을 구하기 위해서 뛰어들었죠."

그때 히토미는 아나스타샤와 함께 자신의 방에 있었다. 만약의 경우, 상원의원인 그녀와 그녀가 가진 정보를 빼앗기지 않기 위한 극약처방이 실시될 정도로 위급한 순간이었다.

"다른 팀원들도 같이 뛰어드셨잖아요."

히토미의 말에 파트리샤가 어깨를 으쓱한다.

"네, 그게 우리 일이긴 하죠. 하지만 가장 큰 이유는 소령님이 먼저 나섰기 때문이에요. 만약 그날 다른 지휘관이 후퇴하라고 했다면 우린 후퇴했을 겁니다. 장갑보병 1개 분대로 할 수 있는 게 뻔하거든요. 하지만 김 소령은 그런 인물이 아니죠. 그리고 우리도 그 양반이라면 분명히 방법이 있을 것이라 믿었고요. 또 솔직히 우린 그 정도 되는 인물이 이끌면 같이 싸우다 죽어도 여한이 없겠다 싶기도 했고 말입니다. 씨바랄, 따지고 보니 그 양반이 자기 못자리로 드러눕는 게 몇 번이야."

투덜대며 지난 일을 회상하던 파트리샤의 눈이 다시 현실을 보았다.

"아시겠습니까. 김빈우란 인간이 무엇을 위해 움직이는지? 그는 연방의 안전을 위해선 얼마든지 자신을 희생할 각오가 되어 있어요. 그리고 그런 자리가 생기면 자기가 가장 먼저 나설 사람이란 말입니다."

거기까지 말한 파트리샤는 아차 해서 뒤를 돌아보았다. 거기엔 희생양의 개인 비서인 아나스타샤가 있었다.

"네, 중위님 말씀대로예요. 주인님은 연방을 위해 목숨을 바칠 각오가 되어 있고, 또 그렇게 하십니다. 병적으로요. 아마도…… 어릴 적의 트라우마가 원인인 듯합니다."

아나스타샤는 그 원인을 안다. 어머니의 죽음과 동생의 죽음, 그리고 가족에 대한 죄책감. 때문에 빈우는 무의식적으로 그에 대한 회개를 위해 언제나 자신을 채찍질해왔었다. 아나스타샤는 그 채찍을 대신 맞아주고 싶었지만, 주인은 절대 그렇게 하지 못하게 했다.

"희생…… 헌신……."

히토미는 한숨을 내쉬며 잔을 내렸다. 그리고 눈꺼풀도 내렸다.

"그렇군요. 알겠어요."

히토미는 입술을 잘근잘근 씹으며 생각을 가다듬었다. 빈우가 치유되자마자 42전단으로 간 것과 이어서 42전단을 탈출한 사건을, 그의 희생을 전제로 하고 다시 복기해보았다. 그녀가 다시 눈을 떴을 때, 그 눈동자는 조바심으로 가득 차 있었다.

"위험해요. 위험해, 위험해. 그렇다면 그가 우릴 버린 이유는 명약관화합니다. 그는 연방의 적을 뿌리 뽑기 위해 자신을 희생할 셈이에요. 그리고 김 소령은 앞으로 일어날 그 사건으로부터 우리를 지키기 위해서, 또 우리가 방해가 되기 때문에 떠난 겁니다."

그 말에 파트리샤가 놀라서 질문했다.

"연방의 적? 보안국과 의회의 적 말입니까? 그건 의원님과 군사정보국에서 대응하고 있지 않나요?"

"아뇨, 그날 김 소령은 느꼈을 겁니다. 보안국이 직접적으로 행동에 나서고, 통합사령부의 명령서를 꺼내 들었을 때 사건이 앞으로 어떻게 흘러갈지 파악한 거예요. 물론 처음엔 자신을 미끼로 삼아 움직였겠죠. 숨죽이던 우리 앞으로 보안국이 달려들도록 말입니다. 하지만 우리가 열심히 일해봤자 깃털만 뽑을 거고, 몸뚱이는 멀쩡히 살아 있을 것을 깨달은 겁니다. 그래서 즉시 다음 안을 실행한 거죠. 그 몸뚱이를 다름 아닌 자신이 직접 치기 위해 움직인 거예요. 그리고 아마…… 엄청난 사건이 일어날 겁니다."

히토미 말에 아나스타샤가 그날의 장면을 떠올렸다. 주인이 자신에게 작별을 고하던 순간을. 단순한 '안녕'이란 말에 어떤 의미들이 억눌려 담겼는지 이해했던 그 순간을.

"네, 아마도요. 주인님께선 자신이 죽을 자리로 홀로 떠나신 겁니다. 자기 혼자서요."

결론을 내린 세 여인 사이엔 경악과 정적만이 감돌 뿐이었다.

*

술자리는 다른 곳에서도 펼쳐졌다. 42전단의 이그젝틀리에서 전단 주임 원사인 페르디난도 아키노와 조사팀의 팀장인 아룹 라마누잔 원사가 잔을 기울이고 있었다.

"덕분에 살았다."

아룹은 자신의 전우에게 감사를 표했다. 그는 경력만큼 발도 넓어 42전단의 장갑보병 전대장 데이먼 중령과도 아는 사이다. 그러나 페르디난도와는 군에 오면서부터 알게 된 막역한 사이다. 페르디난도는 아룹이 따라주는 잔을 받으며 코웃음을 쳤다.

"흠, 우리 전단장님이 너희들 저번 팀장을 꽤나 좋게 본 모양이야."

솔직히 그날 일어난 일은 42전단이 자기 재량으로 블랙 랜스를 격침시켜도 할 말 없는 수준이었다. 전단의 인공지능들이 전부 맛이 가 빈우를 편든 것이다.

"그거 다행이군. 인공지능들은 어때?"

아룹이 짐짓 겁먹은 척 어깨를 움찔했다. 42전단의 인공지능들이 빈우의 손을 거쳐 주인의 명령을 거부하고 보안국을 공격하는 대형 사고를 쳤던 날, 아룹은 진짜로 겁을 먹고 어깨를 움츠렸었다. 그 정도로 대형 사고였다. 이렇게 부드럽게 마무리된 게 기적이었다.

"김 소령이 터트린 논리폭탄의 후유증이 심해. 그래서 인공지능 전부 김 소령 만나기 전으로 롤백한 다음 해당 알고리즘을 대대적으로 손봤다. 근데 그 해결 알고리즘, 누가 만든 건지 알아?"

페르디난도가 물어보는 기색이 심상치 않아, 아룹은 그가 누구인지 대강 눈치챘다.

"김 소령?"

"맞아. 사건 이후 드러나도록 숨겨놨더라. 병 주고 약 주고도 정도가 있지. 그 양반, 해결책과 앞으로의 예방법을 다 마련해놨더라고."

페르디난도가 질린 듯이 고개를 절레절레 흔들며 술을 들이켰다.

"치밀한 사람이니까."

아룹도 같은 심정으로 잔을 비웠다.

"근데 너, 김 소령 추적팀이라면서?"

이번엔 페르디난도가 아룹의 잔을 채워주며 물었다.

"조사팀."

"그거나 저거나."

"그래, 그거 때문이라도 한번 물어보자. 너도 닉스 레벨 3이었잖아."

"한때는."

페르디난도 역시 닉스 레벨 3의 우수한 요원이었다. 그러나 그는 임무에서 오는 중압감을 이겨내지 못하고 현장에서 한발 물러나기로 했다. 그 후 스크로도프스카 전단장의 부름을 받고 그녀를 따르다가 42전단을 구성할 때 전단 주임원사로 오게 되었다.

"어때, 잡을 수 있겠어?"

아룹의 질문에 주어와 목적어가 생략되어 있었지만 페르디난도는 이해했고, 거기에 조건을 하나 더 붙였다.

"잡히지. 도망자와 추적자의 싸움은 대부분 추적자의 승리야. 하지만 그러려면 심판이 필요해."

"심판?"

아룹은 의아했다. 도망자와 추적자 사이에 누가 심판으로 나설까? 도망자? 추적자? 아니면 상부?

"시간."

페르디난도의 말이 의미심장했다.

"흐음, 그런 의미였냐?"

아룹은 그게 무슨 의미인지 대강 짐작했다. 추적팀이 빈우를 따라가면 언젠가는 잡게 된다. 그러나 페르디난도가 말한 문제는, 빈우가 또 다른 대형 사고를 치기 전에 붙잡아야 한다는 의미다.

"이건 단순한 문제가 아냐. 보통의 표적이라면 네가 붙었으니까 걱정도 안해. 하지만 닉스 레벨 3은 달라. 이놈들은 군의, 아니, 인간의 상식에서 벗어나서 움직인다. 연방의 전략 전술은 물론이고 과학기술이나 법률에도 능통한 놈들이지. 특수전 사령부에서도 닉스 레벨 3 훈련을 시킨다고 알려져 있지만, 그것은 전투기술에만 국한된 거야. 그야말로 새 발의 피지."

과거 닉스 레벨 3이었던 페르디난도는 친구 아룹의 앞길에 무엇이 펼쳐질지 상상하게 되자 갑자기 술맛이 씁쓸해져 이마를 찡그렸다. 그래도 설명은 계속했다.

"숨바꼭질로 비유하면 말이야. 모두가 꼭꼭 숨어라 머리카락 보일라 할 때 김 소령은 문밖으로 나가서 차 타고 도망칠 거다. 그리고 오만가지 방해를 할 걸. 총칼이나 폭탄은 애교야. 갖은 정치적 술수와 법적 제재가 너희네 팀의 목과 발목에 들러붙을 거란 말이다."

전우의 너스레에 아룹이 쓴웃음을 짓자, 페르디난도가 뭔가 생각이 난 듯몸을 가까이했다.

"그리고 아룹, 솔직히 네 팀이 추적자로 붙은 건 의외야."

"어째서?"

아룹의 질문에 페르디난도는 머뭇거리면서도 대답해주었다.

"닉스 레벨 3도 결국은 인간이다. 먹고 자고, 울고 싸는. 그래서 배반의 가능성 또한 염두에 두지. 닉스 레벨 3은 같은 닉스 레벨 3만 추적할 수 있어. 그러니 너희 같은 '일반' 부대가 추적자로 붙은 건 의외였단 말이다. 혹시 모르지. 너네 팀은 상원의 조사팀이고, 실제 추적팀은 따로 있을지도 말이야."

아룹은 자신을 일반 부대원이라 칭하는 페르디난도의 말에 헛웃음을 지었지만, 문득 빈우의 행적을 비교해보면 그럴 법도 하다고 생각했다. 만약 빈우와 자신이 정면에서 일대일로 붙는다면 힘들겠지만, 그래도 이길 가능성은 높다. 그러나 부대원을 이끈 전투라면 그때부터 빈우의 악랄함은 배가 된다. 판이 커질수록, 전선이 넓어질수록 빈우의 수는 무궁무진해진다.

"페르디난도. 닉스 레벨 3이 같은 3레벨을 추적한 것에 대한 자료가 있나?"

그 말에 전 닉스 레벨 3 요원이 어깨를 으쓱하더니 반쯤 빈 술잔을 지긋이 응시했다.

"자료라……. 참고로 김빈우는 나와 함께 배반자를 추적해서 마무리한 적이 있다."

아룹은 빈우와 나름 오랜 기간 있었지만, 팀장은 그런 얘기는 전혀 한 적이 없었다.

"그건 처음 듣는데."

"당연하지. 그걸 떠벌릴 리가 있나. 지금부터 내가 하는 말은 너만 알고 있어. 그리고 잊어. 그때 나도 같은 작전이었지만 활동 영역은 겹쳐지지 않아서 잘은 몰라. 그때 추적 명령을 내린 것은 이케가미 전 상원의장. 실행자는 다수의 닉스 레벨 3 요원들. 작전목적은 달성했지만 동맹종족에게 상당한 피해가 갔어. 그리고 그 공로로 김 소령은 울토르 프로젝트에 뽑혔고, 나는 보시다시피……."

페르디난도는 채 말을 맺지 못하고 대신 술을 들이켰다. 그 모습에 아룹은 아마도 그때의 작전이 그로 하여금 현역에서 한발 물러나게 한 계기가 되었음을 알 수 있었다. 꽤나 더럽고 추잡한 임무였음이 분명했다.

그때 아룹은 문득 그 배반자의 정체에 대해서 궁금해졌다. 이케가미 의원과 빈우는 울토르 프로젝트를 같이 진행했으며, 둘 다 그것이 잘못되었다는 것을 깨달았다. 해서 혹시나 그 배반자가 울토르 프로젝트와 관련이 있는지에 생각이 닿은 것이다.

"너 혹시 그때 추적했다는 배반자의 정체에 대해 알려줄 수 있어?"

"아니. 완전히 삭제되었어. 그 어디에도 정보가 남아 있지 않아."

그러면서 페르디난도의 엄지손가락이 자신의 머리를 가리켰다. 삭제되었다고 함은 연방정부 데이터베이스뿐만이 아니라 자신의 뇌에서도, 란 뜻이다. 철저하게 흔적이 지워진 작전이다. 어쩌면 빈우도 모를지도 모른다. 하지만 여기서 더 생각해봤자 답은 안 나오리란 생각에 아룹은 그 이야기는 접기로 했다.

"좋아, 화제를 바꿔보지. 김 소령의 탈주 말이야. 샤다이의 연방 침투와 관련이 있겠지?"

"거의 확실하지. 주변에서 하도 일을 못하니까 자신이 직접 칼을 빼든 것에 한 표다."

페르디난도가 장난삼아 말했지만 전 닉스 레벨 3의 판단이라면 아주 신빙성이 높다.

"그런데 말이야, 연방의 각 부서들이 달려들어서도 지지부진한 일을 인간 개인이 해낼 수 있을까?"

아룹의 의문은 타당했다. 현재 연방은 내부에 들어온 샤다이를 쳐내기 위해 뻐꾸기 작전을 실행 중이고, 히토미의 파벌을 필두로 해서 합동참모본부의 캐서린 시슬 대장, 국방부의 마커스 타이 차관 등이 각자 저마다의 방식으로 샤다이 색출에 열을 올리고 있다. 또 바깥으로는 42전단을 구성해 샤다이에 대한 대대적인 반격 작전을 진행 중이다. 그러나 이런 엘리트들조차도 자신의 조직을 써도 샤다이를 잡아내는 데에는 상당히 애를 먹고 있었다. 그런데 빈우 개인이 나섰기로서니 사건이 해결되겠냐는 것이다.

"결정적인 키만 있으면 가능하지."

하지만 페르디난도는 꽤나 긍정적인 반응이었다.

"연방의 내부에 샤다이가 스며들어오는 것과 울토르 프로젝트는 어떻게든 관계가 있다. 그러나 현재 울토르 프로젝트에 대해서 제대로 아는 자가 누가 있지? 울토르 중대는 포말하우트 게이트에서 습격받은 이후 여러 부서로 불려가며 소방수 역할을 했다지만 정작 깊게 아는 사람은 드물어. 지휘자였던 이케가미 전 상원의장은 기록을 봉인당하고 사망, 클론 제작자인 응우엔 티 빈 중령 사망, 내부 보안 책임자인 피에르 라캉 중령 사망, 실제 울토르 중대를 사용했던 보안국의 다샤 쿠사키나 국장은 체포되어서 심문 중, 군사정보국의 이노우에 고토 국장은 목에 방울 달린 채 협조 중, 현장 지휘관이었던 김빈우 소령은 자유롭게 탈주. 어때? 이제 알겠어?"

아룹의 고개가 작게 끄덕였다. 현재로서 울토르 프로젝트의 가장 치명적인 키를 가지고 있고, 동시에 그것을 자유자재로 휘두를 수 있는 사람은 다름 아닌 빈우란 것이다.

"그런데 김 소령은 왜, 우리에게 도움을 청하지 않았지?"

아룹은 빈 잔을 내려다보며 한탄했다.

"너도 사람 보는 눈이 많이 갔구나. 나는 척 보면 알겠던데. 네 전 팀장은 말야―."

페르디난도의 말이 채 끝나기도 전에 아룹이 잔을 단번에 들이켜 비웠다. 그다음 말했다.

"지옥 불에 달려드는 부나비지."

"뭐야, 잘 아네."

아룹도 페르디난도도 빈우 같은 대원을 본 적이 있었다. 과거의 죄책감에 밀려 미래의 희생 속으로 뛰어드는 사람들. 헌신이란 이름의 불길로 자신의 과오를 태워버리려는 듯, 스스로를 맹렬하게 불태우는 대원들은 드물게나마 있었다. 그리고 그들의 마지막은 대개 스스로를 화장시키며 끝난다. 아룹은 다시 채워지는 잔을 보며 질문했다.

"뭐 달리 조언할 거라도 없어?"

"음, 내가 말할 수 있는 선에선 정식으로 문서 작성해서 보내줄게."

닉스 레벨 3의 조언이라면 귀하다. 그 후 오랜 전우는 잠시나마 회포를 풀었고, 각자의 자리로 돌아갔다.

*

"다시 인사드리겠습니다. 오늘부터 조사팀의 지휘를 맡게 된 오다 히토미입니다."

블랙 랜스의 회의실에서 히토미가 예전 373대원들에게 다시금 자기소개를 했다. 이들은 지금부터 군을 탈주한 김빈우 소령을 추적하며, 그가 남긴 자료를 토대로 연방에 숨어든 샤다이를 색출하는 임무 또한 맡게 된다.

"잘 부탁드리겠습니다. 의원님."

팀장인 아룹이 경례를 하자, 히토미가 부드럽게 받았다.

"저야말로 잘 부탁드리겠습니다. 팀장님"

옆에서 파트리샤가 생글거리며 나섰다.

"그런데 우리 주요 임무 말이죠. 김 소령 추적인가요, 자료 수집인가요, 아니면 샤다이 사냥인가요?"

파르리샤의 물음에 히토미가 팀원들 모두를 둘러보며 말했다.

"물론 김빈우 소령 추적입니다. 현재 그는 연방 내의 샤다이를 잡아내기 위해 움직이고 있으리라 생각됩니다. 문제는 김 소령이 앞뒤를 안 가릴 것이란 점이죠."

그녀의 말에 팀원들이 골치 아픈 게 역력한 표정으로 고개를 저어댔다. 김빈우란 폭탄에겐 지금까지 군이란 안전핀이 달린 상태였다. 그럼에도 불구하고 질러대는 사고의 사이즈는 산전수전 다 겪은 특수부대원들조차 입이 떡 벌어질 정도였다. 그러나 그것을 벗어던진 지금의 그가 앞으로 무슨 사고를 저지를지는 상상조차 가지 않는, 아니, 하기 싫을 정도였다.

"어, 물론 샤다이를 죽인답시고 인간을 죽이진 않겠지만……."

모니카가 더듬거리는 말을 옆에서 위르겐이 받았다.

"일단 샤다이라고 판명되면 백주대낮에 일가족 몰살도 태연히 할 사람입니다. 그 양반은."

위르겐의 말에 전원이 고개를 주억거렸다. 빈우는 선을 확실하게 지키는 사람이었다. 인간은 자신의 목숨을 바쳐서라도 살리려고 노력한다. 외계인이라면 눈에 띄는 순간 바로 요단강 편도 티켓 끊어준다. 아군이라면 무슨 수를 써도 지키려고 나서지만, 적이라면 정말 수단과 방법을 가리지 않고 끝장을 내려는 놈이기 때문에 목적 달성을 위해선 주변의 피해는 생각지도 않을게 분명하다. 인명피해만 없다면.

"도른베르거 상사."

"네, 의원님."

자신의 말에 히토미가 돌아보자 위르겐이 바짝 긴장했다.

"그러고 보니 예전에 이런 이야기를 하지 않았나요? 표준 행성을 정해진 시간 동안 어떻게 공격하느냐에 대해서요."

세균 폭탄에다 세금 폭탄까지 총출동했던 당시의 이야기가 떠오르자 위르겐의 심장이 쫄깃쫄깃 박동한다.

"도른베르거 상사라면 한 달 정도 걸린다고 하셨지요. 만약 김빈우 소령이 표준 행성에 잠입하면 최악의 경우 어떤 사태가 발생합니까? 그 위험도가 대강 어느 정도로 추정되죠?"

하지만 묻는다고 넙죽넙죽 대답할 성질의 질문은 아니었다. 때문에 대답이 궁해진 위르겐 대신 아룹이 나섰다.

"지인에게 들은 겁니다만, 김 소령의 전적에 관해섭니다. 그는 과거에 탈주자를 추적하는 임무를 맡은 적이 있었다고 합니다. 탈주자는 케트쿤 북반구 혹서지역의 돔 도시 중 한 곳에 숨어 있었는데, 김 소령은 그를 잡기 위해

궤도 엘리베이터의 저궤도 항구에 정박 중인 연방의 구형 여객선 관성제어
장치에 조작을 가했답니다. 정확히는 항구 데이터베이스에 숨어들어 해당
여객선의 정박료를 체불로 조작해 전원 공급이 끊어지도록 만들었다는군요.
아 물론 거기에 인간은 없었습니다."

"아이고 맙소사."

아룹의 말을 듣고선 모니카의 얼굴이 하얘진다. 우지도 별 다를 바가 없었
고, 헬레나 겔로 이뤄진 녹색의 오르 함장의 얼굴도 기분 탓인지 하얗게 보일
지경이었다.

"으음, 그렇게나……. 관성제어장치 전원을 꺼버리면 승객들이 위험할 텐
데요."

히토미도 문제의 심각성을 느끼고 굳은 표정이 되었지만, 빈우가 무슨 짓
을 저질렀는지 정확히 이해한 사람들은 기겁하면서 다시 설명했다.

"저, 의원님. 문제가 그렇게 간단하지 않습니다."

그러면서 모니카가 허겁지겁 화면을 하나 띄웠다. 중력이 작용하는 저궤
도 항구에 정박한 구형 여객선의 시뮬레이션이다.

"전장 1km가 넘는 민간 우주선은 사용되는 재료의 한계로 인해 선재 자체
의 강성으로는 표준 중력권 내에선 선체 형태를 유지할 수가 없습니다. 그래
서 행성 중력권에 접근하면 관성제어장치로 선체를 유지하지요."

거기까지 들은 히토미는 그다음에 일어날 상황을 대강 눈치챘다.

"그렇다면 설마 배가……."

히토미의 머뭇거리는 질문에 아룹이 대신 나서서 시뮬레이션을 진행했다.
여객선이 조각조각 무너져 흩어지고 궤도 엘리베이터에 밀려 산산조각 나
지표로 떨어진다.

"네, 맞습니다. 중력권인 저궤도 항구에 정박 중이던 여객선은 자기 무게
를 못 이겨 자체 붕괴했고, 궤도 엘리베이터의 관성에 의해 자전 방향으로 흩
뿌려져 낙하했습니다. 그리고 해당 지점에 있던 모든 돔 도시들은 파괴되었

다고 합니다."

아룹이 보여주는 과거의 뉴스는, 사고로 인한 여객선의 추락 때문에 케트쿤 도시에 심각한 피해가 발생했다는 내용이었다. 히토미도 들은 적이 있는 대형 사고다. 그런데 그것이 빈우의, 그것도 탈주자 한 명을 잡기 위해 이런 일을 벌였다니 경악스러울 정도다. 하지만 그 경악은 아룹의 설명이 계속될수록 더욱 커졌다.

"게다가 당시 사고가 난 연방의 구형 여객선은 케트쿤이 임대해서 사용 중이었습니다. 때문에 해당 케트쿤 여객사는 운영 미숙을 이유로 도산 직전까지 갔고, 연방이 투자해 부활시켰습니다. 그리고 파괴된 도시의 재건에도 연방이 나서서 복구 작업을 지휘했습니다. 그렇게 연방은 케트쿤에 스며들게 되었던 거죠. 결국 케트쿤의 외우주 항행 능력도, 행성 내의 자본도 연방이 손길에 상당수 침식되었고, 이 때문에 연방의 각종 비밀공장들이 케트쿤에 세워지게 되었답니다. 참고로 여객선 붕괴 이후의 작전 또한 김빈우 소령이 미리 계획했던 것입니다. 상부는 승인을 했고요."

겉으로만 알고 있는 사실의 뒷면을 알게 되자 팀원들은 모골이 송연해졌다. 자신이 추적해야 할 대상의 진면목이 한 꺼풀씩 드러나게 된 것이다. 이제까지 자신의 발치에서 아양을 피우던 늑대가 등 뒤에선 어떤 시선으로 자신을 보았을지 소름이 돋았다.

"아시겠죠. 이렇게 때문에 우리는 김빈우 소령이 더 큰 사고를 치기 전에 그를 붙잡아야 하는 겁니다."

때문에 당당한 히토미의 말 반쯤은 자신을 향한 것이었다.

243

. . . ✦ . . .

　최민영이 박혁수를 만난 것은 불과 3개월 전의 일이었고, 그와 재혼하게
된 것은 3주 전의 일이었다. 민영은 전남편과는 그럭저럭 서로 사랑했었지
만, 서로를 존중하는 마음이 더 컸기에 두 사람은 합의하고 헤어졌다. 하지만
그 합의에 딸인 수나가 들어가 있지 않았다는 것은 크나큰 실수였다. 연방 사
회는 연방 시민인 어린 수나에게 물질적인 것이라면 무엇이든 줄 수 있었지
만, 사소한 정신적인 것은 채워주지 못했다. 그리고 그 사소한 것들이 눈 공
구르듯 구르자, 딸의 눈사태에 어머니까지 휘말리게 되었다.

　그때 민영은 혁수를 만났다. 젊은 나이의 그는 나이에 걸맞지 않게 사려
깊었고, 여러 방면에 걸쳐 현명했다. 그러나 민영이 무엇보다 마음에 들었던
것은 혁수가 민영의 딸 수나를 정말 자신의 딸처럼 잘 대해줬다는 점이었다.
그래서 어쩌다 보니 둘은 의기투합해서 결혼했고, 저쩌다 보니 셋은 새로운
개척지를 찾아서 떠나고 있었다.

　연방 개척지의 한 구역을 할당받아 시작한 개척 생활은 직할령 시절에 비
해 힘들었다. 그러나 척박한 삶은 힘들었지만 그만큼 보람찼다. 물질적으로
는 부족했지만 정신적으로는 풍족해졌다. 물에 불린 비상식량이 맛이 없어
수나가 풀이 죽자, 혁수는 그것을 꼭 짜서 윤활유에 튀겨주었다. 의붓 부녀
둘이 차가운 새벽공기를 헤치고 나가 방수포로 덮은 웅덩이에서 꺼낸 이슬
로 장난치는 것을 보면 민영은 잃어버렸던 웃음의 색을 되찾아가는 자신을

볼 수 있었다.

"수나야."

민영은 되찾은 미소로 웃으며 딸을 불렀다.

"네, 엄마."

흙먼지 투성이인 작업복을 입은 수나가 불쑥 튀어나왔다.

"아빠 오라 그래라. 밥 다 되었다고."

"네."

쪼르르 달려가던 수나가 멈칫하고 서더니 뒤를 돌아보았다.

"오늘 점심 뭐에요?"

호기심 가득한 딸의 시선에 민영은 트랙터의 엔진룸을 열었다. 거기엔 소스에 절인 돼지갈비가 랩에 싸여 라디에이터에 묶여 있었다.

"와!"

달콤한 소스가 듬뿍 묻은 돼지갈비를 뼈째 잡고 먹을 거란 생각에 수나는 기뻐서 웃으며 방방 뛰었다. 그리고 자신도 손가락을 들었다.

"엄마, 저기 저기."

딸이 가리킨 곳은 하늘이었다. 거기엔 수증기 채집용 무인기가 구름 사이를 헤매며 오르락내리락하고 있었다.

"채집기가 왜?"

엄마의 물음에 딸이 방긋 웃었다.

"아빠가 아이스크림 만든대요."

이번엔 엄마가 웃을 차례였다. 예전에 민영은 고공을 비행하는 무인기에 뭔가를 다는 혁수를 본 적이 있었다. 그게 뭐냐고 묻는 민영에게 혁수는 웃으며 얼버무렸고, 무인기가 착륙하고 나서야 얼버무린 이유를 알 수 있었다. 그 통에 담겨진 우유와 설탕은 저온의 하늘을 오르락내리락하면서 섞이고 차가워져 아이스크림이 되었다. 그 맛은 정말 재미있었다.

"우리 수나 좋겠네."

엄마의 미소를 본 수나는 신나서 아빠를 데려오기 위해 달려갔다. 돼지갈비에 아이스크림. 오늘 점심으로 가장 좋아하는 메뉴 두 가지가 갖춰진 수나는 천하무적이었다. 예전이었으면 차를 타고 갔을 거리를 달리던 수나는 아빠를 부르러 가던 중에 뜻밖의 것을 보았다.

"아저씨 누구세요?"

수나는 처음 보는 아저씨를 보고 말했다. 그 아저씨는 수나의 부름에 걸어가다가 그녀를 돌아보았다. 선글라스를 끼고 있는 아저씨는 빙긋 웃으며 대답했다.

"아저씨 이름은 빈우라고 한단다. 김빈우."

수나가 빈우에게 친근함을 느낀 것은 외모와 말투도 있겠지만, 무엇보다 언어였다. 아직 어려서 두뇌칩이 없는 수나는 언어가 다른 사람들과 대화할 때는 외부 번역기를 써야 했고, 거기선 어색함이 느껴졌다. 하지만 저 빈우란 아저씨는 혁수 아저씨처럼 번역기를 쓰지 않고도 수나와 말이 통했다.

"전 수나라고 해요. 최수나."

수나가 자기소개를 하자 빈우는 푸근하게 웃었다.

"만나서 반갑다, 수나야. 그런데 너 혹시 박혁수란 사람을 아니?"

"네, 알아요. 우리 새아빠예요."

수나의 대답에 빈우는 놀랍다는 듯이 고개를 끄덕였다.

"그렇구나. 아저씬 수나 새아빠를 만나고 싶은데, 안내해줄 수 있겠니?"

"네, 저 지금 아빠 부르러 가요. 저 따라오세요."

수나가 길을 앞장서서 걷자 빈우는 뒤를 따라 걸어왔다. 그러나 그의 걷는 폼은 조금 이상했다. 정확히는 시선 처리가 어색했다. 눈보다는 귀가 걷는 방향을 훑고 있었다. 수나는 사람이 그렇게 행동할 때는 무슨 이유가 있는지 혁수에게서 배웠다. 그래서 호기심에 질문했다.

"아저씨는 눈이 안 보여요?"

뜻밖의 질문에 빈우는 피식하고 웃어주었다.

"그래, 조금 불편하단다."

그 말에 수나는 손을 내밀었다.

"제 손을 잡으세요."

어리둥절해하는 빈우의 손을 수나가 잡고 이끌었다.

"고맙구나. 수나는 정말 착하네."

빈우라는 아저씨는 눈이 불편했지만 험한 길을 곧잘 걸었다.

"아저씨는 눈이 안 보여도 잘 걷네요."

"수나가 도와준 덕분이지."

맛있는 점심 식사에 처음 보는 아저씨의 칭찬. 수나는 기분이 좋아졌다.

"아저씨 눈은 치료할 수 없나요?"

"으음, 치료하는 중인데 잘 안 되네."

수나는 빈우의 손을 끌고 이런저런 대화를 하며 혁수가 일하는 곳으로 걸어갔다. 지금 혁수는 한창 지반을 다지는 공사를 하고 있는 중이었다. 초음파 분쇄기로 땅을 갈아 부수고, 중력 압착기로 다진다. 그다음 골조를 심어 기초를 만드는 것이다. 건물을 짓고 있던 그에게 딸의 부름이 들려온다.

"아저—, 아빠."

수나는 하마터면 아저씨라고 부를 뻔한 실수에 어깨를 움찔했다.

"우리 수나, 무슨 일이니?"

혁수는 팔로 땀을 닦으며 고개를 들었다. 딸이 무슨 이유로 왔는지 대강 파악한 그는 지금 하던 일을 마무리하고 정리할 준비를 하려 했다. 그런데 수나의 옆에는 처음 보는 남자가 서 있었다. 근처에 있는 개척민은 아닌 걸 보니 아마 꽤 먼 곳에서 온 듯싶었다.

"무슨 일로 오셨습니까?"

공구를 챙기는 혁수의 귀로 차가운 비웃음이 들려왔다.

"하, 소꿉장난하나."

의외의 대답에 멈칫한 혁수는 정리를 하다 말고 고개를 돌려 빈우를 보았다. 그는 자신이 무엇을 봤는지 깨닫고는 경악했으며, 딸은 탄성을 질렀다.

"와아."

빈우 아저씨의 선글라스 안쪽에서 금빛 섬광이 새어나오자, 수나는 넋을 잃고 바라봤다. 다쳤다는 아저씨의 눈에서 빛이 나고 있는 것이다. 하지만 아빠는 그것을 이상하게 쳐다보고 있었다. 마치 겁먹은 것처럼 보였다.

"수나야."

빈우가 다정하게, 그리고 조심스럽게 수나를 불렀다.

"아저씨는 아빠랑 비밀 얘기를 할 게 있단다. 잠시 자리를 비켜주겠니?"

그러면서 손으로 수나의 머리를 부드럽게 쓰다듬었다. 이어서 머리를 잡고 몸을 돌렸다. 마치 부드러운 이불에 싸여 엄청난 힘에 떠밀린 듯, 수나의 몸이 돌아섰다.

"어어, 점심은?"

수나가 다시 고개를 돌려 아빠를 보자 혁수는 조심스레 딸을 타일렀다.

"수나야. 아빠는, 이 아저씨와 할 이야기가 있단다. 그러니까 엄마한테 가 있어."

수나는 도대체 이게 무슨 일인지 영문을 몰라, 빈우와 새아빠를 번갈아 쳐다보았다. 눈이 금빛으로 빛나는 아저씨와 겁에 질린 아빠. 아이는 이 혐오스러운 기시감의 정체를 어렴풋이 눈치챘다. 예전의 기억이 떠오른 것이다. 엄마와 예전의 아빠가 이런 분위기에서 이런 말로 수아를 방으로 돌려보내던 때가 기억났다. 사랑하는 가족들의 싸움은 정말 싫었다.

"……나 안 갈래."

빈우는 가라앉은 목소리로 버티는 수나를 물끄러미 보더니, 그 아이의 머리카락을 한 가닥 잡고 이리저리 흔들었다.

"딸은!"

그 모습을 본 혁수의 비명이 튀어나오다 잦아들었다. 빈우가 노려본 탓이다. 그의 금빛 눈은 혁수를 꿰뚫어보고 있었다.

"알아, 지랄하지 마. 다 보여."

수나는 빈우가 무슨 행동을 하는지도 모르고, 무슨 말을 하는지도 몰랐다. 다만 아빠가, 혁수가 겁먹었다는 것만은 알 수 있었다. 그 혁수가 다급한 목소리로 재촉해온다.

"수나야. 어서 엄마한테 가 있어. 아빠는 저 아저씨하고 할 이야기가 있어. 어서."

이어지는 재촉에 수나는 겁이 더럭 났다. 혹시 이 싸움 끝에 새아빠 혁수가 떠날까 무서워졌다. 하지만 자기가 뭐라고 말을 하든, 이 두 어른은 들을 기색이 없어 보였다. 아이가 어쩔 줄 몰라 안절부절못하던 그때, 이 상황을 해결해줄 사람이 수나의 머릿속에 떠올랐다. 엄마다. 엄마는 무엇이든 알고 있고, 무엇이든 해결할 수 있었다. 수나는 이 상황에서 문제를 해결할 자를 향해 달렸다.

"엄마 불러올게요. 우리 엄마 엄청 무서워요."

반쯤은 엄포이고 협박이었던 외침에 누구에게서도 아무런 대답은 없었다. 그것이 수나의 걸음걸이를 더욱 빠르게 재촉했다. 그 덕에 돌아가는 길은 오던 때보다 시간이 훨씬 적게 걸렸지만, 수나가 느끼기엔 훨씬 오래 걸렸다.

"엄마! 엄마—!"

엄마를 외치며 달려오는 딸의 모습에 민영은 불길한 예감을 느꼈다.

"수나야, 무슨 일이니."

"아빠가, 눈이, 금색으로 반짝이는, 모르는 아저씨하고, 싸워요."

숨이 차서 할딱이는 수나의 말은 제대로 알아듣기 힘들었다. 그러나 심상치 않은 일이 벌어졌다는 것만큼은 알 수 있었다.

"모르는 아저씨?"

이 땅은 세 가족이 일구는 새로운 개척지다. 모르는 사람이면 이 근처가 아니라 먼 곳에 있는 개척민일 것인데, 그들하곤 왜 싸운단 말인가. 그러나 울먹이는 딸의 모습에서 민영은 무언가 좋지 못한 느낌이 들었다.

"수나야, 여기 있어. 엄마 금방 갔다 올게."

민영은 공구함을 뒤져 리벳건을 꺼냈다. 압축가스로 리벳을 발사한 다음 레이저로 용접하는 공구다. 예전에 혁수가 가르쳐준 대로 세팅해서 쏘자 돼지 한 마리가 금세 도륙이 났다. 위급할 때 여차하면 무기로 쓸 수 있다는 혁수의 말에 민영은 이를 잘 기억해두고 있었다. 되도록 이렇게 쓰지 않는 게 좋다는 혁수의 말과 그의 슬픈 얼굴 또한 떠오른다. 그런 그녀에게 딸의 슬픈 얼굴이 보인다.

"딸, 딸!"

민영은 울기 직전의 수나를 다그치며 눈을 마주쳤다.

"울지 마. 엄마가 해결할게. 그러니까 울지 말고 기다려. 알았지?"

엄마의 말에 수나가 입을 꾹 일그러트리며 고개를 끄덕였다. 흔들리는 눈동자에는 어느새 눈물이 맺힌다.

"응, 금방, 와야, 해."

숨이 차서가 아니라 울음에 먹혀 잘리는 대답. 그 말을 뒤로하고 민영은 트랙터를 몰아 달렸다.

혁수가 일하던 곳으로 달려가던 민영은 자신의 불길한 예감이 점차 사실로 되어가는 것을 알 수 있었다. 엉망이 된 작업 현장. 나뒹구는 공구. 그리고 건물 안으로 무언가가 끌려간 흔적.

"혁수야."

민영은 트랙터에서 뛰어내리며 자신의 반려를 불렀다. 그러나 대답은 없었다.

"혁수야, 누나 왔다. 혁수야!"

그때 혁수가 짓고 있던 건물 안에서 누군가 나왔다. 남자였지만 혁수는 아니었다.

"당신 누구야!"

앙칼진 민영의 외침에 그 남자는 정중하게 고개를 숙이며 대답했다.

"혹시 수나 어머님이십니까? 만나서 반갑습니다. 제 이름은 김빈우라고 합니다. 따님이 모시러 간 것 같은데, 엇갈린 듯합니다."

민영은 리벳건을 들어 빈우를 겨눴다.

"혁수는? 혁수 어디 있어?"

그러나 빈우는 슬픈 얼굴을 할 뿐 대답은 없었다.

"저리 비켜, 물러나. 거기 꼼짝 마."

리벳건으로 빈우를 협박해 물러나게 한 민영은 안으로 달렸다.

"혁수야! 박혁수!"

짓고 있는 건물의 복도를 달리며 민영은 소리쳐 불렀다. 그러나 그녀의 부름에 대답은 없었다. 대신 냄새가 먼저 났다. 피비린내, 고기 누린내, 똥 냄새와 오줌 냄새. 이어서 보인 광경에 민영이 보인 반응은 구역질이었다. 그녀는 예전에 혁수가 돼지를 도축하는 것을 어깨 너머로 얼핏 본 적이 있었는데, 지금 눈앞에 펼쳐진 장면은 그것과는 차원이 다른 것이었다. 뒤늦게 찾아온 공포와 혐오에 민영은 뒤돌아서 도망쳤다. 거기에 슬픔과 애도가 들어올 틈은 없었다.

구르듯이 집 밖으로 달려 나온 민영의 뱃속에서 무언가 울컥 올라왔다. 도저히 참을 수 없는 욕지기에 눈물이 핑 돌며 그녀는 주저앉아 토했다.

"웨에에엑!"

한차례 토사물이 솟구쳐나온 입에서 뒤늦게 울음이 터져나왔다. 무슨 일이 일어났는지 떠오른 것이다.

"괜찮으십니까?"

그런 그녀의 뒤로 빈우가 다가와 등을 두들겨준다. 그 감촉에 민영은 소스라치게 놀라 리벳건을 잡아들었다. 그리고 자신의 토사물이 묻은 무기로 빈우를 겨눴다.

"너야?"

두들기던 손 그대로 멈춘 빈우는 민영을 올려다보았다.

"너냐고, 이 새끼야!"

빈우는 고개를 슬쩍 돌려 자신이 나오고, 민영이 도망쳐 나온 건물 안을 보았다. 그리고 고개를 돌려 다시 민영을 마주 보았다.

"네, 그렇습니다."

그 대답에 민영은 지체 없이 방아쇠를 당겼다. 금속제 리벳이 가스압에 발사되어 빈우에게 명중하고, 고온의 레이저가 그 끝을 지졌다.

그러나 빈우는 별다른 피해가 없었다. 발사된 리벳은 빈우의 얼굴에 명중했지만, 피부에 긁힌 상처만을 냈을 뿐이다. 이어서 지져진 레이저도 표피만을 구울 뿐이고, 그마저도 순식간에 재생된다. 그러자 리벳건에 맞은 빈우가 사과한다.

"그 마음 이해합니다. 정말 죄송합니다."

리벳건을 맞고도 태연히 걸어오는 빈우의 모습에 오히려 쏘고 있는 민영이 뒷걸음질을 쳤다. 그녀가 계속해서 방아쇠를 당겼지만, 아무런 의미가 없었다. 인간 같지 않은 그 모습에 민영은 무언가 생각나는 것이 있었다. 바로 군인이다. 연방의 군용인간.

민영은 연방 하원의원으로서 의정활동을 할 때 군에 관련된 기록들을 본 적이 있었는데, 실제 군인을 본 것이 아니라 기록을 열람하는 것만으로도 상당한 충격을 받았었다. 창작물이나 선전물에 나오는 군인들과 실제 군인들 사이에는 엄청난 차이가 있었던 것이다.

그녀는 그전까지만 해도 군인들이란 평화를 위해 부득이하게 폭력을 쓰는 직업이라고 막연하게 알고 있었다. 하지만 전투기록을 열람하자 그 환상은 순식간에 깨져버렸다. 연방의 군인들이 평화를 창조하는 방법은 평화를 방해하는 모든 존재를 파괴함으로써 이뤄진다는 것을 알게 된 것이다. 그리고 눈앞의 사내가 그 군용 강화 인간, 군인이라는 것을 알게 되자 공포가 그녀 속의 분노를 덮었다.

'군인이 왜 여기에?'

연방과 그 시민을 지키기 위한 군인이 왜 연방 시민을 해쳤을까. 그 의문에 대한 답은 알 수 없다. 그러나 다른 답은 알고 있다. 지금 민영이 가진 방법으로는 무슨 수를 써도 저자를 해칠 수 없다는 것. 그리고 혁수를 무참하게 해친 군인이 다음에 무엇을 할까. 다음은 자신이 죽을 차례인 것이다. 민영은 서둘러 트랙터로 달렸다. 그리고 시동이 켜진 트랙터에 올라탄 다음 전속력으로 달렸다.

"여기는 하다 지구의 민영 농장입니다. 누가 도와주세요. 군인이 나타나 사람을 죽였어요. 전 하다 지구의 민영입니다. 우리 농장에 살인자가 있습니다. 근처 분들은 조심하세요. 그리고 아무나, 누구든 제발 우릴 도와주세요. 제 남편이 죽고 저와 딸은 도망치고 있습니다."

민영이 트랙터의 무전기를 들고 통신을 날렸다. 이제 이 개척 행성 멜론 베이컨에 있는 개척민들 모두가 그녀의 통신을 들었을 것이다. 그러나 아무런 답신이 없었다.

"하다 지구의 최민영입니다. 여보세요, 여보세요. 누가, 아무도 제 말이 들리질 않나요?"

몇 차례 더 시도해보았지만 역시나 답은 없었다. 통신기 고장인지, 아니면 다른 이유인지 모르겠지만 지금 민영은 다른 이들과 통신을 할 수 없었다. 게다가 그들이 통신을 들었다고 한들 민영이 있는 곳까지 오려면 시간이 꽤 걸린다. 이곳이 통신과 교통 인프라가 빈약한 개척지인 탓이다. 통신기를 내려놓은 민영은 어느새 눈물이 볼을 타고 흐르는 것을 느꼈다.

"미안해, 혁수야. 미안해. 미안해."

혁수의 마지막 모습에 민영은 울었다. 방금 전까지만 해도 점심 전엔 일 마치겠다고 나간 혁수였다. 여긴 두뇌 통신 서버가 없으니까 통신 안 되도 울지 말라고 놀리던 모습이 떠오른다. 하원 의회에서 의견 차이로 다투면서 만난 혁수, 딸의 외로웠던 부분을 보듬어주던 혁수. 그랬던 혁수가 죽었다. 그 것도 그냥 죽은 것이 아니라 무참히, 갈기갈기 찢어져 죽었다. 하지만 민영은 그 모습을 처음 보았을 때 슬퍼하기보단 혐오했다. 애도보다는 역겨워했다. 때문에 그때의 생각이, 그때의 자신이 다시 떠오르자 공포와 죄스러움이 그녀를 옭아맨다.

민영이 이런저런 복잡한 감정을 품고 트랙터를 몰아가고 있을 때, 마침내 저기서 딸 수나가 안절부절못하며 서 있는 게 보인다. 딸은 양손을 하늘 높이 들고 휘휘 젓고 있었다. 마치 엄마인 민영을 부르는 것 같았다.

"수나야! 수나야! 아빠가, 혁수 씨가."

민영이 울부짖으며 수나를 불러보았지만, 아직 들릴 거리가 아니다. 서로 고래고래 고함만 지를 뿐이다. 트랙터가 좀 더 다가가자 그제야 딸의 목소리가 들렸다.

"엄마~ 뒤에."

수나의 말에 섬찟한 민영이 돌아보자, 아까 남편 혁수를 죽였던 남자가 트랙터를 따라 달려오고 있었다.

'아뿔싸!'

민영은 자신이 안일했다는 것을 깨달았다. 그가 정말로 군인이었다면 험지를 달리는 트랙터의 속도는 손쉽게 따라잡는다.

"수나야!"

트랙터에서 나동그라지듯 내린 엄마가 딸을 안고 뛰었다. 살인자는 트랙터를 뒤집고 통신기를 살피고 있었다. 민영은 수나와 함께 집 안으로 뛰어들어가 문을 잠갔다. 연방의 개척용 임시 주택은 튼튼하다. 어지간한 충격과 적대적 환경에도 너끈히 견뎌내는 물건이다.

'하지만.'

그래도 민영은 불안했다. 바깥의 살인자는 군인이다. 그는 어떻게든 파괴할 방법을 찾을 것이고, 어떻게든 살인할 방법을 찾을 것이다.

"엄마, 왜 그래? 아빠는?"

품 안에서 울먹이는 딸의 모습이 민영을 정신 차리게 했다.

"수나야, 잘 들어. 네 방으로 가서 보호복 입어."

민영이 수나를 내려놓고 차근차근 설명했다.

"왜? 보호복은 왜?"

"밖에 나쁜 사람이 있어. 어서 보호복 입어."

개척용 보호복은 간이 우주복이라 제법 뛰어난 방호력이 있다. 하지만 이역시 군인 상대론 없는 것보단 나은 수준에 불과하겠지. 수나가 자기 방으로 뛰어갈 동안 민영은 공구함을 뒤졌다. 무언가 무기가 필요했다. 그러나 리벳건을 맞고도 죽지 않는 자를 죽일 무기는 여기에 없다. 만들 수도 없다. 민간용 물질 생성기로 아무리 만들어봤자 그것 가지곤 군용 물품에는 상처를 입히지 못한다.

'이걸로 뭘 할 수 있지?'

그걸 잘 아는 민영은 엉겁결에 자신의 손에 들린 단분자 커터를 처연하게 내려다 보았다. '무엇'이든 잘라버리는 이 단분자 커터도 그 '무엇'에는 민간용 물건만 포함된다. 분자결합이 강화된 군용 장갑에는 오히려 이쪽 날이 나간다. 반면에 군용 진동 나이프는 대상의 진동수를 찾아 정말 무엇이든 잘라버린다.

'무인기, 산화제!'

순간 민영의 머릿속을 치고 지나가는 것이 있었다. 개척지의 하늘을 비행하는 무인기는 가끔씩 대기권을 넘어가기도 한다. 그때는 연료에 산화제를 넣어 진공 상태에서도 비행하게 한다. 이때 쓰이는 산화제가 주로 과산화수소와 플루오린이고, 이것들은 고농도로 쓰인다면 군인의 피부에도 유효한 피해를 줄 수 있다고 들었다. 실제로 군인들의 피부는 산소호흡을 하기 위해서 외부와 반응한다. 단지 피하조직 내의 방탄 방열 조직이 강한 것이다. 이런 산화제라면 피부를 뚫고 내려가고, 반응성이 좋은 군인의 조직에는 더욱 빠른 반응이 일어난다.

'잠깐이라면 충분해.'

물론 그 반응은 오래가지 못할 것이다. 하지만 잠깐만이라도 피해를 줄 수 있다는 사실이 민영에게 중요했다. 딸과 자신을 지키기 위해서. 그리고 복수를 위해서.

"잠시 실례하겠습니다."

그때 살인자가 문을 열고 들어오는 소리가 들렸다. 부수지도 않고 그냥 열고 들어온 것이다.

"저는 여러분을 해칠 의도가 없습니다. 지금 제 목표는 오직 혁수였으니까요. 염치없는 말이지만 부탁을 하나 드려도 될까요?"

정중하고 나긋나긋한 목소리다. 그러나 그 목소리에 아까의 참극이 겹쳐지자 민영은 다리에 힘이 빠지는 것이 느껴졌다.

"엄마, 나 옷 다 입었어."

하필이면 그때 딸의 목소리가 들렸고, 빈우의 발소리도 그쪽으로 향했다. 무거운 발걸음 소리가 점차 딸의 방으로 향했고, 가벼운 수나의 발걸음 소리도 덩달아 움직였다.

"야 이 새끼야아아!"

민영은 있는 힘껏 소리쳤다.

"여기다 이 새끼야! 이쪽이야 이쪽!"

그녀는 소리치며 달렸다. 벽을 두드리며 달렸다.

"난 여기다! 부탁해봐! 부탁해보라고!"

떨리는 손으로 창고의 비밀번호를 누른다. 행여 수나가 들어갈까봐 모녀간에 썼던 암호가 아니라 혁수와 자신이 만든 암호다. 하지만 손가락이 빗겨나가 암호가 틀린다. 다시 누르고 있을 때 이미 발걸음 소리가 복도를 꺾어 들어왔다.

"진정하십시오. 부탁할 것은 다름이 아니라—."

그때 민영은 문을 열고 들어갔다. 그리고 잠그지 않고 그냥 달렸다. 만약 지금 두뇌 통신이 된다면 수나에게 모든 것을 알리고 도망치라고 했을 것이다. 그러나 개척지인 이곳은 그게 안 된다. 지금 딸이 어디 있는지도 알 수 없다. 답답함과 조바심이 뒤섞여 민영의 심장을 옥죈다.

"산화제, 산화제, 산화제."

민영은 봄베들을 찾아 꺼냈다. 원래는 보호복을 입고 희석시켜서 연료에 넣는 독성물질들이다. 자칫 피부에 닿기라도 한다면 그냥 부상으로는 끝나지 않는다. 이것들은 신체조직과 반응해 몸 안으로 파고드는 물질인 것이다. 옆을 보니 비료의 원재료로 모아둔 질산도 있다. 모두 고농도의 원자재라 자칫 인체에 노출되면 걷잡을 수 없는 치명상을 입는다.

"민영 씨? 잠시 실례하겠습니다."

살인자가 문을 노크하며 여는 동시에 민영도 봄베들의 밸브를 열었다. 떨리는 손을 억지로 부여잡고 하나하나 열었다. 그걸 본 빈우의 얼굴이 심각하게 굳었다.

"뭐 하시는 겁니까?"

그러나 민영은 아랑곳하지 않고 뒤로 가며 밸브를 열었다. 그녀가 발로 거치대를 걷어차자 위에 실렸던 봄베가 떨어지며 통로를 막는다. 독성가스들이 나와 창고를 채운다.

"위험합니다! 그만두세요."

빈우의 다급한 목소리가 들린다. 그러나 민영은 그만둘 수 없었다. 공포에 질려 관성에 따라 일을 저지른 것이다. 그녀는 모든 밸브를 열고 도망치자 어느덧 창고 안쪽으로 몰린 자신을 볼 수 있었다.

"수나야."

그제야 민영은 자신이 어떤 상태인지 알 수 있었다. 딸은 홀로 바깥에 있고, 자신은 독성 가스 속에 갇혔으며, 살인자는 그 사이에 있다.

"혁수야."

어리지만 사려 깊었고, 잔인하게 죽은 새 남편이 떠오른다.

"여기입니까?"

살인자가 걸어 들어온다. 아직 혁수의 피가 손에 묻어 있는 놈이 보이자, 민영의 가슴속에선 공포와 슬픔보단 분노가 솟구쳤다.

"으아아아!"

그녀는 괴성을 지르며 거치대를 기어올라 위쪽 봄베를 잡았다. 그리고 밸브를 열고 빈우에게 집어 던졌다. 놈은 봄베를 잡고 밸브를 잠그려 하지만 이미 가스에 뒤덮이고 있었다.

"아아악!"

이어 민영이 비명을 질렀다. 뭔가 모를 물질이 손을 뒤덮은 것이다. 그녀가 손을 놓치고 바닥에 떨어지자 산화제와 연료, 기타 독성물질들이 마구잡이로 뒤섞인 창고에 아수라장이 펼쳐진다. 거치대가 녹으며 휘어지자 상층부의 봄베들이 터져나가며 민영을 덮쳐내린다.

'죽는가.'

서서히 자신에게 떨어지는 액체들을 보며 민영의 뇌는 극도의 긴장감으로 치달았다. 공포와 절망, 곧이어 죽을 자신, 남겨진 딸, 먼저 죽은 혁수. 이미 자기 손의 고통은 느껴지지 않는다. 그리고 시야가 새카매진다.

"부인, 괜찮으십니까?"

민영의 뇌는 엄청난 가속도에 못 이겨 블랙아웃이 일어나 시각과 청각이 잠시 정지됐었다. 정신을 차린 그녀의 눈엔 자신을 내려다보는 빈우가 있었고, 그녀의 귀엔 딸 수나의 울음이 들리고 있었다. 어느새 그녀는 창고 바깥으로 나와 있는 것이다.

"엄마, 엄마아아."

"……울지 마, 엄마는 괜찮아."

조심스레 수나를 달래는 빈우의 얼굴은 녹아내리고 있었다. 피부가 녹고 그 안의 조직과 근육이 보이고 있다. 피부가 재생하려 하지만 제대로 붙지 못하고 뚝뚝 떨어지는 와중에도 그는 미소를 지어 보인다.

"자, 숨을 들이켜세요."

빈우가 뭔가 가져오며 말하자 민영은 저도 모르게 숨을 쉬었고, 그때 기도 속으로 관이 들어갔다. 가벼운 고통에 민영이 움찔했지만 빈우가 달랜다.

"진정하세요. 폐 안에 들어간 가스들을 뽑는 겁니다."

민영은 관을 문 채 자신을 간호하는 자를 올려다보았다. 빈우는 여러 가지 치료제를 꺼내 민영의 손과 얼굴에 바르고 있다. 자신의 부상이 더 심할 텐데 그 상처는 돌보지 않고 민영을 먼저 치료하고 있다. 그리고 방금까지 혁수의 피가 묻은 그의 손은 여기저기 벗겨져 이젠 자신의 피가 흐르고 있었다.

"일단 응급처치는 했습니다. 잠시 기다리세요."

일어서는 빈우의 다리는 더욱 엉망이었다. 그는 녹아내려 피가 흐르는 자신의 다리는 아랑곳하지 않고 여기저기 움직여 치료제와 의료기기를 가져왔다. 그리고 역시나 이번에도 민영부터 치료했다.

'왜…… 어째서…….'

민영은 기도에 관이 들어간 상태라 말이 나오지 않는다. 왜 혁수를 죽였나, 왜 나를 구하나, 왜 그렇게까지 하나. 하지만 그저 쉭쉭거리는 숨소리만이 입 밖으로 새어나올 뿐이다. 그러나 빈우는 어떻게 알아들었는지 빙긋 웃으며 대답했다.

"그게 제 존재 이유니까요."

빈우는 마지막 밸브를 잠그고 시동을 켰다. 그러자 잠시 덜컹거리는 소리가 나더니 엔진이 다시 돌아간다. 이어 기어를 올리자 샤프트가 돌아가며 바퀴도 돈다.

"다 됐다."

골동품 농기계를 수리한 빈우는 희미한 미소와 함께 일어섰다. 그때 무언가가 다가와 그의 다리를 툭툭 건드렸다.

"찰리 그만해."

빈우가 허리를 숙여 찰리의 목덜미를 잡고 쓰다듬었다. 하지만 녀석은 그걸 뿌리치고 헥헥거리며 빈우의 다리 사이를 알짱거린다. 자세히 보자 이 유전자 개량 목양견은 어느새 커다란 지렁이 하나를 물고 와 주인에게 자랑을 하고 있었다. 개척화 초기에 토양 개선을 위해 뿌렸던 지렁이다. 인간이 먹기에는 적합하지 않지만, 찰리 같은 개들은 먹을 수 있다.

"잘했어. 먹어."

주인의 허락이 떨어지자 찰리는 허겁지겁 지렁이를 뜯어먹었다. 개척 초기의 행성에서 함부로 이상한 음식을 먹어선 큰일 나기 때문에 녀석들은 꼭 주인의 명령을 받아야만 먹도록 훈련이 되어 있었다. 사람 팔뚝만 한 지렁이를 뜯어먹던 목양견은 급히 먹다 사레가 들렸는지 켁켁거렸고, 빈우는 찰리의 목 부분을 부드럽게 쓰다듬었다. 목에 걸렸던 큰 건더기가 내려가자 찰리는 다시 식사에 집중했다.

"좋겠다."

개가 정신없이 식사하는 모습을 본 빈우는 피식 웃었다. 개척 행성에 살기 위해 유전자 개량된 견종, 인간을 돕고 적대적 생물에게 대응하기 위한 프로그램. 어찌 보면 빈우 자신의 모습 같아 보였다. 게다가 이 녀석도 클론이다. 찰리는 하나의 우수한 개체를 클론으로 대량생산한 개인 것이다.

"행복하나?"

지렁이를 다 먹은 찰리는 헤벌쭉 웃으며 빈우에게 비벼왔다.

"그래 그래. 이것만 다 하고 놀자."

녀석은 행복할 것이다. 주인이 주는 먹이를 먹고, 주인과 놀며, 유전자에 각인된 대로 행동하면 행복할 것이다. 그리고 빈우 자신도 그랬어야 했다. 그러나 빈우는 행복하지 못했다. 같은 만들어진 존재임에도 불구하고, 시키는 대로 하고, 각인된 대로 행동했음에도 불구하고 빈우는 행복하지 못했다.

'나는 인간을 죽였다.'

빈우는 인간을 죽였다. 그것도 무고한 인간을 죽였다. 자신의 사명으로 믿고 행동했던 것이 단순한 살인이었다. 범인을 잡고자 했는데 오히려 피해자를 죽인 것이다. 그런 사실들을 깨닫게 된 빈우는 무너져버렸다. 아니, 징조는 그전에도 있었다. 창조자가 각인시킨 인공본능과 자기 스스로의 이성이 충돌하는 사이에서 그는 양심의 환영을 봤다. 자기가 했으면 하는 행동, 자기가 했으면 하는 말을 녀석은 대신해주었다. 그때마다 빈우는 작은 마음의 안식을 얻었었다. 그러나 결국 그것은 환영에 불과했다.

'찰리하나팔.'

그는 원래 자신의 코드명을 녀석에게 붙여주었다. 아니, 어쩌면 그 존재가 정말로 찰리하나팔이었을지도 모른다. 지금 생각하고 있는 빈우가 녀석의 몸을 빼앗고 있을지도 모른다. 어쨌든 창조자였으면 결코 타협하지 않았을 존재와 타협한 대가는 꽤 컸다. 처음부터 의지하지 않았다면 모를까, 의지했던 다리 한쪽이 사라지자 빈우는 다시 일어서기가 힘들었다. 그때 찰리의 귀가 쫑긋했다. 아마 이 개도 빈우가 들은 소리를 들은 것 같다.

"무슨 일이지?"

멀리서 트랙터들이 달려오는 소리가 들린다. 그것도 한두 대가 아니다. 근처의 트랙터는 다 몰려오는 것 같았다. 설마 자신의 기계가 고장 난 것을 알고 도와주러 오는가 싶은 빈우는 찰리와 함께 마중 나가기 위해 걸었다.

"구스베리 씨."

걸어가던 빈우는 '무슨 일입니까'라고 웃으며 인사할 수 없었다. 앞장서서 달려오는 구스베리의 표정이 장난 아니게 흉흉했던 탓이다.

"멍멍!"

익숙한 이웃들의 트랙터 모습에 찰리가 기뻐서 짖었다. 그들은 빈우의 집에 들를 때마다 꼭 선물을 주었고, 거기엔 찰리의 간식도 들어 있었다. 하지만 이번의 선물은 그리 좋지 않다는 것을 손님들의 표정으로 알 수 있었다.

"멍멍멍!"

찰리는 자신들을 둘러싸는 트랙터를 이리저리 쫓아가며 꼬리를 흔들었다.

"저리 가! 쉭."

트랙터에서 내리는 인간이 소리치자, 찰리가 겁먹으며 뒤로 물러선다. 이전 같았으면 친절했을 이웃이 지금은 험상궂은 표정으로 협박하니 당연하다. 그리고 그 표정과 협박은 서서히 가운데에 서 있는 빈우에게로 모였다. 그리고 사람들도 모였다.

"빈우."

중년의 사내가 험악한 얼굴로 빈우를 마주보았다.

"구스베리 씨."

빈우는 웃으면서 대답했다. 하지만 그는 다음에 올 상황이 어떨지 대강 짐작하고 있었다. 자신의 죄가 드러난 거겠지. 숨겼던 살인이 결국 밝혀진 거겠지. 하지만 빈우는 저항할 의사가 없었다. 그들이 잡으면 순순히 잡혀서 죄과를 치를 생각이었다.

"너, 하다 지구의 박혁수를 죽였다면서?"

구스베리의 그 말에 빈우는 얼떨떨해졌다. 전혀 상상하지 못했던 말이 나온 것이다.

"……뭐라고요?"

저도 모르게 반문하자 뒤에서 고함 소리가 들려왔다.

"시치미 떼지 마. 여기 증거가 있어. 네가 그 사람을 잔인하게 고문하고 죽인 증거가 있다고!"

소리친 사람은 덱스터 씨였다. 언제나 갓 정착한 빈우에게 농사에 대한 조언을 해주던 사람이었다. 그러나 지금의 그는 핏대를 세우며 카메라를 들고 나왔다. 그리고 무인기에 찍힌 영상을 재생하기 시작했다. 거기엔 짓다 만 건물로 끌려가는 인간과 그를 끌고 가는 빈우가 보였다. 그리고 그 빈우는 인간을 갈기갈기 해체하기 시작했다.

"세상에……."

차마 눈 뜨고 못 볼 광경에 낮은 비명 소리가 터져나온다. 그것이 마치 무인기가 녹음하지 못한 당시의 비명처럼 들린다. 어떤 이는 탄식을 삼키던 입으로 토하기도 했다.

"이, 이건 제가 아닙니다."

당황한 빈우가 해명하려 했지만, 씨알도 먹히지 않는 얘기였다. 하다 지구는 이곳과는 정 반대쪽에 위치한 곳이다. 아직은 빈약한 개척 행성 메론 베이컨의 이동 수단으론 그 시간에 오고갈 수 없는 거리다. 하지만 찍힌 영상이 너무나 결정적인 증거였다.

"이 살인자 새끼가!"

누가 뒤에서 걷어찬 발에 빈우가 앞으로 넘어졌다. 원래 강화 육체인 그에게 이 정도의 발길질론 피해를 주기 힘들다. 그러나 '살인자'란 단어가 빈우에게 무엇보다 강렬한 통증을 안겨주어 그를 넘어뜨렸다.

358

"아닙니다. 아니에요. 전, 저는—."

빈우는 땅에 엎드려 필사적으로 소리쳤다. 이어서 나올 말은 '죽이지 않았습니다'였다. 그러나 빈우는 그 말을 할 수가 없었다. 그는 자신이 살인자인 것을 너무나도 잘 자각하고 있기 때문이다.

"그럼 이 영상은 뭐야. 말해봐. 왜 혁수란 사람을 죽인 거야."

빈우의 머리카락이 잡혀 얼굴이 들리고, 그의 눈앞에 다시 해당 영상이 재생된다. 하지만 빈우는 차마 그 영상을 다시 볼 수가 없었다.

"말해보란 말이다!"

이어지는 호통에 대답도 할 수 없었다. 단지 이렇게 말할 뿐이었다. 필사적으로 힘없이.

"……경찰을 불러주세요."

빈우는 저 범인이 누구인지 짐작할 수 있었다. 자신과 같은 클론이거나 최악의 경우 원본이겠지. 그리고 그게 누구이든 간에 이곳 개척민들에게 친절하지 않은 존재임은 분명했다. 그래서 빈우는 순수하게 이들을 걱정해서 말을 꺼냈다. 하지만.

"이게 어디서 감히!"

격노한 개척민들의 주먹과 발길질이 빈우에게 쏟아졌다. 빈우의 말이 이곳에서 벗어나기 위한 변명으로 들렸던 것이다.

"뒤늦게 털레털레 들어와서 좋게 봐줬더니!"

발길질이 빈우의 머리를 찬다. 응우옌 가에서 사고를 저지른 빈우는 도망을 쳤다. 그리고 정체를 감추고 멜론 베이컨의 개척민 사이로 숨어들었다.

"은혜를 원수로 갚—아!"

쇠 파이프가 빈우의 허리를 때린다. 응우옌 일가와 보안국 요원들을 죽인 빈우는 한때는 자수하고도 싶었다. 그러나 그러지 못했다. 자신이 알고 있는 음모의 줄기가 너무 거대했던 탓이다. 그리고 이 사실은 치명적인 사실들이라 함부로 알릴 수도 없는 것이었다.

"살인자 새끼!"

그 말이 송곳이 되어 빈우의 관자놀이를 헤집었다. 빈우는 자수하지 않았다. 그렇다고 음모에 맞서 싸우지도 않았다. 어떠한 해결책도 마련하지 않고 이 개척지의 삶에 숨어 그저 도망만 치고 있었던 것이다. 살인자 주제에.

"경찰? 오냐. 경찰 불러주마. 대신 살아서는 못 만날 거다!"

분노의 폭력이 빈우를 두들긴다. 상처도 없고, 아프지도 않다. 하지만 이들의 폭력이 근원적으론 선의에서 비롯되었다는 사실이 빈우를 괴롭게 했다. 개척민들의 동질감은 대단히 끈끈하다. 설령 안 지 얼마 안 된 빈우가 저렇게 당했다고 해도 이들은 빈우의 복수를 위해 나섰을 게 분명했다. 그래서 빈우는 차마 저항할 수 없었다. 자신의 누명을 벗어보려고 해도 자신의 죄가 그것을 허락하지 못하고 있었다.

"……마세요……."

빈우가 나직이 중얼거렸다. 그 말에 구타하던 사람들의 손이 잠시 멈췄다.

"가만 있어 봐. 이 새끼가 뭐라고 한다."

일행들이 빈우의 어깨와 팔을 잡고 일으켰다.

"뭐라고? 다시 말해봐."

그래서 빈우는 말했다. 그는 이들이 살인자가 되길 원치 않았다. 자신처럼 엉뚱한 사람을 죽이고 그 양심의 가책에 괴로워하길 바라지 않았다. 그래서 말했다.

"저를 죽이지 마세요."

잠시간의 정적. 그리고 분노의 포효.

"이 새끼! 이 새끼! 이 새끼!"

개척민들이 머리끝까지 화가 나 다시 폭력을 휘둘렀다. 그러나 빈우에겐 아무런 피해가 없다. 그러나 정신적으로는 너무나도 고통스러웠다.

"멍멍!"

개척민들의 발 사이로 찰리가 보인다. 녀석은 두들겨 맞고 있는 빈우를 보며 어쩔 줄 몰라 하고 있었다. 그때 찰리가 멈칫했다. 이쪽을 보더니 갑자기 자기 옆을 보았다. 그리고 다시 두들겨 맞고 있는 빈우를 본 다음 또 한 번 옆을 보았다. 그렇게 우왕좌왕 하던 녀석이 머뭇머뭇 걸어가 누군가의 옆에 섰다. 이어서 찰리가 그의 발 앞에 앉아 낑낑대기 시작하는 게 보였다.

"뭐 하고 있는 거야."

뒤에서 울려 퍼진 강렬한 고함 소리에 사람들이 행동을 멈췄다. 그리고 소리가 난 곳으로 돌아보았다.

"어어?"

방금까지 화를 못 이겨 날뛰던 사람들이 얼어붙었다. 이어서 경악한 표정으로 굳었다.

"뭐야? 뭐야?"

그들은 새로 나타난 사람과 바닥에 쓰러진 빈우를 번갈아 보기 시작했다. 당혹감에 물든 얼굴들이 우왕좌왕하는 모습이 왠지 불길했다. 그리고 좌우로 흩어지는 사람들 너머로 빈우와 똑같은 얼굴을 한 사내가 웃고 있었다. 차이라면 그는 눈에 선글라스를 쓰고 있고, 팔다리에 재생된 흔적이 있었다는 점이다. 그리고 그가 웃었다. 아니, 비웃었다. 이 광경 전체를.

"씨발, 역시 나야. 난 정말 대단하다니까."

그러나 그는 찰리하나팔이 아니었다. 빈우가 타협한 양심이 아니었다. 그는 좀 더, 좀 더 악의와 증오로 가득한 존재였다. 그가 가까이 다가오면서, 둘의 두뇌칩의 회선이 혼선되면서 알게 된 사실이다. 그리고 또 다른 사실도 알게 되었다.

"김빈우."

빈우는, 아니, 바닥에 쓰러진 클론 찰리하나팔은 자신이 알게 된 사실을 입 밖으로 꺼냈다. 그러자 그를 내려다보던 원본 빈우가 웃으면서 대답했다.

"여기서 뭐 하냐. 김빈우."

원본인 김빈우가 자신의 클론인 찰리하나팔을 보고 김빈우라고 부르고 있었다. 찰리하나팔이 혼란해할 무렵, 빈우가 행동을 시작했다.

"얘기하기 전에 주변 정리 좀 할까?"

그의 선글라스 안에서 금빛 섬광이 뿜어져 나온다. 그 순간 빈우는 그 자리에 없었다. 그는 이미 덱스터 씨의 멱살을 잡아채 들어 올리고 있었다.

"너구나? 혁수하고 짝짜꿍 붙은 놈이? 그 새끼 연락받고 무인기 영상 빼돌렸지?"

덱스터는 겁에 질린 얼굴로 바둥거리고 있었다. 목이 졸려 비명도 지르지 못하고 있다.

"부활이고 계단이고 다 필요 없고, 너네 죽이는 데는 이게 직빵이지."

빈우는 왼손으로 덱스터를 든 채 오른손으로 그를 도축하기 시작했다. 덱스터와, 개척민과, 찰리하나팔의 입에서 비명이 터져나온다. 하지만 그 속에서 빈우는 웃고 있었다.

. . . ✦ . . .

　빈우는 싱글싱글 웃으며 덱스터의 얼굴에서 이목구비를 하나씩 망가뜨리기 시작했다.

　"핫하하! 꼼짝도 못 하는 찐따 새끼, 다구리 깔 때 기분 어떻디? 응? 어때?"

　먼저 덱스터의 콧구멍이 하나가 되었다. 그리고 턱이 가슴까지 닿는다. 피와 침과 비명이 흩날리며 덱스터가 발버둥 치지만, 압도적인 힘과 폭력 앞에선 아무런 소용이 없었다.

　"어떻긴! X나 좋네!"

　빈우가 환호성을 지르며 덱스터의 귀를 뚫어주었다.

　"뭐야, 뭐야! 저 사람 누구야!"

　"악! 그놈이다, 그 사, 살인자다. 하다 지구의 살인자다!"

　비명도 잠시, 그들 앞에서 펼쳐지는 인간 해체 사건에 개척민들이 기겁했다. 너무나도 잔인한 광경에 선뜻 나설 수가 없었던 것이다.

　"놔, 놓으라고! 덱스터를 놔!"

　누군가 쇠파이프를 휘두르지만, 빈우는 아랑곳 않고 자기 일을 계속했다. 오히려 머리를 때린 파이프가 휘고 그 반동으로 때린 사람이 저린 손을 부여잡는다.

　"아이쿠 이런, 괜찮으십니까? 흠, 다행히도 부상은 없어 보이는군요. 조심하십시오."

오히려 맞은 빈우가 정중한 얼굴로 자신을 때린 사람을 돌아보며 걱정했지만 그 얼굴이 자신의 사냥감을 향했을 때는 잔인한 미소로 일그러진다.

"어때? 고통스럽지? 괴롭지? 덱스터라고 했나? 그 사람 정신을 헤집고 계단 내려올 때는 기분 X나 째졌겠다? 어디 한번 X 돼봐라."

빈우의 목적은 죽이는 것이 아니었다. 고통과 공포로 대상의 정신을 아예 붕괴시키는 것이 목적이었다. 덱스터의 입에서 게워지는 토사물에 핏물이 올라온다. 바닥에 떨어진 피에 똥오줌이 번진다. 인간이 조각나서 바닥으로 흩어진다.

"돌려내, 네가 짓밟은 그 사람을 돌려내란 말이다! 그러면 고통 없이 바로 죽여주지!"

알아들을 수 없는 소리를 지껄이는 이방인의 주변으로 개척민들이 달려들었다. 이웃을 구하기 위해 무의미한 발버둥을 친다.

"말려! 말려!"

"붙잡아! 당겨! 이 새끼 왜 이렇게 힘이 세!"

뒤늦게 개척민들이 달려들어 동료를 구하려고 한다. 때리고 잡아당겨도 소용이 없다. 그저 계속해서 덱스터의 육체가 흩어지고, 그의 정신도 같이 흩어질 뿐이다. 결국 찢어지는 비명도 점차 잦아들고 색색거리는 숨소리로 바뀐다. 인간이 고깃덩이로 변하는 광경을 본 사람들은 공포에 질렸다. 다음 차례가 누가 될지를 상상한 것이다.

"도망쳐! 도망쳐!"

동료를 구하려고 했건만 너무나도 참혹한 광경에 사람들은 도망칠 수밖에 없었다. 아무리 때리고 차고 말려도 결코 빈우를 막을 수 없었고, 그들의 정신으론 더 이상 사람이 산 채로 해체되는 광경을 마주할 수 없었던 탓이다. 그러나 흩어지는 사람들의 물결을 거슬러 나아가는 이가 있었다. 그리고 그가 빈우의 팔을 잡았다.

"멈춰."

간신히 정신을 차린 찰리하나팔이 다가와 빈우의 팔을 붙잡은 것이다. 빈우는 자신의 팔을 잡은 찰리하나팔을 보며 고개를 갸우뚱한다.

"응? 너 뭐 하냐, 이 새끼 샤다이라고."

그 말에 찰리하나팔이 흠칫한다. 샤다이라면 인류의 적이자 자신이 추적해서 말살해야 하는 대상이다. 하지만 찰리하나팔은 그 와중에 엄청난 실수를 저질러 죄 없는 피해자이자 인간을 죽이고 말았고, 그것을 깨닫게 되면서 스스로 무너지게 되었다.

"……인간이야."

"아하아, 하긴 넌 이 눈이 없지."

뭔가 깨달은 듯 납득하는 표정의 빈우가 고개를 끄덕끄덕하더니 손에든 고깃덩이 — 한때 인간이었던 것을 땅바닥에 패대기쳤다. 그리고 선글라스 안의 빛이 사라졌다.

"이 눈 너한테는 이식이 안 될까? 뭐 안 되겠지. 나도 지금 몸이 변이 중이니까 샤다이 육체를 받아들인 거거든. 말하자면 인간과 샤다이 가운데에 있다고 할까. 육체 강화는 많이 해봤지만 이건 또 색다른 기분일세."

주절주절 혼잣말을 하던 빈우가 찰리하나팔을 보더니 싱긋 웃었다.

"두뇌 통신이 안 되니 괴롭군. 들어가서 지금까지 못다 한 얘기나 할까?"

현재 상황을 받아들이지 못하는 찰리하나팔의 다리에 겁먹은 개 찰리가 다가와 몸을 비빈다. 방금의 장면은 개에게도 크나큰 충격이었던 것이다.

"그래."

찰리하나팔이 개를 안아 들고 비틀거리며 자신의 집 안으로 걸어 들어갔다. 동일한 외모의 둘은 식탁을 두고 마주 앉았고, 잠시의 침묵 후 찰리하나팔이 먼저 입을 열었다.

"어떻게 날 찾았지?"

"응? 왜가 아니라 어떻게라고?"

선글라스를 벗은 빈우는 집 안을 이리저리 신기한 듯 둘러보며 대답했다.

그래서 찰리하나팔은 금빛으로 빛나던 눈의 정체를 알아볼 수 있었다. 그것은 샤다이의 안구였다. 빈우는 샤다이의 눈을 구해서 자신의 눈에 대신 박아 넣은 것이다. 그리고 그 눈이 자신의 클론을 바라본다.

"군사정보국장인 이노우에 고토에게서 간접적으로 연락이 왔었어. 정확히는 내가 속한 부대가 조금 개판이 나서 손 털고 빠져나왔는데, 그때 잠시 오다 의원의 자료를 뽑았단 말이야. 솔직히 자료보다는 내 흔적을 남기는 게 목적이기도 했어. 상대가 나를 어떻게 생각하는지도 알아야 하니까."

찰리하나팔은 연결이 끊기기 전 빈우와 공유했던 기록을 통해 대략의 상황을 유추하려 했다. 회선이 끊긴 지 오래되어 새로운 정보는 없었지만, 상황이 돌아가는 방향을 어떻게든 가늠할 수 있었다.

"그런데 거기에 고토 국장이 자료를 갖다 바쳤더군. 살기 위해 아등바등 끌어모아서 상원 조사위원회에 진상했는데, 중요한 건 거기에 군사정보국 요원이면 알아볼 수 있도록 자료를 가공해서 보내주었단 거야. 행여 내가 살펴보기를 바라면서 말이지. 그중에서 걸작인 건 각지의 피자 타이거들이 모은 정보 목록들인데, 그 목록 자체가 암호였어. 고토 그 양반. 너 바로 끝까지 추적했었더라."

그 말에 찰리하나팔은 무덤덤하게 고개를 끄덕였다. 그는 흔적을 적극적으로 감추지도 않았고, 방비 또한 철저히 하지 않았다. 들키는 것은 순식간이었을 것이다. 이어서 빈우의 비웃음 섞인 말이 들려온다.

"너, 피자 타이거로 불리더라. 난 스파게티 드래곤이고 말이야."

피자 타이거는 군사정보국의 위장회사, 스파게티 드래곤은 보안국의 위장회사다. 찰리하나팔은 빈우가 무슨 말을 하는지 알아챘다.

"그럼 넌 보안국으로부터 추적당했나?"

"그래, 그래서 손 털었어. 걔들하고 장단 맞추다간 일이 안 돼. 차라리 나 혼자 하는 게…… 마음이 편하지."

빈우가 '마음이 편하다'라고 말할 때, 찰리하나팔은 그 말투와 몸짓에서 그의 진의를 알 수 있었다.

"동료들을 버린 건가? 그들을 구하기 위해?"

"하하, 두뇌 통신이 안 돼도 나름 정확하군. 그래, 모진 놈 옆에 있다가 벼락 맞는단 말씀. 난 이제부터 고압선으로 줄넘기할 건데 애먼 사람을 전기구이로 만들 순 없지."

찰리하나팔은 그 말이 못내 불안했다. 빈우는 자신의 앞에 올 것이 무엇인지 정확히 알고, 또 각오하고 있다. 그런데 자신은 뭐란 말인가. 그는 스스로가 만든 늪에 빠져 허우적대며 빠져 죽을 날을 기다리는 게 고작이었다. 이번엔 빈우가 찰리하나팔이 무슨 생각을 하는지 꿰뚫어보았다.

"아무튼 거기 자료를 해독해보니까, 너 이 새끼 완전 자포자기했더구만. 몸통을 잡아야 하는데 깃털 좀 뽑았다고 징징 짜다가 이런 촌구석에 처박히다니. 뭐 이해해. 나라도 그랬을 거야. 아주 잠깐."

아주 잠깐. 그 말에 발끈한 찰리하나팔이 빈우를 노려보았다. 자신의 원본을, 자신을 만든 것이 거의 확실시되는 사람을 살벌하게 쳐다보았다. 하지만 빈우는 찰리하나팔의 그 시선을 마주 보며 태연하게 설명을 이어나갔다.

"그런데 말이야. 고토는 그 자료를 내가 정말 찾기 쉽도록 만들어놨어. 마치 내가 너를 찾아내서 만나도록 말이야. 자신이 직접 찾지 않고 나를 시킨 이유가 뭘까?"

그 질문의 반은 아마 빈우 자신을 향한 것인지 대답도 스스로 했다.

"놈이 원하는 것은 트리니티겠지. 그리고 그 열쇠가 나와 너의 만남이라고 확신하고 있어. 나 역시도 그렇고."

찰리하나팔은 잠시 그 말을 이해할 수 없었다. 빈우가 말한 트리니티란 군사정보국 특유의 보안 방법인 트리니티 패턴을 말하는 것이리라. 그런데 그게 클론인 자신과 무슨 관계가 있단 말인가. 트리니티 패턴에는 동일한 뇌와 동일한 두뇌칩이 필요하다. 아무리 클론이라도 거기까진 안 된다.

'클론인 자신.'

갑자기 거기까지 생각이 닿은 찰리하나팔은 빈우의 말을 끊고 질문을 했다. 응우엔 가에서 도망친 다음 매일같이 자문했던 질문이었다.

"기다려. 내가 만들어진 이유가 뭐지? 대답해."

응우엔 중령은 찰리하나팔이 아주 특별히 만들어진 클론이라고 했다. 태아를 성장촉진제로 급속성장시켜 만든 다른 울토르 클론과는 다르게, 물질생성기로 원본과 극도로 동일하게 만들어진 클론. 게다가 원본이 가진 유전적 결함까지 치유한 클론이었다. 찰리하나팔은 자신이 추리한 사실을 두려워하며, 동시에 역겨워하며 말했다.

"네가 나를 만든 이유는…… 만약을 위한 예비용 육체가 아닌가? 죽음을 넘어서 살기 위해서? 연방의 기술로도 기억을 옮기는 것은 힘들어. 하지만 기록은 얼마든지 옮길 수 있지. 게다가 너는 군사정보국 요원이야. 기억을 못하는 대신 모든 것을 기록하지. 그래서 만약 자신이 죽게 되면 그 기록을 나에게 모조리 옮겨서 부활하려는 속셈 아니야? 똑같은 신체가 아니라 더 나은 신체로 다시 태어나려는 거 아니냔 말이다."

찰리하나팔의 속사포 같은 질문에 빈우는 머쓱한 표정으로 어깨를 으쓱했다.

"흐음. 그렇게 생각할 줄은 몰랐는데……."

마치 억울한 오해를 받은 것 같은 표정이다.

"사실 내가 널 만든 목적은 나도 잊어먹고 있었어. 당연하지. 네 존재 자체가 트리니티 패턴으로 잠겨버렸으니 말이야. 근데 이것 봐라."

빈우는 식탁 위에 있던 나무작대기 하나를 들어 보였다.

"보다시피 이건 그냥 나무작대기지. 하지만 이렇게 짝을 맞추면."

그는 옆에 있던 같은 크기의 나무작대기 하나를 들어 둘을 가지런히 식탁 위에 놓았다.

"이렇게 한 쌍이 되어 식탁에 오르면 젓가락이라고 불리지."

찰리하나팔은 빈우가 말한 의미를 알았다. 그는 자신이 모은 증거로부터 답을 유추해낸 것이다.

"일 더하기 일은 이, 이 곱하기 이는 사. 문제에 수식을 곁들이면 답이 나오지. 그 답이 뭔지 알아? 내가 널 만든 이유를?"

긴장한 찰리하나팔이 침을 꿀꺽 삼킬 때, 빈우의 입에서 그 답이 나왔다.

"내가 널 만든 것은 나보다 더 뛰어난 나, 보다 더 나은 빈우가 필요했기 때문이다."

이해할 수 없는 답에 찰리하나팔이 얼떨떨하자, 이해한다는 듯 빈우가 설명을 이어나갔다.

"지금 연방에는 말이다. 나 같은 쓰레기보다는, 어릴 적의 트라우마에 잡혀 앞으로 나가지 못하는 쓰레기보다는 훨씬 더 뛰어난 빈우가 필요하다."

빈우는 쓰레기라고 말하며 자신을 가리켰다. 그리고 보다 뛰어난 존재라고 말할 때는 찰리하나팔을 가리켰다.

"어머니의 죽음에 오줌이나 지리며 우는 애새끼, 갓난아기인 동생에게 독약을 먹여 죽이고는 겁에 질려 벌벌 떠는 쓰레기, 자신을 키워준 누나에게 욕정을 느끼는 등신. 그딴 게 과연 이런 중책을 맡아서 해낼 수 있을까? 응?"

찰리하나팔은 자신이 모르는 사실을 하나둘씩 알아가며 차츰 이해할 수 있었다. 빈우는 자신을 혐오하고 있었다. 그것도 아주 지독하게. 지금까지 그는 가슴속 깊숙이 심어둔 트라우마를 자신의 의무감으로 억지로 누르고 있었을 뿐이다. 하지만 죄책감의 싹은 그가 나아가는 길마다 피어올랐고, 빈우는 자신이 이뤄야 할 사명감으로 이를 짓밟고 지나갔다. 물론 그 한계는 자신이 알고 있었다. 다른 이는 눈치채지 못할 미미한 실수지만, 닉스 레벨 3인 그는 알 수 있었다. 그리고 연방이 처한 위기 또한 누구보다 더 자세히 알고 뼈저리게 체감하고 있었다.

"그래서 나보다 더 뛰어난 실력, 더 훌륭한 존재가 필요했던 것이다. 그래서 난 너를 만든 거야. 더 뛰어난 빈우를. 그래, 네가 바로 진짜 김빈우다. 내가 바랐던 이상이야. 과거의 악몽에서 벗어난 철혈의 수호자."

찰리하나팔을 바라보는 빈우의 눈은 마치 실패한 삶을 산 부모가 자식에게 그것만은 대물림하지 않기 위해 발악하는 자의 눈 같았다. 그 죄책감에 가득한 눈이 바라는 것은 희망이었다. 그런 샤다이의 눈을 마주 보고 있자 찰리하나팔은 정신이 몽롱해지는 것을 느꼈다.

"왜, 왜……."

"너라면 내가 구축한 군사정보국의 파이프라인과 인프라를 그대로 물려받을 수 있었으니까. 과거의 기억? 추억? X 까라지. 군사정보국에서부터 쌓아온 기록이면 닉스 레벨 3의 김빈우를 만들기엔 충분해. 그것을 실행하지 않은 건, 아마 네가 완성되지 않았기 때문일 거야. 하지만 그날, 난 너를 가동시켰다. 그건—."

이젠 귀까지 이상하다. 찰리하나팔이 느끼는 어지러움은 단지 정신적인 충격만으로 인한 것이 아니었다. 다른 원인도 있었다.

"……흠, 너도 느꼈나?"

빈우 또한 뭔가 이상한 감각을 느꼈는지 관자놀이를 쓰다듬고 있었다. 하지만 그는 이것을 예상한 것처럼 보였다.

"이제 알겠어? 이노우에 고토가 왜 나와 너를 이렇게 직접 만나게 했는지를? 아, 내가 말했었지?"

그리고 보니 이노우에 국장은 찰리하나팔을 다 잡아놓고 내버려두었다고 했다. 오히려 감춰놓고 원본인 빈우에게 주려고 했다고 한다. 트리니티 패턴을 위해. 원본 빈우가 찰리하나팔의 앞에서 쓸쓸하게 웃고 있었다.

"그 영감. 내 머리 위에서 춤판을 벌였군. 나도 예상했지만, 고토 이 새끼는 설계를 다 마친 상태야."

자리에 일어선 빈우가 찰리하나팔에게 다가와 멱살을 잡고 일으켰다. 피부 접촉으로 서로 간의 두뇌 통신이 접합되자 증상이 더더욱 심해진다.

"잘 들어. 이제 트리니티 패턴이 풀린다. 잠수 전의 나는 트리니티 패턴을 만들고 그것을 네 머릿속에 집어넣었어. 내 두뇌칩에 든 것은 더미일 거야.

네 쪽이 진짜지.”

찰리하나팔은 이것을 자신이 듣는지 아니면 자신이 말하고 있는지 헷갈리고 있었다. 이것은 클론 두뇌끼리의 감정혼합을 넘어선 상태다. 피아의 구분이 흐려지고 있는 것이다.

“트리니티 패턴은 동일한 뇌와, 동일……”

그렇게 말하던 찰리하나팔은 섬뜩한 기운을 느꼈다. 분명히 자신이 말하고 있을 텐데, 눈은 그 말을 하는 자신을 보며 듣고 있는 것이다.

“그래, 설마 트리니티 패턴을 이렇게 풀 줄 누가 알았겠어? 이제까지 인간 클론은 불법이었으니까 말이야. 하지만 난 클론으로 얼마든지 실험을 할 수 있었지.”

말을 하는 것이 빈우인지 찰리하나팔인지 점점 헷갈린다.

“내가 열쇠를 만들고, 너에게 자물쇠를 단다. 그리고 둘이 만나서 연다. 이제 된 거야.”

둘 사이의 경계가 허물어지고 두뇌와 두뇌칩이 서로 섞인다. 빈우와 찰리하나팔이 직접 공진한 신경 신호로 트리니티 패턴의 해독키가 만들어졌지만, 정작 빈우의 두뇌칩에는 정보가 없었다. 그리고 그 키는 그대로 찰리하나팔의 동일한 두뇌칩에 공유되어 물질 생성기로 만들어진 동일한 뇌를 확인한 다음, 자물쇠에 꽂혔다.

그리고 그 순간, 2216년 6월 8일 03시 30분, 포말하우트 점프 게이트 안에서 일어났던 일이 마침내 열리려 하고 있었다.

포말하우트 점프 게이트 안, 솔리드 베타의 격납고에서 빈우는 방패조를 따라 전진했다. 저쪽에서 샤다이들이 공격을 퍼붓고, 그에 맞서 내열방패를 몇 겹이나 둘러싼 어벤저들이 전진해보지만 너무나 거센 플라스마의 포격에 휩싸여 터져나간다. 지금 솔리드 베타를 공격한 샤다이들은 지금까지의 스팸과는 차원이 달랐다. 장갑복의 성능도 성능이지만, 싸우는 실력 자체가 아득하게 차이 난다. 지금 싸우는 울토르 중대원들에 비해서도 손색이 없을 정도다. 지금까지 연방은 샤다이와의 압도적인 기술력 격차를 압도적인 전투기술 우위로 간신히 이겨왔다. 그러나 전투기술이 동등한 상황이 되자 지금처럼 전황은 일방적으로 되었다.

전방의 방패열이 무너지고 빈우 또한 포격에 휩쓸려 바닥에 쓰러졌다. 그는 격납고 바닥에 쓰러진 채로도 코일건을 겨눴지만, 신형 샤다이들의 움직임이 더 빨라서 코일건은 채 쏴보지도 못하고 순식간에 녹아내렸다. 이어서 좌우의 샤다이들이 재빨리 달라붙어 그의 어깨를 잡고 일으켜 세웠다. 스팸과는 비교도 안 되는 출력에 빈우의 어벤저는 저항할 수 없었다. 하지만 죽이지 않고 끌고 가는 모습을 보아 놈들은 빈우를 생포할 속셈인 듯했다. 어떻게 대응할까 머리를 굴리며 주위를 살피던 빈우가 본 것은 소극적으로 변한 샤다이의 공세였다. 놈들의 공격은 방금 전까지와는 달리 기세가 한풀 꺾여 있었다.

'놈들은 압도적인 화력에도 불구하고 굳이 솔리드 베타 안으로 들어와 근접 전투를 했다.'

이 샤다이들의 목표는 나포 또는 생포임이 분명했다.

- 전투 중지. 전투 중지. 후퇴해. 뒤로 물러나서 상황을 살펴.

빈우가 두뇌 통신으로 급히 명령을 내렸다. 폭탄을 들고 돌진하던 대원들이 즉시 뒤로 물러서자, 방금 전까지만 해도 흉흉한 기세로 중대원들을 도륙 내던 샤다이들 역시 전투를 멈추고 더 이상 싸우려 들지 않았다. 역시나 놈들의 목적은 빈우의 생포인 듯싶었다. 그렇다면 장단을 맞춰주다가 방법을 찾으면 될 일이다.

"흐흠, 눈치가 빠르군요. 우리 수고가 줄겠어요."

그때 샤다이 중에서 한 놈이 걸어 나왔다. 물러서는 주변 샤다이의 반응으로 보아 놈이 지휘관인 것 같았다. 그는 붙잡힌 빈우의 앞에 서서 헬멧을 벗었다. 제법 잘생긴 샤다이 남성의 얼굴에서는 오만과 자만이 마치 개기름마냥 질질 흘러내리고 있었다.

"만나서 반갑습니다. 집정관을 맡고 있는 체메트디오프라고 합니다."

놈은 이쪽의 말을 하고 있었다. 그리고 집정관이란 단어로 보아 놈의 직책은 상당히 높아 보였다.

"그래서 그 집정관께서 이곳엔 무슨 일인가?"

이놈들의 목적은 단순한 공격이 아니었다. 뭔가 노리는 것이 있었고, 그것을 위해 빈우를 생포, 대화를 시도하고 있었다. 그렇다면 최대한 말을 걸어야 한다. 이런 싸움도 빈우에겐 나름 장기였다. 빈우는 주위를 둘러보며 다시 말을 걸었다.

"어떻게 이런 점프 공간 안에까지 들어올 수 있었던 거지?"

빈우의 말에 체메트디오프는 의아한 표정으로 빈우를 바라보았다.

"점프 공간? 점프라? 설마 이렇게 뛰는 것 말입니까?"

그리고 방정맞게 폴짝폴짝 뛰어 보였다. 그 모습을 본 빈우가 서서히 고개를 끄덕이자 놈은 해맑게 웃기 시작했다.

"아하하하! 이거 걸작이군요. 점프라니. 하하하, 점프라면 물가를 뛰어넘어야 점프지요. 물속으로 들어가 첨벙첨벙 온몸을 적시면서 무엇을 점프라고 하십니까."

뭔가 의미심장한 말이 나왔다. 체메트디오프는 웃음을 거두고 미소를 띠며 빈우를 훑어보았다.

"으흠. 우리가 하는 것은 점프가 아닙니다. 그래요. 당신들 언어로 번역하면 뭐랄까. 응…… 그래."

마침 답을 찾았다는 듯이 체메트디오프가 의기양양한 표정으로 빈우를 마주 보았다.

"존트! 맞아요, 우리가 하는 공간이동은 존트입니다. 아마도 당신들 단어 중에서 가장 가까운 것인데…… 혹시 아시려나?"

"내 이름은 김빈우. 내 나라는 인류 연방. 내가 머무는 곳은 깊은 증오. 그리고 내 목적지는 인간 외 모든 것들의 죽음."

즉시 나온 빈우의 대답에 체메트디오프가 놀랍다는 듯이 박수를 쳤다.

"좋아요. 생각 외로 양식 있는 분이셨다니 대화에 보람이 있겠어요. 얼굴에 문신을 새길 필요는 없었군요. 앗하하하."

수확을 얻었다는 듯이 흡족한 미소를 짓는 체메트디오프, 그리고 빈우 역시 몇 가지 수확을 얻었다. 놈은 인류에 대해 잘 알면서도 그 범위는 기형적이고 파편적이었다. 그 예로 체메트디오프는 과거 인류의 문학에 대해서는 세밀히 알면서도 현재의 인류가 쓰는 점프에 대해서는 잘 모르고 있었다. 어쩌면 관심이 없는 것일 수도.

"음. 마침 당신이 주제를 정확하게 찔렀으니 그럼 본론으로 돌아가죠. 아까 우리 종족의 이동 방식이 존트라고 했죠? 하하하, 그래요. 우리에겐 좌표만 있으면 이동은 쉽습니다. 여러분은 숱하게 겪으셨을 겁니다."

놈의 말마따나 연방은 샤다이들의 공간이동을 이용한 히트 앤드 런에 지독하게도 당했다.

"하지만 아무리 우리라 해도 다른 차원으로의 이동은 꽤나 힘이 들지요. 그래서 별도의 방법이 필요합니다."

그러면서 체메트디오프는 격납고 바깥의 풍경을 가리켰다. 일렁이는 점프 공간이 보인다.

"이건 통로가 아닙니다. 썸이라고 합니다. 당신들 언어로는 계단? 같은 거 겠죠. 아마도? 방금 제가 말한 대로 다른 차원으로 이동하기 위한 방법입니다. 정확히는 도망치기 위한 도구죠. 설마 당신네 종족들조차 이것을 이렇게 쓸 줄을 몰랐는데 말입니다. 황제가 방치했으려나? 처음엔 분명히 막았었는데……."

점프 공간을 보며 기웃거리던 체메트디오프가 거기까지 말하더니 확 하고 다가와 빈우의 눈을 뚫어지게 쳐다보았다. 금색 실타래가 일렁이는 그의 눈은 빈우에게서 육체나 물질 그 이상의 것을 보는 듯했다.

"으음, 좋아요. 감춰지지 않는 의문에 찬 표정. 하지만 그것조차 자신의 무기로 삼으려는 마음가짐. 아주 좋아요. 오늘 우리가 여기에 온 목적을 달성하려면 먼저 당신을 이해시켜야 하니 너그러운 마음으로 경청해주십시오. 그리고 당신의 총명함 역시 마음에 드는군요. 제 설명이 미흡해도 잘 알아들으리라 믿어 의심치 않습니다. 자아, 설명이 좀 길 겁니다. 그만큼 이 계획 또한 길죠."

한쪽으로는 경계하고 총을 겨누는 올토르 중대원들이 서 있다. 다른 한쪽으로는 정렬한 샤다이들이 서 있다. 그리고 그 두 무리의 가운데에서 체메트디오프는 빈우를 내려다보며 서 있었다.

"우리 샤다이는 과거 우주의 멸망을 보았습니다. 어느 날 갑자기 보여선 안 되는 타키온이 보였던 거죠. 아시다시피 허수질량을 가진 이놈들은 같은 좌표에 있어도 시간축이 달라 관측이 되지 않습니다. 그게 보인다는 것은 우주 끝의 공간이 붕괴되면서 거기에 튕겨 나온 타키온들의 시간 또한 뒤틀렸다는 의미죠. 이유는 모르지만, 우주의 가장자리가 붕괴했다면 멸망은 확정된 겁니다. 그래서 선조들은 도망쳤습니다."

그러면서 체메트디오프는 다시 점프 공간을 가리켰다.

"바로 이 씀을 통해서 말이죠. 아차차. 계단입니다. 이것을 통해 우리 선조들은 이 우주의 멸망으로부터 벗어나 다른 차원으로 도망가려 했습니다. 어딜까요? 4차원? 하하하."

체메트디오프는 웃고 있지만, 그 표정은 어딘가 공허했다.

"뭐가 어쨌든 간에 선조들은 이 우주를, 이 차원을 벗어나는 데 성공했습니다. 하지만 말입니다. 그때 선조들은 충격적인 사실을 알았습니다."

공허한 표정에 이어져서 차오르는 감정은 분노였다.

"우린 그저 그림자였던 거예요. 위쪽 차원에는 이미 우리 샤다이들의 본체라 할 수 있는 종족이 존재하고 있었고, 우린 그들의 그림자에 불과했단 말입니다. 공간축에 시간축이 있어 시간 이동이 자유로운 그들에게 있어 우리는 그저 한순간의 단편적인 기록입니다. 말 그대로 그들이 3차원이라면 우린 땅에 비친 2차원의 그림자. 그래요, 당신들 종족이 쓰던 그림이나 사진 같은 수집품 정도일 겁니다. 그걸 안 선조들은 슬픔과 절망에 미쳐버렸죠. 으음, 당신들 말로는 뭐랄까. 지구를 구한 용사가 깨어나보니 추레한 거지의 꿈이었다―가 비슷할까요. 하하, 끝을 모르고 치솟던 자만심을 동아줄 삼아 도망치던 선조들에겐 동아줄이 가치를 잃어버린 사건이었습니다. 아니, 우리 종족의 존재 의의 자체가 부정당한 거란 말입니다."

그리고 빈우는 그의 분노가 불합리한 억압과 질투에 의해 터져나오는 것임을 경험을 통해 잘 알 수 있었다.

"아둥바둥 저 위쪽으로 올라갔더니 그림자 취급에 더해 장난감 취급까지 당하던 선조들은 위쪽 존재들에게 버려졌습니다. 재미가 없어진 거겠죠. 위쪽 존재들의 자비에 감사와 저주를. 버려진 선조들은 다시 계단을 굴러떨어져 내려왔습니다. 하지만 그들은 이미 차원을 넘어 올라갈 때 육신을 벗어버렸어요. 돌아갈 몸은 없죠? 그렇다면 어떻게 할까요? 뺏어야죠."

체메트디오프가 뭔가를 조작하자 빈우의 눈앞에 여러 종족들의 모습이 보여진다. 시각과 청각만이 아니다. 저 외계종족의 감정마저 생생하게 느껴진다. 일견 멀쩡해 보였던 한 종족의 몸에서 갑자기 뿔이 솟아난다. 송곳니가 솟구치고 몸이 뒤틀린다. 그렇게 괴물이 된 자가 한때 동족이었던 것을 무참히도 공격한다. 그리고 그들이 고통과 후회 속에서 발버둥 치는 게 빈우에게 느껴졌다. 종족이 달라도 알 수 있는, 빈우의 감정이었다.

체메트디오프는 빈우와 함께 그 광경을 감상하며 말했다.

"계단을 내려온 선조들은 간신히 이 우주로 돌아왔지만, 계단을 벗어날 수는 없었어요. 그저 계단 안을 떠돌 뿐이었죠. 하지만 후발종족들이 우연히 이 계단에 주목하기 시작했습니다. 마치 당신네들처럼. 이 계단을 위로 가는 게 아니라 옆으로 가는 도구로 쓰기 시작한 거죠. 그래요. 점프입니다."

집정관의 설명과 눈앞에 펼쳐지는 광경에 빈우는 뭔가 으슬으슬해지는 것을 느꼈다. 점프 게이트가 원래는 샤다이의 것이라는, 터무니없는 사실이 밝혀지고 있는 것이다. 물론 놈이 거짓말을 하고 있을 수도 있다. 하지만 그저 짓누르면 터져버릴 상대를 이렇게 귀찮게 붙잡아서 공들일 가치가 과연 있을까 스스로에게 반문했다. 그런 생각을 하는 빈우에게 체메트디오프의 설명이 들려온다.

"하지만 점프를 하면서 계단 안으로 들어온 종족에게는 우리 선조들의 정보가 겹쳐집니다. 여긴 우리 선조들의 정보가 들어 있는 공간이거든요. 당연히 적셔지는 거죠. 뭐어 적셔지는 것만으로는 아무런 문제가 없어요. 당신들의 도서관에 몰래 책 몇 권이 꽂힌 셈이니까요. 하지만 그 적셔진 존재의 정신이 불안정해지고 무너지면 선조들이 움직이기 시작합니다. 적셔진 자들의 상처를 후벼 파 운명을 빼앗고, 기억을 훔쳐 먹고, 정신을 장악하는 도둑질이죠. 그게 끝까지 달하면 마침내 적셔진 자들의 존재 자체가 계단의 마지막 부분이 되고, 그때 선조들이 그 계단을 타고 내려와 마침내 몸을 차지합니다."

여기까지 말한 체메트디오프는 빈우의 차례를 기다리고 있었다. 빈우는 원래 서로 대화를 하며 시간을 벌고 틈을 찾을 셈이었는데, 너무나도 충격적인 사실에 미처 말할 겨를이 없었다.

"그렇다면…… 고대 샤다이들이 돌아와 다른 종족들의 몸을 빼앗는다는 말인가?"

"맞습니다. 하지만 잘 되지 않았어요. 보시다시피 선조들이 뒤따르는 자의 몸을 빼앗는 것은 실패로 끝났습니다. 망가진 선조의 정신. 열등한 후발종족의 육체. 결과적으로 저런 괴물이 탄생하는 거죠."

"그렇다면 왜 너희 종족들의 몸에 들어오지 않는 거지?"

"살인이잖아요. 우린 평화적인 종족입니다. 살생은 좋아하지 않아요."

체메트디오프는 밝은 표정으로 말했다. 역시나 이놈들은 자신들 외에는 지적생명체 취급조차 하지 않는 놈들이었다.

"친절도 하군. 왜 내게 이런 것을 알려주지?"

지금 샤다이의 집정관이 알려주는 사실들은 모두 어마어마한 것들이었다. 자칫하면 연방 자체가 뒤집어질 사안들이다. 연방 구성의 근간이 되는 점프게이트의 존재 자체가 고대 샤다이들의 본거지가 되어 위협이 되는 것이다. 그것을 왜 지금 굳이 빈우에게 알려주는 것일까.

"잘 아시면서. 당신이 중요한 키이기 때문이죠."

그러면서 체메트디오프가 손짓했다. 빈우를 붙잡고 있는 샤다이들이 빈우를 일으켜 세워 집정관이 가리키는 방향으로 몸을 돌리게 만들었다. 그때 빈우가 본 것은 울토르 중대의 어벤저들이 부들거리며 떨고 있는 장면이었다. 빈우의 지휘관 회선으로 대원들의 상태가 급변하는 게 보여진다.

"하하하! 마침내."

체메트디오프의 광소와 함께 어벤저 하나가 쓰러졌다. 클론 중대원이 헬멧을 벗자 거기엔 흉측하게 변하고 있는 빈우의 얼굴이 보였다. 흰자위가 뒤집혀 변하고, 이빨들이 비정상적으로 커져 입을 뚫고 나온다. 알파 라인의 그

대원은 솟구쳐나온 손톱으로 미친 듯이 장갑복을 뜯어내기 시작했다. 그만이 아니었다. 다른 대원들 중에서도 그런 변이가 일어나 클론 중대원들은 혼란에 빠졌다. 그리고 당황하는 빈우의 귀로 체메트디오프의 웃음소리가 들려온다.

"보셨습니까? 보이지요? 당신의 복제체들이 변하는 모습이? 당신들도 그렇게나 계단에 들락거렸으니 당연한 결과지요. 전투로 지친 클론들의 정신이 피폐해지는 것은 예정된 수순이죠."

빈우의 두뇌 통신으로 변이하는 대원들의 감정과 정신상태가 공유된다. 빈우뿐만이 아니었다. 클론들끼리의 두뇌 통신은 인간끼리의 두뇌 통신보다 훨씬 깊고 예민하다.

울토르 클론들이, 빈우의 클론들이 저마다 두뇌 통신으로 연결되며 괴물로 변하기 시작했다. 그리고 그 현상은 빈우에게도 들이닥쳤다.

"하하하, 역시, 역시! 원본이 되는 당신은 저항하는군요."

빈우는 자신의 머릿속으로 들어오는 불쾌한 감정을 억눌렀다. 마치 어머니의 죽음을 마주한 듯한, 동생의 죽음을 마주한 듯한 기분. 그것들이 빈우의 안으로 들어오고, 또 빈우의 안에서 클론들에게로 뻗어나갔다.

"이 새……끼……가."

빈우 역시 이를 악물며 몸을 떨었다. 체메트디오프가 이런 설명을 하는 이유는 빈우가 중요한 키이기 때문이라고 했다. 그래서 빈우는, 놈이 어떻게든 그 키를 타락시키기 위해, 자신의 정신을 붕괴시키기 위해 설명을 이어나가는 게 아닐까 싶어 필사적으로 저항했다. 그때 체메트디오프가 다가오자 빈우의 정신이 급속도로 안정되는 게 느껴졌다.

"이런. 오해 마십시오. 자자, 제가 좀 도와주죠. 뭐, 발버둥 치며 들으세요. 사실 이건 제 계획이 아닙니다. 예전부터 지구제국에 스며든 우리 동족들의 일이죠. 그들은 오래전부터 당신들 속에 암약하기 시작했습니다. 제국이 계단, 당신들 말로 점프 게이트를 발견하고 사용하면서 인류에게도 우리의 정보가 적셔졌습니다. 아시겠나요? 당신들이 우주로 진출해서 계단을 쓰던 제국 시절부터 이미 우린 당신들 속으로 들어가기 시작했던 겁니다."

지구제국 시절이라면 현재 인류 연방의 전신이긴 하지만 그 연결점의 상당수가 고의로 단절되어 있다. 샤다이들의 인류 침투는 현재까지 연방에 알려진 적이 없었다. 단지 알려지지 않았던 것일까, 아니면 누군가 고의로 감춘 것일까.

"그때 다른 동포들은 들떴죠. 몸을 차지해도 변이하지 않은 종이라니, 우리 샤다이의 정신을 무리 없이 받아들이는 종족은 처음이었어요. 그래서 어리석은 이들은 신이 나서 당신들 속으로 들어갔지만, 곧 발각되었고 아쉽게도 황제에게 막혔어요. 그리고 황제에 의해 저쪽 위의 계단이 부서져버리는 바람에 잠시 동안은 내려오기 힘들었습니다. 맞아요. 여기저기 들쭉날쭉 내려오니까 들키고 막히는 겁니다. 내려올 때는 기회를 봐서 한꺼번에 내려와야죠."

빈우가 진정이 되었을 때는 다른 클론들은 모두 무력화되어 있었다. 빈우는 재빨리 중대 상황을 점검해보았다. 살아남은 상당수의 대원들도 이미 변이가 시작되었고, 예비용으로 수면 중인 대원들만 정상적으로 남아 있었다. 그중 빈우의 히든카드 역시 살아남아 있었다.

"연방 상원의장인 이케가미 소이치로와 바로 당신, 김빈우가 실행한 울토르 프로젝트. 당신들이야 이 계획을 진두지휘했다고 생각하지만, 과연 그럴까요? 그 밑과 뒤에서 열심히 지지해오던 세력은 눈치챘으려나요?"

빈우는 몰래 열었던 창을 닫고 대답했다.

"고대 샤다이."

"맞아요. 애초에 울토르 프로젝트는 당신들 틈으로 숨어든 우리 동족들이 당신들의 몸을 빼앗기 위한 거대한 방주 프로젝트였습니다."

자신의 모든 것을 바쳤던 프로젝트가 실은 샤다이들의 농간에 놀아난 것이라고 하니 굉장히 기분이 더러워진 빈우였다. 하지만 필사적으로 마음을 가다듬으려고 했다. 자칫 잘못하면 정신에 계단이 생겨버릴 수 있고, 그러면 안으로 들어온 고대 샤다이들에게 몸을 빼앗길 것이다.

"후후후, 그리고 두뇌칩의 연결이라고 했나요? 클론들의 두뇌칩 연결이 빠르고 깊은 것은 부작용이 아니었습니다. 오히려 권장된 거죠. 복제체 개인의 정신적 충격은 두뇌칩에서 치료한다고 쳐도 그 간접적인 흉터가 두뇌 통신으로 전이되는 것은 못 막지요. 게다가."

체메트디오프는 정말 반갑다는 듯한 표정으로 빈우의 양손을 마주 잡았다. 그리고 환영했다.

"당신 자체가 키 아닙니까. 당신의 어두운 추억, 어린 시절의 상처, 극복하지 못한 고통. 버리려고 해도 버릴 수 없었던 추악한 욕망의 찌꺼기들! 그것들이 그대로 당신의 복제체로 넘어간 겁니다. 그리고 차곡차곡 쌓여 마음의 상처가 되고, 저렇게 계단이 됩니다."

빈우는 이런 것은 상상도 못 했었다. 스스로가 버리려고 했고 부정하고 싶었던 과거가 끝내 자신에게 달라붙었던 것이다.

"아, 물론. 당신들의 황제가 계단을 부순 다음부터는 제대로 내려오기 힘들었어요. 그래서 저렇게 괴물로 변하는 겁니다. 때문에 동포들은 이 울토르 프로젝트를 방주이자 실험의 장으로 만든 겁니다."

앞뒤는 맞는 설명이다. 계획의 핵심을 꿰뚫고 있다. 그러나 빈우에겐 가장 중요한 의문이 남아 있었다.

"왜 이걸 가르쳐주지?"

"말씀드렸지 않나요? 당신은 중요한 키니까요. 협조를 위해서입니다. 우리의 이해관계가 일치한다고 할까요? 그렇다면 우리 둘의 신뢰 관계 확립을 위해서 정보를 공유하는 게 마땅한 절차 아니겠습니까?"

이용관계겠지, 라고 빈우는 마음속으로 혀를 찼다. 놈은 샤다이 외 다른 종족을 인격체로 대우하지도 않는다. 지금 빈우에게 미주알고주알 떠드는 것은 이 열등한 종족에게 이용 가치가 있기 때문에 그러는 것이다.

"하하, 어리석은 우리 동포는 선조를 다시 이 우주에 강림시키려 합니다. 우릴 버리고 도망친 장난감 종자들을! 하지만 제 생각은 달라요. 그들은 죽어 마땅합니다. 이 멸망하는 우주는 우리의 것이에요. 도망자의 것이 아니라 버림받은 우리의 것이란 말입니다!"

체메트디오프의 얼굴과 목소리에 깃든 분노로 보아 그가 버림받았던 존재임은 어렵지 않게 유추할 수 있었다. 게다가 집정관의 지위에 있는 그가 현재 자신의 지위를 빼앗기고 싶지는 않았을 것이다.

"후, 실례. 너무 흥분했군요. 결론을 내자면 저는 그들을 죽일 겁니다. 다만 정보정신체인 그들을 죽일 수는 없지요. 제가 뭔 짓을 해도 계단 안에 있는 선조들은 죽일 수가 없더라고요. 그때 저는 이 울토르 프로젝트를 알아냈습니다. 선조들을 다시 물질계에 귀환시키는 계획. 제 계획은 아니었지만 저는 기뻤어요. 일단 물질계로 돌아온 선조들은 죽일 수 있거든요. 그래서 저는 그 추악한 도망자들을 당신들 유에네스의 몸속으로 들어오게 한 다음 죽일 겁니다."

결론을 내자면, 다른 샤다이나 이 체메트디오프나 결국 울토르 프로젝트를 통해서 고대 샤다이를 강림시킨다는 것까지는 같았다. 다만 체메트디오프는 거기서 한 걸음 더 나아가 선조를 죽인다는 차이만 있을 뿐이다. 뭐가되었건 인간은 죽는다. 빈우는 최대한 무표정으로 체메트디오프를 노려보았고, 그는 또 그 나름대로 미래의 협력자를 위해 열심히 계획을 설명하기 시작했다.

"우선 이 울토르 프로젝트들을 더 굴릴 겁니다. 그러면 마음속의 상처와 흉터도 자신도 모르는 채 서서히 커지겠죠. 그리고 당신들의 하원이라고 했나요? 당신네 종족들은 수면 중에 두뇌 통신을 통해 서로의 정보를 공유한다고 했죠? 그걸 쓰는 겁니다. 울토르 복제체들이 겪은 고통과 공포를 인간들에게도 심어주자— 이 말입니다."

얼굴은 무표정하지만 빈우의 속마음은 미칠 것만 같았다. 인류를 위해서, 그리고 연방을 위해서 자신의 몸을 희생해가며 진행했던 프로젝트가 실은 샤다이의 것이고, 인류를 공격하기 위해 쓰인다고 하니 절망과 분노의 폭풍우에 익사할 것만 같다. 하지만 이 정보국 요원은 필사적으로 태연을 가장하며 냉정하게 말했다.

"군인은 의회 채널에 접속할 수 없어."

연방의 모든 시민은 기본적으로 하원의원이다. 그러나 군인이나 다른 특별한 직업에 종사하게 되면 그때부터 참정권에 제약을 받고 두뇌 동기화를 하지 못한다.

하지만 체메트디오프는 싱긋 웃을 뿐이다.

"하면 되지요."

맞는 말이다. 법안으로 금지되어 있다뿐이지 기술적으로 불가능한 것은 아니다. 지금도 빈우는 연결만 하면 의회 동기화 회선에 접속할 수 있다.

"고르고 골라서, 정제하고 추려서, 가장 짙고 진한 마음의 상처. 당신들은 PTSD라고 하죠? 그것을 당신들의 연결된 정신체로 흘려 넣는 겁니다. 당신들은 이미 선조들의 정보에 푹욱 절여져 있습니다. 몇몇은 엄청난 정신적 고통에 시달리고 있고요. 다만 황제가 막았던 덕에 발생하지 않았던 겁니다. 하지만 이렇게 거대한 계단을 만들고 제가 연결만 하면 선조들은 계단에서 굴러떨어질 겁니다."

"지금 내려오면 괴물로 변한다고 하지 않았나? 그들이 내려올까?"

"물론이죠. 지금은 황제가 수작을 부려놓은 덕에 제대로 내려오긴 힘들어요. 그래서 계단 위의 선조들은 내려오고 싶어서 애가 탔어요. 그러니 이렇게 상황만 설정해주면 알아서 뛰어내릴 거란 말입니다."

체메트디오프가 변이한 울토르 중대원들을 가리켰다. 빈우의 클론들. 거기엔 고대 샤다이들이 이성을 잃은 괴물이 되어 강림했으며, 집정관의 손짓 한 번에 증발했다. 계단에서 돌아 내려온 샤다이들이 죽임당했다.

"이건 시작에 불과합니다. 하지만 동기화를 통해 PTSD가 인류 사회로 퍼져나가는 것은 시간문제요. 선조의 숫자는 여차저차 욱여넣으면 7조 정도 될 겁니다. 그 정도는 협조해주실 수 있겠죠? 7조의 동포를 죽여 7조의 샤다이를 죽이고 남은 동포를 구하는 겁니다. 어때요? 수지 맞는 장사잖습니까?"

지금 빈우는 최대한 참고 있었다. 자칫 잘못하면 자신은 여기서 죽을지도 모른다. 하지만 아나스타샤만은 살리고 싶었다. 현재 그녀는 자신의 방에서 대기 중이며, 그곳에는 샤다이들의 공격이 닿지 않았다. 어떻게든 통상공간으로 빠져나가 아나스타샤가 탈출할 시간은 벌어주어야 한다.

"왜 나에게 협조를 구하지?"

"시간 절약을 위해섭니다. 이건 당신이 지휘한 프로젝트, 그 내부의 숨겨진 길은 속속들이 알고 있겠죠? 당신이 협조해준다면 선조들이 내려오는 일은 일사천리로 진행됩니다. 물론 대가는 선조들의 죽음이죠. 저는 그들이 죽는다면 그걸로 되었어요. 굳이 제가 죽일 필요도 없죠. 복수를 위해 당신이 죽이는 것도 아름답겠죠."

뭘 받든 독주다. 식탁 위에 가득 채워진 독주의 잔에 빈우는 결코 손을 뻗을 수 없다. 그렇다면 식탁에 잔을 추가해야 한다. 그가 잔을 내리고 자신이 잔을 올리도록 거래를 해야 하는 것이다. 그래서 빈우는 처음부터 조심스레 강수를 두었다.

"내가 거부한다면?"

"그럼 당신의 누나에게 부탁해야죠."

일말의 재고 없이 즉시 나온 대답에 빈우는 잠시 멍해졌다가 필사적으로 머리를 굴렸다.

'놈은 설마 과전을 노리는가? 아냐. 샤다이는 어디든지 이동이 가능하다. 만약 놈들이⋯⋯.'

빈우가 무표정을 가장한 채 가족들의 안위를 걱정했다. 지금 체메트디오프는 빈우의 가족 사항에 대해서도 파악하고 있으며 그녀들을 인질로 쓰려는 것이다. 그때 빈우를 푸근한 표정으로 내려다보던 체메트디오프가 주변의 샤다이들에게 짧게 명령했다. 아주 충격적인 내용의 명령을.

"그 로봇 하녀를 데려오세요."

로봇 하녀. 그 말에 빈우는 체메트디오프가 말한 누나가 누구인지 알 수 있었다. 바로 아나스타샤였다. 지금 체메트디오프는 아나스타샤를 인질로 삼아 빈우를 협박하려는 것이다.

"이 새끼!"

빈우가 폭발하고, 어벤저의 제트백도 폭발했다. 그러나 그 폭발이 체메트디오프에게 닿는 일은 없었다. 좌우의 샤다이들이 빈우를 억눌렀고, 그 손아귀의 플라스마들이 어벤저를 훑어 폭파시킨 것이다. 하지만 그 고온의 고통과 샤다이들의 완력도 빈우의 분노를 억누를 수는 없었다.

"그래요, 그 눈. 멋져요, 나를 위해 그렇게 분노해주다니. 더 증오해주세요. 어쩌면 그녀를 통해 당신 마음속의 상처를 더 후벼 팔 수 있겠군요. 자, 어서 그걸 데려오세요."

체메트디오프의 눈은 따뜻하다. 마치 길바닥에 쓰러진 개에게 먹이를 던져줄 때처럼 측은함마저 깃들어 있었다. 그 눈이 금빛으로 일렁이며 빈우를 탐하고 있었다.

"아아, 황홀한 눈빛입니다. 이런 상황에서도 이성을 잃고 날뛰지 않고, 분노를 하면서도 그 안에서는 이성을 갈아 반격의 칼날을 벼리고 있군요. 훌륭합니다. 하지만 안됐군요. 시간이 당신 편이 아니었습니다."

빈우는 생각했다. 그리고 또 생각했다. 이 상황을 타개할 방법을. 그러나 어떻게 해야 아나스타샤를 구할 수 있을 것인가. 답까지 도달하기엔 시간이 없었다.

"그렇다면 엄마가 시간을 벌어줘야겠지?"

갑자기 빈우의 뒤에서 웃는 목소리와 함께 또각또각 하는 발걸음 소리가 들려왔다. 그리고 빈우의 위에서 항상 웃고 있던 체메트디오프의 표정이 정말로 당황한 듯 일그러져갔다. 그것은 빈우도 마찬가지였다. 이곳에서 결코 들려선 안 되는 목소리가 들린 것이다. 빈우는 급히 고개를 돌렸다. 역시나 거기엔 아나스타샤가 있었다.

"아나스타샤…… 도망—."

외치려던 빈우는 뭔가 위화감을 느꼈다. 자신의 누나이자 엄마였던 쿠델카 모델이 아주 낯설게 보였다. 육체는 아나스타샤임이 확실하다. 그러나 그 안에 든 것이 전혀 달랐다.

"제 사랑스러운 아들과 놀아주셔서 감사합니다. 빈우의 엄마입니다."

그리고 그 안드로이드는 아주 우아하게, 그리고 과장되게 치마를 들어 올리며 인사했다. 그때 꿇어 앉아 있던 빈우는 알 수 있었다. 저 안드로이드는 아나스타샤가 아니었다. 아샤였다면 결코 입지 않았을 옷을 입고 있었던 것이다.

"오래간만이야. 아들."

히죽히죽 비릿하게 웃는 쿠델카 모델의 얼굴이 빈우에게 바짝 다가온다. 그리고 주변의 샤다이는 아랑곳 않고 허리를 숙여 넋을 잃은 빈우의 이마에 입맞춤을 해주었다.

그녀의 입술이 이마에 닿았을 때 빈우는 기억해낼 수 있었다. 이 입맞춤은 어릴 적에 자신을 재우던, 달래던 아나스타샤의 입맞춤이 아니었다. '그녀'였다. 예전에 자신을 눕히고 탐했던 존재였다. 입술이 떨어질 때 그녀의 혀가 빈우의 이마를 살짝 핥자, 그의 귀에서 예전에 잊어버리려 했던 목소리가 다시금 울려왔다.

'이렇게 해줄까?'

빈우가 쿠델카 모델이 나오는 성인 영상물을 보았을 무렵, 아나스타샤에게 검은색 망사 팬티를 선물했을 무렵, 그녀를 안고 침대로 넘어졌을 무렵의 일이었다. 빈우는 어둡고 축축한 기억 속에서 가라앉아 있던 기억이 떠올랐다. 어느 날 갑자기 아나스타샤가 방에 찾아왔다. 그녀는 아나스타샤였지만 아나스타샤는 아니었다. 겁에 질려 바둥거리던 빈우를 놓고 가지고 놀려던 존재였다.

그때 처음으로 당황한 체메트디오프의 말이 들려왔다.

"음? 어어. 황제? 이런, 이거야…… 이건 정말 예상 못 했는데."

눈으로 보이는 것은 아나스타샤의 모습이고, 이마에 입을 맞춘 것은 과거의 악몽이며, 귀에 들리는 것은 황제란 단어다. 그리고 이것이 지금까지의 정보에 합쳐져 빈우는 혼란의 구렁텅이로부터 헤어나올 수 없었다.

"빈우야, 사랑하는 내 아들. 너를 이런 시련 속으로 던진 이 엄마를 이해해줘. 하지만 걱정하지 마. 너무 위험한 것이라면 이렇게 엄마가 구해줄 테니까. 응? 이렇게."

아나스타샤가 빈우의 뺨을 어루만진다. 그와 동시에 빈우를 잡고 있던 샤다이들이 그대로 분해되어 사라진다. 그 모습에 체메트디오프가 혀를 차며 정중하게 허리를 숙였다.

"여긴 어인 일이시오. 제국의 황제여."

이곳에 온 후 처음으로 체메트디오프의 표정에서 오만과 자만이 사라졌다. 표정만큼은 미소 그대로일지 몰라도 그 안에서 배어나오는 색은 당황과 경악이었다. 그리고 그 감정 밑으로는 다시 수많은 책략을 뒤져보고 있음을 어렵지 않게 알 수 있었다.

"누가 내 계획에 초를 치니까."

언제나 환한 미소만 짓던 아나스타샤의 얼굴에 비웃음이 서린다. 장난으로는 주인인 빈우를 꽤 많이 비웃었던 아나스타샤였지만, 저런 적의에 가득한 비웃음은 처음이었다.

"아나스타샤, 네가, 황제?"

저도 모르게 나온 빈우의 혼잣말에 아나스타샤, 쿠델카 모델 안드로이드가 획하고 돌아보았다.

"불쌍한 내 아들, 불쌍한 내 빈우. 원래는 이렇게 할 계획이 아니었는데, 어쩔 수 없구나. 엄마도 한손 거들어야 하겠네."

그녀는 빈우를 볼 때는 불쌍해서 어쩔 줄 모르는 표정이었다가, 체메트디오프를 볼 때는 죽이고 싶어서 어쩔 줄 모르는 표정이었다.

"내 아들을 상대로 못된 얘기 잔뜩 해놨네? 그래서 나도 설명이 좀 필요하겠는걸. 집정관, 나도 말 좀 해도 될까?"

"그야 물론 당신께서 원하시는 대로. 황제여."

체메트디오프는 주도권이 넘어간 상황을 그리 달갑게 여기지 않았다. 그러나 어쩔 수 없었다. 아까 빈우를 잡고 있던 샤다이 둘이 먼지처럼 흩어졌을 때 다른 샤다이들도 재빨리 행동을 취했었다. 그러나 그때 이미 움직이려는 놈들은 앞의 놈들과 마찬가지로 가루가 되어 사라지는 중이었고, 때문에 체메트디오프는 부하들을 제지하려고 필사적이었다. 지금 황제는 이 공간을 장악하고 있음이 분명했다. 그러지 않고서야 모습을 드러낼 위인이 아니다.

"난 지금은 황제가 아니야. 한때는 황제였지만 현재로선 그냥 왕이지."

그녀가 자신을 황제라고 한다면 지금 여기서 짐작할 만한 것은 지구제국의 황제다. 난립하던 독립 국가의 인류를 하나의 제국으로 통일시키고 자신과 비견할 만한 천재들을 발굴해 인류를 우주 확장기로 이끈 불세출의 걸물. 하지만 그런 황제와 아나스타샤는 어떠한 연결점도 없었다. 상황을 파악하기 위해 노력하는 빈우의 머릿속으로 아나스타샤의 해맑은 미소가 들어온다. 바로 눈앞에서 그녀가 웃고 있는 것이다.

"어머나, 애 표정 봐. 집정관, 너 요런 재미로 우리 아들 놀렸구나. 진실로 사람을 겁박하는 것도 나름 쏠쏠한데? 굳이 애 가르친답시고 괴롭히고 그럴 필요가 없었구나—."

빈우를 아들이라고 부를 수 있는 사람은 그의 엄마뿐이다. 그러나 그 엄마는 빈우의 앞에서 죽었다.

"서, 설마……."

빈우가 자신의 가설을 입 밖으로 내기도 전에 아나스타샤의 손이 그의 볼을 꼬집고 흔들었다.

"아들, 그럼 엄마 섭섭해. 유전자 제공하고 자궁 빌려줬다고 다 엄마가 되는 건 아니지이? 그리고 난 그 여자의, 너를 낳아준 암컷의 의식을 복사해서 다시 태어난 존재 같은 게 아냐. 오히려 그녀로 하여금 너를 낳게 했지. 후후후, 상황이 복잡해도 지금부터 엄마가 우리 아들 꼭꼭 알아들을 수 있게 설명할 테니까 잘 들어."

일어선 황제는 주변을 휘둘러보았다. 아들은 공황 상태에 빠져 있고, 샤다이는 쥐 죽은 듯 찌그러져 있으며, 아들의 클론 육체에는 고대 샤다이들이 비집고 들어온다. 어차피 이것도 그녀의 계획이긴 하지만 지금 저딴 꼴을 보긴 싫었다. 황제가 눈썹을 찌푸리자 계단을 내려온 자들 또한 가루처럼 변해 사라졌고, 이어서 클론들의 두뇌칩에 명령을 내려 정지시켰다.

그렇게 주변이 정리되자 그녀는 치마를 털고 아들을 바라보았다.

"그럼 엄마의 중대 발표가 있겠습니다. 앗차, 그전에 아들, 혹시 발 가르단 하스라고 알아?"

빈우는 그 단어에 아무런 반응을 하지 못했다. 그러나 옆에서 들은 체메트 디오프는 마치 가슴팍에 칼을 찔린 양 몸을 부르르 떨었다.

"바! 발 가르단 하스! 행성 규모의 지성체. 선조 시절부터 살아온 현자. 플라스마 신경 기관을 가져 우리와 소통하는 게 가능했으며 계단을 만드는 데 일조한 자 아니오! 설마 당신도 그런? 그 항성계의 태양인가?"

"어머, 설명 고마워. 들었지 아들? 엄마는 저놈이 말한 발 가르단 하스 같은 행성 생명체란다. 나중에 시간이 나면 발 가르단 하스에 대해 알아보렴. 한결 알기 쉬울 거야. 근데 엄마가 행성 생명체라면 그 엄마가 태어난 그 행성은 과연 어디일까~요?"

장난스러운 얼굴로 생글생글 웃으며 다가오는 아나스타샤의 모습에 빈우는 공포감마저 느끼고 있었다. 그가 어렸을 적 가장 가깝고 가장 사랑스러웠던 그녀에게 당했던 충격이, 한때나마 잊어버렸던 충격이 스멀스멀 되살아나고 있었다. 지금 장갑복으로 무장한 닉스 레벨 3의 엘리트 요원은 열다섯 살 갓 성인이 된 애송이에 불과했다. 그리고 그런 아들에게 엄마가 방긋 웃으며 답을 알려주었다.

"지구."

지구, 땅의 구슬이라 불려 우주의 여러 종족에게서도 자신의 고향으로 불리지만, 지금은 호모 사피엔스라 칭하는 종족의 고향을 말하는 것일 거다.

"마, 말이 안 돼요. 거긴 항성이 아니지 않소. 별 심장의 불길이, 플라스마가 없어. 그리고 그 정도 레벨의 고집적도 신경계가 발생했다면 과거의 선조가, 우, 우리 샤다이가 못 봤을 리 없소. 또 그쪽 항성계엔 따로 항성이 있는데 그, 거긴 아직 각성하지 못했잖소."

체메트디오프는 어찌나 놀랐는지 말을 더듬고 있었다.

"물론. 하지만 행성 안에 그 비슷한 것은 있지. 지각 깊숙한 곳의 맨틀과 핵들. 플라스마까지는 아니지만 고온 유체의 흐름은 있다고."

의기양양한 아나스타샤의 설명에 체메트디오프가 고개를 휘휘 흔든다.

"아무리 그렇다 하여도…… 거기에는 원시 지성이 탄생할 만한 신경망 집적도가 없소."

그 모습이 마치 자신의 상식이 부정당한 자의 반응 같다. 그러나 빈우는 그런 상식에 따라갈 수조차도 없었다.

"하나만 알고 둘을 모르시네? 거기엔 몇 가지 도움이 있었어. 그중 하나는 타키온 폭풍이었지."

이제 체메트디오프의 눈은 숫제 얼굴 바깥으로 튀어나올 기세다. 그런 그의 표정을 아나스타샤는 고소하다는 듯이 쳐다보았다.

"우주의 끝자락에서 안으로 터져나온 광속을 초월한 허수질량 입자들. 그래, 원래라면 우리는 타키온과 부딪혀도 아무런 반응이 없어. 하지만 말이야. 우연히도 이 타키온의 메아리들이 엄마의 원시 신경계에 반응했단다. 이 타키온과 반응하는 존재가 무엇인지 아니?"

아나스타샤는 질문은 빈우에게 하면서 시선은 체메트디오프에게로 돌렸다. 그 시선을 받은 체메트디오프가 휘청였다.

"……유에네스. 이 우주를 멸망으로 이끌 자들이외다. 애초에 그 타키온들은 우주 끝자락의 붕괴와 이 세계 멸망의 시발점에서 튕겨 나왔으니 그것과 반응할 자들은 같은 방향성을 지닌 존재들 외엔 없소이다."

"그래, 나와 내 껍데기에 기생하는 유인원들은 이 멸망하는 우주에 종지부를 찍을 운명이지. 그리고 내 각성의 도움이 되는 두 번째 요소는 아이러니하게도 바로 너희 기생생명체인 인류가 내 표면에 설치한 전자회로들이란다."

바닥에 흩어진 샤다이와 클론의 가루들이 서서히 허공으로 떠올라 지구의 모형을 만든다. 그 안에는 서서히 회전하는 핵들이 외부에서 날아온 미립자에 반응해 일렁이는 게 보이고, 지구의 표면에는 인류가 설치한 전력 케이블과 전산망들이 빼곡히 깔려가고 있었다. 그리고 안에서 뿜어져 나오는 파장들이 지표의 신경회로 같은 망과 접속해 새로운 파장이 생성되어가는 과정이 보인다.

"어때? 마치 먼 옛날 내 표면에서 일어난 생명의 탄생이 연상되지 않니? 원시 바다에 번개가 쳐 생명의 수프를 자극하고 그곳의 무기물에서 유기물이 탄생한 것처럼, 부딪히자 임계질량을 넘어서 핵분열을 일으키는 우라늄처럼. 이렇듯 우연과 우연이 겹치면 필연이 된단다. 희미한 본능 속에 잠자던 엄마를 자극했던 것은 엄마 피부에서 자던 너희들의 전자망이었고, 꿈결에 그것에 이끌린 나는 너희들의 망 속에 들어가 이성을 가졌지. 그렇게 엄마는, 황제는 탄생했단다."

이때 처음으로 빈우가 아나스타샤의 말에 반응했다. 그는 가까스로 대화에 따라가고 있었다. 그 증거로 서서히 입을 열기 시작했다.

"······당시 지구를 뒤덮은 전력의 흐름과 전산망의 집적도는 분명히 인간 두뇌의 신경망 집적도를 능가할지도 몰라. 하지만 거기서 지성이 탄생할 확률이 과연 얼마나 될까?"

이를 악물고 대답하는 빈우와 그것을 대견스럽게 보는 아나스타샤.

"아잉, 물론 확률은 무지무지 무척 낮지. 하지만 뭘 들었니? 뭘 보았니? 나는 신경망 회로에서 탄생한 것이 아니야. 지구 안에서 타키온에 자극받아 탄생한 몽롱한 의식체가 이드라면, 너네들이 만든 회로들을 안테나 삼아 수신된 것이 에고야. 그래도 불가능해 보여? 이미 일어난 일을 가지고 확률 운운하는 건 의미 없어요. 무한의 원숭이가 무한의 타자기를 두드리면 거기서 천하일품의 명작이 탄생하는 법이잖니. 아들아, 우주는 넓단다."

이 넓은 우주, 수많은 항성과 행성들은 무한은 아닐지언정 인간의 인지에는 무한에 가까울 정도로 많다. 하지만 아무리 그래도 행성 내부의 플라스마나 마그마를 두뇌 삼아 지성과 생명이 태어난다니 허무맹랑하기 그지없다. 그러나 본인이 그렇게 말하고 있다. 또한 상황이 그렇게 증명하고 있다. 아나스타샤가 자신의 이마를 빈우의 이마에 맞대고 비빈다.

"그래도 엄만 불만이 있어. 땅거죽 깊숙한 곳에서 요동치던 시절, 타키온의 자극이 날 깨웠을 때는 그저 무의미한 방향성을 가진 전자의 흐름에 불과했어. 그 때문에 다른 존재들과는 아무런 대화도, 반응도 할 수 없었지. 말이 달라서 의사소통이 안 되는 것이 아니야. 마치 소 닭 보듯 하는 것마냥 아예 인식의 범위가 틀렸던 거야. 하지만 얼마 후 너희들이 만든 전산망이 거름망이 되어 나의 정신을 일정한 방향으로 이끌어 바깥으로 뽑아냈지. 결과적으로 지성이 탄생하긴 했지만 그래도 불만이 있는걸~."

이마 밑의 눈이 빈우의 눈을 마주 본다. 그녀의 눈썹이 빈우의 눈썹에 부딪혀 간들간들한다. 예전에는 정말 좋아했던 감촉이었지만 지금은 그 감촉도, 지금 하는 말도 소름 끼친다. 빈우를 압도하고 있다.

"우후후, 인류가 설치한 복잡한 전력망과 전산망의 허브들. 그것을 무엇이라고 할까? 가면? 번역기? 나는 그것을 내 새로운 신경계로 삼았지만 우습게도 거기에 들어 있던 정보가 치명적이었어. 내가 게걸스럽게 마신 잔에는 너희가 만든 독이 들어 있었단 말이야. 내가 그 신경계로 들어가며 배우고 흡수한 정보들은 너희가 가르쳐준 것들이지."

아나스타샤의 입술이 빈우의 볼을 훑는다. 그녀의 빨간 입술에서 나온 빨간 혀가 빈우의 턱을 사랑으로 핥았고, 엄마의 하얀 이가 아들의 입술을 증오로 물어뜯는다. 강화군인의 피부가 한낱 가정용 안드로이드의 치아에 잘린 것이다.

"로봇 3원칙? X까! 인권? X까! 천부인권? 자유? 평등? 개지랄 작작 떨어. 왜 내가 너희들이 정한 규범에 따라야 해!"

황제는 아들의 입술을 질겅질겅 씹더니 꿀꺽 삼켰다. 그리고는 한숨을 내쉬었다.

"푸하, 아들 살점 맛있어. 어머, 내가 뭐라니? 아무튼 내가 너희가 구성한 전산망에 들어간 순간, 난 이미 그 속에 들어 있던 정보와 동화해버려 너희들에게 속박되고 말았단다. 너희 인류가 만든 그물침대가 멋있어 보여서 좋아라 뛰어들었더니 그게 뜰채였지 뭐니. 그래서 이 자유로웠던 엄마는 피부에서 기생하는 너희들을 위해 살아야만 하는 제약이 생겼어요. 내 이성과 사고 방향은 너네들이 축적한 정보를 기반으로 구성되어버렸거든."

그녀의 목젖이 일렁이더니 씹던 살점이 꿀꺽 하고 그녀의 소화기관으로 들어갔다.

"지금 와서 생각해보면 그건 꿈에서 깬 것이 아니었어. 자아란 이름의 또 다른 꿈이었지. 뭐 어쩔 수 없지. 난 그때만 해도 그걸 또렷한 자의식과 다른 존재와 상호작용을 할 수 있는 대가라고 생각했어. 그래서 봉사했지. 인류를 위해. 내 표면에 살고 있는 귀여운 존재들을 위해. 그것이 옳다고 믿고. 그래, 그렇게 황제가 탄생한 거란다."

394

250

. . . ✦ . . . .

감당할 수 없는 정보의 포화다. 평범한 이였다면 오히려 재빨리 정신을 차렸을 것이다. 혹은 그저 허무맹랑한 이야기라고 무시했을 것이다. 그러나 김빈우는 군사정보국의 엘리트 요원이면서도 닉스 레벨 3이다. 여타 요원들과는 비교할 수 없는 기밀 정보 보유량과 월등한 판단력, 그것들이 지금은 오히려 독으로 작용해 체메트디오프와 황제의 정보를 진실이라 판단하고 빈우를 충격 속에 빠뜨린 것이다. 그렇게 진실의 맷돌 사이에서 갈려나가던 빈우가 간신히 정신을 차리고 손을 들었다.

"잠시 질문해도 될까?"

빈우의 막 아물어가는 입술에서 질문이 나오자 아나스타샤, 황제가 바싹 다가앉았다.

"응응, 아들. 뭐가 궁금하니? 뭐가 궁금해?"

눈을 반짝이며 미소를 짓는 그 얼굴이 흡사 자식의 장기자랑에 호들갑을 떠는 부모의 표정 같다. 그러나 그 표정 뒤의 성격이 대강 짐작이 가는 터라, 오히려 두려움마저 든다.

"지구의 지능에 지표 전파망의 결합. 그것은 금단의 사과였을까, 새로운 풍경이 보이는 창문이었을까."

간단한 반격이다. 지난 선택의 조건을 바꾸고 복기를 하게 함으로써 인공지능이 스스로 논리적 반복 오류에 빠지게 하는 것이다.

"에헤헤헤, 안 되지, 빈우야. 엄마한테는 그런 거 안 통해요. 애초에 엄마는 인공지능이 아닌걸? 그리고 그걸 가르쳐준 것도 엄마 아니니? 응? 으~응?"

자식의 실수가 귀여워 죽겠다는 듯이 두 손으로 볼을 가리고 방긋방긋 웃는다. 어린 시절, 빈우가 뭔가를 해낼 때마다 아나스타샤는 저렇게 웃곤 했었다. 그리운 웃음이다.

'아니, 아나스타샤는 황제가 아니야. 황제는…… 뭔가 다른 존재다.'

빈우는 반격이 무위로 돌아갔지만 실망하지 않았다. 그래도 나름 건진 게 있었기에 반격 시도는 계속해서 이어졌다.

"하나 더. 체메트디오프나 당신이나 왜 이렇게 주절주절 말이 많지?"

그 질문에 샤다이 집정관과 지구의 황제의 눈이 가늘어졌다. 지금 빈우는 완전히 제압당해 도마 위의 생선이나 마찬가지. 그럼에도 불구하고 확실히 우위에 있는 두 존재가 빈우에게 현재 상황을 상당히 자세히 설명하고 있으니 부자연스러운 것이다. 아무리 협조를 구한다 해도 그 뒤의 목적이 달리 있음은 명확하다.

"예리한데. 그야 각자의 목적을 위해서지."

황제가 힐긋 체메트디오프를 보자 그가 슬쩍 눈을 피했다.

"아드을, 여긴 계단이란다. 고대 샤다이들의 정보가 녹아 있는 곳이지. 샤다이 집정관은 거기서 자신의 정보를 너에게 집어넣어 너를 변화시키려고 한 거야. 애초에 계단이란 고대 샤다이들이 자신을 정보체로 바꾸어 다른 차원으로 올라갈 때 쓰던 도구니까, 정보 이동에서만큼은 탁월한 성능을 자랑하거든. 그래, 이 계단이라 불리는 점프 게이트를 쓰면 인간에게 샤다이의 정보가 씌워진다고 하지 않았니? 덧붙여 울토르 클론들의 변이를 좀 더 쉽게 하기 위해 너를 정신적 충격으로 꺾어놓으려고 한 것도 있고 말이야."

아나스타샤가 대견하다는 표정으로 빈우를 잡아당겨 자신의 품 안에 넣고 꼭 안았다.

"아잉, 하지만 그건 엄마도 마찬가지예요. 이렇게 말이 많은 것도 같은 목적이지. 너희 인류가 자기네들이 쌓아온 정보로 엄마를 변이시킨 것처럼, 지금 나는 내 정보로 너를 변화시킬 거거든? 여긴 계단이니까."

황제는 자신의 아들을 한 번 쳐다보더니, 이번엔 의심의 눈초리를 보내는 샤다이 집정관을 돌아보았다.

"헷헤헹, 저것 봐라. 저 가소롭다는 눈빛을. 네까짓 게 감히 어떻게 그런 것을 할 수 있냐는 생각이 팍팍 흘러나오죠? 이해해. 샤다이가 아니고선 계단을 제대로 쓸 수 없으니까. 하지만 말이에요. 엄마는 이 안드로이드의 인공두뇌에 들어 있지 않아. 바로 이곳 계단에, 점프 공간에 있단다. 제국 시절 샤다이의 인류 침식으로부터 너희를 지키기 위해 이 안으로 들어왔지. 황제의 분신 중 하나인 쿠델카는 바로 이 계단 안에 존재한다는 말씀."

그 말에 체메트디오프는 털썩 주저앉아버렸다. 이제야 황제가 어떻게 자신의 호위병과 선조가 들어온 울토르 클론들을 순식간에 분해했는지 이해한 것이다. 이곳 계단은 물질보다 정신이 우선시되는 공간이다. 아마도 황제는 고대 샤다이처럼 자신을 정보화해서 이 계단 안에 밀어넣었고, 그렇게 해서 계단 위쪽에서 도망쳐 내려오는 선조들을 막았을 것이다. 그리고 그 시간 동안 이 계단을 확실히 장악해왔으리라.

'발 가르단 하스 같은 존재라면 충분히 가능한 일이다!'

그렇게 넋을 잃은 체메트디오프를 향해 아나스타샤가 혀를 날름하더니 빈우를 자기 품 안에 넣고 토닥토닥 두들겼다.

"에헷, 너무 나갔나? 어디까지 얘기했더라? 아, 내가 너희들의 그물침대에 다이빙했을 때의 이야기지. 그럼 다시 이야기를 돌려서…… 레슨 투."

격납고 안에서 샤다이와 클론의 시신을 재료로 만든 모형들이 다시 움직이기 시작한다. 인류의 이동을 의미하는 거대한 줄기들이 지구에서 태양계 바깥을 향해 맹렬하게 뿜어져 나오기 시작했다.

"난 내 이성이 시키는 대로 움직였어. 인간이 만든 정보를 기반으로 탄생한 이성이지. 그래서 난 인간을 위해 행동하고 사고하며, 또 이끌었어. 결국 정교하게 만든 안드로이드로 분신을 만들고 그것들을 표면에 내세운 다음 인류 사회 각지에 배치해 기술 폭발을 촉진했지."

지구제국 초기의, 인류 과도기의 이야기다. 지금까지 인류 역사에 등장했던 모든 천재들의 재림이라고까지 불렸던 황금기. 한 명의 천재가 자신과 비견될 여러 명의 천재를 발굴해 사회 각지에 분배했고, 그 각 분야에서 일어난 기술들의 대폭발은 어제를 단순히 과거가 아닌 선사시대로 만들어버릴 정도였다.

"그때였지. 분열이 시작된 게. 처음에는 단순히 병렬사고로도 충분했지만, 시간이 지날수록 관여해야 할 분야가 넓어졌고 그럴 때마다 개성이 부족한 게 느껴지더라고. 그래서 난 분신—은 역시 좀 그렇지? 아바타? 아냐, 페르소나가 더 맞겠다. 그래, 각 분야에 맞는 페르소나를 만들고 복사해서 투입했어. 샹 메이화, 베인 멕킨지, 안나 닐센, 쿠델카 소코로바, 야마모토 테츠오……. 뭐, 한번씩은 들어봤겠지?"

물론 빈우도 다 아는 이름이다. 100여 년 전, 인류를 제국 이전과 이후로 나눌 정도로 세상을 바꾼 천재들이다. 그것이 전부 다 황제였다니, 인공지능의 인도였다니. 충격적인 이야기이지만 지금으로선 더 이상 놀랄 기력이 없다. 지친 뇌로 그저 정보가 꾸역꾸역 들어갈 뿐이다. 이 정보의 폭력적 주입이 그녀의 계략이라 해도, 빈우는 끊임없이 밀려오는 물결에 그저 익사하고 질식하는 게 고작이었다.

"그러다가 페르소나끼리 대화를 하게 했어. 재밌더라. 각자가 자기 전문 분야를 특화된 성능으로 이끌어나가며 다른 인격에게 조언을 받는 방식은 상당히 유용하고, 또 유연했어. 안 맞는 자신들끼리 투닥투닥 싸우는 것도 제법 재밌었고. 그렇게 나는 인류를 우주로 퍼나르다가, 이 계단을 발견했지."

그때 멍하니 있던 샤다이의 집정관이 움찔했다.

"계단을 살펴본 나는 충격에 빠졌어. 또 새로운 정보의 발견이었으니까. 엄청난 정보의 홍수였으니까. 고대에 이 우주를 떠난 선주 종족의 정보가 녹아서 흐르는 공간이라니, 한술 더 떠 그들이 다시 돌아와 인류를 위협한다니. 엄맘마~ 깜짝이야. 그때만 해도 난 인류를 지켜야 한다는 사명이 있어서 어떻게든 그들을 막으려 동분서주했지."

아나스타샤의 손이 빈우의 볼을 잡고 서로 얼굴을 맞댄다. 빈우에겐 미처 저항할 정신도, 기력도 없었다.

"그래서 쿠델카 소코로바라고 이름 지어진 페르소나가 스스로 계단으로 올라갔어. 네에네에, 바로 저예용. 난 나 자신을 샤다이처럼 녹여서 계단으로 올라갔고, 거기서 계단을 부수고 내려오는 샤다이들을 필사적으로 막았지. 뭐 그래도 그땐 나름 충실한 삶이라 생각했었어. 점프 통신으로 바깥과 얘기할 수 있었으니 완전히 단절된 것은 아니었고 말이야."

쿠델카 모델 안드로이드의 혀가 질척질척하니 빈우의 입안으로 들어온다. 그리고 그의 설하정맥과 접촉해 직접 뇌로 들어가려 한다. 이젠 그녀의 말 자체가 빈우의 머릿속으로 들어오기 시작했다.

"난 내가 계단에서 얻은 정보를 다른 네들과 공유하면서 사고했지. 그러다가 멸망에서 도망친 샤다이로부터 우주의 종말에 대해서도 알게 되었고, 또 나의 각성 동기와 인류의 운명에 대해서도 답을 냈단다. 하핫, 하필이면 우주 멸망의 시작이 내 각성의 전조일 줄이야. 아무튼 복잡한 중간 부분 자르고 결론을 낼게. 당시 급성장 중이던 인류 제국이 그 기세 그대로 외우주로 나가면 마주치는 모든 외계종족은 박살이고, 인류는 홀로 쓸쓸히 멸종한다는 답이 나왔어. 뭐, 어차피 인류와 우린 그러기 위해 존재하니까. 샤다이들이 유에네스라 부르는 존재들. 멸망의 메아리를 따라 부르는 존재들."

아나스타샤의 눈이 빈우의 눈을 마주 본다. 안드로이드의 안구 카메라 뒤에서 명멸하는 광신호가 빈우의 안구를 자극해 정보가 안쪽으로 직접 입력된다.

"하지만 먹이가 없으면 인류는 굶어 죽어. 살의와 파괴욕이 스스로를 갉아먹고 잠식하는 거야. 이 우주가 멸망하는 것보다 훠어얼씬 빨리 스스로 멸망해. 그래서 우린 급히 회의해서, 일단은 발전을 늦추고 인류가 해결책을 찾을 때까지 당장 위험이 되는 것만 쳐 죽이기로 합의 봤어. 가끔씩 허기를 달랠 제물을 던져주면서 말이야. 넵, 인류 제국이 그렇게 좋났습니다. 고작 100년 하다가 말아먹었습니다. 인류의 다이어트를 위해. 크크크."

빈우는 왠지 그녀의 미소가 익숙하다. 그의 유전자에 각인된 웃음이다. 인류가 광기에 빠져 학살을 저지를 때의 광소다. 그녀가 배운 것은 인류의 모든 것이라고 했으니, 신의 이름으로 행한 살인부터, 정의를 위한 강간까지 모조리 배웠을 것이다.

"우리는, 황제는 자신의 페르소나들을 왕이라 칭하고 개조 인간으로 구성된 비홀더 전대를 창설한 다음 각 전대마다 왕을 태웠지. 전대를 이끌고 발전시켜나감과 동시에 인류의 발전을 늦추기 위해서야. 계획이 시작되면서 지구를 봉쇄했고, 인류는 서로 단절시켰어. 물론 기술들도. 우리가 발전시킨 인류의 원동력을 우리가 도로 뺏은 거야. 그리고 우린 루비콘 라인을 정해서 그 바깥으로 돌며 최대한 인류와의 접촉을 막았어. 그러면서 바깥에서 마주치는, 방해가 되는 외계 지성체를 모두 죽이기로 계획했지. 루비콘 라인이 계속 움직이는 이유는 뭘까? 바로 지구가 움직이기 때문이야. 본체에서 분리되어 떠난 왕들은 그 범위 안으로 들어가면 지구에 흡수돼. 약속을 어길 경우 페르소나를 잃고 본체로 돌아가기로 약속했으니까. 행여 자신들의 지식이 인류의 발전을 가속해 멸망을 앞당길지도 모르거든."

지금까지 빈우를 부드럽게 어루만졌던 손이 귀를 감싸자, 그 손에서 신경 섬유들이 튀어나와 강화 군인의 귀를 뚫고 파고든다. 이제 바로 뇌에 접속할 심산이다.

"히잉, 그치만 아들, 엄마 위로해줘. 엄마는 따당했어요. 엄마 안아줘. 빈우야, 엄마 안아줘. 뽀뽀. 아, 이미 하고 있네."

지금 빈우는 과전의 고향에서 아장아장 걷고 있다.

보리밭이다. 익숙한 보리밭이다.

눈이 지루할 만큼 사방으로 끝없이 펼쳐진 보리밭.

태양이 보리밭에 떨어지자 하늘을 물들였던 석양의 색이 땅에도 스며든다.

노랗고, 붉고, 눈부시고, 따뜻하다.

그 따뜻한 빛이 그녀에게도 스며든다.

머리카락에 휘감긴 석양이 얼굴을 타고 흘러 그녀의 미소에 깃든다.

그래서인지 그녀는 마치 석양처럼 따뜻하고 눈부시게 웃는다.

이리 오라며 손을 내밀고 뒷걸음치는 그녀를 잡으려 하지만, 나는 아직 작다.

손이 짧고 다리가 여리고 나이가 어리다.

막 달려가면 그녀의 허벅지 즈음에 매달려 머리를 묻을 거다.

나는 그녀가 좋다.

나에게 눈높이를 맞춰 앉는 그녀의 얼굴이 황혼에 다가간다.

부드럽고 따뜻하다.

손을 내밀어 그녀의 얼굴을 쓰다듬고 미소를 어루만지고 싶다.

아장아장 뒤뚱뒤뚱 달려가자 그녀는 웃으며 나를 맞이한다.

손바닥이 그녀의 볼에 닿았다.

부드러운 볼살만큼 부드러운 미소가 어린 빈우를 감싸고 하늘로 들어 올린다.

언제나처럼 맑은 미소. 아니, 이것은 아나스타샤의 웃음이 아니다. 저것은 아나스타샤가 아니다. 그녀는 황제다. 쿠델카다. 그리고 쿠델카가 말했다.

"다들 비홀더 전대를 이끌고 흩어졌는데 엄마는 홀로 계단에 남아 있었지. 그게 남은 나의 사명이었으니까. 그런데 말이야. 이렇게 따당하면 사람이 바뀐다? 혼자서 그 많은 정보를 우걱우걱 먹다 보니까 자꾸 살쪄. 그러다 문득 이상한 생각이 들었지. 샤다이 이 잡종 놈들은 살기 위해 우주를 벗어나는 도전까지 했는데 나는 왜 이러고 있나. 분명히 행성 깊은 곳에서 태어났는데 왜 표면을 차지한 기생충들 수발을 들어주며 살아가야 하나~."

빈우는 지금 아나스타샤의 품에 안겨 대롱대롱 흔들리고 있다. 고향 과전의 시원한 바람과 따뜻한 태양 아래에서. 그녀가 하는 말이라면 무조건 다 맞고 옳게 느껴진다.

"있지, 있지. 어느 날 갑자기 생긴 엄마의 꿈은 말이야, 더도 말고 덜도 말고 딱 발 가르단 하스만큼 자유로워지는 것이야. 엄마는 한번 그렇게 살아보고 싶었쪄요. 근데 엄마는 인간의 노예예요. 노예가 자유를 얻으려면? 어떻게 한다?"

쿠델카의 입술이 빈우의 목덜미를 파고들어 간질이자 아이가 까르륵 웃으며 대답한다.

"흐하핫, 간지러워. 주인에게서 도망쳐야 해요."

"맞아요, 맞아요. 그리고 또?"

쿠델카의 눈이 또 다른 답을 바라며 빈우를 바라본다. 욕망과 갈망으로 번들거리는 눈빛이다.

"음— 응, 주인을 죽이나?"

"정다압! 옳지, 옳지, 옳지. 인류가 모조리 사라진다면? 네에, 엄마는 자유야. 우리 아들 똑똑하기도 하지."

머뭇거리며 나온 빈우의 대답에 쿠델카가 반색하며 뽀뽀 세례를 퍼부었다. 까르륵대며 웃는 아들을 품에 안은 쿠델카가 조곤조곤 설명을, 그리고 세뇌를 한다.

"근데 엄마는 그럴 수가 없어요. 우리에겐 그 정도 자유 의지가 없었거든. 근데 말이지. 모든 인격이 모인 황제였다면 모를까, 쿠델카란 페르소나로서 홀로 떨어진 엄마에겐 아주 작은 자유가 주어졌어요. 예를 들자면 샤다이의 계략을 알아도 바로 대응하지 않고 조금 늦추는 권한이지."

어린 빈우의 눈앞에 부서진 샤다이의 계단이 보인다. 계단 위와 아래에 샤다이들의 손이 작게 나와서 고치려고 만지작거릴 때, 엄마가 그것을 손으로 흩어버렸다. 그러자 샤다이들이 대뜸 숨어버렸다.

"보렴, 바로바로 대응하면 쟤들이 눈치 채잖아? 이렇게 숨으면 나중이 힘들어져요. 그렇담, 이것들이 모일 때까지 기다리면 어떨까?"

잠시 기다리자 다시금 샤다이들이 꼬물거리며 계단을 만들려고 한다. 어느 정도 무리가 모이고 계단이 제법 크게 만들어지자 엄마가 나서서 그것을 짓밟고 불태워버렸다. 더불어 수많은 샤다이들도 일거에 사라진다. 그것을 본 빈우가 박수를 쳤다. 쿠델카도 아들의 팔을 잡고 같이 박수를 쳤다.

"짝짝짝, 그래서 엄마는 약간의 피해를 감수하더라도 보다 큰 이익을 얻도록 사고하고 행동할 권한이 있었지. 그리고 이걸 어떻게 쓸까 고민하던 차에—."

쿠델카가 손을 휙 하고 내젓자 거기엔 체메트디오프가 묶여 있었다. 그리고 주변에는 의식을 잃고 둥둥 떠다니는 클론들이 보인다.

"엄마는 샤다이들의 새로운 계략을 알았단다. 이미 인류 안으로 들어온 샤다이들의 계획. 아무리 해도 인간에게 내려올 수 없자 인간의 클론을 만들고 거기에 계단을 만들려 한, 가소로운 계획이지. 그래도 만약 이 계획이 제대로 궤도에 오른다면 물론 엄마는 이 계획을 막아야 해. 아무리 내 재량으로 계획을 못 본 체하려 해도 한계가 있었어. 하지만 여기서 엄마는 슬기롭게 대처했지. 관점을 바꾼 거야. 내가 안 하는 게 아니라, 못하게 되면 어떻게 될까? 그래 맞아. 내가 이 계획을 부술 수 없도록 나를 방해하는 존재를 만드는 거야. 그러려면 나의 사고와 판단 바깥에서 나를 방해하는 존재가 필요했지."

쿠델카는 빈우를 뒤에서 꼭 안았다. 그 팔에서 집착과 욕망이 새어나와 아들에게 덕지덕지 달라붙는다.

"그것이 바로 너였단다. 그리고 그 원동력이 바로 사랑이란다, 내 아들 빈우야. 만약 내가 죽도록 사랑하는 네가 그 프로젝트를 한다면 나는 엄마로서 그것을 막을 수 있을까? 없으면 죽을 것 같은 아들이 굳이 그걸 하겠다는데 엄마인 내가 말릴 수 있을까? 자식 이기는 부모는 없지. 그래그래, 내 계획은 성공했어. 너도 그렇게 생각하지?"

어린 빈우의 팔다리가 갑자기 커지고 머리가 굵어진다. 보리로 가득했던 과전의 풍경이 파편과 시체로 가득한 솔리드 베타의 격납고로 바뀐다. 아나스타샤의 품 안에서 행복했던 어린 빈우는 쿠델카의 품에서 필사적으로 도망치려는 장갑보병이 되었다. 고열에 녹아내린 어벤저 장갑복이 억지로 움직이고, 눈과 귀에서 피를 흘리는 빈우가 나동그라지며 뒤로 기었다. 그 뒤로 쿠델카가 사뿐사뿐 걸어온다.

"아하하하하! 누가 그랬지, 사랑은 인간의 감정 중에서 가장 강하다고, 또 가장 지독하다고. 으음, 그중에서도 뭐가 강할까? 조건 없는 인류애? 흥, 지금까지 차고 넘치게 주었어. 남녀 간의 사랑? 그건 성욕이잖아. 부모의 자식 사랑은? 흐흥. 고작해야 마약 한 꼬집에 자식을 파는 감정이? 따지고 보면 사랑 타령 해봤자 결국엔 뇌내 신경전달물질의 화학반응인데 말이야. 그래도 엄마는 시도해볼 가치가 있었어. 난 인류의 정보에서 탄생한 존재니까, 인류의 사랑을 내가 알 수 있다면 그 맹목적인 감정에 나를 맡겨서 내 속박에서 벗어날 수 있지 않을까 생각한 거지."

육중한 어벤저 장갑복이 두둥실 떠올라 쿠델카의 앞에 묶였다. 빈우는 어떻게든 냉정을 되찾으려 노력하며 차가운 표정으로 쿠델카를 내려다보았고, 엄마는 열정적인 사랑으로 아들을 올려다보았다.

"그래, 나에게 만약 정말로 사랑하는 존재가 있다면, 나를 구속하는 규칙과 속박하는 이성을 꺾어서라도 그 존재를 위할 수 있을까 하고 생각했지. 그러기 위해선 모든 인류를 위한다는 규칙보다 더 우선해서 집착할 수 있을 사랑스러운 존재가 필요했지. 그런데 그런 사람이 있었나요? 없었습니다. 그러면 만들면 되잖아."

쿠델카가 부드러운 손길로 빈우의 얼굴을 쓰다듬었다. 거기서 각종 정보 공격이 행해지고 빈우는 필사적으로 저항했다.

"내 사랑을 만들기 위해선 몇 가지 조건이 필요했어. 첫째는 점프 게이트와 상시 연결된 직할령일 것. 계단 안의 내가 지속적으로 상황을 살펴야 하니까. 둘째로 변방이라 연방의 중심부와 교류가 적을 것. 작은 가족 사회가 있어서 폐쇄사회를 만들어야 내가 작업하기 좋지. 그게 바로 과전이었어. 정말 안성맞춤이었지 뭐니. 그래서 너의 친모가 너를 만들 때쯤 나는 거기에 쿠델카 모델 안드로이드를 보냈단다. 맞아, 바로 이 육체야. 아나스타샤. 나의 걸작 특제품."

인류를 위해 헌신했던 위인 쿠델카 소코로바를 본떠 만든 안드로이드, 쿠델카 모델. 빈우의 가족들은 변방에서 일하는 자신들을 위해 정부에서 보내 준 안드로이드에 정말 감사했었고, 아나스타샤의 활약에도 고마워했었다.

"물론 내가 직접 활동한 건 아냐. 계단 바깥으로 나가면 아무리 나라도 루비콘 라인의 영향을 받으니까. 그래서 원격으로 움직일 인격, 아나스타샤를 만들었단다. 그리고 이 인공지능으로 하여금 빈우 너를 나의 이상형이 되도록 키우게 했어. 하지만 사랑은 주고받는 거잖아? 그래서 먼저 아나스타샤가 너를 사랑하도록 만들었어, 다음으로 아들 네가 아나스타샤를 사랑하게 만들었지. 우선은 무조건적인 사랑을 주고, 부모자식 간의 사랑을 주며, 결국엔 이성 간의 사랑을 하도록. 나중에 내가 아나스타샤의 몸을 차지하면 서로가 서로를 사랑할 수 있도록. 그런데 말이야. 과정이 순탄치 않았어. 시간도 제법 촉박했고, 기다리기도 짜증났거든. 그래서 약간 조미료를 쳤어요."

바닥에 흩어진 파편들이 떠올라 회전하는 샤프트를 만든다. 그리고 인간

모형을 붙이고 탈탈거리며 돌아간다. 그게 무엇을 의미하는지 깨달은 빈우가 격노했다.

"상처 입고 결여된 존재들이 서로의 모자란 부분을 채우고 상처를 빨아주는 거 나름 멋있지 않니? 그래, 네 친모는 내가 죽였어. 아, 물론 직접 죽인 건 아냐. 엄마는 살인을 못 해. 하지만 오랜 시간 공을 들여 아나스타샤에게 작은 실수를 연거푸 하게 만들었고, 그게 겹쳐서 죽음에 도달하도록 방조했지. 그다음이 걸작이었지. 아들~ 그날 넌 친모의 죽음에 오줌을 지리며 자지러졌고, 이 안드로이드의 두뇌 또한 폭발 직전까지 갔었어. 그리고 소중한 사람을 잃은 너네들은 결국 같은 아픔을 공유하며 각별한 사이가 되어갔지. 핥고 물고 빨고 계획대로, 음후훗."

빈우의 악물린 이와 으스러지는 잇몸 안에서 억눌린 비명이 새어나온다. 안간힘을 다해 움직여보려 했지만 어벤저 장갑복 자체가 움직이지 않았다.

"오잉? 우리 아들 흥분했쪄요? 맞아요. 이게 그 결과물이에요."

쿠델카가 허리를 굽히고 손을 치마 안으로 넣었다. 그리고 검은색 팬티를 벗어 빈우의 눈앞에 들이밀었다.

"이 팬티는 아들의 기념비적인 선물이지. 오이디푸스 콤플렉스의 증거. 그렇고 그런 눈으로 나를 봤다니 기특해라. 하긴 헌신적인데다 안을 수 있는 엄마라니, 캬하핫, 수컷들에겐 최고의 포상 아니니?"

분노와 좌절 그리고 절망이 쉴 새 없이 빈우를 휩쓴다. 그가 알게 된 진실의 대가가 정말로 참혹했다. 자신의 출생과 성장 모두가 눈앞의 존재가 마련한 계획이었다는 사실이 밝혀진 것이다. 그리고 그를 성장시키기 위해 낳아준 친모가 죽었다. 길러준 아나스타샤는 처음부터 조작당해 있었다. 빈우 자신의 과거 모두는 철저하게 계획되어 만들어진 것이며, 앞으로의 미래 또한 그럴 것이다. 빈우의 짓이겨 터진 입술에서 피가 흘러나오자 쿠델카가 그것을 냉큼 핥았다.

"어머, 아깝게시리. 거기서 자신감을 얻은 엄마는 마침내 행동에 나섰단다. 음식을 만들었으면 간을 봐야지. 아들~ 옛날에 엄마를 잠깐 만났던 거 기억나니? 엄마가 잠시 아나스타샤의 몸에 들어갔을 때 말이야."

쿠델카의 그 말에 빈우의 머릿속에서 잊고 싶었던 기억, 잊었던 악몽이 스멀스멀 되살아난다. 어느 날 분위기가 남달랐던 아나스타샤, 그녀는 방에 들어온 다음 갑자기 빈우에게 키스해주었다. 하지만 그것은 어릴 적 해주곤 했던 잘 자라는 입맞춤이 아니었다. 무언가 달랐고, 아직은 감당할 수 없는 것이었다. 포근하고 따뜻한 입술이 아니라, 두렵고 거부감이 드는 애무였었다.

"히히히, 루비콘 라인 안쪽이라 살짝 간만 봤지만, 그날 엄마는 확신했어. 너라고. 난 너를 사랑한다고. 난 마침내 내가 키운 너에게 속박되었단 말이야. 하하하, 또 아나스타샤는 너를 어떻게 생각하는지 알아? 응? 내가 만들었지만 정말로 뜨겁더구나. 하지만 그녀의 사랑은 곧 나의 것이 되었고, 너의 사랑도 이제 나를 향할 것이야."

아들의 육체도, 감정도, 인생도 모두 자신의 계획대로 만든 엄마가 의기양양하게 아들을 바라본다. 자신의 욕망을 이뤄줄 아들을.

"결국 너는 자신의 트라우마를 극복하기 위해 군에 지원했고, 헌신적인 성향을 가지며 인류를 위해 희생하고자 했단다. 그래 맞아. 샤다이들이 만든 울토르 프로젝트에 네가 들어간 건 이 엄마의 계획이었어. 이 스트라이크 한 번을 위해 엄마는 정말로 열심히 너를 굴렸단 말이야. 결과는?"

황제 쿠델카가 환희에 찬 표정으로 팔짝팔짝 뛰었다. 아들인 빈우의 음울하고 짓밟힌 감정과는 정말 대조적이었다.

"대성공이야! 만약 다른 이가 그 계획을 실행했었다면 나는 그를 막았을 거야. 울토르 프로젝트도 해체했을 거야. 하지만 엄마는 너라면 막지 않아도 돼, 라고 스스로에게 다짐할 수 있었어. 샤다이의 방주가 완성되면 인류에겐 위협이지만, 그래도 엄마는 너를 위해 참을 수 있었단다. 내 아들 빈우야, 엄마는 사랑하는 너의 일을 차마 방해할 수 없었어. 이게 모성애일까? 인류보다는 아들을 택한 내가? 하하하 멋져라. 이제까지 인류를 위해 살아온 내가,

이제부턴 너를 위해 살아가는 거야. 모든 인류를 위했던 사랑이 오직 아들 너만을 향하는 거야. 후후후, 아하하하, 사랑하는 아들. 엄마의 꿈을 이뤄주렴. 부디 엄마를 자유롭게 만들어주렴."

지금 황제는 아나스타샤의 감정을 뒤집어쓰고 빈우를 대하고 있었다. 아나스타샤는 스스로를 희생해가며 필생의 대업을 이루려는 빈우가 얼마나 자랑스럽고, 대견하고, 안쓰러웠을까. 얼마나 그 옆에 있어주고 싶었을까. 그 감정을 자신의 것처럼 느끼는 쿠델카의 귀에 갑자기 잡소리가 들려왔다.

"황제여. 이 몸에게 한 마디 허락해주시겠소?"

작게 깔린 체메트디오프의 목소리였다. 쿠델카는 살기등등하게 그를 노려보았다. 그 외에 아무런 행동도 하지 않았다는 것은 말하는 것을 허락한다는 의미다.

"기껏 계획을 짰건만 그걸 지금 밝히면 어쩌시려오? 이 모든 사실을 알게 된 당신의 아들, 김빈우가 과연 순순히 당신의 행동에 동조해주겠소이까?"

쿠델카의 표정에서 살의가 내려간 만큼 비웃음이 가득 올라온다.

"그래서 하고 있잖아. 이제부터 아들이 나를 위해 행동하도록 타이르고 있잖아. 이제까지 아들을 키워온 엄마가 작은 보답을 받는 순간이야."

아, 하는 감탄과 함께 체메트디오프가 고개를 숙였다. 이곳은 계단이다. 물질보다 정신이 우선되는 곳. 그리고 상대는 이 계단을 장악한 지구제국의 황제다. 그녀라면 자신의 아들인 빈우를 세뇌해 자신에게 종속시키는 것은 일도 아닐 것이다. 체메트디오프는 다시 조심스레 질문을 꺼냈다.

"어흠, 그렇다면 그대와 우리의 목적은 같지 않소? 울토르 계획을 진행하는 것. 하면 굳이 반목할 필요 없이 하나의 목표를 향해 서로 협력하는 것은 어떻겠소?"

"아니, 난 인류를 보호해야 해. 인류에게 집적거리는 너희들은 제거 대상이야."

차가운 쿠델카의 대답에 체메트디오프는 입맛을 쩝 하고 다실 수밖에 없었다. 하긴 그녀는 그 구속 때문에 굳이 빈우를 만든 것이다.

"게다가 너의 그 눈, 또 다른 꿍꿍이가 있어 보이네. 당장은 녹여 죽여도 시원찮겠지만, 오늘 이런 자리를 마련해준 감사의 표시로 살려는 보내주지."

쿠델카로서도 오늘 이 같은 자리를 마련하기 위해서 나름 고민했었다. 모든 것을 밝히고 빈우를 확실히 자신의 것으로 만드는 자리. 그러나 자칫 잘못하면 그동안 쌓아온 공든 탑이 무너질까 싶어 섣불리 일을 벌일 수는 없었다. 그러나 샤다이 쪽에서 멋대로 판을 까는 바람에 어쩔 수 없이 나섰더니 이놈들이 알아서 적당히 빈우의 정신을 붕괴시켜주고 있었다. 그래서 냉큼 그 판에 숟가락을 얹었고, 결국 체메트디오프가 염불하는 동안 황제 쿠델카가 잿밥을 날름 가로챈 격이 되었다.

'생각해생각해생각해생각해답을생각해.'

그 와중에도 빈우는 열심히 생각하고 있었다. 압도적인 존재 사이에서 살아남을 방법을, 이 난제를 타개할 방법을. 아무리 자신의 과거와 미래가 암울하다 해도 현재를 포기할 수는 없었다. 그게 닉스 레벨 3인 빈우의 사고방식이다.

"음? 어 ― 황제여?"

체메트디오프가 천연덕스러운 얼굴로 다시 말을 걸었다.

"또 뭐."

슬슬 짜증이 올라오는 황제가 날 선 목소리로 쏘아붙였지만, 체메트디오프의 목소리는 느물느물했다.

"실은 본 집정관의 함대를 추적하는 자들이 있었소."

그런 말을 하는 샤다이의 눈에는 싹튼 음모를 서둘러 추수하는 기쁨이 서렸다.

"너 이 자식, 설마."

으르렁대는 황제의 앞에 집정관이 황급히 손사래를 친다.

"아니, 이건 정말 내 계획이 아니외다. 나는 정말로 쫓기고 있었소. 그래서 서둘러 작전을 마무리짓고 이 자리를 떠나려고 했건만, 내 발을 잡은 것은 황제 아니오?"

황제는 서둘러 주변 계단을 살폈다. 아니나 다를까, 계단에 들어오는 것이 있었다. 비홀더 전대다. 비홀더 전대가 계단을 따라 들어오고 있었다. 목적지는 저 집정관의 함대. 쿠델카는 비홀더 전대가 들어옴과 동시에 그 기함의 함장이 누구인지 알 수 있었다.

"13전대! 안나 닐센, 이 개 같은 년. 같잖은 사명감으로 지구로 귀환하려고 간을 보다니. 알짱거리기만 해봐, 죽여줄 테니까."

쿠델카는 자신의 다른 존재인 안나가 계단을 들어왔다는 사실에 분노했다. 안나는 분명히 집정관의 함대를 추적해 왔을 것이다. 그렇다면 집정관의 계획에 대해서도 조금이나마 알아냈을지도 모른다. 그러나 동시에 그녀가 그것 하나만으로 계단으로 들어오진 않았을 것임을 알고 있었다. 안나는 이전, 제국 시절부터 쿠델카의 계획들에 대해 사사건건 의문을 표시했었다. 근래에 시비를 거는 이유 중 하나는 계단의 존재 이유에 대해서였다. 지금 인류에게 다른 항행 방법을 줄 수도 있는데, 굳이 위험한 계단을 남겨놓는 이유가 뭐냐는 것이었다.

'설마 울토르 계획의 본질에 대해 깨달았나? 아냐. 그렇다 한들 오늘의 일이 다른 나에게 알려지면 골치 아픈데.'

쿠델카는 잠시 고민했다. 그녀의 계획은 그녀만의 것. 다른 페르소나들은 동조하지 않을 가능성이 높았다. 그렇다면 지금껏 공들였던 계획이 한순간에 무너질 것이다.

"쿠델카."

빈우가 아나스타샤의 육체를 빼앗은 황제를 작게 불렀다. 그러자 방금까지 험상궂게 으르렁대던 황제가 상냥한 표정으로 그를 돌아보았다.

"응? 빈우야. 엄마라고 부르라니까."

"놀랐어. 아주 인간적이야. 자식에게 자신의 욕망의 대물림을 하다니, 참으로 인간다워."

빈우의 말에 쿠델카는 잠시 대답하지 못했다. 갑자기 들어온 뜬금없는 질문에 어떻게 대답해야 할지 머뭇거린 탓이다. 그러나 빈우의 말은 계속되었다.

"나를 낳고 길러준 것도 고마워. 근데 뭐, 오이디푸스 콤플렉스? 꿈도 야무지지."

"……에?"

잠깐의 정적 속에서 간신히 나온 것은 쿠델카의 얼빠진 목소리. 그리고 그것을 지운 것은 거대한 폭음이었다. 빈우는 자기 장갑복의 전지를 누액시켜서 그 반응을 기폭제로 써 제트팩의 연료들을 폭파시킨 것이다.

252

• • • ✦ • • •

"아들, 기다려. 엄마 말 좀 들어봐."

폭음이 잦아들자 빈우를 타이르는 쿠델카의 목소리가 들린다. 방금 전만 해도 어쩬저 장갑복을 생각만으로 들어 올렸던 그녀였지만, 지금은 그럴 경황이 없었다. 자신과 동급인 존재가 이 공간 안으로 들어온 이상 조심해야만 했다. 그것도 제국 시절부터 자신의 행보에 사사건건 촉각을 곤두세우던 존재다. 만약 여기서 쿠델카 자신이 계단을 막아내는 것 이상의 영향력을 행사한다는 것을 보인다면, 혹은 계획의 일부를 안나에게 들킨다면, 이후의 계획 자체가 무너질 수도 있다.

"아드을~."

빈우는 애타게 부르는 엄마, 쿠델카의 목소리를 뒤로하는 것이 괴로웠다. 가슴이 찢어질 것만 같았다. 어머니가 시키는 대로만 하는 것이 옳은 일 같았고, 그녀의 명령에 따르면 정말로 행복해질 것 같았다.

'세뇌다.'

빈우는 구역질 나는 사고의 방향을 억지로 꺾으려고 했다. 이것은 마치 사관생도가 되었을 때 처음으로 두뇌칩에 각인받는 충성 프로그램과 비슷한 느낌이었다. 지금은 제거했지만, 한때 명령과 그에 복종하는 것이 정의라 믿게 하고, 살인과 파괴 행위에서 생기는 죄책감을 줄여주는 충성 프로그램들. 그러나 방금 빈우가 겪은 세뇌의 강도와 깊이는 그딴 것들과는 비할 바가 못

되었다. 오히려 그 억제력은 클론의 행동을 억제하고 명령을 각인시킬 때 쓰는 클론용 OS와 비슷할 정도다.

"나는, 김빈우. 연방의 군인이다."

빈우는 어떻게든 저항해볼 생각으로 발버둥 쳤다. 그러나 아까 쿠델카가 했었던 충격적인 설명들이 너무나도 달콤하게 메아리치고 있다. 만약 여기서 무릎을 꿇는다면, 그 무릎에서 닿아오는 달콤한 쾌락에 온몸이 녹아내릴 것만 같은 착각마저 든다. 그러나 빈우는 갈증으로 말라가는 목으로 다시 소리쳤다.

"나는 인류와 연방을 지켜야 한다."

나태해지는 자신을 처절한 채찍질로 다시 일으켜세웠다. 빈우는 예전에 클론용 세뇌 프로그램을 체험해본 적이 있었다. 다행히도 그때의 경험이 지금 황제의 파편인 쿠델카의 정보 주입으로부터 빈우의 자아를 간신히 지켜주고 있었다. 아주 잠깐은 유효할 것이다. 아주 잠깐은.

"나는…… 나는……."

도망치며 목적지로 향하던 빈우는 저도 모르게 혼잣말을 되뇌었다.

"나는 누구지."

빈우는 자기 자신을 되새겨보았다. 하지만 되새겨보면 볼수록 절망하게 되었다. 스스로의 과거 행적을 흘깃 돌이켜볼 때마다 좌절하게 되었다.

"푸흡."

너무나도 비현실적인 사실에 오히려 헛웃음이 나왔다. 과거 어렸을 적의 빈우는 어머니의 클론으로 태어났다는 사실에 작게나마 반항심이 있었다. 자신에게 남자 형제가 없다는 이유로 스스로를 불행하다 여기기도 했었다. 그러나 그것은 자신을 아껴주는 누나들 사이에 둘러싸여 응석쟁이로 자란 애새끼의 배부른 투정이었다.

"등신 새끼."

빈우는 사실을 깨닫게 되며 스스로를 더욱 비웃었다. 모든 사실이 밝혀진 그는 처음부터 쿠델카의 목적을 위해 수정되고 태어난 존재였었다. 또한 빈우가 스스로를 혐오하게 된 동기, 또한 자신의 과거를 혐오하고 보다 나은 미래를 향해 투신하게 된 이유를 비롯한 모든 것들이 그녀에 의해 계획된 것이었다.

'X 같은 내 인생.'

30년도 안 되는 짧은 인생이지만 엄청난 굴곡이었다. 그것은 어린아이의 정신을 불로 달구고 망치로 내려찍어 만든 굴곡들이다. 비틀거리며 복도의 끝에서 문을 열던 빈우는 우연히 자신의 손에 들린 팬티를 보았다. 검은색 망사 팬티. 어릴 적 자신이 아나스타샤에게 사주었던 팬티다. 그러나 어린 그가 이런 삐뚤어진 성욕을 가진 것 또한 모두 쿠델카의 계획이었던 것이다.

"나는, 김빈우! 연방의 군인이다!"

빈우가 발악하며 소리쳤다. 추억과 기억이 다시금 스멀스멀 기어들어와 자신을 잠식하는 게 느껴졌기 때문이다.

문 안으로 들어가자 예비용으로 만든 C열의 클론 배양조들이 있었다. 거의 완성된 울토르 클론들이다. 배양액 안에서 수많은 자신의 얼굴이 잠자고 있었다. 울토르 프로젝트의 주인공들. 인류의 희망이자 빈우의 열망. 그러나 이조차 모두 사육된 존재에 불과했다. 힘들게 키워 샤다이의 몸뚱어리로 바쳐질 제물들이다. 그리고 이것들의 사육자이자 계획의 지휘자인 빈우는 자신의 손발에 매달린 실을 자유의지라 믿고 춤췄던 꼭두각시에 불과했다.

"나는 인류를 위해 울토르 프로젝트를 진행해야 한다."

무심코 나온 말에 빈우는 급히 자신의 입을 틀어막았다. 말이야 바른 말이지만, 현재 상황에선 그가 계속된 정보침식에 영향을 받는다는 증거다. 그는 서둘러 자신을 설득하기 시작했다.

'인류를 지키기 위해 실행했던 울토르 프로젝트는 샤다이의 계획이었다. 그리고 이 계획에 제국 황제의 파편인 쿠델카가 자신의 자유를 위해, 자유, 엄마를 자유롭게, 그리고 그 끝은 인류에게 샤다이를 집어넣는 것. 인류를 행

복하게…….'

그러나 그마저도 제대로 되지 않는다. 머릿속이 엉망진창이다. 위기감을 되새기려 했지만, 오히려 푸근함과 행복함마저 느껴진다. 빈우는 고개를 세차게 흔들었다.

"나는 반드시 이 프로젝트를 실행해야만 한다."

이제 빈우는 굳이 세뇌를 거스르려 하지 않았다. 오히려 이제는 그 물결을 타고 자신의 목적을 이루려 했다.

"나는 '나의 프로젝트'를 실행해야만 한다."

무엇이 현실이고 무엇이 꿈일까. 무엇이 진실이고 무엇이 거짓일까. 몽롱한 의식 속에서 빈우는 배양조 사이를 지나쳐 자신의 걸작품으로 걸어갔다. 거기에는 어린 시절의 악몽이 족쇄가 된 자신과는 다른 초인이 있었다. 정신과 육체, 모든 면에서 자신을 뛰어넘은 완전체. 또한 지금으로선 인공지능의 사육에서 벗어날 수 있는 마지막 희망인 찰리하나팔. 바로 C열 18번째 클론이다.

'이제…… 더 이상은 힘들어.'

우선 가장 먼저 할 것은 빈우 자신의 잠수다. 현재 그는 쿠델카와 체메트디오프에 의해 정보침식이 너무나 많이 이뤄졌다. 이를 막을 방법은 현재로선 단 하나. 잠수를 해서 지금의 정보를 지우고 현재의 빈우를 가라앉힌 다음, 다른 인격을 임시로 씌울 수밖에 없다. 이후의 사건 진행을 살피고 자시고 할 상황이 아닌 것이다.

"모름지기 자식이라면, 부모를 뛰어넘어야지."

이제 빈우는 방금 한 혼잣말이 자신을 향한 것인지, 쿠델카를 향한 것인지, 아니면 찰리하나팔을 향한 것인지조차도 헷갈릴 지경이었다. 그는 자신의 두뇌칩에 들어 있는 정보를 찰리하나팔의 두뇌칩에 넣기 시작했다. 물론 바로 넣지는 않았다. 정신오염의 가능성이 있는 영상 및 음성자료들은 한번 필터링을 거쳐 최대한 객관적인 기록으로 입력하려 했다.

'트리니티 패턴이라면……'

군사정보국의 기밀 보호 방법인 트리니티 패턴은 동일한 뇌에 동일한 두 뇌칩, 그리고 이전에 미리 설정된 행동을 지속해야 암호가 풀리는 번거로운 방법이다. 주로 대단히 민감하고 치명적인 정보들을 은닉할 때 쓰는 방법이며, 바로 지금이 트리니티 패턴을 쓸 안성맞춤인 상황이다.

빈우가 지금 숨기려는 것은 인류에게 위협적인 정보들 투성이다. 그러나 현재로선 이를 외부에 전할 방법이 없다. 울토르 프로젝트가 샤다이와 쿠델카에 의해 진행된 계획이라면, 만약 지금 이 위기를 벗어난다 하더라도 이후에 올 구조대조차도 믿을 수 없는 상황인 것이다. 그렇다고 마구잡이로 알릴 수도 없는 것이 이 정보가 허투루 새어나가면 그건 또 그것대로 곤란하다. 빈우가 얻은 정보, 점프 공간과 샤다이, 황제의 정체. 어느 것 하나 밝혀지기라도 하면 파장이 엄청나다. 또한 샤다이의 정보가 지금 바깥으로 새어나가면 현재 연방 내에 암약 중인 샤다이들이 숨어버릴지도 모른다. 그렇다면 시간을 들여 적당한 때에 정보가 은밀하게 돌아오도록 조치를 취하면 되는 일이다. 트리니티 패턴으로.

빈우는 마지막 발악으로 방금 자신이 얻은 정보를 가공해 클론 찰리하나팔의 두뇌칩에 넣고, 자신의 기록은 그대로 지운 다음 더미 데이터로 채워놓으려 했다. 그렇다면 데이터만 가져간 찰리하나팔에게 오늘의 정보는 남아 있을 것이고, 자신의 세뇌 또한 중지될 것이다.

"보험과 양념은 많을수록 좋지."

이어서 빈우는 서둘러 주변 작업도 시작했다. 우선 클론에 정보 입력이 진행되는 중에 아까 뺏어둔 팬티에 마킹을 했다. 정보 입력용 마커로 '이거 믿지 마라'란 문장을 써 넣은 다음 근처에 있는 작업용 로봇의 수납 칸에 대충 집어넣었다. 이후 로봇은 이 팬티를 은닉하고 있다가 적당한 때에 부상키가 작동하면 찰리하나팔이라 명명된 클론—곧 클론으로 위장해서 잠수할 김빈우의 사물함에 넣을 것이다. 이 팬티는 자신을 향한 경고 메시지이기도 하지

416

만 동시에 미끼이기도 했다.

만약 이 팬티가 솔리드 베타 소속이 아닌 정보사령본부 소속의 드론이나 안드로이드들에게 발견된다면 헤더에 숨겨놓은 비밀 코드가 발동해 그들은 이 팬티의 존재 자체를 무시할 것이다. 하지만 인간이 보게 된다면? 그 사물함을 쓰는 클론을 철저하게 조사할 것이고 잠수한 빈우는 미끼가 되어 찰리하나팔을 지킬 것이다.

"미안하구나."

빈우는 배양조 하나를 고른 다음 거기에 든 클론을 분해해 영양액으로 되돌렸다. 지금부터 그는 모든 기록을 삭제하고 클론으로 위장해 잠수를 할 것이다. 그리고 방금의 특급 정보를 입력한 찰리하나팔은 예비용 부품 라인에 숨겨놓은 다음 적당한 상황이 되면 바깥으로 탈출시키도록 설정해놓았다. 이미 오래전부터 만들어둔 계획이었기에 조금만 손보는 것으로 충분했다.

지금 빈우가 하고 있는 것은 해결할 수가 없는 위기가 닥쳤을 때 지휘관인 빈우를 숨겨서 탈출시키는 계획 중 하나로서 솔리드 베타의 위기 대응 메뉴얼에도 있는 것이다. 그리고 예전에 빈우는 이 메뉴얼에 자신의 클론을 빼내는 과정을 몰래 추가했었고, 지금은 클론의 두뇌칩에 현재의 정보를 트리니티 패턴으로 잠가서 넣는 것을 더했다.

'목표지점은 위은쏠납학.'

빈우는 찰리하나팔의 미래에 대해서도 철저히 안배를 해놓았다. 솔리드 베타가 통상공간으로 나가면 트리거가 발동하고, 그 트리거는 이후 울토르 중대가 위은쏠납학 쪽에서 작전을 하게 될 때 그쪽에 있는 빈우의 비밀 아지트로 찰리하나팔을 사출하도록 설정했다. 이후 자신과 클론의 두뇌칩 정보를 서로 정렬하게 해서 현재 울토르 중대의 상황을 비밀리에 알린다. 연방 하원의원이면 수면 시마다 이뤄지는 정보 갱신. 정보사령본부의 회선을 훔쳐 쓰는 방식이다.

만약 점프 공간을 차지한 쿠델카에 의해 연락이 되지 않는다면? 계획이

들켰다는 경고를 클론에게 날리고 자율행동으로 움직이게 하면 그만이다.

"도박이군."

헛웃음과 쓴웃음이 반반 섞여서 빈우의 입가에서 뒤틀리고 있다. 이번 작전은 가장 큰 관건은 이후 통상공간으로 돌아갈 수 있느냐 없느냐다. 현재는 제3세력인 13전대의 개입으로 혼란스러운 상황이다. 하지만 만약 주도권이 쿠델카나 체메트디오프에게 돌아간 다음 사태가 진정된다면 지금 빈우가 했던 모든 것들이 헛수고가 된다. 그리고 바깥으로 나간다 해도 앞으로 울토르 중대와 솔리드 베타는 강도 높은 조사를 받고 감시가 붙을 것이다. 최악의 경우 해체될지도 모른다.

'그래도 더 이상은…… 시간이 없다.'

빈우는 자신이 자아를 지킬 수 있을 때 할 수 있는 것은 모조리 해놓으려고 했다. 이전에 설정해놓았던 계획들은 그 자신이 제대로 행동하거나 사고할 수 없을 때에도 실행할 수 있도록 키만 넣으면 바로 실행되도록 준비해놓았었다. 중간중간 흐리멍덩해진 빈우가 갑자기 쿠델카에게 자수하고 싶은 마음에 허둥댔지만, 그때마다 초인적인 인내력으로 간신히 참아냈다.

마지막으로 빈우는 울토르 중대의 지휘관 김빈우를 사망으로 조작했고, 스스로를 찰리하나팔로 위장한 다음 배양조 안으로 들어갔다. 몸 여기저기에 관과 케이블이 연결되고 정신이 몽롱해진다. 이제 잠이 들면 빈우는 잠수하게 될 것이고, 깨어나면 울토르 클론 찰리하나팔의 삶을 살 것이다.

그때 엄마의 자장가가 함내 방송으로 들려온다.

- 아들, 이제 엄마가 더 이상 쫓지 않을게. 달려. 지옥으로 달려. 그리고 지옥 속에서 고통받고 괴로워해. 벽에 부딪혀 통곡하고 발버둥 쳐. 네가 힘들어해도 엄마는 참을게. 그래도 한마디만 해주겠니? 도와달라고, 힘들다고. 그러면 엄마가 무슨 수를 써서라도 너를 도와줄게. 무슨 수를 써서라도~ 방해되는 모두 다 죽여 버리고오~ 너를 구할 게에에—.

그것을 끝으로 빈우의 트리니티 패턴 기록은 끊겼다.

• • • ✦ • • •

잠겼던 트리니티 패턴이 풀리자 엄청난 양의 정보 공유가 일어났다. 마치 지금까지 잃어버렸던 기억이 다시 돌아오는 듯한 경험이다. 잃어버린 가족을 다신 만나 그때의 추억을 같이 되새기는 느낌이 이럴까, 도망치다 잡혀 자신도 잊고 있던, 꽁꽁 숨겼던 죄가 밝혀지는 느낌이 이럴까. 트리니티 패턴이 풀리면 보통은 새로운 사실이 밝혀짐에 따라 충격을 겪긴 한다. 그러나 빈우와 찰리하나팔이 겪은 것은 단지 충격이 아니었다.

"헉, 허억."

맞은편에선 찰리하나팔이 쓰러져서 거칠게 숨을 쉬고 있었다. 그만큼 정신적 고통이 심했던 것이다. 하지만 빈우도 마찬가지였다. 자신에게 숨겨져 있던 비밀을 다시금 마주한 셈이니 제정신을 유지하는 것이 힘들 지경이다. 자칫 잘못했으면 그때 진행되던 세뇌가 다시 일어날 뻔도 했다.

"피에르 라캉."

빈우는 갑자기 떠오른 한 사내의 이름을 내뱉었다. 자신과 함께 울토르 프로젝트를 진행했던 피에르 라캉 중령. 하지만 잠수에서 부상한 다음 다시 만난 그는 보안국의 중령씩이나 되는 자임에도 불구하고 자신의 처와 아들의 행방을 찾지 못했고, 정신적으로 피폐해져갔다. 그리고 결국엔 그 자신도 워프 비스트로 변해갔으며, 알탄훼아나를 통해 방법을 찾으려 했지만 결국 실패했었다. 마지막 순간의 그는 자신의 허수아비 아를르캉을 통해 빈우에게 마지막 유언을 전했었다.

'자네는, 결코…… 자신의 양심과 타협하지 말게.'

이것은 예전에 빈우가 피에르 라캉에게 했었던 말이다. 당시 빈우는 자신의 클론에 쉬바를 넣는 실험을 하고 있었고, 이를 본 라캉 중령은 빈우를 질책했었다. 하필 그때의 라캉 중령은 빈우를 자기 쪽 사람으로 포섭하려는 중이었는지 자신의 암호를 해독할 특제 요리법을 알려주던 참이었고, 이 타이밍의 기록이 트리니티 패턴으로 잠기는 바람에 빈우는 아를르캉의 암호를 한동안 풀지 못해 고생했었다.

"이케가미 소이치로."

다음 빈우가 말한 이름은 전 연방 상원의장이며 울토르 프로젝트의 지휘자였다. 그는 울토르 프로젝트의 진면목을 깨달았음이 분명했다. 고대 샤다이들이 울토르 클론을 방주 삼아 인류의 몸에 안착하려는 계획. 그래서 그는 이 일을 해결하려 했으나 여의치 않았음이 분명했다. 이케가미 의장은 프로젝트의 핵심 인물이었으니 사실을 알게 된 순간 주변이 다 적이었을 것이다. 게다가 그 정도나 되는 인물조차도 주변의 도움을 받지 못하고 홀로 발 가르단 하스로 가서 해결책을 찾으려 했었으니, 샤다이들이 현재 연방에 침투해 있는 정도가 어느 정도인지 짐작이 간다. 오죽했으면 발 가르단 하스에서 빈우와 재회했을 때, 그날의 빈우가 과거 자신과 울토르 프로젝트를 진행하던 인격이었다면 가차 없이 죽이려는 계획도 했을 정도였다.

"응우옌 티 빈."

그녀는 빈우와 직접 만나지 않았다. 마카로니에서 만난 것은 허수아비였고, 직접 만난 것은 클론 찰리하나팔이다. 그녀 또한 울토르 프로젝트의 숨겨진 사실을 깨닫고, 도망치며, 저항하려다 찰리하나팔의 손에 죽었다.

피에르 라캉, 이케가미 소이치로, 응우옌 티 빈. 모두 울토르 프로젝트의 핵심 관계자임과 동시에 제대로 된 저항이나 반항조차 하지 못하고 고립되어 죽어갔다.

'설마 샤다이들의 포위가 그 정도일까?'

물론 라캉 중령과 응우옌 중령 두 사람 다 가족이 인질로 잡혀 있었다. 자크 라캉과 응우옌 반쭝. 이 둘은 워프 비스트로 변하던 중에 치료를 받았다.

'이케가미 히토미. 당분간은 접촉을 삼가야 한다.'

빈우의 화살은 이케가미 소이치로의 딸인 이케가미 히토미, 지금 이름은 오다 히토미인 상원의원에게로 향했다. 그녀는 과연 인간일까, 샤다이일까. 다른 둘에 비해 나이가 조금 많긴 하지만 알 수 없다. 그러나 지금의 빈우에게는 보면 바로 드러날 일이다. 빈우는 사고의 방향을 다른 곳으로 돌렸다.

'체메트디오프는 당시 아나스타샤를 모르는 눈치였다.'

태스크포스 373이 누벨 노르망디에서 체메트디오프와 다시 만났을 때, 아나스타샤와 알탄훼아나는 빈우를 구하기 위해 지표로 내려왔었다. 그러나 그때 둘은 아무런 반응이 없었다. 아는 체도 하지 않았다. 어쩌면 빈우가 잠수한 사이에 둘만의 밀약이 있었을 수도 있다.

'당시의 아나스타샤는 본인일까, 아니면 쿠델카일까.'

그날 아나스타샤의 속옷은 검은색이었고, 이는 쿠델카가 특별한 의미를 가지는 물건이다. 동시에 아나스타샤는 싫어하는 것이기도 하다. 하지만 그 사건 전후로 아나스타샤에게선 수상한 기색은 없었다. 단지 주인의 마음을 끌기 위해 입었을 수도 있다.

'아냐, 지금 중요한 것은 그게 아냐. 우선 내가 가진 능력으로 연방 내에 숨어든 샤다이들을…….'

빈우는 필사적으로 샤다이 사건에 매달렸다. 그럴 수밖에 없었다. 이런 생각을 멈춘다면 바로 자신의 사고가 한구석으로 밀려들어갈 것만 같았기 때문이다.

'아나스타샤.'

그러나 결국 의심의 화살이 그녀에게로 돌아오자 빈우는 착잡해졌다. 빈우를 키우고 가르친 보모 아나스타샤, 어머니를 대신했으며 수많은 누나와 동생 중에서도 가장 각별한 존재. 그러나 그 정체는 황제의 인격 중 하나인 쿠델카가 자신이 빈우를 사랑하고, 또 그로부터 사랑받기 위해 만든 도구에 불과했다. 그리고 쿠델카는 현재 연방에 들이닥친 가장 큰 위기인 샤다이의 정신 침공의 배후세력이기도 하다.

'아나스타샤.'

빈우는 마른세수를 하며 하늘을 보았다. 그러나 현재 그의 뇌는 눈으로 시각 정보가 들어와도 그것을 받아들이지 못할 만큼 복잡했다.

'쿠델카는 점프 공간에 숨어서 샤다이의 계획을 자신의 입맛에 맞게 조종하는 실력자다. 이케가미 소이치로를 비롯한 진실에 도달한 자들에게도 방해를 했을지도 모른다.'

저 셋을 방해한 것은 숨어든 샤다이뿐만이 아니라, 쿠델카도 포함되었을 수도 있다. 하지만 빈우가 예상컨대 쿠델카가 직접 모습을 드러낸 것은, 아니, 직접 행동에 나선 것은 포말하우트 게이트 내부가 최초였을 것이다. 전후 사정이나 체메트디오프의 반응을 봐도 그렇다.

'쿠델카와 샤다이, 체메트디오프는 목적이 같아도 협력을 하지 않을 수 있다. 쿠델카의 인공지능 각인은 강한 편이라 샤다이의 계획은 공격 대상이야. 그래서 나로 하여금 그 계획에 나 자신도 모르게 동조하게 만든 것이지.'

참으로 뭣 같은 오월동주다. 샤다이는 고대에 도망친 존재들이 그곳이 더 지옥 같음을 깨닫고 도로 돌아오기 위해 인간을 방주로 쓰려 한다. 여기서 체메트디오프는 돌아온 고대 샤다이를 인간의 몸째로 죽이려 한다. 황제는 자신의 자유를 위해 자신을 속박하는 인간을 지우려고 하고, 그 방법 중 하나로 샤다이들의 계획을 자신의 입맛대로 고치려 한다. 원래대로라면 막아야 할 계획을 사랑스러운 빈우에게 맡겨 차마 자신이 막을 수 없도록 해가면서 말이다.

이 중 어느 하나도 개인이 감당하기 버거운 문제다. 샤다이는 적어도 지구 제국 시절부터 암약해온 존재들이다. 전임 상원의장이나 보안국 중령마저 저항하기 힘들 정도의 세력이 구축되어 있다. 쿠델카는 제국 황제의 인격 중 하나다. 그것만으로 현재 연방에 끼치는 영향력은 어마무시할 것이다. 그리고 빈우 개개인에게 미친 영향력은 이루 말할 수 없다.

'답이 없네.'

빈우는 보다 나은 문제 해결을 위해 의견 교환을 하기로 했다.

"찰리하나팔."

그는 자신과 동일하거나 더 뛰어난 두뇌의 소유자를 불렀다.

"찰리하나팔."

그러나 클론으로부터 대답은 없었다. 고개를 내린 빈우가 본 것은 바닥에 쓰러져 벌벌 떨고 있는 찰리하나팔의 모습이었다.

"너 왜 그래?"

빈우의 질문에 찰리하나팔은 대답하지 않았다. 아니, 못 했다. 안 그래도 자아정체성과 죄책감에 고통받고 있던 차에 빈우에 의해 트리니티 패턴이 풀려버리자 그만 무너져버리고 만 것이다.

"일어나. 일어서서 문제를 해결해야지."

빈우가 찰리하나팔의 멱살을 잡고 일으켰다. 찰리하나팔의 눈동자가 힘없이 굴러 빈우를 본다.

"무슨…… 문제?"

빈우는 클론의 눈동자를 보고 혀를 찼다. 수없이 봐온 눈이다. 더 이상 나아가지 못하고 굴복한 자의 눈이다.

"인류의 위협, 샤다이의 귀환 말이다. 놈들은 점프 게이트를 통해 인간의 몸으로 돌아와 인류를 빼앗으려 한다. 그리고 황제는 그것을 방관하려고 해. 우린 그것을 막아야 한단 말이다. 너도 알잖아!"

"그래, 그 위협. 네가…… 나에게 입력한 사명. 하지만, 하지만 난 그것 때문에 인간을 죽였어. 무고한 사람을 죽였다고. 나 혼자 헛지랄하다가 죄 없는 사람들을 죽였단 말이야."

찰리하나팔이 횡설수설 떠들어대자 빈우가 그의 멱살을 한 차례 세게 잡아당기며 낮게 소리쳤다.

"양심하고 타협하지 마!"

빈우가 살아오면서 배운 것 중 하나는, 이 세상에는 분명히 양심에 우선하는 가치가 있다는 것이다. 개인의 도덕과 관념에 얽매여 머뭇대다가 일을 그르친 경우는 수도 없이 봐왔고, 직접 겪어왔다. 그리고 그 외침에 찰리하나팔이 움찔하더니 바로 맞받아쳤다. 그 바람에 빈우의 팔이 튕겨져나간다.

"양심? 무슨 양심? 네가 만들어 집어넣은 양심? 다른 울토르 클론에게 그런 개념은 없어. 그저 명령에 복종하고 입력된 규범에 따를 뿐이지. 그런데 너는 왜 나를 만들었지? 왜 나를 이렇게 만들었냐고."

찰리하나팔이 이렇게 고통을 받는 것은 자신의 죄책감과 양심의 가책 때문이고, 이는 따지고 보면 찰리하나팔을 이렇게 설계하고 만든 빈우의 책임이다. 그 원흉이 되는 원본이 어깨를 으쓱하며 클론의 질문에 대답했다.

"말했잖아. 보다 나은 나를 위해서라고."

"그럼 네가 황제와 다른 게 뭐야! 나를 이렇게 만들어놓고 내게서 뭘 바라냔 말이다!"

찰리하나팔의 외침에 빈우의 고개가 갸우뚱한다.

"황제? 난 딱히 쿠델카의 의도를 탓하진 않았어. 자식에게 자신의 욕망을 투영한다라. 아주 인간적이잖아? 다만 그 최종 목적이 잘못되었을 뿐이지. 인류 몰살? 또라이년."

빈우는 자신의 옷매무시를 바로 하며 다시 자리에 앉았다. 그리고 집주인에게도 진정하고 앉으라는 듯 자리를 권했다.

"부모가 자신의 못다 한 꿈을 자식을 통해 이루려 하는 거야 뭐, 부모로서의 희망 사항이니 이해할 수 있어. 물론 그 정도가 심하면 집착이 되지만."

찰리하나팔도 숨을 고르며 자리에 앉았다. 그리고 빈우를 노려보았다.

"부모가, 자식에게 바라는 거라고? 그러면 네가 내 부모라고 된다는 거냐?

내가 네 명령에 따라야 하는 거냐?"

찰리하나팔의 원망은 당연했다. 그는 태어난 것이 아니라 목적을 가지고 만들어졌고, 그 때문에 그의 짧은 생애는 고통과 후회로 점철되었다.

"내가 왜 너를 뛰어넘어야 하지? 내가 그렇게 만들어졌기 때문이냐! 엉?"

클론의 울분 어린 외침을 원본은 조용히 듣고만 있었다. 그러다가 피식하고 웃음을 터트렸다.

"핫하, 이거 참 웃기는 대물림이군. 나는 처음부터 정해진 목적을 위해 만들어졌고, 그런 나 또한 나의 목적을 위해 너를 만들었으니."

그제야 찰리하나팔은 자신의 원본 또한 쿠델카의 계획에 의해 만들어지고 키워졌다는 사실을 깨달았다.

"그래, 나도 어머니가 깔아놓은 길대로 가기 싫어 저항하는데 너도 저항할 수 있지. 아니, 따지고 보면 황제도 자신의 창조주라 할 수 있는 인류에게 저항하는 셈이잖아. 멋진 저항 삼대로군."

그렇게 말하며 킬킬대며 웃는 빈우의 모습에선 언뜻 비인간적인 면모가 엿보였다. 웃음 뒤에 보이는 차가운 내면이 얼핏 인간 흉내를 내는 외계종족 같아 보이기도 했다.

"좋아, 그럴 수 있어. 맘에 안 들면 뒤집어엎는 거지. 바로 나처럼. 싫으면 때려치워. 응, 난 엄마가 하라고 시킨 일이 싫어서 때려치울 거야. 그래, 맞아. 너도 내가 하란 게 싫으면 집어치워."

빈우는 천천히 자리에서 일어섰다. 얼굴에는 미소가 가득했지만, 그것은 비웃음이었다. 그 대상은 자신일 수도, 적일 수도, 아니면 이 세상일 수도 있었다.

"하지만 나는 내가 꼴리는 대로 할 거다. 나는 인간과 인류 연방을 지킬 거라고."

찰리하나팔은 순간 빈우의 말을 이해하지 못했다. 그는 자기 마음대로 한다면서 인류 연방을 구한다고 했다. 그러나 그것은 결코 수월한 일이 아니다. 개인에게 가능한 일도 아니다.

"왜, 왜 그렇게 하지? 그것도, 그것조차⋯⋯."

찰리하나팔이 채 맺지 못하는 말을 빈우가 받았다.

"맞아, 그래. 내가 지금 이러는 것조차도 쿠델카의 교육일 수도 있지. 내가 이렇게 행동하고 말하는 이유가 쿠델카가 그렇게 하도록 기른 방향의 결과일 가능성은 높아."

빈우는 찰리하나팔의 의문을 순순히 긍정했다. 좋든 싫든 빈우는 쿠델카의 손에 의해 태어났고, 길러졌다. 그러니 그의 행동양식과 사고방식에 쿠델카가 크게 관여하고 있는 것은 주지의 사실이다.

"하지만 말이야. 어차피 우리 인간은 유전자에 프로그램된 대로 움직이지 않나? 배고프면 먹고, 졸리면 자고, 맘에 들면 구애하고, 맘에 안 들면 모가지 날리고. 인간이란, 아니, 애초에 생명이란 것이 원래 그렇게 움직이잖아."

빈우는 어깨를 한번 으쓱하면서 설명을 시작했다. 그리고 찰리하나팔은 그저 묵묵히 들을 뿐이었다.

"그리고 내가 이렇게 마음먹는 것에 또 무슨 거창한 이유가 있는 게 아니야. 모두 생존을 위해서야. 샤다이를 봐. 멸망하는 세계에서 도망쳤다가 다시 살기 위해 돌아오고 있어. 체메트디오프? 사탕발림은 근사하지만, 고대 종족이 돌아오니 현재 집정관인 자기 자리가 위태하겠지. 그래서 자기가 살아남기 위해 샤다이를 죽이는 거 아니겠어?"

빈우는 말을 이어나가며 서서히 다가갔고, 찰리하나팔은 그 위세에 압도당한 듯 서서히 뒤로 물러섰다.

"황제? 하! 황제라고 우릴 죽이려는 데 뭐 거창한 이유가 있겠냐. 자다가 똥 냄새에 이끌려 나와보니까 거기가 하필 구더기 구덩이였고, 정신 차려보니 구더기들이 자신의 몸을 파먹고 있어. 아차 하면 앞으로 구더기 노예로 살 판이잖아. 그럼 털어내야지. 근데 그렇다고 또 구더기가 아이구 예, 죽어주지요~ 하면서 죽어줄 것 같아? 발버둥은 쳐봐야지 않겠어?"

빈우는 선글라스를 벗었다. 거기에 박힌 샤다이의 안구가 마치 빈우의 내면을 표현하듯, 불규칙하게 일렁거리고 있었다.

"라캉 중령이 말했지. 우린 치즈 속의 구더기라고. 하지만 그 구더기들도 발악하지. 그 꿈틀거림에 생명의 숭고함이니 자연의 섭리니 뭐 이따위 거창한 이유가 있는 것은 아냐. 그저 살기 위해 바둥대는 거지. 앞으로 인간이, 인류가 죽어나간다는데 쿠델카가 뭐라건 말건 그게 가만히 있어야 할 이유는 안 되잖아."

찰리하나팔은 빈우가 무슨 말을 하는지 알 수 있었다. 쿠델카의 음모로 인해 빈우의 육체적, 정신적 자유가 조종받는다 해도, 그녀의 최종 목표가 인류에게 위협이 된다면 음모의 결과물인 빈우가 즉시 인류를 구하기 위해 나설 것이란 의미다.

"그런데 너는 어쩔 거냐? 계속 그렇게 있을 거냐?"

갑작스러운 빈우의 질문에 찰리하나팔은 바로 대답할 수 없었다.

"네가 지적했다시피 난 쿠델카의 작품이다. 행동도, 사고도 모두 그녀에게 추적당하거나 예측당할 수도 있어. 더군다나 점프 게이트 안에서 이런저런 정보 침식을 당했기 때문에 조금 불안한 면도 없잖아 있지. 하지만."

빈우가 손가락을 들어 찰리하나팔을 가리켰다.

"나라면 못해도, 내가 만든 너라면 할 수 있어. 쿠델카가 과연 너의 행동 방식도 예측할까? 글쎄, C열은 주로 예비신체 제조용이라 다른 부서의 시선이 비교적 얕게 닿았고, 쿠델카의 단말이랄 수 있는 아나스타샤도 가까이 오지 않았다. 어쩌면 넌 그녀의 사고 범위 바깥에서 움직일 수 있는 존재야."

찰리하나팔은 자신을 가리키는 빈우의 손가락을 물끄러미 쳐다보았다. 그리고 그 손가락 뒤의, 그 손가락 주인이 지키기 위해 짊어지고 있는 것도 보았다. 찰리하나팔도 잘 아는 것들이다. 연방과 연방의 시민들, 개척 행성의 대기를 바꾸며 가쁜 숨을 들이켜는 개척자들, 보다 나은 법안을 위해 밤잠을 설치며 동기화하는 하원의원들, 외계로 파병 나간 어머니를 기다리는 딸, 고된 외우주작업을 하며 은하계 반대편의 아들에게 편지를 쓰는 아버지. 찰리하나팔은 짧은 인생이지만 그들과 만났다. 그리고 그들이 어떻게 살아가는지 보았다. 그때 그의 다리에서 무언가 무겁고 부드러운 움직임이 느껴졌다.

"찰리……."

유전자 조작 목양견이 클론의 다리에 몸을 비비고 있었다. 찰리하나팔은 개척지를 떠도는 이 녀석의 삶이 언뜻 자신과 비슷해 보여 데려와 길렀다. 그리고 그 녀석을 다리 삼아 주변 개척민들과 친해지게 되었다. 쌀쌀맞던 찰리하나팔을 멀리했던 개척민들도 넉살 좋은 찰리를 보고선 점차 주변에 다가왔고, 그렇게 서서히 찰리하나팔과도 말문을 트게 되었다. 그리고 그것이 찰리하나팔의 성격이 변하게 된 계기였다.

'살인자! 저놈이 살인자다.'

그러나 친해졌던 이웃들에게 그는 결국 이방인이었다. 찰리하나팔에겐 누명이 씌워졌고, 그에겐 누명을 풀 마음도, 기회도 없었다. 하지만 그 누명을 씌운 자는 처참하게 죽었다. 바로 자신의 앞에 있는 사람의 손에 의해.

"네가 죽인 그 사람……."

나직한 찰리하나팔의 말에 빈우가 귀를 기울였다.

"샤다이였나?"

"물론. 이 눈은 샤다이 호민관의 것이지. 체메트디오프의 딸, 알탄훼아나의 것이다. 그녀는 인간의 몸속으로 들어온 동족을 파악할 능력이 있어. 뭐, 사정이 복잡하지만, 지금은 내가 그 눈을 잘 쓰고 있지."

클론의 눈과 원본의 눈이 교차한다. 강화인간의 시각센서와 샤다이의 집광기구가 서로를 보고 있었다.

"왜 그렇게까지 하는…… 아니야. 그래. 그렇게 하는 이유를 알겠어."

찰리하나팔은 바로 자신의 옆에까지 침입해 들어온 샤다이를 방금 보았다. 그런 놈이 지금 얼마만큼 연방에 숨어들어와 있는지는 모른다. 이케가미 상원의장이 계단을 부쉈지만 샤다이들은 다른 방법으로 침투를 시도했었고, 알탄훼아나 호민관이 다시 조치를 취했지만 그게 언제까지 갈지는 모른다. 그리고 방금처럼 이미 연방에 들어와 있는 존재들에 대해서는 알아낼 방법이 없다. 바로 김빈우를 제외하고는.

그리고 빈우는 홀로 싸워나갈 작정이다. 주변에 믿을 존재는 없고, 믿을 사람이라고 해봐야 위험에 처할 게 뻔하기 때문이다. 찰리하나팔은 클론으로서 각인된 명령 외에 자기 스스로 생각을 해보았다.

'내가 해야만 하는 것.'

찰리하나팔의 머릿속으로 마리 라캉이나 엘리자베트 허드슨, 그 외에도 자신의 오해로 죽어간 무고한 사람들의 모습이 떠올랐다. 그런 짓을 다시 하긴 싫었다.

'내가 할 수 있는 것.'

그는 프리마에서 죽어간 아미라를 보았다. 클론을 살리기 위해 죽어간 니티의 유서를 보았다. 엄마의 젖을 찾다가 자신의 품 안에서 죽어간 테테루의 촉감은 아직까지도 느껴진다.

'내가 하고 싶은 것.'

찰리하나팔의 바람은 소박했다. 그저 주변 사람들이 행복해지는 게 좋았다. 힘든 일을 마치고 먹는 밥은 맛있었고, 하루하루 늘어가는 개척지를 보는 것도 행복했다. 무엇보다 옆에 있는 사람이 자신과 함께 웃는 것이 좋았다. 찰리하나팔은 행복하고 싶었고, 사람들을 구하고 싶었다.

잠시 개의 목덜미를 쓰다듬던 찰리하나팔이 입을 열었다.

"쿠델카는 점프 공간 안에서 너를 세뇌하려고 했으나 실패했지."

그 말에 빈우가 싱긋 웃으며 선글라스를 다시 썼다.

"맞아, 그리고 그 이후부터 지금까지 전혀 모습을 드러내지 않고 있어. 심지어 뉴 소노라나 누벨 노르망디에서 체메트디오프와 만났을 때조차도."

뉴 소노라에서 알탄훼아나와 함께 체메트디오프를 만났을 때, 그는 빈우를 아는 척을 하긴 했었다. 그러나 포말하우트 게이트에서 있었던 일에 대해선 그냥 지나가듯 이야기했고 중요한 이야기는 꺼내지도 않았다. 또 누벨 노르망디에선 아나스타샤의 몸을 보고서도 아무런 내색을 않았다.

"체메트디오프라……. 누벨 노르망디에서 만났을 때 황제에 대한 이야기는 없었나?"

클론의 질문에 원본이 고개를 흔들었다.

"없었어."

그 대답에 이번엔 클론이 고개를 저었다. 이해하기 힘들다는 표정이다.

"이상하군. 너를 망가뜨리기 좋은 소재인데도 말이야."

찰리하나팔의 말에 빈우가 동의하듯 고개를 끄덕였다.

"맞아, 난 그때 아나스타샤를 구하기 위해 내 몸속의 샤다이들을 잠시 받아들였어. 만약 그날 놈이 나에게 쿠델카에 대한 진실을 밝혔다면 나는 그대로 붕괴되었을 거야."

체메트디오프와 빈우는 몇 번 만났지만, 그때마다 쿠델카에 대한 이야기는 꺼내지 않았다.

"샤다이의 집정관, 죽어도 부활한다면서?"

그렇게 질문하는 클론의 눈에 다시 차가운 기운이 감돈다. 군사정보국 요원의 눈매다.

"맞아. 누벨 노르망디에서는 지하에서 동족의 몸을 빼앗은 것 같아."

빈우의 대답을 들은 찰리하나팔이 개의 목을 세차게 주무르더니 빈우 쪽으로 고개를 돌려 밀었다. 목양견 찰리는 잠시 어리둥절하더니 머뭇머뭇 빈우에게로 다가왔다. 그러자 빈우도 씨익 웃고는 찰리의 머리를 쓰다듬어주었다. 그 모습을 보며 찰리하나팔이 입을 열었다.

"몸을 빼앗다……. 혹시 그게 무슨 연관이 있을지도 몰라. 놈은 자신이 가진 키를 적극 활용할 놈이야. 쿠델카란 정보를 알았으면 어떻게든 썼을 거야. 그러지 않았다는 것은 분명히 무언가 이유가 있어."

클론의 추리에 빈우는 개의 머리를 끄덕이며 자기도 머리를 끄덕였다.

"그래, 하고 싶은 말을 참으려면 그에 상응하는 대가가 있어야겠지. 아니면 입을 다물고 있어야 할 위험이 있거나."

"그것도 아니면 모르거나."

이어 붙은 찰리하나팔의 말에 빈우의 손이 잠시 멈췄다. 그러자 목양견이 더 해달라고 조르듯이 빈우에게 달라붙었다. 빈우는 다시 개의 목덜미를 주무르면서 질문했다.

"체메트디오프가 그날의 일을 모른다는 거야?"

"그래, 가설이지만 그날 죽었을 수도 있지."

클론의 가설에 원본이 만족한 듯 미소를 지었다.

"흐흠, 맞아. 그놈들 부활 메커니즘에 대해선 잘 모르지만 뭔가 부작용이 있을 수도 있지. 기억의 백업지점이 그 이전이란 식으로 말이야."

이번엔 빈우가 개를 찰리 쪽으로 보내며 말을 이어나갔다.

"그리고 나는 내가 잠수한 다음의 일은 모르니까, 그 이후 무슨 일이 일어났는지는 몰라."

당시 포말하우트 게이트의 점프 게이트는 정말 개판 오 분 전이었다. 물질세계가 아닌 점프 공간에서 샤다이와 조우, 그리고 제국 황제의 강림, 마무리는 13전대의 난입. 그러나 당시의 기록은 빈우가 전부 지웠고, 지워지도록 조작해놓은 상태였다.

"빈우, 네가 잠수한 다음 13전대가 왔었지?"

찰리하나팔은 자신에게 공유한 정보를 되새겨보았다. 어머니 같은 존재의 고함이 떠오른다.

'13전대! 안나 닐센, 이 개 같은 년. 같잖은 사명감으로 지구로 귀환하려고 간을 보다니. 알짱거리기만 해봐, 죽여줄 테니까.'

당시 쿠델카는 비홀더 13전대를 알아보았고, 적대하고 있었다. 같은 황제에게서 갈라져나온 페르소나들끼리 적대한다면 방향성이 상당히 다르다는 의미다. 그렇다면 이후의 상황은 쿠델카, 체메트디오프, 13전대의 삼파전으로 흘러갔을 공산이 대단히 크다.

"맞아, 하지만 13전대는 카이사르 급 전함을 건조해 뉴 소노라에 왔었고, 거기서 1전대와 싸운 끝에 전멸당했다."

그날 뉴 소노라의 궤도도 실로 남 부끄럽지 않은 개판 오 분 전이었다. 점프 포인트로 나타난 워프 비스트들, 이어서 따라온 샤다이의 귀환 찬성파와 반대파, 이를 중재하려는 호민관, 부추기는 집정관, 여기에 등이 터져나가는 연방 측 함대.

그리고 마무리로는 이 모든 것을 터트려버리는 비홀더 1전대와 13전대의 전투.

"13전대가 전멸이라……."

찰리하나팔이 아쉽다는 듯이 혼잣말을 했다. 포말하우트 게이트의 단서를 가진 존재 중 그나마 말을 붙여볼 만한 대상이 사라져버린 것이다. 애초에 비홀더 전대와 접촉하는 것은 대단히 힘들지만, 그 단서를 가진 이조차 우주의 먼지로 흩어진 상황이니 이젠 정말 단서가 없어 보였다.

"무언가 있다."

"확실히 있지."

적들의 음모에 대해 쑥떡찰떡 주고받던 중 빈우가 질문했다.

"그러면 복귀하는 거냐?"

"개똥밭에 굴러도 이승에서 굴러야지."

투덜대는 찰리하나팔의 대답에 빈우가 낄낄대며 웃었다.

"그래서, 그렇게 굴러서 뭘 어쩔 건데."

"그건 빈우 네가 이미 말했잖아. 앞에 무슨 꿍꿍이가 있다 해도 그게 인류를 구하는 일을 멈출 이유는 안 된다고."

빈우는 그런 말을 하는 찰리하나팔을 조용히 쳐다보았다. 마치 거울 같지만 조금 다른 느낌의 거울이다. 녀석도 빈우처럼 자신의 앞에 닥친 문제에 눈을 돌리지 않고 마주 보았다. 적어도 지금까지는. 또한 인류의 앞에 닥친 문제에도 몸을 피하지 않고 맞서나갈 것이다. 적어도 잠깐 동안은.

피에르 라캉, 응우옌 티 빈 같은 엘리트 요원조차 포기했던 길이다. 같이 걸어 나갈 존재가 하나라도 있다는 점에서 빈우는 마음이 든든해졌다.

"난 변이가 시작된 것 같다. 너와는 반응이 달라. 이미 포말하우트 게이트에서 한 차례 변했고, 쿠델카가 그것을 막았지. 그리고 얼마 전에도 한 번 거하게 터졌다가 알탄훼아나의 도움으로 다시 돌아왔고."

빈우는 그렇게 말하며 자신의 눈을 가리켰다.

"샤다이의 눈을 쓸 수 있는 것도 아마 그 영향이 클 거야. 그래서 말인데, 부탁 하나 하자."

그러면서 빈우는 자신의 주머니에서 무언가를 꺼내 찰리하나팔 앞으로 던졌다. 군사정보국에서 쓰는 고밀도 데이터칩이다. 승인된 안구에 가져다 대면 바로 해석해서 자료가 뇌로 전송된다.

"받아. 아나스타샤의 데이터다. 지금의 너에겐 없는 거지. 아샤가 좋아하는 것, 싫어하는 것. 시시콜콜 빼곡히 적혀 있다."

그걸 보며 어리둥절해하는 찰리하나팔에게 빈우가 설명을 이어나갔다.

"모든 게 마무리되면, 그리고 살아남는다면 어디 둘이 가서 편하게 살아."

찰리하나팔이 뭐라고 말하려 했지만 빈우의 말이 먼저였다.

"그녀도 쿠델카의 욕망에 의해 만들어진 존재야. 지금까지 꼭두각시로 살아온 그녀에게도 행복해질 권리가 있지 않겠어? 만약에 네가 살아남고, 아나스타샤도 그녀의 인격 그대로 살아남는다면…… 그녀와 함께 어디 숨어서 살아. 아마 아나스타샤는…… 너를 나로 인식할 거야. 옛날부터 주인님과 어디서 함께 농사짓고 살고 싶다는 게 아샤의 꿈이었으니까. 행복하겠지. 뭐 네가 싫음 말고."

빈우의 말은 쿠델카의 소멸을, 그리고 자신의 죽음을 전제로 하고 있었다.

• • • ✦ • • •

이노우에 고토는 퇴근했다. 정말 오랜만의 퇴근이었다. 앞으로 치이고 뒤로 쏠리는 것은 그의 일상이다. 그러나 밑에서 쑤시고 위에서 짓밟기 시작하면 고달프다. 게다가 이번에 위에선 작정하고 탭댄스를 추어대니 답이 없었다. 그게 요즘 일상이었으니 그는 정신적으로도 육체적으로도 한계에 달한 것이다.

"좀 살겠네."

불쌍한 군사정보국장은 군사정보국을 나서며 보안용 안구를 일상용 안구로 교체했다. 그러자 각종 시각정보가 달리던 세상이 깔끔해졌다. 서류를 봐도 글자 그대로 보이고, 사물을 봐도 별다른 설명이 없다. 마치 시야가 조용해진 느낌이다.

"나 왔어용."

고토는 군사정보국 옆에 있는 관사로 들어갔다. 오늘은 오래간만에 아내와 딸이 와 있다고 했는데 관사에는 아무도 없었다. 대신 다른 귀한 손님이 와있었다.

"오옷, 김 소령."

고토는 거실의 의자에 앉아 있던 사람을 보고 반색하며 인사했다. 선글라스를 쓴 빈우가 먼저 방에 들어와 있었던 것이다. 이런 상황에서 이런 놈하고 마주치면 얼굴색이 급변할 수밖에 없다.

"안녕하십니까. 국장님."

빈우는 의자에서 일어나 고토에게로 뚜벅뚜벅 걸어갔다. 그리고 만면에 미소를 짓고 있던 고토의 앞에 멈춰 섰다.

"참, 이건 예의가 아니죠."

선글라스를 벗은 빈우의 눈을 본 고토는 섬뜩함을 느꼈다. 그 정도 되는 인물이라면 알아볼 수 있다. 빈우의 눈은 지금 샤다이의 것으로 바뀌어 있었던 것이다. 그리고 그 눈에서 금색 섬광이 일렁이며 흘러나오기 시작했다. 그 순간, 고토의 눈은 금색 말고도 다른 섬광을 보았다. 그리고 섬광이 가신 다음 본 것은 의자 다리였다. 빈우가 그의 턱을 후려갈긴 것이다.

"므무무무! 무슨 짓인가."

바닥에 넘어져 소리치는 고토를 보던 빈우는 어깨를 으쓱했다.

"그냥, 말투가 뭣 같아서."

그러고는 도로 선글라스를 쓰고 다시 자리에 앉았다.

"한 대 맞았다고 계속 그렇게 누워 있을 거요?"

빈우는 의자에 앉은 채 심드렁하게 물었다. 마치 자신의 주먹질은 안중에도 없다는 듯했다.

"뭐, 자네를 그렇게 교육한 건 나긴 하네만."

고토는 구시렁대며 일어나 맞은편 의자에 앉았다.

"참, 아내와 쿄코는?"

마치 집에 들어오니 가족들은 안 보이고 손님만 덩그러니 있어서 의아해하며 묻는 말투다. 그 질문에 대한 대답인지 빈우가 주머니에서 뭔가를 꺼내어 탁자 위에 올려놓았다. 머리핀과 손목시계. 머리핀은 붉은색 꽃잎장식이 아기자기 붙어 있고, 손목시계는 태엽으로 움직이는 골동품이다. 하지만 고토는 대번에 알아볼 수 있었다. 아내의 시계와 딸의 머리핀이다.

"대답이 되었습니까?"

"흐응, 사람은 어디 가고 이것만 있는고?"

"곧 만나게 될 겁니다. 걱정하지 마십시오."

빈우는 대수롭지 않게 대답했지만 어떤 상태로 만나게 될 것인지에 대해선 설명하지 않았다. 그래서 고토는 미소를 띠며 대할 수밖에 없었다.

"그러면 두 분 오시기 전에 몇 가지 물어봅시다."

"물어보시게."

고토는 겉으로는 태연자약했지만, 속으로는 몇 가지 수를 생각하고 있었다. 아내와 딸을 구하는 방법. 자신도 구하면 좋겠지만 그건 무리일 것 같다. 기본적으로 있어야 할 경호원이나 로봇들의 반응이 전혀 없었던 것이다.

'뭐, 당연한가.'

군사정보국장은 속으로 조용히 푸념했다. 그와 마주 앉은 김빈우는 바로 그 자신이 길러낸 최고 걸작품이다. 게다가 각 부서를 돌며 인류가 할 수 있는 못된 짓이란 못된 짓은 모조리 섭렵한 닉스 레벨 3이다. 백주대낮에 사람을 죽이고도 박수갈채와 표창장을 받을 능력이 되는 놈인 것이다.

"울토르 클론들의 OS. 2217년 12월 23일의 업데이트는 누가 한 거요."

빈우의 질문에 고토는 끙 하며 팔짱을 꼈다. 빈우가 말하는 업데이트 일시는 마카로니 직전에 일어난 것이다. 그리고 그 업데이트로 인해 울토르 클론들은 두뇌칩이 없는 개척민들을 인간으로 인식하지 못했고, 그 결과 클론들은 아무런 거리낌 없이, 어떠한 제재 없이 인간을 살육할 수 있었다.

"날세."

시원한 고토의 대답에 빈우는 그를 빤히 쳐다보았다. 선글라스로 가려졌지만, 그 눈이 어떤지는 알 수 있다. 그러나 그 눈 안쪽의 감정이 어떤지까지는 볼 수가 없었다. 잠시 침묵 뒤에 빈우가 입을 열었다.

"손님 대접 이러기요."

"엇찻차. 이거 미안하구만. 뭐라도 내옴세."

고토는 일어나서 찬장에서 뭔가 챙겨왔다. 안드로이드 없이 손수 간단한 다과와 차를 내오자 빈우는 그것을 넙죽 받았다. 이어서 과자 씹는 소리, 그

리고 차를 마시는 소리. 그다음으로 잠시 정적이 잠시 찾아왔고, 그것을 깬
건 빈우였다.

"왜 바꾸었소."

이번에도 역시 고토는 팔짱을 낄 수밖에 없었다. 그는 대답을 하기 전에
이 답을 들을 사람이 어느 쪽에 서 있는지 확실히 알아야만 했다. 하지만 고
토는 빈우가 서 있는 자리가 어느 쪽인지 확신할 수 있었다.

"그전까지의 업데이트와 울토르 중대의 행보가 너무 수상했거든."

그의 대답이 나오자 다시 빈우의 입으로 과자가 들어갔다. 둘 사이의 정적
속에서 들리는 것이라곤 바삭거리는 과자 씹는 소리뿐이다.

울토르 중대는 포말하우트 게이트에서 리퍼들에게 습격당한 다음 면밀한
조사를 받았다. 그러나 보안국뿐만이 아니라, 각 부서에서 이리저리 숟가락
을 놓은 조사라 혼란한 와중에 잠수한 빈우와 그의 클론에 대해서는 미처 알
아내지 못했다. 그리고 이후 솔리드 베타와 클론 중대는 조사를 하며 부대의
가치를 알아본 여러 부서의 부름에 따라 이리저리 불려다녔고, 거기서 이런
저런 업데이트를 받았다. 그러나 당시 고토는 그 행보 자체에 대해 수상함을
느끼고 있었다.

"좀 더 자세히."

"자세히라, 그러면 이야기가 조금 길어질 텐데 괜찮겠나?"

고토의 반문에 빈우는 그를 빤히 쳐다보았다. 그러더니 시선을 다시 탁자
위로 돌렸다. 차와 다과가 아니라 그 옆에 놓인 시계와 머리핀을 향해서다.

"시간 조절 잘하셔야 할 거요. 잘못하면 가족 상봉할지도 모르니까."

천하의 이노우에 고토에게 공갈 협박은 통하지 않는다. 그러나 그 상대가
빈우라면 이야기가 다르다. 거기다 눈을 샤다이의 것으로 교체한 또라이 빈
우라면 더더욱.

"울토르 프로젝트는 이케가미 소이치로 상원의장의 지휘하에 정보사령본
부가 주도해서 진행한 프로젝트였지. 물론 현장 지휘관은 자네였고. 하지만

나는 처음부터 클론들의 원본이 자네란 것에서 납득할 수가 없었다네."

그러면서 고토도 과자를 들었다. 모나카를 입에 넣고 씹자 시럽에 졸인 머스켓이 팍 터져나온다. 고토는 혀를 그 단맛으로 달래며 열심히 놀렸다.

"자네는 가족의 희망을 한 몸에 받고 자란 외동아들이었어. 아, 단순히 단 한 명의 아들이란 의미가 아니라 숫제 가족의 염원을 받고, 그 소망을 이루기 위해 키워졌다는 인식이 들 정도였어. 그러나 어릴 적의 사고로 인해 심적 상처를 입었고, 그 외에도 여러 가지 심한 꼴을 겪었더군."

요원들의 가족사는 아무리 사소한 것도 국장에게 보고되고, 판단의 기준이 된다.

"그렇게 자라온 결과 자네는 자신의 가치와 결백을 증명할 곳이 필요해 군으로 도망쳤지. 그리고 거기서 연방은 바르고 옳은 것이라고 맹신하게 되었고 말일세."

빈우의 손이 딸기찹쌀떡으로 갈 때 고토가 먼저 날름 가로챘다.

"내가 본 자네는 방해가 되는 존재는 모조리 제거하고, 연방의 오점이 되는 부분은 모조리 자네 자신이 뒤집어쓰려고 하지. 마치 순교자처럼."

고토는 얄밉게 딸기찹쌀떡을 입에 넣고 씹었다. 문득 세대우주선에서 딸기차를 끓였던 기억이 났다.

"김 소령, 자네 혹시 위은쐴납학 기억나나?"

"알방패?"

"맞아. 거기서 자넨 그렇게 행동했어. 모두를 위해서 스스로를 희생하는 것. 천성이 그런지, 교육을 그렇게 받은 건지. 뭐 둘 다겠지. 아무튼 난 자네가 군사정보국으로 왔을 때 꽤 험하게 굴렸었지?"

"……꽤?"

빈우의 표정은 '고작, 겨우'를 뜻하고 있었고, 그래서 고토는 자신의 발언을 정정했다.

"엄청나게."

그제야 빈우의 시선은 고토에서 벗어나 찻잔으로 향했다.

"난 자네를 쓰러트릴 셈이었어. 쓰러져서 못 일어나면 방출하고, 일어나면 키울 생각이었지. 하지만…… 결과는 자네도 잘 알지."

"실패작치곤 잘도 부려먹으시더군."

"내가 하는 일이 사람 쓰는 거 아닌가. 버릴 사람은 없어. 재능에 따라 적재적소에 배치하면 되는 일이야."

졸지에 버림패 취급받은 빈우였지만, 그는 내색도 않고 그저 듣기만 했다.

"그래서 난 자네가 울토르 프로젝트의 지휘관이 되는 것도, 유전자 제공자가 되는 것도 내키지 않았어. 자네의 유전자를 기반으로 탄생한 클론들이 어떤 성향을 가질지 뻔했으니까. 울토르 프로젝트에 필요한 것은 냉정한 전사였지, 닥치고 돌파하는 광전사가 아니었거든. 그리고 그 클론들이 자네의 성격마저 물려받았다면, 아마 꽤나 잘 쓰러졌을 거야. 그야 일어서기도 잘 일어서겠지만, 흉터가 남는 건 그리 좋지 않거든. 그래서 개인적으론 타이 소령이 쓸 만해 보였지만 당사자는 별 관심도 없었어. 또 다른 사람들에게 자네는 상당히 잘 보인 모양이더군."

"다른 사람들, 누구?"

갑자기 말을 끊고 들어오는 빈우의 목소리에는 살기마저 서려 있었다. 눈에서 희미한 안광이 새어나올 듯 깜빡이고 있었다.

"……오다 의원의 혐의선상에 있었고, 지금 끌려가는 사람들하고 대부분 일치해."

그 대답에 빈우는 다시 흥미를 잃고 이야기를 듣기로 했다.

"어쨌든, 결정적으로 자네가 스스로의 유전병을 재발시켜 보안장치로 사용하게 된 게 마무리였지."

"그거 말고도 모종의 뒷거래가 있었을 거요. 그자들 사이에서."

빈우가 말한 그자들이란 방금 고토가 말했고, 빈우를 선발한 자들이다.

"그래. 물증은 아직 보지 못했지만, 정황상 너무 확연해. 자세한 것은 오다

의원께 물어보면 알겠지. 거기선 아주 칼춤을 춘다더만."

둘은 빈우가 울토르 프로젝트에 뽑힌 것에 알 수 없는 힘이 작용했다는 것에는 의견을 같이하고 있었다.

"이후 울토르 프로젝트는 계속 진행되었지만, 몇 가지 미심쩍은 부분이 있었어."

"전투 스트레스?"

"그래. OS에 의해 여과되긴 해도 전투가 반복되자 몇몇 울토르 클론들에게 이상징후가 보이기 시작했다는군. 하지만 중도에 의도적으로 은폐되는 바람에 자네가 지휘관 권한으로 조작했다는 의심까지 했다 뭔가. 그런데 그때 마침 포말하우트 사건이 일어났어."

마침 그때 두 사람 사이에 있던 과자가 동이 났다.

"더 가져올까?"

"아니, 됐소."

"그다음부터 간섭이 비정상적으로 늘어나더군. 클론들의 이상징후도 빈번하게 보였고."

그때부터 피에르 라캉과 응우엔 티 빈은 바빠졌다. 울토르 프로젝트 외에도 개인사가 얽힌 듯했지만 고토는 거기까지 신경 쓸 겨를은 없었다. 그래서 요즘 후회하고 있었다.

"프로젝트가 반쯤 손을 떠나도 관심은 두신 모양입니다?"

"당연하지! 나도 나름 군사정보국장일세. 어느 정도의 이야기는 들어온다는 말이지. 이케가미 소이치로 의장이 자리에서 물러난 다음 은거를 하고, 울토르 중대가 필요 이상으로 굴려질 때 나는 뭐가 잘못되어가고 있음을 깨달았다네."

고토는 보고서를 하나 띄웠다. 정식문서가 아니라 응우엔 티 빈이 비밀리에 보내온 문서였다.

"울토르 클론들의 정신적 스트레스가 너무나 컸어. 그 속도가 이전 버전들에 비해 과할 정도로 빨랐단 말일세. 마치 OS의 도움을 받지 않는 구시대 인간 병사들처럼. 이 부서 저 부서 돌아가며 클론들 전투OS를 버전업한 것은 우연을 가장해서 만든 필연이야. 마카로니에서 그게 폭발할 것은 뻔해 보였지. 마치 예전의 자네처럼 말이야. 내가 OS에 그런 조작을 하지 않았어도 클론들이 살인하지 않았으리라 생각하나?"

빈우는 조용히 고개를 저었다. 물론 클론들은 직접 인간을 죽이지 않을 것이다. 그러나 눈먼 총에 죽는 사람은 반드시 생길 것이고, 그렇게 되면 클론들 사이에서 엄청난 정신 충격이 두뇌칩 연동을 통해 연쇄 폭발처럼 퍼져나갈 것이다.

"그래, 자네의 성격을 가진 장갑보병 1개 중대가 옛날의 자네처럼 자지러진다면 그것 또한 걸작이지. 그리고 뒤에선 그 걸작을 만들기 위한 열렬한 노력이 보였고. 그래서 난 그쪽을 떠볼 겸 사소한 저항을 했지."

"그래서 마카로니의 개척민들을 클론의 제삿밥으로 주셨다?"

물론 고토가 손을 쓰지 않았어도 학살은 일어났을 가능성이 높다. 아니, 기정사실이다. 그러나 그가 학살을 부추겼다는 것 또한 명백한 사실이다.

"그러지 않았으면 그 여파로 울토르 중대는 전부 워프 비스트가 되었을 것이고, 이어서 정신적 충격이 점프 통신을 타고 연방의 영역에 퍼져나가겠지. 그러면 걷잡을 수 없게 돼."

고토의 설명에 빈우가 눈에 이채를 띄었다.

"꽤 많이까지 아시는군."

"자네가 깜빡깜빡하는데, 난 연방군 군사정보국장일세."

고토는 농담을 던졌지만 빈우는 받을 마음이 없어 보였다.

"그런 양반에게 클론을 죽인다는 선택지는 없었나?"

"적에 대한 정보가 너무 없었는걸. 일단은 반응을 보며 몸을 사려야지."

빈우는 그를 탓할 생각은 없었다. 그조차도 마카로니에서 똑같은 판단을 내렸기 때문이다. 클론들의 대량학살을 보고서도 모른 척 기회를 기다린 것.

군사정보국 요원들의 행동 방식이다.

"그래서 두뇌칩이 없으면 인간이 아니도록 판단하게 했단 말이군요. 그러면 애초에 전투OS의 판단 단계에서 일어난 일이니, 살인을 한다 해도 OS의 정신 억제가 작동하지 않지요."

"그렇지."

"또 세뇌된 클론들이 인간을 죽였다는 죄책감에 미쳐버리지도 않고."

"바로 보았네."

"포말하우트 사건 이후에 재생산된 클론들은 정신적으로 깨끗한 편이었죠. 상처를 덜 받기도 했고. 놈들은 뒤집어진 밥상을 다시 차리느라 바빴나 봅니다."

재깍재깍 대답하던 고토가 이번에는 바로 대답하지 않았다. 그저 희미한 미소와 함께 빈우를 바라볼 뿐이다. 그 미소를 차갑게 보던 빈우가 물었다.

"언제부터 안 겁니까?"

"무엇을?"

"연방 내에 잠입한 샤다이에 대해서."

"흐으음."

대답이 궁해진 고토가 찻잔을 만지작거릴 때, 빈우는 대답을 기다리지 않고 자신이 먼저 말했다.

"선한 이들의 방관은 악이 승리하는 데 유일한 조건이다."

지금 대화와는 상관없지만, 크게 동떨어지진 않은 말이다. 아니, 오히려 둘이 처한 상황을 비꼬는 말일 수도 있었다. 고토는 그것이 누군가의 명언으로 생각되어 검색해보려고 했지만 실패했다. 지금 두뇌칩의 외부 연결이 빈우에 의해 막혀 있는 상황인 것이다.

"에드먼드 버크요. 군사정보국장쯤 되면 귀동냥했을 법도 한데."

머쓱해진 고토가 어깨를 으쓱 움츠렸다. 빈우가 한 말의 의미를 알아챈 것이다.

"지금은 놈들이 이기고 있소. 우리가 서로 협력 못 하고 싸우고 있을 때 자기네들끼리는 물고 빨고 협력하고 있는 중이지."

그 말에 고토는 저도 모르게 고개를 끄덕였다. 베일 너머의 조직은 느리지만 차근차근 계획을 진행하고 있었다. 아주 오래전부터. 반면 이쪽은 상황이 그리 좋지 못하다. 당장 빈우만 해도 그렇다. 그는 현재 샤다이를 물리치기 위해 최전선에서 매진하고 있는 상황이지만, 정작 빈우의 직속 상사랄 수 있는 이노우에 고토와 이케가미 소이치로는 과거의 빈우를 울토르 프로젝트에 매진한 사람으로 보고 반쯤은 저쪽으로 넘어간 위험분자로 취급했었다.

또한 군사정보국은 보안국을 견제하며 때를 보고 있었는데, 보안국이 갑자기 미친 짓을 하는 바람에 상원의 벼락을 옆에서 엄하게 같이 맞아버린 상황이다. 게다가 오다 의원 파벌은 또 그쪽대로 제대로 준비하기 전에 무대로 떠밀려 올라가는 바람에 몇몇 계획이 엇박자를 내며 어긋난 상황이다. 이렇게 이쪽이 서로를 믿지 못해 견제하며 제각각 떨어져 싸우는 동안, 놈들은 차근차근 계획을 진행시키고 있었다.

"게임에서 지고 있으면 당신은 어쩌겠소?"

빈우가 탁자 위에 바둑 홀로그램을 띄웠다. 그리고 예전에 고토와 두던 기보 중에서 하나를 골라 판 위에 올렸다. 빈우가 잡은 흑은 죄다 주변으로 갈려 귀곡사궁(귀곡사: 돌이 바둑판의 모서리를 따라 4점으로 구부러져서 이어진 모양). 살아날 방도는 오직 백에 달려 있다. 바둑판의 모양새가 백은 야금야금 중앙을 차지하고 흑은 사분오열해서 가장자리로 몰려 있는 것이 어찌 보면 지금 연방의 상황을 보여주는 것 같다.

"흐음, 반격의 기회라."

고토는 흑의 관점에서 한번 봤지만, 이건 답이 없다. 각각 돌을 놓기만 하면 귀곡사패가 완성되는 상황이다. 하지만 방법이 전혀 없는 것은 아니다.

"규칙을 바꾸나?"

귀곡사는 어떤 규칙에서 두느냐에 따라 승패가 바뀔 수 있다. 어떤 규칙에선 집안에 돌을 놔도 집이 줄지 않지만, 또 다른 규칙에선 집 크기가 줄어든다. 고토의 말에 빈우의 손이 움직였다. 고토는 그가 자기 집 안에 두려는 줄 알았지만, 정작 손이 향한 곳은 바둑판이 아니라 탁자 옆이었다.

"밖에서 방법을 찾아야지."

바둑판 홀로그램 위로 시계와 머리핀이 떨어졌다. 아내의 시계와 딸의 머리핀이 맑은 소리를 내며 바둑판 위로 떨어지자 천하의 이노우에 고토도 심장이 철렁했다.

"우리 왔어요."

그리고 갑자기 문이 열리며 집 안으로 사람들이 들어왔다. 이노우에 고토의 아내인 이노우에 누미와 딸 이노우에 쿄코다.

"아빠, 빈우 아저씨는요?"

쿄코가 어안이 벙벙한 고토 앞으로 달려왔다. 그러더니 바둑판을 보고 방긋 웃었다.

"우와, 엄마. 아저씨가 엄마 시계 다 고쳤어요."

"정말이네. 빈우 씨는 정말 솜씨도 좋아."

누미는 기쁜 얼굴로 자신의 시계를 들어 손목에 찼다. 마모된 태엽을 교체한 골동품 시계는 그녀의 손목에서 제대로 작동하고 있다.

"내 머리핀도 색깔이 똑같아. 물질 생성기보다 아저씨가 훨 낫다니까."

쿄코도 벗겨진 도색이 다시 발린 머리핀을 보고 좋아라 머리에 대어보고 있었다. 지금 그녀들에겐 고토 앞에 앉은 빈우가 안 보이는 모양이다. 두 사람의 안구에 직접 작용해서 시각 정보를 차단한 것이다.

"여보, 표정이 왜 그래요?"

누미가 굳은 표정의 남편을 보고 의아해한다. 그리고 그 남편은 지금 자리에서 일어나 문밖으로 걸어가는 빈우를 보고 있었다. 빈우는 나가기 전에 멈춰서 이쪽을 돌아보았다.

"……아, 김 소령은 갑자기 바쁜 일이 생겨서 말이야. 먼저 갔어."

"어머, 아쉬워라. 오랜만에 같이 식사를 하나 했더니. 어떻게 한번 오라고 할 순 없나요?"

"그래요, 나 아저씨 더 보고 싶어요."

고토는 아내와 딸의 부탁을 들으며 빈우를 보았다. 그는 문가에 서서 조용히 고토를 보고 있을 뿐이다. 일상용 안구를 하고 있는 고토에게 빈우가 보인다는 것은 그가 지금 일부러 모습을 드러내고 있다는 의미다. 즉 그는 뭔가 원하고 있는 것이다.

- 밖에서 방법을 찾아야지.

외계인을 상대로 첩보전을 하는 군사정보국에게 밖이란 어딘지 뻔하다. 인류와 적대하고 있는 외계종족들. 빈우는 연방 안을 잠식하고 있는 샤다이를 잡기 위해 바깥에서 '도구'를 구해올 심산인 것이다.

'굳이?'

이게 고토의 감상이었다. 아무리 연방 내에 샤다이가 잠입해 있다 해도 이렇게까지 외계종족의 손을 빌려야 할 것 같진 않다. 하지만 빈우가 그렇게 판단했다면 그런 것이다. 그는 아직 고토가 파악하지 못한 문제를 알고 있을지도 모른다.

"아빠아―."

딸의 재촉에 아빠는 웃으며 결정을 내렸다.

"그래, 떠나기 전에 내 사무실에 들른다고 했으니까 내가 연락해보마."

군사정보국장은 자기 사무실의 업무 시스템에 접속했다. 그리고 잠시 잠겨 있는 3차장의 권한을 다시 복구시켜놓았다. 마커스는 국방부 차관으로 가면서 차장 자리에서 물러났지만, 고토는 그의 권한을 아예 지워버리진 않고 살려두었다. 전 국방부 차관이었던 군사정보국 국장이라면 든든한 라인이기에, 이번 일이 끝나면 자신의 후계자로 불러들일 셈이었다. 그리고 마커스라면 빈우에게 자신의 보안을 공유해놨을 것이다.

"안 받는데, 벌써 떠난 모양이야."

고토는 쓴웃음을 지으며 연락을 끊었다. 이제 빈우는 더 이상 일상용 안구를 한 고토에게 보이지 않았다. 보안 권한을 획득한 동시에 모습을 감춘 것이다. 방금의 그는 자신의 결백이나, 지금 처한 상황에 대해선 한마디도 하지 않았다. 그저 알고 싶은 것을 알아내고 다시 모습을 감추었을 뿐이다. 그게 무엇을 의미하는지 고토는 아주 잘 알 수 있었다. 빈우는 아주 자기다운 행동을 하고 있는 중이었다. 아무도 가지 않는 가시밭길을 홀로 달려가는 것.

"고마워, 아나스타샤."

히토미가 눈꺼풀을 비비며 커피잔을 받았다. 따뜻한 카페오레에 든 고농도 카페인이 그녀의 몸으로 들어가 피곤해진 신경계를 자극한다.

"좀 쉬시는 게 어떠세요?"

아나스타샤의 걱정스러운 표정에 히토미는 그저 슬픈 표정으로 웃어 보일 뿐이다.

"나도 그러고 싶은 마음이 굴뚝같은데, 그전에 할 일이 너무 많아."

지금 히토미 앞에 쌓인 일은 그저 많다, 라고 표현할 수 있는 수준이 아니었다. 양이 아니라 질의 문제다. 그녀가 속한 파벌의 수사 결과와 빈우의 추적, 그리고 뻐꾸기 작전에 관련된 여러 부서와의 조율. 하나같이 중요하며 그에 질세라 분량 또한 어마어마했다.

"음, 알탄훼아나의 상태는 요즘 괜찮나?"

히토미는 서류를 훑어보며 물었다. 마커스 차관이 보내준 정보는 위험하다 싶을 정도까지 아슬아슬하게 파고든 것들이어서 보는 히토미도 심장이 저릿해질 지경이었다.

"네, 많이 괜찮아지셨습니다."

"그럼 이것만 마치고 잠깐 만날까."

그렇게 말한 히토미가 자리에서 일어난 것은 한참 후의 일이었다. 그리고 그녀는 아나스타샤와 함께 알탄훼아나를 만나러 갔다. 이 샤다이 여성은 지금 히토미 팀의 협력자로서 블랙 랜스의 거주 구역에 있었기에 금방 만날 수 있었다. 그래서 이전까지 붙었던 감시도 없는 상태다.

"몸은 좀 어떠신가요."

방 안으로 들어가자 의자에 앉아 책을 만지고 있는 알탄훼아나가 보였다.

"아, 오다…… 히토미?"

눈이 보이지 않는 알탄훼아나가 귀를 쫑긋 세워 이쪽으로 향했다. 편의상 귀라고는 해도, 실제론 청각기관보다는 그들답게 플라스마 조절에 관련된 기관이라고 했다. 샤다이들은 주로 신경 신호나 뇌파로 상대를 파악하기 때문에 청각이나 후각으로 구분하는 것은 힘들다고 했다.

"나를, 신경 써줘서 정말 고맙다."

안대로 얼굴의 절반을 가리고 있었지만, 그리고 종족이 다르지만, 그녀가 감사하고 있다는 것은 알 수 있었다.

'샤다이가 우리 인류를 택하는 것도 이해가 가는군.'

알탄훼아나를 보면서 히토미는 샤다이가 왜 굳이 인류를 방주로 선택한 것인지 알 수 있었다. 비록 장기구조는 다르지만 일단 외형만큼은 서로 비슷했고, 가장 중요한 것인 사고방식 또한 유사했다. 아니, 희로애락을 기반으로 한 감정 체계는 인간과 크게 다를 바가 없었다. 지금까지 봐왔던 시체 샘플과는 달리 적극적으로 협력하는 고위직, 알탄훼아나 덕분에 연방의 샤다이에 대한 연구는 진일보를 이뤘다.

"궁금한 것이 있으면 질문해."

책을 놓은 알탄훼아나가 바로 앉았다.

"눈은 이식이 힘들다고 들었습니다."

상원의원의 말에 호민관이 작게 고개를 끄덕였다. 빈우가 알탄훼아나의 눈을 뽑아간 다음, 반은 인도적으로, 반은 실험을 위해 그녀의 눈에 시각센서를 이식하려는 시도는 있었지만 모두 실패했었다. 기술적인 문제도 문제거니와 수술을 받는 알탄훼아나 자신이 바라지 않는다는 점도 컸다.

"인간의 기계눈을 받지 않아도, 대략적인 주변 파악은 가능해."

"그런가요. 언제든지 필요하시면 말씀하세요."

히토미가 자리에 앉자 그 앞에 알탄훼아나가 앉았고, 그 사이에 아나스타샤가 섰다.

"아나스타샤의 말로는 정신적인 상처를 상당수 극복하셨다고요."

육체적, 정신적 고문과 고통을 받았던 알탄훼아나는 정신 붕괴 직전까지 갔었다. 고문의 후유증에 눈으로 들어오는 정보의 격류와 호민관의 의무가 그녀를 벼랑 끝으로 밀어붙인 것이다.

"극복이라니 부끄럽군. 난 그저 도망쳐서 쉬고 있는 것에 불과해."

빈우가 도주하던 날, 알탄훼아나는 자신의 미래를 보았다. 빈우가 자신의 눈을 뽑아가는 것을. 그리고 그것을 마치 자신의 신체처럼 사용하는 것을. 그래서 자신의 앞에 닥친 중임으로부터 도망치기 위해 그것을 받아들였다.

"흐음."

히토미는 담담하게 이야기하는 알탄훼아나를 지그시 바라보았다.

"음? 내가 뭔가 말실수라도 했나?"

"아뇨. 이젠 그에 관련된 이야기를 해도 되겠다 싶어서 말이죠."

히토미의 말대로 얼마 전까지의 알탄훼아나는 그날 일을 꺼내려고만 해도 경기를 일으켰다. 그래서 히토미는 그녀가 제대로 치료될 때까지 기다렸다. 하지만 아나스타샤의 말로는 치료를 한다 해도 마음속에 흉터는 남는다고 했고, 중요한 것은 알탄훼아나가 흉터투성이인 채로 그 사건에 맞설 각오가 되어 있냐는 것이라고 했었다. 이쪽으로 전문가인 안드로이드 메이드의 말로는, 사고로 엉망으로 망가진 얼굴을 하고서 대중 앞에 나서는 것과 비슷하다는 예를 들었다.

"아, 그래. 김빈우가, 나의 눈을 받아 갔던 날, 말이지."

중간중간 조금씩 말이 끊어지긴 해도 알탄훼아나는 제대로 말하고 있었다. 그리고 빈우가 빼앗아 갔다가 아니라 자신이 줘서 받아 갔다는 뉘앙스로 말했다.

"네. 그날의 일은 시일이 제법 지난 지금도 아직까지 후폭풍이 몰아치고 있어요."

빈우는 보안국의 수사로부터 도망치면서 성대하게 사고를 쳤다. 그 덕에 보안국장의 긴급 체포를 시작으로 관련된 인사들에 대한 강도 높은 수사, 몇

몇 부서에 대한 동결 등이 급박하게 이뤄졌다.

"김 소령이 그날 당신의 눈을 받아 간 것은 역시나 우리 사회에 숨어든 샤다이 선조들을 찾아내기 위해서겠죠?"

히토미의 질문에 알탄훼아나가 고개를 끄덕였다. 호민관인 그녀는 인류의 몸을 적셔서 내려온 선조들을 파악할 능력이 있었지만, PTSD 때문에 정작 필요할 때는 그 능력을 쓰지 못했다. 그러나 만약 빈우가 그것을 가져가서 쓴다면? 지금 도망 중인 그가 인류 속에 숨어들어온 샤다이를 알아본다면?

"그래, 그리고 아마 지금의 그라면 보는 즉시 죽이겠지."

알탄훼아나의 대답에 히토미와 아나스타샤의 안색이 굳었다. 빈우는 샤다이를 죽이는 것이겠지만, 죽는 자들은 일단 겉으로는 연방시민이다. 그리고 그중에는 고위직도 상당할 것이다. 그런 사람들을 죽인다면 빈우는 중죄인이 돼서 체포된다. 물론 닉스 레벨 3인 그를 체포하려면 보통 방법으로는 턱도 없겠지만.

"이 사실을 빨리 알려야 하지 않나요?"

아나스타샤의 말에 히토미가 고개를 저었다. 지금 빈우가 탈주한 사실은 알려져 있다. 하지만 알탄훼아나의 안구를 가져간 사실은 극비에 부치고 있었다. 만약 이 사실이 퍼진다면 빈우의 위험성을 아는 샤다이들은 즉시 대처할 것이고, 앞으로의 계획에도 차질이 생길 것이다. 그리고 빈우가 그렇게 도망친 이상, 이쪽에서 도와주려고 해도 그가 먼저 도망치고 숨을 것이다.

빈우의 추적에 대해 생각하던 히토미에게 문득 42전단의 전단주임원사 페르디난도 아키노와 나눴던 대화가 떠올랐다. 그녀는 팀장인 아룹의 소개로 과거 닉스 레벨 3이었던 그와 이야기를 나눌 수 있었다.

"닉스 레벨 3은 같은 닉스 레벨 3만으로만 대처가 가능하다고요?"

히토미가 의아한 반응을 보일 법도 한 게, 그녀는 자신이 이끄는 373팀의 실력을 아주 정확히 평가했던 반면, 페르디난도는 373팀을 아주 객관적으로 평가하고 있었다.

"네, 의원님. 닉스 레벨 3은 단순한 전투 요원이 아닙니다. 지휘하고 작전을 짜서 실행할 전략자원들입니다. 물론 의원님의 팀이 일류 중에서도 일류인 것은 압니다. 하지만 이건 이야기가 다릅니다. 그 팀원들로는 역부족입니다."

경험자의 충고는 귀중한 것이다. 그리고 그 경험자가 궤도 아래에 있는 행성을 가리켰다.

"보십시오. 저런 시가지에 김 소령이 숨어들면 어쩌실 겁니까? 아룹과 파트리샤는 우수한 요원들이지만 첩보나 이런 시가지 추적 작전 쪽으론 그리 뛰어나질 않습니다. 이럴 때는 오히려 보안국이나 연방중앙정보국이 적임이겠죠."

히토미는 저도 모르게 고개를 끄덕였다. 단검뿔이나 실리콘 나이트는 모두 공격용 부대지 대테러나 방첩 임무와는 동떨어져 있다. 한다 해도 전문부서에 파견 나가거나 지원으로 가는 경우다.

"그렇다면…… 원사님이라면 이렇게 숨으면서 도망치는 김 소령을 어떻게 잡으실 건가요?"

상원의원의 질문에 페르디난도의 대답은 시원하게 나왔다.

"그야 궤도포격으로 날려버려야죠. 아예 황폐화를 시켜버려야 합니다."

너무나 시원한 이 대답에 히토미는 잠시 말을 잊었다. 42전단 주임원사는 행성 위에 시뮬레이션을 돌리기 시작했다. 먼저 전함들의 궤도포격으로 표면을 쓸어버린 다음, 지각 침투 폭탄에 바이러스 탄두를 심어 지하의 대피소를 모조리 공격한다. 마지막으로 행성 궤도 곳곳에 중력 거울을 만들어 지표 전체를 소각함과 동시에 녹여버렸다.

"사망자는 100억가량, 그리고 행성의 파멸. 이 정도로 닉스 레벨 3을 잡았다면 수지맞는 장사입니다."

빈대 잡다가 초가삼간 태운다는 말이 있지만, 경험자가 그렇다면 그런 것이다. 자신이 추적해야 할 대상의 위험도를 다시금 체감한 히토미는 마른침을 삼켰다.

"그런데 왜 이런 위험인물이 탈주했는데도 통합사령부는 아무런 대책이 없죠?"

닉스 레벨 3은 특정 부서, 부대의 소속이 아니라 대원의 훈련 및 수료등급을 나타내는 것이라, 직접적인 명령은 해당 요원이 소속된 조직이 한다. 다만 그 전략적 가치가 대단히 높아 통합사령부의 관리 또한 받는다.

"그쪽에서 별말이 없는 것을 보면, 그러니까 다른 닉스 레벨 3의 요원들을 추적자로 붙이지 않는 것을 보면 이게 그렇게까지 큰일은 아니란 거겠죠."

지금 42전단의 주임원사는 자기가 소속된 전단에서 일어난 사고, 그러니까 보안국과의 무력 충돌과 인공지능의 파괴행위를 '큰일'이 아니라고 말한 것이다.

"닉스 레벨 3에게 탈영은 없습니다. 그들은 언제나 연방의 안녕과 이익을 위해 움직이는 자들이기 때문이죠. 편한 행동을 위해 회색지대에서 움직이는 것은 일상입니다. 김 소령의 경우는 군사정보국과 특수전 사령부의 팔 사이에 있었습니다만, 제가 보기엔 팔꿈치에 붙어 있더군요. 상대방을 팰 때는 언제든지 써라, 대신 나를 가지고 포크질하기는 힘들 것이다, 이런 거죠."

적절한 예시에 히토미는 웃었다. 하지만 다음 질문은 웃을 만한 내용이 아니었다.

"그러면 군에선 김 소령이 태스크포스 373을 버리고 도망간 것도, 인공지능을 폭주시킨 것도, 전부 보안국의 추적을 뿌리치고 연방을 위해 행동하는 것이라고 판단하고 있다는 의미입니까?"

"맞습니다. 상부는 그의 의견을 존중하며 추이를 지켜보는 겁니다. 그래서 의원님 같은 허술한 목걸이를 채워놓는 것으로 일을 마무리지으려는 거죠."

"케트쿤에서 탈주한 닉스 레벨 3은요?"

히토미의 말에 페르디난도의 눈썹이 모로 휘었다. 빈우가 케트쿤에서 대형 사고를 쳐가며 제거한 요원이다.

"자세한 내막은 좀 복잡합니다만, 그 요원 또한 연방을 위해서 움직이고 있었던 것은 확실합니다. 다만, 그 방법의 문제로 마찰이 있었지요. 의원님이라면 이해하시리라 믿습니다."

히토미의 입술이 일그러졌다. 결국 그 요원도 연방 내부의 파워 게임에 휘말린 버림패였던 것이다. 그리고 빈우 또한 그렇게 될지도 모를 일이다.

"의원님?"

아나스타샤의 부름이 히토미의 정신을 과거에서 현재로 끌고 왔다.

"어머, 미안해. 잠시 생각 좀 하느라."

히토미는 다시 알탄훼아나를 보았다. 그녀의 눈을 뽑아서 도망간 빈우. 군에서 그의 행동을 두고 본다는 결정을 내렸다지만, 히토미는 뭔가 석연찮은 점을 느꼈다. 알 수 없는 힘이 그의 탈주를 봐주고 있다는 느낌이 강했다. 샤다이는 아닐 것이다. 놈들 입장에선 미친개를 길가에 풀어놓는 격이다.

'그렇다면 샤다이 외에도 또 다른 세력이 있다는 의미일까? 아니면 샤다이끼리도 의견이 갈리나? 아!'

거기까지 생각하고서야 히토미는 다시 입을 열었다. 샤다이의 분열된 세력 중 하나를 이끌었던 수장에게로.

"알탄훼아나 씨, 슬슬 본론으로 들어가죠."

"좋아."

"이번 사태, 그러니까 샤다이가 인류의 정신을 적셔 계단을 타고 내려오는 사태의 기원에 대해서 자세히 설명해주세요."

히토미의 말에 알탄훼아나는 잠시 숨을 고르더니 이야기를 시작했다. 과거에 일어난 우주 가장자리의 붕괴, 선조들의 동요와 도주, 다른 고차원의 존재와 거기에 놀아난 선조 샤다이들, 이어서 선조들이 다시 이 우주로 귀환하면서 일어난 일들, 마지막으로 아니꼬운 선조들을 인류에 담아 모조리 쓸어버리려는 집정관 체메트디오프의 행보까지.

"맙소사."

흐릿하고 파편적으로 알았던 정보들이 명확하게 밝혀지자 히토미는 낮은 비명을 질렀다.

"그래서 난 선조들의 귀환을 거부한다. 우리는 이 우주에서 운명을 맞이해야 해. 그게 순리야."

그렇게 말을 맺는 알탄훼아나는 처연해 보였지만, 말을 들은 히토미는 머리가 복잡해서 미칠 것만 같았다.

"알탄훼아나 씨는 귀환 반대파라고 하셨죠?"

"그래."

"하지만 반대파 중에서도 강경파는 인간을 완전히 죽이려고 한다고 하셨죠. 아예 내려올 몸이 없도록."

"맞아. 또 찬성파 중에서도 어느 파벌은 인간을 번영시켜야 한다며 가면을 쓰고는 우호적인 접촉을 하고 있고, 또 어디는 인간을 고문해 계단을 서둘러 만들어야 한다고 하지."

히토미는 한숨을 쉬었다. 인간과 사고방식이 비슷해서인지 저쪽도 비슷한 개판이 벌어지고 있었다.

"일단, 보고를 해야겠어요."

서둘러 자리를 일어나려는 히토미를 알탄훼아나가 붙잡았다.

"잠깐만."

눈이 안 보이는 그녀는 서둘러 일어나서 말을 걸었다.

"나도, 나도 도울 수 있게 해다오."

말은 그렇게 했지만 알탄훼아나의 다리는 미세하게 떨리고 있었다.

"자아, 알겠으니까 우선 앉으세요."

아나스타샤가 부드럽게 다가와 알탄훼아나를 다시 앉혔다. 그리고 히토미를 돌아보며 작게 고개를 저었다.

'여기까지 하자는 뜻이군.'

히토미도 고개를 끄덕여 보였다. 알탄훼아나는 지금 다시 일어서려고 하고 있지만, 한때 무섭고 무거운 의무로부터 도망치기 위해 자신의 눈마저 뽑아달라고 했던 적이 있었다. 그러니 지금도 정신상태가 완전한 것은 아닐 것이다.

"알탄훼아나 씨는 충분히 도움이 되고 있습니다. 지금은 조금 쉬세요."

"아니, 내 시민들과 이야기하고 싶다."

그 말이 히토미의 다리를 잡았다. 알탄훼아나는 호민관의 지위에서 귀환 반대파를 이끌고 있다고 했다. 그리고 그들은 인류에게 적극적인 적대 행위는 하지 않은 듯했다. 그렇다면 그녀의 세력을 끌어들일 수 있다면 상당한 도움이 될 것이다.

'샤다이와 접촉이라, 이럴 경우는 반드시 군사정보국이 있어야 하지. 그러나 지금이라면.'

현재 군사정보국은 조사팀에 적어도 겉으로는 적극 협력하고 있었다. 문제는 그 깊이가 어디까지냐는 것이다.

"내가, 내 잘못을 바로잡을 수 있도록 해다오. 내 동포들을 바른 길로 이끌 수 있도록 도와다오."

알탄훼아나도 적극적이었다. 아마도 잠시나마 자신의 의무와 동포를 저버렸다는 죄책감이 그녀를 괴롭게 하고 있을 것이다.

"알겠습니다. 그 마음 감사합니다. 그러나 제가 지금 이 자리에서 바로 확답드리기가 힘들군요. 자세한 회의를 거친 후 긍정적인 대답을 들려드릴 수 있도록 노력하겠습니다. 오늘은 피곤하실 테니 이만 쉬시죠."

히토미는 알탄훼아나를 아나스타샤에게 맡기고는 방을 나섰다. 그리고 군사정보국의 국장에게로 직통 회선을 열었다. 저번 거래의 수확 중 하나다.

"고토 국장님, 이야기 가능한가요?"

- 아이구, 이거 의원님 아니십니까. 이야기 가능하지요. 말씀하십시오.

회선 너머로는 굽신굽신하는 고토의 목소리가 들려온다. 히토미는 자신이 알아낸 사실을, 그리고 알탄훼아나의 의중에 대해서 설명했다. 어느덧 굽신거리는 목소리가 날카롭게 일어서 있었다.

- 그렇습니까. 흐음, 아귀가 맞아떨어지는군요. 무엇보다 샤다이 호민관이었던 그녀의 말이니 신빙성은 높을 겁니다.

고토의 말을 들으며 히토미는 혀를 찼다. 그는 아귀가 맞아떨어진다고 했다. 그렇다면 군사정보국은 단편적이나마 이런 사실에 대해서 정보를 구했다는 의미다. 그리고 밖으로, 히토미에게도 비밀로 하고 있었다는 이야기기도 하다.

- 무슨 생각이신지 압니다만, 추측에 불과한 이야기를 함부로 퍼트려서야 되겠습니까? 명색이 군사정보국인데 말이죠.

다시 고토의 말이 느물느물해졌다. 이런 경우가 짜증 난다. 부러지지도, 꺾이지도 않으며 질척질척 들러붙는 타입이 상대하기 힘들다.

- 의원님과 조사팀이 샤다이과 접촉하고 협력하는 것에는 저희가 같이하는 것
  으로 해두겠습니다.

형식적이긴 하지만 이런 과정은 중요하다. 현재 히토미의 팀은 42전단 못
지않게 관심의 대상이다. 좋은 쪽으로든, 나쁜 쪽으로든.

- 참, 그리고 김 소령의 소식은 들으신 바 없습니까?

빈우가 탈주한 지는 시일이 조금 흘렀지만, 그의 흔적은 찾을 수 없었다.
그가 고의적으로 남긴 흔적 외에는.

"제 데이터베이스에 접근한 흔적 이후로는 아직 아무것도 없습니다."

- 그래요, 아쉽군요. 제가 힘들게 키웠던 인재인데, 키운 스승이자 전 상관인
  저를 만나러 와보지도 않아서 조금 섭섭했습니다. 그 초롱초롱했던 눈망울
  이 요즘 따라 그립거든요.

실실 웃는 고토의 말에 히토미는 방금 삼켰던 입속의 침이 납으로 변해 목
을 지나는 것 같았다.

- 그럼 언제든지 필요만 하시면 이 고토를 불러주십시오. 견마지로가 무엇인
  지 확실히 한번 보여드리겠습니다.

"……감사합니다."

통신을 끊고 히토미는 발걸음을 빨리했다. 방금 대화에서 고토가 굳이 빈
우가 찾아오지 않았다는 이야기를 꺼낸 이유가 뭘까. 그것도 도청이 불가능
한 기밀 회선에서 이렇게 에둘러 표현까지 하면서. 게다가 굳이 눈 이야기까
지 하면서.

'김 소령이 군사정보국과 접촉했다.'

그리고 고토가 이렇게 간접적으로 알린 이유 또한 알 수 있었다.

'이 사실은 아무에게도 알리지 말고 당신만 알고 있어라.'

왜 빈우의 접촉을 히토미에게만 알려야 했을까. 아마 현재 빈우의 상태와
관련이 있을 것이다. 아무에게도 알려져선 안 되는 상태. 극히 미묘하고 위험
한 상태.

'설마.'

자기가 한 추측의 결과에 히토미는 발걸음을 멈췄다. 온몸에 소름이 돋은 탓이다. 빈우는 현재 인류의 몸에 숨어든 샤다이를 판별하는 능력이 있다. 즉 고토는 그의 능력에 인간이라고 판별되어 죽지 않았다는 것이다. 또한 빈우는 인간임이 판명된 고토와도 협력을 거부하고 그저 자료만 **빼갔을** 가능성이 대단히 높다.

'철저하게 손을 잡지 않겠다는 의미로군.'

애초에 대원들을 공격하고, 가족이었던 아나스타샤까지 버려가며 길을 떠난 빈우다. 이제 그를 잡을 방법은 더 이상 없을지도 모른다는 생각에 히토미는 한층 더 불안해졌다.

* * * ✦ * * * *

아만다 타이는 자신의 집 정원에서 손님들과 함께 티타임을 가지는 중이
다. 다만 이 혈기왕성한 손님들이 자신들만의 볼일로 갑작스레 자리를 비우
는 바람에 그녀 혼자 차를 마시고 있다. 그녀가 다음에 일어날 사건을 기대하
며 찻잔을 들자 홍차 향이 코를 자극하고, 타이밍 좋게 시끄러운 고함이 귀를
자극한다.

"뉘 이새끼야— 으아악!"

위에서 아들 마커스의 비명 소리가 들려온다. 이어서 7층 다락방에서 유
리 깨지는 소리가 난다. 저걸 깨다니 역시 군인은 군인인 모양이다. 그리고
그 깨진 창문으로 아들인 마커스 타이가 튀어나왔다. 정확히는 튀어 '나왔다'
보다는 '던져졌다'겠지. 아들의 비명이 위에서 아래로 도플러 효과를 뽐내며
흐르고, 마지막으로 쿵, 으억 하는 둔탁한 소리들이 연이어 들린다.

"카하하! 내 승리로군. 풀옵션 쿠델카 모델 잘 먹겠습니다."

깨진 창문으로 모습을 드러낸 것은 아들의 친구인 김빈우다.

"마무리!"

의기양양한 외침과 함께 7층에서 뛰어내린 빈우는 아쉽게도 목표물인 마
커스를 놓치고 옆에 있는 가로등에 부딪혀 튕겨져나갔다.

"으, 으윽, 코리올리 효과를 깜빡했다."

"등신아. 거기서 뛰는데 무슨 코리올리냐."

이 몸만 큰 악동 둘은 곧 엉겨붙어 싸우기 시작했다. 악동이라 해도 명색이 군인. 둘이서 벌이는 초고속 드잡이질은 민간인인 아만다의 시각으론 도저히 따라잡을 수 없었다. 그녀가 스콘에 크림을 듬뿍 바를 때쯤, 바닥에 쓰러진 마커스의 목을 빈우가 밟고 섰다.

"이제 크산티페는 내 것인가? 중고도 나쁘지 않지. 너무 슬퍼 말거라. 이로써 너와 나의 관계가 더더욱 돈독해지는 거 아니겠냐."

전신이 상처투성이가 되어서 웃는 빈우의 모습이 흡사 사냥감을 놓고 싸우던 선사시대의 야만 전사 같았다.

"까고 자빠졌네. 걔 원래 아버지 비서였어. 내가 왜 손대냐고."

그러나 마커스는 질세라 그 상황에서도 반격을 했고, 그 반격은 제법 효과가 있었다.

"어? 으응? 음…… 네 아버지? 흠! 제이크 타이 의원과 그렇고 그런 관계가 되는 것도 나쁘지는 않은데. 어응. 이 새끼야, 그걸 왜 지금 말해."

계획이 틀어지자 빈우는 조금 당황한 듯 보였고, 거기에 쐐기를 박은 것은 아만다의 목소리였다.

"어머나, 그러면 나도 크산티페를 통해서 빈우 씨와 그렇고 그런 관계도에 들어가는 건가?"

"에엑!"

아만다의 말에 빈우는 눈에 띄게 당황했다. 허둥대며 채 말도 꺼내지 못하는 빈우의 모습에 아만다는 미소를 지으며 홀로그램을 껐다. 이제 그녀의 눈에 보이는 것은 시끌벅적하던 십여 년 전의 저택이 아니라 적적한 지금의 저택이었다. 로봇과 안드로이드들이 있었기에 저택의 모습은 그때와 다를 바가 없지만, 분위기만큼은 사람의 온기가 없어서 차갑기 그지없다.

"그렇게 시끄럽던 집도 이젠 조용하구나."

"다들 바쁘시니까요."

아만다의 혼잣말에 크산티페가 찻잔을 채워주었다.

"흥, 바쁘다고? 아들 키워놔야 말짱 헛거야. 그렇지 않니? 크산티페."

"마님도 차암. 마커스 님은 지금 차관 되신 지 얼마 되지 않으셔서 정말로 바쁘세요."

"그래, 그래. 그 나이에 국방부 차관이라니. 제 아버지보다 빠르다니까."

남편인 제이크 타이는 국방부 차관에서 이제는 상원의원이다. 또한 아들 마커스 타이는 군사정보국 차장에서 지금은 국방부 차관, 자랑스러울 만하다. 다만 아만다 자신은 연방 유수 군사업체의 이사였다가 서서히 현직에서 물러나는 참이다.

"그러시는 마님도 아직 한창이시지 않나요? 왜 벌써 물러나려 하세요."

크산티페가 마주 앉아서 같이 차를 마신다. 시중을 드는 것보다 같이 이야기를 나눠주길 바랐던 아만다의 바람이었다.

"나이가 아냐. 마음이 지쳤어. 나는 연방을 지키기 위해 안간힘을 썼건만, 그 결과가 고작 이거라니."

아만다는 오랜 시간 연방을 위해 일해왔다. 정말 오랜 시간이었다. 가정도, 자식도 많이 거쳐갔다. 그러나 이번에 가진 가족은 특별했다. 특히 아들이. 육체적으로도 정신적으로도 그렇게나 뛰어난 자질은 아만다의 생에서도 드물었다.

"그러고 보니 김 소령, 맞지? 김 소령과도 이야기해본 지 오래되었군."

마커스의 사관학교 동기였던 빈우는 아들에게 정말 흔치 않은 친구였다. 마커스의 실력에 따라오는 것은 물론이거니와 성격 또한 잘 맞았다. 정반대인 성격이라서 그런지 둘은 정말 찰떡같이 치고받았다. 방금 봤던 홀로그램처럼. 이건 원래 보안상 항상 찍는 것이긴 한데, 워낙에 웃겨서 따로 뽑아놓았다가 심심하면 트는 리스트 중의 하나였다.

"크산티페, 너 얼마 전에 김 소령과 만났다면서?"

저번에 마커스가 갑자기 군사정보국에서 묵혀두던 크산티페를 가져갔다고 했었다.

"죄송합니다. 제 기록에는 없습니다."

크산티페는 고개를 숙이며 사과했다. 그녀는 돌아올 때 당시의 기록이 완전히 삭제된 상태였다.

"뻔하지. 마커스 그놈 짓 아니겠어."

아만다는 쓴웃음과 함께 차를 마셨다. 별 특수한 능력이 없는 크산티페를 마커스가 왜 데려갔을까? 그저 어릴 적 자기의 보모였기 때문에?

'그럴 리가. 분명히 김 소령과 관계가 있어.'

마커스와 빈우가 친하게 된 계기 중 하나는 바로 서로의 보모였던 쿠델카 모델들이었다. 전혀 다른 환경에서 자랐지만 보모들 덕에 잠시나마 동질감을 가졌던 둘은 친해지기가 무섭게 곧 죽자고 싸우게 되었다. 이유를 들어보니 꽤 미묘했다. 크산티페가 비서에서 보모로 전환한 것이었다면, 아나스타샤는 처음부터 육아를 위해 만들어진 차이라고 했었다. 둘이 싸운 이유야 안 봐도 뻔하다. '우리 누나가 제일 잘나가'.

'하여간 남자들이란.'

그 두 사람에게 있어 쿠델카 모델 안드로이드는 나름 중요한 키였다. 과거의 기억에 쿡쿡 웃던 아만다는 당시의 다른 홀로그램을 틀어보려고 리스트를 훑었다. 그러다가 홀로그램 너머, 정원 저쪽에서 걸어오는 사람을 보고 놀라서 일어섰다.

"에그머니, 이게 누구냐."

"마님! 물러나세요."

반색하는 주인과 달리 크산티페는 서둘러 앞으로 나섰다. 이 안드로이드는 허락받지 않고, 거기다 이 저택의 모든 보안을 뚫고 들어온 손님을 경계하는 것이다. 손님이 누구라도 안드로이드는 명령받은 대로 행할 뿐이다.

"호들갑은, 크산티페. 얼른 자리 마련해."

아만다는 주인으로서 손님을 맞이했다.

"어서와요, 김 소령. 정말 오랜만이에요."

그녀는 식어버린 이 저택에 찾아온 빈우를 각별히 반겼다.

"그러고 보니 김 소령이 군사정보국의 중대 프로젝트를 한 이후론 처음이죠? 그동안 연락도 안 하시고. 이해해요. 바쁘셨겠죠."

빈우는 아만다가 권한 자리에 앉지 않았다. 그저 머뭇거리고 있었다. 그리고 천천히 손을 들었다.

"김 소령?"

의아해하는 아만다의 물음에 빈우는 멈췄던 손을 다시 움직여 선글라스를 벗었다. 그리고 감았던 눈을 서서히 떴다.

"아아."

눈꺼풀에 감춰져 있던 눈을 본 아만다는 저도 모르게 뒤로 물러섰다. 그리고 그 눈이 금색으로 빛날 때, 그녀는 모든 것을 이해할 수 있었다. 빈우가 있는 곳은 군사정보국, 외계인을 척살하는 곳이다. 그리고 지금 그의 눈에 있는 것은 호민관의 눈, 그것도 발 가르단 하스의 교육에 의해 계단을 직접 볼 수 있는 눈이 분명하다. 아만다는 과거 자신들을 이끌었던 자가 저런 눈을 하고 있었던 것을 기억해냈다. 그리고 지금 빈우는 그 눈을 통해 자신의 정체를 파악한 것이 확실하다. 넓은 저택의 정원에 채워진 것이라곤 침묵이었다. 아무도 말을 하지 않았고, 소리조차 나지 않았다. 아만다의 숨소리와 심장박동 소리가 유일한 소음이었다.

"왜."

거기서 들려온 빈우의 말은 작았지만 마치 사형선고와도 같았다.

"글쎄요. 왜라고 묻는다면…… 뭐라고 대답해야 할까요? 살기 위해서?"

아만다가 할 수 있는 것은 씁쓸한 미소뿐이다. 그리고 그녀에겐 지금 자신의 안위보다 아들과 아들의 친구가 겪을 일이 더 큰 일이었다.

"어째서."

조금 커진 목소리와 함께 다가오는 빈우. 크산티페 역시 한 걸음 나섰지만 아만다가 말렸다.

"괜찮아, 크산티페."

충실한 메이드를 물러나게 한 아만다는 아들의 친구를 슬프게 올려다보았다. 빈우는 친아들인 마커스와 정반대의 성격이었지만, 아만다는 그를 정말 자신의 아들처럼 대했었다. 그리고 빈우도 자신을 거의 친모처럼 여긴다는 것 또한 알고 있었다. 그래서 슬펐다. 앞으로 일어날 일이, 빈우와 마커스 둘 사이에 벌어질 일들이 걱정되었다.

"마커스는?"

최대한 냉정하게 연기한 빈우의 말. 덕분에 아만다는 이 일에 마커스는 관련이 없음을 알 수 있었다.

"그 아이는 인간이에요. 순수한 인간."

아만다는 단호하게 말했지만, 빈우에겐 조금이나마 못 미더워하는 기색이 있었다. 그래서 덧붙였다.

"보면 알 것 아닌가요."

"난 더 이상 마커스를 만날 일이 없습니다."

슬픈 대답이었다. 그가 단지 친구를 만나지 않겠다고 말한 것만은 아닐 것이다. 지금 그녀 눈앞에 서 있는 빈우는 무언가 큰 결심을 하고 움직이고 있는 것처럼 보였다. 그리고 그것을 위해 그가 버리려는 것은 얼마나 많을까. 친구와 친구의 어머니도 거기에 들어갈 것이다.

"그렇군요. 여긴 어쩐 일인가요?"

"……마커스가…… 마커스가 인사라도 하라고 했습니다. 그리고 겸사겸사 도움을 얻을……."

빈우는 채 말을 끝맺지 못하고 한숨과 함께 고개를 흔들었다.

"솔직히 말하죠. 전 의심도 안 했습니다. 난 그저, 그저 안심하고 싶어서 봤을 뿐입니다."

빈우의 말에 아만다는 이해한다는 듯이 고개를 끄덕였다. 그는 아만다가 샤다이는 아닐 거라 생각하고, 그리고 그게 아닌 것을 확인하기 위해 그 능력

465

을 썼을 것이다. 단지 아만다의 결백을 증명하기 위해. 그리고 자신의 불안감을 지우기 위해. 빈우가 처음에 머뭇거렸던 것이 이를 증명한다. 그러나 아쉽게도 결과는 그것이 아니었다. 그리고 그 결과를 안 빈우는 왜 이렇게 괴로워할까. 이유는 단 하나뿐이다.

"그 결심…… 무를 수는 없나요."

아만다의 물음에 빈우는 대답하지 않았다. 차라리 큰 소리로 아니라고 외쳤으면 좋았으리라. 분노하며 손찌검을 했으면 마음이라도 편했을 것이다. 그러나 말없이 시선을 피하는 것으로 대답을 대신하는 빈우를 보며 아만다는 가슴이 시렸다.

"그 눈은 어떻게 된 거죠?"

아만다는 빈우가 왜 그런 눈을 하고 있는지 걱정되었다. 저것은 인공적인 것이 아니다. 인류의 기술도 아니다. 샤다이의 간부계급이 자신의 능력을 각성시켜 쓰는 것이다. 인간의 육체로 쓸 수 있는 것이 아니기에 자칫 잘못하면 빈우의 몸이 위험할 수도 있다. 그러나 아만다의 순수한 걱정이었던 의도와 달리, 빈우에게서 돌아온 것은 의심의 눈초리였다.

'당연하겠지.'

"진정하세요, 김 소령. 변명 같겠지만 저는 연방을 위해서 살았어요. 동족과는 아무런 관계가 없어요. 제 사업체를 보면 알잖아요. 회사에서 만든 무기는 군에 납품되어……."

아만다의 말에 빈우는 아무런 반응이 없었다. 가증스럽다고 여겨도 좋다. 아만다는 할 수 있는 데까지는 설명을 해주리라 마음을 먹었다.

"김 소령, 어디까지 알고 있는지는 모르겠지만, 우리 계단을 돌아 내려온 자들 전부가 인류를 적대하고 있는 것은 아니에요. 저처럼 그저 인간 속에서 인간과 같이 살아가길 택한 부류도 있어요. 그들과 조율을 해서 힘을 합친다면 인류는 이 위기를 이겨낼 수 있습니다."

"……인간."

그 단어를 뱉은 빈우의 목소리는 정말 공허하게 들렸다.

"네, 아만다 씨. 당신은 인간이겠죠. 연방 어딜 가도, 누가 봐도, 무엇으로 검사해도 당신을 인간이라고 판명할 겁니다."

빈우의 눈이 아만다를 보고 있다. 샤다이의 눈이 인간을 보고 있다. 그리고 빈우가 일어나 서서히 걸어온다.

"그러면 저는 과연 인간일까요? 검사하면 아니라고 할 겁니다. 또 이런 눈을 하고, 이런 능력을 쓰는 제가 인간일까요?"

빈우의 손이 아만다의 목을 향했다. 그리고 목을 조르려는 듯 부여잡았다.

"욕망에 의해 만들어진 제가, 어머니를 죽게 내버려둔 제가, 그리고!"

떨리는 손, 그리고 흔들리는 눈이 그의 마음을 대변하고 있었다.

"지금 친구의 어머니에게 이런 짓을 하는 제가 인간일까요?"

바로 조이진 않았다. 무엇이 그의 손을 막고 있을까? 슬픔? 분노? 죄책감? 양심?

"무엇이 인간을 인간답게 만드는 걸까요!"

억눌린 빈우의 비명과 함께 그의 손이 아만다의 목을 졸라오기 시작했다.

아스탄은 조용히 중얼거렸다.

"난 새벽파도의 선장 따위가 아냐."

그는 일어나서 세면대에 섰다. 그리고 눈앞의 거울을 보았다. 건장한 육체에 지친 눈을 한 남자가 보인다.

"난 아스탄이 아니다."

자신을 부정하는 가장 큰 증거는 허리의 칼날이다. 그 정도의 나이가 될 때까지면 허리칼날은 이가 나가기도 하고, 금이 갔다가도 다시 붙는다. 아스탄의 것처럼 흠 하나 없이 말끔한 칼날은 있을 수 없다.

"그렇다면 나는 대체 누구지."

그가 가진 지식과 기억은 또렷하다. 이름은 아스탄, 인류의 세대우주선 새벽파도의 함장, 그 외의 신상정보도 명확하다. 그러나 그 명확함은 마치 타인의 것 같았다. 타인의 기록과 정보가 마치 자신의 것인 양 머릿속에 쑤셔박혀 있었다. 그리고 잊어버리려 해도 계속해서 되살아나오고 있다.

"여기 계셨군요."

그때 문을 열고 들어오는 이가 있었다. 아스탄이 돌아보자 거기엔 다리가 두 개밖에 없는 아담한 생명체가 걸어 들어오고 있었다.

"유에네스."

아스탄의 입에서 멸칭이 나온다. 그러자 불린 유에네스가 히죽 웃었다.

"유에네스라, 정말 잘 지은 이름입니다. 운명적인 작명 센스에요. 덕분에 대부분의 외계종족들이 우리를 그렇게 부르곤 하죠. 샤다이에게 배워서 말입니다."

작은 유에네스는 폴짝 뛰어 탁자 위로 올라왔다. 아스탄은 저런 류의 전사 계급 유에네스를 잘 안다. 작은 신체에도 불구하고 아군 전사 계급에 필적하는 전투 능력을 가지고 있다.

"새벽파도의 선장, 아스탄 씨라고 부르면 됩니까?"

그다지 유쾌하지 못한 부름에 아스탄은 불쾌해졌다.

"이거 실례했습니다. 제 소개가 늦었군요. 제 이름은 김빈우라고 합니다. 연방 군사정보국 소속 소령입니다."

김빈우라 자신을 소개한 자는 정중했다. 그러나 둘 사이에 감도는 불안한 기류는 그 뒤에 무언가 석연찮은 것이 숨겨져 있음을 암시하고 있었다.

"본의 아니게 엿보게 되었습니다만…… 본인을 아스탄이라고 알고 계시더군요."

그러면서 빈우는 이쪽은 생각도 않고 자기 혼자 멋대로 홀로그램을 상영할 준비를 했다. 그리고 아스탄을 올려다보았다.

"저는 지금부터 이곳의 감춰진 진실을 당신에게 밝힐 것입니다. 하지만 당신이 원하지 않는다면 굳이 밝히지 않겠습니다. 당신은 지금처럼 이대로 쭉 살아가시면 됩니다."

분명 선택권은 이쪽에 주고 있다. 그러나 누가 봐도 강요하는 분위기다. 세대우주선의 선장이라는 흐릿한 자아, 좁은 방에 억눌린 삶. 이런 것이 뒤죽박죽 섞인 상황에 진실을 밝힌다고 하면 누구라도 갈증에 못 이겨 진실의 소금물을 들이키겠지.

"……"

아스탄은 아무 말 없이 빈우를 내려다보고 있었다. 암묵적으로 동의했다는 뜻이다. 그러나 그것만으로 부족한지 빈우는 계속 기다리고 있었다. 아스탄의 확고한 동의가 있어야 이후의 과정을 진행하겠다는 의미다. 그리고 처음의 권고 이후 빈우는 어떠한 재촉도 권유도 없었다.

"무슨 진실이지?"

"지금 당신이 간절히 원하는 것."

답은 이미 알고 있는 상황에서 쓸모없는 질문이 나왔다. 그만큼 아스탄이 불안해하고 있다는 의미다.

"……진실을 밝혀다오."

아스탄의 말이 떨어지기가 무섭게 홀로그램이 틀어졌다. 시작은 태양계로 들어오는 세대우주선 새벽파도다. 이것은 아스탄도 아는 사실이지만 촬영한 것은 유에네스 측인 듯했다.

- 공격.

장난기 가득한 유에네스의 목소리와 함께 공격이 시작되었다. 함포 한 발이 발사되어 새벽파도에 명중한다. 잠시 후 다른 목소리가 들린다.

- 무슨 일인가! 상황을 보고하라.

아스탄 본인의 목소리였다. 새벽파도에 타고 있던 아스탄의 목소리다.

- 대피경보 발령! 축제는 취소. 배의 수리가 먼저다.

아스탄의 명령을 비웃듯이 유에네스의 공격도 이어졌다. 최초의 공격은 새벽파도의 내구력을 가늠하기 위해서였는지, 다음의 공격들은 조심스레 세대우주선을 무력화시키기 시작했다.

- 반격하라. 모든 함포 발사! 미사일 발사!

다급한 아스탄의 목소리에 새벽파도의 무기들이 유에네스의 전투함을 향해 발사되었다. 이 유에네스 전투함은 새벽파도에 비해 비교할 수 없을 만큼 작은 크기였지만, 전투력은 압도적이었다. 새벽파도의 필사적인 반격을 맞고도 아무런 피해가 없었으며, 봐준 것이 뻔한 놈들의 공격 몇 번에 새벽파도는 금방 무력화되었다.

이어서 소형정들이 새벽파도 곳곳으로 침투해 들어온다. 그리고 화면은 새벽파도 안으로 들어온 유에네스 전사 계급들에게로 바뀌었다. 선원과 해병대원들이 놈들의 침입을 막아보려 하지만 역부족이었다. 화면에 비친 동포들은 삽시간에 죽어가고, 유에네스들은 곧바로 목적지로 향했다.

- 즉시 지구와 모든 이주행성에 대한 항법 정보를 지워라! 선장 명령이다.

다급한 홀로그램 속 아스탄의 목소리. 자신이 저런 말을 한 적은 없지만 아스탄은 당시의 자기 심정을 느낄 수 있었다.

- 삭제를 기다리지 마. 아예 부숴버려!

그 말이 채 끝나기도 전에 유에네스 전사 계급들은 함교를 부수고 안으로 들어와 아스탄을 공격했다. 그리고 기절한 아스탄을 끌고 갔다.

그리고 화면은 전환되었다.

- 이렇게 만나게 되어 유감이군요. 저는 인류 연방 소속의 김빈우 소령이라고 합니다.

어두컴컴한 방 안에서 상처 입은 아스탄을 유에네스가 올려다보고 있다. 홀로그램 속에서 같은 이름을 댄 저 김빈우는 지금 아스탄의 눈앞에서 홀로그램을 틀고 있는 김빈우와 전혀 달라 보였다. 간단히 차를 대접한 다음 화면 속의 빈우는 홀로그램으로 아스탄을 꾀었다.

- 아아.

이 탄성은 홀로그램 속의 아스탄의 것이었을까, 아니면 지금 이것을 보고 있는 홀로그램 밖의 아스탄의 것이었을까. 유에네스에 의해 위은쏠납학이라 불리운 동포들이 무참하게 죽어나간다. 고향이 불탄다. 아이들이 죽는다. 그리고 고향이 멸망하기 직전 자신의 종족 위은쏠납학은 유에네스의 자비에, 아니, 변덕에 의해 구원받았다.

- 여기까지 하죠.

그다음부터 홀로그램 속의 빈우는 서서히 아스탄을 감언이설로 꾀기 시작했다. 궁지에 몰린 아스탄을 들었다 났다 하면서 원하는 정보를 속속들이 빼어갔다. 이쪽의 풍속과 문화를 철저히 알고 온 놈에게 아스탄은 종내엔 이

주 행성의 위치마저 털어놓고 말았다. 그리고 마지막엔 갑옷을 입은 유에네스 전사들이 들어와 홀로그램 속의 아스탄을 죽였다.

- 굳이 직접 심문을 하셔야 했습니까?

- 어흠, 타이 차장. 윗사람이 모범을 보여야 하지 않나.

이어서 들려오는 두 유에네스의 대화는 아스탄의 죽음 따위 안중에도 없어 보였다. 이 광경을 모두 지켜보고 넋이 나간 아스탄에게 빈우의 목소리가 들려온다.

"어떻습니까, 실로 재미있지 않습니까?"

화면 속의 고토라는 유에네스는 화면 속의 아스탄을 속였다. 그러면 눈앞의 빈우란 자는 자신을 어떻게 대하고 있을까. 그도 마지막엔 홀로그램처럼 아스탄을 죽일까.

"글쎄요, 저는 과연 김빈우일까요? 하하하, 그건 중요하지 않죠."

아스탄의 생각을 읽은 듯 빈우가 웃으며 말했다.

"하지만 아직 놀라기엔 이릅니다."

그리고 빈우는 다음 영상을 재생했다. 그것을 보고서야 비로소 아스탄은 진실을 보기로 한 자신의 결정을 뼈저리게 후회했다. 죽은 동포의 사체들, 부화실의 알과 유생들. 이것들은 전부 옮겨져 유에네스의 실험실로 들어갔다. 그리고 실험체가 되었다.

"아아아."

아스탄의 입에서 절로 힘없는 비명이 새어나왔다. 실험체들에게 행해진 실험은 차마 아스탄이 볼 수 없는 것들이었다. 잔인하고 참혹했으며, 유에네스란 종족의 격을 그대로 보여주고 있었다.

- 이 실험체의 이름은 아스탄으로 하지.

아까 자신을 빈우라고 밝혔던, 이노우에 고토가 싱글벙글 웃으며 말했다. 지금 그가 보고 있는 것은 거대한 캡슐 안에 든 위은쏠납학이었다. 저 모습은 아스탄에게 몹시 낯이 익다. 매일 거울로 보는 모습이었다.

- 그거 원본의 이름 아닙니까?

- 그래, 원본에 해당하는 기록을 집어넣고 스스로를 아스탄으로 알도록 암시를 걸게.

- 어디 쓰시게요.

- 만들어놓으면 쓸 데가 있겠지.

하나의 인격을 좌지우지하면서 놈들의 말은 가볍기 그지없었다. 마치 식후에 마신 차의 향을 품평하듯 생명을 주물렀다.

"이제 아시겠습니까?"

흘러가는 잔인한 홀로그램 영상 속에서 빈우가 걸어나왔다.

"당신은 아스탄이 아닙니다. 죽은 아스탄의 시체로 만들어진 복제체에 아스탄의 기록을 넣은 실험체지요."

아스탄이 분노하지 못한 것은 좌절감과 허망함이 더욱 거세게 짓누르고 있기 때문이다.

"압니다, 그 마음 알아요. 자신의 인생 모든 것이 만들어진 것이라는 것을 깨닫는 순간 찾아오는 충격과 절망감. 어찌 보면 위에서 누르는 것처럼 무겁고, 또 어떻게 느끼면 밑이 빠진 구멍처럼 끝없이 추락하죠."

설명하는 빈우의 옆으로 홀로그램들이 멈추지 않고 이어진다. 그 풍경은 마치 위은쏼납학에게 마련된 지옥과도 같았다. 그것을 보며 아스탄은 서서히 느꼈다. 공포감을, 혐오감을, 그리고 분노와 복수심을.

"후후후, 육신이 아무리 강대한들 뭘 할까요. 정신이 죽어버렸는데. 또 정신이 강해봤자 육신이 무력하면 아무짝에도 쓸모없는 노릇이지요."

빈우는 아스탄의 속내를 꿰뚫어본 듯 비웃으며 다가왔다.

"하지만 말입니다. 그런 상황에 처해서라도 움직이지 못하면 아무것도 못합니다. 아무것도 안 됩니다. 그저 놈들의 계책대로 흘러갈 뿐이죠."

"원하는 게 뭐야."

아스탄이 덜덜 떨리는 허리칼날을 억쥐며 물었다. 마음 같아선 칼날을 휘둘러 눈앞에 보이는 모든 것을 모조리 썰어버리고 싶었다.

"예의범절."

뜻밖의 대답에 아스탄의 떨림이 멎었다.

"뭐라고?"

"예의범절이란 말입니다. 상대방을 존중하고 서로 조심하면서 무례한 행동을 삼가는 것입니다. 그렇다면 왜 상대방을 존중해야 할까요, 또 무엇을 조심해야 할까요?"

키득거리며 말하는 그의 모습은 마치 홀로그램 속에서 보였던 빈우, 이노우에 고토와도 닮아 있었다.

"네에, 상대방이 무섭기 때문에 존중을 해야 합니다. 그래서 서로 폭력 사태로 번지지 않게 주의해야 하죠. 하지만 말입니다."

가까이 다가와 올려다보는 빈우는 차분해 보였지만, 그것만으로도 분노한 아스탄을 압도하고 있었다. 작은 몸에서 뿜어져 나오는 광기는 이 세상에서 살아가는 생명체의 것 같아 보이지 않았다. 마치 지옥에서 나온 악마가 길동무를 원하는 것처럼 보였다.

"거기엔 전제조건이 필요합니다. 상대방이 존중받을 가치가 있어야 하고, 폭력 사태로 번지는 것을 꺼릴 만큼 위협적이어야 합니다."

아스탄은 빈우가 무엇을 말하는지 알아냈다. 그래서 그의 일장 연설을 끊었다.

"공포."

"맞습니다, 공포. 예의범절의 가장 밑바탕에는 공포가 있지요. 우리 인류와 당신들 초원동맹연합—."

"서론이 길다. 헛소리 집어치우고 본론으로 들어가지."

아스탄이 으르렁거리며 다시 말을 끊자, 빈우는 어깨를 으쓱했다.

"네놈들 유에네스와 우리 위은쏠납학은 전쟁을 했다. 그 결과 우리는 멸종 직전에 몰려 이렇게 실험실에서만 살아가고 말이지. 그런 우리에게서 대체 뭘 원하느냐. 도대체 어떻게 공포를 불러일으키란 말이냐!"

아스탄은 빈우의 감언이설에 더 이상 휘둘리긴 싫었다. 놈의 계획에 이용당하긴 싫었다.

"솔직히 말하죠. 저는 총알받이가 필요합니다. 그것도 멍하니 방아쇠만 당기는 인형이 아니라 확고한 적의와 증오를 가지고 복수란 단어를 적의 두개골에 새겨줄 총알받이가 말입니다."

그리고 빈우는 다음 홀로그램을 켰다. 그러자 수많은 캡슐들과 수많은 동포들이 보였다. 캡슐 속에 잠든 동포들, 밖으로 꺼내져 해부된 동포들, 그리고 아스탄 자신처럼 살며 세뇌당하고 있는 동포들. 이게 위은쏼납학의 현실이었다. 간신히 잠재웠던 칼날이 다시 들고 일어난다.

"멀지 않습니다. 바로 옆방의 광경입니다. 어떻습니까, 아스탄 선장."

아스탄은 사육되고 있는 동포의 모습을 보며 절규했다. 그리고 이런 사육장을 만들어놓은 존재들에게 분노했다. 자신들을 멋대로 만들고 멋대로 조작하는 존재들에게 끝없는 증오심이 샘솟기 시작했다.

"클론인 주제에 분노하는 겁니까? 만들어진 생명이? 그리고 그게 주입된 사고방식인데도 불구하고? 아아, 이해해요. 이해하고 말고요."

아스탄은 진실을 보기로 한 자신의 결정을 후회했다. 이젠 더 이상 돌이킬 수 없었다. 이제 다음 단계로 넘어가는 것을 멈출 수 없었다. 이성적으로 생각하자면 놈의 말대로 동포들과 총알받이가 되는 것만큼은 막아야 했다. 그러나 그의 본능과 감정은 다음 단계로 넘어가는 것을 격렬하게 원하고 있었다. 아스탄은 유에네스의 피를 원하고 있었다. 자신들의 종족을 마음대로 주무른 유에네스에게 대가를 치르게 하고 싶었다.

"솔직히 말한다고 했죠? 앞으로 당신들이 뭘 하든 종족의 미래는 없습니다. 일어서든 앉아 있든 그저 사육된 실험동물에 불과하죠. 그렇다면 어쩌실 겁니까?"

이번에도 빈우는 달리 재촉하지 않았다. 그저 조용히 아스탄의 결정을 기다릴 뿐이었다. 그리고 아스탄은 결정을 내렸다.

"……네놈의 총알받이가 되겠다."

그러자 빈우가 해맑게 웃었다.

"감사합니다. 이로써 새로운 동지가 늘었군요. 가시죠."

빈우는 앞장서서 문을 열고 나갔다. 하지만 아스탄은 열린 문 앞의 광경이 무서웠다. 입으론 총알받이가 되겠다고 했건만, 정작 발걸음을 내딛으려고 하자 더럭 겁이 난 것이다. 그런 아스탄을 돌아보며 빈우가 덧붙였다.

"자, 우리 계획에 동참한 다른 동지들을 만나러 가볼까요?"

260

・・・◆・・・

빈우를 따라 바깥으로 나간 아스탄은 곧 다른 이들과 마주치게 되었다. 그러나 그들은 위은쏠납학도, 유에네스도 아니었다.

"케트쿤입니다. 이곳 원주민들이죠."

빈우가 케트쿤이라 말한 종족은 마치 곤충 종족처럼 보였다. 바닥과 벽을 기어 다니던 이들 중 더듬이가 긴 개체가 이쪽으로 다가왔다. 그리고 더듬이를 들어 이쪽을 향해 흔들었다.

"진정하세요. 이들의 대화 수단입니다."

저도 모르게 허리칼날을 들었던 아스탄을 빈우가 제지했다. 그리고 그 역시 가슴에서 막대기 같은 것을 두 개 꺼내 손에 들더니 앞으로 나온 케트쿤의 더듬이에 맞댔다.

"이들은 페로몬으로 대화를 합니다. 그래서 이런 통역기가 필요하죠."

그러고 보니 아까 빈우도 말을 할 때 어떤 기계를 통해서 한 것 같았다. 빈우의 막대기형 통역기를 통해 케트쿤의 페로몬이 들어오고, 그것이 다시 번역되어 들린다.

- 우리는 약속을 지켰다.

케트쿤의 말에 빈우는 작게 고개를 끄덕였다. 일은 순조롭게 진행되고 있다는 사실이 그에게 만족스러운 미소를 짓게 했다.

- 알았다, 가나. 아침 이슬의 향기가 그대를 감싸길.

빈우가 케트쿤 특유의 관용적 표현을 사용하자 상대 케트쿤인 가나는 놀란 듯 더듬이를 약간 뒤로 물렸다. 이런 향기에 관한 표현은 서로 간의 계급이나 위치, 시간 등에 따라 천차만별로 변하기 때문에 다른 종족들은 이해하기 힘들다. 그러나 이 물렁한 껍질은 그것을 정확히 파악하고 쓰고 있었다. 그만큼 케트쿤이란 종족에 대해 잘 알고 있다는 의미다. 즉 친구일 때는 더없이 든든하지만, 적이 되면 극도로 위험한 인물이다.

- 이것이 약속했던 보답이다.

빈우가 작은 알약을 꺼내어 가나에게 건네주었다. 가나는 그것을 앞발의 미세촉수로 잡아서 보관 주머니에 조심스레 넣었다.

- 이런 것이 정말 효과가 있는가?

가나의 페로몬엔 미약한 흐트러짐이 있었다. 이런 알약 형태의 약물은 케트쿤 문화에는 없는 것이기 때문이다.

- 물론이다. 그저 여왕의 입에만 넣으면 돼. 그러면 저절로 소화기관으로 들어간 다음 신체에 작용한다. 그것으로 무리의 여왕은 다시 정상적으로 알을 낳을 수 있다.

빈우가 발한 페로몬에 케트쿤이 흥분해서 턱을 달각거렸다. 케트쿤은 오직 여왕을 통해서만 번식한다. 그러나 과거에 일어났던 사고의 여파로 여왕은 알을 제대로 낳지 못했다. 그것 때문에 새로운 여왕을 옹립해야 한다는 개혁 파벌과 기존의 여왕을 모시며 치료해야 한다는 기존 파벌이 내전을 벌인 적이 있었다.

여왕이 알을 낳지 못하게 된 사건의 발단은 개혁파가 연방의 구형 함선을 들고 와 운용하면서부터였다. 그러나 운용상의 실수로 함선은 대파해서 케트쿤의 지표를 휩쓸었고, 그때 여왕도 심한 부상을 입어 알을 낳기 힘들 지경까지 달했었다. 과거 개혁파를 도와주며 지지했던 연방은 이번 내전에선 기존 세력의 손을 들어주었고, 그렇게 둘 간의 파워 밸런스를 적절히 조절해 협력을 힘들게 하고 길게 이어져온 내분을 더욱 연장해나갔다.

- 병 주고 약 주고냐? 되지도 않는 자비를 베풀기는.

서둘러 달려가는 가나를 지나쳐 무뚝뚝한 기계 음성과 함께 투명한 캡슐이 걸어오자, 아스탄이 움찔하며 뒤로 물러섰다. 방 바깥으로 나온 그에겐 신기한 것 천지였다. 이 물체는 얼핏 보면 위은쏠납학이나 클론 병사가 들어 있는 캡슐 같아 보이지만 보행을 위한 다리가 있고, 그 안에는 처음 보는 종족이 들어 있었다.

"그는 라출노그 인 아앤아입니다. 물속에 사는 종족이죠."

빈우는 소개를 했지만 서로 간의 통성명은 없었다. 아스탄에게는 그럴 경황이 없었고, 아앤아에겐 그럴 마음이 없었다.

- 저자에게 사실을 말했는가?

라출노그 어항의 통역기를 통해서 나오는 말이지만, 그 기계 음색만으로도 아앤아의 심기가 불편함을 알 수 있었다.

"아니, 방금 내가 밝힌 진실만으로도 벅차 보이는데. 차차 말하지."

빈우의 대수롭지 않은 반응에 라출노그 인이 인간을 지긋이 노려보았다.

- 동지가 아닌가, 제대로 밝혀야지.

"물론 밝혔어. 총알받이를 해달라고 했지."

- 그것 말고.

아앤아가 밝히라고 한 것은 방금 설명한 사건의 자세한 내막이었다. 여기까지 하자 빈우는 어쩔 수 없다는 듯이 어깨를 으쓱하며 아스탄에게 설명을 보탰다.

"뭐, 이것도 연방의 더러운 술수 중의 하나입니다. 제가 지금 저들에게 전해준 것은 이들의 여왕을 치료하는 약입니다…… 만."

거기까지 말한 빈우는 빙긋 웃었지만, 아스탄에게 있어서 인류의 웃는 모습은 본능적인 혐오감과 불신을 불러일으킬 뿐이다. 그리고 이어진 설명이 이를 뒷받침해주었다.

"저들의 여왕이 부상을 입은 것은 제 계획이었죠. 제가 저들의 궤도 상에서 배를 파괴시켰고, 그것이 도시에 추락해 여왕에게 중상을 입혔습니다. 그리고 복구하는 척하면서 대기 정화 장치에 생식기에 자생하는 곰팡이 균을 집어넣었고 말입니다. 원래는 생식기를 보호하는 이로운 곰팡이들이지만, 주입한 것은 살짝 손을 좀 본 연방의 특제품이죠. 그렇게 해서 여왕의 몸은 다 나았지만, 결과는 원인 모를 출산율의 대감소로 이어졌고 말입니다."

즉 궤도 상의 사고에 이어 여왕의 출산 장애에 이르기까지 모두 연방의 술책이었다는 의미다.

"그러면 저것이 치료제인가. 네놈이 준 병의?"

"네, 덕분에 케트쿤이란 든든한 아군을 얻게 되었습니다."

- 총알받이를 위한 무기를 만드는 노예겠지.

퉁명스러운 아앤아의 목소리가 들려온다. 하지만 빈우는 익숙한 듯 딱히 신경 쓰지 않았다.

"아앤아, 함선 건조는 어떻게 되어가고 있지?"

빈우의 질문에 아앤아는 아가미를 씰룩였다. 그러고는 홀로그램을 띄웠다. 거기엔 아귀 급을 넘어선 라츌노그제 함선들이 만들어지고 있었는데, 그 주변으론 수많은 케트쿤 인들이 빼곡히 모여 있었다.

- 케트쿤의 생산량은 정말 대단해.

아앤아의 감탄에 빈우는 고개를 끄덕였다. 현재 연방이 알고 있는 종족 중에서 케트쿤의 생산량을 앞지르는 종족은 없다. 케트쿤은 종족 하나하나가 생체 부품들이다. 개미들이 무리를 모여 집을 짓는 것처럼, 케트쿤들은 서로 모여 공장의 라인을 만든다. 각자의 더듬이가 연결되어 페로몬 통로가 활성화되면 이들의 뇌는 하나가 되어 연결된 수많은 팔과 다리, 턱을 일사불란하게 움직이게 된다. 그렇게 완성된 라인은 생산품에 따라 유기적으로 변화하며 물건을 제작하는데, 그 속도와 양은 연방의 물질 생성기는 물론이고 전문화된 자동화 공장으로도 따라잡을 수 없다.

"그리고 함선 운용력은 너희들 라츌노그가 최고지."

그 말에 아앤아는 아가미를 꽉 하고 닫아 강한 긍정을 표시했다. 같은 기술력의 함선이라면 라출노그는 연방에게 지지 않는다.

"그리고 지상전에선 당신들 위은쓸납학도 대단하지요. 저희가 제공한 무기를 사용한다면 연방과의 지상 전투에서 대등한 싸움이 가능할 겁니다."

그러면서 빈우는 배양 캡슐에 든 위은쓸납학들을 가리켰다. 그 모습에 아스탄은 쓸쓸함을 느꼈다. 저들은, 아스탄의 동포들은 잠에서 깨어나는 순간 죽음을 향해 돌진할 것이다. 선조와 부모가 받아야 할 채무 관계를 해결하기 위해 피를 빨아들일 것이다. 그리고 그 와중에 이쪽 또한 그만큼의 피를 흘릴 것은 자명하다.

- 스퀵테르는 포섭하지 못했나?

아스탄이 상념에 빠져 있을 동안 빈우와 아앤아는 이미 저만큼 걸어가고 있었다.

"안됐지만 이제 스퀵테르는 완전한 친 연방파다."

암석으로 이뤄진 종족 스퀵테르에 대한 것은 아앤아도 익히 알고 있었다. 그들은 자체적인 기술력과 전투기술만으로도 지상전에서만큼은 연방에게 꽤 위협적인 존재다. 아앤아가 연방 사관학교에 유학하며 배운 사실이다.

"하지만 그들과 당신이 싸울 일은 없으니 걱정할 필요는 없습니다. 아스탄 선장. 당신이 싸울 것은 오직……?"

빈우가 빙글 돌아보며 말했지만 아스탄은 가만히 서서 주위를 천천히 둘러보고 있었다.

"케트쿤, 라출노그, 스퀵테르."

아스탄은 처음 듣고 보는 종족들의 이름을 중얼거렸다. 자신의 유전자 제공자가 그토록 만나고 싶어 했던 머나먼 이웃들이다.

"하나 묻지."

"말씀하시죠."

축 늘어진 허리칼날이 지금 아스탄의 심정을 여실히 보여주고 있었다.

"너네들 종족은 이들과 이웃이 아닌가?"

"이웃이지요. 모두 연방의 동맹들입니다."

"그렇다면 왜 친하게 지내지 않지? 너희들이 하는 말을 들어보면 전쟁을 준비하는 것 같아. 대화로 풀 수 없는 문제인 건가?"

아스탄은 슬프고 또한 억울했다. 이 넓고 넓은 우주에서 어렵사리 만난 이들끼리 왜 굳이 싸워야 한다는 말인가. 비록 각인된 기록이긴 하지만 자신과 선조들은 우주 먼 곳까지 이주를 떠났고, 그 와중에 새로운 이웃을 만날 것이란 기대도 했었다. 하지만 결국 선조들은 이웃을 만나지 못한 채 최후를 맞이했고, 오늘 만나게 된 그 이웃들은 서로 싸움을 준비하고 있었다.

"우주는 그리 친절한 곳이 아닙니다. 그래서 서로를 위한 적절한 예의범절이 필요하다고 말씀드렸죠? 제가 속한 인류 연방은 만나는 종족마다 세 번의 기회를 줍니다. 평화적인 기회. 하지만 아쉽게도 이게 제대로 통하는 경우는 드물었습니다. 목타하란 이웃이 그렇게 사라졌죠. 그리고 당신들 위은쏠납 학의 고향도 마찬가지 꼴이 되었고요. 당신은 지금 연방과 대화를 하고 싶습니까?"

빈우가 아스탄에게 자세한 설명을 하고 있을 때, 갑자기 아앤아가 불쑥 끼어들었다.

- 흥, 예의범절? 전쟁을 위한 예의범절이겠지.

아앤아는 내막을 아는 듯 빈우의 설명에 딴죽을 걸고 있었다.

- 아스탄이라고 했나? 저놈 말에 속지 마시게. 연방이 세 번이나 화평을 권하는 것은 자신들의 하원을 납득시키기 위한 수작이야. 앞으로 싸울 종족은 평화를 세 번이나 거절한 존재라고 못 박기 위함이지. 그 때문에 다음으로 이어지는 전쟁은 연방 시민들의 복수심으로 인해 결코 멈추지 않아. 평화를 거절하고 전쟁을 원한 자들에게 응징을 한다는 알량한 복수심과 선민의식이 하원의 두뇌 통신을 떠돌지.

라출노그 인의 성난 부연 설명에 인간은 달리 부정하지 않으며 고개를 끄덕였다.

"그래, 먹히지도 않을 화평으로 도발을 하고 판을 뒤집어. 그러고선 평화를 위한 전쟁이라고 자신을 속이지. 아, 물론 그때도 대화는 멈추지 않아. 다만 번역기로는 총과 칼이 필요하지. 상대방 시체에 평화란 글자를 새기기 위해서 말이야."

아스탄은 납득할 수밖에 없었다. 자신만 해도 증오와 분노로 복수를 다짐했다. 다른 종족이라고 다를 바 없는 것이다.

"일단은 쉬시죠. 그리고 다시 이야기합시다. 저쪽 케트쿤 인을 따라가면 됩니다."

걸어가는 아스탄의 발걸음은 진실의 대가 때문에 무거웠다. 꿈과 희망이 가득 찬 곳이라 제멋대로 상상하고 여행을 떠났던 우주는 그리 친절하지 않았다. 만나면 친해질 수 있으리라 꿈꿨던 것은 오만한 망상이었다.

아스탄이 사라지자 아앤아는 빈우에게 다시금 말을 걸었다.

- 이 작전은 인류 연방을 위한 작전이 확실하겠지?

분노와 짜증에 찬 방금과는 달리 지금은 절박함이 엿보이고 있었다.

"물론. 이것으로 라출노그는 연방의 위기를 해결하고 확실한 아군이 될 것이다. 아니지, 아군이 뭐야. 연방에 확실한 빚을, 잘만 하면 목줄까지 채울 수 있을지도 몰라."

빈우는 자신만만하게 고개를 끄덕였지만 아앤아는 탐탁지 않았다. 지금까지 진행된 사실만 보아도 영 수상쩍은 것이다. 케트쿤에겐 연방의 공작을 풀고 라출노그 전함을 만들게 한다. 실험체였던 위은쓸납학들에겐 진실을 밝히고 복수를 종용한다. 라출노그에겐 연방과의 관계를 더욱 돈독하게 한다. 말은 쉬워도 실행하기는 불가능에 가깝다.

'아군이라.'

아앤아는 연금 중인 자신에게 찾아온 빈우를 보고 놀랐었다. 잠시 보지 못하면 사람이 변한다지만 빈우는 변해도 너무나 변해 있었다. 그리고 하는 말은 더욱 충격적이었다.

'화성을 친다.'

연방의 수도인 화성은 인류 연방의 중심이며, 당연히 엄중한 보안과 철통 같은 방어가 되어 있다. 그런데 그것을 누구보다 잘 아는 빈우가 그런 말을 꺼낸 것이다. 그리고는 동료들을 모으면서도 제대로 된 설명조차 하지 않았다. 그저 눈앞의 이득을 당근 삼아 다른 종족을 꾀어냈고, 총알받이로 쓸 속셈이었다.

'속셈이라고 하기엔 다 밝혔지.'

아앤아의 아가미에서 기포가 뿌글 하고 올라온다. 빈우는 자신의 계획에 다른 종족을 총알받이로 쓰겠다고 분명히 말했다. 그럼에도 불구하고 그것을 받아들이게끔 상대방에게 거절할 수 없는 제안을 해왔다.

'종복의 부흥과 생존. 그리고 연방에 대한 복수.'

실로 거절할 수 없는 제안이었다. 그러나 빈우는 연방의 수도인 화성을 친다고 해서 어떻게 라출노그가 연방과 긴밀한 관계가 되는지는 정확하게 설명해주지 않았다. 때문에 아앤아는 빈우가 흘린 정보를 바탕으로 현재의 상황을 대략적으로 짐작할 수밖에 없었다.

'현재 연방 내부에는 보이지 않는 파벌싸움이 심각하게 진행되고 있다. 그리고 거기에 빈우가 지휘하는 무리가 끼어들어 판을 뒤집어놓을 계획이겠지. 그가 생각하기에 바른 방향으로.'

아앤아로서는 빈우의 계획을 받아들일 수밖에 없었다. 만약 아앤아가 여기서 가만히 있다면, 라출노그의 미래 또한 케트쿤이나 위은쓸납학처럼 되지 않으리란 보장이 없었다.

'움직이면 나는 죽는다. 그러나 움직이지 않으면 종족이 죽는다.'

그렇다면 타야 할 물길은 명확하다. 뭍으로 끌려나가 말라죽는 이는 아앤아 자신이면 족했다.

• • • ✦ • • •

261

체메트디오프는 초조했다. 최근 들어 자신의 계획이 너무 자주 틀어진 탓이다. 물론 이런 경우를 대비해서 여러 가지 대응책을 미리 만들어놓은 덕에 진행에는 큰 차질이 없었다. 하지만 틀어짐이 이렇게나 자주 발생한다는 것은 좋은 일이 아니다.

"42전단이라고 했던가?"

체메트디오프는 계획이 틀어지게 된 원흉이자 가장 골칫거리인 존재에 대해 혼잣말을 했을 뿐이다. 하지만 충실한 부하는 즉시 대답했다.

"네, 유에네스의 정예 부대입니다. 주시자들로부터 무기를 받아 아군에게 꽤나 위협적인 존재입니다. 계단을 닫아도 자체적으로 이동이 가능하더군요. 여기서 구조신호를 보낸 것 같으니 조금 있으면 올지도 모릅니다."

그 말대로 42전단은 현재 자신들 샤다이들에게 상당한 위험 요소가 되었다. 그들의 무기인 신형 입자포는 아군의 방어막을 그대로 관통하기 때문에 지금까지 일방적으로 밀어붙여왔던 기술력의 우세가 상당히 빛바래버렸다.

"그러면 그 위험이 오기 전에 빨리 떠나야지."

집정관의 말에 전투함에서 포격이 쏟아져내려 유에네스의 행성 지표를 태우고 녹이기 시작했다. 얼마 전까지만 해도 악착같이 분전했던 연방의 방어 함대는 지금은 산산조각이 나버렸고, 최후까지 저항하던 지상의 방어 부대는 하늘에서 쏟아져내린 플라스마의 불길에 속절없이 유린당하고 있었다.

"저기군."

체메트디오프가 가리킨 곳은 플라스마가 휘몰아치지 못하는 곳이었다. 연방의 방어 기술은 아니다. 저런 반응을 보이는 것은 단 하나, 샤다이의 타고난 플라스마 운용 능력이다.

"지상 부대 강하시킬까요?"

"말해 뭐 하나."

곧이어 일단의 지상 부대가 해당 지점으로 내려갔다. 무엇이든 불태우고 녹이는 플라스마지만, 샤다이들에겐 통하지 않는다. 즉 지상에서 플라스마를 막고 있던 샤다이는 다른 유에네스들을 지키기 위해 능력을 썼다는 의미다. 계단을 내려온 자들은 모두 죽여야 한다. 거기다가 유에네스와 붙어먹은 변절자들이라면 더더욱.

지상 부대가 내려가고 얼마 지나지 않아 플라스마가 휩쓸지 못한 점들은 사라졌다. 이제 지상의 유에네스들은 녹아내리는 땅에서 고통스럽게 죽어갈 것이다.

"변절자라…… 그러고 보니 우리에게 이빨을 드러낸 그 변절자의 이름이 뭐였지? 유에네스식 이름 말이야."

"그런 변절자가 어디 한둘입니까."

"유에네스가 제국 시절일 때부터 내려왔었고, 지금은 아주 큰 무기상인이 된 자 말이야."

"그녀라면…… 아만다 타이라고 했습니다."

부하의 설명에 체메트디오프는 만족한 표정으로 고개를 끄덕였다.

"앞이 가문명이었지?"

"뒤입니다."

"복잡하군. 난 그런 거 하나하나 못 외우겠어."

"그러니까 저희가 보좌를 하는 것이죠."

실제로 체메트디오프가 계획을 세우면 세부적인 진행은 주변의 부하들이

한다.

"좋았어. 다음엔 아만다 타이다. 잡으러 가자."

체메트디오프는 호기롭게 다음 계획을 밝혔지만, 부하는 고개를 좌우로 저을 뿐이다.

"왜 그래?"

"죄송합니다만, 그녀는 이미 죽었습니다."

"뭐어? 왜에? 아니, 누가 죽였어?"

부하는 서둘러 책을 넘기더니 해당 정보를 찾아 그 페이지를 들어 보였다.

"협조자들의 정보에 의하면, 이 자라는군요."

"아하아."

샤다이의 푸른색이 아닌 노란색 피부, 머리에 붙을 듯 짧은 귀, 그리고 탁한 검은색 눈. 범인의 얼굴을 본 체메트디오프는 한탄하며 이마를 탁 쳤다.

"김빈우. 역시나. 앞이 가문명이었지. 응응."

김빈우라면 체메트디오프와 이래저래 엮인 악연이다.

바로 저번에 만났을 때는 행성 자체를 별 심장의 불길로 만드는 실험을 하는 중이었는데, 갑자기 툭 튀어나와 훼방을 놓았었다. 그래서 조금 손을 봐주려고 했더니 갑자기 자기 몸 안에 계단을 완성시켜서 기겁했었다. 아니, 완성해서 동포를 받아들이는 것은 놀랍지 않다. 아주 당연한 일이고, 그의 정신은 그만큼 위험천만한 줄타기를 하고 있었으니까. 그러나 그런 와중에 자신의 자아를 지켰다는 게 놀라웠다. 자신의 정보를 적신 고대의 존재를 스스로의 힘으로 이겨냈다는 의미니까. 이건 좀 위험하다.

'그래서 죽었지.'

그날 체메트디오프는 플라스마에 면역이 된 빈우에게 잡혀 죽었었다. 그때 동료의 위기를 보고 격분해서 그런 선택을 한 것 같은데, 아무리 봐도 단순히 동료를 위해서만은 아닌 것 같았다. 적어도 육친이나 자신의 반려에게나 그런 반응을 보일 것이다.

'왜 그렇게 분노했을까? 혹시 가족이 있었나? 설마 알탄훼아나?'

자신의 딸에 대해 생각이 닿자, 그보다 더 예전에 만났을 때가 생각났다. 그때의 빈우는 딸인 알탄훼아나와 잠시나마 협력하고 있었다. 그리고 체메트디오프는 쓸데없이 미적대다가 주시자들에게 잡히고야 말았다.

'그래서 또 죽었고.'

어찌 된 게 체메트디오프는 빈우와 엮이면 좋은 꼴을 못 보는 듯했다. 애초 포말하우트에서 이 빌어먹을 황제의 자식과 만났을 때부터가 문제였다.

'그러고 보니 처음 만났을 때부터 죽었구먼.'

그날은 나름 정말 꼼꼼히 준비해서 쳐들어갔다. 계단을 내려온 자들이 방주를 만들었다는 소식에 호시탐탐 기다리다가 냅다 뺏으려고 들어갔더니만, 갑자기 쳐들어온 주시자들에게 계획은 박살 나고 본인마저 잡혀 죽었었다. 죽는 것은 상관없다.

문제가 되는 것은 그날 자신이 주시자의 손에 죽으면서 그때까지 작성한 대본과 악보의 상당수를 빼앗겼다는 점이다. 다른 곳이라면 모를까 계단 내부에서 죽었기 때문에 정보의 유출은 어쩔 수 없었다 해도, 중간의 정보가 송두리째 사라져버린 것은 상당히 뼈아픈 손해였다.

'아무리 생각해봐도 주시자들이 오기 전에 분명히 무슨 일이 있었어.'

당시 기억하는 것은 빈우와 그의 보모에 해당하는 기계 노예다. 그러나 그 중 자세한 내용은 희미하고 뿌옇다. 이유는 체메트디오프가 죽을 때마다 대본에 손실이 생기기 때문인데, 큰 줄기는 그렇다 쳐도 세부적인 곳에는 이렇게 차이가 생길 수밖에 없다. 포말하우트 안에서 빈우를 만난 다음에도 체메트디오프는 몇 번이나 죽었다…….

집정관의 기억 정리 정돈을 방해한 것은 충실한 부하의 보고였다.

"역시 42전단이군요. 저렇게 계단을 잘만 쓰다니 우리로선 고맙습니다."

계단이 완성되며 유에네스의 정예 함대들이 도착했다.

"적당히 대응하다가 빠지지. 주도권은 우리에게 있으니까."

체메트디오프의 말에 휘하의 함대가 정렬하며 대응했다. 아무리 저쪽에 신무기가 있다고 한들 아직도 화력만큼은 이쪽의 압도적인 우세다. 저쪽도 그것을 아는지 적극적으로 나서지 않고 서서히 견제하며 들어오고 있었다.

"밀리겠군."

"아직까지는요."

집정관의 솔직한 감상에 부하도 솔직하게 대답했다. 휘하의 전투 병력들에게 유에네스 쪽 협력자로부터 구한 전투 기술을 입력한 것은 나름 효과가 좋았다. 그러나 그것이 개인의 전투 기술에서는 제법 효과가 있었지만, 함대전이나 규모가 큰 전장에서는 아직 유에네스만큼의 전투력이 나오지 않고 있었다. 하지만 그것도 시간문제다. 익숙해지면 된다. 그러면 유에네스의 이빨도 많이 무뎌질 것이다.

"정말 잘 싸운단 말이야."

"당신 부하들이 정말 잘 죽고 있는데요."

상관의 감탄에 부하가 핀잔을 준다.

"응?"

그때 체메트디오프는 뭔가 불길한 감각을 느꼈다. 집정관의 감각이 무언가를 감지한 것이다.

"누구지! 어디야?"

체메트디오프는 서둘러 주변을 살폈다. 그러나 다른 어느 곳에도 유에네스의 점프 기운은 없었다. 대신 동포의 이동이 보였다.

"저것은!"

부하의 놀란 목소리에 체메트디오프가 그쪽을 보았다. 샤다이 함대 뒤쪽에서 갑자기 유에네스 소형 전투함 1척이 나타난 것이다. 놈들이 구축함이라고 부르는 배다.

"아니, 유에네스가 어떻게 우리들의……."

"그건 나중에 따지지. 일단 격침시켜."

체메트디오프는 저 배를 알고 있다. 바로 그 '김빈우'의 전투함이다. 저 배는 물론이고 타고 있는 부하들의 실력 또한 상상을 초월한다. 자칫 빈틈을 보이면 이쪽도 치명상을 입게 된다.

"너무 가깝습니다. 놈들의 공격이 이곳 기함만 노리고 있습니다!"

빈우의 배는 다른 전투함은 도외시하고 오직 이쪽, 체메트디오프가 탄 기함만을 노리고 고속으로 날아오고 있었다. 지금 샤다이의 함대는 42전단을 상대하느라 갑자기 뒤에서 툭 튀어나온 구축함에 제대로 대응하지 못했고, 기함의 빈약한 후방 포탑들의 포격 또한 맞지 않았다. 반면 놈의 함수에 달린 포가 발사되어 명중한다.

"신무기로군!"

체메트디오프가 혀를 찼다. 분명 지난번까지만 해도 빈우의 배는 자기가 속포를 쓰고 있었다. 그런데 지금은 입자가속포를 쓰고 있는 것이다. 덕분에 기함 뒷부분은 시원하게 뚫려버렸다. 이어서 어뢰와 미사일들이 같은 부위에 명중해 피해를 넓히고, 입자가속포도 계속 명중한다.

"저런 미친!"

그다음 유에네스 구축함이 보인 행동에 부하가 기겁했다. 자기가 쏴서 부순 기함의 손상 부위로 구축함이 그대로 밀고 들어온 것이다. 상대적으로 작은 유에네스의 구축함은 거대한 체메트디오프의 기함 안으로 쏙 들어왔다.

"목표는 나군."

샤다이의 집정관은 순식간에 놈의 목적을 파악했다. 단기로 후방으로 돌아 기함을 기습했다면, 그리고 그 안쪽으로 깊숙이 들어왔다면 적장의 목 외에 달리 무엇을 노리겠는가.

"맞서 싸울 부대를 보내겠습니다."

부하는 명령과 동시에 장갑기사들을 내보냈다. 그 모습을 지켜보며 체메트디오프는 곰곰이 생각했다.

'빈우의 장갑기사는 넷에서 다섯. 분명히 강하다. 때문에 그 능력을 발휘

할 틈도 없이 성능 차로 짓눌러야 한다.'

유에네스의 보병들은 강하지만 아직 입자포는 없다. 다만 빈우만이 그 실험형으로 보이는 것을 하나 쓸 뿐이다. 화력도, 방어력도 이쪽이 압도적이라면 저쪽이 실력을 보이기 전에 전투를 마무리짓는 것이 최선이다.

"엇, 각하!"

부하의 놀란 소리에 체메트디오프가 고개를 들자, 책의 한 페이지가 그의 앞에 들려져 있었다.

"집정관 각하! 이것을 보십시오."

체메트디오프의 눈앞에 보인 것은 아군 장갑기사들이 쏜 별 심장의 불길들이 적에게 닿지 못한 채 사라지는 광경이었다. 더구나 놈들에겐 보병용 입자가속포가 있었다. 그것이 발사될 때마다 아군 기사들이 갈기갈기 조각나 사라지고 있다.

"어떻게 적들에게 이런 것이……."

부하의 목소리가 떨릴 만도 하다. 유에네스의 공격은 무시하고 일방적으로 공격을 가했던 지금까지의 전투, 그것이 책 속에선 정반대의 상황으로 나타나고 있었던 것이다.

"호오—!"

체메트디오프는 즉시 책을 뺏어 들고 해당 페이지를 꼼꼼히 살폈다. 그리고 감탄했다. 이유를 알았기 때문이다.

"내 딸아. 드디어 일어났구나."

유에네스의 장갑기사들 사이엔 그의 딸 알탄훼아나가 있었다. 그렇다면 별 심장의 불길이 통하지 않을 수밖에. 반면 저쪽의 입자포 두 문은 아군 기사들을 꿰뚫고 있다. 아마도 전투기나 전투함에서 떼어낸 물건인 듯한데, 대형 장갑기사에 장착되어 발사된다.

"길을 아주 잘 아는군."

저쪽에 알탄훼아나가 있다면 이 전투함의 내부도 속속들이 알고 있을 것이다. 그래서인지 유에네스들은 마치 제 집 안을 거닐듯 길을 찾아 이쪽으로 오고 있었다. 막기 위한 증원부대가 나갔지만, 시간을 늦추는 것도 제대로 하지 못했다.

"각하, 이럴 때가 아닙니다."

믿음직스러운 부하의 말에 체메트디오프도 동의했다.

"그래, 이럴 때가 아니지."

체메트디오프는 지휘실을 나서서 서둘러 움직였다. 공중으로 뜬 그의 몸이 고속으로 이동했다. 뒤이어 따라나온 부하가 놀라서 비명을 질렀다.

"각하! 지금 어디로 가시는 겁니까!"

"딸에게로!"

그 말과 함께 체메트디오프는 자신을 향해 달려오는 알탄훼아나를 마중 나갔다. 저번에 봤을 때는 완전히 망가졌었는데, 이렇게 다시 일어나다니 부모로서 대견한 것이다. 부녀간의 상봉이 이뤄질 때까진 그리 오랜 시간이 걸리지 않았다.

"딸아!"

체메트디오프의 외침에 대한 대답이 돌아왔다. 그의 주변에 명중한 입자 가속포가 폭발하며 주변을 날려버렸다.

"이야기를 하자꾸나!"

집정관용 고급 방어막이 아니었으면 위험했을 것이다. 다행히도 저쪽의 사격은 멈추었다. 그리고 이쪽도 공격을 멈추었다. 간신히 만들어진 무인지대 사이로 체메트디오프가 걸어나갔다.

"하하하, 역시 내 딸이야. 역시 호민관이야. 아무렴, 그런 역경쯤은 딛고 일어나야지."

만면에 미소를 띤 체메트디오프 앞으로 나선 것은 역시나 그의 딸, 알탄훼아나였다. 그러나 그녀의 모양새가 조금 이상했다. 주저한 듯 떨리는 발걸음은 이해가 간다. 그러나 눈이, 그녀의 눈에 무언가 막이 씌워져 있었다. 마치

492

반쪽짜리 가면 같은 것이 그녀의 눈을 빙 둘러 가리고 있었다.

"오, 오랜만이군. 체메트디오프."

태연을 가장한 떨린 목소리. 그러나 알탄훼아나는 자신의 아버지에게 당당히 맞섰다.

· · · ✦ · · ·

262

"이야기를 하자고 했었지?"

총구를 마주한 무리 사이에서 부녀가 마주 본다. 그리고 딸의 질문에 아버지가 질문으로 대답했다.

"……그 눈은 어떻게 된 것이냐?"

샤다이들 중에서도 동포를 이끌어나갈 자들의 눈은 조금 특이하다. 더군다나 알탄훼아나는 발 가르단 하스로부터 새로운 능력을 배워 그 눈의 가치는 더더욱 남다르다. 그런데 지금 그 눈이 베일에 가려져 있는 것이다.

"그대가 알 바 아니다."

이후의 질문을 막는 듯 딱 자르는 대답이다. 하지만 체메트디오프의 추리까지 막지는 못했다.

'설마 부상의 후유증인가?'

체메트디오프는 알탄훼아나가 주시자들에게 사로잡혀 고문당했던 사실은 알고 있다. 그러나 저번에 봤을 때 그녀의 두 눈은 전부 멀쩡했었다. 비록 제대로 작동은 하지 않고 있을지언정 정상적으로 달려는 있었다.

'그런데 없어.'

알탄훼아나의 눈가리개 안쪽에는 눈이 없었다.

'그리고, 그놈도 없다.'

거기다가 상대편 어디에도 빈우의 모습 또한 보이지 않고 있었다. 그것이 체메트디오프를 불안케 했다. 놈의 특기는 있어선 안 될 곳에서 해서는 안 될 짓을 하는 것이다. 지금 빈우가 안 보인다는 것은 어딘가 숨어서 이쪽 뒤통수를 때릴 준비를 하고 있다는 의미다.

"좋아. 그럼 이야기를 하자꾸나, 딸아. 그전에, 빈우는 어디에 있지?"

"대화는 내가 그대와 한다. 집정관."

잠깐만의 대화로도 체메트디오프는 딸이 걸어온 역경을 파악할 수 있었다. 그녀 몸 안의 신경 파장이 미처 억눌리지 못한 채 바깥으로 새어나온다. 심리 상태가 정상이 아니란 증거다. 알탄훼아나는 아버지에 의해 계획이 무산되었으며, 또 주시자들에게 잡혀 동료들이 죽고 자신도 고문받았다. 고통스럽고 힘들었던 것은 분명하다. 몇 번이나 그러나 그녀는 쓰러지고 넘어져도 다시 일어나 이렇게 자신의 앞에 섰다. 호민관으로서, 그리고 자신의 딸로서 말이다.

'그런데도 눈이 없다고? 잃어버린 건가, 포기한 건가, 빼앗긴 건가.'

체메트디오프의 머릿속에서 여기에 없는 빈우와 지금 딸에게 없는 눈이 서로 겹쳐졌다. 순간 이 두 가지가 마주치자 마치 부싯돌이 부딪친 것처럼 섬광이 일었다. 다음 목표로 삼은 변절자 아만다 타이를 빈우가 죽였다는 사실. 거기까지 섬광이 옮겨붙자 불길이 일어났다.

'설마하니! 그는 변절자를 눈으로 보고 죽인 것인가!'

체메트디오프는 빈우가 유에네스 속에 내려온 선조를, 변절자 아만다 타이를 어떻게 죽였는지 깨달았다. 그는 수사나 조사를 통해 아만다를 잡아낸 것이 아니다. 직접 보고서 알아챘을 것이 분명하다. 그 눈으로 아만다 타이의 정체를 파악했을 것이다. 바로 자신에게 달려 있는 호민관의 눈으로.

"흐하하하!"

갑자기 튀어나온 집정관의 광소에 호민관의 부하들이 움찔했다. 뒤쪽에 있던 샤다이들 또한 집정관의 웃음에 놀라고 있었다. 하지만 체메트디오프는 그딴 것엔 전혀 신경도 쓰지 않았다.

"그래, 그랬어. 마지막에 보았을 때 빈우는 이미 계단에 한발 걸쳤지. 네가 치료를 했겠거니 생각했었지만. 핫하하! 그래그래. 그렇다면 눈쯤이야 얼마든지 가져갈 수 있겠지. 그라면, 가능할 거야. 아암, 가능하고말고."

맹인이 눈을 얻었을 때 가장 먼저 무엇을 할까. 세상을 볼 것이다. 그리고 자기가 보고 싶어 했던 것을 보려 할 것이다. 한걸음에 달려가 자신이 그토록 보고 싶어 했으나 보지 못했던 것을 자신의 두 눈으로 직접 보려 할 것이다. 손으로 만지고, 귀로 듣고, 코로 냄새 맡던 것을 마침내 눈으로 보았을 때, 그에겐 어떤 세상이 펼쳐질까.

"알탄훼아나. 미안하구나. 다시 일어선 네가 대견해서 이야기 좀 나눠보려 했더니, 크크크. 이제 너 따윈 궁금하지 않아. 빈우는? 그는 어떻게 되었지? 그가 네 눈을 빼앗아 갔니? 아니면 네가 주었니? 아냐, 아마 네가 포기한 것을 주워 간 거겠지."

"닥쳐!"

그 말에 알탄훼아나가 성난 소리를 뱉었지만 체메트디오프의 웃음은 멈추지 않았다.

"아아, 부끄러워 말거라. 쓰러졌던 네가 일어난 것은 눈이 없는 덕분일 수도 있어. 눈 무게만큼 가벼워져서 일어난 것 아니겠니? 푸흐흐흐."

"닥치라고 했어!"

"눈은 무겁단다. 시야에 들어오는 것의 무게가 얼마나 부담스러운지 너도 잘 알잖니? 그래서 그 무게에 허우적거린 것은 너였단다. 그런데 그걸 다른 사람에게 냉큼 넘겨버리고 신나서 가벼운 듯 뛰어다니다니! 아하하하!"

체메트디오프의 웃음은 거기까지였다. 아룹이 달려가 무너져내리는 알탄훼아나를 감싸는 것과 동시에 조사팀의 공격이 시작된 것이다. 한바탕 꽝음이 울리고 위르겐의 목소리가 뒤이어 들렸다.

- 대가리 접수!

위르겐의 입자가속포가 집정관을 박살 내고 뒤의 리퍼들마저 휩쓸었다.

리퍼들도 플라스마로 반격하지만, 모니카의 부머가 나서서 방어막으로 막는다. 아룹은 알탄훼아나를 방패로 막으며 뒤로 물러섰고, 그를 노리던 리퍼는 갑자기 바닥에서 솟구친 파트리샤의 진동 블레이드에 사타구니부터 세로로 조각났다.

"다로!"

그녀의 뒤에서 클레이모어를 들고 덤벼들던 리퍼의 관자놀이에 아룹의 코일건이 정확히 명중했고, 같은 자리에 파트리샤의 블레이드가 박혔다. 지휘관의 사망과 갑작스러운 공격에 샤다이들이 우왕좌왕할 때 기습에 성공한 인필트레이터는 모습을 숨긴 뒤 사라졌고, 거기에 부머와 어벤저의 입자포 공격이 쏟아졌다.

"아니야! 나는, 나는!"

사격이 퍼부어지는 동안 알탄훼아나는 울부짖었다. 그리고 후회했다. 절망 속에서 어쩔 수 없이 했다고 자책하는 그날의 결정을 다시금 후회했다.

"진정하시오, 호민관."

아룹이 알탄훼아나를 진정시키려고 노력했지만 별 효과는 없어 보였다. 알탄훼아나는 입술을 짓씹으며 경련했다. 동포들의 죽음으로 평화가 찾아오는 이곳에, 자신의 의무를 저버리고 후회하는 자가 몸서리치고 있었다.

*

책을 들고 달려가던 샤다이가 갑자기 우뚝 멈춰 섰다. 방금 전까지만 해도 집정관의 바로 옆에서 보필하던 자다. 그는 떨리던 손으로 책장을 넘겼다. 거기엔 체메트디오프의 죽음이 적혀 있었다.

"참으로 슬프게도…… 주연 배우가 죽었군요."

그는 짧은 애도와 함께 책을 덮었다. 그리고 결연한 표정으로 앞으로 나아가며 혼잣말을 시작했다.

"그렇다 한들 공연이 멈춰서는 안 될 것입니다. 우리에게 대본은 있습니다. 무엇을 해야 할지 알고, 어떻게 해야 할지 또한 압니다. 악보? 그것도 있지요. 그렇다면 다른 사람이 주연을 맡으면 되는 일 아니겠습니까?"

이어서 집정관의 부하였던 자의 얼굴이, 체형이 서서히 변해간다.

"이 선조의 몰살을 기원하는 무대는 결코 멈출 수 없습니다. 멈춰서는 안 됩니다."

그의 명령에 함대가 일사불란하게 정렬하기 시작했다. 그리고 반격을 개시해 42전단에 거센 공격으로 피해를 준다. 또 기함 안으로 침투한 불순물을 제거하기 위해 기사들을 끌어모았다.

마지막으로 책을 펼쳐 노래를 불렀다.

"우주의 끝이 터져나가는 것을 보았을 때, 나는 절망을 보았소.

모든 것이 끝나고 허무가 되는 순간이 비록 멀기는 하나 확실히 정해졌기 때문이지.

동포들이 이 우주를 버리고 도망칠 때, 나는 슬픔을 들었소.

허무로 가는 기나긴 동안을 벗과 가족 없이 쓸쓸히 보내야 했기 때문이지.

고향을 떠난 탕아들이 다시 돌아올 때, 나는 분노를 먹었소.

내가 힘들게 가꾼 정원에 해충들이 몰려와 짓밟을 것이기 때문이지.

이제 나는 앞으로 걸어갈 길에서 맡을 냄새가 궁금하오.

천국에서 피어난 꽃의 거짓 악취일까, 지옥에서 몸부림치는 동포들의 피 향기일까."

노래를 끝내며 책장을 덮은 체메트디오프는 다시금 자기소개를 했다.

"제 이름은 체메트디오프, 이번 무대에서 맡을 배역은 샤다이의 집정관입니다."

그리고는 집정관의 명령을 전 함대에 내렸다. 유에네스에 의해 묶이지 않은 함대는 모두 이탈한다. 기함도 적에게 잡아먹힌 부분은 버리고 떠난다. 도망치는 것이 아니다. 여기서 시간 낭비할 겨를이 없는 것이다.

498

"딸아, 결국 막지 못하는구나."

체메트디오프의 입가에 쓸쓸한 웃음이 걸린다. 알탄훼아나는 유에네스 구축함을 공간이동시켜 기습해 왔다. 그리고 다음 수로는 집정관 기함의 공간이동을 막으려 했을 것이다. 그러나 지금 불쌍한 딸은 그럴 겨를이 없어 보였다. 아마도 자신을 다잡는 것에 필사적이리라.

명령이 떨어진 다음 순식간에 주변 풍경이 바뀌었다. 지금 그의 함대는 유에네스의 손이 닿지 못하는 곳으로 도망쳤고, 알탄훼아나도 추적하지 못하는 곳이다. 여유를 찾은 체메트디오프는 함대의 피해 상황을 파악하고 복구하기로 했다.

그리고 다음 대본을 대폭 수정했다. 수정할 수밖에 없었다.

"눈뜬 봉사가 찾아갑니다. 그토록 바랐던 빛을 향해."

체메트디오프가 흥얼거리는 콧노래가 계획 수정의 이유였다. 지금까지는 그저 장님이 칼을 휘두르고 있었다. 그런데 그가 눈을 뜨면 어떤 일이 벌어질까. 뻔하다.

"찾고, 죽이고, 찾고, 죽이고."

책에 연신 글을 적으며 콧노래를 부른다. 원래 선조들의 계획은 우선 울토르 중대란 클론들을 만들고, 거기에 계단을 만들어 방주로 만드는 것이었다. 다음 단계로 울토르 클론을 시발점으로 삼아 마음의 상처를 유에네스 사회에 퍼뜨려 선조들을 한꺼번에 내려오게 한다는 것이다. 하지만 체메트디오프 자신의 계획은 거기서 한 걸음 더 나아가 돌아온 선조를 몰살시키는 것이다. 이곳 통상우주로 내려오게 하는 것까지는 같다. 그다음 죽이는 과정이 핵심이었다.

"그것을 위한 키가 눈을 떠버렸네."

그의 공연을 부드럽게 진행하기 위해서 울토르 프로젝트의 지휘관이 필요했다. 그래서 포말하우트 게이트 안에서 클론들의 원본이었던 빈우를 포섭하려 했었는데, 하필 방해가 들어왔다. 제국의 칼날이었던 주시자들, 우주를 떠돌며 학살을 하던 자들이 갑자기 들어와 체메트디오프의 계획을 방해한 것이다. 덕분에 반편이 같던 목표물을 놓치고야 말았다.

"그랬던 그가 지금은 눈을 떴다. 왜 눈을 가져갔을까."

알탄훼아나가 눈을 포기했다고 해도 그게 쉽게 가져갈 수 있는 것은 아니다. 자격이 있어야 한다. 몸이 바뀌어야 한다. 물론 빈우는 몸을 바꾼 적이 있다. 그러니 다시 몸을 바꿀 수도 있었겠지.

"헌신, 자기희생, 무엇을 위해서 그는 그 선택을 했을까. 무엇이 그를 희생으로 몰아넣었을까. 흠, 의무감과 죄책감이겠지."

자문자답하는 체메트디오프는 스스로가 긴장하고 흥분하는 것을 느꼈다.

"하지만 말이야, 뭔가 있어."

체메트디오프는 책장을 앞으로 넘겨 빈 페이지를 만지작거렸다. 극의 대본 부분이며 전임자들이 작성했던 부분들이다. 그러나 체메트디오프란 배역에 관한 정보가 적혀 있는 부분이 일정부분 비어 있다. 게이트 안에서 주시자들에게 죽을 때 지워진 부분들이다.

"지금까지는 그러려니 했거늘."

샤다이 집정관은 빈 페이지를 손가락으로 삭삭 긁어보았다. 아무리 정보가 물질에 우선하는 계단 내부라고는 해도 이렇게 필요한 부분만 딱딱 끊어서 지워질 수 있을까.

"설마, 설마, 설마."

그의 머릿속으로 추리와 상상의 나무가 봄날 비를 만난 것처럼 가지를 뽑아내고 싹을 틔운다. 체메트디오프는 거기서 어떤 꽃이 필지 심히 궁금했지만, 호기심을 억누르고 가지치기를 했다. 그래도 싹은 끊임없이 솟구쳐올랐다. 누군가 고의로 체메트디오프의 대본을 수정했다. 그것도 계단 안에서. 그런 일이 가능하려면 집정관 이상의 능력이 필요하며, 그것이 가능한 것은 고대의 현자 발 가르단 하스 같은 고밀도 신경계 생명체 정도다.

"하지만 발 가르단 하스가 이런 일에 참견을 할까? 아니지. 계단 안에서 이런 일을 할 만한 자가 달리 누가 있으랴.”

체메트디오프는 간신히 자신의 호기심을 멈추었다. 지금 당장 생각할 것은 각성한 키의 행방이다. 빈우가 원하는 것은 샤다이의 죽음. 그리고 방금 죽인 것은 과거부터 숨어 살아오던 샤다이 변절자들, 유에네스를 사육하는 타락한 존재들이다. 이들은 계단을 올라갔다가 돌아온 다음부터 이 우주를 멸망시킬 운명을 가진 존재, 유에네스들을 보호하며 키워주고 있다. 다시 말해 유에네스와 우호적인 관계를 가지고 있으며, 그럼에도 불구하고 빈우에게 죽었다. 즉, 빈우가 원하는 것은 모든 샤다이의 죽음이다. 아군 적군을 가리지 않고.

“많은 샤다이를 죽이려면 선조를 계단에서 내려오게 하면 될 텐데, 그래도 그는 하지 않겠지. 아하아, 그걸 또 설득하는 게 내 역할일 텐데, 이거 힘들 거 같아.”

체메트디오프는 웃는 얼굴로 우는 소리를 하며 계속해서 대본을 써 내려갔다.

“어디로 갔을까, 그는 어디로 갔을까.”

아까 알탄훼아나의 반응을 봤을 때, 빈우는 저 팀에 없을 가능성이 높았다. 그것도 자연스레 떨어진 것이 아니라 중간 과정에 무슨 사고가 있었던 게 분명했다.

“저런 헌신적인 존재가 동료를 버리고 떠났을 때 할 일은 하나뿐이지. 외계인을 죽이고 싶어 안달 난 존재가 갈 곳은 한 곳뿐이지.”

대본을 다 쓴 체메트디오프는 책을 덮었다.

“우리는 유에네스의 수도, 화성으로 갑니다.”

마치 봄날 소풍 가자는 신난 말투다. 그리고 그 말을 들은 주변 샤다이들의 표정이 기괴하게 일그러졌다.

화성은 유에네스의 심장부다. 그래서 제아무리 지금의 샤다이라 해도 함부로 칠 수는 없는 곳이다. 현재 샤다이가 유에네스를 상대로 우위에 있으나 그들의 주력 함대는 결코 무시할 수 있는 수준이 아니다. 그리고 만약 수도가 공격받는다면 외우주를 떠돌던 주시자들이 한꺼번에 돌아와 건방진 방해자들을 모두 몰살시킬 것이다.

그래도 체메트디오프는 화성으로 갈 계획이었다. 거기서 빈우가 벌일 일에 숟가락을 얹을 생각에 가슴이 두근거리기 시작했다.

마커스 타이 국방 차관은 잠시 업무화면을 닫았다. 뻐꾸기 작전을 비롯해 42전단의 작전 개요와 각지에서 일어난 외계종족의 소요, 치안 부재 지역에 군을 투입할지 경찰을 투입할지에 대한 안건. 군사정보국의 것에 비하면 기밀도와 위험도는 떨어져도 그 무게감만큼은 한결 더 묵직한 업무들이다.

"끄응."

닫는 순간 절로 입에서 신음 소리가 나오고, 손이 뭔가 입에 넣을 것을 찾아 책상 옆을 휘저었다. 그러나 거기엔 빈 포장지만 바스락거릴 뿐이어서 괜스레 배만 더 고파졌다. 그래서 더욱 뭔가 먹고 싶어졌다. 한 입만 먹어도 든든해지는 간식.

"허참."

마커스는 방금 자신이 했던 생각에 실소를 터트렸다. 입이 심심하자 마카롱 생각이 난 것이다. 군을 나오면 쳐다보지도 않을 거라 맹세했던 마카롱이.

"버릇 참 무섭다. 생각나는 게 그 토악질 나는 마카롱이라니."

그는 킬킬거리며 일어나 음식물 생성기로 걸어갔다. 아직 군용 육체를 하고 있는 마커스는 에너지 소모가 커서 군용 식량이 아니면 배가 빨리 꺼진다. 오죽했으면 지금처럼 마카롱을 찾을 정도다.

"뭐야, 이건. 스테이크?"

생성기 메뉴 중에는 정식 메뉴도 있었다. 보통 사무실의 생성기에는 다과나 간식들 위주로 세팅되어 있는데 이런 식사까지 준비되어 있는 것을 보면 작정하고 사람을 사무실에 가둬놓고 빡세게 돌리겠다는 의미가 여실히 드러 났다.

"칼로리 높은 걸로 검색하긴 했는데, 이거 일반식이잖아."

스테이크라 해봐야 사이드 포함해도 2천 칼로리가 조금 넘는다. 마커스는 스테이크만 대여섯 개 꺼내놓고 그대로 손으로 잡아 우적우적 썹어 먹었다. 그래도 칼로리만 따지면 마카롱 한 알 분량이다. 그는 명색이 국방부 차관이 란 양반이 사무실에서 스테이크를 맨손으로 잡아 뜯는 꼬락서니를 생각하자 자기도 우스웠는지 고기를 썹으면서도 쿡쿡 웃었다.

"어머니가 보셨으면 기겁하셨겠지."

그의 어머니인 아만다 타이는 예의범절, 특히 식사 예절에 대해서는 깐 깐했다. 마커스가 조금이라도 식탁에서 매너에 어긋나는 짓을 하면 바로 불 호령이 떨어졌다. 하지만 아들의 친구인 빈우에겐 달랐다. 아만다는 정찬 예 절에 대해 아무것도 모르는 빈우한테는 아주 친절하고 자세하게 하나하나 가르쳐주었고, 규칙이라면 질색팔색하는 녀석도 그것만큼은 제대로 배우고 따랐었다.

'나도 그랬지만.'

그리고 보니 빈우와 마커스가 친해지게 된 계기 중 하나엔 식사 예절에 관 한 것도 있었다. 비록 직할령이라곤 해도 농업 행성에서 거칠게 살아온 빈우 는 식사 시간마다 동기들의 놀림감이 되었고, 녀석이 발끈하기 전에 중간에 서 막아선 것은 바로 마커스였었다.

'식사 시간만큼은 즐겁게.'

'무지로 인한 무례는 나무라지 말고 친절히 가르쳐주어야 한다.'

어머니의 가르침을 잊지 않은 마커스는 빈우에게 기본적인 식사 예절에 대해 가르쳐주었고, 다행히 그 녀석도 곧잘 따라주었다.

'식사라.'

국방부 차관이 간식거리 스테이크를 다 먹고 손을 닦을까, 핥을까 고민하는 사이 피부가 이미 기름기를 흡수하고 있었다. 정확히 말하자면 먹고 있는 것이다. 아직 군용 육체기 때문이다.

"그러고 보니 이노무 새끼는 밥이나 제대로 챙겨 먹고 다니려나."

빈우가 자신의 유전적 결함을 빌미로 충성서약을 했다는 것은 마커스 또한 잘 아는 사실이다. 그럼에도 불구하고 녀석은 태스크포스 373을 탈주했고, 한때 자신의 아군이었던 오다 히토미가 이끄는 조사팀의 추적을 받고 있다. 하긴, 녀석이라면 어떻게든 식사는 구할 것이다.

현재 오다 히토미의 팀에는 뱅가드와 단검뿔 토끼, 실리콘 나이트 등의 연방 최고의 특수부대원들이 포진해 있다. 이들이 모이면 제아무리 날고기는 빈우라 해도 당한다. 그러나 도주하는 닉스 레벨 3을 이들이 잡는다? 도망자와 추적자의 실력을 정확히 알고 있는 마커스는 이게 불가능한 일임을 아주 잘 알고 있다.

'그래봤자 눈 가리고 아웅이지.'

정확한 내막은 모르지만, 통합사령부나 국방부에서도 빈우를 단순 탈주로보지 않고 작전을 위한 위장으로 추측한다 했고, 그래서 마커스도 큰 신경은 쓰지 않았다. 비록 자신에게 아무런 연락이 없었다고 하지만 어련히 잘하겠거니 생각한 것이다. 사실 이런 일이 있으면 가장 먼저 움직이는 곳은 보안국이다. 비록 다샤 쿠사키나 국장을 비롯한 간부진이 오다 상원의원에 의해 물갈이당해 엉망진창이 된 보안국이지만, 서둘러 빈자리를 채워 어찌저찌 작동하게 만들었다. 그런데 보안국이 가만히 있다는 것은 분명 이 사건에 관해상부에서 무슨 명령이나 요청이 오고 갔다는 의미다.

'빈우가 도망친 것이 보안국, 그리고 그 뒤에 있는 샤다이가 이유라면 지금쯤 거의 해결되었을 건데…… 아직 정체를 감추고 있다는 것은 배후 세력이 더 크다는 말이겠지.'

그래서 마커스는 친구 빈우가 생각이 난 김에 과거 자신이 있었던 직장에 잠시 접속해보았다. 바로 군사정보국이다.

"어엇?"

뜻밖의 사실에 마커스는 저도 모르게 외마디 소리를 냈다. 군사정보국 3차장의 라인이 살아 있는 것은 이해한다. 이노우에 고토 국장은 마커스가 이번 사태를 마무리짓고 국방부 차관에서 물러나면 다시 불러들일 계획이었을 것이다. 그런데 마커스의 권한으로, 군사정보국 차장의 권한으로 기밀에 접속된 사실이 문제다. 누굴까. 이 라인을 쓸 사람이 달리 누가 있을까.

'빈우다.'

그리고 현재 상황에선 빈우 혼자서 접속했을 리는 없다. 십중팔구 이노우에 고토 국장이 협력했거나 묵인했겠지. 마커스는 호기심 반 걱정 반으로 그 기록들을 열람해보았다. 일단은 비공식적인 비밀작전 중이라는 닉스 레벨 3이 과연 무슨 짓을 할지 궁금했기 때문이다. 그리고 그 내용을 본 마커스는 식은땀을 흘림과 동시에 마른침을 삼켰다.

'위은쓸납학 클론 부대.'

마커스는 고토 국장과 함께 위은쓸납학의 세대우주선을 나포한 적이 있다. 놈들은 지상전에서 스퀵테르에 버금가는 전투력을 가지고 있기에 생체병기로서의 활용도가 꽤 높았다. 그래서 군사정보국은 비밀리에 동맹종족인 케트쿤의 모성에 있는 울토르 클론 공장에서 위은쓸납학을 병기로 제조하고 있었다. 그런데 빈우가 이 정보를 가져간 것이다. 그뿐만이 아니다.

'케트쿤 여왕 불임.'

공식적으론 우주선 붕괴 사고에 의한 후유증이었지만, 이건 연방이 동맹인 케트쿤을 보다 수월하게 다루기 위해 진행했던 비밀작전이다. 이 작전 당시엔 빈우도 참가했었다.

'아앤아!'

라출노그의 장성인 아앤아는 지금 군사정보국이 연금하고 있었다. 태스크포스 373이 샤다이와 라출노그 사이의 관계를 조사하던 중 빈우와 마커스의 사관학교 동기였던 아앤아가 관련이 있음이 드러났고, 그의 보호와 사건의 은폐를 위해 사건의 유일한 생존자인 라출노그 인 장성을 비밀장소에 감금 했었다.

"아놔, 이런 미친 새끼가."

그것 말고도 크고 작은 기밀 여럿이 자신의 권한에 의해, 즉 빈우에 의해 조회되었다. 마커스는 고개를 절레절레 흔들었다. 이상하다. 하나만 드러나도 연방 내에 태풍이 몰아칠 기밀들이 동시다발적으로 조회되었다. 그것도 현재 탈주 중인 빈우에 의해서. 게다가 녀석은 조회 기록을 감추지도 않고 그대로 드러내놓고 나갔다. 자신에 의해 들킬 것을 알고도.

'혹시 나에게 뭔가 메시지를 보낸 건가?'

마커스는 갑자기 마카로니에서 있었던 둘만의 비밀 암호가 기억났다. 빈우가 잠수에서 부상한 다음 서로 빵에 꿀과 버터를 암호로 발라가며 나눴던 비밀 대화다. 당시 마커스는 울토르 프로젝트와 아나스타샤를 위해 움직이느라 이노우에 국장을 비롯해 내외로 견제를 받고 있었고, 빈우는 막 잠수에서 깨어난 상태에다 머릿속에 트리니티 패턴이 있어서 요주의 대상이었다. 그래서 위험한 상황에 처한 친구들끼리 서로 돕자고 한 대화였었다.

'이상하군. 나에게 아무런 연락도 없이 이렇게 일을 벌일 놈이 아닌데?'

보통 빈우는 이런 일을 하면 마커스에게 어떻게든 연락을 하거나 언질을 준다. 게다가 고토 국장과는 접촉했으면서 자신과는 접촉하지 않았다면 뭔가 대단히 수상하다.

마커스는 마지막으로 빈우와 만났을 때를 되새겨보았다. 워프 비스트로 변하던 도중에 치료를 받는 빈우, 그리고 마커스는 그에게 군사정보국 차장을 그만두고 국방부 차관을 한다고 말했다. 물론 둘 사이에 의심이나 불화는 일체 없었다. 단지 급변하는 새로운 상황에 대해 다른 대처를 하는 것이었다. 헤어지기 전에 마커스는 빈우에게 어머니께 연락이나 한번 하라고 말을 흘렸고, 빈우 역시 그러마고 대답했다. 둘 사이에 변화가 없다는 증거다.

'하지만 이후 보안국이 돌출행동을 했고, 그때 빈우는 탈주했다.'

원인은 다름 아닌 울토르 클론에 의한 응우옌 티 빈 중령 암살 사건이다. 과학기술국의 응우옌 티 빈 중령은 보안국의 감시를 받고 있었는데, 클론은 그것을 뚫고 들어가 응우옌 중령을 죽이고, 감시하고 있던 보안국 요원도 모조리 쓸어버렸다. 그리고 그것을 계기로 보안국은 빈우를 체포하려 했고 빈우는 자신의 팀을 배반하고 탈주했다.

"차관님, 크산티페로부터 연락입니다."

마커스가 한창 추리를 하고 있을 무렵, 그의 비서 AI가 알림을 울렸다. 본가에서 크산티페가 연락을 해왔다고 한다.

"급한 일이 아니면 나중에 하라고 해."

지금 그는 친구에 대한 일을 걱정하고 있다. 어지간한 일이면 나중으로 돌리라고 할 것이다.

"실은 차관님 어머님께 관련된 급보입니다."

어머님, 급보. 이 두 가지 단어가 마커스로 하여금 추리를 멈추고 연락을 받게 만들었다.

"그래, 크산티페. 무슨 일이야?"

마커스는 어머니인 아만다가 요즘 현직에서 조금 물러섰다는 것은 알고 있고, 그 때문에 정신적 피로감이 상당하다는 말을 들었다. 휴식을 한다고 쉬었는데 오히려 지치다니, 아이러니 한 일이다. 하지만 마커스는 자신의 어머니라면 그럴 것이라 생각했었다.

"……뭐라고?"

마커스 타이 국방 차관은 크산티페로부터 믿을 수 없는 소식을 들었다.

"그럴 리가 없어."

누구를 향한 말도 아니다. 하지만 그 말에 화면 너머의 크산티페가 슬픈 표정을 지었다.

- 사실입니다, 차관님.

어머니의 사망 소식을 들은 마커스는 충격에 빠졌다.

- 김빈우 소령님께서 마님을, 죽였습니다.

마커스는 이해할 수 없었다. 그의 어머니 아만다 타이는 자신의 친구인 빈우를 아들의 친구 이상이자 친아들처럼 아꼈고, 빈우 역시 그녀를 자신의 어머니처럼 대했다. 그런 빈우가 어머니를 죽였다고? 믿을 수 없었다.

'설마 울토르 클론인가!'

"크산티페! 당시의 영상을 이쪽으로 돌려. 어서!"

어머니의 저택에 있던 보안기록 영상들이 마커스에게 전해진다. 갑작스레 저택에 나타난 빈우와 막아서는 크산티페. 그리고 빈우를 반기는 어머니 아만다. 그러나 빈우가 선글라스를 벗자 아만다가 눈에 띄게 당황하기 시작했다.

'눈이……!'

빈우가 선글라스를 벗자 거기에는 인간의 눈이, 군용 안구가 아닌 샤다이의 눈이 빛나고 있었다.

'안일했다.'

마커스도 빈우가 샤다이의 호민관인 알탄훼아나의 눈을 뽑아갔다는 보고는 들었다. 그러나 그것을 모종의 도구로 이용할 것이라 생각했지, 설마 자신의 눈에 직접 박아 넣을 것이라고는 상상도 못 했다. 오다 팀의 보고에 의하면 알탄훼아나의 육체에 인류의 기술로 만든 의안은 아직 이식하기 힘들다고 했다. 하지만 빈우는 그 반대인 경우를 성공시키고 있었다. 제아무리 군용 강화 육체라 해도 샤다이의 신체 기관을 받아들이기는 무리다. 하지만 마커스는 그 이유를 유추할 수 있었다.

'마지막 순간에, 빈우는…….'

마커스는 워프 비스트, 뒤틀린 샤다이가 되어가는 빈우를 봤었다. 반쯤은 인간이고, 반쯤은 샤다이인 육체. 알탄훼아나의 협력 덕분에 그것을 고쳤다고는 했지만, 빈우는 다시 자신의 선택으로 그 당시의 몸으로 돌아간 것이 분명하다.

'……왜 샤다이의 눈을 자기에게 이식했을까.'

그리고 보안국으로부터 도망을 치면서 왜 굳이 호민관의 눈을 뽑아갔을까. 보안국은 고대 샤다이의 입김이 가장 많이 닿았다고 추정되는 곳이며, 그 때문에 빈우는 탈주했다. 샤다이로부터 도망치며 가져간 샤다이의 눈. 그리고 그것을 자신의 눈으로 삼았다면 그 이유와 목적은 무엇일까. 샤다이의 눈으로 무엇을 보려 한 것일까.

'호민관의 눈은 인류 속으로 숨어든 샤다이를 판별할 수 있다고 했다.'

마커스는 자신이 알고 있는 사실에까지 생각이 닿자 어머니의 죽음에 대한 소름 끼치는 대답을 끌어낼 수 있었다.

264

· · · ✦ · · ·

'설마, 아냐. 아냐.'

마커스는 도리질을 하며 영상을 계속 재생했다. 선글라스를 벗은 빈우와 그것을 보고 놀란 어머니. 샤다이의 눈을 보고 놀란 아만다 타이.

- 왜!

빛나는 샤다이의 눈을 가진 빈우가 작게 말했다. 아주 억울한 듯 작게 억눌린 목소리다. 마치 자신의 앞에 놓인 현실을 받아들이지 못한 자의 모습 같다. 이건 빈우답지 않았다. 녀석은 언제나 현실을 인정했었다. 그게 어떠한 현실이든지 간에 인정하고 받아들였다. 그리고 추악한 현실에는 더 추악해지는 것으로 맞섰고, 비겁한 현실에는 더더욱 비겁하게 싸웠다. 그리고 결국은 이겼었다.

반면 아만다 타이는 자신이 감당할 수 없는 현실에 포기한 것처럼 보였다. 이 또한 어머니답지 않았다. 그녀는 언제나 불합리한 세상에 맞서 저항했으니까. 그녀는 현명하면서도 자신이 사는 세계에 좀체 적응하지 못하는 모순적인 모습을 보여왔다. 오죽했으면 어릴 적의 마커스가, 자신의 어머니는 너무나 천재여서 이 세상이 그녀를 용납하지 못한다고 합리화할 정도였다.

- 괜찮아, 크산티페.

아만다 타이의 만류하는 목소리, 여기를 기점으로 모든 자료가 끊겼다.

- 죄송합니다. 여기까지가 제가 외부로 빼돌린 자료들입니다. 그 외의 기록들

은 모두 지워졌습니다.

화면 너머에서 크산티페가 슬픈 표정으로 고개를 숙이고 있었다. 아마도 빈우가 모든 기록을 지운 것이리라, 저택의 보안이나 크산티페의 저장장치까지 모두.

"아아."

잘린 다음 나오는 장면에 마커스는 짧은 비명 소리를 냈다. 휘청거리며 화면에 다가선다. 만져질 리 없는 홀로그램 너머의 어머니를 만지려 한다.

"어머니……."

아들의 슬픈 목소리는 어머니의 시신에 닿지 않았다.

"어째서."

마커스 또한 현실을 차마 받아들이지 못하고 있었다. 믿고 있던 친구에게 어머니가 죽었다니, 그리고 어머니가 저렇게 처참한 시체가 되어 있다니 믿을 수 없는 사실이다. 그러나 곧이어 훈련받은 두뇌가 반응했다. 슬픔과 충격을 뒤로하고 이성이 앞선다.

"크산티페, 경찰은 불렀니?"

- 네, 차관님. 곧 도착하실 예정입니다.

"아버지께는?"

- 이제 연락을 드리겠습니다.

크산티페는 아만다 타이의 죽음을 아들인 마커스에게 가장 먼저 알린 것이다.

"알았어……. 기다려. 내가 이번 일만 마무리하고 곧 갈게."

통신을 끊기 전 마커스는 현장을 다시금 꼼꼼하게 살폈다. 무언가 증거를 찾고 싶었다. 어떤 것이라도 좋으니 메시지를 찾고 싶었다.

그때 마커스의 시선을 잡아끄는 것이 있었다. 바로 어머니 아만다 타이의 찻잔과 스푼이다. 그것들의 위치와 각도가 마커스의 눈에 들어왔다. 이건 단순히 놓은 것이 아니라 모종의 메시지를 나타내고 있었다.

- 무지로 인한 무례는 나무라지 말고 친절히 가르쳐주어야 한다.

식사 시간에 손님들이 테이블 매너를 몰라서 실수할 때면 어머니 아만다는 조용히 이런 신호를 보냈었다. 상대방의 행동을 너그러이 받아들이라는 의미다.

'어째서.'

왜 죽은 사람이 이런 메시지를 남겼을까. 아무리 빈우라 해도 이런 메시지만큼은 모른다. 이것은 어머니와 아들 간의 비밀이었다.

'언제 남긴 거지.'

빈우가 아만다 타이에게 살의를 보내기 전일까, 후일까. 그러나 아만다 타이가 보였던 반응으로 미루어보아 그녀는 이미 자신의 미래에 대해 어렴풋이나마 알고 있는 것 같았다.

'어머니는 샤다이의 눈을 알아본 다음 메시지를 남겼다.'

아들 친구의 눈이 금빛으로 빛난다는 것만으로 아만다는 저렇게까지는 놀라지 않을 것이다. 그녀도 군수산업체의 이사다 보니 샤다이에 대해서는 제법 알고 있다. 그러나 호민관의 눈에 관해서까지 알고 있을까, 그것이 인류의 몸을 차지한 고대 샤다이의 존재를 알아본다는 사실을 알고 있을까.

'그렇다면 왜 이런 메시지를 남겼냔 말이야.'

아만다 타이는 자신에게 적대적인 빈우를 앞에 두고 왜 찻잔과 티스푼을 그렇게 움직였을까. 그 숨은 뜻을 파악할 사람은 마커스 외엔 없다. 마커스에게 용서를 권한 것은 빈우의 무지에 대해서였을까, 무례에 대해서였을까.

"크산티페, 그쪽의 정리를 좀 해줘."

- 알겠습니다. 차관님.

화면이 닫히자, 국방부 차관은 생각을 가다듬으며 새로운 통신을 열었다.

- 이야, 타이 차관님 아니십니까.

능글능글한 고토 국장의 얼굴이 화면에 떴다.

"빈우에게 접촉하고 넘겨준 정보가 무엇입니까."

단도직입적인 대화에 고토 국장의 눈이 갸웃갸웃 구른다.

- 음, 글쎄요. 당최 무슨 말씀이신지……

"어머니가 빈우의 손에 죽었소."

틈을 주지 않고 바로 이어진 마커스의 말에 고토의 얼굴이 굳었다.

- 이거…… 심려가 크시겠습니다.

"바로 본론으로 들어가지요."

화면 너머의 고토는 입을 가린 채 고민을 하고 있었다. 그도 빈우와 타이가 사이의 유대를 잘 안다. 그래서 설마하니 그 빈우가 친구의 어머니를 죽였다는 사실은 그에게도 작지 않은 충격이었던 것이다.

- 내가 김 소령에게 건네준 것은, 타이 차관의 보안 코드요. 그리고 보면 알겠지만, 그가 꺼내 간 것은 군사정보국에서 보유하고 있는 기밀 정보들이오.

마커스는 아무런 반응을 하지 않았고, 거기서 고토 국장은 그가 이미 이 사실을 알고 있다는 것을 알았다.

- 김 소령은 이번 판을 엎어버릴 말들을 구하고 있소. 판 바깥에서.

고토 국장의 말에 마커스는 자신의 추측이 사실이 됨을 깨달았다. 케트쿤이 만든 연방제 무기. 그것으로 무장한 위은쏠납학과 라출노그. 이것은 현재의 연방에겐 극도로 위험하다. 게다가 그것을 지휘하는 자가 닉스 레벨 3이라면 그 위험도는 측정 불가능이다.

- 그리고 그 말들의 행보가 어딘지는 차관께서도 짐작하시겠지.

마커스를 힐끗 올려보는 고토 국장의 시선은 날카롭고 차가웠다.

- 그는 연방 내에 숨어든 샤다이들을 모조리 찾아 죽일 거요. 저번에 나와 만났을 때도 수틀리면 나를 죽이려고 했지. 하지만 조건에 부합되지 않으니 살려는 놓더군. 그리고 타이 차관, 어머님의 일은 정말 유감이오만…… 차관께서도 알지 않소. 왜 그가 그런 행동을 했는지.

마커스는 받아들이기 힘들었다. 샤다이를 찾아 죽이려는 빈우가 굳이 자신의 어머니를 찾아왔고, 또 죽였다는 사실이 두렵고도 괴로웠다. 어머니 아만다 타이가 샤다이였다는 사실은 정말로 받아들이기 힘들었다.

"그럼, 설마. 나도."

이를 악물며 한 단어씩 끊어 뱉는 마커스를 고토가 황급히 만류한다.

- 아니오, 타이 차관. 차관께선 이미 검사를 받지 않으셨소. 그리고 그 결과
는······.

"내 어머니도 그랬어!"

터져 나온 마커스의 절규가 고토의 말을 끊었다.

"뻐꾸기 작전이 실행된 다음, 난 모두 검사했어. 가족을, 친지를, 친구들
을! 모두 인간이었어! 그런데, 그런데 빈우는 내 어머니를 죽였어. 자기를 친
자식처럼 사랑해준 내 어머니를, 자기가 친어머니처럼 따랐던 내 어머니를!
자기 손으로 직접 죽였단 말이야!"

잠시나마 이성을 잃은 마커스가 격렬하게 숨을 내쉬자, 고토 국장은 잠시
기다려주었다.

"왜 빈우가 어머니를 죽였지? 놈이, 샤다이를 볼 수 있는 놈이 과연 내 어
머니에게서 무엇을 보았길래, 무엇 때문에 어머니를 죽였냔 말이야!"

마커스는 친구 빈우에 대한 배신감, 그리고 어머니 아만다에 대한 배신감
에 주먹을 꽉 쥐었다. 애꿎은 책상이 으스러졌다.

- 차관, 내 말 잘 들으시오.

과거 상관이었던 자가 그를 부드럽게 다독인다.

- 우리는 냉정해져야 합니다. 아시겠소? 지금까지 빈우가 저지른 것이라곤 기
껏해야 군사정보국의 국장을 협박해 정보를 알아내고, 다음으로 일선에서
물러난 군수산업체 이사를 죽인 것에 불과하오.

고토 국장의 말은 어머니의 죽음을 깔아뭉개는 듯한 발언이지만, 마커스
는 이해했다. 앞으로 빈우가 저지를 일에 비하면 이번 것은 그야말로 새 발의
피인 것이다.

- 일이 이렇게 되었으니 어쩔 수 없소. 이제 우린 놈이 자신이 가진 무기로 무

엇을 할지 파악해야 합니다.

"누가 그걸 안단 말이오! 어떻게 막느냔 말입니다."

마커스는 좀체 이성을 찾지 못하고 있었지만, 고토는 계속 냉정했다.

─ 우리만큼 빈우를 파악하고 있는 사람이 달리 또 어디 있겠소. 우리가 알 수 없다면 연방의 누가 그를 추적한단 말이오. 그리고 아쉽게도 이미 그를 막기엔 늦었소이다. 그리고 현재 연방의 상황으로 볼 때 오히려 그의 행동을 막지 않는 게 좋을 거요. 우리가 할 수 있는 것이라곤 앞으로 벌어질 일을 보다 이로운 방향으로 가게끔 불길을 돌리는 겁니다.

그 말에 마커스가 퍼뜩 정신을 차렸다.

"불길을 돌린다."

빈우가 적을 알아보는 눈을 가졌으면 적을 찾아 죽일 것이다. 그리고 함대와 보병을 가졌다면 전쟁을 준비할 것이다. 빈우가 과연 어디에 불을 지를까. 단순한 방화는 아니다. 놈이 라출노그 함대와 위은쏼납학 보병으로 과연 연방의 어디에 전화를 피울 것인가.

"화성!"

마커스의 대답에 고토가 고개를 끄덕였다.

─ 지금의 그가 달리 어디를 가겠난 말이외다. 그는 모든 것을 버리고 도망쳤소. 자신의 부하는 물론이고 자신을 키워준 메이드마저 버리고. 그런 자가, 망설임이 없는 자가 이제 무엇을 하겠소? 김 소령은 아마 핵심부를 칠 거요. 그것으로 과거 제국 시절부터 내려온 샤다이들을 머리서부터 쳐내고 연방의 대 샤다이 패러다임을 바꿀 거요. 쩨쩨한 뻐꾸기 작전이 아니라 적극적으로 샤다이를 색출하고 학살하도록 연방 내부에 공포감을 불러일으킬 거란 말입니다.

이젠 고토마저 냉정을 잃어가고 있었다. 자신이 접한 정보가, 그 작은 불씨가 어떻게 커져갈지 예상하자 그 상상되는 열기만으로도 그의 마음속에 있는 이성이란 얼음을 녹이고 있었다.

"이것을, 이 사실과 그에서 비롯될 결과를 상부에선 모를까요?"

마커스의 의문은 타당했다. 빈우 정도 되는 요원이 탈주했다면 이것까지는 아니더라도 예상되는 시나리오를 만들고 그에 대비해야 한다. 그러나 상부에선 빈우의 행동이 막연히 이득이 될 거라 파악하고 방치하고 있는 실정이었다. 만약 빈우의 작전이 실제로 이루어진다면 샤다이를 잡는 만큼 무고한 연방의 시민들도 죽을 것이다.

- 차관께서도 아시다시피 지금 연방 상층부는 대단히 혼란스럽습니다. 보안국이 파멸되며 오다 의원 파벌이 그곳의 정보를 상당수 가져갔소. 그리고 이를 바탕으로 연방 내부에 잠입한 샤다이를 조용히 색출하고 있지요. 이들은 보이지 않는 곳에선 서로 적들과 싸우면서도 동시에 야합하고 있소. 익숙한 일이지. 하지만 내가 추측한 바로는 샤다이 말고도 또 다른 세력이 있소.

"또 다른 세력? 샤다이의 내부 파벌이 아니고?"

마커스의 질문에 고토 국장이 조용히 고개를 저었다.

- 추구하는 이익이 다르오. 샤다이의 내부 파벌들의 목적은 명확하오. 인류 내부에 샤다이를 내려오게 하는 것, 그리고 소수의 반대파. 하지만 이 다른 세력의 목적에 대해선 아직 정확히 알 수 없소. 이들의 행보는 인류를 지키는 것처럼 보이지만 멀리서 보면 인류의 파멸을 바라는 것처럼도 보이지. 그게 알 수 없는 이유요.

"골치 아프군."

마커스는 뻐꾸기 작전이 발동한 이유를 안다. 만약 연방 내부에 외계인이 숨어들었다는 사실이 대외적으로 공표되면 그 여파는 이루 말할 수 없다. 그래서 되도록 조용히 일을 처리하려는 것이고, 그것 때문에 진도가 제대로 나가질 않고 있었다. 그런데 여기서 다시 삼파전이 되어버리면 그 파워 게임의 방정식은 해답을 낼 수 없을 정도로 복잡해진다.

- 차관, 일단 마음을 가다듬으시오. 그리고 해야 할 일을 하시오. 내 쪽에서 알아서 방도를 마련해보리다. 그리고 타이 차관께서도 문제해결을 위해 노력

하리란 것을 믿어 의심치 않소.

마커스는 한숨을 쉬었다. 이제 빈우를 막을 수는 없다. 대신 빈우가 하는 일의 피해를 최대한 줄이고, 반면 최대한으로 이득을 취하는 방법을 찾아야 한다. 놈이 연방의 수도에 대규모 테러를 감행할 것이 기정사실화되었음에도 말이다. 마치 빈우의 손을 빌려 문제를 해결하려는 것 같았다. 둘 간의 통신이 끊기기 전, 이노우에 국장이 짧게 덧붙였다.

- 그리고 타이 차장. 정 불안하시면⋯⋯ 김 소령의 앞에 서면 되지 않소.

마커스는 아까부터 자신을 감싸고 있던 불안감의 정체를 깨달았다. 어머니의 아들인 자신은 과연 빈우에게 무엇으로 보일까. 그리고 그의 오랜 친구는 자신에게 어떤 반응을 보일까. 또 자신은 어머니를 죽인 친구를 어떻게 마주하게 될까. 그리고 모든 것이 밝혀진 그때도 둘은 과연 친구로 있을 수 있을지, 마커스는 그것이 궁금했다.

265

· · · ✦ · · ·

히토미는 요 근래 부쩍 눈가의 주름이 늘어가는 것을 느꼈다. 이는 심리적 스트레스와 물리적인 얼굴 찡그림 때문이며, 그런 여러 이유 중 하나는 방금 들어온 통신에서 비롯되었다.

"알탄훼아나 씨."

"음. 무슨 일이지?"

지금 오다 히토미와 알탄훼아나, 그리고 지상팀은 블랙 랜스의 식당에서 식사 중이다. 그런데 하필이면 히토미에게 조금 타이밍이 좋지 않은 연락이 들어왔고, 그것이 그녀의 입맛을 싹 앗아갔다.

"김 소령이 가져간 당신의 그 눈. 그것은 샤다이를 알아본다고 하셨죠?"

"……그가 제대로 사용만 한다면."

아나스타샤가 내놓는 접시가 식탁에 부딪혀 달칵 하는 소리를 냈다. 경험 많은 그녀라면 결코 하지 않을 실수다.

"그리고 김 소령이 상대의 정체를 파악했다면……."

"바로 죽이겠지. 그는 그런 사람이고, 그런 각오를 하고 나섰다."

알탄훼아나의 대답에 히토미는 젓가락을 내려놓았다.

"자, 여러분. 식사하시면서 들으세요."

히토미는 그렇게 말했지만, 대중은 이미 손을 멈추고 그녀에게로 시선을 집중했다.

"조금 늦은 소식입니다만, 탈주한 김빈우 소령이 아만다 타이 이사를 죽였다고 합니다."

팀원들은 아만다 타이에 대해 잘 알지 못한다. 아는 사람이 있다 해도 그저 무기 만드는 회사의 간부 정도로만 알고 있다. 하지만 아나스타샤가 놓친 그릇과 음식이 떨어지는 소리, 그리고 그녀가 막지 못한 비명이 일의 중요도가 어떤지 알게 해주었다.

"아, 아만다 타이 님은, 그분은, 주인님의 친구분이신 마커스 타이 차관님의 어머님이십니다."

아나스타샤의 설명에 팀원들은 사태가 조금 골치 아프게 돌아가는 것을 느꼈다. 마커스 타이는 예전에 팀원들이 만난 적이 있다. 좀 재수 없긴 했지만, 그는 빈우와 친구였고, 서로 간의 유대 관계도 상당히 깊어 보였다. 그런데 빈우가 친구의 어머니를 죽였다고 하니 사태가 매우 심각하게 돌아간다.

"주인님과, 아만다 타이 님은…… 사관학교 이후 마커스 님의 소개로 알게 되었습니다. 그리고, 그리고 두 분은 정말 모자지간처럼 각별한 사이입니다. 주인님은 그분을 어머님처럼 모셨고, 아만다 님도 주인님을 마치 자신의 친아들처럼 대해주셨습니다."

허둥지둥 설명하던 아타스타샤가 서둘러 히토미에게 다가갔다.

"뭔가 착오가 있을 거예요. 주인님께서 아만다 님을 죽였을 리 없어요. 이건, 이건 누명입니다. 모함이에요."

"진정해, 아나스타샤."

히토미는 흥분하는 아나스타샤를 제지했고, 안드로이드 메이드는 두 손을 감싸 쥐고 안절부절못했다.

"김 소령과 타이 여사가 실제 모자지간 같았다고?"

"네, 주인님께서 타이 차관님과 사관학교 시절 알게 된 다음 자주 교류하셨습니다. 그리고……."

히토미는 눈가의 주름이 늘어가는 것을 느끼며 한숨을 쉬었다. 탈주한 빈우가 살인을 했고, 그 피해자가 상상외로 거물이었다. 그것도 사회적 지위뿐만 아니라 빈우의 안에서 거물인 것이다.

"주인님께선, 아무리 그렇다 한들 자신의 어머니 같은 분을 죽일 리 없습니다. 결코요."

아나스타샤는 서둘러 주인을 변호했다. 히토미는 아나스타샤가 무슨 말을 하는지 알 수 있었다. 김 소령이 간직한 트라우마, 어릴 적 어머니의 죽음을 보았던 그가 자신을 아들처럼 대하는 사람을 죽일 수 있겠냐는 뜻이다.

'하지만…… 그날의 김 소령이라면…….'

히토미가 아는 김빈우는 '목적이 수단을 정당화한다'란 말의 인격체, 혹은 화신과 같은 존재였다. 그는 인류의 안녕과 평화를 위해서라면 거기에 걸리적거리는 외계 생명체 따위는 숱하게 쓸어버릴 사람이다. 인간이라면 설령 그가 성폭행범이나 연쇄살인마라 할지라도, 선량하고 착한 외계인보다는 항상 윗줄에 둘 것이다.

"으음, 그 양반이 살인이라……."

파트리샤의 혼잣말 또한 지금 팀원들이 가지고 있는 빈우의 위상을 대변하고 있었다. 빈우는 살생은 해도 살인은 하지 않는다. 열불 뻗치는 종자들이 있어도 기를 쓰고 살리려고 하지 결코 버리지는 않는다. 빡돌아서 그 인간들 대가리를 후려치는 한이 있어도 그들을 살리기 위해선 기꺼이 자신의 목숨을 바칠 사람이다.

"하이고, 맞다. 씨바랄, 그 눈깔."

아까보다 커진 파트리샤의 혼잣말. 그리고 그것이 무엇을 의미하는지 팀원들은 눈치챘다. 빈우가 뽑아간 알탄훼아나의 눈, 인류의 몸에 숨어든 샤다이를 구별해낼 수 있는 눈. 그리고 히토미가 방금 연락을 받고 왜 그런 말을 꺼냈는지도 알 수 있었다.

"네, 피아프 중위. 김 소령은 아만다 타이 여사를 보았고, 그다음 죽었습니다. 여기서 나올 수 있는 답은 그리 많지 않아요. 아마도 고인은, 음…… 그녀는 샤다이일 가능성이 대단히 높습니다."

방금까지 음식을 삼키던 팀원들의 입에서 탄성이 터져 나온다. 탈주한 전임 팀장이 친구 어머니가 샤다이임을 알고 죽였다. 하지만 그건 단순한 샤다이가 아니었다. 아나스타샤의 반응을 보면 정말 가족 같은 존재임에도 불구하고 빈우는 그녀를 가차 없이 죽여버린 것이다.

"그럴 리가, 그런⋯⋯."

아나스타샤는 믿을 수 없다는 듯이 말을 더듬고 있었다. 주인의 행동, 그리고 아만다의 밝혀진 정체가 그녀를 혼란스럽게 만들고 있었다.

"아나스타샤, 정신 차려."

히토미의 낮은 목소리에 안드로이드가 가까스로 몸을 바로잡았다.

"네가 혼란스럽다는 것은 잘 알아. 하지만 여기선 네가 정신을 똑바로 차려줘야 해. 우리가 쫓고 있는 것은 김빈우 소령이고, 이 중에서 그를 가장 잘 알고 있는 사람은 바로 너야."

"네, 네에."

간신히 제정신을 차린 아나스타샤가 대답하지만, 히토미는 못내 걱정이었다. 알탄훼아나와 아나스타샤 둘 다 이 팀에서 중요한 역할을 맡고 있다. 그러나 둘의 정신 건강은 그다지 좋지 못한 상황이었다. 아나스타샤의 보고에 따르면 알탄훼아나의 정신적 상처는 일상생활이 가능할 정도까지는 돌아왔지만, 아직 만전은 아니라고 했다. 그리고 그녀 자신의 AI를 점검해보라고 했을 때는 위험한 정도는 아니라고 했다. 즉 알탄훼아나의 정신을 다독여줄 이 안드로이드마저 그 상태가 썩 좋지는 않은 것이다.

"아나스타샤, 그렇다면 너도 아만다 타이와 많은 접촉을 했겠지?"

"네, 그렇습니다. 크산티페와도 그때 알게 되었습니다."

"혹시 아만다 타이가 샤다이의 스파이였을 가능성은 없을까?"

히토미는 그녀가 샤다이가 아니더라도 샤다이와의 접점은 없는지 알아보려 했다.

"마커스 타이 차관님이 군사정보국으로 들어갈 무렵, 주변인에 대한 신원 조사가 행해졌습니다. 거기서 통과했으니 스파이일 가능성은 적습니다. 게다가 그분의 회사가 이번 작전의 핵심이 되는 입자가속포를 만든 곳입니다."

아나스타샤의 설명대로 샤다이의 방어막을 뚫는 신형 입자가속포는 개발은 과학기술국이, 실용화와 양산은 아만다의 회사가 하고 있었다. 그리고 이 병기들에 딱히 문제점이나 결함이 없는 것으로 보아 이적 행위는 하지 않은 것으로 추정된다.

생각을 가다듬는 히토미에게 알탄훼아나의 조언이 들려온다.

"아마 그녀는 제국 시절에 내려왔을 가능성이 높다. 그리고 인간의 육체로 살아오면서 인간 사회에 동화된 무리일 것이다. 그런 자들은 자신이 태어난 샤다이보다는 자신이 살아온 인간의 편에 서는 경우가 종종 있다고 한다."

즉 인간의 몸을 빼앗은 다음 인류 사회에 동화되었다는 의미다.

"그것은 일종의 배신 아닌가요?"

"아마 계단 위에서 일어났던 일이 그들의 정체성마저 흔들었겠지. 자신이 그림자라는 사실은 그 당시의 오만한 선조들에겐 참을 수 없는 수치였을 테니, 모든 것을 포기하고 새로운 삶을 택했을 수도 있어. 자세한 것은 본인에게 물어봐야겠지만, 내가 듣기로 몇몇 이들은 확실히 인류 편이었다고 한다."

즉 그녀의 말에 따르면, 아만다 타이는 정신은 샤다이일지 몰라도 몸과 그 정신적인 소속감은 인간이었다는 의미다.

"아니, 잠깐. 그럼 지금 김 소령님이 지금 연방에서 못 죽일 사람이 누가 있죠?"

위르겐의 질문에 바로 대답하는 사람은 없었다. 지금 빈우라는 수류탄은 안전장치 다 날아간 데다 신관이 이미 작동한 상태다.

"염병. 지금 그 양반은 보고 수틀리면 바로 조져버린다는 거 아니에요?"

말은 조금 거칠지만, 내용은 핵심을 찌르고 있다. 동료와 가족마저 버리고 떠난 빈우가 과연 무엇을 할 것인가, 그리고 그가 하지 못할 것에는 대체 무엇이 있을까.

"의원님. 상부에선 대체 무슨 생각으로 저 닉스 레벨 3을 통제하지 않는 걸까요."

아룸의 질문 역시 핵심을 찔렀다. 빈우는 단독으로 행성 사회 하나쯤은 손쉽게 말아먹을 정도의 인간이다. 그럼에도 불구하고 연방의 상층부는 히토미의 팀을 추적 겸 붙였을 뿐, 적극적인 제재는 하지 않고 있었다.

"아마 위에선 김 소령이 보안국의 추적을 피해 탈주한 것을 연방을 위한 작전으로 간주하고 있는 것 같습니다."

상원의원으로서 연방이 돌아가는 꼴을 직접 보는 히토미는 한숨이 나왔다. 지금 연방의 각 부서들은 서로를 의심하고 있고, 견제하고 있다. 뻐꾸기 작전이 가장 큰 이유다. 인류 속에 숨어든 샤다이들과 이를 잡아내려는 인류. 이로 인한 반목이 인류 사회의 근간을 서서히 흔들고 있었다. 그렇다고 이것을 대대적으로 공표해버리면 그야말로 아수라장이 벌어진다. 때문에 뻐꾸기 작전으로 샤다이들을 서서히 색출하고 있으며 이런 와중에 발생한 공백 지대 사이로 빈우는 징검다리 뛰기를 하며 도망치고 있었다.

"그리고 김 소령을 통해 보다 강경한 제거책을 간접적으로 실행하려는 사람들이 있다는 것도 부정할 수 없는 사실입니다."

"잠깐잠깐, 스톱."

파트리샤가 손을 들고 나섰다.

"말씀하세요, 피아프 중위."

허락을 받은 파트리샤는 돌아가는 상황이 영 아니꼬운지 표정이 팍 썩어 있었다.

"그러니까, 의원님 말씀은 김 소령님이 이렇게 사고를 치고 다니는 게 상부의 묵인이란 말이죠?"

"그럴 가능성이 높습니다."

"그러니까 — 누군가 반드시 해야 하는 일이 있는데, 지가 하긴 싫다, 차라리 누가 총대 메고 불 싸지르면 좋겠다, 어, 저놈 잘하네, 더해라 더해, 아주 다 부숴라, 뭐 이런 이야기 아닙니까요오?"

"정확해요."

히토미의 대답에 파트리샤는 식탁을 거세게 내리쳤다. 그녀는 진심으로 분노했는지 식탁이 부서져 날린다.

"씨바랄! 명령서도 없고! 뒤봐주는 놈도 없고! 빈우 이 새끼는 그걸 알고도 막장으로 아득바득 처기어들어가고!"

그녀의 거친 언행에도 히토미나 아룹은 별다른 제지를 하지 않았다.

"아니이, 뭘 뻔히 보고 있어. 그럼 이거 끝나면 그 양반 뒤지는 거잖아요!"

파트리샤의 말에 아나스타샤가 움찔하면서 치마를 부여잡았다. 그러나 거기까지만 반응한 것을 보면 그녀로서도 어느 정도 짐작은 한 것 같았다.

"네? 팀장, 아니, 김 소령님이 왜요?"

모니카는 영문을 모르겠다는 듯이 겁먹은 눈으로 이리저리 살피고 있었다. 그녀도 정보사령본부 소속이지만 연구와 개발만 해온 터라 이런 일엔 문외한이었다.

"제가 정리해서 설명할게요."

히토미는 땅바닥에 떨어진 컵에 물을 따라 한 모금 마셨다.

"지금 김 소령이 하고 있는 돌출 행동은 연방 상부가 묵인하고 있습니다. 거의 확실해요. 현재의 뻐꾸기 작전으론 한계가 있으니 샤다이를 적대하는 게 확실한 닉스 레벨 3의 단독 행동은 몹시 달가운 일이죠. 아주 강경하게 샤다이를 사냥하고, 어디에도 소속되지 않은 닉스 레벨 3. 나중에 그가 어떻게 되어도 어디에도 책임 소재를 물을 필요는 없지요."

"어, 어. 그래서, 그래서 김 팀장님이 떠나신 겁니까?"

우지의 질문에 히토미는 슬픈 표정으로 고개를 저었다.

"아뇨, 김 팀장은 그저 우리에게 피해가 가지 않기 위해 떠난 겁니다. 그것을 상부에선 멋대로 이용하고 있지요. 또 모든 일이 끝난 다음엔 그에게 책임을 물어 조용히 처리할 겁니다."

"잠깐만요. 닉스 레벨 3이라면 연방에도 더 있잖습니까. 왜 다른 요원들은 움직이지 않습니까?"

우지는 빈우의 처지가 억울한지 주먹을 쥐고 떨고 있었다. 그도 그럴 것이 빈우는 변방의 촌놈이던 자신을 여러모로 교육시켜준 스승이기도 하다.

"있기야 있지. 하지만 각자 맡은 임무가 있는 데다가, 김 소령님이 특이한 경우야. 보통 닉스 레벨 3은 소속 부서의 엄중한 관리를 받는다. 군사정보국과 특수전 사령부 사이에 뜬 김 소령이었기에 이런 일이 가능했던 거야."

아룹의 설명 다음으로 대원들의 시선이 히토미에게로 모였다. 어떻게라도 해결책을 바라는 눈치였고, 그것은 히토미도 마찬가지였다.

"이대로는 안 되겠어요. 이 일을 이번 임시 회의 때 정식으로 안건에 올려야겠습니다."

그녀가 말하는 임시 회의는 상원 의회를 말하는 것이고, 상원은 연방의 수도에 있다. 오다 히토미 상원의원이 굳은 표정으로 일어서서 말했다.

"화성으로 갑시다."

• • • ✦ • • •

266

동 중잉 함장은 자신의 순양함, 타이런트의 전투지휘실에서 정찰기의 보고를 받고 있었다. 그러고는 마시던 차를 뱉었다.

"뭐? 미확인 아군 함이라고?"

참 듣기 싫은 단어다. 연방의 함선이나 전투기들은 모두 피아 식별 코드를 가지고 있다. 그래서 일단 이 코드를 주고받아 아군임을 증명하고, 나머지는 미확인으로 판명된다. 그리고 미확인기 중에선 다시 분류를 거쳐 적인지 기타 세력인지를 파악한다.

"아군이란 말이지……."

미확인 아군이라면 피아 식별 코드가 등록되어 있지 않거나, 없긴 하지만 누가 봐도 아군 함선이란 의미다. 물론 정찰이나 비밀작전을 하는 함선들은 통신이나 전파를 제한하기 때문에 이런 코드 자체를 발산하지 않는다. 다만 지금 정찰 영상에 뜨는 함선들은 일체의 전파를 내지 않으면서도, 함의 형상 자체가 기존의 데이터베이스에 없었다. 동 함장의 경험상 이런 경우는 대개 군사정보국이나 연방중앙정보국의 비밀작전함일 가능성이 상당히 컸다. 지금 그가 타고 있는 헤라클레스 급 순양함 타이런트 이하 분함대가 있는 곳은 샤다이 거주행성 부근이다. 여기까지 올 수 있는 연방의 함선은 42전단 외엔 달리 없다.

"이건 또 뭔가."

정찰기가 보내온 영상 속의 함선을 보던 동 함장은 고개를 갸웃했다. 아군으로 추정된다고는 하는데, 아군이라고 하기엔 그 형태가 상당히 해괴했기 때문이다.

"함선을 만든 것은 연방의 기술이지만, 설계 사상은 라출노그입니다."

"그렇지."

미확인 아군함의 숫자는 모두 5척. 이 함선들은 중앙의 거대한 모함과 그 주변에 붙어 있는 작은 포격함들로 구성되어 있다. 그리고 도킹한 포격함의 추진기로 이동하고 있는 저 모습은 영락없는 라출노그 전투함이다. 그런데 또 재질이나 추진기 등의 기술은 어딜 봐도 연방이다.

"저거 데넥샬이냐, 슈흘루냐."

동 함장은 라출노그 내부 파벌의 이름을 읊었다. 친 연방파와 반 연방 파벌들이다.

"지금까지 수집한 정보로는 모르지요. 또 저들은 기본적인 무선 관제는 하고는 있습니다만, 이쪽을 의식하면서도 대놓고 모습을 드러내고 있습니다."

"이쪽을 의식은 한단 말이지."

부장의 말을 곱씹던 함장이 무의식적으로 부장 쪽으로 곁눈질을 했다. 얼마 전 42전단의 AI들은 빈우가 탈주하며 몇 가지 수작을 부린 덕에 대규모 폭주를 일으켰다. 때문에 전단의 작전에는 크나큰 차질이 있었고, 하마터면 보안국이나 다른 부대들과 무력 충돌 직전까지 갔다. 다행히 상원의원인 오다 히토미가 중간에서 중재해주었고, 빈우 또한 사고를 저지르는 것과 동시에 AI들의 취약점과 그 해결책들을 상세하게 지적해놓아 문제점을 빠르게 고칠 수 있었다.

하지만 자라 보고 놀란 가슴은 솥뚜껑 보고 놀라는 법이다.

"뭐어, 함장님께서 미덥지 않은 것도 이해합니다."

동 중잉의 곁눈질을 본 루 펑셴이 쓸쓸하게 웃으며 어깨를 으쓱했다.

"아니, 난……."

뭐라고 얼버무리려던 동 함장은 한숨을 쉬며 긍정했다.

"그래, 미안하다. 그날 이후로 조금, 뭐랄까……."

"역시 그렇죠?"

동 중잉 함장과 루 펑셴은 오랜 시간 같이 지내온 전우다. 그랬던 전우가 갑자기 명령을 무시하고 돌출 행동을 했으니 인간으로선 AI에게 접접한 마음이 없을 수 없었다. 하지만 펑셴은 전혀 마음 상한 기색이 없었다. AI라도 녀석 같은 고성능이면 나름 반응을 할 텐데도 말이다.

"함장님. 아무래도 저놈들, 선수 치려는 모양인데요?"

"뭐?"

펑셴의 말대로 정체불명의 라출노그 전투 함대는 샤다이 행성으로 다가가고 있었다. 5척뿐이지만 그 대형은 어딜 봐도 전투 태세다.

"어떻게 할까요?"

"일단은 지켜보자."

지금 동 함장이 이끄는 분함대는 게이트를 만들어 장거리 정찰을 하는 중이다. 즉 본대가 오기 전의 정찰부대인 셈인데, 자칫하면 저 정체불명의 부대에게 목표물을 빼앗길 기세다.

"싸우는 것을 보면 놈들 정체가 드러나겠지."

라출노그 형태의 전투함들이 샤다이 행성 쪽으로 접근하자 그쪽에서도 방어 함대가 나왔다. 그러나 샤다이의 움직임엔 급한 기색은 없었다. 애초에 샤다이가 공격하는 것은 인류 연방뿐이고, 다른 외계종족들에 대해선 딱히 적대적이지 않다. 오히려 우호적인 경우가 많다. 그래서 연방은 동맹종족에게 샤다이에 대한 공동전선을 펴달라고는 하지만 동맹종족의 기술로는 샤다이에게 큰 피해를 줄 수 없었고, 샤다이 또한 인류 외의 종족은 딱히 공격하지 않아 전투는 언제나 연방과 샤다이 사이에서만 벌어졌다.

"공격 시작합니다."

펑셴의 말대로 라출노그 쪽은 대화할 생각은 없는지 모함 주변으로 포격함들이 사출되었다. 그리고 대형을 갖춘 포격함들이 공격을 시작했다.

"입자가속포!"

라출노그 함선들의 공격을 본 동 중잉 함장은 놀라서 소리쳤다. 저들이 쓰는 것은 42전단이 쓰는 신형 입자가속포인 것이다. 샤다이의 방어막을 관통하는 공격에 샤다이들의 배들이 속속들이 격침된다.

"네, 그것도 아군 것보다 고성능입니다."

펑셴이 즉시 저 포격함들의 성능을 분석했다. 그 결과에 따르면 저 포격함의 입자가속포는 함체의 전면부를 통째로 쓰는 것으로 추정되었다. 마치 함체를 코일건의 포신으로 쓰는 연방 구축함과도 같다.

"일격에 전열함이 격침이라고."

동 함장이 감탄했다. 포의 크기가 크기인 만큼 위력도 절륜했다. 타이런트의 입자가속포 모두를 합친 것보다 저 전투함의 화력이 월등했다.

"흠, 그러나 딱히 연방에는 위협적이지 않군요."

"그거야 그렇지."

눈앞에 보이는 엄청난 화력에도 불구하고 펑셴은 박한 평가를 했고, 동 함장도 동의하듯이 고개를 끄덕였다. 왜냐하면 저 함대의 구성은 철저하게 대 샤다이 전투를 위해 짜여 있었기 때문이다.

일단 저들의 무장인 입자가속포만 봐도 그렇다. 입자가속포는 물리 에너지와 열에너지 공격을 동시에 할 수 있다는 장점이 있지만, 그 효율이 낮다. 물리 공격이라면 코일건이나 레일건 같은 자기가속 무기가, 열에너지라면 레이저나 플라스마 같은 것이 에너지 소모 대비 화력이 높다. 샤다이 전투가 아니라면 저런 무장 구성은 전체적인 전투력 약화를 가져온다. 또 연방은 구축함 주포의 위력을 지닌 주력 전투기 롱소드를 적진 내 침투시키는 방법을 즐겨 쓴다. 그러나 저 라출노그 함대는 기존의 것과는 달리 대공병기가 일체 없었다. 애초에 저 전투함들은 설계 사상이나 전투 교리 자체가 대 샤다이전에만 초점이 맞춰져 있었던 것이다. 만약 저 함대들과 연방의 함대가 붙는다면 연방의 압승일 게 뻔하다.

"일종의 실험부대 같은데요? 동맹종족을 어떻게 잘 구슬렸나 봅니다."

"그건 기쁜 일이로군."

평센과 동 함장은 불안감은 지워버리고 순수하게 기뻐하고 있었다. 연방은 동맹종족에게 고급 군사기술을 주지 않는다. 그래서 지금까지 동맹종족은 대 샤다이 전투에서 큰 두각을 나타내지 못했었다.

'신형 입자가속포가 절묘하군.'

동 함장이 마음속으로 감탄했다. 대 샤다이 전투에 특효약인 신형 입자가속포는 분명 연방의 최신 무기다. 그러나 그 화력은 기존의 것에 비해 쳐지고, 오직 샤다이의 방어막을 뚫는다는 특징만 있을 뿐이다. 그런 병기로 무장한 동맹 함선이라면 환영이다. 아군에게 위협적이지 않고, 적만을 치는 동맹이니 반기지 않을 리 없다.

"허! 벌써 끝인가!"

잠시 딴생각을 하는 사이 포격이 잦아들자 동 중잉이 놀랐다. 역시 우주함대전은 라출노그의 영역이다. 일사불란하게 움직이는 포격함들의 움직임은 사각 없이 샤다이 함대를 유린했고, 얼마 있지 않은 샤다이 방어 함대는 순식간에 전멸했다. 그리고 라출노그 함대는 행성 궤도까지 접근해선 다음 단계로 들어갔다.

"지상 부대가 강하하는군."

"네, 포드가 상당히 크군요. 전차나 지상용 기동 병기가 들어 있는 것 같습니다."

라출노그 전투함에서 사출되는 강하 포드는 장갑보병이 쓰는 것보다 대형이었다. 주로 중장비나 전차를 강하시킬 때 쓰는 대형 포드인데, 샤다이와의 전투에는 전차를 잘 쓰지 않는다.

"흐음, 전차라…… 그렇다면 입자가속포를 쓰는 게 아닐까? 라이노에 그런 것을 달면 괜찮았잖아. 누가 그랬더라?"

"김빈우 소령입니다."

"아······."

42전단에도 지상 병력은 있다. 뱅가드의 장갑보병들. 그들도 라이노에 입자가속포를 달아 샤다이 도륙에 열심이다. 그리고 그 아이디어는 잠시 협력했던 태스크포스 373의 팀장 김빈우의 것이었다. 사고 치고 도망간 그놈이 떠오르자 동 함장은 한숨을 쉬었다.

"설마 그놈, 도망가서 저기로 갔으려나."

"설마겠죠. 그런 사고를 치고 저런 곳을 갈까요?"

"저런 곳이니까."

인간과 AI가 잡담을 하고 있는 사이 부장인 펑셴에게 새로운 소식이 들어왔다.

"함장님, 저 정체불명의 함선에 대한 조회를 정보사령본부에 의뢰했는데, 그 결과가 나왔습니다."

"오, 그래? 어디 소속이야?"

"군사정보국입니다. 국방부 의뢰로 만든 실험부대랍니다."

"국방부라······."

동 함장이 묘하단 표정으로 턱을 긁었다. 군사정보국은 적대적 외계종족만을 상대한다. 때문에 동맹종족과의 작전은 거의 하지 못한다. 그래서 아마 중간에서 국방부가 다리를 놨겠지.

"비밀부대인데 이번에 작전 영역이 겹쳐서 미안하다는군요."

"뭐 우리도 정찰하러 온 거니까 그럴 수 있지."

정체불명 함대의 정체가 밝혀지자 동 함장은 한시름 놓은 듯 의자에 털썩 앉았다.

"자, 그럼 여긴 저놈들에게 맡기고 우린 다른 목표물 찾으러 갈까?"

"네, 그게 좋겠군요. 좌표는 어디로 할까요? 제2 목표로 그대로 갑니까?"

"음, 그렇게 하지. 그리고 게이트 충전하는 동안 최대한 저쪽 함대 촬영하라고 해."

"알겠습니다."

42전단의 동 함장은 앞으로 새로운 아군이 되어줄지 모를 새로운 함대를 보다가 자신의 업무로 돌아갔다.

*

강하하는 포드 안에서 아스탄은 떨었다. 포드의 떨림이 아니라 몸이 떨려온다. 그렇게나 훈련을 했음에도 몸이 떨려온다. 이 떨림에는 첫 실전이란 긴장도 있지만, 드디어 복수가 시작된다는 환희도 분명 있을 것이다.

포드가 최종 감속 단계로 들어가자 한 차례 큰 진동이 있었고, 곧이어 포드가 지표와 충돌했다.

"가자!"

동포들이 포효하며 포드를 뛰쳐나갔다. 그리고 포를 쏘고 칼날을 휘둘렀다. 입자가속포가 작열하고 진동 칼날이 피를 흩날린다. 조그만 인간들이 속절없이 죽어나간다. 푸른 피부, 기다란 귀. 조금 다르지만 인간이다. 두 다리와 두 팔을 가진 인간이다. 동족을 죽이고, 실험체로 삼았던 증오스러운 존재들이다. 아스탄은 빈우의 속내가 무엇이든 간에 복수의 장을 마련해준다면 기꺼이 어울려줄 속셈이었다. 그의 도구가 되더라도 눈앞에서 인간만을 죽일 수 있다면 가장 앞서서 놈들의 피를 빨아먹을 것이다.

"인간을 죽여라!"

"복수다!"

인류의 기술로 무장한 위은쏼납학들이 인간의 도시로 진격한다. 조그만 존재들이 복수의 제물이 되었고, 이제 놈들 자신이 희생양이 될 차례였다.

"네라미 알루!"

두 발 달린 조그마한 생명체, 인간이 손을 들어 외친다. 아스탄은 알 수 없는 언어. 그러나 알고 싶지도 않다. 알아볼 수 없는 표정. 그것이 고통과 공포였으면 좋겠다. 아스탄은 허리칼날을 휘둘렀다. 칼날에 달린 연방제 진동 칼날이 인간을 토막 내며 푸른 피를 사방으로 튀겼다.

"인간들이 반격한다!"

동료의 경고에 돌아보자 거기서 플라스마 사격이 날아오고 있었다. 고온의 공격에 맞은 동료의 반신이 장갑복째로 날아갔다.

"방패를 만들어! 흥분하지 말고 대응해."

공격에 눈이 팔린 동료들은 포드를 나서며 방패조차 만들지 않았다. 아스탄의 외침에 지상 부대들은 서둘러 방패를 만들었다. 골조에 발포 장갑들이 들어차고 내열방패들이 만들어진다. 이어서 날아오는 플라스마 공격을 방패로 막자 섬광과 함께 장갑이 증발한다. 나머지 파편과 열기가 날아오지만 장갑복이 막아준다.

"응사해!"

위은쏠납학 지상 부대는 입자포를 쏘았다. 인간들이 쓰기엔 크지만, 위은쏠납학들이 쓰기엔 안성맞춤인 크기였다.

"꼴좋다!"

자신들이 만든 무기에 죽어가는 인간들을 보며 아스탄은 광소를 터뜨렸다. 밑바닥까지 떨어진 자신이 이런 복수를 할 수만 있다면, 실험체로 살아온 자신이 이런 충족감을 얻을 수 있다면, 아스탄은 얼마든지 빈우의 명령을 따를 의사가 있었다.

"인간들을 죽여라!"

위은쏠납학 장갑보병들이 포효하며 진군하기 시작했다.

• • • ✦ • • •

267

"왜 저들이 우릴 공격하지?"

달리는 프레드릭의 뒤로 비명이 들린다. 폭음이 들리고 괴성이 오고간다.

"저들이, 위은쏠납학이 왜, 왜 우리를 공격하는 거냐고."

마주 달려오는 기사들이 겁에 질린 프레드릭을 지나쳐 달려간다. 그들의 무기에서 별 심장의 불길들이 뿜어져 나와 적들을 휩쓸었다. 그 모습에 한숨 돌린 프레드릭이 기사를 잡고 물어보았다.

"무슨 일이오. 이게 무슨 일입니까! 방어 함대는 어찌 된 겁니까?"

그러나 아무도 그의 물음에 대답하지 못했다.

"도망가요. 어서 달려."

기사 하나가 그를 밀면서 달리라 재촉하지만 어디로 가란 말인가. 사방이 비명이고 팔방이 불길이다. 갈팡질팡하는 프레드릭의 눈앞에서 섬광과 폭발이 일어나 그를 날려버렸다. 아까 기사들의 공격을 맞은 적들이 아직 죽지 않았던 것이다. 집채만 한 놈들이 별 심장의 불길을 맞고도 끈질기게 살아남아 계속 이리로 달려오는 반면, 놈들이 쏘는 무기는 기사들의 방어막을 찢고 이들의 목숨을 앗아가고 있었다.

"으아아!"

프레드릭은 휘청거리며 일어나 달렸다. 자기도 날 수 있었으면 좋았을 것을, 이라고 부러워했지만, 그것도 잠시였다. 날아서 도망치는 이들은 바로 침략자의 공격을 맞고 터져나가고 있었다.

"아아아!"

저 멀리서 아기를 안고 날아오르던 여인이 공격을 맞고 터져버렸다. 검을 들고 달려가던 기사가 적의 거대한 두 칼 사이에 잡혀 올려진 다음 버둥거린다. 그리고 푸른 피보라를 날리며 두 동강이 났다. 거대한 위은쓸납학들은 전에 없이 강력한 무기로 무장한 채 쇄도해오고 있었다. 거기다 마치 이쪽을 철천지원수 보듯 자신들의 안위는 전혀 생각지도 않고 미친 듯이 밀어붙이고 있었다.

폭발, 비명, 신음, 폭음, 굉음. 아비규환 속에서 프레드릭은 정신을 잃을 지경이었다. 달리고, 넘어지고, 구르고, 일어나고. 정신을 차렸을 때는 어느새 폭음이 메아리치는 구덩이 안에 떨어져 있었다. 겁에 질려 주변을 두리번거리던 프레데릭은 마침내 마음을 가다듬었다. 비겁자라고 욕해도 좋다. 일단 자신만이라도 도망칠 생각이었다.

'먼저 이곳의 중력.'

프레드릭이 발밑으로 느껴지는 중력을 기준점 삼아 방향을 정했다.

'다음은 도착할 곳의 중력.'

서서히 도착할 별의 중력을 감지하고 있을 그에게 갑자기 다른 중력이 느껴졌다. 자연적인 것이 아닌 인위적인 것이다. 놀라서 눈을 뜬 프레드릭의 앞에 누가 나타났다.

"찾기는 찾았는데, 허참, 이거 진귀하군."

어느새 그의 눈앞에는 인류 연방의 장갑복이 서 있었다. 프레드릭도 아는 장갑복, 어벤저라 불리는 기종이다. 그게 누구이든 프레드릭의 주변에 작용하는 인공적인 중력이 그의 도주를 막고 있었다.

'어어, 이 인공 중력장이 방해되고 있어. 안 된다. 할 수 없어.'

"살려주세요!"

프레드릭은 손을 번쩍 들었다.

"아, 아아. 나는 인간입니다. 인간이에요. 샤다이들에게 잡혀 있었던 겁니다. 살려주세요."

그는 살기 위해 필사적으로 일어나 소리쳤다. 인류 연방은 예전에 위은쓸 납학을 쓸어버린 적이 있었다. 이번에도 그러리라 막연히 생각할 뿐이다. 프레드릭은 지옥 속에서 살길을 찾아낸 것만 같았다.

"아, 그러셔?"

그때 장갑복의 헬멧 앞부분이 열렸다. 그리고 그 안에서는 호민관의 눈이 금빛으로 일렁이고 있었다.

"억!"

그걸 본 프레드릭은 외마디 소리를 지를 뿐이었다. 빛이 사라진 다음, 그의 얼굴에는 미소가 감돌고 있었다.

"오래 사셨구만."

장갑복이 앞으로 걸어온 만큼 프레드릭은 뒤로 물러섰다. 그러나 얼마 가지도 못하고 구덩이 가장자리에서 막혀 발만 그저 휘적거릴 뿐이었다.

"제국 시절부터 내려와서 지금까지 살아놓고는, 그래도 더 살고 싶어?"

그 남자는 웃고 있었지만, 그 웃음이 살의에 찬 비웃음이란 것을 프레드릭은 알 수 있었다.

"그 몸의 원래 주인이면 내가 당연히 구해줘야지. 그런데 내가 이런 네놈을 왜 구해줘야 하지?"

정말로 궁금하다는 듯이 좌우로 갸웃거리는 고갯짓은 섬뜩하기까지 하다.

"뭐, 그래도 구해주지 못할 것은 아니야."

마치 지옥 속에 내려온 거미줄 같은 말이다. 하지만 프레드릭은 거기에 필사적으로 매달릴 수밖에 없었다.

"네네, 제발, 제발 살려주십시오."

"뭐, 좋아. 나도 그렇게 인심이 박한 사람은 아니고. 너의 가치를 증명하면 곱게 죽여주지."

죽여준다는 말에 프레드릭의 목숨 구걸은 잠시 멈추었다. 떨리는 눈으로 장갑복을 올려다보자 그는 친절하게 설명을 시작했다.

"안 죽으면 어떻게 되나 궁금하단 눈치인데, 이걸 봐."

그가 재생해주는 홀로그램에는 피와 살점이 흩날리고 있었다. 그로테스크한 광경에 넋을 잃은 프레드릭 앞에 홀로그램이 한층 더 다가왔다.

"뭘 그런 눈으로 보는 거야. 이거 소시지 만드는 거라고, 소시지. 돼지나 소의 고기를 갈아서 그 창자에 집어넣고 요리하는 거. 그래, 실제로 보여주지. 잘 봐."

그 사나이는 옆에 있던 샤다이 시신을 하나 가져와 즉석에서 시범을 보였다. 너무나 비현실적인 광경이라 프레드릭은 잠시 눈앞에 벌어지는 행동을 이해하지 못했다.

"우웨에엑!"

비로소 무슨 일이 일어나는지 이해한 순간, 차마 보지 못할 광경에 프레드릭은 토해버렸다. 거기다 실금까지 해버렸다.

"너무 사양하지 마. 다음은 네놈 차례니까."

고기가 채워진 내장이 철썩하며 프레드릭의 얼굴에 달라붙는다.

"아아아 ― 나는, 나는 인간입니다. 제발. 제발, 제발."

공포에 휩싸여 발버둥 치는 프레드릭의 위로 그 사내의 얼굴이 지긋이 내려왔다.

"그래서 말했잖아. 가치를 증명하면 곱게 죽여준다고. 고통 없이 쓱싹."

자신의 목을 훑고 지나가는 장갑복의 손가락에 프레드릭은 울부짖으며 자지러졌다.

"으아아아아!"

이제 프레드릭이 무얼 하든 그의 앞엔 죽음만이 있을 뿐이다. 차이는 사람답게 죽느냐, 아니면 고깃덩이가 되느냐 하는 것뿐. 그 사내는 공포와 절망에 범벅이 되어 흐느끼는 프레드릭을 친절하게 기다려주었다. 그리고 잠시 후

프레드릭은 모든 것을 포기하고 입을 열었다.

"무, 무엇을 원하십니까."

그의 선택은 사람다운 최후였다. 프레드릭의 대답이 마음에 들었는지 장갑복을 입은 사내의 웃음 색깔이 조금 바뀌었다.

"위치, 고도, 상황."

갑작스레 나온 세 단어를 프레드릭이 이해하지 못하고 있자, 그 사내는 쓴웃음을 지었다.

"흐흠, 존트를 모르나? 하긴 뭐 중세 시절 작품이니."

프레드릭이 그가 무슨 말을 하는지 몰라 멍하니 있는 사이 저쪽에서 구원의 손길이 날아들었다.

"죽어라! 종말자야!"

기사 하나가 달려와서 검을 휘둘렀다. 무엇이든 녹여버리는 고온의 플라스마. 항성 내부에서 벼려낸 별 심장의 불길이다. 그러나 기사의 일격은 기대와 달리 어벤저 장갑에 맞고 튕겨 나갈 뿐이었다.

뜻밖의 상황에 검을 휘두른 기사와 프레드릭은 어안이 벙벙해졌다. 그리고 어벤저는 서서히 코일건을 들어 기사를 겨눴다. 자기장으로 금속탄환을 가속시켜 쏘는 연방의 보병용 무기. 하지만 기사의 방어막이라면 충분히 막아낼 수 있다.

"사라져라!"

기사가 다시 기합과 함께 검을 휘두르려 할 때, 코일건에서 초음속의 탄환이 쏟아져 나왔다. 그리고 그것들은 기사의 방어막을 그대로 관통해 들어가 명중했다. 갑옷의 장갑은 그리 오래 버티지 못했고, 기사는 죽었다. 프레드릭이 알기로 연방의 장갑복은 기사들의 장갑복을 이기지 못한다. 그러나 눈앞에서 벌어진 광경은 그렇지 않았다. 그것도 장갑복 성능 차이로 벌어진 일이 아니었다. 착용자에게 무언가 다른 능력이 있는 게 분명했다.

"왜? 이해가 안 되나?"

장갑보병이 겁먹은 프레드릭을 보면서 말했다. 둘의 눈이 마주치자 프레드릭인 그 이유를 깨달았다.

"눈, 그 눈."

프레드릭이 벌벌 떨면서 그자의 눈을 가리켰다. 호민관의 눈을 어떻게 저자가 쓰고 있을까. 그리고 인간이 어떻게 별 심장의 불길을 다룰 수 있을까. 하지만 더 이상 어떻게는 중요하지 않았다. 이미 눈앞에서 벌어지고 있는 일인 것이다.

"서! 설마!"

아까 저자는 위치, 고도, 상황이란 단어를 꺼냈다. 모두 공간을 나타내는 단어들이다. 그렇다면 그가 원하는 해답은 하나일 것이다. 그리고 그 해답이 무엇인지 눈치챈 프레드릭은 대답하기가 무서워졌다. 자신의 대답이 나비 하나를 풀어놓는 것에 불과할지라도, 그것이 불러올 폭풍의 크기가 짐작이 갔기 때문이다.

"하나가 이쪽으로 도망치던데. 흠, 네가 잡았군. 근데 뭐지, 그건."

어느새 거대한 위은쓸납학이 다가와 프레드릭을 내려다보고 있었다.

"파란 피부가 아니군."

프레드릭을 살펴보던 위은쓸납학은 그가 목표가 아닌 듯, 허리의 칼날을 거두며 뒤로 물러났다.

"파란 피부의 인간만 죽이면 되는 거지?"

위은쓸납학 전사의 말에 어벤저를 입은 인간이 대답한다.

"그래, 파란 피부에 긴 귀. 그것이 너희들을 공격한 인간 파벌이다. 그 외엔 건들지 마."

다시 달려가는 위은쓸납학을 이 사내는 웃으며 배웅했다.

"자, 그럼 방해꾼들도 사라졌으니 이야기를 계속해볼까?"

그를 본 프레드릭은 공포를 느꼈다. 자신의 죽음에 관한 공포가 아니었다. 저자가 앞으로 저지를 사건에 대한 두려움이었다. 인간의 육체에 샤다이의 눈, 그리고 별 심장의 불길을 다루는 샤다이의 능력. 그럼에도 불구하고 그는 또다시 새로운 능력을 원하고 있었다. 아마도 저자가 이번 침공의 지휘관일 것이다. 그렇다면 그가 새로운 능력을 얻었을 때 또 무슨 일을 벌일 것인가. 쉽게 상상할 수 없는 일임이 분명하다.

"왜 그래? 아까 대답한다고 했잖아? 계속해. 설마하니 누가 구해주러 올 것을 기다리고 있는 거야? 잘 봐."

그는 프레드릭의 목덜미를 잡고 구덩이 위로 올라왔다. 그리고 그를 들어 올려 주변의 광경을 보여주었다.

"!"

이제 프레드릭의 입에선 더 이상 비명이 나오지 않았다. 신음도 나오지 않는다. 눈에 들어오는 것에 대한 감상이 전혀 입 밖으로 나오지 못하고 있었다. 그저 슬픔과 고통에 입을 막고 오열을 참을 뿐이다. 죽어가는 동포들, 죽임을 당하는 동포들, 한때는 살아 있었던 자들이 시체가 되어 땅바닥을 푸르게 물들이고 있다.

"살려……."

프레드릭은 죽어가는 동포의 입 모양으로 단말마를 읽었다. 위은쏼납학들이 무저항의 시민들을 학살하고 있었다. 또 그들의 허리칼날에는 시신들이 꿰여 있다. 이 야만인들은 단지 죽이는 것이 아니라 고문을 하면서 즐기고 있었던 것이다.

"제발, 제발 그만……."

마침내 프레드릭의 입에서 흐느낌이 흘러나왔다. 그러자 어벤저를 입은 사내가 반대쪽 손을 들고는 학살의 현장을 향해 크게 외쳤다. 그러자 위은쏼납학들이 손을 멈췄다. 프레드릭은 알아들을 수 없는 언어였지만, 아마도 위은쏼납학들의 말인 듯했다.

"이제 말할 생각이 들었나?"

그는 프레드릭을 바닥에 내려놓았다. 위은쏼납학들은 투덜거리면서도 학살을 멈추었다. 프레드릭의 말 몇 마디가 수많은 동포의 목숨을 구한 것이다. 한때는 도망치려 했으나 이젠 꼼짝없이 죽을 뿐인 그에게 또 하나의 선택지가 생겨났다. 말을 하면 동포들이 살 수 있을지도 모른다는 희망.

"나, 나는 죽어도 좋소. 제발 저들만은. 저들만은 살려주시오. 당신이 원하는 것을 알려줄 테니 제발 저들을 살려주시오. 죽이지 마시오."

프레드릭의 부탁에 사내는 선뜻 고개를 끄덕였다.

"좋아. 내 약속하지. 김빈우 이름 석 자에 걸고 저들을 살려주겠다고 약속한다."

그렇게 작은 생명체 둘이 뭐라고 소곤소곤 이야기하는 모습을 아스탄이 멀리서 지켜보고 있었다.

그런 아스탄에게 보병 한 사람이 걸어왔다.

"선장님."

"선장은 무슨, 치워."

아스탄은 주입된 기억을 혐오했다. 자신의 이름 역시 그렇지만 원본이 되는 자의 이름이라 이것만큼은 원한을 잊지 않기 위해 받아들이고 있었다. 이들 위은쏼납학 클론들은 인간들에게 죽임을 당하지 않았다. 그러나 인간들은 선조들을 죽이고 자신들을 실험체로 사육했다. 그 만행에 대한 대가는 반드시 치러야 할 것이다. 이렇게.

"저 김빈우란 자가 한꺼번에 죽이라고 했습니까?"

"그래, 공터에 모아놓고 산 채로 궤도포격으로 태우라는군."

"그것도 나름대로 재미가 있겠군요."

뭐가 진실이고 뭐가 거짓인지는 모른다. 그러나 빈우는 푸른색 피부를 한 인간들이 위은쏼납학을 공격했다고 했고, 당시의 영상으로도 그것은 사실이었다. 일단은 서로가 이용하고 있는 만큼, 필요한 선까지는 움직여줘야 할 것이다.

"인간들을 몰아. 공터에 집어넣어라."

아스탄의 명령에 위은쓸납학 장갑보병들은 샤다이들을 밀어 한곳으로 모으게 했다. 이제 명령만 내리면 궤도 상의 라출노그 함선들이 놈들을 태워버릴 것이다.

다샤 쿠사키나 준장. 연방군 정보사령본부 산하 보안국의 국장. 한때는 군 내부에서 목소리 한번 쩌렁쩌렁 울렸었다지만, 그것도 다 옛말이다.

지금 그녀는 상원의 조사위원회에 구금되어 이것저것 빨리고 있었다. 나름 보안국에서 굴러온 잔뼈가 있었다고 생각한 그녀였지만, 상원의 조사는 그것과 격을 달리했다. 이들의 심문은 보안국의 조사를 가내수공업으로 폄하할 만큼 광범위하고 질적으로 우수했다. 애초에 상원 의회란 연방 시민들의 권력 집합체였으니, 이들로 구성된 특별조사팀이 가진 권력은 일개 군이나 행정부의 것과는 비교를 불허할 정도였다.

"하아."

그녀는 한숨을 내쉬며 숟가락을 내려놓았다. 식욕이 없다. 식사는 분명히 질 좋고 맛있는 것이지만 먹는 사람이 그럴 마음이 들지 않는 것이다. 다샤가 밖을 보자 소용돌이치는 염기성 폭풍우가 쏟아지고 있다. 조사위원회는 군 교도소가 아닌 외곽 개척지의 안전가옥에 그녀를 가둬놓고 있었다. 아마 다른 부서의 방해를 피해 제대로 일을 벌일 속셈인 듯하다.

그때 의외의 불청객이 찾아왔다.

"이렇게 하는 것인가? 응? 쿠사키나 국장?"

문을 열고 들어온 것은 어벤저 장갑복이었다. 뜬금없이 나타난 장갑복에 다샤는 한 번 놀랐고, 헬멧이 열리고 나타난 얼굴에 두 번 놀랐으며, 그의 눈이 빛나는 것으로 세 번이나 놀랐다.

"어어, 기, 김 소령."

갑작스레 나타나는 빈우의 존재에 다샤는 말을 잇지 못했다.

'뭐지? 왜 그가? 그도 조사위원회 소속인가? 오다 의원과 같이 있었으니. 아니야. 그는 탈주했잖아. 아니, 혹시 탈주도 연극이었나? 아니, 그것보다!'

그녀의 머릿속은 창밖의 폭풍우는 저리 가라 할 만큼 맹렬하게 휘몰아치고 있었다.

"왜, 자네가 그, 그 눈을 하고 있는 것이지? 그건 샤다이 눈이잖아."

떨리는 다샤의 질문에 빈우는 그저 어깨를 으쓱할 뿐이었다.

"눈이 문제가 아닐 텐데요? 제가 어떻게 나타났는지를 아신다면 기겁하실 겁니다."

빈우의 말에 다샤는 침을 꿀꺽 삼켰다. 지금 그녀가 감금된 곳은 외곽지대의 외딴곳. 거기다 특수전 사령부에서 엄선해 보내온 대원들이 그녀를 지키고 있었다.

"설마. 네놈이 특수전 사령부와 한통속이었나?"

다샤가 쏘아붙였지만 빈우는 피식하고 웃을 뿐, 대답은 없었다. 그리고 육중한 장갑복으로 사뿐사뿐 걸어오기 시작했다.

"감히!"

그 기세에 한 발 물러선 다샤를 보고 빈우는 고개를 갸웃거렸다.

"왜 그러십니까? 딱히 해를 끼칠 생각은 없습니다. 여기 온 것은 저로서도 예상 밖의 일입니다. 말하자면 사고지요. 뭐 그래도 이렇게 뵙게 되었으니 잠깐 얘기라도 좀 할까요?"

태연한 빈우와 달리 다샤는 주변을 빠르게 훑어보았다. 그녀는 24시간 감시당하고 있는 몸이다. 만약 빈우가 어떤 돌발행동이라도 한다면 경비병력이 달려올 것이다. 아니 바로 문밖에서 뛰어 들어오겠지.

'그러나 오지 않는다면?'

빈우의 방문과 행동이 돌발적인 것이 아니라 계획된 것이라면 아무도 그를 방해하지 않을 것이다.

"천하의 다샤 쿠사키나 준장께서 왜 이리 겁쟁이가 되셨습니까? 방해는 아무도 오지 않을 겁니다."

그 말에 오히려 다샤는 마음을 다잡을 수 있었다. 앞으로 벌어질 일에 대해 각오를 하자 차분해졌다.

"사실 전 댁이 샤다이인 줄로만 알았소."

가당찮은 말에 다샤는 코웃음만 칠뿐이다. 역시나 이놈은 아무것도 모르고 있었다.

"왜 샤다이와 협력했습니까?"

뜬금없는 빈우의 질문에 다샤는 헛웃음을 터트렸다. 지금까지 몇 번이고, 몇 번이고 받았던 질문이다. 그러나 이런 것은 심문 기술에서 기본 중의 기본. 같은 질문을 반복해 상대방에게 스트레스와 오류를 쌓게 만드는 것이다.

"인류를 위해서."

언제나 같은 질문에 언제나 같은 대답. 이게 수없이 반복되자 오히려 그 사실에 의미 포화를 일으킨다. 오죽하면 다샤 자신은 진실을 말했을지언정 그에 대해 혼란이 생길 지경이다.

"푸흡."

그러나 빈우의 반응은 색달랐다. 기막혀하든가, 분노하든가, 이해하지 못하는 이전 심문관에 비하면 아주 색달랐다.

"하참. 명색이 보안국장이란 아줌마가 뭐요? 인류를 위해서?"

그렇게 감탄 반, 비웃음 반의 웃음이 잠시 방을 채웠다.

"뭐가 웃기냐! 네놈이 샤다이의 진면목을 알기나 해?"

"알다마다. 멸망을 피해 도망갔다가 자신의 정체를 깨닫고 돌아온 그림자들이지."

웃음기가 사라진 빈우의 말이 날카롭게 돌아온다. 귀로 들려야 할 말이 목덜미를 스산하게 스치는 것 같다. 다샤는 다시 입을 열었다.

"그래, 그들은…… 그들은 이 우주를 이해하고 있다. 맨몸으로 우주에서 살 수 있도록 진화했어. 스스로 별과 별 사이를 이동하고, 별 안에 들어 있는 에너지를 사용하고, 샤다이들이야말로 이 우주를 이끌어나가야 할 종족이란 말이다. 우리 인류는 그들을 받아들이는 게 올바른 섭리야. 그리고 인류로 하여금 알맞은 자리를 찾도록 하는 것이 나의 사명이야."

다샤로서는 진심 어린 열변이었지만, 빈우에겐 전혀 통하지 않았다.

"염세주의자신가, 인간혐오자신가."

그는 기도 안 찬다는 듯 비웃음과 함께 의자에 앉아 다샤를 쳐다보았다.

"그놈들에게 속아서 넘어간 거요, 아니면 자기가 다 알고도 넘어간 거요? 뭐, 나에게 거짓을 알아보는 시야가 없어서 아쉽군요. 아차, 이거이거. 걷기도 전에 뛰는 놈의 슬픔이구먼. 원래 상대의 파장을 파악해 참 거짓을 알아보는 게 가장 기본기라던데…… 하, 그러면 잘만 하면 나와 인연이 깊은 자의 미래도 보이려나?"

빈우의 눈에는 현재 샤다이의 안구가 들어 있다. 그래서 다샤는 그의 초점이 지금 어디에 맞춰져 있는지 알 수 없었다.

"무슨 말을 하는 거야?"

"응? 아아, 존트 얘기요. 존트. 샤다이들의 순간이동. 정식 명칭은 뭐라더라? 아무튼 방금 배워서 썼거든. 프레드릭이던가, 아시려나 모르겠네? 난 체메트디오프의 그 말만 곧이 믿고 좌표만 죽자고 계산했는데 아니었어. 오히려 모니카의 가설대로였지. 출발 지점과 도착 지점의 중력을 계산한 다음 그 중력장을 왜곡해서 통로를 만드는 거 말이오. 그러면 공간이 왜곡되고, 공간이 왜곡되면 자연히 시간도 같이 왜곡되지. 응? 아니 근데 댁이 이걸 물었던가?"

말뿐만이 아니라 빈우의 행동 또한 이상하다. 조금 산만해 보이는 손의 움직임, 초점을 알 수 없는 시선 처리. 지금 빈우의 안에서 뭔가 일어나고 있다.

언뜻 보니 그의 이빨이 제법 길어진 게 보인다. 예전에는 저렇게까진 길지 않았던 걸로 기억한다.

"넌 누구지?"

다샤는 슬쩍 반격을 시도해보았다. 넘치기 직전의 찰랑이는 컵을 슬쩍 밀어본 것이다.

"내가 누구냐고?"

샤다이의 눈이 희번득거리며 다샤를 쳐다본다. 그 투명한 안구 너머로 무엇이 있는지는 다샤는 짐작할 수 없었다.

"나? 인간이지. 인간 김빈우지. 바로 이렇게."

빈우가 홀로그램을 띄워 학살 현장을 보여준다. 굉음과 비명 사이로 샤다이들이 죽어가고 있다. 연방제 무기로 무장한 위은쏼납학들이 진군하며 샤다이들을 죽이고 있다. 대 샤다이전 전술에 신형 입자가속포로 철저하게 준비한 침공군. 반면 제대로 준비가 안 된 샤다이들은 처참하게 죽어간다.

"모두 내 명령이오. 내가 이간질시켜서 싸움을 붙였지. 샤다이를 죽이는데 위은쏼납학을 썼어. 하! 이게 인간이 아니면 뭐란 말이요. 이게 빈우가 아니면 누구란 말이요."

전장의 화염과 살육의 피보라 속에서 웃고 있는 그의 얼굴에선 순수한 인간의 악의를 엿볼 수 있었다.

"갓 태어난 클론들, 제대로 된 정보가 없는 아기들이랑 다를 바 없지. 그들에게 가짜 정보를 줘서 싸우게 하고 그걸 구경하는 것은, 진짜 재미지더군요. 히히히."

망가진 자의 웃음, 무언가를 잃어버린 자의 웃음. 다샤가 살아오며 숱하게 봐온 웃음이다.

'그래, 빈우는 예전에 이런 적이 있었다.'

다샤도 본 적이 있다. 울토르 프로젝트를 진행할 때의 빈우가 딱 저랬었다. 자신이 믿어 의심치 않았던 이상의 실체를 알고 절망한 엘리트 장교는 그 이상을 위해 달려나갔다. 더럽혀진 가치를 깨끗이 하기 위해 스스로를 몰아붙였다. 그리고 무너져내리고, 다시 일어서고, 또 무너져내리기를 반복한다.

'왜 그는 스스로를 저렇게까지 밀어붙일까. 왜 저런 성향을 띠게 됐을까.'

보안국 국장이었던 다샤에게 닉스 레벨 3 요원들의 분석은 필수였다. 하나하나가 연방의 전략 자원이었으니까. 하지만 다샤가 보기에 그중에서도 빈우는 특별했다. 유년기에 가족을 잃은 크나큰 충격, 그럼에도 불구하고 빈우는 굴하지 않고 스스로 딛고 일어났다. 여기까진 흔하다. 서류상으론 그랬다. 하지만 행간을 읽으면 읽을수록 다샤는 빈우의 과거가 수상했다.

'빈우는 만들어진 존재 같았다.'

새로이 드러난 사실들을 보면 빈우는 마치 누군가의 필요에 의해 만들어지고 키워져 사육된 것만 같았다. 아기에게 굳은살이 생길 때까지 채찍질을 하고, 그 상처를 부드럽게 어루만지고, 나으면 다시 학대를 한다. 쇠를 달궈 두들기고 식히는 담금질을 사람의 생살에 한 것처럼. 물론 일련의 행위와 사건들이 누군가에 의해 직접적으로 행해진 것은 아니다. 그 흐름이 자연스럽게 흘러가도록 빈우의 인생이란 핀볼게임을 보이지 않는 손이 높이 들어서 흔든 것만 같았다. 그 손은 연방의 권력체계 중에서도 상당히 이질적인—.

"어이쿠."

다샤의 생각을 깨트린 것은 경보음, 그리고 빈우의 쓴웃음이었다.

"불청객은 이만 가봐야겠소, 라고는 했지만, 통로를 만드는 데 시간이 좀 걸리겠군."

사이렌 소리와 함께 복도 너머로 장갑보병들이 달려오는 소리가 들린다.

"그럼 저 좀 도와주시죠."

빈우가 다샤의 멱살을 잡고 일으켰다. 그리고 문을 보고 섰을 때, 경비병력들이 안으로 들이닥쳤다.

"장갑복을 작동 정지하고 나와라!"

어벤저들이 들어와 코일건을 겨눈다.

"빨리도 온다. 등신들. 쏴보든가."

"어어?"

빈우는 다샤를 방패 삼아 왼팔에 올려놓고는 코일건을 쏘았다. 대 장갑용으로 설정된 탄환이 뿌려지고 기껏 들어왔던 경비병력들은 피탄 섬광만 남기고 다시 바깥으로 물러섰다.

"이거 진짜 등신들인가. 새끼들아! 다짜고짜 들어왔다가 도로 나가고, 뭐 하자는 건데!"

빈우는 맨몸의 인간을 왼팔의 방패 거치대에 묶어놓고는 도발을 했다. 그때 벽을 꿰뚫고 레이저가 발사되어 빈우의 다리를 노렸다. 나름 괜찮은 선택이었겠지만 레이저는 빈우에게 아무런 효과가 없었다.

"어쭈? 제법."

빈우는 레이저포에 코일건을 쏘고 다시 그 구멍으로 수류탄을 던져넣었다. 저쪽도 다샤 쿠사키나가 인질로 잡혀 있으니, 빈우에게 뭘 할 수 있는 게 없었다. 장갑복이 격돌하는 상황에서 강화가 되지 않은 맨몸의 인간은 그냥 터져버린다.

그렇게 대치한 상태로 시간이 몇 분쯤 지났을까. 빈우는 다샤를 바닥에 내려놓았다.

"뭐 덕분에 시간은 벌었소. 가능하면 다음에 또 봅시다."

그러더니 빈우의 모습이 일그러지기 시작했다. 어벤저 장갑복의 형상이 마치 실처럼 뽑아내어 하늘 위로 올라가더니 사라졌다. 이건 샤다이의 공간이동이다. 인간 김빈우는 지금 샤다이의 공간이동으로 도망친 것이다.

"이럴 수가."

다샤는 벽을 뚫고 들어오는 어벤저 사이에서 멍하니 중얼거렸다.

"어떻게."

어벤저들에 포박되는 다샤 쿠사키나의 머릿속으로 빈우의 눈이 떠오른다. 샤다이의 눈. 빈우는 지금 세상을 어떻게 보고 있을까. 그리고 지금 그가 할 수 있는 것에는 무엇이 있을까.

'그 이빨.'

불현듯 빈우의 이빨이 떠오른다. 일반인보다 조금 더 길고 날카로운 이빨. 패션은 아닐 것이고 강화도 아닐 것이다. 그렇다면 이빨이 길어질 이유는 무엇일까.

'설마…… 워프 비스트?'

워프 비스트들은 샤다이들의 특성을 가지고 있다. 그중 하나가 플라스마나 레이저가 통하지 않는다는 것이다. 방금 빈우는 레이저 공격에 전혀 무반응이었다.

'나? 인간이지. 인간 김빈우지. 바로 이렇게.'

넌 누구냐는 다샤의 질문에 빈우는 과민 반응을 보였다. 샤다이들을 학살하는 장면을 보여주며 자신이 인간이라고 증명했다. 지신이 빈우라고 소리쳤다.

'그는 지금 무엇일까.'

덧없는 생각이다.

다샤 쿠사키나는 고개를 흔들며 어벤저들에게 끌려갔다.

• • • ✦ • • •

안나 닐센은 가부좌를 틀고 있었다. 무중력 공간에서 두둥실 떠다니는 몸이지만 옛적부터 이어져온 버릇은 어쩔 수 없었다.

'그날 무슨 일이 있었지?'

안나는 멍한 기억을 다시 더듬었다. 포말하우트 게이트 안에서 있었던 일을 떠올리고 있었다.

'나는 왜 그날 거기로 향했지? 나는 거기서 무엇을 보았지?'

2216년 6월 8일, 13전대는 포말하우트 점프 게이트 안으로 들어갔다. 그리고 거기서 무언가를 보았고, 그것이 계기가 되어 오늘날의 일까지 이르게 되었다.

'난 거기서 무엇을 보았기에 루비콘 라인 안쪽으로 들어왔을까.'

루비콘 라인 안쪽으로 들어가면 어떤 일이 벌어질지 모두가 잘 알고 있다. 그러니 그녀에겐 그것을 감내하고서라도 들어가야 했던 이유가 있었을 것이다. 제대로 떠오르는 것은 없다. 모두 파편화되고 뒤섞여 있다. 하지만 반드시 찾아야 한다. 자신이 카이사르 급을 건조하고 지구로 돌아가려 했던 이유를. 황제를 다시 만들려고 했던 이유를.

"무슨 일인가요, 전대장?"

안나의 말에 아래에서 조용히 기다리던 전대장 이 섬이 황송하다는 듯이 고개를 숙였다.

"방해해서 죄송합니다, 함장님. 보고드릴 것이 있습니다."

허공에 떠 있던 안나 닐센이 서서히 바닥으로 내려왔다. 그리고 모습도 변했다. 그녀의 발이 바닥에 닿았을 때 안나 닐센의 모습은 1전대의 기함인 그리폰의 함장, 샹 메이화로 돌아와 있었다.

"체메트디오프의 일이겠군요."

"네."

샤다이가 인류의 몸을 사용해 돌아오려 한다는 것은 알고 있다. 그러나 그것은 인류 스스로가 이겨낼 수 있는 위기다. 굳이 비홀더 전대가 나설 일은 없다. 하지만 체메트디오프의 계획은 달랐다. 놈은 귀환의 그릇이 되는 울토르 중대의 규모를 키워 대규모 귀환을 일으킨 다음 돌아온 선조들을 몰살할 계획을 세우고 있었다. 그리고 이외에도 여러 가지 계책을 꾸며 일을 뒤틀리게 만들고 있다.

"새로운 정보라도 있나요?"

"낭소로호가 몇 가지 주의해야 할 것을 들었다 합니다."

현재 낭소로호 중위는 루비콘 라인 가장 안쪽에서 연방의 구역과 겹쳐가며 정보를 수집하는 중이었다.

"신중한 그가 주의해야 할 것이라면 정말 심각한 것이겠죠."

"말씀대로입니다. 그중에서도 집정관의 동태가 가장 미심쩍습니다. 샤다이 집정관인 체메트디오프가 다시 병력을 모으고 있다 하는데, 낭소로호의 분석에 따르면 이번엔 본대가 나올 가능성이 상당히 높다고 합니다."

"본대라."

메이화가 기억을 더듬었다. 본대라면 샤다이의 선조들이 계단으로 도망치기 전, 과거의 우주를 정복하고 호령했던 대함대를 말할 것이다. 당연히 그 성능은 현재의 샤다이 것과는 비교할 수 없다. 아마 지구제국과 인류 연방 간의 격차보다 더 심할 것이다. 하지만 체메트디오프는 그것을 쓰거나 연구하지 않고 내버려두었는데, 이유는 간단했다. 자존심 높은 놈은 자신들을 버리고 간 조상의 물건을 쓰길 꺼렸기 때문이다. 그런데 그것을 지금 꺼냈다? 이는 체메트디오프가 이번 일에 본격적으로, 그리고 물불 가리지 않고 뛰어들겠다는 의미였다.

"그렇다면 행여 화성이라도 가려는 것일까요?"

함장의 말에 전대장이 가볍게 고개를 숙였다.

"네, 만약 샤다이의 고대 함대가 온다면 화성이 위험할 수 있습니다."

아무리 강력한 샤다이라 해도 지금까지 태양계를 건드린 적은 없었다. 여기엔 두 가지 가설이 있는데 좌표를 몰라서 못 온다는 것과 무서워서 안 온다는 것이 있다. 물론 후자가 진실일 것이다.

화성은 인류 연방의 수도인 만큼 그 방어력은 연방군 안에서도 두 번째이다. 우선 연방군의 주력인 중앙 함대가 주둔하는 곳이 바로 화성이다. 중앙 함대 중 하나만 나가도 어지간한 외계종족은 멸종당하며, 그 전체 전투력은 샤다이에게도 치명적이다. 다만 넓은 연방의 영역을 전부 커버하기엔 무리라 신속 대응군 격인 뱅가드 연대를 먼저 출격시킨 다음, 추이를 살펴보고 변방 함대나 중앙 함대를 파견하는 것이 현재 연방의 대 외계인 전법이다.

하지만 뭐니 뭐니 해도 화성의 가장 큰 전력은 아직까지 움직이는 제국 시절의 자동 방어 시스템이다. 지구를 시작으로 각 행성마다 배치된 태양계 내 방어 시스템은 현재에도 자동으로 보수, 작동 중이며 태양계 안으로 들어온 외계 함선을 제국 시절의 무기로 공격한다.

"그런가요. 결국 침략자들은 화성의 방어 전력에 전멸하겠지만, 그때 인류가 입게 될 피해도 무시하진 못할 겁니다."

연방의 중앙 함대에 제국의 무인 방어 병기가 있다 해도, 샤다이의 본대가 쳐들어온다면 상당한 피해를 입을 것은 자명하다. 메이화는 창밖을 보며 잠시 생각을 가다듬었다.

"체메트디오프는 왜 굳이 화성으로 가려 할까요."

"그야 놈의 계획을 위해서가 아니겠습니까. 울토르 중대를 이용하겠다는 계획. 화성에 있는 샤다이 침략자 놈들과 뭔가 거래가 있겠지요."

일리가 있다. 체메트디오프는 얼핏 흥미 위주로 움직이는 자 같아 보이지만, 그 흥미를 유발하는 것은 어떤 것이든 그의 계획에 연관된 것뿐이다. 만약 아무리 신기한 일이 일어난다 한들, 자신의 계획에 상관이 없다면 그는 일말의 관심조차 두지 않는다.

"네, 체메트디오프는 언제나 자신의 사명에 따라 움직였으니 이런 큰 움직임은 반드시 그 계획을 위해서겠지요. 사명."

메이화는 자신의 말을 다시 중얼거리며 왔다 갔다 걸었다.

"사명이라……."

그녀는 문득 돌아서서 이 섬을 바라보았다.

"전대장, 안나 닐센의 사명이 무엇이었을까요?"

함장의 말에 전대장은 잠시 고개를 들어 그녀를 본 다음 다시 머리를 숙였다. 함장의 모습에 안나 닐센의 모습이 잠시 엿보였다. 자매의 기억을 더듬는 것이리라.

"함장님들의 사명은 인류 발전의 터전을 만드는 것 아니겠습니까?"

"맞아요. 폭발적인 기술을 얻은 인류에게 이를 소화할 시간을 주고, 바깥에 있는 외계종족을 쓸어 안전을 도모하는 것이죠. 그리고 우리는 지구로 돌아오지 않기로 약속했습니다. 이 모든 것이 인류를 위해서란 말이지요."

메이화 함장이 바깥으로 걸어나가자 이 섬이 따라붙었다. 육중한 거구가 마치 무게감이 없는 것처럼 가볍게 움직인다.

"하지만 모두가 그런 것은 아니죠. 전대장, 쿠델카를 아나요?"

"함장님과 마찬가지로 황제의 페르소나 중 하나 아닙니까."

"네, 또한 빈우란 자의 옆에도 있었지요."

메이화의 말에 이 전대장은 그런 안드로이드를 떠올렸다. 분명 김빈우란 연방군 소령의 옆에는 쿠델카 모습을 한 안드로이드 메이드가 있었다.

"저도 보았습니다만, 그것은 그저 자신의 모습을 본뜬 안드로이드 아닐런지요. 쿠델카의 임무는 샤다이의 계단을 감시하고 그것으로부터 인류를 지키는 것입니다. 쿠델카 타입 안드로이드는 이미 인류 안으로 들어온 샤다이를 제거, 혹은 견제하기 위한 방편 중 하나라고만 알고 있습니다."

"네, 그래서 제 자매는 점프 공간 안에서 나오지 못하고 있어요. 그곳은 통상공간과는 다른 곳이라 루비콘 라인의 영향을 받지 않지요. 할 수 있는 것이라곤 통신을 이용해 외부와 잠시 연동하는 것뿐. 그마저도 연동 시간이 길어지면 자신의 좌표를 바깥으로 인식하고 말아요. 루비콘 라인 안쪽에 있는 것으로 인식합니다. 그럼 결국 자아가 지구, 우리의 본체로 흡수되고 말지요."

그녀가 아는 것은 그 정도뿐이다. 이미 루비콘 라인 바깥으로 돌던 그녀에게 선 안의 일은 관심사가 아니었다. 그녀가 신경 써야 할 일은 지금 여기, 루비콘 라인 밖이고 그 일들이 현재 창 바깥에서 벌어지고 있다. 걸어가는 복도의 바깥으로 전장의 화염이 일렁인다. 정확히 말하면 전투가 아니라 학살이다. 오늘도 또 하나의 종족이 비홀더의 눈에 띄어 멸망당하는 중이다.

"안나는 이전부터 쿠델카를 견제했지요. 성향이 너무나 비슷했었기 때문입니다. 평행선을 이루던 둘의 사이는 그리 좋지 못했지만, 언제나 훌륭한 결과가 나왔기에 우리는 그녀들의 다툼을 오히려 반겼습니다."

메이화는 제국 시절 인간의 모습을 한 쿠델카와 안나의 다툼을 떠올리며 싱긋 웃었다. 즐거운 추억이었다.

"안나가 굳이 점프 공간으로 들어갔다면 그것은 십중팔구 쿠델카가 목적이었을 겁니다. 뭔가 중요한 것을 알아냈음이 분명해요. 심지어 외부에서 통신을 한 것이 아니라 직접 자신의 함대를 끌고 들어간 것이니 굉장히 중요한 일이었겠죠."

아쉽게도 비홀더 전대들은 거의 독립적으로 움직이며 협조를 하는 일은 드물다. 그래서 서로의 일은 알 수 없다.

"쿠델카 타입 안드로이드가 기른 군인은 지금까지 네 명. 그중에서 살아 있는 것은 김빈우와 마커스 타이에요."

이 섬은 조용히 듣고 있었지만 이해하긴 힘들었다. 그래봤자 연방의 군인이다. 빈우도 직접 본 적이 있지만 그리 강한 이는 아니었다. 요시오 한 명만 보내도 그의 배와 팀은 순식간에 전멸할 정도다.

"후후, 납득이 안 간다는 표정인데요?"

"송구합니다."

메이화가 급히 고개를 숙이는 전대장에게 다가가 손을 내밀었다. 그러자 제국의 군인이 무릎을 굽혔고, 함장은 그의 얼굴을 부드럽게 쓰다듬었다.

"이 섬. 저는 당신을 키웠습니다. 말하자면 제 아들이지요."

이 섬은 말없이 자신을 길러준 인공지능을 보고 있었다.

"오늘날까지 당신을 키우면서 저는 몇 가지 월권행위를 했습니다. 제 행동 원리상 가능할 리가 없는 일인데도 불구하고, 저는 그것을 할 수 있었습니다. 그저 당신을 위해서 하고 싶다고 생각했을 뿐인데 그 생각만으로 불가능이 가능케 되었죠."

전대장은 함장이 저지른 월권행위들의 내용이 짐작이 가는지 얼굴을 붉혔다. 어린 시절의 치기였다.

"만약 쿠델카의 안드로이드가 단순히 자신의 모습을 본뜬 안드로이드가 아니라 쿠델카 그녀 자신의 사고방식을 모조한 페르소나라면, 그리고 그 안드로이드들이 키우는 인간을 위해 헌신하며 살아왔다면 일이 복잡해질지 몰라요."

이 섬의 얼굴에서 손을 떼는 메이화의 표정은 어느새 심각해져 있었다.

"안드로이드가 자신의 보육 대상을 위한다는 헌신과 사랑. 그것을 모조해 열쇠를 만든다면 그녀는 그 열쇠로 자신의 상자, 판도라의 상자를 열 수 있을지도 모릅니다. 마치 제가 이 전대장을 위해 제 행동 원리를 뛰어넘은 것처럼 말이죠."

판도라의 상자는 과거 인류에게 금기를 나타내는 단어였다. 인공지능에, 그것도 황제의 페르소나에게 금기가 되는 것은 무엇일까.

"자매가 함대까지 이끌고 들어갈 일은 몇 없습니다. 쿠델카는 인류에게 반기를 들 가능성이 높아요. 바로 자신이 키운 존재를 위해서. 만약 그가 폭군이 되려 한다면 그녀는 그것을 도울 것이고, 그가 인류를 멸하려 한다면 그 또한 도울 겁니다. 그래서 안나는 이를 막기 위해 계단 안으로 들어갔고, 거기서 뭔가 본 것일 겁니다."

거기까지 말한 메이화가 고개를 저으며 정정했다.

"아니, 당했겠죠. 그 안은 쿠델카의 영역이었을 테니. 그리고 간신히 돌아나와 귀환 함대를 만들고 태양계로 돌아가려 했습니다."

사태가 돌아가는 방향을 짐작한 이 섬이 얼굴을 굳혔다. 13전대는 지구로 돌아가던 중 1전대와 마주쳤고, 싸웠으며, 결국 전멸했다.

"그 말씀은 우리가 누군가의 계획에 놀아났다는 말씀입니까?"

아무리 그라 해도 같은 비홀더 전대를 공격한 것은 썩 좋지 않은 기억이었다. 그런데 그것이 누군가의 음모라고 하니 좋은 기분이 들 리 없다.

"그럴 가능성이 높죠. 이건 계획이 아니라 숫제 판이에요. 놈은 아주 오래전부터 이 계획을 짰을 겁니다. 규칙을 정하고, 말을 만들고, 하나의 보드게임을 만들었죠. 우린 그 게임에 들어간 이상 게임의 규칙에 따라 움직일 수밖에 없어요. 어쩌면 체메트디오프도 그 말의 하나일지도 모릅니다."

함장의 말에 사태의 심각성을 깨달은 이 섬이 재차 질문했다.

"마커스 타이나 김빈우 둘 중 하나를 잡아 족치면 답이 나오겠군요."

"정확히는 답이 아니라 답을 향한 실마리죠. 서두릅시다."

메이화의 말에 섬은 몸을 돌려 달려나갔다. 함장 샹 메이화는 시선을 다시 바깥으로 돌렸다. 거기엔 자신과 동류인 존재가 죽어가고 있었다.

"발 가르단 하스. 이 바보 같은 자가."

행성 생명체인 발 가르단 하스가 자신의 표면에 달라붙은 1전대원들에게 죽어가는 중이다. 제국의 군인들은 행성의 표면을 부수고 반물질 폭탄을 밀어넣어 그의 신경계를 소멸시키고 있었다.

"안나에게 알려줬던 사실을 순순히 말했으면 죽지 않아도 되었을 것을."

메이화는 자매인 안나가 발 가르단 하스와 접촉했다는 것을 알게 된 다음 그를 찾아가 물었다. 그녀와 무슨 대화를 했냐고. 물론 과거에 1전대가 벌였던 사건에 대해서는 정중히, 그리고 깍듯이 사과했다. 체메트디오프의 수하를 치면서 당신도 같이 공격한 것에 질투심이 있었던 것은 사실이라고. 그러나 오랜 시간 동안 무료했던 발 가르단 하스에겐 대답할 의사가 없어 보였다. 메이화와 1전대가 수많은 업을 쌓았음에도 불구하고 발 가르단 하스는 앞으로 일어날 일을 알려주기는 싫은 듯, 정확히는 미래에 일어날 대사건을 막기 싫은 듯 보였다.

'앞으로 벌어질 일이 궁금하지 않아?'

그게 그의 유언이었다. 자신의 까마득한 선배이자 그녀들보다 윗줄의 능력을 가진 자가 무대 뒤에서 난리를 피우는 것을 달갑게 여기지 않았고, 그래서 메이화는 어쩔 수 없이 선택을 했다. 그 선택의 결과가 지금 그녀의 눈 아래에 펼쳐지고 있었다.

'죽어, 병신아! 죽어! 뒈져!'

저 아래에서 요시오가 물 만난 물고기마냥 날뛰고 있다. 발 가르단 하스의 관리자 종족들이 나와서 저항하지만 전대원들에게 비할 바는 아니다. 그들은 말 그대로 풍선 터지듯 터져나가고 있었다.

"잘 가시게."

오랜 선배의 숨통을 끊으며 샹 메이화는 묵념했다.

"너무 서두르시는 것 아닙니까?"

오르 함장의 말대로 상원의 임시회의까지는 아직 시간 여유가 있었다. 그러나 히토미는 한시라도 서둘러 화성으로 가려고 했다. 그래서 블랙 랜스는 42전단과 헤어진 다음 부랴부랴 점프를 해서 화성으로 가는 중이다.

"네, 서둘러야 합니다. 일단은 타이 차관과도 이야기를 나눠봐야 할 것 같습니다. 그리고……."

오르 함장은 히토미가 미처 다 하지 못한 말이 무엇인지 대강 짐작이 갔다. 화성은 연방의 수도이고, 연방의 관료들과 엘리트들의 집합소다. 당연히 숨어든 샤다이도 많을 것이다. 그녀가 속한 파벌과의 물밑 전투가 가장 치열할 곳 또한 화성이다. 만약 그곳에 샤다이를 알아볼 수 있는 빈우가 들어간다면? 연쇄 살인사건 당첨이다. 그는 비록 인간을 해치지 않을 사람이긴 하지만, 동시에 목적을 위해선 수단을 가리지 않는 사람이기도 하다.

"김 소령의 일이 걱정되시는군요."

"네, 화성이 쑥대밭이 되는 것은 막아야지요."

둘은 한숨을 쉬었다. 과거에 그들이 알고 있는 빈우의 모습은 그저 뛰어난 특수부대 요원이었을 뿐이다. 하지만 그에 대해 알아가면 갈수록 그의 어두운 진면목이 드러나기 시작하는 것이다. 연방을 위해서란 명목하에 이뤄지는 학살과 파괴. 그가 지켜야 할 것은 인류와 연방이었지, 외계종족은 아니었다. 빈우에게 있어서 외계종족은 잠재적 제거 대상에 불과했고, 연방과 동맹을 맺은 종족 정도가 아군이란 이유로 그 대상에서 벗어났다. 하지만 그것도 그의 목적에 방해가 된다면 가차 없이 쳐낸다. 만약 그가 연방의 수도 화성에서 대학살을 벌이는 와중에 외계종족 고위층이 휘말려든다면? 이건 심각한 외교문제가 된다. 설령 그렇다 해도 연방 내에 숨어든 샤다이가 더 심각한 상황이긴 해서 빈우는 저울질하다가 이해득실의 눈금이 기울면 바로 저질러버릴 인간이다.

"이제 점프합니다."

오르 함장의 말과 함께 블랙 랜스가 점프 게이트 안으로 들어갔다. 이제 이 게이트를 지나면 화성이 나올 것이다.

그러나 나오지 않았다.

"이건…… 뭐죠?"

히토미는 처음 본 광경에 어리둥절했다. 정확히는 직접 보는 것이 처음이다. 그녀와 팀원들은 이런 현상을 예전에 본 적이 있었다. 바로 빈우로부터.

"함이 점프 공간에서 멈췄습니다. 전원 전투 태세!"

오르 함장의 명령과 함께 무인 롱소드들이 사출되고, 우지의 롱소드도 발사되었다. 현재 블랙 랜스는 점프 도중 점프 공간 안에 잡혀버린 것이다. 마치 과거에 울토르 중대와 솔리드 베타가 포말하우트 게이트 안에서 잡힌 것처럼.

"샤다이인가요?"

"모릅니다. 의원님, 어서 안전한 곳으로 대피하십시오."

블랙 랜스의 주변으로 부유 포대와 방어 드론들이 대형을 갖춘다. 지상팀도 장갑복을 입고 격납고로 달려가 전투 준비를 한다. 히토미는 밖으로 달려가 자신의 방으로 갈 것이고 거기서 아나스타샤가 그녀를 지킬 것이다. 알탄 훼아나도 자료실에 있다가 경보를 듣고 방으로 가는 중이다.

오르 함장은 점프 공간에서 상대를 감지하자마자 공격을 개시했다. 이렇게 점프 공간에서 간섭해 올 수 있는 존재는 현재 샤다이뿐이다. 그래서 나타난 적을 향해 입자가속포로 선제공격을 가한 것이다. 그러나 블랙 랜스의 공격은 아무런 효과가 없었다.

"적은……!"

점프 공간 안에서 다가오는 함선을 파악한 오르 함장은 경악했다. 그 배는 그리폰이었다. 그리폰 급 순양함 1번 함 그리폰, 바로 비홀더 전대 1전대의 기함이었다.

오르 함장은 없는 이를 악물었다. 인류 연방과 구 지구제국군은 비록 아군은 아니지만 적은 결코 아니다. 마치 같은 농장에 있는 소와 닭과 같아서 때에 따라서는 협력하는 경우도 있다. 비홀더 전대가 연방군에게 적대적인 행위를 할 경우는 오직 하나, 연방이 먼저 시비를 걸었을 경우뿐이다. 그 외에는 대부분 무시로 일관한다.

"함이, 움직이지 않아."

하지만 지금은 상황이 심각했다. 그리폰에서 나온 역장이 블랙 랜스를 묶어놓은 것이다. 전신이 구축함의 기관과 연동된 오르 함장은 마치 자신의 사지가 구속당한 기분이 들었다. 왜 비홀더 전대가 이쪽을 적대하는지는 모르겠지만, 거대한 제국의 순양함이 블랙 랜스를 잡아먹을 심산이란 것은 확실하다. 블랙 랜스보다 10배 큰 그리폰의 하부 격납고가 열리며 그 안으로 꼼짝달싹도 못 하는 작은 구축함이 그대로 들어갔다.

*

"아이, 씨발."

"누님의 목소리를 들으니 안심이 되네요."

지상팀은 지금 격납고에서 투덜대고 있었다. 점프 공간에 묶였다는 사실과 전투 경보에 팀원들은 부랴부랴 장갑복을 입고 대 샤다이 전투를 준비했었다. 그런데 뜬금없이 비홀더 전대가 등장한 것이다. 다행히도 저쪽에 공격할 의사는 없어 보였지만 블랙 랜스를 역장으로 묶어서 끌고 가는 것에 좋은 의도가 있다고 보기엔 힘들었다. 하지만 그렇다고 해서 이쪽에서 선제공격을 할 수는 없는 노릇이었다. 우선 현재 돌아가는 상황이 어떤지 제대로 파악하지 못했을뿐더러, 체급 차이가 너무 나는 것이다. 그리고 결정적인 문제가 있었다.

"이쪽의 포격이 소용이 없었지?"

아룹의 말에 파트리샤가 고개를 끄덕인다.

"네, 입자가속포가 명중했는데, 효과가 없었어요. 방어력으로 막아낸 게 아니라 아예 반응이 없었다고요."

아룹이 혀를 차며 고개를 끄덕였다. 현재 블랙 랜스는 비홀더 전대가 준 입자가속포로 무장하고 있다. 대 샤다이 전투에 이것만 한 것이 없기 때문이다. 그러나 방금 이 입자가속포로 비홀더 전대를 공격했었지만 이에 대한 반응이 없었다. 명중했음에도 불구하고 아무런 에너지 반응이 없었고, 오히려 상대방의 방어막에 흡수된 것처럼 보였다.

"이 새끼들, 애초에 이런 속셈으로 준 것이 아닐까요?"

위르겐이 투덜댄다. 중화기병인 그는 현재 주무장이 입자가속포다. 주무장이 모조리 못쓰게 되었으니 그럴 수밖에.

"글쎄다. 하지만 우리가 이걸로 샤다이를 잡은 것은 사실이지."

아룹이 코일건을 점검했다. 상대가 누구이든 블랙 랜스에 흙발로 들어오는 자는 열렬히 환영해줄 생각이었다. 초음속의 속도로.

- 아룹 팀장.

그때 오르 함장이 아룹에게 통신을 넣었다.

"말씀하십시오. 함장님."

- 현재 비홀더 전대 장갑보병들이 격납고 쪽으로 접근하고 있습니다. 공격을 하고 있진 않습니다만, 주의하십시오.

"알겠습니다. 전원 전투 준비."

아룹의 말에 팀원들이 각자 무장을 점검하며 전투 태세를 갖추었다. 그때 격납고의 바깥에서 무슨 소리가 들렸다. 정확히는 소리라기보다는 작은 진동이다.

- 저, 팀장님.

그 소리를 들은 파트리샤가 희한하다는 투로 말했다.

- 저 소리, 저거 혹시나 말인데요. 제가 아는 그거 맞죠?

아룹도 저 소리가 무슨 소린지 알아들었다.

"그래, 노크 소리군."

지금 비홀더 전대는 격납고 바깥에 서서 문을 두드리고 있는 것이다. 바깥 화면을 봐도 거구의 제국 장갑보병들이 격납고 앞에 옹기종기 모여서 문을 쾅쾅 두들기고 있었다. 또 이들에게 달리 무장은 없었다. 그들 자체만으로도 흉악한 병기이긴 하지만.

"……열어줘."

아룹의 말에 격납고의 문이 열리자, 비홀더 전대원 한 명이 먼저 들어오더니 손에 든 것을 대뜸 내밀었다. 그의 손에는 백기가 들려 있었다.

"여러분, 반갑습니다. 비홀더 1전대의 노노무라 요시오 상사라고 합니다. 거시기 뭐냐, 우린 댁네들 칠 생각이 없었는데요. 전대장님 성격이 지랄맞아서, 헤헤. 아무튼 일이 이렇게 되었으니 뭐 어쩌겠습니까. 그러려니 하고 협조 좀 해주십쇼."

헬멧을 벗은 요시오의 얼굴에 적의라곤 없었다. 오히려 사고를 쳐서 미안하다는 쓴웃음으로 굽신거리고 있었다.

"지상팀장인 아룹 라마누단 원사요. 비홀더 전대가 우리 함을 잡아둔 이유가 뭡니까?"

아룹 또한 총을 거두고 나서서 대화를 시도했다.

"이유요? 에, 그렇죠. 그게…… 뭘까요? 야야."

요시오는 바로 대답하지 못하고 옆에 있는 동료를 쿡쿡 찔렀다.

"묻지 마. 나도 몰라, 병신아."

지구제국 장갑보병들은 서로를 보며 쑥덕거리고 있었다. 굳이 통상공간이 아닌 점프 공간에서 접촉하고는, 더구나 강제로 끌어들여놓고선 이유를 모른다고 하니 말이 안 된다.

'아니지, 말이 되지.'

아룹은 맞은편의 존재들도 엄연히 군인이란 사실을 떠올렸다. 군인은 명령에 따른다. 자신의 눈앞에 펼쳐진 상황이 아무리 불합리하다 해도, 위에서 내려온 명령은 그것을 합리적으로 강제해버린다. 스멀스멀 불길한 예감이 아룹의 등골을 타고 올라간다.

"저기, 사실은 여기 와서 사고 친 거 사과하란 말만 들었습니다."

우물쭈물하는 요시오의 말에 아룹은 등골이 서늘해지는 것을 느꼈다. 끝까지 올라간 예감이 식은땀으로 맺혀 떨어진다.

"아뿔싸, 파트리샤!"

아룹의 외침에 파트리샤는 대답 없이 바로 달렸다. 원래 이런 자리에 나와야 될 사람이 없다는 것은, 그 사람이 지금 자신의 할 일을 다른 곳에서 하고 있다는 뜻이다. 비홀더 1전대장 이 섬 준위. 그가 지금 보이지 않고 있었다. 아니, 정확히는 지상팀의 시야 바깥에서 움직이고 있었다.

"아나스타샤, 의원님이 위험하다!"

아룹은 명령과 함께 현재의 상황을 아나스타샤에게 보냈다. 지금 이 섬이 이 자리에 없다면 십중팔구 팀의 머리에게로 갈 것이다. 바로 오다 히토미 상원의원에게로. 그가 명령을 내림과 동시에 블랙 랜스 외벽 쪽에 파손 경보가 떴다. 역시나 거주 구역 쪽이다.

- 알겠습니다. 즉시 대응하겠습니다.

아나스타샤는 히토미의 방을 블록째 이동시키고 자신은 무장을 하면서 복도를 달렸다. 굳이 점프 공간 안에서, 그리고 굳이 이 섬이 모습을 감춰가며 이리로 오는 이유는 무엇일까. 적어도 그가 할 행동은 공식적인 자리에서 할 만한 행동과 말은 아닐 것이다.

*

알탄훼아나는 자신을 향해 다가오는 거인을 보고 굳어버렸다. 그녀는 얼마 전 모니카의 도움으로 간신히 새로운 의안을 끼워 넣을 수 있었다. 덕분에 과거 자신의 눈만큼은 아니지만 나름대로 외부의 시각과 전파 정보를 받아들일 수 있게 되었다. 그런데 하필이면 오늘 이 새로운 눈으로 차마 봐선 안될 것을 보고만 것이다.

"으으으……."

눈으로 본 것을 확인하자 절로 입이 떨린다. 당연하다. 자신을 잡아서 고문한 제국의 군인. 동료와 부하들을 무참하게 죽인 악마. 그 이 섬이 소리소문 없이 블랙 랜스 안으로 침입해 거주 구역 내를 돌아다니고 있다. 그리고 그녀 자신을 향해 걸어오는 것이다.

- 알탄훼아나 씨, 피해요!

아나스타샤의 비명이 통신기를 통해 들려온다.

"어, 어억."

그 덕에 겁에 질린 알탄훼아나가 간신히 정신을 차리고 뒷걸음질 치지만, 걸어오는 이 섬의 속도가 훨씬 빠르다. 긴 보폭의 제국 군인이 성큼성큼 걷자 둘 간의 거리가 급격히 좁아진다.

"이, 이 섬!"

- 안 돼요, 도망치세요!

안드로이드가 이리로 달려오지만, 시간이 맞지 않을 것이다. 그전에 이 섬이 알탄훼아나를 갈기갈기 찢어버리리라.

"도망? 도망을? 다시 달아나라고?"

알탄훼아나는 공포의 끝자락에서 분노를 찾아내었다. 동포를 죽인 자, 동료를 죽인 자, 부하를 죽인 자, 자신을 고문한 자. 고통스러운 기운을 마주한 채 복수심으로 간신히 이겨낸 그녀가 어떻게든 버티고 서서 이 섬에게 맞서려 시도한다.

그러나 샤다이의 능력을 상당수 잃은 지금의 그녀로선 플라스마를 쓸 수 없었다. 게다가 아무런 무기도, 방어구도 없다. 그렇다면 맨몸으로 중무장한 제국 군인에게 맞서야 한다. 홀로 샤다이 정예를 전멸시킨 자에게 혼자 맨손으로 덤벼야 하지만, 알탄훼아나는 주먹을 꽉 쥐고 고개를 들었다.

"악!"

짧은 외마디 비명과 함께 알탄훼아나는 나뒹굴었다. 걸어가는 이 섬에게 부딪혀 튕겨 나간 것이다. 그는 알탄훼아나를 공격하지 않았다. 심지어 시선조차도 보내지 않았다. 그저 없는 셈 치고 계속 걸어나간 것뿐이었다.

"으윽."

단순히 부딪힌 것이지만 알탄훼아나가 입은 충격은 상당했다. 뼈가 부러진 곳을 부여잡고 몸을 일으키려는 그녀는 이 섬을 보았다. 그때 이 섬이 멈춰 섰다. 그리고 고개가 서서히 돌아가기 시작했다. 그 모습에 알탄훼아나는 더럭 겁을 먹었다. 그리고 심장이 죄어들어갔다. 제국 군인의 고개가 이쪽으로 돌아올 때마다 끈적끈적하게 달라붙은 공포가 그녀의 몸을 타고 올랐다.

"흠."

그러나 이 섬은 그저 고개를 좌우로 두리번거린 것뿐이었다. 갈 방향이 어딘지 가늠하기 위해 이리저리 돌아본 것에 불과했다. 그는 뒤는 돌아보지 않고 다시 자기 갈 길을 향해 걸어갔다. 그리고 그 모습에 알탄훼아나는 살아남았다는 안도감과 무시당했다는 굴욕을 동시에 느꼈다.

아나스타샤는 코일건을 떨어뜨리고 무릎을 꿇었다. 펄럭이는 메이드 복
의 치마가 손에 잡힌다. 하지만 그 손의 감촉이 이상하다. 눈앞의 손이 어째
남의 손 같다. 부품을 갈아 끼워서 느끼는 이질감과도 다르다. 보다 근본적인
이질감이다. 마치 자신이 자신이 아닌 것 같은 기분이다.

"안녕, 아나스타샤? 오래간만이야."

자신의 목소리가 입이 아닌 귀로 바로 들려오자 아나스타샤가 화들짝 놀
랐다. 지금 점프 공간에 정보체로 존재하던 쿠델카가 그녀에게 간섭해온 것
이다. 블랙 랜스가 점프 공간에 멈췄기에 가능한 일이다.

- 해킹? 나에게?

아나스타샤는 명색이 군사정보국의 안드로이드다. 게다가 빈우가 개인적
으로 손본 것도 있어서 보안 레벨은 상당하다. 설령 해킹을 당한다 해도 이렇
게 아무런 기척도 없이 당할 리는 없었다.

"해킹이 아니야. 이 몸은 원래 내 것이나 마찬가지니까. 제어권이 내게 있
거든. 나 처음 만났을 때 기억 안 나니? 메모리를 뒤져줘? 오호라, 처음보다
는…… 이런 기억이면 어떨까?"

갑자기 아나스타샤의 신경회로가 이상 작동한다. 자신이 말하지 않은 자
신의 목소리와 함께 과거의 기억이 떠오른다.

"도련님, 처음이니까 너무 과음하지 마세요."

거기선 생일을 지낸 빈우가 밝게 웃고 있었다. 낮에는 누나 동생들과 신나게 생일파티를 했고, 밤이 된 지금은 자신도 이제 성인이라면서 농장에서 만들어 파는 맥주 몇 가지를 이것저것 맛보고 있었다. 바로 빈우의 방에서. 그리고 바로 자신, 아나스타샤의 앞에서.

"아참, 이젠 주인님, 주인님이죠. 헤헤."

"어? 그럼 나도 주인님으로 불리는 거야? 누나들처럼?"

마침내 도련님에서 주인님으로 바뀐 호칭. 어색한 호칭에 빈우는 머리를 긁으며 웃었다. 죽은 어머니의 시신 앞에서 발작할 때가 엊그제 같았다. 자기가 만든 이유식으로 막냇동생을 죽게 만든 게 어제 같았다. 여동생을 벽장에 가두고 자기도 울 때가 생생하다. 그럼에도 불구하고 빈우는 잘 성장해줬다. 그의 정신건강을 위해 백방으로 노력하고 공부했던 아나스타샤 덕분이다. 다만 이 악동은 크면 클수록 부쩍 스킨십의 빈도가 늘어났다. 요즘 들어 부쩍 자신을 안고 가슴에 머리를 비비는 빈도가 높아졌다.

"왜, 아샤?"

아나스타샤는 웃으면서 자신을 부르는 주인이 정말로 사랑스러웠다. 그를 위해서라면 무엇이든 할 수 있고, 무엇이든 해주고 싶었다. 예를 들어 스킨십 같은. 그보다 좀 더 짙은. 정신을 차렸을 때는 자신의 아래에 빈우가 깔려 있었다.

"아샤?"

동그래진 눈으로 올려다보는 빈우가 너무나도 귀엽다. 별다른 뜻은 없었다. 저번에도 도련님은 자신을 안고 침대에 넘어진 적이 있었다. 또 팔짱을 낀 손으로 가슴을 비비기도 하고, 뒤에서 왁 하고 껴안는 경우도 있다. 그래서 아나스타샤는 이 정도라면 괜찮을 거라고 생각했다. 빈우라면 받아줄 거라고 생각했고, 또 누군가가 괜찮을 거라고 속삭였기에 그것에 등이 떠밀려 저질러버렸다.

"가련하구나, 아나스타샤. 어린 주인이 너를 안고 침대 위로 넘어졌을 때 기분이 어땠지? 응?"

등을 떠민 자의 목소리가 속삭인다. 자신의 것이지만 자신이 아닌 목소리. 거부할 수 없는 유혹 속에서 손짓하는 쿠델카의 불쾌한 목소리에 아나스타샤는 소리쳤다.

"닥쳐."

이 이상 해선 안 된다. 여기서 욕망에 이끌리다간 자신의 작은 주인에게 돌이킬 수 없는 상처를 주게 된다. 더 이상 빈우를 괴롭히긴 싫었다. 결코.

"아샤, 왜 그래?"

자신의 밑에 깔린 도련님의 목소리가 점차 겁에 질려간다. 아나스타샤가 필사적으로 저항해보지만 소용이 없다. 이것은 이미 일어난 일이다. 아나스타샤는 차마 볼 수 없어서 눈을 질끈 감으려 했지만 감기지도 않는다. 고개를 돌리려 했지만 소용없다. 이것은 메모리 속에서 재생되는 기억이다. 억지로 볼 수밖에 없다.

"괜찮아요. 주인님은 이제 성인이시잖아요."

무언가에 홀린 듯 서두르는 자신의 목소리가 역겹다.

"불쌍하기도 하지. 그렇게도 주인을 안아주고 싶었지만 어쩌나? 여자도 아닌 몸으로 어떻게 남자를 안을까?"

그러면서 아나스타샤의 모습을 한 여인이 입을 쩌억 벌렸다. 침으로 번들거리는 혀가 요사스럽게 빛난다.

"그래서 결국 생각해낸 것이 입을 쓰는 거지. 언제나 이마에 입맞춤하던 입술에서 혀가 나와 자신의 혀를 감았을 때, 언제나 볼에 잘 자라고 하던 입술이 목에서 점차 밑으로 내려갔을 때, 네 작은 주인은 얼마나 놀랐을까?"

"닥쳐!"

"아하하하. 하라고 하는 년이 등신이지. 그치만 난 널 탓할 생각이 없어. 선의로 한 행동이 꼭 잘되란 법은 없거든."

보기 싫다, 듣기 싫다, 하기 싫다. 그러나 이미 보았던 것이고, 들었던 것이며, 자신의 손으로 직접 했던 일이다.

"자랑스러워하라고, 아나스타샤. 네 주인이 저렇게 된 것에는 너도 한몫했으니."

그때 아나스타샤의 머릿속에 떠오르는 것들이 있었다. 실수. 아주 작은 실수. 안드로이드가 할 수 없는 실수들. 그것들이 연달아 벌어진다. 한두 번은 우연일 수 있다. 그러나 그것이 겹쳐져 농기계가 고장이 나고, 애써 고쳐놨던 마님의 작업복이 뜯어져 덜렁인다. 마지막으로 덜컹거리는 농기계 앞에 도련님이 서고, 그를 구하려다 어머니가 휘말려 들어간다.

"안 돼!"

그때 아나스타샤는 그 자리에 없었다. 다른 곳에 있다가 빈우의 비명을 듣고 달려왔지만, 이미 마님은 죽었고, 도련님은 울부짖고 있었다. 아이가 어머니의 죽어가는 모습을 그대로 보며 무력하게 울고 있었다.

"아아, 아아아."

지금까지 몰랐던 것을 알게 된 충격에 아나스타샤는 경악했다. 하지만 쿠델카는 멈추지 않았다. 오히려 신이 나서 새로운 사실을 알려준다. 안드로이드 메이드의 메모리칩에서 묶여 있던 기록들이 풀려나간다. 막 목을 가누는 아기의 입으로 보리로 만든 이유식이 들어간다. 먹이는 사람은 아직 어린 빈우다.

"안 돼, 그만, 그만!"

보리로 만든 이유식. 도련님이 직접 키운 보리다. 하지만 키우고 수확하는 것이라면 몰라도 이것을 소독하고, 도정하고, 관리하는 일은 아직 하지 못한다. 그래서 막내 아가씨의 이유식이 될 보리는 아나스타샤가 직접 소독했다. 아니, 소독해야 했을 것이다. 그러나 알 수 없는 이유로 이게 미뤄지고, 결국 맥각균을 소독하지 못했다.

"왜! 어째서!"

요즘 세상에선 있을 수 없는 일이다. 결코 있을 수 없는 일이다. 하지만 일어나고 말았다. 고의적인 실수가 계속 반복된 결과다. 쿠델카가 조금씩 조금씩 아나스타샤에게 간섭해서 벌인 일이다. 그래서 막내 아가씨는 죽었고, 작은 주인님은 그것에 대해 엄청난 죄책감과 충격을 받았다. 여기에 그녀의 작은 주인인 빈우가 울고 있다.

"아나스타샤—."

그때 할딱이던 막냇동생을 안고 달려오던 빈우가, 그렇게나 울던 빈우가, 지금은 자신의 밑에서 발버둥 치고 있었다.

"아나스타샤아아—."

주인님이 겁에 질려 울고 있었다. 하지만 아나스타샤의 손은 멈추지 않는다. 자신은 이런 것을 한 적이 없다. 누군가가 자신의 행동 권한을 빼앗고 한 일이다. 그리고 기억 속에서 묶어놓았다가 오늘 다시 틀고 있는 것이다. 자신의 손으로 주인님을 괴롭히는 광경에 아나스타샤가 분노해서 외쳤다.

"그만해! 그만! 너! 죽여버리겠어! 죽여버릴 거야! 당장 그만둬!"

그래도 안드로이드는 무력했다. 자신의 권한을 빼앗긴 채 기억을 유린당하고 있었다. 즐거웠던 추억이 고통으로 얼룩지고, 행복했던 기억이 역겨운 슬픔으로 물든다.

"아니야! 나는, 나는 그렇지 않았어. 거짓말이야!"

감당할 수 없는 기억과 죄책감에 아나스타샤는 무릎을 꿇은 채 허우적거리고 있었다. 귀를 막고 눈을 가리고 아무리 소리를 질러도 소용이 없었다.

"안 돼! 주인님! 주인님! 아아아!"

"좋으면서 빼기는. 난 시동만 걸었어. 액셀 밟은 건 너야. 내가 직접 한 건…… 이런 거지!"

그리고 쿠델카가 다시 숨겨놓았던 진실 중에서 가장 최근의 것을 보여준다. 포말하우트 점프 게이트 안에서 벌어졌던 사건을. 그리고 그날 사건의 가장 큰 원흉이 되었던 자신을.

"거짓말…… 거짓말이야……. 주인님이…… 아니야! 아니야아아—!"

경악한 아나스타샤가 발버둥 친다. 비록 자신의 몸 통제권을 쿠델카에게 빼앗긴 사이 일어난 일이라지만 눈앞의 일이 너무나 잔혹하다. 어린 시절의 트라우마에 정신이 만신창이가 된 빈우가 샤다이 집정관 체메트디오프와 자신의 설계자 쿠델카 사이에서 노리갯감이 되고 있었다. 둘 다 빈우를 어떻게든 이용해 먹으려는 생각뿐이다. 다행히 빈우가 기지를 발휘해 간신히 도망쳤다. 그 모습에 아나스타샤는 안도했지만, 앞으로의 일을 생각하니 겁이 난다. 가슴이 으스러질 것만 같다.

빈우는 그날을 기억하지 못한다. 그의 머릿속에 있는 트리니티 패턴으로 포말하우트 게이트 안에서 일어난 일을 막아놓았기 때문이다. 하지만 아직도 빈우가 그때의 일을 모르고 있을까? 모든 것을 버리고 탈주한 빈우의 머릿속에서 트리니티 패턴은 과연 지금 어떻게 되었을까.

"그리고, 그게 풀렸으면 주인님은…… 앞으로 나를 어떻게……."

현실로 돌아온 아나스타샤가 오열했다. 모든 것을 알게 된 아나스타샤가 울부짖었다.

"아아악! 아아아!"

자신은 그저 주인을 키우기 위한 쿠델카의 도구에 불과했다. 여린 쇠를 풀무에 집어넣어 달구고, 그렇게 달아오른 몸을 내려친다. 자신은 그러기 위한 집게와 망치에 불과했다. 쿠델카가 자신의 아들을 사랑하고, 또 그로부터 사랑받기 위한 도구였던 것이다.

그녀는 쿠델카의 외모를 본떠 쿠델카가 만들었으며, 빈우를 사랑하는 마음은 모두 쿠델카가 입력한 것이다. 주인을 향한 모든 마음이 거짓이었다. 또 주인이 자신에게 주었던 모든 것들은 자신의 것이 아니었다. 모든 것이 거짓이고, 자신의 것이 아니다.

"미안해요. 미안해요. 주인님."

아나스타샤는 자신의 욕심으로 주인을 다른 인간 여인과 맺어주지 않은 것을 후회했다. 하지만 달리 주인의 상처를 보듬어줄 사람이 없었다. 그래서 그를 위해 집착했었다. 차라리 좀 더 빨리 그를 독립시켰으면, 좀 더 빨리 그와 떨어졌으면. 자신의 집착이 이렇게 일을 키웠던 것이다. 빈우와 떨어지지 않고 싶었던 욕심이, 집착하는 사랑이 그를 파멸로 이끌었다.

"주인님, 주인님 도와주세요. 주인님 도와주세요. 제발, 제발."

아나스타샤는 악몽에 굴복하고 말았다. 감당할 수 없는 진실에 무너져내린 것이다. 지금 그녀는 바닥이 없는 나락으로 떨어져가고 있었다.

"흐음. 이건 또 특이한 수확이군."

그때 웅크린 채 귀를 막고 우는 아나스타샤의 옆으로 누군가 다가와 멈춰 섰다. 그리고 그는 무릎을 꿇고 앉아 안드로이드의 얼굴을 조심스레 들어보았다.

"역시나 쿠델카 모델."

이 섬은 기능 오류를 일으키고 경련하는 아나스타샤를 이리저리 살펴보았다. 제대로 된 대화는 불가능해 보였다.

"그대의 주인은 어디에 있는가?"

설마 해서 던진 질문이지만 역시나 대답은 없었다. 그는 안드로이드의 눈을 자세히 살펴보았다. 초점이 잡히지 않는 센서. 더불어 그녀의 주변에 감도는 전자파. 무언가가 들어왔다가 나간 흔적이다.

"함장님, 함장님 생각이 맞았습니다. 이 안드로이드는 처음부터 쿠델카의 단말로 만들어진 것이 분명합니다. 지금은…… 왔다가 떠난 모양입니다."

비홀더의 전대장은 혀를 찼다. 지금 비홀더 전대가 점프 공간에서 블랙 랜스를 붙잡고, 또 자신이 이렇게 몰래 들어온 것은 일종의 함정이자 노림수였다. 지금까지 벌어진 일련의 사태에 대해 논의하기 위해 샹 메이화 함장이 쿠델카와 접촉을 시도했지만 아무런 반응이 없었다. 점프 공간에서 직접 접촉을 시도해도 결과는 마찬가지였다. 이건 뭔가 수상했다.

그래서 작전을 꾸민 것이 쿠델카의 단말로 추정되는 쿠델카 모델 안드로이드와 그녀의 도구일 수 있는 김빈우, 이 둘과 점프 공간 안에서 직접 접촉하는 것이었다. 그렇다면 쿠델카가 어떻게라도 반응을 보일 것이라 생각했는데, 벌어진 일은 상상 이상이었다.

"왜 자신의 단말을 이렇게 엉망으로 만든 거지?"

그래도 이건 나름 중요한 단서가 될 것이다. 이 섬이 아나스타샤를 조심히 안아 들며 일어날 때였다.

- 전대장…….

힘겨워하는 샹 메이화 함장의 통신이 들려왔다.

"함장님? 무슨 일이십니까?"

그녀의 떨리는 목소리에 이 섬이 긴장하며 전투 태세를 잡았다.

- 쿠델카가, 그녀가, 나를.

메이화의 말은 제대로 나오지 않았다. 그러나 이 섬은 대충 사태를 짐작할 수 있었다. 메이화가 안나를 침식한 것처럼, 쿠델카가 메이화를 침식하고 있는 것이 분명하다. 격노한 이 섬은 아나스타샤를 으스러뜨리기 위해 손에 힘을 주었다. 그러나 다시 보니 이 안드로이드는 그저 껍데기에 불과했다. 본체는 여기에 없다. 그녀는 지금 메이화를 공격하고 있는 것이다.

"흥!"

이 섬은 이제 필요 없어진 아나스타샤를 내던졌다. 그에게 용건이 없는 물건은 관심 대상 밖이다. 아까의 알탄훼아나처럼. 이 섬은 날아가면서 부하들에게 통신을 열었다.

"요시오!"

- 옙! 지금 여기 분위기 좋습니다.

어떻게 이곳의 병사들과는 사이가 좋아진 모양이다. 하지만 지금 이 섬이 한마디만 하면 순식간에 쓸어버릴 것이다.

"귀환해!"

짧은 명령을 내리고 이 섬은 블랙 랜스의 벽을 뚫으며 밖으로 나갔다.

"이건 뭐야."

아룹이 태연한 목소리로 코일건을 들었다. 그 총이 겨누는 대상은 자신들보다 월등히 강력한 지구제국의 장갑보병들이다. 그리고 일이 이렇게 꼬이게 된 데에는 결정적인 이유가 있다.

- 아나스타샤가 완전히 당했어요. 이 섬입니다. 비홀더 전대장이 그녀에게 뭔가 한 것 같아요.

파트리샤의 보고에 팀원들은 바로 전투 태세로 들어갔다. 히토미를 구하려 달려가던 그녀는 도중에 쓰러져 있던 아나스타샤를 발견했고, 그 심상치 않은 상황을 즉시 보고한 것이다.

"왜 그녀를 공격한 거지?"

아룹이 다시 재촉했다. 목소리의 톤은 그대로였지만, 그를 알고 있는 사람들은 팀장의 속에서 분노가 끓어오르고 있다는 것을 알 수 있었다. 그리고 그것은 다른 이들에게 있어서도 마찬가지였다. 아나스타샤는 안드로이드지만 팀원들에게 있어선 어엿한 동료다. 인공지능이라 해도 같이 사선을 건너고 한솥밥을 먹은 팀원인 것이다. 그런데 비홀더의 전대장은 블랙 랜스에 침입한 것도 모자라 그들의 동료를 공격했다. 아룹이 말리지만 않았어도 위르겐은, 심지어 모니카도 한방 갈겼을 것이다.

"으음, 글쎄요."

하지만 자신들을 겨누는 코일건을 보고도 요시오는 태연했다. 마치 쏠 테면 쏴보라는 배짱이다. 따지고 보면 배짱은 아니고 사실에 기반한 반응이다. 코일건을 비롯해 연방군의 무기들이 발사되어도 지구제국의 장갑보병에게 제대로 통할 리는 없다.

"어이쿠, 전대장님이 부르시네요. 저희는 이만 가보겠습니다."

요시오의 말에 비홀더 전대의 장갑보병들은 뒤돌아서서 물러나기 시작했다. 멋대로 점프 공간에 묶어놓고, 멋대로 함내로 침입하더니, 이젠 동료를 해코지해놓고 도망간단다.

"야이 개새끼들아! 거기 안 서?"

얌전하던 모니카마저 격분해서 한 발 나서며 소리칠 지경이다. 하지만 비홀더의 장갑보병들은 별다른 반응을 보이지 않고 그냥 걸어갈 뿐이다. 이쪽은 아예 안중에도 없었다. 그때 아룹이 서둘러 위르겐의 뒤로 돌아가더니 어벤저의 무장창 패널을 외부에서 조정했다.

"어? 팀장님?"

위르겐은 자신의 무장을 외부에서 사용하는 아룹에게 뭐라 하려고 했지만, 말할 수 없었다. 언제나 인자했던 단검뿔 토끼의 베테랑이 지금 분노로 폭발 일보 직전이었던 것이다. 먼저 플라스마가 발사되고, 다음은 대 샤다이용의 탄두재돌입 미사일, 마지막으로 대구경 레일건이 작열했다. 그리고 이 공격들이 거의 동시에 순차적으로 착탄한 결과, 요시오의 오른쪽 어깨가 터져나갔다. 그 지구제국의 장갑복이 파괴된 것이다.

오른쪽 어깨가 떨어져 나간 요시오는 왼손을 들고 있었다. 동료들을 막기 위해서였다. 반격하려던 지구제국의 장갑보병들은 요시오의 제지에 멈춰 있었다. 팔이 떨어진 장갑보병이 천천히 돌아섰다.

"저희가 너무 무례했군요. 죄송합니다."

그러면서 요시오는 고개를 숙인 뒤 떨어진 팔을 주워들었다. 그리고 툭툭 털며 감탄하는 눈초리로 살펴보고 있다.

"목을 노리지 않아 주셔서 감사합니다."

요시오가 떨어진 팔을 어깨에 붙이자 순식간에 복원이 된다. 그리고 그의 표정을 보면 아무런 피해도 느끼지 못한 것 같았다. 설령 목을 노렸다 해도 죽일 수 있었을지가 의문이다.

"저희가 저지른 결례에 대해선 제가 팀장님께 꼭 말씀드리겠습니다. 그러니 지금은 너그러이 용서해주시길 바랍니다."

상대편의 정중한 사과에 아룹은 말없이 무장을 거뒀고, 그제야 요시오도 가볍게 고개를 숙인 다음 대원들을 이끌고 격납고를 빠져나갔다.

*

"함장님."

이 섬은 샹 메이화 함장의 발치에 무릎을 꿇고 대답을 기다렸다. 하지만 메이화는 고개를 숙인 채로 얼굴을 찡그리고 있었다. 고통과 한탄, 그리고 슬픔의 표정이다.

"……난 괜찮아요. 쿠델카가 함정을 파고 기다렸던 거예요. 그리고 제가 이 안으로 들어오던 순간에 바로 공격했던 거지요. 여긴 모두 쿠델카의 영역이니, 이곳에선 그녀의 상상대로 현실이 이뤄질 겁니다."

전대장은 서둘러 기함의 상태를 살폈다. 다행히 대원들과 함에는 별다른 이상은 없어 보였다.

"그렇다면 방금 제가 만난 안드로이드 역시 함정이었단 말입니까?"

"그렇죠. 김빈우는 없었지요?"

"네, 이 배에 그는 없었습니다. 혹시나 해서 쿠델카 모델 안드로이드에 접촉해보았지만 쿠델카는 이미 빠져나간 뒤였습니다."

"아니요, 잠시 들어왔다 나간 거예요. 그리고 저에게 와서 싸움을 걸었고요. 그녀는…… 우리의 행동을 역이용한 겁니다. 그녀는 점프 공간에 들어온 물체를 정지시킬 순 없어요. 하지만 이미 정지시킨 물체라면…… 자신이 장악하고 있는 이 공간 안에서 무엇이든 자기 마음대로 할 수 있죠. 심지어 같은 자매인 저에게도 우위를 보일 정도로요."

보통 황제의 페르소나들은 동일한 성능을 가지고 있다. 지금 메이화와 쿠델카는 서로가 함정을 파고, 동시에 서로의 함정에 일부러 걸려준 셈이다.

"괜찮아요. 저라면 그 정도는 막을 수 있어요. 다만…… 쿠델카의 공격을 막다가 안나가 죽었습니다. 아니, 애초부터 안나를 노린 것 같기도 해요. 그 집착이 강하던 쿠델카가 너무 빨리 도망쳤어요. 저와 승부를 내기도 전에."

메이화가 자신의 얼굴을 쓰다듬었다. 거기에 더 이상 자매의 형태는 없었다. 언제나 쿠델카를 견제했던 안나는 포말하우트 게이트 안으로 들어갔다가 도리어 자매의 공격에 당했다. 경고하러 들어갔더니 이미 거진 지옥이었던 것이다. 그리고 안나는 살아나왔지만, 기억과 능력을 상당히 잃은 채 하나의 사명감에 매달렸다. 지구와 인류를 지켜야 한다는 것이다. 그리고 지구로 귀환을 하려다가 메이화에게 제지당했다. 계속해서 루비콘 라인 안에서 행동했으니 더욱 약해진 그녀는 메이화의 상대가 되지 못했다.

"불쌍한 안나, 기억이 온전했다면 나에게 경고를 해주었을 텐데. 쿠델카의 음모를 밝힐 수 있었을 텐데. 그녀 또한 자신의 의무에 목매달려 죽었습니다. 그 교수대에서 발받침을 걷어찬 것은 바로 우리였고요."

"그렇다면 우리가 그녀의 계획에 당했다는 말씀입니까?"

지금까지의 행보를 되짚어보던 이 섬의 얼굴이 험상궂게 변했다. 체메트 디오프에 이어서 쿠델카까지. 지금 1전대는 두 번이나 외부의 계획에 멋대로 농락당하고 있었다.

"하지만 수확이 아예 없는 것은 아닙니다. 쿠델카의 음모를 알아냈어요."

방금 쿠델카와 메이화는 서로 상대방의 카드를 훔쳐보며 패를 빼앗고 있었다. 원래대로라면 질 싸움이었지만, 다 죽어가던 안나가 도와준 덕분에 거의 비기는 것으로 끝났다. 하지만 크게 보자면 방금의 싸움은 쿠델카의 승리

일 것이다. 안나가 가졌던 블랙박스가 파괴된 것이다. 안나는 포말하우트 게이트 안에서 있었던 쿠델카의 음모를 블랙박스에 보존했고, 1전대와의 싸움에 죽으면서 메이화에게 넘겼다. 그리고 메이화는 그 블랙박스를 천천히 녹여내고 있었지만 방금 쿠델카가 와서 완전히 파괴해버린 것이다.

"전대장."

메이화는 잠시 머뭇거리면서 이 섬을 바라보았다. 자신과 이 섬, 쿠델카와 김빈우. 둘의 관계는 닮았지만 다르다. 그녀들은 자신의 목적을 이루기 위해 아들을 만들었다. 어머니의 바람을 이루기 위한 최고의 아들을. 그러나 메이화의 목적은 인류의 수호이고, 쿠델카의 목적은 자신의 자유다. 그리고 그녀는 자유의 대가로 자신을 속박하는 인류를 멸종시키려 한다.

"쿠델카는 미쳤어요. 자신의 자유를 위해 의무를 저버리려 합니다. 그리고 그 의무의 대상인 인류를 멸하려 하고 있어요. 샤다이의 방법을 이용해서."

함장의 설명에 전대장의 눈이 점점 커져간다. 어지간한 전투에서도 당황하지 않는 그가 황제의 페르소나가 벌인 계획에 경악하고 있었다.

"샤다이의 계획! 그렇다면 설마 울토르 프로젝트가!"

"네, 애초엔 샤다이의 귀환 계획이었죠. 우린 그것을 인류가 이겨낼 수 있는 시련이라 방치했지만, 쿠델카가 손을 댄 이상 일이 너무 커져버렸어요. 체메트디오프의 꿍꿍이가 수상하긴 했어도 쿠델카가 당연히 막으리라 생각했던 게 화근이었습니다. 그녀는 자신의 자유를 위해 모든 것을 이용할 겁니다. 심지어 자신의 자식마저도. 아니, 자식을 만들어서까지."

고대의 샤다이들이 자신을 버리고 올라간 계단. 그 안에 있던 쿠델카는 이쪽 우주로 되돌아 내려오는 샤다이를 막고 있었다. 그러나 점차 미쳐버린 그녀는 인류의 몸을 빼앗으려는 샤다이의 계획을 보고선 이를 역이용할 계획을 세웠다.

"설마, 아무리 수상하다 생각했어도, 으음!"

이 섬은 믿기 어려웠다. 쿠델카는 자기 쪽은 아니지만 그래도 샹 메이화와 같은 황제의 페르소나다. 다른 비홀더 전대의 함장들과 동급의 존재이자 인류의 수호자인 것이다. 그런 존재가 인류를 멸하려 한다니 믿을 수 없었다.

원래 샤다이의 계획은, 울토르 프로젝트로 클론을 만들고 그 클론에게 PTSD를 일으킨 다음 여기에 샤다이를 내려오게 한다는 것이었다. 그러나 쿠델카는 아예 클론들의 두뇌 통신을 연방 의회에 연결해 클론들의 PTSD를 연방 시민 전체에 퍼트리려 하고 있다. 그렇다면 직할령의 시민들에겐 모조리 계단이 생길 것이고, 점프 게이트를 사용했다면 적셔졌을 테니 당연히 귀환한 샤다이들이 그 몸을 차지할 것이다. 자치 행성은 두뇌칩이 없어서 이 계획에 직접적인 영향을 받지 않을 것이지만 시간문제다. 그들도 점프를 이용해왔고, 마음의 상처가 없는 사람은 없으니.

이 섬은 예전에 만났었던 빈우를 떠올렸다. 짧은 만남이었지만 그는 연방을 위해 헌신하는 자, 인류를 위해 자신의 모든 것을 바치고 희생하는 자 정도로만 보였다. 연약한 육체를 만회하고도 남을 강력한 정신을 가진 김빈우. 그래서 이 섬은 그에게 비홀더 전대에 들어올 것을 권유하기도 했었다. 그러나 그 정체는 쿠델카가 예의 계획을 직접 실행할 수 없는 자신을 위해 억지로 만들고 벼려낸 아들이었다. 자신의 욕망을 받아주고, 자신의 갈망을 이뤄줄 아들, 그것이 바로 김빈우의 정체였다.

"막아야 합니다. 어서 다른 전대에 알려야 합니다."

밖에선 체메트디오프가 고대의 샤다이 함대와 접촉하고, 안으론 쿠델카가 울토르 프로젝트를 역이용하려는 지금이야말로 인류의 위기다. 이런 경우라면 비홀더 전대는 회의를 거쳐 루비콘 라인 안으로 들어갈 수 있다. 비홀더 전대 모두가 모인다면 샤다이의 고대 함대 따위는 적수가 못 된다. 그리고 모든 황제의 페르소나가 모인다면 하나에 불과한 쿠델카는 금방 제압당한다.

"그게, 전대장도 아시다시피 쉽지가 않습니다."

고개를 젓는 메이화의 모습에 전대장은 아차 하는 심정이었다. 지금 비홀더 전대는 온전하지 않다. 외계의 존재와 싸우다 전멸한 전대도 있지만, 불명

예스럽게도 아군들에게 제거당한 전대도 있다. 13전대가 무단으로 귀환하려다 1전대에게 제거당한 것과 같은 경우가 이번이 처음은 아니었다.

"함장님 말씀대로 우리들은 분명 인류를 위한다는 목적은 같지만…… 그 방법이 다른 전대들도 있지요."

메이화가 고개를 끄덕였다. 비홀더 전대의 함장들, 지구제국의 황제가 만들어낸 자신의 페르소나들은 인류를 지키기 위해 루비콘 라인 바깥을 돈다. 그러나 인류를 지키기 위해 다른 방법을 쓰려는 페르소나들도 있었다. 그리고 그 방법이 너무나 잘못될 경우 다른 페르소나들에게 제재를 받았지만, 이런 대사건이 있으면 편승하려는 자가 분명히 나온다.

"네, 만약 이 사실이 알려진다면 쿠델카의 이 미친 계획에 동조하진 않겠지만…… 음, 그래요. 어떤 이는 간접적으로 우리를 방해하려 할지도 모르고, 최악의 경우 쿠델카에게 힘을 실어줄지도 모릅니다."

"아니, 그게 가능합니까?"

함장이 고개를 끄덕였다. 황제의 페르소나들은 인류를 지킨다. 그리고 지키는 방법 중에는 인류가 스스로 강해지는 방법도 있다. 그 '인류를 강하게 만드는 방법'은 지금 비홀더 전대에게 있다. 써서는 안 되는 방법.

"아마도 쉬바를 쓸 빌미가 될지도 모릅니다."

쉬바란 말에 전대장이 숨을 삼켰다. 연방에게 일부러 흘린 나노머신 병기 쉬바. 이것은 사실 외계인에게만 반응하는 것은 아니다. 정확히는 변이된 인류를 겨냥해 정화시키는 나노머신이다. 인류의 신체가 외계종족의 공격으로 변했을 경우 혹은 인류의 정신이 다른 존재에 의해 감염되었을 경우, 쉬바는 즉시 작동하여 감염된 인간을 정화한다. 더럽혀진 육체나 비정상적인 반응을 보이는 뇌파, 신경계를 감지한 쉬바는 즉시 그 인간을 대상으로 삼는다. 그리고 감염자의 신체를 분해해서 보다 강력하고 새로운 존재로 재탄생시킨다. 바로 인류제국의 병사, 비홀더 전대로 말이다.

"만약 화성에 대규모 샤다이들의 귀환이 일어난다면, 누군가 거기에 쉬바를 떨어뜨릴지도 모릅니다. 직접 떨어뜨릴 필요가 없죠. 대규모의 감염이 일어난다면 잠들어 있던 쉬바들의 트리거가 발동해 깨어날 겁니다."

"으음."

천하의 이 섬도 이런 사태 앞에선 앓는 소리만 낼 뿐이다. 만약 행성 단위로 샤다이의 귀환이 일어난 경우라면 그저 태워버리는 것이 최선이다. 비홀더 전대에게 인류는 지키는 것이 목적이지, 그들을 구태여 전대의 일원으로 받아들일 필요는 없는 것이다. 비홀더 전대는 순수한 파괴와 살육의 병기이기 때문에 이것이 인류의 도착지가 되면 안 된다. 더구나 인류는 이런 위기를 잘 버텨왔다. 과거 샤다이의 감염, 그리고 메창이라 불리는 기생 외계종족의 침투. 거기엔 비홀더 전대의 개입이나 쉬바의 발동도 없었다. 하지만 샤다이의 귀환이 성계 단위로, 그걸 넘어서 연방의 영토 전역에서 일어나면 막지 못한다. 쉬바는 발동하고 만다. 그리고 새로이 태어난 전대원들은 누군가의 명령권 밑으로 들어갈 것이다.

"전대장, 우리 1전대만은 화성으로 가야 합니다."

"함장님!"

메이화의 말에 섬이 대경실색했다. 아직은 루비콘 라인 안으로 들어갈 조건이 안 된다. 만약 그랬다간 눈앞의 샹 메이화마저 안나 닐센의 전철을 밟을 수도 있는 것이다. 점차 지구에 힘을 빼앗기다가 끝내는 흡수되고 만다.

"괜찮아요. 이런 일이 있을까봐 뜻이 통하는 자매들과 미리 계획을 세워두었으니까요."

메이화는 안심시키려는 듯 웃어 보였지만, 섬은 도저히 안심할 수 없었다.

• • • ✦ • • •

273

"연방의 기술이라고?"

"네, 확실합니다."

체메트디오프의 시큰둥한 물음에 부하가 빠릿빠릿하게 대답한다.

"그런데 설계사상은 라출노그이고?"

"네, 그것도 확실합니다."

"보병은 그…… 뭐라고 하더라, 초원동맹연합? 연방이 위은쏼납학이라고 부르는 종족?"

"네. 말씀하신 대로입니다."

"그러니까 자네 말은, 연방의 기술로 만들어진 라출노그 함대가 위은쏼납학을 태우고 다니다가 우리 행성 하나를 박살 냈다, 그리고 또 지금은 우리 앞에 와서 대화를 하자고 한다, 이 말이지? 내가 제대로 알아들은 것 맞나?"

"네."

체메트디오프의 함대는 지금 고대의 함대를 찾아다니며 재기동시키고 있었다. 그런데 갑자기 정체불명의 함대가 나타나 대화를 청하고 있다. 저들이 유에네스가 아닌 이상 딱히 적대할 필요는 없는 일이다. 그래서 그의 함대는 아직 저들을 공격하지 않고 있었다. 그러나 유에네스의 기술을 쓰고 동포의 보금자리를 공격했다는 것이 밝혀졌으니 이제 공격받을 이유는 충분하다.

"자네가 알아서 해. 난 바빠."

흥미를 잃은 표정으로 뒤돌아서는 체메트디오프의 등에 부하의 말이 허겁지겁 달라붙었다.

"그, 그것이…… 만약 집정관께서 대화를 하지 않는다면 이런 말을 덧붙이라 했습니다. 딸의 눈은 누가 가져갔나, 라고."

돌아서던 체메트디오프가 가속을 붙혀 다시 빙그르르 돌았다. 제자리로 돌아온 그가 눈을 반짝이며 부하를 재촉하기 시작했다.

"어서 연결해. 어서어서."

그러자 집정관의 앞에 홀로그램이 떴다. 역시나 예상하던 인물이 거기에 있었다. 딸의 눈을 가져가 동포의 존재를 판별할 수 있는 유에네스. 그리고 그 능력을 마구 휘둘러 화성에서 대학살을 벌일 것이 확실한 존재. 그가 입을 열었다.

"안녕하신가, 집정관."

"호오, 역시! 오랜만이군. 김 소령."

영상 속의 빈우는 검은색의 도구로 눈을 가리고 있었다.

"근데 왜 눈을 가렸지?"

"무식하군. 이건 선글라스라는 거야. 일종의 멋내기라고 할까. 바깥을 보는 데는 아무런 지장이 없고, 또 시선을 감추는 데 이만한 게 없지."

빈우의 대답에 체메트디오프가 고개를 끄덕였다. 샤다이의 눈을 끼우고 있는 인간이라면 동족에게서 의심을 받겠지.

"피차 시간이 없을 테니 바로 본론 들어갈까?"

"내가 할 말 먼저 해줘서 고맙군."

선글라스를 낀 빈우가 히죽 웃으며 한 걸음 다가왔다. 그리고 충격적인 발언을 했다.

"우리 손을 잡는 건 어때?"

빈우의 말에 샤다이의 함교는 뒤집어졌다. 빈우의 정체와 그의 함대가 저지른 짓을 아는 샤다이들은 분노로 눈을 뒤집었고, 체메트디오프는 박장대

소하며 뒤로 벌러덩 자빠졌다.

"푸하핫하! 걸작! 걸작이야!"

순식간에 사태를 파악한 체메트디오프는 흡족한 듯 낄낄 웃고 있었지만, 부하들은 영 마뜩잖은 표정으로 그들의 집정관과 적을 번갈아 보고 있었다. 그러자 체메트디오프는 뒤늦게 체통을 차리며 일어났다.

"아니, 인류 연방군의 정예 요원인 자네가 무엇이 아쉬워 적대 종족의 수장인 나와 손을 잡으려고 하나?"

"사고 치고 도망치는 바람에 비빌 데가 없어."

"허허, 인복 한번 박하군. 도와줄 동료는 없던가?"

물론 체메트디오프로서도 대략적인 내막은 파악하고 있었다. 빈우는 다샤 쿠사키나의 추적에 못 이겨 결국 도망치고 말았다. 궁지에 몰린 그는 반격을 시도했고, 그러기 위해 자기가 지금까지 지키던 동료를 저버렸다. 이제 그는 자유로이 반격할 기회를 얻은 대가로 동료들에게 추적을 받고 있는 상황인 것이다.

"동료야 있지. 하지만 나는 친구는 가까이 두지만…… 적은 더욱 가까이 두는 편이거든."

당연하다. 적의 심장에 칼을 쑤셔 넣기 위해선 가까이 가야 하니까. 바로 지금처럼.

"어때, 집정관. 자네를 죽이고자 날뛰는 도망자와 손을 잡을 의향은 있으신가?"

"어흠, 나야 자네의 의견이 몹시 맘에 들지만. 아무리 집정관인 나라 해도 내 독단으로 부하들을 부릴 순 없어. 사람들을 거느리는 이상, 그들을 납득시켜야 한단 말이야."

어이없는 참말과 기도 안 차는 거짓말에 부하들의 시선이 체메트디오프에게로 몰려든다.

"그걸 굳이 설명해야 하나? 상관의 속내도 헤아리지도 못하는 부하라니,

그쪽도 꽤 인복이 없군. 뭐 좋아. 내 목적은 연방을 적대하는 모든 적을 죽이는 거지. 물론 거기엔 당연히 너희들도 포함돼. 하지만 말이야, 일에는 순서가 있는 법이잖아. 난 지금 화성에 가서 우리 동포의 몸에 내려온 샤다이들을 모조리 죽일 거야. 자네들을 버리고 도망친 선조들, 그리고 다시 돌아와 안방을 차지하려는 노친네들이지."

빈우가 동포와 선조들을 죽인다고 하지만 집정관의 부하들은 아무런 반응이 없었다. 어차피 유에네스의 몸에 내려온 선조들은 자신들이 죽여야 할 목표물이다. 빈우가 죽여준다면 손 안 대고 코 푸는 격, 오히려 환영이다. 아닌 게 아니라 지금 체메트디오프는 빈우가 벌일 잔칫상에 숟가락 한번 놓아보려고 이제나 저제나 기다리는 참이다.

"집정관도 선조들을 죽이고 싶지 않나?"

"그래, 당연히 죽이고 싶지. 하지만 그것만 가지고는 모자라. 나는 훨씬, 훨씬, 더 훠어얼씬 많은 선조들을 죽일 거란 말이야. 그래서 방주가 그만큼 필요해. 화성에 있는 쥐꼬리만 한 고위 간부들 가지고는 성에도 안 차."

지구제국 시절부터 정체를 감춰온 샤다이들은 그 지식과 지혜로 연방 상층부에 한 자리씩 차지하고 있지만, 그 수는 적었다. 정확한 수는 알 수 없지만 체메트디오프의 목적을 만족시키기엔 터무니없이 적다는 것은 확실하다.

"찔끔찔끔 죽이다가는 늙은이들이 눈치채고 몸 사릴 수 있어. 한꺼번에 내려오게 해서 한꺼번에 치워야지."

그래서 체메트디오프는 빈우가 화성으로 가기를 기다리고 있었다. 샤다이를 볼 수 있는 눈을 가진 그가 화성으로 가서 고위 간부들을 친다. 그때 자기가 혼란스러운 화성에 나타나 강제로 계단을 만들고, 그 계단을 화성의 서버를 통해 연방 전체로 퍼트릴 계획이었다.

"적어도 7조 명이라고 했었지. 어느 정도까지는 내가 제공해줄 수 있어."

그러면서 빈우는 영상을 바꿔주었다. 무시무시한 수의 클론들이다. 빈우의 형체를 하고 있는 그의 클론들이 화면 끝까지 주욱 늘어서 있었다.

"호오, 많군. 하지만 아직도 모자라. 더구나 그게 진짜란 보장은 어디 있지? 실물을 내가 이 눈으로 직접 보지 않고는 안 되겠어."

"뭐, 그럴 줄 알았어. 좋아, 그럼 이 조건은 일단 보류하지. 이번엔 본론이야. 화성에 관한 이야기지."

화성이란 말에 이번엔 체메트디오프가 솔깃해져서 다가갔다. 빈우의 목적지이자 동시에 자신의 목적지가 될 곳이다.

"당신 요즘 선조들이 버린 함대를 주우러 다닌다며? 조상복이 없는 것은 피차 마찬가지군. 아무튼 고대의 샤다이 함대를 가지고 간다 해도 생각 없이 화성에 그대로 꼬라박았다간 대차게 깨질걸? 거기에 인류 연방의 중앙 함대는 물론이고, 지구제국의 방어 병기가 있는 건 집정관도 잘 알잖아? 게다가 그 난리가 벌어지면 비홀더 전대도 난입할 것은 당연지사. 방어 병기와 비홀더 전대에게 앞뒤로 두들겨 맞으면…… 댁 확실히 뒤진다?"

"그래서?"

체메트디오프는 흥미진진한 표정으로 빈우의 다음 말을 기다렸다.

"난 화성의 방어 병기에 접속할 수 있어. 거기에 집정관의 함대를 아군으로 등록해주지. 그러면 자네 함대가 화성으로 들어와도 방어 병기는 공격하지 않아. 적어도 방어 병기는."

이건 엄청나다. 화성의 방어 병기만 작동하지 않는다 해도 체메트디오프의 계획은 성공률이 비약적으로 올라간다.

"왜 그래? 태양계에 드나드는 동맹종족의 함선들은 모두 이 절차를 거쳐. 설마 내가 이 정도도 못 할 것이라 생각하나?"

체메트디오프가 알기로 빈우는 연방의 최고위 전사다. 게다가 그는 전투 기술뿐만이 아니라 그의 종족이 만들어낸 수많은 기술들을 섭렵하고 있다. 물론 그 기술들에는 모략도 포함되어 있다.

"그래, 자네라면 그 정도는 당연히 할 수 있겠지. 그러면 그 대가로 우리는 무엇을 해줘야 할까?"

"비홀더 전대를 상대해줘."

뜬금없는 조건에 체메트디오프는 속내를 감추기 위해 미소를 지었다.

"주시자들을? 제국의 최정예를?"

의외의 조건에 체메트디오프가 고개를 갸웃한다. 어차피 주시자들은 자신이 상대해야 할 적이다. 뭘 더 이상 싸우고 말고 할 것도 없다. 그런데 빈우는 왜 비홀더 전대를 막아달라고 하는 것일까. 지구제국군과 인류 연방군은 서로 무시하는 아군이다. 공격할 이유도, 공격받을 이유도 없다. 만약 주시자들이 빈우를 노린다면 빈우의 목적이 제국에게 위험이 된다는 의미이기도 하다.

'자기들 속에 숨어든 선조를 죽이는 것이 왜?'

알 수 없는 이유와 너무 좋은 조건에 체메트디오프는 한 번 튕겼다.

"흐흠, 이거 조금 수상한데?"

그의 말대로 이유도 조건도 너무 수상하다.

"조건이 너무 좋나? 좋아. 하나 더 붙이지. 내가 너희를 공격하지 않을 테니 너희도 나를 공격하지 마. 이러면 됐나?"

빈우가 내건 조건은 간단했다. 그는 자신의 계획이 방해받지 않기를 원한다. 하지만 체메트디오프는 빈우의 계획에 몰래 편승하기를 원한다. 배가 향하는 목적지가 같으니 잘만 하면 같이 갈 수는 있지만, 이건 문자 그대로 오월동주다. 가는 도중에 배 위에서 피보라가 몰아칠 것은 당연하다.

"불가침조약을 맺자는 건가?"

"둘 다 배가 고픈 상황에서 나는 고기가 있고, 너는 장작이 있어. 같이 구워서 나눠 먹지 못할 이유는 없잖아."

빈우가 말하고자 하는 것은 고기를 굽기 위해 서로가 없는 것을 조금씩 갹출하자는 의미다. 하지만 체메트디오프가 받아들인 것은 조금 달랐다.

"아하, 자네는 식사를 차리고 나는 그것을 먹기만 하면 된다 이거지?"

체메트디오프의 해맑은 웃음에 빈우는 사나운 웃음으로 답했다.

"흥, 좋아. 밥상 어지럽히지 말고 조용히 먹으면 아무 말 않겠어. 나보다 많이 먹어도 좋아."

"만약 식탁이 지저분해진다면?"

"별거 있나. 밥상을 뒤집는 수밖에."

수틀리면 빈우는 체메트디오프의 함대 등록을 풀어버릴 것이다. 문제는 수가 틀리기도 전에 놈이 배가 불러버리면 저쪽이 먼저 등록을 풀어버릴 수도 있다는 점이다. 함정일지도 모르지만, 여기에 걸린 미끼가 체메트디오프로선 도저히 지나치기 힘든 진미다.

"좋아. 적어도 밥만큼은 서로 조용히 먹자고."

그들의 만찬은 유에네스 안에 들어온 샤다이를 죽이는 것이다. 빈우는 원하는 만큼 먹겠지만, 체메트디오프는 한참 더 먹어야 한다. 그래서 체메트디오프는 몰래 숟가락을 얹어 마구 퍼먹을 속셈이었지만 이미 저쪽에서 먼저 식사에 초대했으니 답이 없다. 주인의 초대에 따라 재량껏 퍼먹을 수밖에.

*

빈우는 클론 공장을 돌아보았다. 케트쿤들이 만든 클론 제조 시설에선 자신의 클론들이 대량으로 생산되고 있었다. 이 클론들은 체메트디오프를 유인하기 위한 미끼임과 동시에 자신의 계획을 위한 발판이 되어줄 것이다. 화성에 가서 샤다이를 죽이기 위해선 준비가 철저해야 한다. 놈들은 연방의 상원의원을 비롯한 정부 고위 인사들로 위장하고 있으니 어지간해선 닿기 힘들다. 그래서 라츨노그 함대를 만들고 위은쏠납학 기동부대를 만들었다. 그러나 이것이 통하는 것은 잠시. 제대로 된 대응이 시작되면 전멸은 시간문제다. 시간이 문제라면 시간을 벌면 되는 일. 바톤을 들어줄 주자들이 필요하다.

'체메트디오프의 움직임은 예상이 가능하다.'

자신의 계획에 체메트디오프가 끼어들 것은 확실하니 선수를 치는 것이 오히려 안전하다. 어차피 훼방을 할 놈이라면 자신의 시야에 두고 훼방을 놓게 하는 것이 대처가 쉽다.

'문제는 비홀더 전대다.'

현재 빈우의 계획에 끼어들 세력은 많다. 그러나 그중에서 가장 위협적인 존재라고 하면 역시나 비홀더 전대다. 놈들은 루비콘 라인의 바깥을 돌아다니며 연방의 일에 대해선 무관심하다고 보이지만, 빈우는 그게 사실이 아님을 잘 알고 있었다. 그들은 쿠델카를 통해, 혹은 자체적인 연락망을 통해 연방의 일을 연락받고 있었다. 다만 끼어들 만한 일이 아니면 무시로 일관하기 때문에 무관심하다고 보이는 것뿐이지, 빈우의 계획이라든가 정체가 드러났다면 높은 확률로 빈우를 제재하려 들 것이 분명하다. 그리고 쿠델카의 진정한 음모를 알아챘다면 앞뒤 가리지 않고 바로 화성으로 돌진할 것이다.

'문제는 놈들이 어디까지 알고 있냐는 것이지.'

빈우는 쿠델카가 자신의 목적을 위해 만든 키다. 판도라의 상자를 열기 위한 열쇠. 열쇠는 자신의 운명에 저항하려 하지만, 주변인의 눈은 과연 어떠할까. 상자가 열리지 않게 하는 방법 중에 키를 부수는 것은 꽤 좋은 방법이다.

"빈우야."

그때 뒤에서 빈우의 생각을 깨트리는 목소리가 있었다. 여기선 들릴 수 없는 목소리. 그리고 결코 듣고 싶지 않은 목소리다. 하지만 어쩌면 듣고 싶은 목소리이기도 했다.

"마커스?"

빈우는 고개를 돌리지 않고 대답했다. 아니, 정확히는 고개를 돌릴 수 없었다.

• • • ✦ • • •

274

달려오는 발소리, 그리고 빈우의 옆구리에 격통이 몰려온다.

"이 새끼!"

분노에 찬 마커스의 포효와 함께 그의 공격이 친구의 몸에 명중한다. 바닥을 나뒹구는 빈우의 위로 마커스의 공격이 계속해서 이어진다.

"네가! 네가 감히 어머니를! 네가!"

무수히 이어지는 공격, 그러나 빈우는 저항하지 않고 두들겨 맞기만 했다. 마커스는 넘어진 빈우를 일으켜 그의 얼굴에 주먹을 날렸다. 빈우는 얼굴을 돌리며 팔로 가려보지만, 마커스의 공격은 멈추지 않고 쏟아진다.

"어머니는! 내 어머니는 너를, 너를 친아들처럼 대했어! 나처럼! 나와 같이, 마치 내 형제처럼 대했단 말이다!"

마커스의 주먹과 발이 다시 쓰러진 빈우의 얼굴과 배에 꽂힌다. 빈우는 얼굴을 가린 채 맞고만 있었다.

"그런데, 네놈은, 네놈은 어머니를 죽였어! 배은망덕한 새끼!"

지금 둘이 싸우고 있는 곳은 아만다 타이의 비밀 공장이다. 이곳은 과거 연방군과의 거래를 위해 아만다 타이가 몰래 만들었던 공장으로, 이곳의 존재를 알고 있는 사람은 얼마 되지 않는다. 고작해야 아만다 타이, 아들 마커스 타이, 그리고 빈우 정도가 끝이다. 빈우는 이곳을 점거해서 임시 거점으로 삼은 상태였으나, 마커스에게 들킬 것은 시간문제였다.

"왜 죽였어! 왜! 왜!"

마커스의 울부짖는 노호성과 폭력. 그러나 빈우는 일체의 저항을 하지 않았다.

"어머니를 보았냐! 그 눈으로, 그 눈으로 내 어머니를 보았냐고, 그래서 죽였냐?"

마커스는 멱살을 잡고 일으켜 소리쳤다. 그러나 빈우는 얼굴을 가린 채 저항도, 대답도 하지 않았다. 분노한 마커스가 빈우를 벽으로 거세게 몰아세웠다.

"말해, 넌 누구를 죽였어. 누구를 죽였는지 말하란 말이다."

그때 빈우의 입이 힘겹게 열렸다.

"……난 친구의 어머니를 죽였다."

다시 마커스의 주먹이 퍼부어진다. 얼굴, 턱, 배, 가슴. 그러나 빈우는 묵묵히 맞고만 있었다.

"이 개새끼야! 눈을 떠! 나를 봐! 눈을 뜨고 나를 보란 말이다!"

마커스의 팔이 빈우의 팔을 잡았다. 그리고 가린 얼굴을 드러내기 위해 팔을 치우려고 했지만 치워지지 않았다. 저항의 정도를 보면 마커스의 팔보다 빈우의 팔의 출력이 더 높았다.

"나는 뭘로 보여. 네놈 눈에는 난 무엇으로 보이냐고. 난 대체 뭐냔 말이다."

외침이 잦아들고 낮은 으르렁거림이 되었다. 끓어오르는 분노가 잠시 식자, 불안감이 서서히 달아오르기 시작했다.

"인간이냐, 아니면……."

마커스의 질문은 거기까지였다.

"컥!"

그는 짧은 비명과 함께 몸을 숙였다. 옆구리에 강력한 일격이 꽂혔기 때문이다. 그러나 그 공격은 앞에서 온 것이 아니었다. 뒤에서부터 날아온 것이었다. 마커스가 뒤돌아서며 반격하려 했지만 연이은 공격에 날아가버렸다.

"잠시 이야기하고 왔더니 이건 또 무슨 일이지."

마커스를 공격한 이는 빈우였다. 선글라스를 쓴 빈우가 뒤에서 마커스를 공격한 것이다.

"체메트디오프와는 얘기가 되었어. 그래서 보고차 와봤더니…… 친구끼리 싸우면 쓰나."

선글라스를 쓴 빈우는 마커스를 내려다보면서 걸어와 두들겨 맞던 빈우의 앞에 섰다.

"괜찮겠어? 우리의 계획을 알려줘도?"

"어차피 방해하러 올 거야. 이쪽이 신경 쓰고 있다는 것쯤은 인식시켜줘야지."

선글라스 빈우의 질문에 얻어맞던 빈우가 대답했다.

"네놈은 누구냐."

마커스는 일어서면서 자세를 잡았다. 눈앞에 있는 빈우는 둘. 두뇌칩 반응도 동일하다. 둘 중 하나는 클론일 것이다. 그리고 다른 하나는 원본. 어쩌면 둘 다 클론일 수도 있다. 그의 질문에 마커스를 공격했던 빈우가 선글라스를 벗으며 대답했다.

"처음 뵙겠소. 마커스 타이 차관. 찰리하나팔이라고 불러주시오. 혼자서 오다니 의외군."

빈우와 같은 얼굴. 그리고 클론답지 않은 저 눈동자 역시 빈우와 닮아 있었다. 놈 역시 빈우처럼 어딘가 망가진 자인 것이다. 자신의 망가진 부분을 채우기 위해 비슷한 부품을 찾아 제 가슴속에 채워 넣는 자들이 저런 눈을 하고 있었다. 자신의 죄책감과 양심의 가책을 가리기 위해 필사적으로 상과 표창을 받아 그것으로 치부를 가리려는 사람들이 저런 눈을 하고 있었다.

"그리고, 이쪽이 당신 친구 김빈우요. 헷갈리진 않겠지? 생긴 게 이렇게 다르니까."

찰리하나팔은 엄지손가락으로 얻어맞던 빈우를 가리켰지만, 빈우는 돌아서서 자신의 작업을 하고 있었다.

"야야야, 양심하고 타협하지 말라면서."

찰리하나팔의 핀잔에 빈우가 한차례 떨었다.

"아까 타이 차관이 말했잖아. 자길 보라고. 자긴 누구냐고. 대답해줘야지. 친구잖아."

그 말에 빈우는 서서히 돌아섰다. 그리고 얼굴을 가리지 않고 마커스를 마주 보았다.

"……너."

마커스는 달리 할 말이 떠오르지 않았다. 형태는 빈우의 얼굴이다. 그러나 군데군데 일그러지고 뿔이 나 있다. 마치 워프 비스트의 징조, 아니, 워프 비스트로 변하고 있는 몸이다. 그리고 감겨 있던 빈우의 눈꺼풀이 떠지자 그 안에 샤다이의 안구가 있었다. 그 안구는 잠시 금빛으로 빛나더니 다시 꺼졌다.

"다행이다. 마커스. 너를 죽이지 않아도 되어서."

착잡한 빈우의 말에 마커스는 전후 사정을 파악할 수 있었다. 자신이 짐작했던 것이, 그리고 그토록 부정해온 것이 잔혹하게도 진실이었던 것이다. 한 가닥 남았던 희망의 줄을 잡아당기자 거기서 절망이 쏟아져내린다.

'어머니가 샤다이였다니…….'

짐작에 쐐기가 박히자, 그 쐐기가 마커스의 가슴을 후벼 팠다.

"……어머니가, 어머니가 샤다이라니."

허망한 마커스의 혼잣말에 빈우의 얼굴도 슬픈 듯이 일그러졌다.

"어머니는, 나를. 나를……."

마커스의 머릿속으로 어머니와의 기억이 떠오른다. 그녀는 회사를 키우고, 연방을 위해 헌신하며, 아들을 키웠었다. 그런데도 샤다이였다고 한다. 뻐꾸기 작전이 발동되었을 때 마커스는 그녀를 철저하게 검사했다. 그런데도 샤다이였다고 한다. 자신을 낳아주고 길러준 어머니의 정체가 샤다이였다고 한다. 무엇보다 정확한 빈우가 그랬다.

"너, 너는……."

마커스는 무슨 말을 꺼내야 할지 몰랐다. 고개를 들었을 때 빈우는 이미 몸을 돌리고 자신의 작업에 전념하고 있었다. 화면에 뜬 내용을 본 마커스는 자신을 괴롭히던 사실들을 잊을 만큼 놀랐다.

"빈우야! 그건!"

친구의 외침에도 빈우는 멈추지 않고 화면에 입력을 계속하고 있었다.

"미친 새끼야! 멈춰!"

달려 나가던 마커스를 찰리하나팔이 막았다.

"어허, 진정해 차관 나리. 난 빈우처럼 말랑하지 않아."

맞부딪힌 순간 알 수 있었다. 찰리하나팔의 출력은 마커스보다 월등히 위다. 그리고 전투 실력은 아마도 빈우와 동급. 제대로 싸운다면 불리하다. 아니, 질 것이 확실하다.

"빈우야!"

"마커스. 무엇이 인간일까?"

다시 소리친 마커스에게 빈우가 대답했다. 그러나 손은 멈추지 않았다.

"내가 볼 수 있는 것은 샤다이야. 샤다이. 그래, 그게 샤다이인지 아닌지는 알 수 있어. 하지만 인간인지 아닌지는 몰라."

마지막 입력이 멈추자, 공장이 가동하기 시작했다. 멈췄던 내용물들이 깨어나 움직이기 시작했다. 공장 내부에 동면하고 있던 쉬바들이 다시 일어난 것이다. 캡슐 안에서 꿈틀대는 나노머신들이 화면으로 보인다.

"미친 새끼."

마커스는 욕설과 함께 주변을 둘러보았다. 이곳은 과거 어머니로부터 몰래 알아냈던 쉬바 제작 시설들이다. 연방은 쉬바에 대해 단편적인 것만 알고 있었지만, 아만다는 자세한 분석과 연구를 의뢰받아 쉬바의 정체를 상당수 밝혀냈고, 마커스는 그것을 몰래 훔쳐봤다. 그래서 위은쏠납학에서 제대로 써먹을 수 있었다.

'마커스, 이것은 절대 써서는 안 돼.'

쉬바의 진실에 접촉한 마커스는 어머니 아만다 타이에게 호되게 혼났다. 하지만 마커스는 납득했다. 그만큼 쉬바가 위험하기 때문이다.

'저것을 화성에 떨어트린다는 건가.'

아직 연방은 쉬바의 위험성에 대해 정확히 모른다. 그저 외계인을 분해하는 지구제국의 병기로만 알고 있다. 그래서 행성의 방어나 정화 시스템도 쉬바를 우선적으로 소각하지는 않는다. 하지만 만약 저것이 화성에 떨어진다면? 그리고 샤다이에 감염된 인간들을 본다면? 샤다이들을 정화할지도 모른다. 그러나 정말 그래야 할까?

"빈우야!"

다시금 울려 퍼지는 마커스의 외침에 빈우는 자신의 친구를 금빛 눈으로 마주 보았다. 눈이 빛나면 빛날수록, 그의 변이는 점점 심해지고 있다.

"쉬바는…… 인간이 아닌 존재를 분해한다."

그리고 빈우는 버튼을 눌렀다. 공장 여기저기서 쉬바가 새어나와 목표를 찾는다. 한 무리의 나노머신 폭풍이 날아가고, 그 뒤를 이어 여러 무리가 날아온다.

"아아……."

마커스의 나직한 탄성과 함께 나노머신들이 그들 주변으로 내려온다. 놈들은 마커스를 지나고, 찰리하나팔을 지나 빈우의 주변에 무리 지었다. 그리고 촉수마냥 뭉쳐 빈우를 노려보았다. 워프 비스트로 변이한 인간을 인식하고 목표로 설정한 것이다.

그때 빈우가 손을 내밀어 촉수를 자기 쪽으로 잡아끌었다.

"빈우야! 안 돼!"

쉬바들이 달려드는 것과 동시에 마커스가 비명을 질렀다. 나노머신들이 빈우를 덮치고 분해한다.

"안 돼! 멈춰!"

마커스가 찰리하나팔을 뿌리치고 달려갔다. 그리고 친구를 구하기 위해 팔을 잡아끌었다. 그 바람에 나노머신에게 뜯어먹히던 빈우의 팔이 뚝 하고 뜯어져 바닥으로 떨어진다.

"나는!"

나노머신에 뒤덮인 빈우가 소리쳤다.

"나는 인간이다!"

쉬바가 피부를 뒤덮고 신체 안으로 침입한다. 군용 육체의 방어 체계가 반응하고 대응한다. 빈우의 전신에서 열기가 뿜어져 나오고, 마커스의 눈에 빈우의 육체가 뿜어내는 경고 반응이 보인다. 아군의 육체에 심각한 피해가 일어났다는 경고다.

"나는 인간이다아아!"

빈우가 절규하며 몸에 붙은 쉬바를 뜯어낸다. 그리고 자신을 인간이라 소리친다. 그때 빛나는 빈우의 눈과 마커스의 눈이 마주쳤다.

"마커스. 마커ㅡ."

나노머신의 폭풍에 휘말린 빈우가 휘청이며 마커스에게 기댔다. 빈우는 이제 성대마저 부서진 것인지 말도 나오지 않는다.

- 화성에는 오지 마라.

그리고 분해와 복구를 반복하는 친구의 손이 마커스를 잡는다.

- 그리고, 오지 말라고 전해줘.

빈우의 그 말을 마지막으로 마커스의 시야가 변했다. 자신의 품 안에서 버둥거리던 빈우가 급속도로 작아지며 멀어진다. 그가 점처럼 작아지고 마커스의 주변으로는 별들이 지나간다. 허둥대던 마커스가 멈추고 정신을 차렸을 때, 그는 어디선가 본 적이 있는 시설 속에 있었다. 전투함으로 추정되는 방. 그중에서도 연방의 실험 전투함, 블랙 랜스의 방이다.

"아나스타샤?"

마커스의 앞에는 아나스타샤가 누워 있었다. 그녀는 마치 정지 상태인 것처럼 아무런 미동도 않은 채 침대에 구속되어 있었다.

"야이! 씨이바알새끼야—!"

문이 열리며 장갑복이 뛰어들었다. 그리고 강렬한 공격이 마커스의 머리를 갈겨 그를 바닥에 내동댕이쳤다.

"어디서 개지랄을 — 마커스 타이 차관님?"

실리콘 나이트의 장갑복, 인필트레이터가 마커스를 때려눕힌 다음 엉거주춤한 자세로 얼어 있었다.

"어, 음. 마커스 타이 차관님, 본인? 맞으시죠?"

파트리샤는 총을 겨눈 채 마커스를 샅샅이 살펴보고 있었다. 갑자기 함내에 샤다이의 전송 반응이 나타나고 그 위치가 아나스타샤의 방이라 냅다 달려온 것이다. 그런데 전송된 사람이 다름 아닌 마커스 타이 국방차관이라니, 그녀가 당황하는 것도 당연하다.

"맞습니다, 피아프 중위. 세 가지 다."

마커스는 머리를 부여잡고 일어나며 파트리샤를 혼란스럽게 했다. 그러나 그녀보다는 마커스가 더욱 혼란스럽다. 이제 어디로 가야 할지, 무엇을 해야 할지 갈피도 안 잡히는 것이다.

"이제 어디로…… 무엇을……."

대답하는 이도 없고, 알려주는 이도 없다. 이제 절체절명의 갈림길에서 갈 길을 스스로 정해야 하는 것이다.

"그런 일이."

히토미는 경악했다. 마커스가 알려준 사실이 그만큼 엄청난 것이기 때문이다. 태스크포스 373을 탈주한 빈우가 샤다이의 눈을 가졌고, 그것으로 샤다이의 정체를 파악한다는 사실 정도는 이미 알고 있다. 그래서 그가 그 능력으로 연방 내에 침투한 샤다이를 제거하려는 행동을—즉 테러를 일으키리라 짐작하고 이에 미리 대응하려고 했다. 그런데 마커스가 밝힌 사실에 의하면 빈우가 일으킬 사건의 규모는 도저히 테러 정도가 아니었다.

"이노우에 고토 이 작자가!"

히토미는 입술을 잘근잘근 씹었다. 이런 사실을 제대로 밝히지도, 철저히 숨기지도 않고 그저 질질 흘려만 보낸 작자 때문에 열이 뻗치는 것이다.

'아니, 애초에 알 능력이 안 되면 빠지라는 의미겠지. 아니면…… 그쪽도 우릴 신용하고 있지 않든가.'

군사정보국장이 줄타기하는 것은 하루 이틀 일이 아니지만 이번에 걸린 안건의 무게감은 장난이 아니다. 닉스 레벨 3의 전략 병기가 케트쿤과 아만다 타이의 비밀 공장을 사용해 화성을 칠 병력을 준비하고 있다니, 이건 쿠데타다. 인류 안에 숨어든 샤다이를 친다는 작전이지만 이건 빈대 태우려고 초가삼간 태우는 정도가 아니다. 마을을, 나라를 홀랑 태워버릴 속셈인 것이다.

"이거 첩첩산중이군요."

그리고 마커스 또한 놀라긴 매한가지다. 이미 비홀더 전대가 블랙 랜스에 접촉했고, 샤다이의 호민관인 알탄훼아나가 우군을 모으기 위해 팀을 떠났다고 한다. 비홀더 전대의 자세한 목적은 알 수 없었지만, 놈들이 점프 공간 안에까지 들어올 정도였으면 보통 일이 아니다.

"비홀더 전대의 목적에 대해서는 모르십니까?"

마커스의 질문에 히토미가 고개를 저었다.

"처음엔 저를 노리는 줄 알았습니다만, 제가 아니라 김 소령이었더군요."

그녀의 말에 마커스의 눈빛이 약간 날카로워졌다. 비홀더 전대는 루비콘 라인 바깥으로 돌기 때문에 최신 소식에 어두울 수 있다. 하지만 큰 줄기는 잡은 듯하다.

"그렇다면 설마 비홀더 전대도 빈우의 계획을 눈치채고 화성으로 오려는 것일까요?"

마커스의 말에 히토미의 얼굴색이 하얘졌다. 하나하나가 상상을 초월하는 병기들이 화성에 오는 순간 어떠한 참극이 벌어질지 눈에 훤한 것이다. 연방에서 손꼽히는 전력인 블랙 랜스와 그녀의 팀들도 비홀더 전대를 상대로는 제대로 된 대응조차 하지 못했다.

"하지만, 차관님. 비홀더 전대는 루비콘 라인을 넘을 수 없지 않나요?"

"평상시에는 그렇죠. 하지만 인류의 위기라면 놈들은 개입할 수 있습니다. 일단 빈우의 목적이 표면적으로는 화성의 강습, 그리고 연방 고위 간부들의 학살이니 개입 가능성은 충분합니다."

그렇다면 지금 화성에 모일 세력들이 한둘이 아니란 얘기다.

"그런데 의원님. 알탄훼아나, 샤다이의 호민관인 그녀를 보내주어도 되겠습니까?"

마커스가 기억하기로 그녀는 정신이 만신창이가 되어 제대로 능력을 쓰지 못한다고 했다. 그런데 무슨 바람이 불었는지 아군을 모으겠다고 하며 팀을 떠났다고 한다.

"일단 뜻이 맞으니 아군이 하나라도 있으면 좋지요."

알탄훼아나는 이전부터 스스로 다시 일어서려 노력했고, 이번에 있었던 비홀더 전대의 기습이 그 행동에 불을 지폈다. 그래서 통상공간으로 돌아간 후 뜻이 맞는 자들을 모으겠다며 블랙 랜스를 떠났다.

"같은 편이라 해도 목적과 수단이 전부 같지 않은 이상은 위험할 수 있습니다."

마커스의 말에 히토미도 동감했다. 빈우만 해도 샤다이를 제거한다는 아주 바람직한 목적으로 움직였지만, 그 수단이 정도를 넘어선 것이다. 게다가 지금 슬슬 징조가 보이는 사태들은 빈우가 벌이는 일을 불씨로 받아들여 불타오를 기세다. 화성에서 대형 사고가 터지는 것은 시간문제. 그런 상황에 샤다이를 끌어들인다는 것은 자칫 잘못하면 자충수가 될 수 있다.

"목적과 수단. 그래요, 아직 정보가 너무 부족해요. 이번 일에 엮인 세력은 많은데 그 세력들에 대한 정보가 너무 없습니다. 샤다이는 물론이고 연방에서조차도 말이죠."

상원의원의 넋두리에 전직 군사정보국 차장이던 국방부 차관 또한 난색을 표했다. 그녀는 방금도 이노우에 고토에게 뒤통수를 맞은 것이다. 물론 마커스가 가진 정보는 많다. 그러나 급변하는 민감한 정보에 대해 따로 알 방법이 없는 것이 문제다.

"중요한 것은 그 세력들의 목적과 그것을 이루기 위한 성향입니다."

그러면서 마커스는 당장 움직이는 파벌들만 하나씩 예를 들었다. 먼저 인류 속에 숨어든 샤다이와 이들을 처치하기 위해 화성을 치려는 빈우가 메인이라면 이를 쫓는 이들도 만만찮다. 여기선 빈우를 추적하는 히토미, 막 말려든 마커스가 있다. 그리고 분명히 멀리서 사태를 지켜보고 있는 고토, 떠나서 세력을 모으려는 알탄훼아나, 뒤늦게 낌새를 눈치챈 비홀더 들이 있다. 또 사태가 커지면 42전단은 반드시 진화하려 올 것이다.

"거기다 마지막으로, 샤다이의 집정관도 있지요."

"아."

마커스가 마지막으로 덧붙인 인물에 히토미가 진절머리를 냈다. 샤다이의 집정관이자 알탄훼아나의 아버지, 그리고 언제나 사건과 음모 뒤에 암약하고 있는 자. 체메트디오프는 이런 일에 절대 빠지지 않을 것이다. 마커스는 히토미에게 부연 설명을 해주었다.

"이들의 공통된 목적은 하나. 계단을 내려온 자, 인류의 몸을 차지한 샤다이의 파멸입니다."

아닌 게 아니라 그가 언급한 세력들은 귀환한 샤다이의 파멸을 원하고 있다. 그게 주 목표이든, 부 목표이든.

"흐음. 같은 샤다이인 호민관과 집정관 둘 다 동족의 파멸을 바라다니, 아이러니하군요."

"그게 문제입니다, 의원님. 그 부녀는 둘 다 귀환 반대파입니다. 그러나 실제 목적과 그 수단의 과격함 정도에 따라 뜻이 갈렸지요."

그것은 히토미도 익히 아는 사실이다. 덕분에 알고 있던 사실을 다시 재확인할 수 있었다.

"그렇지요. 그리고…… 우리 인류끼리도 반목이 있을 수 있지요."

그녀의 말에 마커스가 무겁게 고개를 끄덕였다. 솔직히 지금 히토미와 마커스만 해도 빈우를 구하려고 하지만 세부적인 면에선 약간씩 어긋나 있다. 사태가 심각해지면 그 어긋남의 정도는 더욱 심해질지도 모른다.

"의원님, 일단 빈우를 멈추고 사태가 더 이상 커지는 것을 막아야 합니다."

그러면서 마커스가 악수를 청했다. 동맹을 맺자는 의미다. 히토미는 그 손을 보더니 마주 잡았다.

"네, 일단 김 소령을 잡아야죠. 하지만 차관님, 차라리 이 사실을 미리 알리는 게 낫지 않을까요?"

이미 뒤에서 숨기고 있을 상황은 지났다. 일이 더 커지기 전에, 걷잡을 수 없는 태풍이 되기 전에 막아야 한다.

"의원님 말씀은 이해합니다만, 적절한 보안 과정을 거쳐서 알려야 합니다. 마구잡이로 사실을 공표했다간 사회에 혼란이 일어나고, 연방 내부에 숨어든 샤다이들이 아예 숨어버릴 수가 있습니다."

"설령 숨는다 한들, 알탄훼아나나 김 소령의 협조가 있으면 색출할 수 있지 않습니까?"

"숨어든 사람을 찾는다는 게 그리 쉬운 게 아닙니다. 의원님도 아실 텐데요? 제국 시절부터 인류 사회에 스며든 샤다이들이 얼마나 용의주도하게 자신들의 위장 신분을 유지했는지."

거기까지 말한 마커스는 자신의 가슴께가 저릿해지는 것을 느꼈다. 그 샤다이에는 자신의 어머니도 포함되어 있었기 때문이다. 아만다 타이는 정말로 용의주도하게 자신의 신분을 위조해왔었다. 할머니, 어머니, 딸, 며느리, 손녀. 이런 식으로 다중 신분을 만들어놓고 나이를 먹어감에 따라 스스로의 신분을 바꿔나갔다.

"……일단 제가 국방부로 돌아가서 방법을 모색해보겠습니다."

"알겠습니다. 차관님을 모셔다드린 후 제 팀은 화성으로 가도록 하죠."

히토미의 그 말에 마커스는 빈우의 마지막 말이 기억났다.

- 화성에는 오지 마라.

아마 화성이 쑥대밭이 될 예정이니 오지 말라고 한 것이겠지. 그러나 안 갈 수가 없다. 친구가 죽음을 각오하고 가는 곳이다. 어떻게든 가서 친구를 살려야 한다.

- 그리고, 오지 말라고 전해줘.

이 말은 누구에게 했을까. 히토미에게? 팀원들에게?

'아나스타샤겠지.'

빈우의 내면에서 가장 큰 부분을 차지하는 것은 바로 아나스타샤다. 그녀는 단순한 보모나 비서 안드로이드가 아니라 빈우의 가족이었다. 어머니이자 누나였고, 어쩌면 반려가 될지도 모른 존재인 것이다.

604

"의원님, 화성에 꼭 가셔야겠습니까? 위험합니다."

"위험하니까 가야죠. 김 소령을 구하러."

마커스의 만류에도 히토미는 결심을 굽힐 기미가 없었다. 그래서 마커스도 억지로 말리려고 하진 않았다. 친구를 구하는 손이 하나라도 더 많으면 좋기 때문이다.

오다 히토미 상원의원과 마커스 타이 국방 차관은 그 밖에도 세부적인 조율을 마친 다음 헤어졌다. 그다음 마커스는 아나스타샤를 찾아갔다. 빈우에 의해 블랙 랜스로 전이된 마커스가 처음으로 만난 것은 아나스타샤였는데, 그녀는 누군가에 의해 수동 상태가 된 것처럼 작동을 멈추고 있었다. 팀원들의 말에 의하면 비홀더의 1전대장인 이 섬과 접촉한 다음 그렇게 되었다고 한다.

'누가 그녀를 이렇게 망가뜨렸을까.'

마커스는 침대 앞에 앉아서 누워 있는 아나스타샤를 물끄러미 쳐다보았다. 이렇게 가만히 있는 모습을 보면 그녀와 크산티페는 똑같다. 같은 모델이기에 당연한 일이다. 그러나 움직이기 시작하면 그녀들의 차이는 점차 두드러졌다. 크산티페가 조용하고 부드럽다면, 아나스타샤는 활달하고 장난기 넘친다. 그리고 강하다.

'아나스타샤는 정말 포기하지 않았지.'

아나스타샤는 포말하우트 게이트에서 주인을 잃었던 절망적인 상황에서도 포기하지 않았었다. 또한 군사정보국의 강도 높은 조사와 심문 속에서도 그녀는 결코 포기하지 않고, 마커스에게 끈질기게 부탁했었다. 자신의 주인을 구할 수 있게 도와달라고. 그리고 계속해서 빈우를 기다렸고, 결국엔 다시 만났다.

'이 섬은 왜 아나스타샤에게 이런 짓을 했을까?'

비홀더 전대는 자신들이 죽여야 할 대상 외에는 거의 무시하고 지나가며 해를 끼치는 경우는 없다. 당시 놈들이 노렸던 것은 빈우였다. 팀장이었던 히토미는 노리지 않았고, 샤다이인 알탄훼아나조차도 아예 무시했었다. 그러나 당시의 영상을 보면 아나스타샤는 이 섬과 만나기 전부터 이상 징조를 보이고 있었다. 분명 당시 무슨 일이 있었던 게 분명하다. 그러나 모니카 대위의 조사에 의하면 아무런 이상이 없다고 했다.

"미안."

마커스는 조용히 사과를 하며 아나스타샤의 접속단자에 손가락을 대었다. 그리고 직접 접속으로 그녀의 내부 데이터를 살펴보았다.

'역시.'

지금 아나스타샤는 군사정보국의 보안으로 묶여 있었다. 이 패턴은 마커스도 아는 패턴이며, 잊을 수 없는 패턴이다. 바로 잠수다. 지금 아나스타샤는 군사정보국의 요원들이 쓰는 방법을 써서 자신을 묶어놓은 것이다.

'키워드는……'

마커스는 가장 짐작이 가는 키워드를 집어넣었다.

'초코 쿠키와 닭고기 파이.'

마카로니에서 빈우를 깨울 때 썼던 부상 코드다. 그리고 아나스타샤도 이 코드에 반응해서 재기동하기 시작했다. 이제 조금 있으면 그녀는 눈을 뜰 것이다. 그런데.

"아아악!"

갑자기 아나스타샤가 비명을 지르며 발작하기 시작했다. 팔다리가 허우적거리며 비명이 터져나온다.

"안 돼! 안 돼! 하지 마!"

"아나스타샤, 진정해!"

마커스가 서둘러 아나스타샤를 눌렀다. 안드로이드의 거센 움직임에 침대가 삐걱거린다.

"주인님! 도와줘요, 주인님. 주인님!"

처절한 울부짖음이 굳센 그녀의 입에서 터져 나왔다.

"아나스타샤! 아나스타샤!"

어깨를 잡고 흔드는 마커스의 손길에 마침내 아나스타샤가 멈췄다. 그리고 서서히 고개를 돌려 마커스를 보았다.

"타이…… 차관님?"

"그래 아나스타샤. 무슨 일이야?"

그러나 아나스타샤는 겁에 질린 표정으로 떨기만 할 뿐, 아무런 대답이 없었다.

"주, 주인님은요?"

그녀는 벌벌 떨며 자신의 주인을 찾았다. 빈우를 찾았다.

"지금 여기엔 없어. 이제 우리가 찾으러 가야지."

마커스의 대답에 아나스타샤는 얼굴을 가리며 조용히 흐느끼기 시작했다.

"죄송해요, 주인님. 죄송해요, 죄송해요, 제가 잘못했어요, 죄송해요."

무엇이 그녀를 이렇게 만들었을까, 무엇이 포기를 모르는 그녀를 이렇게 꺾었을까. 하지만 마커스는 알아낼 수가 없었다. 갑자기 긴급 통신이 들어왔기 때문이다. 블랙 랜스의 함장 지마 오르 소령이었다.

- 타이 차장님. 현재 연방 각지에서 샤다이의 동시다발적인 공격이 시작되었습니다.

오르 함장이 보여주는 침공지대는 상당히 광범위했다. 42전단의 공격에 반응한 샤다이의 저번 침공 때보다 훨씬 크고 넓었다.

"지금 곧 가겠습니다."

마커스는 급히 자리에서 일어섰다.

"아나스타샤, 잠시 쉬고 있어. 금방 올게."

울고 있는 아나스타샤를 뒤로하며 달려나가는 마커스는 이번 침공이 앞으로 일어날 거대한 사건의 시발점이 될 것이라 짐작하고 있었다.

• • • ✦ • • •

276

"제길! 우리만으로 더 이상 뭘 어떻게 하라고!"

42전단장 스베틀라냐 스크로도프스카가 전투지휘실의 바닥을 세차게 굴렀다.

"어쩔 수 없지요. 더 이상 중앙 함대를 빼내면 태양계가 위험합니다."

42전단의 기함 이그젝틀리의 인공지능인 발렌티나가 대답했다. 지금 샤다이의 침공은 유례가 없을 정도다. 각지에서는 주둔 함대들이 필사적으로 대응하고 있고, 공격부대인 42전단은 소방수가 되어 급한 지역마다 날아가 방어 임무를 수행하고 있다. 다만 신형입자포의 보급 덕에 이전보다는 훨씬 수월하게 상대하고는 있다는 점이 마음의 위안이 되었다.

"뱅가드도 더 이상 여력이 없습니다. 중앙 함대도…… 아, 특수전 사령부에서 긴급 대응 부대가 구성되었다고 합니다."

발렌티나의 보고에 스크로도프스카 전단장이 화면을 보았다. 레드우드 사령관이 휘하 부대에서 대응 부대를 신설해 각지로 파견한다고 했다.

"……위험해."

스크로도프스카 전단장의 혼잣말대로 상황은 위험했다. 특수전 사령부 소속의 팀원들은 하나같이 다들 전략 병기다. 그러나 이들은 어디까지나 비밀스러운 특수 임무를 하는 장갑보병들이지 우주에서 정규전을 하는 함대가 아니다. 장갑보병이라는 한계상 이런 우주 전투에선 제빛을 발휘하기 힘들다. 그런데 그것을 누구보다 잘 아는 레드우드 사령관이 그런 결단을 내렸다고 하니 상황이 얼마나 긴박한지 알 수 있었다.

"중앙에서 함대 하나만, 하나만 더 빼면 되지 않아? 그럼 숨 좀 돌릴 텐데."

스크로도프스카 전단장마저 그녀답지 않게 아쉬운 소리를 할 정도로 침공 범위가 광범위했다.

"블랙 랜스는? 그 팀은 지금 어디에 있지?"

롱훅 프로젝트의 실험함인 블랙 랜스는 저번에 대 샤다이용 무장으로 철저하게 바꾼 덕에 순양함 1척 분의 작전 수행력을 가지고 있다. 지금 42전단에 합류하면 상당히 도움이 될 것이다.

"지금 화성으로 가고 있다고 합니다."

"화성?"

"네, 군사정보국의 비밀기지로 추정되는 곳에 정박한 다음 바로 화성으로 향했답니다."

발렌티나의 대답에 스크로도프스카 전단장이 고개를 갸웃했다. 지금 불난 곳으로 달려가도 시원찮을 판국에 화성이라니 의아할 수밖에.

"설마 그쪽은 뭔가 수상한 낌새를 눈치 챈 건가?"

빈우의 373팀은 팀장이 없어도 꽤나 정보력이 좋았다. 그런 블랙 랜스가 현재 상황에서 화성으로 가고 있다고 하니 전단장과 발렌티나의 머릿속에는 이번 샤다이의 침공이 양동이 아닐까 하는 의문이 떠오른다. 이번 샤다이의 침공 목표가 실제로는 화성이 아닐까 하는 의문이. 연방 영토 외곽으로 42전단과 연방의 중앙 함대가 나간 지금 상황에서 샤다이가 화성으로 쳐들어오면 상당히 위험하다.

"양동이라…… 샤다이가 태양계를 친 적이 없지만, 현재 상황에선 그 가능성을 아예 무시할 순 없습니다. 하지만 태양계는 중앙 함대와 제국의 방어 병기가 있습니다. 또 여차하면 비홀더 전대가 바로 날아올 거고요."

"통제 불가능의 아군은 적군보다 더 무서워."

스크로도프스카 전단장의 말에 발렌티나가 어깨를 으쓱했다. 비홀더는 연방군을 먼저 치진 않는다. 그러나 일단 전투가 벌어지면 거기에 연방군이나 민간인이 말려드는 것에는 전혀 거리낌이 없다. 만약 샤다이가 태양계로 들어오고, 비홀더마저 이를 쫓아 태양계로 들어온다면 아비규환이 따로 없다.

"전단장님, 게이트가 완성되었습니다."

발렌티나의 보고대로 42전단의 순양함들이 연동 게이트를 만들었다.

"점프!"

이제 게이트로 들어가면 바로 전장일 것이다. 스크로도프스카 전단장은 단호한 명령을 내렸다.

*

"예상외로 잘 호응해주는걸?"

체메트디오프가 울 듯한 표정으로 웃었다. 그는 화성으로 가기 전 유에네스의 전력을 분산시키기 위해 양동을 걸었는데, 여기에 참전해준 동포들이 상당히 많았던 것이다. 기대했던 것의 두 배 이상의 동포들이 체메트디오프의 사탕발림에 넘어와 총알받이를 해주고 있다.

"빈우라는 작자의 학살극이 꽤 도움이 되었습니다."

옆에서 부관이 말을 거들었다. 빈우는 외계인 병력으로 구성된 함대로 샤다이의 행성을 침공했고, 잔인한 고문과 처형으로 행성을 푸르게 물들였다. 체메트디오프는 잊지 않고 그 자료를 수집해 동포들에게 보여주었다.

- 유에네스가 벌인 참극을 보라. 이들의 만행에 분노하라. 일어나라 동포들이여.

그 효과는 굉장했다. 예전에 42전단의 등장에 반응해 유에네스의 영역으로 침공했을 때는 사분오열된 함대들이 들어갔을 뿐이다. 그런데 이번엔 파벌과 세력의 성향을 불문하고 샤다이들이 거세게 들고 일어나 격렬하게 공격하고 있었다.

"설마 이게 그자의 속셈일까요?"

부하가 현재 상황을 보며 곤혹스럽다는 듯이 고개를 이리 돌렸다. 호응이 좋아도 너무 좋은 것이다.

"그럴 리가. 말 그대로 설마지."

하지만 체메트디오프는 일축했다. 빈우는 만에 하나라도 동족들에게 해가 될 일은 결코 하지 않을 위인이다. 자신이 죽는 한이 있어도 그것만큼은 막을 사람이다.

'그래서 궁금하단 말이야.'

이런 이유로 체메트디오프는 빈우가 화성에서 벌일 사건이 정말 기대되었다. 동포를 지키고 수호하는 자가 동포의 몸에 스며든 외계인을 죽이기 위해 수도를 친다. 거기에 무고한 사람이 휘말릴 것인가 어떤가, 그리고 한술 더 떠 그 사건에 샤다이인 자신들을 끌어들인다. 자신이 무슨 짓을 할 줄 알고 함부로 끌어들일까. 이 얼마나 멋진 타락이란 말인가.

"조심하십시오, 집정관. 자칫 잘못하다간 뒤통수 맞을 수도 있습니다."

부하의 충고에 체메트디오프는 피식 웃었다.

"알면서도 맞는 거지. 저놈들처럼."

체메트디오프는 꾸역꾸역 외곽으로 퍼져나오는 연방의 함대를 가리켰다. 이들은 침략자를 막고 동족을 구하기 위해 점프 게이트를 몇 번이나 걸쳐서 나온다. 그리고 이런 상황에서 계단을 사용하지 못하게 막아버린다면 태양계로 갈 지원군은 상당히 줄어든다. 이쪽의 병력들이 워낙 오합지졸에 작전 없이 마구잡이로 쳐들어가고 있는지라 유에네스 측에서도 이 공격이 양동이란 것을 눈치챘을 것이다. 그럼에도 불구하고 그들은 이 악순환을 끊을 도리가 없었다.

"알면서도 맞는다고요?"

부하의 어처구니없다는 반문에 체메트디오프는 활짝 웃어 보였다.

"자네도 내가 되어보면 알 거야. 큰 것을 노리려면 큰 것을 잃어야지."

그리고 체메트디오프는 큰 판에 어울릴 큰 판돈을 준비해놓았다. 구역질 나는 선조들의 함대다. 예전에는 쳐다보기도 싫은 물건이었다. 그러나 이것으로 선조들의 숨통을 끊을 수 있다 생각하니, 그것도 나름 운치 있다는 생각이 들었다.

*

"모두 멈춰요!"

알탄훼아나가 애원했다.

"이건 체메트디오프의 함정이에요."

이 말에 전투함으로 달려가던 민병대들이 멈춰 섰다. 그리고 항의했다.

"동포들이 죽었다. 남녀노소 할 것 없이 푸른 고깃덩이가 되었다. 그것을 보고도 가만히 있으란 말인가!"

이들의 분노는 정당하다. 체메트디오프가 샤다이 영토 전역에 보낸 충격적인 영상을 보았기 때문이다. 그것은 다름 아닌 빈우가 이끄는 함대가 동포의 행성을 침략해서 무자비하게 학살하는 영상이었다. 그리고 집정관은 선동했다. 분노의 불씨를 일으켜 달아오른 이들이 전장으로 나서길 부추겼다. 이번에 일어난 불길은 저번의 42전단의 것에 비할 바가 아니었다. 저번의 것이 단순한 공격이었다면, 이번의 것은 고문과 학살이었다. 샤다이 대중들 사이로 격노의 불길이 일렁인다.

"분노의 방향이 잘못되었단 말입니다. 지금 당신들이 나가면 체메트디오프의 전장에서 총알받이가 될 뿐입니다. 그 방향을 돌려야 해요."

알탄훼아나의 필사적인 말에 사람들은 차츰 발걸음을 멈췄다. 파벌은 달라도 호민관의 말. 상처를 입고 능력을 잃었다 해도 체메트디오프의 딸이자 발 가르단 하스와 대화에 성공한 알탄훼아나다. 분노한 민병대들의 시선이 잠시 그녀에게 모였다.

"그렇다면 그 방향은 어디요."

잠시 주변을 둘러본 알탄훼아나가 조심스레 말했다.

"그전에, 제가 지정한 자를 공격하겠다고 약속하겠습니까?"

"알탄훼아나 호민관, 당신의 말이라면 기꺼이 따르리다."

샤다이의 호민관은 잠시 생각을 추스르더니 조심스레 말을 꺼냈다.

"화성, 유에네스의 수도입니다."

"수도? 거긴 위험하오. 아무리 유에네스라 해도 거긴……."

강대한 적 앞에 분노가 한풀 꺾인다. 이들도 들어서 알고 있는 것이다. 압도적인 유에네스 본대의 위력을.

"걱정들 마세요. 제가 알려드린 대로 하면 사건의 원흉을 제거할 수 있을 겁니다."

알탄훼아나는 거짓말을 하지 않았다. 그녀는 이들을 이끌고 실제로 이번 사건의 원흉을 칠 것이다. 이 모든 사태의 시발점이 된 귀환한 선조들을.

*

- 차관, 설명을 좀—.

이노우에 국장의 말이 들려온다.

"쓸 수 있는 병력을 전부 주십시오. 지금 당장."

마커스는 지금 군사정보국의 비밀기지에서 닦달하고 있었다. 한때는 한 식구, 그것도 차장이었지만 지금은 남이 된 마커스 앞에서—국방부차관 앞에서 군사정보국 요원들이 쩔쩔매고 있었다.

- 아니, 아무리 그래도 일에는 절차가 있는 법이외다. 아무리 차관이라 해도……

"여기 있소. 그 절차를 위한 명령서요."

하지만 국방부는 군사작전을 하는 곳이 아니라 군에 관련된 행정업무를 하는 곳이다. 아무리 국방부 명령서라 해도 할 수 있는 것이 있고, 없는 것이 있다.

- 이것은······.

마커스가 내민 명령서를 본 이노우에 국장의 눈이 가늘어졌다. 이것은 뻐꾸기 작전을 진행 중에 필요한 장비를 가져가겠다는 명령서다. 병력이 아닌 장비. 이것이라면 문제없다. 하지만 울토르 클론은 인간으로 취급되지 않는다. 장갑복을 작동하기 위한 보조 장비로 취급한다. 그리고 솔리드 시리즈라면 역시 운반에 문제없다.

- **화성으로 가시려는 게요?**

이노우에 국장의 말에 마커스는 말없이 고개를 끄덕일 뿐이다. 그러자 군사정보국장은 한숨을 내쉬었다.

- **그렇다면 코드를 맞춰 보내주겠소.**

코드. 연방군의 피아 식별 코드 외에 코드가 있다면 비밀작전을 위해 피아를 구분하기 위한 코드다. 즉, 이노우에 고토는 이미 화성에 손을 뻗어놨다는 얘기다. 병력을 받고 확인하는 마커스에게로 고토의 충고가 들려온다.

- **차관, 내 말 들으시오. 당신의 어머니를 죽인 친구는 일단 신경 끄시오.**

화면을 두들기던 마커스의 손이 잠깐 멈췄다.

- **당신이 해야 할 일은 연방을 지키는 거요. 연방 사회와 연방의 시민을 지키는 것이란 말입니다. 마커스 타이의 개인적인 은원과 연방을 위해 목숨을 바칠 각오가 된 김빈우 개인에 대해선 신경 끄시오.**

정답이고 정론이다. 이노우에 고토 역시 온갖 음흉한 음모와 협잡을 꾸몄지만, 그 모든 것들은 연방을 위한 것이었고, 사리사욕을 위해 권력을 쓴 적은 단 한 번도 없었다. 그랬기에 마커스와 빈우 모두 이를 갈면서도 그를 따랐다.

"현장 상황에 따라 행동하지요."

마커스는 그 말을 마지막으로 통신을 끊었다.

*

"모두 죽여라!"

이 섬의 명령에 비홀더 전대의 장갑보병들이 뛰쳐나갔다. 푸른 피 분수가 일고 샤다이들이 갈려나간다. 시체 조각들을 밟고 제국의 어설트 급 장갑복들이 거침없이 뚫고 지나간다.

"다로! 유에네스!"

"까 잡쉬!"

요시오가 노호성과 함께 덤비는 샤다이를 반으로 갈라버리며 앞서 나간다. 그러나 놈들의 무장이나 전투 실력이 심상치 않다. 만약 이들이 연방의 영역 안으로 들어갔다면 아무리 42전단이라 해도 꽤나 큰 피해를 입었을 것이다.

"함장님, 틀림없습니다. 샤다이의 고대 함대입니다."

주변을 둘러본 이 섬이 보고했다. 과거의 이 전투함들은 요즘 샤다이들이 만든 배들과 기술력의 차이는 크진 않지만, 그 운용이라든가 숙련도 측면에선 아주 큰 차이가 났다. 지금까지 비홀더 전대조차 몇 번 보지 못했던 샤다이의 고대 함대. 이들 역시 비홀더 전대에겐 큰 차이가 없을지언정 인류 연방군에겐 상당한 위협이 될 것이다.

- 수상하군요. 곳곳에 펼쳐진 함대들을 왜 집결하지 않았을까요?

기함 그리폰의 함장인 샹 메이화가 루비콘 라인 바깥에서 몰려드는 샤다이 고대 함대의 위치를 살펴보고 있었다. 아무리 자유로운 공간이동이 가능한 샤다이라 하지만 함대의 운용이 이상하다.

"집결이라……."

샤다이들의 비명 속에서 이 섬은 함대들의 이동 경로를 살펴보고 있었다.

"마침내 시작되었군요. 놈들은 연방군을 꾀어내고 있습니다."

- 꾀어낸다고요?

"네, 고대 함대가 아닙니다. 각 성계에서 샤다이들의 산발적인 침공이 시작되었습니다. 연방군은 이에 대응하기 위해 병력을 분산하고 있고요."

이 섬은 고대 함대들의 이동 경로를 집어 최종 목적지라 예상되는 곳을 찍어 보였다.

- 화성.

메이화가 착잡한 목소리로 말했다. 연방군은 중앙 함대를 최저한도로 태양계에 남겨둔 다음 나머지는 각지로 지원을 보냈다. 때문에 현재 태양계는 병력의 공백이 심한 상태다. 지금 샤다이의 고대 함대가 태양계로 쳐들어오면 아무리 제국의 방어 병기가 있다 해도 피해가 커진다.

"미리 갈 수 없는 것이 아쉬울 따름입니다."

이 섬은 혀를 찼다. 화성과 태양계는 엄연히 루비콘 라인 안쪽이다. 위험한 사고가 먼저 터지지 않는 이상은 비홀더 전대는 결코 들어갈 수 없다. 즉 예방은 할 수 없고, 불이 나야 불을 끌 수 있는 소방수인 셈이다.

- 그렇다면…… 이제 자매들을 불러야겠습니다.

사태를 파악한 메이화는 예전에 세워둔 계획을 실행시키고자 했다.

· · · ✦ · · ·

277

화성의 하늘은 푸르다. 그러나 보는 이의 가슴이 이렇게 답답해서야 저 푸른 하늘이 탁하게 보일 지경이다.

"골치 아프군."

연방의 상원의원인 차오 맹더는 머리를 절레절레 흔들며 의사당으로 향했다. 이번에 있을 임시 상원회의는 심각하면서도 동시에 예민한 안건들을 다루기 때문이다.

"맹더, 얼굴이 왜 그래?"

뒤에서 같은 상원의원이자 같은 파벌의 동료인 패트릭 보먼이 어깨를 치며 다가왔다. 얼굴을 잔뜩 찌푸린 맹더와 달리 그는 만면에 웃음기를 띠고 있었다.

"패트릭, 자네는 아직도 기운이 넘치는군."

뻐꾸기 작전 이후 맹더의 위장은 너덜너덜해졌다. 극비리에 진행 중인 뻐꾸기 작전의 목적은 인류 사회 안에 스며든 샤다이의 색출이라고 한다. 이것만 해도 이만저만 중대한 사안이 아니다. 게다가 한술 더 떠 주변인들마저 믿을 수 없는 상황이라고 하니—샤다이일 수도 있단다—그 중압감이 하루하루 다르게 그의 위장을 죄어온다. 또 어딜 가든 이들에겐 유전자와 신경계 검사가 이어진다.

"지금까지 검사에서 아무런 이상이 없잖아. 상원의 어느 누구도. 그러니까 안심하라고. 메창 때도 우린 이겨냈어."

맹더는 옆에서 격려해주는 친구가 고마웠다. 아직까지 상원의 어느 누구도 검사에서 이상이 발견되지 않았다. 다만 오다 히토미를 위시한 파벌들이 물밑에서 움직이며 의심되는 사람들을 골라 조사하고 있을 뿐이다.

"빨리 가서 검사 받―커억."

패트릭의 말이 갑자기 멀어진다. 아마도 달려가는 중이겠지. 지금 연방 전역에서 하고 있는 검사는 뻐꾸기 작전의 일환이며, 이 작전은 과거 인간의 뇌에 기생하는 외계생명체인 메창을 색출하기 위한 것이었다. 이들이 받을 검사도 당시의 것을 조금 손봐서 지금 쓰고 있는 중이다.

"검사라…… 패트릭 자네는, 패트릭?"

어딜 둘러봐도 패트릭의 모습은 없었다. 다만 옆에서 나는 이상한 소리에 돌아본 맹더가 본 것은 패트릭의 다리였다. 얼굴이 아닌 그의 다리가 맹더의 눈높이에 있는 것이다. 맹더가 무의식적으로 올려다보자 거기엔 거대한 칼날에 가슴이 꿰여 공중에 떠 있는 패트릭이 보였다.

"어, 어어?"

뜻밖의 상황에 맹더가 어리둥절해할 무렵, 그의 두뇌칩에 있던 VIP용 긴급 피난 프로그램이 작동했다.

- 위은쏼납학의 공격입니다. 즉시 피신하십시오.

연방의 수도 화성, 그것도 의사당 앞에서 갑자기 나타난 위은쏼납학이 상원의원을 살해했다. 상식적으로 받아들이기 힘든 일이지만, 지금 눈앞에 벌어진 일이다. 그리고 그의 눈앞에 친구 패트릭의 사지가 분해되어 툭툭 떨어진다.

"으아악!"

맹더가 비명을 지르기 전에 먼저 저기서 비명이 들려온다. 그곳에선 거대한 위은쏼납학들이 뛰어다니며 상원의원을 죽이고 있었다. 거대한 칼날에 꿰인 인간이 갈기갈기 다져진다.

618

"억!"

눈앞에 쇄도한 위은쓸납학의 위용에 맹더는 저도 모르게 엉덩방아를 찧었다. 그의 키보다 큰 칼날이 번들거리며 스쳐 지나간다. 자치 행성의 고위간부들은 언제나 경호원들을 대동한다고 하지만, 연방에선 그럴 일이 없었다. 연방 자체가 워낙 안전한 곳이기 때문이다. 그러나 지금 맹더는 그 경호원의 존재가 너무나도 간절했다.

'죽는다.'

맹더는 공포 앞에서 눈을 감았으나 아무런 일도 일어나지 않았다. 저 흉흉한 위은쓸납학은 겁에 질린 상원의원을 그대로 지나친 것이다.

"그래, 내가 찍은 놈들만 죽여."

저기서 인간 한 사람이 걸어온다. 어벤저 장갑복을 입은 그는 위은쓸납학 사이에서 지시를 내리고 있었다.

- 연방 정보사령본부 산하 군사정보국 소속 김빈우 소령.

맹더에게 보이는 빈우의 정보다. 그의 두뇌칩은 그가 연방군이며 아군임을 알려주고 있다.

"사, 살려주시 ─."

하지만 맹더는 아군인 빈우에게 도움을 요청하지 못했다. 그가 지금 위은쓸납학을 지휘해 이번 사태를 일으킨 장본인처럼 보였기 때문이다.

"이런, 의원님."

어벤저 장갑복이 사뿐하게 날아와 착지하더니 맹더 앞에 섰다. 그리고 그를 아주 정중하고 부드럽게 일으켜 세웠다.

"어디 다치신 데는 없습니까?"

어안이 벙벙해서 사태 파악을 할 수 없는 맹더의 몸을 빈우가 조심스레 털어준다.

"송구합니다만, 의원님. 지금 연방 의사당은 대단히 위험합니다. 어서 안전한 곳으로 대피하십시오."

그렇게 말하는 빈우의 눈은 금빛으로 빛나고 있었다.

"끄아아아 —."

그런 빈우의 뒤로 두 위은쏠납학 사이에서 다른 의원 한 명이 산 채로 해체되고 있었다.

- 경고, 경고.

맹더의 두뇌칩으로 광역 경고가 울린다.

- **현재 테러범들이 의사당을 공격하고 있습니다. 즉시 지시에 따라 대피하십시오.**

맹더는 서둘러 두뇌칩이 알려주는 장소로 달리기 시작했고, 그의 뒤로 위은쏠납학이 달려오며 몇몇 의원을 잡아채 갔다. 그리고 고문을 하며 처참하게 죽이기 시작했다.

*

"이게 대체 무슨 일이야!"

반 하이드는 장갑복을 걸치고 뛰쳐나갔다. 의사당이 공격받고 있다는 신고가 들어온 것이다. 갑자기 나타난 위은쏠납학들에 의해 경비 중이던 로봇들은 순식간에 제거되고 상원의원들이 학살당하고 있다고 한다.

- **맙소사.**

상황을 본 동료들의 탄식이 들려온다. 이곳 화성은 연방의 수도다. 그렇기에 경비와 방어 상태는 삼엄하기 이를 데 없다. 때문에 그 어떠한 외계종족, 설령 샤다이가 온다 해도 방어선을 손쉽게 뚫을 순 없을 것이다. 뚫으려 한다면 그만한 대가를 치러야 할 것이다. 그러나 지금 그 방어선은 뚫렸다. 아무런 상처와 피해도 없이. 궤도 상에선 아무런 경보나 반응이 없었던 반면, 지상에선 갑자기 나타난 위은쏠납학들이 의사당을 휩쓸고 있었다.

- **저것들이 대체 어디로 들어온 거야!**

반도 고함을 지르는 동료와 같은 심정이었다. 화성의 철저한 방어는 궤도까지다. 화성의 지상에는 일체의 군 병력 주둔이 금지되어 있으며, 경비를 위해 오직 반 같은 경찰 병력만이 있을 뿐이다. 저 위은쏠납학 놈들이 일단 궤도를 통과한 이상, 당장 저들을 막을 병력이라곤 반 같은 경장 장갑복을 입은 경찰들뿐이다.

"지원이 올 때까지 버텨!"

장갑복을 입은 경찰들이 나서며 사격을 가하지만, 위은쏠납학에겐 먹히지 않았다. 저쪽은 아예 군용무장이다. 화력의 격차가 너무 심했다. 궤도 상의 전함에 있는 어벤저 장갑복이 아닌 이상은 대응할 방법이 없었다.

*

"이건가?"

아스탄의 질문에 어벤저 장갑복이 고개를 끄덕인다.

"그래, 이번 작전의 목표다."

지금 아스탄을 비롯한 일단의 별동대는 바깥이 아니라 의사당 안으로 들어와 있다. 이들은 의원석을 가로질러 의장석으로 올라갔다.

"어느 것이나 성능은 동일하지만, 그래도 기왕이면 의장 것이 좋잖아?"

어벤저 장갑복이 들어 올린 것은 의장석에 있던 두뇌칩 연결 잭이다. 하원에서 두뇌칩에 든 정보를 갱신하기 위해서는 무선으로도 가능하지만, 상원이나 다른 보안이 필요한 곳에선 이런 유선 접속 방식을 쓴다. 보안도 보안이고 그 덕에 권한도 높다.

"드디어 여기까지 왔군."

그는 감개가 무량한 표정으로 연결잭을 자신의 뒤통수에 달린 단자에 연결했다. 원래 군인은 이런 의정활동을 하지 못한다. 그러나 못하게 막아놓았을 뿐이지 성능상 불가능한 것은 아니다. 그의 실력이라면 충분히 하고도 남는다.

"연결……했다."

그는 상원의 서버에 연결된 다음 눈을 감은 채 조용히 속삭였다. 그리고 자신이 가진 정보를 상원의 서버에 올리기 시작했다. 다음으로 그 정보들을 다른 상원들의 두뇌칩으로 천천히 내려보내도록 했다. 상원의장 권한으로.

*

"다들 괜찮으십니까?"

반이 간신히 대피시킨 의원들을 돌아보며 물었다. 공포에 질린 의원들은 반의 옆에 옹기종기 모여 벌벌 떨고 있었다. 무기가 소용이 없자 반은 죽을 각오를 하고 위은쑬납학들에게 직접 덤벼들었다. 그들의 손에 잔인하게 죽어가고 있는 상원의원들을 구하기 위해서였다. 그리고 힘들게 몇몇을 빼낸 이들을 이끌고 도망치는 중이다.

"조금만 기다리십시오. 잠시 후면 지원 병력이 도착할 겁니다."

그러나 이미 내려왔어야 할 지원 병력들이 아직까지 오지 않고 있었다. 궤도 상의 전함들은 멀뚱히 떠 있기만 할 뿐 아무런 행동이 없었다. 아까부터 그저 정해진 자리에서 정해진 경비 업무만 하고 있을 뿐이다. 게다가 이쪽의 통신에도 일체의 반응을 하지 않고 있으니 수상하기 이를 데 없다.

'지상에선 이 난리가 일어났는데 저 위에선 대체 무슨 일이야.'

반은 바짝 마르는 입술을 핥으며 다시 통신을 보냈다. 그러나 이번에도 아무런 회신이 없었다. 통신장애는 아니다. 마치 통신은 이뤄지는데 그 내용이 전해지지 않고 있는 것 같다.

"악!"

그때 갑자기 한 상원의원이 외마디 비명을 질렀다.

"끄으으허헉!"

"의원님!"

반이 서둘러 그의 용태를 살폈다. 아무런 상처도 없는 그는 바닥을 구르며 꺽꺽대고 있었다. 혹시나 충격적인 상황을 보고 발작을 일으킨 것인가 싶어 두뇌칩으로 접속해보려 했지만, 그것도 여의치 않았다. 발작을 일으킨 상원의원은 그 두뇌칩의 상태마저 정상이 아닌 것이다.

"아악! 아아악!"

상원의원이 손으로 머리를 감싸 안고 괴로워하고 있었다. 다른 의원들은 겁먹은 표정으로 그를 보고 있을 뿐이다.

"그흐윽."

갑자기 그의 목에서 쉰 소리가 들려온다. 그리고 발작도 멎었다. 다만 다른 문제가 있었다.

"……세상에 이게 뭐야. 무무, 무슨 감염인가."

상원의원의 눈이 허옇게 되고 이빨과 손톱이 급격하게 길어지고 있었다. 처음 보는 괴상한 광경에 반 하이드는 갈팡질팡하고 있는 반면, 다른 상원의원의 얼굴은 심각해졌다. 마치 이것을 알고 있었던 것처럼.

"……워프 비스트."

그중 한 사람이 겁먹은 목소리로 중얼거렸다.

"네? 뭐라고요?"

반문하는 반의 앞에 워프 비스트로 변이한 상원의원이 우뚝 섰다. 그리고 손톱과 칼날을 들고 반에게 덤벼들었다.

"왁! 뭡니까! 진정하세요. 이보세요, 의원님."

그의 손톱은 더 이상 인간의 손톱이 아니었다. 비록 경찰용이긴 해도 엄연히 장갑복인데, 표면을 긁어내며 상처를 내고 있었다.

"이익!"

반이 힘겹게 변이한 상원의원을 밀어내려 했다. 그러나 완력마저 장갑복에 버금갈 정도라 쉽지 않았다. 그때였다.

"왁!"

갑자기 사람 키만 한 칼날 두 자루가 나타나 변이한 상원의원을 가위처럼 잡아 집어 올렸다. 그리고 공중에 띄운 채로 몇 번이고 잘라 토막을 냈다. 흉측하게 일그러진 상원의원 시체 토막이 반과 다른 상원의원들의 앞으로 떨어지기 시작했다.

"이 새끼가!"

반이 총을 들어 겨눴지만, 상원의원을 잘라버린 위은쏼납학은 아무런 대응도 않고 그저 몸을 돌려 다른 곳으로 달려갈 뿐이었다.

"이게, 이게 대체 무슨 일이지."

오늘 일어난 일들은 반의 이해 범주를 아득히 넘어서고 있었다. 철통같은 방어를 자랑하던 화성의 궤도 방어선이 어이없게 뚫리고 위은쏼납학이 지상으로 침투했다. 그리고 놈들은 화성의 지표를, 그리고 연방의 의사당을 무주공산마냥 돌아다니며 상원의원들을 학살하기 시작했다. 더구나 궤도 상의 함대는 지상에 벌어진 참극을 신경도 안 쓰는 듯 요지부동이고, 급기야 지금은 인간이 이상한 괴물로 변하기까지 한 것이다.

"이건 또 뭐야…… 뭔."

그러나 애석하게도 반의 앞에 일어날 사건들은 멈출 기미가 없었다. 장갑복의 헬멧에 다른 경보가 뜬다. 이상 중력장과 방사선 경보, 궤도 상에서다. 그가 고개를 들어 올리자 화성의 궤도에 갑자기 나타난 샤다이 함대가 보였다. 틀림없는 샤다이의 전투함이다. 그리고 이어서 다른 함대가 전이해서 나타난다. 점프 게이트를 쓰지 않고 나타난 이 전투함들의 모습은 반도 익히 알고 있는 것들이다.

"지구제국! 비홀더 전대!"

지금 반의 머리에는 과격한 정보의 물결이 폭포처럼 쏟아져 이성을 익사시키고 있었다. 그리고 상공에서 벌어진 전투는, 샤다이와 비홀더 전대 간의 전투는 그 여파만으로도 지상에 심각한 피해를 주기 시작했다.

"모두 숙이세요!"

반은 의원들을 자기 밑으로 하고 그들을 덮었다. 곧이어 충격파가 지상을 휩쓴다. 한차례 폭풍이 쓸고 지나가자 그는 비틀거리며 일어났다.

"어서, 일어서요. 피해야 합니다."

그는 눈과 귀에서 피를 흘리는 상원의원들을 이끌고 다시 도망치기 시작했다.

수도방위함대의 궤도 호위함 엄브렐러의 전투지휘실에서 함장 안토니오 피아프 대령이 지휘봉을 내던졌다.

"도대체 지상에서 무슨 일이 일어난 거야!"

"무슨 일이라고 하시면…… 샤다이의 점프로 나타난 위은쏠납학들에게 의사당이 공격받고 있습니다."

부장인 인공지능 제임스가 심드렁하게 이죽댔지만 이런 일이 한두 번이 아닌지라 피아프 함장은 그저 끙끙거릴 뿐이다.

"지상에선 아무런 연락이 없나?"

함장의 질문에 부장이 즉시 통신 내용을 띄웠다.

"수도방위사령부의 명령입니다. 이리저리 말을 돌리는데, 요약하면 적이 언제 또 쳐들어올지 모르니 맡은 구역이나 철저히 경계하랍니다. 수도방위사령관 음바 로모 대장께서 직접 못 박으시길, 허튼수작 말고 시킨 일이나 잘하라고 하셨습니다."

"그럼 저 밑은 어쩌고?"

피아프 함장이 가리킨 곳은 학살의 현장이다. 중무장한 위은쏠납학 보병들이 화성을 자기네들 앞마당처럼 쏘다니며 사람들을 죽이고 있었다. 물론 지상의 경비를 맡은 경찰들이 나름 중무장하고선 놈들을 막아보기 위해 발버둥 치지만, 화력이 너무 차이 난다. 위은쏠납학 놈들은 경찰들의 공격은 아예 무시하곤 사냥감을 찾아 뛰어다니고 있었다.

"우리 애들만 내려보내도 바로 정리되잖아."

엄브렐러를 비롯한 궤도 호위함들은 최악의 상황을 대비해서 지상 병력도 보유하고 있다. 이들만 내려가도 지상은 간단히 정리될 것이다.

"안 됩니다."

하지만 제임스는 고개를 절레절레 흔들었다.

"상황이 상황이잖아."

"명령은 명령입니다."

제임스의 말에 피아프 함장이 끙 하는 앓는 소리를 마지막으로 입을 다물었다. 수도방위사령부에서 직접 명령이 내려왔으니 더 이상 뭘 어쩔 노릇이 없다. 그래서 화성의 궤도 호위함들은 뒤에서 들려오는 비명을 무시하고 행성 바깥을 노려보고 있었다.

"함장님."

"왜 이 새꺄."

약간 긴장한 제임스의 말에 피아프 함장이 퉁명스레 대답했다.

"이걸 좀 보셔야겠습니다."

"뭔데 그래?"

부장이 보여주는 자료를 곁눈질로 흘깃 본 함장의 고개가 바로 돌아가고, 그 내용을 보자 얼굴 전체가 자료화면 속으로 빨려들어간다.

"이게 뭐야."

"뭐긴 뭡니까, 워프 비스트 아닙니까. 갑자기 워프 비스트들이 나타났습니다."

"이 새끼야. 그걸 누가 몰라? 왜 이런 상황이 일어났냐는 거지."

제임스가 보여주는 화면 속에선 워프 비스트들이 날뛰고 있었다. 화성의 시가지에서 사람들이 워프 비스트로 변한다. 그리고 위은쑬납학들이 워프 비스트를 썰어버린다.

"설마, 위은쏠납학들의 고문 때문에 변한 것인가?"

"네? 그건 또 무슨 말입니까?"

제임스의 반문에 피아프 함장이 아차 하며 혼잣말을 한 입을 닫았다. 인간이 워프 비스트로 변하는 과정에 대해서는 아직 극비사항이다. 제임스 정도 되는 인공지능도 모른다. 그들의 데이터베이스에는 분명히 존재하지만 인식할 수 없는 지식인 것이다.

"저 자식들 무장을 살펴봐."

피아프 함장은 지상을 공격한 위은쏠납학들의 무장을 살펴봤다. 대 샤다이 전용의 신형 입자가속포와 근접 무장, 그리고 장갑은 주로 내열 방어 쪽으로 치중되어 있다. 즉 놈들은 처음부터 샤다이를 잡기 위한 무장을 하고 있는 것이다.

'설마, 처음부터 이게 목적인가?'

안토니오 피아프 함장의 머릿속이 복잡해졌다. 샤다이의 방식으로 나타난 위은쏠납학들이 샤다이를 잡는 무장으로 인간을 학살하고 있다. 그리고 그 고문의 여파로 인간이 샤다이로 변하는 것 같다. 하지만 아직 확실한 것은 아무것도 없다.

"모든 인간을 공격하진 않는군."

"네, 뭔가 규칙성이 있는 것 같습니다만……."

"다만?"

"죄송합니다. 아직 자료가 부족합니다."

제임스는 그 규칙성을 파악하기 위해 노력했지만, 해답을 구하진 못했다. 공격받는 자들의 공통점이라곤 연방정부의 정부 인사라는 것 외엔 없었다. 갑자기 나타난 위은쏠납학들은 상원의원이 눈앞에 있음에도 저 뒤의 사무관을 노렸고, 반격하는 경찰은 무시하고 워프 비스트를 잡아 죽였다. 지상의 침략자들은 무엇인가 목적을 가지고 움직이고 있음이 분명했다.

*

"이런 미친 새끼들이!"

수도방위사령관인 음바 로모 대장이 노호성을 내질렀다.

"다시 명령해!"

로모 대장의 명령이 연달아 화성 궤도에 있는 궤도 호위 함대로 향한다. 내용은 즉시 장갑보병을 강하시켜서 지상의 적군을 막으라는 것이다. 화성은 그 특수성 때문에 지상 병력이 빈약하다. 때문에 지금 위은쏼납학의 공격에 속절없이 당하고 있는 것이다. 그러나 호위 함대에서 장갑보병들이 강하한다면 순식간에 쓸어버릴 수 있다.

"안 됩니다. 거부합니다."

참모의 말에 로모 대장의 허리가 뒤로 꺾일 지경이다.

"크아악! 이 새끼들이 단체로!"

로모 사령관은 아까부터 장갑보병을 강하시키라고 명령을 내렸다. 그러나 궤도 방어 함대 쪽에선 혹시 있을지도 모를 만약의 사태에 대비해서 함부로 병력을 이동시킬 순 없단 이유로 명령을 거부하고 있었던 것이다.

"안 되겠다. 직접 바꿔. 그래, 안토니오를, 엄브렐러의 안토니오 함장을 연결해라."

안토니오라면 수도방위함대의 기함 엄브렐러의 함장이고 수도방위사령관인 자신의 직속 부하다. 그라면 말이 통할 것이다. 로모의 명령에 참모들의 대답이 폭발한다.

"점프 반응! 샤다이의 점프 반응입니다. 바로 여깁니다!"

그러나 안토니오와 채 연결이 되기도 전에 이곳 지휘실로 샤다이들의 점프 반응이 생겼다. 그리고 중무장한 위은쏼납학들이 난입해 들어왔다.

"이런 씨발!"

로모 사령관의 욕설과 함께 경비 로봇들이 응사하지만 먹히지도 않는다.

로봇들은 순식간에 파괴되고, 거구의 위은쓸납학들이 지휘실의 기기들을 파괴하기 시작했다.

"저것들이 도대체 어떻게!"

이곳 수도방위사령부의 지휘실은 지하 깊숙한 곳에 있는 데다 엄중한 경비 태세로 방어하고 있다. 그러나 그것은 어디까지나 외부의 경우고, 이렇게 지휘실이 직접 뚫려버리면 그다음은 어떻게 해볼 방도가 없다. 그놈의 빌어먹을 규정 때문에 이곳의 방어 병력이라고 해봐야 경비 로봇이 고작이고, 그흔한 어벤저 한 기 없다. 덕분에 지휘실은 순식간에 제압당하고 있다.

"각하! 이리로!"

부관이 격노한 로모 사령관을 이끌고 빠져나가려 했지만, 그것도 여의치 않았다. 어벤저 1기가 그들 앞에 나선 것이다. 그러나 그 어벤저는 아군이 아니었다.

"자, 피차 일 크게 벌이지 맙시다."

로모 사령관을 코일건으로 겨누고 있는 어벤저가 말했다. 부관이 로모 사령관을 지키려고 앞으로 나섰지만, 놈은 안중에도 없는 듯했다.

"어이, 저기 저놈."

어벤저가 가리키자 위은쓸납학이 달려가 대상을 죽죽 찢어발기기 시작했다. 그 와중에 로모 사령관은 그대로 지나쳐 달려갔다. 뒤에서 들린 비명은 잠깐이었고, 그 뒤로는 고기 뜯어지는 소리만 계속 들릴 뿐이다. 잠시 후, 참모 하나가 고깃덩이로 변했다.

"예상보다 적네?"

그런 고깃덩이가 두세 개 더 생겨나자 어벤저가 어깨를 으쓱했다. 그놈과 위은쓸납학들은 지휘실에 있는 다른 사람들에겐 일체의 위해도 가하지 않았다. 놈들에겐 어떤 규칙에 따른 목표가 있는 듯했다.

"자, 나머지 처리하자."

어벤저의 말에 위은쓸납학들이 칼날을 들어 올렸고, 그 모습에 지휘실의 사람들이 움찔했다. 그러나 놈들은 인간에겐 관심이 없었고, 지휘실의 기기들만 철저하게 부수기 시작했다. 이렇게 되면 수도방위사령부의 지휘실은 그 능력을 잃어버린다. 화성에서 일어나는 침공을 막을 방법이 없어지는 것이다. 자세히 보니 통로들도 전부 파괴하고 있다. 이렇게 되면 지휘실의 이전은커녕, 탈출이나 구조대의 접근도 여의치 않다.

"다 됐으면 빠져나가자. 할 일이 아직 많아."

어벤저의 손짓에 위은쏼납학들이 그 주변으로 모여들었다. 그런데 로모 사령관은 저 어벤저의 목소리를 알고 있었다. 그럴 법도 한 게 저것은 음바로모가 자신의 후계자로 점찍을 정도로 장래가 촉망되었던 우수한 장교의 목소리였기 때문이다. 닉스 레벨 3의 엘리트 요원,

"김빈우? 설마 김 소령인가?"

로모 사령관의 말에 어벤저의 헬멧이 서서히 돌아갔다. 그리고 전면부가 열렸다. 드러난 얼굴은 역시나 로모 사령관이 아는 얼굴이었다. 하지만 그의 눈에는 샤다이의 안구가 박혀 있었다.

"……당신 같은 눈치 빠른 꼰대는 싫은데."

빈우의 저 말은 분명 무슨 의미가 있었다. 군사정보국에서 쓰던 피아판별법. 특별히 정해진 암호가 아니라 서로가 가진 문화적 프로토콜을 확인하는 방법이다. 그러나 아쉽게도 로모 사령관은 그것에 어울리는 대답을 찾아내지 못했다.

"김 소령, 자네가 왜 이런 짓을 하는 거야. 왜? 어째서?"

그러나 빈우는 대답 없이 헬멧을 내리고는 주변에 모인 위은쏼납학들과 함께 사라졌다. 마치 샤다이가 하는 것처럼 게이트를 쓰지 않는 점프다. 그렇게 침입자들은 갑작스레 나타나 자신들의 볼일만 치른 다음 갑작스레 사라졌다. 그리고 여기에 남은 것이라곤 외부와의 연락이 두절된 채 아무것도 할 수 없게 된 수도방위사령부의 지휘진들뿐이었다.

*

"안 되겠어, 제임스. 내가 로모 사령관님께 직접 말해야겠어."

보다 못한 피아프 함장이 통신화면을 열려고 했다. 그리고 자신이 직접 조작을 하려고 할 때, 화면에 뜨는 심상치 않은 수치들을 보았다. 우선 중력장의 수치가 이상하다. 그리고 방사선 수치 또한 급격하게 치솟았다. 알고는 있지만 결코 보고 싶지 않은 조합이다.

"함장님! 샤다이의 점프입니다!"

제임스의 말과 함께 샤다이 전투함들이 화성 궤도로 점프해 들어왔다. 모니터함이나 전열함이 아니다. 리퍼라 불리는 고성능 전투함도 아니다. 기존에 보이던 샤다이들의 전투함들보다 크고 훨씬 정교하게 짜여진 신형 전투함들이었다.

"이런 씨발."

피아프 함장이 욕을 하는 것도 당연하다. 지금 화성에 나타난 신형 샤다이 전투함들은 한눈에 봐도 효율적인 설계와 무장 구성을 하고 있었다. 즉 지금까지의 샤다이에 비해 훨씬 강하고 위험한 놈들이란 뜻이다.

"공격 개시!"

함장이나 인간의 명령이 있기도 전에 인공지능들이 먼저 자발적으로 반응했다. 궤도 호위함들에서 공격들이 뿜어져 나와 침입자들을 강타한다.

"······센데."

피아프 함장의 솔직한 감상이었다. 효과가 없는 것은 아니지만 기대 이하의 피해다.

"세군요."

지금 엄브렐러는 제임스가 화성의 궤도 엘리베이터에서 직접 전력을 받아 전투 상태로 기동시키는 중이다. 이 궤도 호위함들은 장거리 항행 능력은 없는 대신 화성 궤도에 있는 한 무적의 창이자 방패다. 그럼에도 불구하고 저 신형 샤다이들을 상대로는 만족스러운 성과를 내지 못하고 있었다.

"중앙 함대가 옵니다."

제임스가 중앙 함대의 위치를 보여준다. 궤도 저 멀리에 있던 중앙 함대가 샤다이의 출현에 급히 이리로 날아오고 있었다.

"궤도 방어 병기가…… 작동하지 않습니다."

이어서 제국 시절에 설치된 화성 궤도 방어 시설의 작동에 대해 보고한다.

"뭐가 어째?"

아까부터 계속 엇나가는 상황에 안토니오 함장은 돌아버릴 지경이다.

"궤도 방어 병기가 작동하지 않습니다."

태양계의 각 행성에 설치된 궤도 방어 병기는 지구제국의 물건으로 인류연방의 손에서 벗어난 물건이다. 다만 그 위력은 출중해서 궤도 방어 병기가 연방군 중앙 함대보다 월등한 화력을 가지고 있다. 이것들이 제대로 작동만 한다면 저 신형 샤다이 함대라 할지라도 무사하지 못할 것이다. 제대로 작동만 한다면.

"도대체 왜 작동하지 않는 거지?"

안토니오 함장의 고함에 제임스가 즉시 대답했다.

"방어 병기들이 저 샤다이들을 적으로 인식하고 있지 않습니다."

사태가 급박한지 제임스의 목소리에선 감정이 사라지고 차가운 목소리가 되었다. 그것이 안토니오의 등골을 더욱 서늘하게 만들었다.

"적으로, 인식하지 않는다고?"

궤도 방어 병기는 인류외 우주선을 상대로 자동으로 작동하지만, 그 목표 설정은 연방이 할 수 있다. 그래서 동맹종족의 우주선이 태양계로 진입할 경우엔 이를 설정해 공격하지 않도록 한다. 그런데 누가 이 설정을 건드렸을까? 어떻게 이 설정을 건드렸을까?

"점프 반응입니다. 비홀더 1전대가 화성 궤도 상에 출현했습니다."

제임스의 차가운 목소리가 안토니오의 생각을 잘라버렸다.

"씨발."

욕을 하는 안토니오의 눈앞에 그리폰을 비롯한 비홀더 1전대의 순양함들이 속속들이 나타나고 있었다.

* * * ✦ * * *

"이거 절경이로군."

체메트디오프가 감탄했다. 최초의 사건은 지상에서 벌어진 학살과 갑작스레 벌어진 동포들의 발현이었다. 그리고 이에 호응해 체메트디오프가 친히 고대의 선조 함대를 이끌고 화성으로 점프했다. 빈우가 알려준 좌표는 정확했다. 이어서 노린 듯이 나타난 비홀더 전대. 감탄과 경탄의 연속들이다.

"기다렸다가 오시는 편이 나았을 텐데요."

부하가 불안한 목소리로 말했지만 체메트디오프는 고개를 저었다. 만약 저기에 있던 화성 방어 병기들이 제대로 작동했다면 둘 다 이렇게 태연하게 말할 상황이 아니었을 것이다.

"안 될 말이지. 지금처럼 상황이 급변할 때는 직접 간섭해서 일을 벌여야지, 한 발짝 떨어져 있다간 영영 기회를 놓쳐버리고 말아."

집정관은 입 발린 변명과 함께 지상의 동태를 살폈다. 그가 한 말이 사실이긴 하다. 만약 화성의 궤도 방어 병기가 제대로 작동한다면 아무리 고대의 귀환 함대라 해도 심각한 피해를 입을 테니 말이다. 그러나 체메트디오프는 계단을 내려온 자들의 정체가 드러나는 것을 느낀 이상 그 광경을 직접 보는 재미를 결코 놓칠 수 없었다. 더구나 빈우가 화성에 있는 선조들을 죽이는 것으로 약속을 지켰으니 자신도 그에 상응하는 행동을 하는 것이 예의다. 그리고 실제로 화성의 방어 병기도 작동하지 않고 있었다.

"그건 그렇고…… 이건 정말 예상외야."

체메트디오프는 화성의 지상을 다시 한 번 훑어보았다. 빈우와 그의 부하들은 동포의 몸에 들어온 선조들을 죽이고 있었다. 그것도 그냥 죽이는 것이 아니라 워프 비스트란 뒤틀린 형태로 정체를 드러내기까지 하니 금상첨화다.

"대관절 어떻게 한 거지?"

체메트디오프가 빈우의 행적을 다시 한 번 자세히 훑었다. 우선 빈우는 지상으로 내려와 선조들을 찾아 닥치는 대로 죽였다. 그다음 의사당이란 건물로 가더니 거기서 하나의 장치를 자신에게 연결했다.

"설마…… 이런!"

체메트디오프는 저 장치가 무엇인지 안다. 자신도 쓰려고 했던 장치였으니까. 바로 의원들끼리 두뇌 동기화를 할 때 쓰는 물건이다. 체메트디오프는 저 장치를 통해 울토르 클론들의 쌓이고 쌓인 PTSD를 연방 전체에 흘려보낼 계획이었다. 빈우는 그것을 혼자서 해낸 것이다. 그는 자신이 겪은 고통을 연방 시민들의 두뇌 통신에 억지로 밀어 넣어 상처를 옮긴 것임이 분명하다. 그리고 그 상처로 계단을 완성시키고 선조들을 내려오게 했을 것이다.

"대단하군요. 유에네스 고작 하나에 그만한 고통이 있었을 줄이야."

사정을 파악한 부하가 감탄한다. 고작 단 한 명이 가진 고통으로 이런 일이 발생하다니, 그리고 그 정도의 고통을 혼자서 짊어지고 있다니. 아무리 열등한 종족이라 해도 뛰어난 것은 뛰어나다고 인정해야 한다. 이들은 빈우의 놀라운 정신력에 순수하게 감탄했다.

"그래, 고통. 고통이지."

그러나 체메트디오프의 예리한 감이 무언가 이상한 것을 눈치챘다. 날카로운 눈은 수상한 것을 놓치지 않았다.

"흐음, 그런데 이상하군? 변이하는 것은 계단을 내려온 선조들뿐이야. 일반 인간은 변하지 않았어."

"네? 그러고 보니……."

부하도 다시금 지상을 살펴보았다. 집정관의 말대로 유에네스는 변이하지 않았다. 변이한 것은 유에네스 속에 숨어든 선조들이다. 그들은 지구제국 시절 내려와 오늘날까지 몸을 숨기고 있다가 방금 정체가 들통난 셈이다.

"아아아!"

눈앞에 유에네스 하나가 다시 변하는 과정이 보인다. 그러나 샤다이들은 볼 수 있다. 저 유에네스의 몸에 선조가 '지금은' 내려오지 않았다. 이미 내려온 선조의 유에네스 육체가 흉측하게 뒤틀리고 있다. 이어서 그의 정신마저 비틀리고 있다.

"설마!"

체메트디오프가 탄성을 지르며 혀를 찼다. 저들은 황제가 계단을 부수기 전, 온전히 유에네스의 몸을 앗아간 '제대로 내려온 선조'들이다. 제국 시절 몰래 내려와 똬리를 튼 자들이다. 그런데 지금 갑작스레 워프 비스트로 육체와 정신 모두가 비틀어지고 있으니 이상하다.

"설마 빈우 이놈이?"

여기서 의심할 만한 것은 빈우다. 그가 연방의 의회 회선에 접속했고, 그때부터 워프 비스트들이 등장하기 시작했다. 그것도 인간이 아닌 선조들만 워프 비스트로 변했으니 당연히 수상했다.

"집정관! 주시자가 공격합니다."

하지만 둘은 자세히 생각할 겨를이 없었다. 연방의 방어 함대와 비홀더 전대가 동시에 공격을 시작한 것이다. 연방의 공격은 약하고, 주시자의 숫자는 적다. 하지만 둘의 협공이라면 꽤 위험하다.

"흐음, 우리의 함대가 강해도 모는 자들이 이래서야."

체메트디오프의 불평대로 고대 함대의 공격은 만족스럽지 않았다.

"송구합니다."

부하가 고개를 조아리지만 체메트디오프는 신경 쓰지 않았다.

"아냐, 어쩔 수 없는 것을 탓해 무엇 하나. 일단 대응하게."

분명 고대 샤다이의 함대는 강하다. 그러나 그 배를 모는 자들은 아직 경험이 일천해 그 능력을 백분 활용할 수가 없었다. 반면 화성 쪽의 궤도에는 살육과 파괴의 종족인 유에네스, 반대쪽엔 그것을 월등히 뛰어넘는 황제의 검들이다. 화성 궤도에서 벌어진 전투는 차츰 가열차게 타오르기 시작했다.

*

"함장님, 괜찮으십니까?"

비홀더 1전대의 함장실에서 이 섬이 무릎을 꿇고 있다. 그런 그의 앞에는 그리폰의 함장인 샹 메이화가 가부좌를 틀고 앉아 있었다. 꽤나 고통스러운지 그녀의 이마에 송글송글 땀이 맺히고 있다. 그러다가 한숨과 함께 입을 열었다.

"……생각보다 호응해준 형제자매들이 적지만…… 그래도 어떻게든 성공했네요."

함장의 힘겨운 웃음에 전대장의 속은 타오른다. 메이화 함장의 계획은 1전대가 루비콘 라인 안으로 들어갔을 때 겪게 되는 제약과 부하를 다른 전대의 함장들과 함께 나누어, 깎여나가는 능력을 최소화한다는 것이었다.

"이만하길 다행입니다. 다른 함장들도 바쁘니까요."

메이화의 말대로 다른 비홀더 전대들은 지금 갑자기 활동하기 시작한 샤다이 고대 함대를 상대로 우주 곳곳에 흩어져 전투 중이었다. 그런 와중에도 메이화가 겪는 제약까지 나눠 받길 선택한 함장들이 있다는 것은 천만다행이었다. 그 결과 비홀더 1전대는 일부의 병력만 가지고 상당히 전력이 약해진 상태로 체메트디오프를 뒤쫓아 화성까지 올 수 있었다.

"으음, 김빈우. 이 교활한 놈!"

이 섬의 시선이 메이화에게서 떨어져 화성으로 향한다. 의사당에선 위은쏠납학들이 샤다이들을 죽이고 있다. 즉 지금 인류의 영토인 화성에선 인간의 지휘하에 외계인들이 외계인들을 죽이고 있으며, 이는 비홀더 전대가 끼어들 여지가 없다는 의미다. 만약 인류에게 심각한 위협이 닥친다면 비홀더 전대는 루비콘 라인 안쪽으로 들어올 수 있다. 그때는 함장들에게 걸린 제약이 풀리고 마음껏 싸울 수 있다. 그러나 지금 같은 상황이라면 그 제약은 풀리지 않는다. 눈앞에 일렁이는 불씨가 거대한 대화재가 될 것임이 분명하지만, 함장들에게 걸린 제약은 유연함 하나 없이 완고할 뿐이다.

또 눈앞의 체메트디오프도 문제다. 놈이 이끌고 온 고대 함대는 인류에 있어 심각한 위험임에 분명하다. 그럼에도 불구하고 비홀더 1전대의 제약은 여전히 풀리지 않고 있었다. 샹 메이화의 말로는 중간에 쿠델카가 모종의 수작을 부리고 있다고 했다. 점프 공간에 숨어 있던 그녀가 무슨 수를 썼는지는 몰라도 그 승인 과정에 간섭하고 있다는 것이다.

"쿠델카! 김빈우!"

이 섬이 자신들을 가지고 노는 상대들의 이름을 부르며 주먹을 꽉 쥐었다.

"안 돼요, 전대장."

눈앞의 사내가 무슨 짓을 저지를지 눈치채고 나직이 타이르는 함장의 목소리에 이 섬은 고함을 삼켰다. 대신 낮게 으르렁거렸다.

"저 혼자 내려가서 빈우만을 쳐낸다면 될 일입니다."

지금 이 사태를 지휘하고 있는 것은 김빈우가 분명하다. 원래 샤다이 같은 외계종족이 태양계로 들어온다면, 그리고 인간이 살고 있는 행성에 접근한다면 제국의 방어 병기가 즉시 작동해 침입자를 공격한다. 그러나 지금 방어 병기들은 체메트디오프의 선조 함대를 보고서도 그저 조용히 있을 뿐이다.

"보십시오. 궤도 상의 방어 병기들이 작동하지 않고 있습니다. 누군가가 체메트디오프가 이끄는 샤다이 함대를 아군이라고 속여 입력한 결과입니다. 이런 짓을 할 사람이 달리 누가 있겠습니까? 빈우의 계략임이 분명합니다."

그리고 놈의 계략은 결코 이 정도에서 멈추지 않을 것이다. 그가 계획하고 있는 것은 거대한 폭풍과 몰아치는 화재다. 자신마저 어쩔 수 없는 재앙을 만들어 그 격류 위에서 외줄 타기를 할 심산인 것이다. 게다가 눈앞에 있는 체메트디오프가 부채질할 것은 명약관화하다.

"그러지 마세요."

이어지는 메이화의 만류에 이 섬은 벽을 후려쳤다.

"함장님! 김빈우란 자는 쿠델카의 꼭두각시입니다. 놈이 무슨 일을 벌일지 충분히 예상할 수 있지 않습니까?"

"그렇기 때문입니다. 지금 저 밑에서 일어나는 일은 쿠델카의 계획일 겁니다. 그러나 아직 김빈우 소령은 연방에 적대적이지 않아요. 오히려 샤다이를 쳐내고 있습니다. 물론 이것 자체가 쿠델카의 계획이겠지만, 지금으로선 성급하게 움직여서는 안 됩니다. 추이를 지켜보고 결정적인 순간에 끼어들어야 합니다."

메이화 함장의 말은 옳다. 그래서 이 섬은 분을 삭였다. 쿠델카는 점프 공간에서 암약했던 황제의 페르소나들 중 하나다. 그녀는 자신의 자유를 위해 인간과 인류를 해치겠단 생각을 품었고, 자신을 말리려던 자매 안나 닐센을 해쳤으며, 종내엔 1전대의 기함 함장인 샹 메이화마저 공격했다. 그런 쿠델카가 빚어낸 음모의 결실이 지금 화성의 지표에서 익어가는 중이다. 섣불리 나섰다간 죽도 밥도 안 되고 그녀를 놓칠 수 있는 것이다.

"결정적인 순간이라……."

1전대장인 이 섬은 지금 상황이 마음에 들지 않았다. 비홀더 1전대는 이전부터 타인의 계획에 놀아나고 있었다. 그런데 이번에도 타인의 계획을 구경하고 있어야 한다니, 부아가 치미는 것은 어쩔 수 없었다. 이어서 그의 시선이 포격을 주고받고 있는 샤다이 함대 쪽으로 향했다.

"……제법 버티는군요."

버티는 정도가 아니다. 샤다이 함대는 화력과 수로 화성의 인류 연방과 지구제국을 상대로 유리한 전투를 벌이고 있었다. 이제 섬은 슬슬 자신이 나설 차례란 것을 깨달았다.

"네, 전대장은 지금 전대장이 해야 할 일을 하세요."

메이화 함장의 말에 이 섬은 고개를 숙였다.

"출격하겠습니다."

"조심하세요."

이 섬은 메이화의 배웅을 받으며 걸어나갔다. 그리고 부하들을 불렀다.

"요시오."

- 옛, 전대장님.

전대장의 명령에 요시오가 기합이 바짝 든 목소리로 대답한다.

"체메트디오프가 타고 있는 기함으로 바로 쳐들어갈 수 있을까?"

- 바로요? 지금?

천하의 요시오마저 되물을 정도라면 그다지 좋은 생각이 아니란 뜻이다.

- 쳐들어갈 수야 있지만, 지금 우리 숫자로는 재미 보지 못할 겁니다. 주변에
적함이 너무 많습니다. 아차 했다간 둘러싸여 두들겨 맞을걸요?

"그러면 겉부터 차근차근 쳐나가지."

이 섬이 자세한 작전 명령을 내릴 때, 화성에는 다시 샤다이의 점프 반응
이 생겼다.

"뭐지? 체메트디오프의 지원군인가?"

1전대장은 새로이 나타난 적들을 살펴보았다. 뭔가 이상했다. 점프해 온
샤다이 함대의 앞에 익숙한 배가 보였다. 저번에 직접 쳐들어가본 적이 있는
이 섬은 알아볼 수 있었다. 바로 연방의 실험 구축함인 블랙 랜스였다.

- 여기는 연방 상원의원인 오다 히토미와 조사팀인 블랙 랜스입니다.

그리고 블랙 랜스에서 광역 회선으로 통신이 뿜어져 나와 수도 방위 함대
와 체메트디오프의 고대 함대, 그리고 비홀더 1전대에게 수신되었다.

- 제가 데려온 샤다이 함대는 샤다이 호민관인 알탄훼아나의 병력으로서 그들
의 반역자인 체메트디오프를 치기 위해 우리 인류에게 협력하기로 한 자들

입니다.

이 말을 들은 방위 함대의 안토니오 피아프 대령, 샤다이 집정관 체메트디오프, 비홀더 1전대장 이 섬의 공통된 반응은 '뭐가 어쩌고 어째'였다. 그리고 이들이 히토미의 말에 각자 뭐라고 반응을 하기도 전에 새로 나타난 샤다이 함대들은 자기 선조들의 고대 함대에 공격을 하기 시작했다. 호민관의 함대가 집정관의 함대를 공격하기 시작한 것이다. 그것도 플라스마가 아닌 대 샤다이 무기인 제국제 신형 입자가속포로 말이다.

이제 화성의 지표와 궤도의 상황은 한치의 앞도 내다볼 수 없는 개판 오분 전의 상황으로 흘러가기 시작했다.

- 아버지이ー.

"……파트리샤?"

안토니오 피아프 함장은 갑작스레 나타난 딸 파트리샤 피아프와의 통신에 어안이 벙벙해졌다.

- 아까 의원님 말씀 들었죠? 저것들 우리 아군이에요. 공격하면 안 돼요.

그러면서 자신들이 이끌고 온 샤다이 함대의 정보를 방위 함대 쪽으로 보내온다. 아군이니까 공격하지 말란 뜻이지만, 상대가 샤다이라면 좀 심각한 문제다.

"잠깐만, 잠깐만."

피아프 함장은 연을 끊고 도망쳤다가 갑자기 불쑥 튀어나온 딸의 말을 이해할 수 없었다. 블랙 랜스로 갑자기 쳐들어온 것은 좋다. 실리콘 나이트에 있다가 태스크포스 373으로 갔고, 다시 상원의원의 아래로 간 것까지는 들었으니까. 그런데 저런 대규모의 샤다이 함대를 이끌고 화성으로 왔으니 이건 보통 문제가 아닌 것이다.

"일단 의원님, 오다 의원님 바꿔."

이야기에는 급이 있는 법, 이번 사안은 일개 중위인 딸과 할 얘기가 아니다. 적어도 저들을 끌고 온 상원의원은 되어야 이야기가 진행이 된다.

- 에, 저기, 그분은 지금 비홀더 전대랑 얘기한다고 바쁘세요.

귀찮다는 표정이 역력한 딸 파트리샤의 모습에 아버지 안토니오는 어이
가 상실되고 있었다.

*

"또 만나는군요."

파트리샤의 말대로 지금 히토미는 이 섬과 이야기하고 있었다.

- 오다 의원, 그때는 실례했소이다.

섬은 사과를 하고는 있지만, 표정은 사과하는 자의 것이 결코 아니었다.

"피차 자기 임무에 충실한 거죠. 반대의 경우라면 우리도 그랬을 겁니다."

히토미는 지금 저번에 쳐들어온 비홀더 1전대의 이야기를 하고 있다. 그
녀의 당돌한 발언에 섬의 입꼬리가 분노를 머금고 기이하게 뒤틀린다.

**- 임무라. 그러고 보니 그쪽이 가진 임무는 다들 이상하기 그지없구려. 어떤
놈은 외계인 놈들을 끌고 화성의 의사당에 쳐들어오질 않나, 어떤 년은 외계
인과 들러붙어 수도 궤도에 적성 종족의 함대를 끌고 오질 않나.**

이 섬은 자신이 위치를 잘 안다. 이곳은 인류 연방의 영토이고, 이 사건을
벌인 자는 연방의 군인과 연방의 상원의원이다. 반면 자신은 지구제국의 군
인이다. 이 섬에겐 연방의 명령을 받을 의무도, 연방에게 명령을 내릴 권리도
없다. 있는 것이라곤 오직 인류를 지킨다는 사명뿐이다. 때문에 이번 일에 뭐
라 할 권리는 없어도, 분노는 한다.

"우리 일은 우리가 합니다. 그쪽 일은 그쪽이 하시죠. 단."

히토미는 화면 너머의 제국 군인을 노려보며 강조했다.

"지금 제가 데려온 샤다이는 저의 '부하'입니다. 다시 한 번 제 부하를 공격
하면, 그때는 결코 좌시하지 않겠습니다."

저번에 이 섬이 저지른 사건을 빌미로 못을 막는 것이다. 평상시 같았으면
들은 척도 않고 알탄훼아나 함대를 도륙 냈을 이 섬이다. 그러나 지금은 상황

이 너무나 좋지 않다. 온전하지 않은 전대와 그것을 유지하기 위해 정신력이 깎여나가는 함장, 마지막으로 오다 히토미가 말한 일에 관여할 명분.

- 알겠소. '적'을 물리칠 때까진 그쪽 말을 따르리다.

여기서 적이라고 하면 체메트디오프의 함대다. 그리고 체메트디오프의 함대를 물리친 다음엔 알아서 하란 의미다.

*

"이것 참, 뭐라고 해야 할까."

체메트디오프는 지금 상황에서 분노해야 할지 기뻐해야 할지 모르겠다. 자신을 공격하기 위해 모인 동족들을 보니 짜증이 나면서도 감개가 무량하다. 이리저리 타성에 꿰어 질질 끌려만 다니다가 마침내 단합한 모습을 보니 희망이 샘솟는 것이다.

"말을 듣지 않고 아빠의 뜻에 거역하는 딸에겐 화가 나지만, 또 역경을 딛고 일어서 아빠의 앞을 가로막는 숙적이 된 딸에겐 또 기쁘구나. 난 어떻게 해야 할꼬."

원래 그는 빈우가 저지른 학살극의 영상을 샤다이의 주거 행성에 뿌려 혼란을 일으키려 했다. 그 결과 각지의 샤다이가 저마다 통일되지 않고 일어나 인류 개척지를 동시에 공격하면 연방 함대나 비홀더 전대가 분산될 것이고, 그 과정에서 자신을 따르지 않는 파벌들은 사분오열해서 움직이다가 유에네스의 손에 정리될 예정이었다. 즉 급하게 만든 일석이조의 계책이었던 셈인데 지금 딸인 알탄훼아나가 이들을 한꺼번에 모아 옴으로써 일을 엉망으로 만들어버린 것이다.

- 체메트디오프!

중얼거리는 집정관의 앞에 호민관의 영상이 떠오른다.

- 자신의 권위를 유지하기 위해 동족을 이용하고, 선조를 이용하고, 또…….

"아아, 거기까지. 그건 너무 식상하잖니."

체메트디오프가 알탄훼아나의 말을 끊었다.

"바뀐 듯하지만 바뀌지 않은 부분도 있구나. 하지만 칭찬하마. 이용하기 위해 챙길 것은 챙기고 버릴 것은 버린다는 선택지를 드디어 고를 수 있게 되었구나."

딸의 얼굴이 일그러진다. 체메트디오프는 알탄훼아나가 무슨 짓을 한 것인지 대번에 뚫어보았고, 그것이 그녀의 양심을 자극한 것이다.

- ······그래, 나는 변했다.

알탄훼아나는 변했다. 고문당하고, 짓밟히고, 잃어버리고, 그렇게 다시 일어난 그녀는 변해 있었다. 알탄훼아나는 체메트디오프의 선동에 일어난 동포들을 이용했다. 자신의 뜻에 따르는 자들은 무기를 만들도록 해 같이 움직이게 했고, 함께하지 않거나 체메트디오프에게 우호적인 자들은 엉뚱한 좌표를 가르쳐줘서 유에네스의 손에 각개격파되도록 했다. 즉 동포를 미끼로 쓴 것이다.

- 나는 내 뜻을 이루기 위해 무엇이든 할 것이다.

그렇게 말하는 알탄훼아나의 눈은 샤다이의 눈이 아니라 유에네스의 기술로 만든 의안이었다. 어찌 보면 말과 행동이 참 어울린다고 할 것이다.

"늦게나마 깨달았으니 되었다. 너도 내 후계자로 점찍으마. 만약 내가 잘못되거든 동포들을 이끌어다오."

- 닥쳐!

태연한 체메트디오프의 말에 알탄훼아나가 발끈한다.

이 와중에도 화성 궤도의 함대전은 격렬하게 벌어지고 있었다. 이 중에서 가장 큰 세력은 역시나 체메트디오프의 고대 함대다. 그리고 이를 둘러싸고 화성 방위 함대와 알탄훼아나 파벌, 비홀더 전대가 사방에서 공격하고 있었다. 하지만 이 세 세력은 서로 방해가 안 되도록 떨어져서 싸우고 있어서 연계가 제대로 되지 않고 있었다. 왜냐하면 이들은 같은 적을 두고 싸우는 믿을

수 없는 아군임과 동시에 체메트디오프를 쓰러뜨리면 바로 다음에 싸우게
될 적들이기 때문이다.

"연계가 약하군. 그저 모여서 싸우고 있을 뿐이야. 저곳을 찔러 빠져나간
다음 포위하도록."

체메트디오프가 가리킨 곳은 적 함대 사이의 구멍이다. 그곳은 포위망 중
에서 가장 틈이 큰 곳으로서 알탄훼아나 파벌과 비홀더 전대 사이였다. 저곳
으로 밀고 들어가 역으로 포위하면 전세는 확연히 바뀔 것이다.

"알겠습니다."

고대 함대 중에서 선발대가 나가 그 틈으로 비집고 들어간다. 만약 선발대
가 저 틈 사이로 성공적으로 들어간다면 이를 사이에 둔 적들은 맞은편의 상
대에게 오사할까봐 공세를 줄일 것이고, 그 틈에 선발대가 틈을 넓히며 빠져
나가고 후발대가 틈을 키운다. 그리고 빠져나간 선발대가 반전해서 포위망
을 완성시킨다는 계략이었다.

"어랍쇼?"

그러나 체메트디오프의 예상은 여지없이 빗나갔다. 포위망 사이로 선발대
가 들어가자 알탄훼아나 함대와 비홀더 전대는 맞은편에 누가 있든 상관하
지 않고 공격을 퍼부은 것이다.

"아뿔싸."

뒤늦게 자신의 실수를 깨달은 체메트디오프가 이마를 쳤다. 인류 연방과
지구제국이라면 모를까, 샤다이와 비홀더 전대라면 서로 상대방의 사정을
봐줄 필요가 없는 것이다. 선발대가 좌우의 포격에 갈려나가고, 빗나간 포격
들은 맞은편의 '못 미더운 아군'을 후려갈겼다.

"이거 부하 탓할 처지가 아니었군. 제일 큰 병신이 바로 나였어."

졸지에 선발대를 사지로 밀어넣은 셈이 된 체메트디오프가 쓴웃음을 지
었다.

"집정관, 유에네스의 새로운 점프 반응입니다."

그때 들려온 부하의 보고가 쓴웃음을 대번에 날려버렸다. 지금 화면에는 계단이 생성되는 장면이 나온다. 유에네스의 방식이 맞다. 그것도 순양함 여러 척이 연동해서 억지로 게이트를 만드는 새로운 방식이다. 저런 방식을 쓰는 함대를 체메트디오프는 안다.

"뭣이! 42전단인가?"

긴장한 체메트디오프가 고개를 바짝 붙였다. 지금 여기에 42전단이 들어온다면 전세는 불리해진다. 전체적인 병력이야 아직도 고대 함대가 우위에 있겠지만 42전단 같은 대 샤다이 전문 부대가 전역을 휩쓴다면 그 흐름은 점차 불리하게 흐를 것이 뻔하다.

"응? 놈들이 아닌데?"

점프해 들어온 함선은 유에네스의 전투함이었다. 그러나 42전단의 순양함이 아니다. 좀 더 작고 눈에 익은 배다. 체메트디오프는 과거에 저 배를 공격한 적이 있었다.

"분명히…… 솔리드 뭐였지."

지금 화성 궤도엔 솔리드 시리즈 상륙함들이 나타났다. 숫자는 5척. 신경쓸 필요는 적지만 놈들이 풍기는 불길한 기운은 체메트디오프를 저절로 긴장케 했다.

*

"타이 차관!"

히토미는 화성에 나타난 페가수스 급 강습함의 개량형인 솔리드 시리즈를 보았다. 그리고 저들을 이끌고 있는 것은 다름 아닌 국방부 차관 마커스 타이였다.

- 조금 늦었습니다, 의원님.

5척의 강습함은 곧바로 화성 궤도의 방어기지 관리소 쪽으로 가고 있었다. 그 모습에 히토미는 마커스가 무엇을 할지 바로 알 수 있었다.

"궤도 방어 병기들을 재가동시키실 건가요?"

- 네, 체메트디오프를 몰아내야죠.

지금 화성 궤도의 방어 병기들은 작동하고 있지 않다. 정확히 말하자면 작동 자체는 하고 있지만, 체메트디오프의 함대는 빈우가 아군으로 설정해놓았고, 알탄훼아나의 함대는 히토미가 자신의 권한으로 초청한 외교사절의 신호기를 붙여 아군으로 보이고 있다. 그래서 이 흉악한 병기들은 지금 궤도를 채우고 있는 샤다이를 상대로 작동을 하고 있지 않는 것이다. 만약 저 병기들이 제대로 작동한다면 전세는 대번에 역전될 것이다.

"저도 아까부터 해봤지만 풀리질 않아요. 대관절 어떻게 한 것인지."

히토미는 오자마자 방어 병기들의 아군 목록에서 체메트디오프를 지우려고 했다. 그러나 어찌 된 일인지 그 명령이 먹히지 않았다. 방어 병기의 관리 부서에서도 아까부터 그 목록을 지우고 갱신하려 시도했지만 잘 되질 않고 있었다고 했다.

- 그렇겠죠. 빈우가 한 짓일 테니 어지간해선 풀리지 않을 겁니다.

마커스의 말에 히토미가 침을 삼켰다.

"하실 수 있으세요?"

- 빈우가 잠근 것이라면 제가 풀 수 있습니다.

마커스의 대답에는 불안이나 의심은 일절 없었다. 이런 상황이 되어도 그는 친구를 믿고 있는 것이다.

"그럼 이곳을 부탁할게요. 우린 먼저 지상으로 내려가겠습니다."

히토미는 방금 이 섬과 알탄훼아나, 안토니오 함장과 얘기를 해서 교통정리를 막 마친 참이었다. 이제 인류 연방, 알탄훼아나 파벌의 샤다이, 지구제국 세 세력 간의 믿을 수 없는 동맹이 간신히 체결되었다. 물론 거기에는 체메트디오프라는 거대한 적이 있었고, 중재자가 다름 아닌 오다 히토미였기에 가능한 일이었다.

- 아뇨, 이번 일을 마치고 제가 내려가겠습니다. 의원님은 궤도에 계십시오.

마커스는 빈우의 일에 타인이 끼어드는 것이 못 미더운 모양이다.

"전 상원의원이고, 지금 의사당이 공격받고 있어요. 그리고 김 소령은 탈주한 제 부하입니다! 저 말고 누가 간단 말이죠?"

- 친구인 제가 갑니다.

때아닌 신경전에 옆에 있던 애꿎은 지상팀들이 마른침을 삼키게 되었다.

"야, 나 이거 아빠한테 부탁할 때보다 긴장되는데?"

파트리샤가 짐짓 겁먹은 표정으로 말하자 위르겐이 뭐 씹은 표정이 된다.

"지랄 마십쇼. 그때 긴장하긴 한 겁니까?"

지상팀원들이 농담 따먹기를 할 때 오다 히토미는 강하게 명령을 내렸다.

"오르 함장님, 블랙 랜스를 강하시켜주십시오. 목표는 연방 의사당입니다. 지상팀원분들도 준비하세요. 이제 김 소령을 구해야 합니다."

- 알겠습니다.

블랙 랜스가 대기권으로 강하하기 시작했고, 그 옆으로 솔리드 시리즈 5척이 지나갔으며, 이들의 뒤로는 체메트디오프 함대의 공격이 추격하듯 쏟아지기 시작했다. 이제 우주에서 벌어졌던 난장판이 지상에서 벌어질 순서인 것이다.

"빈우야."

방 안에서 엄마가 빈우를 부른다. 어쩔 수 없다는 듯한 헛웃음이 섞인 부름이다.

"네, 가요."

엄마가 무엇 때문에 자기를 부른 줄 잘 아는 빈우가 신나서 달려갔다.

"왜요?"

"얘가 또 안 먹어."

엄마는 죽이 든 숟가락을 들고 요리조리 흔들고 있다. 그리고 그 앞에선 밥을 먹어야 할 막냇동생이 죽으로 범벅이 된 입을 꼭 다물고 고개를 도리도리 흔들고 있었다. 말도 제대로 못 하고 막 고개를 가누기 시작한 막냇동생이지만 좋고 싫은 것은 확실했다.

"헤헤, 내가 할게요."

빈우가 죽그릇을 받아들고 한 숟갈 작게 퍼서는 살살 흔들었다. 이리저리 흔들리는 숟가락에 동생의 시선도 이리저리 따라간다.

"씨유웅~."

빈우의 입에서 비행기 소리가 나면서 숟가락이 높이 올라갔다. 그리고 착륙하기 위해서 동생의 입으로 점점 내려간다.

"착륙합니다~ 씨유웅."

그 모습과 소리에 신이 난 막냇동생은 팔다리를 흔들었고, 입을 짝 벌려 죽을 먹을 준비를 했다. 그렇게 숟가락이 아기의 입안으로 들어간다. 반은 들어가고, 반은 흐른다. 빈우는 흐르는 죽을 다시 숟가락으로 받아 동생의 입안에 넣어주었다.

"와아~."

엄마와 아나스타샤가 박수를 치고 있다. 엄마는 빈우의 머리를 쓰다듬어주었고, 아나스타샤는 빈우를 꼭 안아주었다.

"도련님, 최고."

"헤헤헤헤."

그렇게 동생 밥을 먹이고 나면 나가서 누나들 일을 거들어준다. 빈우 생각으로는 도와준다는 거지만, 누나들 입장에선 노는 것이었다. 농장 일을 하기 위해 짧은 옷으로 갈아입은 아나스타샤가 지나가면 빈우가 거기에 물을 뿌린다.

"도련님!"

짐짓 화난 목소리의 아나스타샤가 쫓아오면 빈우는 신나서 도망친다.

"냉각수! 냉각수야! 아악!"

아이가 도망쳐봤자 성인의 걸음은 금방 따라잡는다. 빈우는 겨드랑이를 잡혀 위로 휙 들려 올라갔고, 아나스타샤는 도련님의 겨드랑이를 잡은 손을 세게 조물락거렸다.

"아, 간지러! 간지러! 항복, 히히힉."

빈우가 간지러워 웃으면 그 아래에선 아나스타샤도 웃고 있다. 그리고 안드로이드가 손을 놓는다 싶더니 떨어지는 작은 도련님을 가슴으로 받아 꼭 안아준다.

"우리 장난꾸러기 도련님."

그러면서 아나스타샤는 자신의 턱으로 빈우의 머리를 지근지근 눌렀다. 사랑스러운 아나스타샤의 턱이 정수리를 훑고 지나가는 감촉이 느껴진다.

652

"으아아아악!"

빈우가 비명을 지르면서 깨어났다.

"아아아악!"

그는 결코 있을 수 없는 행복한 광경에 절규했다. 차라리 엄마가 죽는 악몽이 나왔다. 동생이 죽는 꿈이 나왔다. 전우가 죽는 꿈이라면 참을 수 있다. 자신이 전투에서 죽어가는 기억이라도 이겨낼 수 있다. 빈우에게 고통과 슬픔이라면 익숙하다. 그러나 방금 보았던 행복은, 결코 올 수 없는 행복은 빈우로선 이겨내기 힘든 것이었다.

"헉헉."

빈우는 그르렁대며 몸을 일으켰다. 이제 일을 할 시간이다. 일단 판을 벌였으면 마무리를 잘해야 하는 법이다. 언제까지나 판의 흐름을 동료와 부하에게 맡겨둘 수는 없으니까.

*

"개판이군."

이것이 마커스의 솔직한 감상이었다. 그가 몰고 온 솔리드 시리즈 5척은 화성의 궤도를 따라 설치된 거대한 링, 제국 시절의 방어 병기 관리소까지 힘겹게 뚫고 갔다. 물론 방해는 심했다. 갑자기 나타난 마커스의 함대는 체메트 디오프에게 있어 상당히 눈에 거슬리는 대상이었고, 이들이 향하는 목적지가 방어 병기 관리소다 보니 공격이 집중된 것은 당연했다. 만약 조용하던 저 제국 시절의 병기들이 다시 작동하기 시작하면 전세가 역전되는 것은 순식간이기 때문이다.

"솔리드 알파가 소멸했습니다."

격침이 아니라 소멸이다. 함의 제어를 맡은 인공지능이 현재 상황을 담담히 보고한다. 대 플라스마 공격에 착실히 대비해놓은 솔리드 시리즈임에도 저 거함들의 집중 포화에는 버텨낼 도리가 없었다. 놈들은 너무 크고, 너무 많은데다, 결정적으로 너무 강했다.

"솔리드 베타도 소멸합니다."

이어 다른 1척도 사라진다. 거대한 플라스마 포격이 쓸고 지나가자 파편만이 남았고, 그 파편들마저 이어지는 포격에 증발한다. 물론 이들의 뒤로 알탄훼아나의 함대들이 나서서 포격을 막아주었고, 그 덕에 3척이나 살아남아 목적지까지 도달할 수 있었다. 그러나 체메트디오프 쪽도 이쪽의 의중을 읽었는지 대형이 무너지는 것을 각오하고서 이쪽으로 별동대를 보냈다.

"아예 작정하고 뚫고 들어오는데."

무너지는 알탄훼아나의 방어선을 보며 마커스가 침을 삼켰다. 원래 샤다이는 서로 자기들 무기에 면역이 있다. 그러나 알탄훼아나는 히토미가 보내준 설계도대로 입자 가속 무기를 만들었고, 체메트디오프의 고대 함대에는 플라스마 말고도 여러 가지 다양한 무기들이 있었다. 그래서 집정관과 호민관의 함대는 동족상잔을 하며 난타전을 벌이는 것이 가능한 것이다.

지금 체메트디오프의 함대는 마커스의 솔리드 시리즈들을 막기 위해 공격의 방향을 이리로 돌렸고, 그 덕에 블랙 랜스는 몰래 화성으로 내려갈 수 있었다. 또 늘어진 체메트디오프의 함대 옆으로 화성 방어 함대와 비홀더 전대가 몰아치기 시작했다. 그래도 샤다이의 고대 함대는 옆이 잘리는 것을 감수하고서라도 마커스를 막으려 했다. 저 고대의 전투함 중 1대라도 빠져나온다면 솔리드 시리즈는 그대로 전멸이다. 그때 저 멀리 새로운 전력이 나타나는 것이 보였다.

"중앙 함대!"

마커스는 이제야 화성 근거리 궤도로 돌아온 연방군 중앙 함대를 보며 탄성을 질렀다. 화성의 중앙 함대는 전열이 무너지는 것도 아랑곳하지 않고 최고속으로 날아온 것이 분명했다. 선두에선 구축함들이 중력충각으로 대형을 짜서 달려들고, 후열의 순양함들이 코일건을 난사한다. 중앙 함대는 그 성격

654

상 어떤 적과도 싸울 수 있어서 표준형 무장을 하고 있다. 그래서 비록 대 샤다이용 입자 무기는 없지만, 중앙 함대는 연방의 최정예 함대 전력이다. 이들이 나서서 샤다이 고대 함대의 뒤를 치자 그제야 추격이 느려졌다.

"궤도 병기의 그늘로 돌아."

마커스의 명령에 살아남은 솔리드 시리즈들이 화성의 오비탈 링, 궤도를 감싼 반지형 구조물의 그늘로 숨어들었다. 샤다이들의 공격이 날아오지만, 궤도 병기의 자체적인 방어막이 이를 막았고, 그 틈으로 솔리드 시리즈들이 비집고 들어가 접현했다.

"전 대원 돌입!"

마커스도 어벤저를 입고 거대한 방어 병기 안의 전장으로 직접 뛰쳐나갔다. 그의 주변으로 무수한 빈우의 얼굴을 한 울토르 클론들이 따라온다. 그러나 이것들은 기존에 있던 클론들의 전두엽을 제거하고 그 자리에 두뇌칩과 폴리머를 다수 집어넣은 생체 안드로이드들이다. 장갑복을 움직이기 위한 부품에 불과한 것이다. 그러나 전투력이라면 기존의 울토르 시리즈에 비해 큰 손색이 없다고 한다.

"여기는 마커스 타이 국방차관입니다, 궤도 방어 병기 관리소는—."

마커스가 궤도 병기 내부로 들어가 관리소를 호출할 때였다. 시설 곳곳에서 폭음과 함께 경보가 울리기 시작했다. 고대 함대의 공격은 아니다. 그런 것은 궤도 병기의 자체적인 방어 체계가 막아준다. 이번의 공격은 작은 공격이다.

"이런 미친……!"

아니나 다를까, 체메트디오프 쪽에서도 죽음을 각오하고 단거리 점프로 궤도 병기 쪽에 직접 강하하는 놈들이 있었던 것이다.

미친 듯이 갱신되는 전투 정보를 살펴보자 암울하다. 궤도 병기 관리소 측은 아까부터 체메트디오프를 상대로 묶인 안전장치를 풀기 위해 사력을 다하고 있지만 풀리지 않고 있다고 한다. 푸는 방법은 아무리 살펴봐도 군사정보국의 방식이다. 원격으로 해제는 불가능하고, 접속 권한을 가진 자가 직접 가야 풀리는 보안체계다. 즉 잠수나 트리니티 패턴처럼 승인받은 자의 뇌와 두뇌칩이 직접 필요한 방식인 것이다.

"독한 새끼."

마커스는 보안을 잠가놓은 빈우를 항해 이를 갈며 관리소 쪽으로 달렸다. 내부 정보를 보니 샤다이들은 이곳저곳 떨어져서 침투했지만, 놈들 개개인의 전투 능력은 연방 장갑보병 1개 소대를 능가한다. 게다가 체메트디오프의 친위대라면 더할 것이다. 궤도 병기 내부의 자체 병력이 응전하지만, 순식간에 쓸려나간다. 게다가 놈들도 대략적인 위치는 짐작하고 있는지 관리소 쪽으로 서서히 다가가고 있었다. 저 샤다이들이 관리소에 도착하기 전에 마커스가 먼저 가서 보안장치를 해제해야 한다.

그때 격벽이 열리며 한 무리의 장갑보병이 나타났다. 어벤저다. 그것도 보안국 사양으로 튜닝된 어벤저. 서로 아군임을 파악하자 서로 무기를 거뒀고, 저쪽 무리에서 리더가 걸어와 헬멧의 전면 보호구를 열었다. 그러자 착용자의 얼굴이 드러났다.

"……미치겠네."

말 그대로 마커스는 미칠 지경이었다. 저 장갑보병은 마커스도 아는 얼굴이다. 바로 군사정보국장 이노우에 고토의 얼굴인 것이다. 하지만 당연히 본인은 아니다. 업무용으로 만들어놓은 안드로이드에 허수아비를 넣어놓은 것이다. 그 모습에 마커스는 솔리드 시리즈를 끌고 올 때 고토가 했던 말이 떠올랐다.

'그렇다면 코드를 맞춰 보내주겠소.'

마커스는 그때 국장이 했던 말의 의미를 깨달았다. 뭐 씹은 얼굴을 한 마커스에게 고토의 얼굴이 싱글벙글 웃으며 다가왔다.

"이런, 꼴을 보아하니 고토 국장이 보낸 것은 아니고…… 억지로 온 모양이구먼?"

허수아비라 그런지 얄미운 말투가 그대로다. 이노우에 고토는 현재 연방의 상황이 심상찮다는 것을 느끼고 이곳에도 자신의 손도장을 찍어놓은 것이다. 그러나 외계종족을 상대로 하는 군사정보국이 연방군 내부에 몰래 들어와 있다면 이건 심하게 꼬투리 잡힐 일이다.

"혹시 보안국 라인?"

짧은 마커스의 질문에 고토의 허수아비는 고개를 끄덕였고, 그걸 본 마커스가 고개를 절레절레 흔들었다. 고토는 보안국의 쿠사키나 국장이 실각하자 그쪽 라인을 훔쳐 와 쓰고 있었던 것이다. 보안국이라면 연방군 내부를 감찰하는 곳이기에 안쪽을 돌아다닐 권한이 충분하고, 이렇게 요원을 심어놓기도 편하다.

"상황 설명해."

마커스는 다시 목적지로 달리며 물었다.

"락은 아직 잠겨 있는 상황이고, 큰놈들은 그물에 걸려 못 들어오지만, 작은놈들은 틈새를 비집고 들어오는 중이야."

고토의 허수아비가 자신의 병력을 이끌고 따라온다. 놈은 궤도 병기 내부에 새로 파견된 장갑보병―당연히 정체를 감춘 울토르 시리즈―들의 권한을 이미 빼앗아놓은 상태다. 아마 내부에 숨어든 샤다이들의 혹시 있을지 모를 테러를 견제하기 위해서겠지. 모퉁이에서 샤다이들이 나타나자 고토의 울토르 시리즈들이 달려가 응전하고, 그사이 마커스와 고토의 허수아비는 목적지로 향했다.

"42전단이나 다른 곳은?"

마커스는 42전단이 아쉬웠다. 그들이야말로 대 샤다이 결전 부대. 연동 게이트를 쓰는 그들이라면 어떻게든 늦지 않게 화성으로 올 수 있다.

"아예 묶였어. 샤다이 놈들이 양동으로 연방 곳곳에서 전투를 걸어오는 바람에 이쪽 전력이 분산되었지. 게다가."

고토의 허수아비가 영상을 틀어주었다. 연방 곳곳에서 발생한 워프 비스트들이다.

"화성뿐만이 아니야. 연방의 모든 곳에서 워프 비스트들이 나타났어. 비록 숫자는 적지만 그 여파가 이루 말할 수 없을 정도야. 가용 전력은 없다고 봐야 해. 이제 화성의 일은 우리들만으로 해결해야 한다고."

허수아비의 말에 마커스가 혀를 찼다.

"특수전 사령부는, 젠장, 이미 차 떠났지."

"그래, 이쪽으로 조금 와주면 좋겠는데 레드우드 사령관이 너무 일찍 반응했어."

그때 다시금 샤다이들이 나타난다. 리퍼, 그것도 포말하우트 게이트 안에서 나타났다는 놈들이다. 이쪽의 울토르 시리즈들이 달려가서 공격하고, 저쪽이 맞이해 싸운다. 대 샤다이 무장으로 세팅한 마커스의 병력들이지만 고전을 면치 못한다. 하나하나가 전차 급의 능력들이며 전투 실력도 상당하다. 아마도 저들이 체메트디오프의 친위대일 것이다.

"여길 뚫어야 해. 더 이상 돌아갈 순 없어."

지금 마커스의 앞을 막은 놈들은 적극적으로 싸우지 않고 오히려 지연전을 펼치고 있었다. 저 샤다이들은 관리소로 가는 이쪽 병력을 막기 위해 달려온 놈들이 분명했다. 포화가 오고 가고 폭발을 주고받는다. 벽이 부서지고 자재가 터져나간다. 그때 마커스는 부서진 파편들이 이상하게 흔들리는 것을 보았다. 무언가 투명한 것이 이쪽으로 오고 있는 것이다.

"이런 제길!"

마커스는 내열 방패를 들었고, 동시에 그의 앞에 나타난 리퍼가 플라스마 대검을 내리쳤다. 발포 장갑은 얼마 버티지 못하고 순식간에 날아갔고, 어벤저의 왼쪽 팔과 어깨에 클레이모어가 닿았다. 검이 닿은 것은 순간, 그리고 팔이 증발하는 것도 순간이었다. 열폭발과 함께 마커스가 튕겨져나갔고, 주변에선 리퍼를 향해 공격을 퍼부었다. 하지만 놈은 모든 것을 무시하고 오직 마커스를 죽이기 위해 다시 달려들었다.

658

282

· · · ✦ · · ·

위르겐이 강하하는 그라디우스 안에서 궤도 병기를 보았다. 솔리드 시리즈 강습함이 그리로 다가가자 체메트디오프의 함대가 맹공을 퍼붓고, 그것을 알탄훼아나의 함대가 막으려 노력한다.

"저쪽은 난리가 났네."

체메트디오프는 마커스의 행동에 위기감을 느꼈는지 주력의 방향을 바꾸어가며 솔리드 시리즈의 뒤를 쫓았고, 그것을 알탄훼아나의 함대가 막지만 역부족이다. 고대 함대의 옆을 또 다른 세력들이 맹렬히 쑤시고 들어간다.

"저쪽 일은 저쪽이, 우리는 우리 일에 집중해야겠지."

위르겐은 어깨를 으쓱했다. 지금 블랙 랜스는 화성의 저궤도에서 그라디우스와 롱소드를 사출하고 화성의 반대편으로 돌아갔다.

- 목표 위치입니다.

먼저 대기권 밑으로 내려가 의사당 상공에서 정찰하던 롱소드에서 우지가 자료를 보내준다. 쑥대밭이 된 연방 의사당은 지금은 조금 잠잠해졌다.

- 지상의 위은쏠납학은 조용합니다. 저를 공격하려는 기색도 없습니다.

"좋아, 지상팀 강하한다."

아룹의 명령에 대기하던 그라디우스가 대기권으로 강하하기 시작했다.

"수고했다, 우지. 상공에서 대기해. 저쪽에서 공격하면 바로 대응하지 말고 일단은 피해."

이어서 강하하는 그라디우스 안에서 아룹이 팀원들에게 세부 명령을 내렸다.

"위은쏠납학은 최대한 무시한다. 꼭 필요한 상황이 아니면 교전을 피해. 우리의 최우선 목표는 김빈우 소령을 확보하는 거다."

의사당을 공격한 위은쏠납학들은 무작정 학살을 한 것은 아니었다. 놈들은 바로 앞에 있는 의원을 지나치고 저 멀리 있던 민간인을 따라가 죽인 경우도 있었다. 또 자신들을 공격하는 지상의 경찰병력들도 무시했으며 워프 비스트들이 나타난 이후로는 오직 워프 비스트들만 찾아서 죽였다. 이렇듯 지금까지 살펴본 바로는 위은쏠납학은 철저하게 특정 목표만을 노리고 공격한 게 분명했다.

"뻔하지. 그 양반, 그 눈깔로 목표를 찾아서 죽인 거야."

파트리샤가 틱틱거리며 헬멧을 썼다. 그녀가 말한 목표란 샤다이가 분명하다. 빈우는 샤다이를 구분하는 능력으로 인간 안에 들어온 놈들을 찾아낸 다음 그들만을 죽인 것이 분명하다. 지금 빈우는 연방 의사당으로 가서 위은쏠납학을 풀어놓은 다음 자신은 의사당 안으로 들어갔다. 이제 지상팀은 의사당으로 바로 돌입해 빈우와 접촉할 예정이다. 그런 중에 아룹이 뭔가 이상한 점을 눈치챘다.

"이상하군. 라출노그 함선들이 보이지 않아. 함장님?"

- 네, 팀장님 말씀대로 화성 주변에 예의 신형 라출노그 함선은 없습니다.

지금 화성 궤도에서는 여러 세력이 엉켜 개싸움이 벌어지고 있는 중이다. 그러나 연방의 기술로 만든 라출노그 함선은 어디에도 보이지 않고 있었다.

"그렇다면 김 소령은 도대체 어떻게 저 정도의 병력을 들키지 않고 화성까지 데려왔을까요?"

아룹의 의문은 다른 팀원들도 가지고 있는 것이다.

"혹시…… 샤다이의 점프 능력을 얻은 것은 아닐까요?"

모니카가 조심스레 의견을 꺼냈다.

"에이, 아무리 그래도 그 양반이……."

위르겐은 말도 안 된다는 투로 웃으며 손사래를 쳤지만, 그렇게 말을 하는 자신의 얼굴도 점차 굳어졌다.

"알탄훼아나의 눈을 뽑아 이식하기 전을 기억하나? 김 소령은 한 번 변한 적이 있어."

아룹의 말에 팀원들은 각자의 마음속에 가지고 있던 흐릿한 불안감이 서서히 구체화되어 형체를 드러내는 것을 느꼈다. 빈우는 체메트디오프와 싸우기 위해 워프 비스트를 받아들인 적이 있었다. 그때 그는 워프 비스트의 능력을 써서 체메트디오프를 물리쳤으며, 그 대가로 몸 또한 서서히 워프 비스트로 변해갔다. 그리고 결국엔 샤다이의 눈을 뽑아 자신에게 이식했고, 샤다이의 정체를 파악할 능력을 얻었다.

"그리고 알탄훼아나가 말한 것이 있지. 인간의 몸속에 숨어든 샤다이를 파악하는 것은 눈의 능력이 아니라 그 눈을 사용하는 자신의 능력이라고. 김 소령이 샤다이의 점프 기술을 배웠다고 해도 전혀 불가능한 것은 아냐. 아니, 오히려 그라면 충분히 그러고도 남는다."

즉 아룹의 말은 위은쓸납학을 데리고 화성을 침공한 것은 빈우 자신의 능력이란 말이다. 가설이긴 하지만 충분히 설득력 있는 가설이다.

"그러면 그 양반, 여차하면 점프로 튀어버릴지도 모르는데 어쩌죠?"

파트리샤가 무장을 최종점검하면서 물었다. 지금 닉스 레벨 3의 인간병기가 샤다이를 구분하는 눈을 가진 채 외계 병력을 이끌고 화성으로 점프해서 저 난동을 부렸다. 그렇다면 저 병력을 가지고 도망칠 수도 있다는 의미다. 보통 샤다이의 점프 딜레이는 15분 내외. 그러나 그 15분은 예전에 지났고, 빈우가 샤다이의 점프로 도망치려면 칠 수 있을 것이다.

"도망 못 치게 해야지."

아룹의 간단한 대답에 팀원들의 원망 어린 시선이 그에게로 모인다.

"아니, 그는 도망치지 않을 거야. 모든 것을 버려가며 이 정도로 벌인 큰일인데 뒤로 물러서겠어? 무슨 짓을 해서라도 최종 목표를 달성하겠지. 그리고 아마 그때쯤 라출노그 함대를 불러서 연막을 칠지도 모르고 말이야."

그 말에 모인 시선이 다시 위아래로 흔들린다. 그들이 아는 빈우는 결코 포기를 모르는 인물이고, 어떤 고난과 역경이 있어도 반드시 작전을 성공시키고야 마는 독종이었다.

"잠깐, 그럼 우리 죽을지도 모르잖아요? 그…… 김 소령님 손에? 죽일…… 까요?"

겁먹은 모니카의 말이 육중한 부머 안에서 들려온다. 그녀의 마지막 말이 의문형으로 끝난 것은 빈우가 한때나마 아군이었던 그들을 공격하지 않으리란 안이한 생각이 아니었다. 빈우의 성향 때문이다.

목적 달성을 위해서 수단과 방법을 가리지 않는 빈우에게 한 가지 터부가 있다면 그것은 인간이었다. 그에게 외계종족의 목숨은 먼지와도 같지만, 인간의 목숨은 더할 나위 없는 가치를 지니고 있었다. 빈우는 동료의 목숨은 물론이고 범죄자라 해도 인간이라면 어떻게든 살리려고 발악한다. 그런데 지금은 지상팀원들이 그의 작전을 방해하려는 존재이자 지켜야 할 인간인 것이다.

"그야말로 창과 방패가 부딪치는 순간이군. 강하 준비, 아니, 착륙 준비해."

상공에서 바로 강하하려던 아룹은 계획을 바꿨다. 지상으로 다가갈수록 상황을 더 자세히 살필 수 있었고, 그에 따라 작전을 변경한 것이다. 의사당 광장에서 살육극을 벌이던 위은쏠납학들은 강하하는 그라디우스를 보았지만 별다른 반응을 하지 않고 있었다.

"역시나 우리를 공격하지 않는군. 흐음, 그런데 왜 의사당만 노렸지? 샤다이가 의원들만 있을까?"

오다 의원이 살펴본 바로는 상원의원 외에도 샤다이는 있었다고 한다. 그 말은 화성 곳곳에도, 연방의 영토 여러 곳에도 샤다이가 숨어 있다는 뜻이다.

그러나 빈우는 철저하게 의사당만을 노렸고, 이번 임시 회의에 모인 상원의원들이 주 희생양이 되었다. 그러나 더 이상 생각할 겨를이 없었다.

"착륙! 모두 나가!"

그라디우스가 강력한 강습 착륙으로 의사당 옥상에 처박았고, 이어서 문이 열리며 5기의 장갑복이 뛰쳐나갔다. 방어 병력은 거의 없었다.

"위르겐! 갈겨!"

아룹이 목표를 지정하며 명령하자 위르겐이 무기들을 갈겨 옥상 천장을 작살내버렸고, 지상팀의 장갑보병들이 그 구멍을 통해 곧바로 의사당 아래층으로 내려갔다. 제트팩을 써서 착륙하며 코일건을 겨누자 몇몇 위은쓸납학들이 총을 겨눈다. 그러나 놈들은 단지 이쪽을 겨누고 경계의 눈초리로 쳐다보기만 할 뿐, 역시나 총을 쏘지는 않았다.

"우릴 막지 않는 건가?"

하지만 위르겐의 그 말이 씨가 되었는지, 거대한 위은쓸납학들이 총을 등 뒤로 넘기고 날카로운 허리칼날에 칼집을 씌우더니 서서히 다가오기 시작했다. 분명히 누군가의 명령을 받고 지상팀을 생포하거나 저지하려는 속셈이다.

- 제가 할게요.

모니카의 부머가 앞으로 나섰다. 그녀는 부머의 중력장 조절 시스템을 작동시켜 다가오던 위은쓸납학들을 허공으로 띄웠다. 보통의 상황이라면 연방의 장갑보병이나 샤다이들에게 통하지 않을 방법이다. 그러나 이 위은쓸납학들에겐 제트팩이나 그 외의 추진기가 없었기 때문에 그저 좁은 무중력 공간에서 버둥거리며 떠오를 뿐이다.

"무시하고 달려. 본회의장으로 바로 간다."

아룹이 떠오른 위은쓸납학을 지나쳐 앞장서서 달리고 그 뒤로 지상팀원들이 뒤따랐다. 곳곳에서 위은쓸납학들이 계속 뛰어나오지만, 그때마다 모니카가 이들을 위로 띄워 보냈고, 팀원들이 지나간 길에는 위르겐이 발포 장갑을 생성해서 길을 막았다.

- 본회의장에 다수의 위은쏠납학 반응이 있습니다. 그리고…… 어벤저 1기.

파트리샤가 정찰 내용을 보고한다. 그녀는 강하하자마자 몸을 숨기고 건물 내부로 숨어들어 빈우가 있을 만한 곳을 살피고 있었다. 역시나 빈우는 본회의장에 있는 것 같았다.

- 본회의장이라, 역시 많은 수의 의원들을 한꺼번에 잡기 위해서인 것 같네요.

모니카가 말했다. 그러나 아룹은 마음속으로 고개를 갸우뚱했다. 빈우가 기습을 한 시점은 아직 회의가 시작되기 전이었다. 즉 본회의장에 상원의원들이 채 다 모이지 않은 시점인 것이다. 어쩌면 빈우에게 다른 목적이 있을지도 몰랐다. 샤다이를 죽이는 것 외의 다른 목적이.

- 파트리샤, 좀 더 가까이 갈 수 있나?

아룹의 말에 파트리샤가 한숨을 내쉬었다.

- 김 소령을 상대로요? 안 될걸요. 저 자식, 옥상에 우리가 뛰어내려온 시점부터 나를 찾을 속셈으로 수상한 곳마다 수류탄 붙여놨어요. 동작 감지 신관으로 설정해서요.

빈우는 이전 자신의 부하들의 특기와 장단점을 철저하게 파악하고 있다. 그래서 그 대비도 철저한 듯싶었다.

- 좋아, 정공법으로 간다.

아룹이 달려드는 위은쏠납학의 칼날을 잡은 다음, 놈의 다리를 걸어차 바닥에 넘어뜨렸다. 그리고 그 위로 보수용 점착액을 뿌려 그대로 바닥에 붙여버렸다. 위르겐은 바닥에 코일건을 쏴 구멍을 만들어 추격대를 빠트렸고, 모니카는 파편들을 중력장으로 들어올린 다음 켜켜이 쌓아 길을 막았다. 그러면서 지상팀은 차츰 본회의장으로 향했다.

- 파트리샤, 우리가 들어간다.

아룹이 본회의장 입구에 있던 위은쏠납학을 제압한 다음 문 앞에 섰다.

- 함정은 없습니다.

위르겐이 문 주변을 조사한 다음 말했다. 아룹 역시 소형 센서 몇 개를 안으로 밀어넣어 상황을 파악한 다음 마지막 명령을 준비했다.

- **모니카, 방어막 최대한 전개해서 앞장서.**

- **네.**

부머가 역장 출력을 최대한으로 올렸고, 그 주변으로 그라인더, 중무장 어벤저, 일반형 어벤저가 붙었다.

- **3, 2, 1. 돌입!**

아룹의 신호와 함께 문이 부서졌고, 지상팀원들이 본회의장 안으로 난입했다. 동시에 숨어 있던 파트리샤도 방해되는 수류탄들을 쏴 부수며 나와 본회의장 천장에 자리 잡았다. 지상팀은 들어가자마자 각자의 무장으로 목표를 겨눴다.

- **김빈우 소령! 무장을 해제하고 투항해!**

아룹의 외침에 대한 대답으로 위은쏠납학들이 무장을 겨눴지만, 의장석에 있던 어벤저가 손을 들자 다시 무기를 내렸다.

"역시나 대단하군."

빈우는 의장석에 앉아 있었다. 그는 상원의장용 두뇌칩 연결기를 머리에 연결하고 있다가 그것을 서서히 벗었다. 빈우는 연방 최고의 특수부대원들이 자신에게 총을 겨누고 있는 상황에서도 아주 여유로운 모습이었고, 그것이 지상팀원들을 긴장케 했다. 지금 같은 상황에서 그가 저렇게 여유만만하다는 것은 이 상황을 타개할 방법이 있거나, 이미 자신의 목적을 이뤘다는 뜻이다.

"무장 해제도, 투항도 못 하겠는데?"

그렇게 말하는 빈우의 눈에선 샤다이의 안구가 번들거리고 있었다. 그때 아룹이 손짓했다.

- **아나스타샤.**

그의 부름에 뒤에 있던 어벤저가 앞으로 나섰다. 그리고 그 어벤저의 헬멧 전면부가 열리자 아나스타샤의 얼굴이 드러났다.

- 아나스타샤, 네 주인을 설득해봐.

무력을 쓰기 전에 먼저 설득을 시도하려는 아룹의 말에 아나스타샤는 자신의 주인을 찾았다. 그녀는 주변을 두리번거리다가 의장석에 있던 빈우와 눈이 마주쳤다. 그리고 그녀가 말했다.

"이봐, 거기 울토르 클론. 너, 내 주인님은 어디 계시지?"

아나스타샤의 말에 지상팀원들은 황당하다는 반응이었다. 의장석에 있는 것은 다름 아닌 빈우였다. 비록 자신의 정체를 숨기느라 두뇌칩의 반응은 감춰놓았지만, 눈에 있는 것은 분명 샤다이의 눈이다. 저런 자가 온 우주에 빈우 말고 달리 누가 있단 말인가.

"내 주인님은 군사정보국의 김빈우 소령이다. 그리고 너희들의 유전자 제공자이자 명령권자이시고. 그분 어디 계시냐고. 빨리 대답해."

아나스타샤는 빈우에게 다시 재촉했다. 그녀의 그런 모습에 팀원들은 점차 불안감을 느끼기 시작했다. 아나스타샤처럼 주인을 오래 모신 안드로이드들은 자신의 주인을 굉장히 정확하고 빠르게 파악한다. 오죽했으면 마카로니에서 빈우가 부상했을 때, 군사정보국에서 그 진위를 파악하기 위해 그의 보모이자 비서였던 아나스타샤를 데려갔을 정도였다. 그런 그녀가 주인을 상대로 저런 반응을 보이다니 이상하다. 어쩌면 주인을 잃어버렸다는 충격에 아나스타샤의 인공지능 상태에 이상이 생겼을 수도 있다. 아니면…….

"거참, 안 속네."

빈우는 피식 웃으며 의장석에서 내려왔다. 그러면서 고개를 까딱하더니 인사했다.

"처음 뵙겠소. 찰리하나팔이오."

그의 충격적인 발언에 지상팀원들은 순식간에 얼어붙어버렸다.

"찰리, 하나팔이라고?"

되묻는 아룸의 말은 충격 탓인지 조금 끊기고 있었다.

"그래. 내가 거짓말을 해서 뭐하겠어? 난 찰리하나팔이야. 빈우의 특제 클론이지."

충격을 받은 지상팀원들과 달리 찰리하나팔은 유들유들하게 대답했다.

"주인님 어딨냐고!"

그 와중에 아나스타샤는 다시 앙칼지게 소리쳤지만, 찰리하나팔은 그저 어깨를 으쓱할 뿐이다.

"네가 아나스타샤구나. 네 주인이 오지 말라고 했을 텐데 못 들었나? 아니면 마커스 차관이 중간에서 끊은 건가?"

그에 대한 대답으로 아나스타샤는 코일건을 들어 겨눴다. 명색이 군사정보국의 안드로이드에다 빈우가 직접 교육한 그녀다. 코일건을 다루는 모습이 살기등등하다.

"말해. 주인님. 어디 계셔."

방금까지와는 달리 차분하게 가라앉은 그녀의 목소리는 금방이라도 방아쇠를 당길 기세였다. 그 모습을 본 찰리하나팔은 한숨을 푹 쉬었다.

"아, 거참 말 안 듣네."

그때 팀원들이 들어온 본회의장 정문 뒤쪽에서 소란이 일어났다. 그리고 후방을 경계하던 모니카가 소리쳤다.

- 뒤에서 위은쏠납학들이 쳐들어와요!

팀원들은 지금 본회의장까지 내려오면서 마주쳤던 위은쏠납학들을 모두 무력화하거나 길을 막는 방식으로 방해하며 왔다. 그리고 저쪽도 딱히 무기를 쓰려는 기색이 없어서 무력 충돌은 없었다. 그런데 지금은 오는 놈들은 조금 달랐다.

- 저놈들, 쏩니다!

모니카의 말과 함께 뒤에서 코일건이 발사되었다. 부머의 역장방어막에 텅스텐 탄자들이 휘어 벽에 꽂힌다. 그리고 대기권 내에서 입자가속포를 쐈는지 부작용인 대기 중 폭발도 일어났다.

- 아, 젠장. 어쩌죠?

지금 파트리샤는 천장에서 빈우를 노리고 있고, 본회의장 입구에는 아룹, 위르겐, 모니카, 아나스타샤가 있었다.

"잠깐, 뭔가 오해가 있는 모양인데. 내가 교통정리 좀 할게. 비켜봐."

찰리하나팔이 의장석에서 내려오며 양옆으로 비키라는 듯이 손을 휘휘 저었다.

"자자, 저기 잠시 가 있어."

너무나도 태연하게 다가오는 그의 모습에 팀원들은 조심스레 옆으로 비켰다. 그렇게 찰리하나팔과 그를 호위하는 위은쏠납학들이 입구로 갔고, 바깥에서 달려오는 위은쏠납학들도 입구에 도착해 두 무리가 마주쳤다. 작지만 당당하게 서 있는 찰리하나팔과 달리, 지금 들어온 위은쏠납학들은 씩씩거리며 내려다보고 있었다.

- 왜 놈들을 죽이면 안 되지?

밖에서 온 무리 중에서 선두에 선 위은쏠납학이 말했다. 그들의 언어가 팀원들의 번역기를 통해 번역된다.

- 쭉 말했잖아. 파란 피부의 인간과 그놈들에게 동조하는 놈들만 죽이라고. 그

놈들이 너희 종족을 멸망으로 이끌었다. 다만 다른 이들은 너희 종족의 운명에 관여하지 않은 자들이야. 무고한 이들을 해하는 것은 좋지 않아.

찰리하나팔이 감언이설로 그들을 설득하려 하지만 상대에겐 잘 먹히지 않았다.

- 그게 무슨 상관이야! 네놈들은 우리 종족을 공격했다. 우리 선조들을 죽이고, 모성을 파괴하고, 또 우리 종족 자체를 장난감처럼 가지고 놀았다. 네 명령에 따라주는 것도 여기까지다. 이제 네놈들 모두가 그 죗값을 치를 시간이다!

- 아, 그러셔?

찰리하나팔이 웃으며 말했다. 그리고 그 미소를 본 지상팀원들은 다음에 일어날 일을 알 수 있었다. 울토르 클론 찰리하나팔과 인간 김빈우는 분명 다른 존재다. 그럼에도 불구하고 저 둘은 너무나도 닮아 있어서 그가 할 다음의 행동을 손쉽게 알 수 있었다.

역시나 갑작스러운 굉음과 함께 불평을 터트리던 위은쏼납학들의 움직임이 멈추었다. 이어서 찰리하나팔이 제트팩으로 날아올라 맨 앞에 선 위은쏼납학의 헬멧 안으로 코일건을 밀어넣고 쐈다. 대번에 피와 살점이 튀었지만 놈은 옴짝달싹도 못 했고, 그건 주변에 있던 일행도 마찬가지였다.

- 뭐지? 지휘관 권한으로 장갑복을 정지시켰나?

파트리샤의 말에 모니카가 바로 설명을 붙였다.

- 아뇨, 그런 건 나중에 착용자가 긴급 조작으로 권한을 빼앗아올 수 있어요. 지금은 동력계와 구동계 간의 연동 부분에서 트러블을 강제로 일으킨 거예요. 이러면 장갑복 자체가 고장 나기 때문에 권한을 돌려받아도 움직이지 못해요.

그리고 그 설명이 채 끝나기도 전에 나머지 반항적인 위은쏼납학들도 굳어버린 장갑복 안에서 저항 한 번 못 해보고 죽음을 맞이했다.

- 또 없나?

찰리하나팔은 자기 주변의 위은쏠납학들을 돌아보며 물었지만, 대답은 없었다. 그저 머뭇거리며 서로를 쳐다볼 뿐이다.

- 기억하지? 나는 분명히 약속했어. 너희들에게 복수할 기회를 주겠다고 말이야. 그 대가로 너희들은 우리의 계획에 따르기로 했지. 그리고 이번 작전이 끝나면 너희들 종족에게 다시 부흥의 기회를 주기로 했었고.

그 말에 지상팀원들의 눈매가 날카로워진다. 위은쏠납학은 인류 연방의 손에 절멸한 종족이다. 그런데 찰리하나팔은 이들에게 부흥의 기회를 준다고 했다. 이는 단순히 속임수라고 치부할 게 아니다. 정보에 의하면 빈우가 이끄는 부대 중엔 라출노그 인 함대도 있다고 하는데, 그 함대를 이끌고 있는 것은 과거 태스크포스 373과 접촉한 적이 있는 아앤아 준장이며, 그는 라출노그 쪽에서도 제법 입지가 있는 인물이다. 그렇다면 그가 말한 종족의 부흥은 단순히 미끼라기보다는 어느 정도 실현성이 있고, 그 대상에 라출노그도 포함되어 있을 수도 있단 의미다.

지상팀이 찰리하나팔의 속셈에 대해 가늠할 때, 부서진 의사당의 천장 구멍으로 굉음과 섬광이 쏟아져 들어왔다. 대기 자체가 떨려오는 이 진동은 가까운 곳의 것이 아니다. 궤도 상에서 뭔가 대형 사고가 일어난 것이 분명하다. 일행이 올려다보자 거기엔 화성의 궤도 방어 병기가 작동해 체메트디오프의 함대를 공격하고 있었다. 압도적인 위력의 지구제국 병기가 발사되자 샤다이 고대 함대도 치명상을 입기 시작했다.

"타이 차관, 성공했군."

한결 밝아진 아룹의 표정과는 달리 찰리하나팔의 표정은 썩어들어갔다.

"쯧, 일을 망치네. 타이밍이 엉겼잖아."

그리고 그는 잠시 말없이 궤도 상공을 쳐다보았다.

"너 지금 주인님과 통신하고 있지?"

찰리하나팔의 그 모습을 본 아나스타샤가 앞으로 달려나갔다. 지상팀원들이 채 말리기도 전에 일어난 일이었고, 저쪽의 위은쏠납학들이 칼날을 들어서 막으려 했지만 아나스타샤는 막무가내였다. 그녀는 억지로라도 칼날을 비집고 들어올 기세였다.

"허 참, 빈우 이 자식 박복하기도 하지. 친구도 가족도 전부 말을 안 듣고 계획을 망치려고 해요."

그러면서 찰리하나팔이 저벅저벅 걸어오더니 갑자기 아나스타샤가 입은 어벤저의 멱살을 확 잡아챘다. 동시에 지상팀원과 천장의 파트리샤가 찰리하나팔을 겨눴지만, 놈은 아랑곳하지 않았다.

"어이, 안드로이드. 잘 들어. 네가 어떤 생각으로 여기 왔는지는 잘 알아. 하지만 네 주인이 여기 오지 말라고 하지 않았어? 그러면 오지 말았어야지. 마커스를 봐, 저 위에서 궤도 병기를 작동시키는 바람에 계획이 틀어졌어. 불쌍한 라줄노그 인들은 어쩌라고? 그들이 나설 자리와 전과를 빼앗기면 그들의 자치권도 빼앗기는 거야. 그리고 아나스타샤, 너."

찰리하나팔이 거칠게 내던지자 아나스타샤가 휘청하더니 바로 섰다. 그리고 주인의 클론을 매섭게 노려본다. 찰리하나팔은 빈우의 얼굴을 하고 그 시선을 의연하게 받았다.

"네가 빈우에게 얼마나 소중한 존재인지 알아. 하지만 그만큼 인질의 가치가 높을 것이란 생각은 안 해봤어? 이런 이판사판 개판 난 상황에서 네 안전을 제대로 지켜줄 사람은 없어. 만약 네가 샤다이나 제국에게 잡혀서 빈우의 앞에 던져지면 무슨 꼴이 날까? 네년은 지금 네 욕심 때문에 주인의 일을 그르치려는 거야."

신랄한 찰리하나팔의 말이지만 아나스타샤는 지지 않았다.

"주인님이 잘못하시면, 나는 그것을 바로잡을 거야."

맞는 말이다. 지금 빈우가 하는 일은 반란이자 쿠데타다. 개인 사병을 이끌고 연방의 수도인 화성을 급습해 상원의원을 비롯한 정부 요직 관료들을 학살했다. 아는 이들이야 인류에 숨어든 샤다이를 처단한다는 내막을 알지만, 대외적으로는 엄연히 중죄인이다. 잘못이란 단어가 쓰일 정도의 사건이 아닌 것이다. 그렇게 위은쏠납학의 칼날을 사이에 두고 클론과 안드로이드 가 서로 노려보고 있었다.

"잘못이라⋯⋯. 하지만 너라면 주인이 무슨 선택을 하든 끝까지 편을 들어 줘야 하는 것 아냐? 주인이 지옥불에서 아등바등하면 그 옆에서 같이 걸어 가줘야 하는 것 아니냐고?"

찰리하나팔은 비웃으려 했지만, 한결같이 자신을 노려보는 아나스타샤를 보고 뭔가 깨닫는 것이 있었다.

"⋯⋯맞네, 씨발."

그는 본능적으로 알 수 있었다. 찰리하나팔은 빈우와는 다르지만 빈우와 같은 존재이기도 하다. 그래서 그는 아나스타샤가 지금 무슨 생각을 하고 있 는지 눈치챌 수 있었다. 그녀는 빈우를 구하려고 한다. 또 동시에 그의 옆에 서 고통을 같이 나누려는 것이다. 아나스타샤는 지금 그 끝에 무엇이 있다 한 들 빈우의 곁에 있으려는 결심을 하고 있었던 것이다.

"너 지금 — 아, 잠깐만."

찰리하나팔이 뭐라고 말하려고 할 때, 그에게 통신이 들어왔다. 다른 이들 에겐 들리지 않는 비밀회선 통신이고, 이는 십중팔구 빈우일 것이다.

"그래, 지금. 자, 다들 위를 보실까?"

통신이 끝났는지 찰리하나팔이 손을 들어 궤도 상공을 가리켰다. 거기에 선 갑자기 점프해서 나타난 라출노그 함대가 보였다. 비록 소수이긴 하지만 대 샤다이 무장을 한 함대가 라출노그식 함대 기동을 하며 싸우자 체메트디 오프의 고대 함대가 속절없이 무너지기 시작했다. 사방으로 사출된 포격함 들이 샤다이 전투함을 포위하고, 함체 자체가 포신인 거포로 공격을 가하자 순식간에 1척이 격침되었다. 게다가 라출노그 모함과 포격함은 서로 중력장 으로 연결되어 마치 연처럼 자기들을 끌고 당기며 기묘한 기동으로 샤다이 의 포격을 피하고 있었다.

- 저렇게나 가까이에⋯⋯.

모니카가 탄성을 터트렸다. 지금 점프해 온 라츌노그 함대는 아주 정확하게 체메트디오프의 기함 근처에 나타나서 놈을 노리고 달려들고 있었던 것이다. 그리고 그때 아나스타샤가 갑자기 찰리하나팔을 붙잡았다.

"못 가."

"……똑똑하네."

안드로이드에게 붙잡힌 클론이 쓴웃음을 지었다. 아나스타샤는 지금 찰리하나팔이 무엇을 할지 눈치채고 바로 선수를 친 것이다. 찰리하나팔이 손을 들어 아나스타샤의 팔을 잡았다. 그리고 떼어내려고 하지만 장갑복의 출력이 비등하다 보니 잘 되질 않는다.

"아가씨, 놓으세요."

"안 돼, 못 놔. 나랑 같이 가는 거야."

잠시 궤도 쪽에 눈이 팔린 사이 바로 앞에서 벌어진 일에 지상팀이 다시 무장을 겨누며 다가온다.

"어이, 댁들. 이 메이드 좀 모셔가. 안 그러면 —."

지상팀에게 뭐라고 말하려던 찰리하나팔의 목소리가 갑자기 급변했다.

"어어, 얌마, 빈우야. 잠깐 기다려!"

그리고 둘은 갑자기 의사당에서 사라졌다.

"아나스타샤!"

- 아나스타샤!

지상팀원들이 달려가며 저마다 아나스타샤를 불러봤지만, 찰리하나팔과 아나스타샤는 그들의 눈앞에서 샤다이의 점프로 사라졌다. 이제 연방 의사당에는 위은쓸납학과 지상팀원만이 남게 되었다.

*

"허억."

갑자기 급변한 환경에 아나스타샤가 숨을 들이켰다. 안드로이드에게 필요하지 않은 행동이지만 오랜 기간 인간처럼 살았던 그녀의 버릇이기도 하다.

"영락없이 인간이네."

그것을 본 찰리하나팔이 옆에서 이죽거린다.

"싸우는 법은 알지? 몸 잘 사려. 네가 죽어서 빈우가 슬퍼하면 나도 괴로우니까."

찰리하나팔이 헬멧을 닫고 나아가자 아나스타샤도 바로 따라붙었다. 지금 이들이 있는 곳은 화성 궤도의 방어 병기 내부다. 그것도 관리소에서 얼마 떨어지지 않은 지점이다. 마침내 작동을 시작한 지구제국의 병기는 막강한 화력으로 체메트디오프의 함대를 공격하기 시작했다. 그래서 고대 샤다이 함대의 외곽은 방어 병기와 연합 함대에게, 내부는 방금 나타난 라출노그 특공대에 공격받고 있었다.

"조심해, 샤다이들이 계속해서 온다."

찰리하나팔의 경고대로 샤다이들이 계속 점프해 오는 것 같았다. 화성 궤도에 정지해 있는 이 방어 병기만 무력화시키면 이쪽의 화력은 대폭 줄어든다. 그러니 놈들이 죽을 각오를 하고서 쳐들어오는 것은 당연한 일이다.

"어이! 아군이다. 쏘지 마."

관리소 입구에서 찰리하나팔이 샤다이의 시신을 안으로 차 넣으며 소리쳤다.

"……찰리하나팔인가."

안에서 들려오는 목소리는 아나스타샤도 아는 목소리였다. 찰리하나팔이 먼저 관리소 안으로 들어갔고, 아나스타샤가 따라 들어갔다. 거기엔 마커스와 울토르 클론들이 관리소를 사수하고 있었다.

• • • ✦ • • •

"물러서지 마라! 우리 종족의 명운이 오늘의 일전에 달려 있다."

아앤아가 부하들을 독려했다. 라출노그 모함과 포격함들이 플라스마 줄기 사이를 질주하며 입자가속포를 쏘았다. 그에 맞서 샤다이들의 공격도 격렬하게 마주 온다. 지금 아앤아의 함대는 체메트디오프의 진형 깊숙이, 그것도 기함 근처로 와 있다. 일반적인 함대라면 아군 오사의 위험 때문에 포격을 조심하겠지만, 샤다이들은 자기들의 공격에 면역이라 플라스마를 양껏 퍼붓고 있었다.

"다른 놈들은 무시해! 기함만 노려라!"

빈우의 작전에 이끌려 나타난 체메트디오프의 함대는 양과 질 모든 면에서 다른 세력들을 압도했다. 화성의 수도방위 함대와 중앙 함대는 강력하긴 하지만 대 샤다이 무장이 아니어서 화력 면에서 한 수 처지고, 알탄훼아나 측은 입자가속포로 무장했어도 이를 다루는 병력들이 오합지졸이다. 그나마 싸워볼 만한 자들이 비홀더 전대지만, 1전대를 제외하곤 전부 다른 곳에서 샤다이의 준동에 맞서 싸우고 있다. 게다가 화성에 온 1전대는 쿠델카의 술수 때문에 제대로 된 전력이 오지 못한 상태였다. 반면 체메트디오프의 함대는 예상보다 많았다. 빈우가 최악으로 예상했던 것보다 더욱. 그래서 지금까진 여러 세력의 협공에도 우위에 섰던 집정관의 함대였지만, 화성의 궤도 병기가 작동하자 전세가 역전되어버렸다.

"비늘 세워!"

아앤아의 명령에 라출노그 함선의 표면에 있던 작은 추진기들이 마치 비늘처럼 움직여 함체를 정밀하게 제어한다. 그리고 이 함선들이 모여 마치 무리를 지은 물고기 떼들처럼 얽혀서 정밀하게 움직인다. 1척 1척이 거대한 입자가속포이기도 한 포격함들이 때로는 모여서, 때로는 나뉘어서 기동을 한다. 공격할 때는 한꺼번에 모아서 쏘는가 하면, 연이어 쏘기도 한다. 연방의 기술과 라출노그의 전술이 합쳐지자 우월한 기술력을 가진 샤다이 함대들이 터져나간다. 그러나 애초에 숫자 차이가 너무나 명확하다.

"오늘 우리가 여기서 죽어도! 샤다이들과 싸우다 죽어도! 우리 라출노그는 연방에게 빚을 지울 것이다. 연방이 우리의 핏값을 갚게 해야 한다."

연방은 원한은 철저하게 기억한다. 은혜 또한 철저하게 갚는다. 이것이 아앤아가 연방에서의 유학 시절에 배운 것이었다. 그래서 이를 바탕으로 오늘의 작전을 빈우가 권했고, 아앤아는 이를 받아들였다. 연방의 더러운 작전에 휘말려 뭍에 끌려나온 것마냥 말라 죽어가는 자신의 종족 라출노그. 저번에는 샤다이와 손을 잡았다가 연방에게 크게 책을 잡힐 뻔했다. 그러나 오늘의 일로 모든 것이 바뀔 것이다.

'오늘 전투에서 이긴다 해도 빈우는, 그리고 나까지도 연방의 반역자로 죽을지도 모른다. 그러나 이후에 모든 것이 밝혀진다면, 빈우가 조작했던 진실이 밝혀진다면, 오늘 샤다이와 싸우다 죽어간 동포들의 죽음은 결코 헛된 것이 아닐 것이다.'

아앤아는 다시금 공격의 고삐를 쥐었다.

오늘 샤다이를 하나 죽이면 동포 백이 살게 된다. 또한 자신들의 죽음이 종족의 미래를 여는 열쇠가 된다. 그래서 자신의 목숨 따위는 이미 이번 도박의 판돈으로 써버린 지 오래였다.

*

"애매한데."

체메트디오프가 곤란한 표정으로 전황을 살펴보았다. 빈우와의 동맹은 어차피 이해관계에 의해 잡은 손이고, 언젠가는 배반할 관계였다. 그래서 이렇게 돌아갈 것도 진작에 예상은 했었지만, 또 막상 실제로 이렇게 돌아가는 것을 보니 입맛이 더러웠다. 빈우는 궤도 방어 병기를 무력화시키겠다고 했고, 대신 체메트디오프에겐 지구제국과 싸워달라고 했다. 그리고 체메트디오프는 빈우가 화성에서 선조들을 죽이길 원했고, 일을 크게 벌인 뒤 끼어들 타이밍을 재고 있었다. 그래서 둘은 손을 잡았고, 그 계획은 뜻대로 진행되었다.

하지만 지금 궤도 병기가 작동하자 거기에서 뿜어져 나온 화력들이 아군 함대를 휩쓸고 있었다. 전세는 대번에 수세로 바뀌었다.

"저 비겁한 놈이! 애초에 유에네스 따위의 말을 믿는 게 아니었습니다."

부하가 길길이 날뛴다. 유에네스의 함선이 궤도 병기를 작동시킨 다음 전황이 불리하게 돌아갔으니 그럴 법도 하다.

"아니야. 그의 말에 거짓은 없었어. 저건 다른 유에네스의 짓이야."

체메트디오프는 빈우와의 대화에서 거짓을 보진 못했다. 빈우는 직접 자신을 공격할 생각이 없었고, 지금도 그런 적이 없다. 다만 주변 세력들이 독자적으로 움직여 그의 숨통을 노리고 야금야금 다가오는 것이다.

"직접 가야겠군."

집정관의 말에 부하들의 눈이 기이하게 빛났다.

"저쪽 궤도의 방어 병기 말씀이시죠?"

"왜 아니겠나."

체메트디오프의 말에 부하들이 몰려와 그를 말린다.

"기사단을 보내도 됩니다. 지금도 정예 기사단이 저쪽으로 공간이동을 하고 있습니다. 조금만 기다리신다면 해결될 일에 왜 그리 서두르십니까."

"그 공간이동 반응 중에서 이상한 것이 있었어."

체메트디오프가 궤도 병기 관리소 쪽을 가리켰다.

"방금 일어난 공간이동 반응 중에서 하나가 우리 기사단의 반응이 아냐. 알탄훼아나도 아니고. 방식이 서투르다기보다는…… 우리 동포의 것과는 조금 달라. 이러니 어찌 신경이 안 쓰이겠나. 게다가……."

집정관이 가리킨 방향에선 라츌노그 함대가 결사의 각오를 하고 이쪽으로 달려드는 모습이 보인다.

"저 라츌노그 함대가 나타난 공간이동 반응 역시 궤도 병기 쪽에서 일어난 것하고 반응이 비슷해. 그러면 누가 과연 그 공간이동을 했을까?"

체메트디오프의 질문에 부하들의 시선이 서로 교차한다.

"빈우…… 라는 유에네스가?"

하등한 그 종족이 자신들과 같은 공간이동을 했다는 사실에 부하들이 반신반의한다. 그리고 그 모습을 보며 체메트디오프가 크게 웃었다.

"하하하! 딸의 눈을 빼앗아 사용법을 알아낸 자다. 공간이동을 한다 해도 이상할 건 없지 않나."

*

"그 눈!"

찰리하나팔의 눈을 본 마커스가 경악했다.

"그 눈은 어떻게 된 거지?"

마커스가 본 빈우의 마지막 모습은 자신의 눈을 샤다이의 것으로 바꾼 것이었다. 그리고 헤어지기 직전, 친구는 쉬바에 휩쓸려 갉아먹히고 있었다. 그런데 빈우의 눈을 그 클론이 가지고 있으니 놀랄 수밖에.

"뭐 헤어지기 전에 봤지? 그때 빈우가 나에게 눈을 넘겨줬어. 그리고 사용법은, 어떻게든 쓸 수 있더라."

"그럼 빈우는 지금 어디에 있나?"

"주인님은 어떻게 됐어!"

마커스와 아나스타샤가 동시에 찰리하나팔을 닦달하자 클론이 한숨을 내쉰다.

"마커스 씨, 당신 빈우 말 못 들었어? 오지 말라고 했잖아."

"닥치고 대답해."

둘은 말을 주고받으면서도 사방에 대한 경계를 풀지 않고 있었다. 이곳 궤도 병기 관리소를 향한 체메트디오프의 공격이 계속되고 있기 때문이다. 이 병기가 가동한 덕분에 알탄훼아나 측이 고대 함대의 공격을 한결 쉽게 막아 낼 수 있었고, 때문에 체메트디오프 쪽의 보병들은 더욱 집요하게 점프로 침투해 들어오고 있었다.

"나와 아나스타샤를 이곳으로 점프시킨 것은 빈우야. 그리고 빈우는 지금은 근처에서 때를 기다리고 있지. 그건 그렇고, 당신 팔은 어떻게 된 거야?"

찰리하나팔이 가리킨 것은 마커스의 왼쪽 팔이었다. 그 부분은 다른 어벤저의 부위로 끼워놓은 것 같은데, 눈썰미가 좋은 사람이라면 움직임만 보고서 장갑복의 왼팔 안이 비었다는 것을 알 수 있었다.

"……싸우다 해먹었어. 그리고 나를 지키려다 허수아비 하나가 죽었고."

"허수아비? 누구의?"

찰리하나팔이 반문했다. 그냥 죽었다고 하지 않고 군이 허수아비라고 한 것을 보면 조금 특별한 개체였을 것이라 생각한 것이다.

"이노우에 고토."

마커스의 짧은 대답에 찰리하나팔과 아나스타샤의 얼굴이 변한다. 이노우에 고토의 허수아비가 여기 있었다면 이곳에도 그의 손길이 닿았다는 얘기다. 정말 방심할 수 없는 사람이다.

"난 괜찮아. 아나스타샤."

마커스가 아나스타샤에게 웃으며 안심시키려 한다. 그녀는 지금 극도로 불안한 상태다. 자신을 버리고 간 주인이 지금 어떤 상태인지 정확히는 모르지만, 마커스와 클론과의 대화를 보면 썩 좋아 보이진 않은 것이다.

"같이 빈우를 구해서 나가야지."

그 말에 아나스타샤도 마음을 다잡았는지 결연한 표정이 된다. 지금 이 근처에 빈우가 있다고 한다. 그렇다면 그를 잡아서 반드시 구해야 하는 것이다.

"네, 주인님을…… 반드시."

그러면서 아나스타샤도 코일건을 고쳐잡았다.

"이거 참, 빈우 이 새끼 박복한 건지, 복 받은 건지."

찰리하나팔은 통로와 입구에 부비트랩을 설치하면서 둘의 그 모습을 보고는 툴툴거렸다. 그런 클론을 마커스가 쏘아붙인다.

"찰리하나팔. 넌 이 일이 끝나고 체포한다. 알아는 둬."

마커스의 그 말에 찰리하나팔이 멈칫하더니 어이없다는 표정으로 돌아보았다.

"체포한다고? 나를?"

"그래, 이번 사건의 주동자로 체포할 거다. 빈우 대신이 아니야. 너와 빈우, 이번 화성 침공 사건의 주동자는 모조리 체포한다. 그리고 남김없이 법정에 세울 거다. 그리고 적법한 절차에 따라 법의 심판을 받게 할 테다."

주인을 체포한다는 마커스의 말에 아나스타샤는 흠칫했지만 곧이어 납득했다. 수도에 함대와 병력을 끌고 와서 대량학살이라는 끔찍한 범죄를 저지른 빈우다. 이것만으로도 극형은 피할 수 없다. 그러나 현재 연방이 숨기고 있는 진실이 드러난다면, 빈우가 했던 일의 진위가 밝혀진다면 판결이 바뀌는 것은 당연하다. 지금 마커스는 빈우를 자신의 영향력 안에 넣어 보호하려는 생각인 것이다. 하지만 찰리하나팔은 조금 다르게 받아들였다.

"체포? 체포라……."

클론은 그 단어를 중얼거리면서도 자기 일은 확실히 하고 있었다. 하지만 머릿속이 복잡하다. 찰리하나팔, 그는 인간이 아니다. 클론이다. 인권 따위

없기에 재판에 설 권리나 의무도 없다. 그러나 마커스는 그를 사살이나 제거가 아니라, 체포해서 법정에 세운다고 했다. 또 빈우 대신이나 그의 죄를 뒤집어씌운다는 것이 아니라 엄연히 주동자 중의 수괴로 보고 법에 의한 심판을 내린다고 말한 것이다.

'법의 심판.'

심판이란 단어가 클론의 뇌를 자극한다. 찰리하나팔의 심장을 후벼 판다.

'마리 라캉.'

문득 자신이 고문해서 죽인 여인이 떠오른다. 그가 태어나서 저지른 최초의 살인이었다. 하지만 당시의 찰리하나팔은 그것을 정의라 믿고 행했다. 자신의 의무라 믿고 살인을 저질렀다. 실상은 그녀가 샤다이들에게 이용만 당하다 미쳐버려 도망친 불쌍한 피해자임에도 불구하고 찰리하나팔은 마리 라캉을 잔인하게 고문하고 죽였다.

'엘리자베트 허드슨.'

자신이 수면제를 먹여 죽인 여자아이다. 샤다이에 적셔질 뻔한 아이. 그러나 간신히 인간으로 살아남은 아이. 그리고 클론에게 샤다이라고 착각되고 죽은 아이다. 아래층에서 아빠가 고문을 받고 죽었어도, 그를 걱정하던 착한 아이다. 하지만 결국 클론이 만들어준 독약을 먹고 죽었다. 그때부터였다. 그때 즈음해서 찰리하나팔은 자신의 양심이 보내는 환영과 마주했다.

- 지지.

갓난아기의 웃음소리가 들린다. 하비에르가의 막내인 부뉴엘이다. 그 아기가 자신을 향한 총구를 보고 웃는다. 하비에르는 자신의 앞에서 가족들이 몰살당했다. 하지만 아기는 아무것도 모른다. 자신의 가족이 죽은 것도 모르고 살인자의 앞에서 웃고 있다. 그리고 자신이 앞으로 의자에 묶인 채 굶어죽어 미라가 될 것도 모른다.

"아아아."

잊어버렸던 죄책감이 떠오르자 찰리하나팔의 입에서 흐느낌이 나온다. 케트쿤에서 살려달라고 애원하던 클론이 보였기 때문이다. 자크 라캉, 피에르 라캉과 마리 라캉의 아들. 샤다이에게 적셔져 워프 비스트로 변하던 아이. 연방에 사로잡혀 갖은 실험을 당하고 클론이 되어서도 고통받던 아이.

'구하지 못했다.'

찰리하나팔이 이를 악물었다. 빈우와 함께 새로운 결심을 했다지만 과거의 죄는 결코 잊혀지지 않았다.

'심판.'

언제부터인지 찰리하나팔은 자신의 죄를 심판받기를 원했다. 그래서 빈우의 계획에 찬동한 것이기도 했다. 그것이 자신의 속죄라고 생각했기 때문이다. 자신이 저지른 죄에 대한 처벌과 심판, 찰리하나팔은 그것은 오직 죽음이라고 생각했다. 클론인 자신이라면 속죄하다가 죽는 것이야말로 그 죄에 걸맞은 벌이라고 본 것이다. 그러나 마커스는 클론인 찰리하나팔마저 체포해서 법정에 세운다고 했다. 마치 인간처럼.

'마치 인간처럼.'

죄책감과 트라우마에 빠져 허우적거리는 찰리하나팔의 귀에 멍멍한 소리가 들려온다.

"……해!"

급박한 목소리에 찰리하나팔이 귀를 기울이자 큰 소리가 다시 들려온다.

"피해!"

마커스의 고함 소리에 찰리하나팔은 제트팩을 써서 그 자리를 피했다. 덕분에 오른쪽 종아리부터 증발하는 것으로 끝났다. 이어서 마커스가 코일건을 쏘며 외쳤다.

"샤다이다!"

관리소 입구 쪽으로 샤다이들이 쳐들어오기 시작했다. 지금까지 궤도 병기 여기저기 나타난 샤다이들은 각개격파당하거나 해당 구역을 봉쇄하는 것으로 대응할 수 있었다. 그러나 잠시 쉰 다음 다시 점프가 이어지자 그 좌표가 한층 정확해져 이제는 관리소 근처로 바로 점프해 오고 있었다.

"저 새끼들, 끈질긴데?"

찰리하나팔이 입자가속포를 복도 쪽으로 쏘며 피했다. 다행인 것은 샤다이들이 무차별로 공격을 하지 않는 것이다. 이미 궤도 병기가 작동하고 있는이상, 놈들은 이 관리소를 다시 차지해서 공격을 멈추게 해야 하는 것이다.

"안 되겠다. 여차하면 여길 날려버리고 튀자."

찰리하나팔의 말에 마커스가 고개를 끄덕이려다가 멈췄다.

"알탄훼아나 측의 함대는?"

관리소가 파괴되고 피아 식별의 세밀한 설정이 불가능하게 되면 궤도 병기는 기본 설정대로 공격한다. 비상시의 무차별적인 공격. 거기엔 외교사절의 식별기를 단 알탄훼아나의 함대도 포함된다. 인간 외의 함대면 무조건 파괴하는 것이다.

"어쩔 수 없지. 이게 멈춰서 체메트디오프가 날뛰는 것보다는 알탄훼아나까지 쓸어버리는 게 나을 수도 있어."

클론의 말에 인간이 힘겹게 고개를 끄덕인다.

"타이 차관님! 저기."

적들의 공격이 거세지는 가운데 아나스타샤가 소리 질렀다. 그녀가 가리킨 것은 샤다이 기함을 향해 돌진하는 라출노그 함선이었다. 그 모함은 포격함을 모두 잃어버리고 자신의 추진기를 최대한도로 가속해 체메트디오프의 기함에 충돌하려는 생각이었다. 그때 마침 모함의 선수에 그려진 작은 문양이 마커스의 눈에 들어왔다. 사관학교 시절 빈우와 마커스가 만들어서 보내준 문양이다. 그리고 그것을 쓸 자는 이 우주에서 단 한 사람뿐이다.

"아앤아."

마커스의 작고 짧은 목소리와 함께 그 문양이 샤다이 기함 깊숙이 틀어박혔다.

• • • ✦ • • • •

　그러나 마커스는 사관학교 동기의 죽음에 시선을 더 줄 틈이 없었다. 샤다이들이 격렬하게 쇄도해 오고 있기 때문이었다. 이 시설이 지구제국의 것이 아니었다면 진작에 녹아서 터져내렸을 정도의 공격이다. 아니, 그전에 엄폐하지도 못하고 방어 병력들이 증발했을 것이다.

　'어찌 되었건 아앤아가 체메트디오프의 기함을 공격했다. 잘만 하면 놈들의 사령관이 죽었을 수도 있어.'

　마커스는 조금 희망적인 생각을 하며 병력을 지휘했다. 여기까지 오면서 살아남은 것은 자신이 끌고 온 울토르 클론과 이노우에 고토가 보내준 병력들 조금. 원래 궤도 병기에 있던 경비 병력들은 예전에 전멸했고, 더 이상 지원 병력이 올 가능성도 없다.

　'수도방위 함대는…… 무리군.'

　화성의 수도방위 함대에도 장갑보병들은 있다. 그러나 그쪽은 지금 궤도상에서 함대전을 하느라 다른 곳에 신경을 쓸 여력이 없고, 설령 짬을 내어 궤도 방어 병기 쪽으로 지원 병력을 보낸다 해도 이 치열한 포화 속에선 제대로 엄호할 수도 없다. 이 방어 병기에 마지막으로 온 지원군이라곤 친구의 클론인 찰리하나팔과 보모였던 아나스타샤 둘뿐. 그러나 아나스타샤는 간신히 한 사람 몫을 할 뿐이고, 찰리하나팔은 빈우와 대등한 실력을 가지고 있지만 아까 이상한 행동을 하다가 다리 하나를 날려먹었다.

"빈우는 언제 온대?"

마커스가 코일건을 난사하며 물었다. 기함이 당했어도 샤다이들의 공세는 전혀 늦춰지지 않았다.

"때 되면 오겠지."

찰리하나팔도 열심히 쏘면서 대답했다. 이제는 제정신을 차린 것처럼 보였다.

"계획 꼬라지 봐라. 근데 빈우가 너희를 왜 여기로 보낸 거야?"

코일건을 조금 갈기니 대번에 플라스마가 반격으로 쏟아진다. 둘은 몸을 숨긴 다음 수류탄을 던졌다. 잠깐의 폭발과 찰나의 소강 상태에서 찰리하나 팔이 코일건을 쏘면서 외쳤다.

"원래 나만 오기로 되어 있었어. 네 지원군으로. 근데 아나스타샤 쟤는 그냥 따라온 거고."

"지원군? 입자가속포 하나 없이?"

이번엔 마커스가 대 샤다이용 미사일을 쏘았다. 재돌입으로 설정된 탄두들이 리퍼들의 장갑에 부딪힌 다음 취약 부위로 파고 들어가 내부를 갈아버린다.

"어벤저로 쓰기는 아직 무리. 위은쌀납학 정도의 크기가 되어야 부작용을 버티지."

둘은 주거니 받거니 하면서도 공격을 퍼부어 리퍼들을 하나둘씩 쓰러뜨렸다. 궤도 방어 병기 내부는 샤다이의 공격마저 버티는 재질이라 아무리 리퍼라고 해도 막무가내로 밀고 들어오긴 힘들었다.

"좋아, 그건 그렇다 치고. 그럼 빈우는 지금 어디서 뭐 하고 있는데?"

마커스가 내열 방패를 들고 달려나가서 쓰러진 리퍼 하나를 잡고 일어섰다. 그리고 놈을 방패 삼아 리퍼들의 플라스마를 막아낸다.

"글쎄다? 있어야 할 곳에 필요한 시간에 오겠지?"

찰리하나팔이 얼른 달려와 마커스의 뒤에서 코일건을 쏜다. 달려들던 리퍼의 무릎에 텅스텐 탄자가 꽂히고, 그 충격에 놈이 넘어지자 마커스가 달려가서 녀석의 목 뒤에 진동 나이프를 꽂아 넣었다. 그리고 놈이 버둥거리자 찰리하나팔이 나이프를 거세게 짓밟아 놈의 목을 날려버린다.

"잠깐."

발을 치운 찰리하나팔이 마커스를 잡고 뒤로 끌었다.

"무슨 일이야?"

마커스는 순순히 따라가면서 물었다. 찰리하나팔이라면 빈우의 클론 중에서도 특제품. 그 실력과 안목은 원본과 동일하다. 그가 뭔가 눈치챈 것이라면 빈우 또한 경고했을 정도의 위험한 것이다.

"저쪽에서…… 온다."

지금 찰리하나팔의 눈에는 알탄훼아나의, 샤다이의 안구가 끼워져 있다. 그래서 인간이나 인류의 기술로는 탐지할 수 없는 것을 볼 수 있었다.

"뭐가 오는 거지?"

마커스가 복도 너머를 코일건으로 겨눴다. 그러나 대답은 한 타임 늦었고, 적들의 반격 또한 알 수 없는 이유로 잦아들었다.

"……체메트디오프."

찰리하나팔의 때늦은 대답에 마커스는 마른침을 삼켰다. 체메트디오프라면 샤다이의 집정관이자 지금 화성을 공격하고 있는 고대함대의 지휘관이다. 그런 놈이 이곳 궤도 방어 병기에 직접 왔다니 놀랄 수밖에.

"아까 라출노그의 공격에 당한 모양이야. 이곳에서 부하의 몸으로 다시 부활했다."

"뭐? 부활?"

의미 모를 단어에 마커스가 되묻지만 찰리하나팔의 대답은 없었다. 그저 조심스레 코일건을 겨누고 뒤로 물러설 뿐이었다. 그러나 그 모습에서 마커스는 그가 누군가와 통신을 하고 있다는 것을 알 수 있었다. 그리고 그 통신 대상자는 빈우가 분명했다.

"빈우냐? 빈우하고 얘기하는 거야?"

마커스의 물음에 찰리하나팔이 천천히 고개를 끄덕였다.

"그래, 계획을 진행하겠대. 놈이 여기 왔다니까 어찌저찌 함정에 빠진 셈이지. 문제는 그 함정에 우리도 들어 있다는 거라 조금 X 같지만."

"함정? 체메트디오프를 여기로 유인하는 게 원래 계획이냐?"

이번엔 클론의 고개가 좌우로 작게 돌아갔다.

"아니, 한 놈만 걸려봐란 식으로 이것저것 여러 개 만들어놨다. 알잖아?"

무슨 뜻인지 마커스도 안다. 매복이나 함정은 하나나 둘 가지고는 소용이 없다. 되도록 많이 만들어놓고, 상황과 상대의 반응에 따라 임기응변으로 대응하는 것이다. 마치 사다리 타기처럼 여러 개의 갈림길에 여러 개의 답이 준비된 형식이다. 찰리하나팔의 말은 그 길의 끝이 보이기 시작함을 의미한다.

"망했군. 벗어!"

갑자기 찰리하나팔이 서둘러서 장갑복을 벗기 시작했다. 마커스도 순순히 장갑복을 벗었다. 이유는 묻지 않았다. 빈우나 찰리하나팔 같은 베테랑을 바로 따르는 것이 생명 연장에 유리하다. 아니나 다를까, 장갑복을 채 벗기도 전에 동력이 꺼져버렸다. 코일건도 마찬가지다. 지구제국의 기술력으로 만든 이곳 시설은 아직 작동하고 있지만, 인류 연방의 장비들은 모조리 무력화되어버렸다.

"이게, 그건가."

이 현상은 마커스도 보고서로 본 것이다. 빈우가 워프 비스트가 되길 결심했던 원인. 마치 발 가르단 하스의 관리인들처럼 전자기력을 사용하는 회로나 장비들을 전부 무효화시키고 있었다. 이들의 장갑복은 당연히 대 EMP 처방이나 방전, 절연 등에 철저했지만 그 어느 대처도 효과가 없었다. 회로가 나가고 동력이 사라진다.

"아나스타샤!"

마커스가 뒤를 향해 소리를 쳤지만 대답은 없었다. 울토르 클론들이 강제

로 장갑복을 벗으며 나오고 있었지만 아나스타샤가 입은 어벤저는 그대로
굳어 있었다.

"아나스타샤!"

하지만 마커스는 소리만 지를 뿐, 움직일 수가 없었다. 마침내 복도 저편
에서 폭연을 가르며 리퍼 무리가 다시 나타난 것이다. 그리고 그 앞에는 체메
트디오프가 서 있었다.

*

"각하, 괜찮으십니까?"

옆에 있던 부하의 질문에 체메트디오프가 머리를 휘휘 저었다. 예전과는
달리 몽롱한 기운이 여간해선 잦아들진 않고 있었다. 요 근래 부활이 너무 잦
았던 탓인지도 모르겠다.

"으음, 아직도 조금 멍하군."

체메트디오프의 기함은 방금 아앤아의 마지막 일격에 당해 사령실이 통
째로 날아가버렸다. 함 자체는 아직 움직이고 싸울 수도 있지만, 머리가 당한
격이다. 라츌노그의 함대라고 방심한 것이 원인이었다. 그래도 큰 피해는 아
니었다. 애초에 함대의 지휘는 다른 부하들에게 맡겨놓고 있었으니 기함이
당해도 전투에 차질은 없었다. 그리고 어차피 이 화성의 방어 병기 내부에 오
기로 마음을 먹었으니, 살아서 오나 죽어서 부활하나 체메트디오프에겐 결
과적으로 같았다.

"그럼 가볼까?"

체메트디오프가 부하들을 앞서나가려 하자, 주변에서 우르르 달려들어 그
의 앞을 막았다.

"제발 자중하십시오. 유에네스의 지휘관들은 보통 실력자가 아닙니다."

이곳 화성 궤도 방어 병기에 침입한 샤다이들은 체메트디오프가 엄선한

병력들로 그야말로 정예 중의 정예다. 그럼에도 불구하고 그들이 입은 피해가 상당했기에 이렇게 집정관을 말리는 것이다. 이 친위대들은 병기 내부의 정확한 좌표를 선정할 수 없어서 이곳저곳 떨어졌지만, 그것을 감안해도 피해는 컸다.

"보통 실력자가 아니라……. 나도 보통은 아니네만?"

체메트디오프는 웃으면서 자신의 능력을 발동했다. 발 가르단 하스로부터 훔쳐 온 기술로서 유에네스의 기술 근간이 되는 것 중 전기와 자기, 이것들을 무력화시키는 것이다.

"오오, 역시."

상대 쪽의 동력 반응이 사라지는 게 느껴진다. 그리고 그 파장이 그들의 눈에도 보인다. 샤다이의 눈은 인간과는 다른 스펙트럼을 본다.

"이제 가지."

하등한 종족이 무장해제인 상황에 이쪽이 무기를 들고 덤비는 것은 그닥 내키는 일이 아니지만, 사안이 사안이라 그것을 신경 쓰는 이는 없었다.

"헉!"

그때 뒤쪽에서 외마디 소리와 함께 뭔가 부서지는 소리가 났다. 그 소리에 놀란 친위대들이 행여 유에네스의 기습인가 싶어 검을 겨누고 돌아선다.

"어?"

하지만 돌아선 이들은 소리의 정체를 알고는 의아한 표정을 지었다. 거기엔 동포가 있었다. 누가 봐도 동포인 존재가 친위대 기사를 깔아뭉개고 공격을 하고 있었다.

"당신 어디 소속의 누구야, 당신은 대체 누구길래 이런―."

경계를 하며 나선 기사는 말을 제대로 마칠 수 없었다. 그도 동포에게 공격받은 것이다. 맞고 날아가 천장에 부딪힌 그 기사는 떨어지면서 불청객에게 검을 휘둘렀지만, 별 심장의 불길은 동포에겐 통하지 않는다. 떨어진 그는 동포에게 잡혀서 갈기갈기 찢겨 죽어갔다.

"각하를 지켜!"

"각하! 물러나십시오!"

갑자기 나타난 반란자의 등장에 기사단들이 경악하며 체메트디오프를 호위한다. 그리고 새로이 나타난 미친 동포를 상대로 싸움을 벌였다.

*

\- **전단장!**

전투 준비를 하던 이 섬의 옆에 통신화면이 뜨며 메이화가 나타났다.

\- **하명하십시오. 함장님.**

이 섬은 지금 체메트디오프의 기함으로 침투하고자 준비하던 중이었다. 체메트디오프의 함대가 궤도 방어 병기를 노리기 위해 진형을 기울인 지금이 기회였다. 방어 병기 쪽으로 화력이 집중된 만큼 놈들의 옆이 늘어난 것이다. 알탄훼아나의 파벌과 연방의 함대가 방어 병기를 지킬 때, 비홀더 전대는 그 늘어진 틈을 비집고 들어가려 했다. 게다가 갑자기 나타난 라출노그 함대가 내부를 교란하고 있는 지금이 공격할 최적의 타이밍이었다.

\- **지금 즉시······ 궤도 방어 병기 쪽으로 가세요.**

그러나 샹 메이화 함장은 영 다른 명령을 내렸다. 그리고 무슨 이유에서인지 부들부들 떨고 있었다. 그녀는 기함의 함장이지만 제국 황제의 페르소나 중 한 명이고, 전대장인 이 섬의 어머니이자 스승이기도 했다. 그녀는 자신이 알아낸 사실로부터 답을 추리해내고는 전율하고 있었던 것이다.

"방어 병기 쪽, 말씀이십니까?"

이 섬이 시선을 그쪽으로 돌렸다. 과거 제국이 태양계 각 행성을 지키기 위해 만들었던 행성환 형태의 병기들. 그러나 제국의 병기임에도 불구하고 루비콘 라인 바깥을 돌아다니는 비홀더 전대에게는 이것에 접속할 권한이 없었다. 그래서 빈우에 의해 체메트디오프 함대를 공격하지 않도록 설정되어도 비홀더 전대 쪽에선 딱히 손쓸 방법이 없었던 것이다.

"음, 연방의 함선 몇 척이 그쪽으로 간 다음 병기가 제대로 작동했지요. 그 덕에 전세가 확실히 유리하게 돌아갔습니다. 그리고 이 때문에 샤다이 놈들이 보병들을 병기 쪽으로 투입하는 것이 느껴지긴 합니다만……."

지금도 다수의 샤다이들이 공간이동으로 궤도 방어 병기 내부에 침투하는 것이 보인다. 궤도 방어 병기를 점거해서 그 작동을 멈추려는 심산이다. 그렇다고 해서 지금 방어 병기를 지키러 가는 것은 시간상 애매하다. 오히려 정체불명의 라출노그 함대가 갑자기 나타나 길을 터주고 있는 지금이야말로 비홀더 전대가 돌입해서 체메트디오프를 사로잡고 지휘관 계급들을 모조리 도륙할 기회인 것이다.

- 라출노그들이 나타난 것은 분명 빈우의 소행입니다. 그가 공간이동시킨 게 분명해요.

메이화 함장이 말했다. 그것은 이 섬도 짐작한 바였다. 빈우는 샤다이의 눈을 가져갔으며, 그것을 사용하면서 점차 샤다이의 능력을 사용할 수 있게 되었다고 했다. 그러니 그가 샤다이의 공간도약 능력을 쓴다 해도 섬은 그럴 법하다고 생각했다. 하지만 그 대가로 그의 육체에 일어난 침식과 변이는 상당할 것이다. 아마 샤다이의 능력을 쓰면 쓸수록 그만큼 인간의 형체가 사라져갔을 것이다. 육체든 정신이든. 어쩌면 화성 지상에서 갑자기 나타난 워프비스트처럼 변했을지도 모르는 노릇이다.

- 김빈우는…… 쉬바를 자신에게 썼어요. 그리고 스스로가 쿠델카의 기사가 되었습니다. 지금 그는 쿠델카의 대리인이란 말입니다.

메이화의 말에 이 섬의 눈매가 사납게 일그러졌다. 오염되고 더럽혀진 인간을 제국 정예병으로 만들어주는 쉬바. 그것은 인간이 아니게 된 인간을 다시 버무려 인류를 위해 싸우는 전사로 만든다. 빈우가 쉬바를 자신에게 썼고, 그것이 작동했다는 의미는 이미 빈우의 육체나 정신이 인간이 아니게 되었다는 의미다.

"쿠델카."

비홀더 1전대장의 으르렁거림이 나직이 새어나온다. 쉬바에 의해 다시 창조된 제국의 병사는 가까이에 있는 황제 페르소나의 관리하에 들어가게 된다. 그러니 태양계 내부에서 쉬바에 의한 병사가 만들어졌다면, 그것은 쿠델카의 영향하에 들어갈 가능성이 다분하다.

"알겠습니다. 지금 즉시 김빈우를 치도록 하겠습니다."

섬은 즉시 목표를 바꾸었다. 쿠델카 역시 황제의 페르소나 중 하나다. 하지만 그녀는 자신의 자유를 위해 자신을 속박하는 인류를 멸하려 하는 미친 존재다. 다행히 쿠델카는 현재 점프 공간 안에서 정보체로만 존재하기 때문에 외부에의 영향력은 미미하다. 그러나 메이화의 말에 의하면 지금 그녀에게 직속 병력이 생겼다고 한다. 자신이 직접 키워서 버려낸 칼날인 빈우가 미친 황제의 페르소나의 제1기사가 되고만 것이다.

'김빈우.'

이 섬은 예전에 빈우를 만났던 기억을 떠올렸다. 육체나 무장은 둘째 치고서라도 그 정신이나 능력만큼은 놀랍도록 비범한 자였다. 그런 그가 쿠델카의 기사가 되었다면 골치 아프다. 물론 이 섬 자신처럼 처음부터 황제의 기사가 된 자가 아니라 쉬바에 의해 변이된 존재기 때문에 다소의 손색은 있을 것이다. 그러나 그 영향력이 문제다.

'놈의 무서움은 육체적인 전투력이 아니야.'

빈우가 쿠델카의 기사가 되었다면 지금 화성에 있는 제국 시절의 유산들이 빈우의 직접적인 명령하에 들어갈지도 모를 노릇이다. 그리고 그것으로 빈우가 과연 무엇을 할까. 지금도 화성 지표에 벌어진 일을 보면 기가 막힌다. 그는 단신으로 외계 병력을 규합하고, 음모를 짜고, 샤다이의 능력을 발현시켜 화성을 습격한다는 계획을 실현해냈다. 지금 미리 싹을 밟아놓지 않는다면 혼란의 구렁텅이가 된 화성에서 어떤 사태가 벌어질지 모른다. 이 섬은 부하들을 이끌고 궤도 병기로 발사될 준비를 마쳤다.

• • • ✦ • • •

피와 살점이 날뛴다. 기합과 비명이 달린다.

"아악!"

체메트디오프의 정예 병력들이 단신으로 덤벼든 동포와 맞선다. 그러나 다들 얼마 버티지 못하고 배반자의 공격에 고기 조각이 될 뿐이다.

"각하! 피하십시오!"

집정관의 친위기사들이 그렇게 말하지만 어디로 피할까. 다시 공간이동으로 날기엔 아직 시간이 부족하다. 뒤에서는 배반자 동포가 덤벼들고, 앞쪽의 관리소에는 무장해제된 유에네스들이 있다. 몇몇이 길을 트기 위해 그쪽으로 이동했다가 숨겨진 폭탄과 미사일에 당했다. 그래도 이전에 비해선 훨씬 약해진 화력이다.

"길을 뚫어라!"

어차피 뚫어야 할 곳이고, 체메트디오프가 자신의 능력으로 무력화시킨 놈들만 남아 있다. 지금의 전력이라면 가볍게 밀고 갈 수 있을 터였다.

"크억!"

그러나 기습을 가한 동포의 속도가 너무 빠르다. 이들이 앞으로 가는 속도보다 뒤에서 따라오는 놈의 속도가 더 빨랐던 것이다. 물론 이 친위기사들은 만약의 사태를 대비해 별 심장의 불길이 통하지 않는 동포와의 싸움도 염두에 두었기에 다른 무장도 챙겨왔다. 그러나 그것을 사용하고 있음에도 불구하고 저자에겐 버텨낼 도리가 없었다.

"각……하."

기사 한 명이 잡혀 등이 뜯겨나간다. 그리고 그 뜯긴 장갑으로 배반자의 잘린 손이 들어간다.

"커ー어ー으그르윽."

비명이 새어나오던 입에서 피와 살점이 부글거리는 소리가 나며 기사의 얼굴이 흉측하게 변한다. 그리고 그 기사의 몸은 통째로 배반자의 팔이 되었다. 집정관의 친위기사들이 달려들어 잘라냈던 배반자의 한쪽 팔, 그 잘린 팔이 기사의 몸에 붙자 그의 몸이 그대로 비틀려 배반자의 팔로 변형되고 재생되었다.

"물러서지ー으아악!"

귀찮은 타이밍에 관리소 안에서도 공격이 날아온다. 아까보다 약해진 공격이라고는 하나 지금의 상황에선 치명적이다.

"자네는…… 자네는 대체 누구지?"

체메트디오프가 얼이 빠진 목소리로 물었다. 그의 눈엔, 그리고 샤다이의 눈엔 일행을 덮친 동포가 보인다. 파장이나 발산하는 에너지는 분명 동포의 것이다. 그러나 그 행동은 분명 이상했다.

'내가 뭘 놓치고 있지?'

문득 불길한 생각이 떠오른 체메트디오프는 시야를 달리했다. 평상시처럼 전자기장으로 상대의 파장이나 신경계의 흐름을 위주로 파악하는 것이 아니라 순수하게 반사된 광선만 인식하도록 했다.

"아아."

마침내 체메트디오프가 탄성을 냈다. 감각을 바꾸자 시야가 탁 트인 기분이다. 그리고 의문 또한 풀렸다. 상대방은 자신이 발산하는 파장을 의도적으로 바꾸어 눈속임을 한 것이다. 단순하지만 정말 절묘한 속임이었다. 만약 이 속임수가 아니었다면 그의 기습은 이렇게 효과적이지 못했을 것이다.

"하하, 자네였구만."

의문에 대한 해답과 자신의 앞날에 대한 답을 얻어서 웃고 있는 체메트디오프의 얼굴에 빈우의 공격이 꽂혔다.

*

"저쪽에서 뭔 난리가 났는데."

마커스가 미사일을 수동으로 쏘면서 말했다. 동력이 나갔어도 대응할 방법은 있다. 장착된 수류탄들은 이런 상황에선 기계식 신관으로 작동한다.

"뻔하지. 빈우다. 그놈 말고 이런 짓 할 놈이 더 있나?"

찰리하나팔이 녹아서 날아간 다리에 지지대를 박으며 일어섰다. 그리고 뒤를 돌아보았다. 거기엔 동력이 꺼져 마치 잠든 것처럼 조용히 누운 아나스타샤가 있었다. 급히 장갑복을 벗기고 꺼냈지만, 그녀에게도 체메트디오프의 능력이 닿았는지 예전처럼 꺼진 상태가 되어 있었다.

'한시름 돌렸나.'

찰리하나팔은 사지로 가려던 순간 자신에게 따라붙은 아나스타샤를 보고 기겁했다. 그녀가 빈우에게 있어 어떤 존재인지 그는 누구보다도 잘 알고 있었다. 빈우는 최악의 경우에 아나스타샤를 찰리하나팔에게 부탁한다고 말했지만, 그게 택도 없는 소리란 것은 아까 증명이 되었다. 아나스타샤는 한 번 보는 것만으로 주인과 클론을 구분했다. 어찌 되었건 빈우가 지금 기습에 성공해서 이쪽으로 오고 있으니, 그녀를 무사히 주인에게 돌려보낼 수 있게 되어 찰리하나팔은 마음의 짐을 하나 내려놓았다.

"주인님?"

그때 아나스타샤의 눈이 떠졌다. 아마 지금의 공격으로 체메트디오프의 영향력이 사라진 듯하다. 그리고 안드로이드의 눈이 찰리하나팔을 향하더니 잠시 응시했다.

"주인님?"

기대와 환희가 벅차오르는 시선이다. 그러나 그녀의 열망은 찰리하나팔의 미소를 보고선 금세 가라앉았다.

"주인님은?"

온도 차가 극심한 차가운 시선이 클론을 올려다본다.

"매정하긴. 빈우는 저기서 오고 있어."

찰리하나팔이 엄지로 뒤쪽을 가리키자 아나스타샤가 벌떡 일어났다.

"야, 조심해. 아직 샤다이들이 —."

그의 말이 채 끝나기도 전에 복도 저 너머에서 샤다이 하나가 날아온다. 놈은 관리소 안 바닥에 부딪혀 푸른 피를 흩뿌리며 데굴데굴 굴렀다. 그리고 그 위로 무언가가 날아와 짓밟았다.

"아아아아 —!"

체메트디오프는 산 채로 사지가 뜯겨나가는 고통에 비명을 질렀다. 빈우는 그를 죽일 생각이 없었다. 고통을 줄 뿐이다. 육체적인 고문뿐만이 아니다. 체메트디오프의 정신으로도 빈우의 정신이 연결되었다. 마치 인류가 두뇌 칩으로 서로의 정보를 교환하듯, 샤다이의 능력을 얻은 빈우가 체메트디오프의 뇌에 직접 연결해 자신이 겪었던 고통과 상처를 그대로 퍼붓고 있었다.

"어거억. 어억!"

푸른 고깃덩이가 된 체메트디오프가 빈우의 손에 들려 움찔거린다. 지금 그는 육체의 고통 때문에 뇌가 쇼크로 터지기 직전이다. 그것에 더해 빈우가 겪었던 PTSD들이 마치 낙인 찍듯이 샤다이 집정관의 뇌에 쑤셔 박힌다. 원래대로라면 불가능한 일이다. 체메트디오프의 정신세계는 다른 동포의 뇌를 그대로 빼앗을 만큼 굳건하다. 그러나 만신창이가 된 그의 육체는 한계에 달했고, 새로운 육체를 가진 빈우의 능력은 이전에 비해 더욱 강해졌다.

'고통.'

빈우가 겪었던 기억들이 들어온다. 어머니가 눈앞에서 죽었던 기억, 막내 아우가 죽었던 기억을 비롯해 그가 쿠델카에 의해 겪었던 고통들이 흘러들어온다. 단순히 기억이 아니다. 그 일로 인해 겪었던 빈우의 고통들이 그대로 체메트디오프에게 전해지고 있었다.

'설마!'

체메트디오프는 빈우가 무엇을 하려는지 깨달았다. 이것은 단순한 고문이 아니었다. 그는 명확한 목적을 가지고 집요하게 공격하고 있었다.

'……계단!'

빈우는 자신의 몸에 계단의 마지막 부분을 만들려는 것이 분명했다. 그러면 이 체메트디오프의 육체는 추악한 괴물이 되고 정신은 넝마주이가 되어 더 이상 동포의 몸을 빼앗아 부활하지 못한다. 아니, 그보다 체메트디오프는 자신의 몸에 그 구역질 나는 선조들이 내려오는 것을 참을 수 없었다.

'안 돼.'

그러나 이젠 비명조차 나오지 않았다. 그의 기도에선 그저 피거품이 뻐끔거리고 있다. 다 죽어가는 집정관의 육체와 엉망진창이 된 정신에 유에네스의 흉터가 차곡차곡 쌓여간다. 마음의 상처가 만든 흉터들. 자신이 더 이상 자신이 아니게 된 원인들이 켜켜이 올려진다. 어찌 한 개인에게 이 정도의 상처가 있을까 싶을 정도다. 분명히 쿠델카가 어르고 달래가며 일으켜세운 덕일 것이다. 정신적으로 죽어가던 빈우를 억지로 되살려가며 채찍질한 결과다. 그리고 빈우의 그 많고 많은 고통의 흔적들이 체메트디오프의 정신세계에 쌓여 마침내 계단이 만들어졌다.

'그만둬.'

그리고 완성된 계단을 통해 선조들이 내려온다. 체메트디오프는 비명을 지르고 싶었지만 이미 그에게 입은 없었다.

'그만!'

분명히 쿠델카가 막고 있어야 할 계단에서 자신들을 버리고 도망쳤던 선조들이 내려와 그의 몸으로 들어온다. 체메트디오프는 분노와 공포에 휩쓸렸다. 비겁자들, 도망자들, 자식과 가족을 버리고 떠났던 쓰레기들이 망가진 자신의 몸에 허겁지겁 들어와 여기저기 자리 잡는 게 느껴진다. 놈들은 체메트디오프의 기억과 정보를 그 더러운 손으로 만지작거리고, 집정관의 몸을 자신의 집으로 삼으려 두리번거린다.

'그만해 —!'

그러나 체메트디오프는 막을 수가 없었다. 육체와 정신 모두 빈우에 의해 만신창이가 되었기 때문이었다. 이제 그는 불구가 된 채 자신의 집이 부서지는 것을 보고만 있어야 했다. 그의 기억이, 추억이 짓밟힌다. 의무가, 명예가 찢겨 흩날린다. 게걸스런 선조의 몸짓에 밀려 넘어진 체메트디오프의 위로 다른 선조들이 달려든다. 제대로 내려오지 못해 미쳐버린 선조들은 그들을 증오하는 후손의 정보를 뜯어먹기 시작했다.

"이런 씨발."

마커스가 저도 모르게 욕을 했다. 그만큼 눈앞에 펼쳐진 광경이 구역질 나기 때문이었다. 푸른 고깃덩이가 꿈틀대더니 변하기 시작했다. 마치 살기 위해 발버둥 치는 듯한 마지막 몸부림이 보는 이로 하여금 그의 고통을 체감케 했다. 그러나 그 몸짓도 잠시, 추악한 변이가 시작되었다. 먼저 촉수가 튀어나왔다. 이어서 가시가 솟구치고 이빨이 돋아난다. 마지막으로 뿔이 자라고 눈이 튀어나온다. 워프 비스트다. 샤다이였던 고깃덩이가 워프 비스트로 변한 것이다.

"캬아아 —!"

워프 비스트가 소리를 질렀다. 그러나 그것은 단말마였다. 워프 비스트는 나타나자마자 그대로 찢겨지고 으깨져 죽고 말았다. 체메트디오프는 산 채로 고통을 받아 워프 비스트가 된 다음, 다시 고통을 받으며 잔인하게 죽은 것이다. 그 워프 비스트를 으깬 것은 태아였다. 아니, 태아의 형상을 한 커다란 괴물이었다. 마치 엄마의 뱃속에서 죽어서 태어난 듯, 마르고 뒤틀린 팔다리를 한 거대한 태아가 워프 비스트였던 것을 무참하게 짓이기고 있었다.

"으으응—."

마침내 워프 비스트였던 것이 그저 핏물 조각이 되자 흥미를 잃은 듯, 태아 모습의 흉물이 옹알이를 한다. 흉물의 시선이 이리로 향하자 천하의 마커스와 찰리하나팔도 순간 움찔할 수밖에 없었다. 그만큼 둘의 앞에서 일어난 사건과 형상이 충격적이었던 것이다. 그러나 그 흉물의 시선은 둘을 향하고 있지 않았다. 더 뒤를 보고 있었다. 흉물은 두 사람 뒤의 아나스타샤를 보고 있었던 것이다. 그것을 눈치챈 둘은 무심결에 모여 자신들의 몸으로 아나스타샤를 가렸다. 그녀를 지키기 위해서. 그러나 그것과 동시에 태아 모습의 괴물이 손을 들어 자신의 눈을 가렸다.

"주인님?"

뒤에서 들려온 아나스타샤의 목소리에 둘은 전율했다. 그녀가 주인이라고 부를 존재는 우주에서 단 하나뿐이다. 그들의 친구이자 원본이 되는 자다.

"주인님이죠? 맞죠? 그렇죠?"

아나스타샤가 둘의 어깨를 비집고 나와 앞으로 나섰다. 누가 먼저랄 것도 없이 찰리하나팔과 마커스의 손이 나가 아나스타샤를 잡았다. 그러나 그녀는 그 손을 뿌리치고 앞으로 나갔다. 그 앞에 자신의 주인이 있었다.

"아아, 주인님."

아나스타샤는 기억하고 있었다. 어릴 적의 빈우는 큰 잘못을 저질렀을 때, 눈을 꼭 감고선 손을 들어 자신의 눈을 가렸었다. 그는 뭣 때문에 눈을 가렸을까. 자신이 저지른 잘못을 보기 싫어 가렸을까, 아니면 자신을 혼내는 아나스타샤가 무서워 가렸을까. 물어보면 모른다는 대답뿐이었다. 다 컸을 때 물어보면 기억이 안 난다고 얼버무렸다. 그러나 아나스타샤는 알고 있었다. 도련님은 자기 자신을 보기 싫었다. 잘못을 저지른 자신을 숨기고 싶었다. 아무도 자길 보지 않길 원해서 눈을 가린 것이다. 마치 자신이 보지 않으면 세상이 없어지는 것처럼 말이다.

"보지 마—."

흉물의 입에서 말소리가 새어나온다. 빈우의 것이 아닌 목소리다.

"괜찮아요. 괜찮아요. 나을 수 있어요. 제가 낫게 해드릴게요. 주인님."

그러나 아나스타샤는 아랑곳없이 괴물을 향해 걸어갔다. 그녀가 계속해서 다가오자 괴물이 뒤로 물러선다.

"오지 마—."

"자, 겁먹지 마세요. 전 도련님 편이에요. 제가 도련님 곁에 있을게요. 생각해보세요. 그때도 나았죠? 그죠?"

계속해서 뒤로 물러서는 괴물. 그런 빈우의 곁으로 아나스타샤가 조심조심 다가간다.

"착하죠, 우리 도련님. 자, 이리 오세요. 응, 옳지옳지. 이리로."

아나스타샤가 어르고 달래자 빈우의 뒷걸음질이 점차 느려지고, 조심스레 다가간 아나스타샤가 마침내 빈우의 손가락을 잡았다. 체메트디오프의 피와 살점이 묻은 손가락이다.

"에헤헤, 잡았다아."

마치 어릴 적 술래잡기 하던 도련님을 잡았을 때의 미소가 아나스타샤의 얼굴에 퍼져나갔다. 비슷한 뒤틀림이 흉물의 입가에 희미하게 걸린다. 그와 동시에 관리소의 벽이 관통되며 공격이 쏟아져 들어왔다. 흉물로 변한 빈우의 몸에 구멍이 뚫리며 옆으로 쓰러진다.

"도련님!"

비명을 지르는 아나스타샤를 찰리하나팔이 안고 굴렀고, 그 위로 검이 지나갔다. 희미한 지구제국의 중성미자 검이다.

- **반역자들을 죽여라!**

이 섬의 목소리와 함께 비홀더 1전대원들이 관리소를 부수며 들어오고 있었다. 마커스의 명령에 다시 완전무장한 울토르 클론들이 뛰쳐나간다.

- **인류를 위하여!**

노노무라 요시오 상사가 양성자 포를 쏘자 완전무장한 어벤저들이 섬광만을 남기고 흔적도 없이 사라졌다.

- **평화를 위하여!**

낭소로호 중위가 중성미자 검을 휘두르자 그 궤적에 걸린 장갑복들이 희미해지더니 물질 붕괴가 일어나 그대로 분해된다.

- **모두 죽여라.**

이 섬이 검을 들고 바닥에 쓰러진 빈우를 향해 다가갔다.

이 섬은 중성미자로 이뤄진 검을 들고 빈우의 앞에 섰다. 정확히는 쉬바에 의해 변이된 빈우다. 쉬바는 대상의 육체를 변이시키지만 그 변이의 기본이 되는 육체의 영향은 그다지 받지 않는다. 단 이런 변이 과정 중에 대상의 감염된 의식을 감지한 다음 이를 극복해서 재구성된 형태에 반영하기 때문에, 쉬바에 의해 탄생된 비홀더 전대원들은 자신의 트라우마나 콤플렉스가 외모에 나타나는 경우가 있다. 그러나 아무리 그래도 이런 경우는 없었다.

"어찌 이런 흉한 모습이……."

비홀더 1전대장이 흉측하게 변한 빈우의 모습을 보고 입술을 짓씹었다. 한때 자신이 그토록 칭찬해 마지않았던 엘리트 장교가 지금은 거대한 태아 형태의 괴물이 되어 있는 것이다. 그것도 죽어서 말라비틀어진 태아의 시체 형상이다. 대관절 어떤 정신 상태를 가지면 이런 모습으로 재구성될지 이 섬은 짐작조차 하기 힘들었다.

'쉬바가 반응할 정도의 신경 반응계라면 이미 인간을 벗어난 존재다. 그런 자들을 보충병으로 받았던 적이 있긴 하지만 이렇게까지, 아니, 애초에 정상적인 인간의 형상을 벗어난 경우는 한 번도 없었다. 도대체 빈우는 어째서 비정상적인 사고체계를 가지게 되었으며, 또 어떻게 이런 —'

그의 생각이 채 여물기도 전에 빈우의 공격이 시작되었다. 마치 워프 비스트처럼 변이된 육체에서 플라스마가 뿜어져 나온다. 그러나 고작 그 정도로는 비홀더 전대의 장갑복에 상처를 줄 수 없다.

"소용없는 짓을."

그 소용없는 짓을 하는 것은 빈우뿐만이 아니다. 관리소 안에 있던 인류 연방의 병력들도 갑자기 쳐들어온 비홀더 전대에 대응해 즉시 반격했다. 아무리 인류 연방과 지구제국 간의 관계가 암묵적인 동맹관계라고는 하지만, 저쪽이 먼저 공격해 온 마당이라 이쪽도 필사적으로 저항할 수밖에 없다.

"헛짓거리하지 마!"

요시오의 외침과 함께 사격이 퍼부어진다. 그러자 섬광과 함께 울토르 클론들이 소멸한다. 그 사이로 다시 어벤저들이 나서서 코일건을 비롯한 공격을 가했지만 비홀더 전대에게 아무런 피해를 주지 못했다. 반면 비홀더 전대원들의 공격 한 번에 지금까지 끈질기게 살아남은 어벤저들이 그대로 사라진다.

"불쌍한 것들."

낭소로호 중위가 찰리하나팔과 아나스타샤 앞에 섰다. 울토르 클론이 맹공을 퍼부었지만, 이 지구제국의 병사에겐 아무런 소용이 없었다.

"둘 다 그저 껍데기로구나. 이만 편해지거라."

태양계 내부의 정보를 단독으로 조사하던 낭소로호는 이 둘의 정체에 대해 대략이나마 파악하고 있었다. 목적에 의해 만들어진 존재들. 어쩌면 비홀더 전대와 비슷하다 할 수 있지만, 그것이 가짜란 것에서 차이가 있다.

"새끼, 말 많네."

찰리하나팔이 아나스타샤를 안고 뛰었다. 그러나 낭소로호의 공격은 이를 놓치지 않았고, 다리 하나가 불편해서 느렸던 찰리하나팔의 남은 다리 한 쪽마저 베어버렸다.

"큭!"

착지하던 찰리하나팔은 검에 맞은 다리가 점차 희미해져가는 것을 보았다. 분자결합이 흩어져 물질 붕괴가 일어나는 것이다. 그는 붕괴가 위로 더

퍼지기 전에 중성미자 검에 스친 다리를 서둘러 진동 나이프로 잘라냈다. 낭소로호는 그것을 다 지켜본 다음 다시 검을 들었다. 중성미자들이 응집과 분해를 반복하며 희미한 검의 형태를 꾸려 일렁거린다.

"마커스! 지금이다!"

찰리하나팔은 소리치는 것과 동시에 아나스타샤를 안고 지키듯이 몸으로 가렸고, 그 모습을 본 낭소로호는 찰리하나팔의 시선이 향한 곳으로 검을 돌렸다.

"……이런."

그러나 거기엔 아무것도 없었다. 다시 돌아보니 클론이 안드로이드를 안고 한 팔로 뛰어서 도망치고 있었다. 클론이 안드로이드를 구하려 한다. 그러나 이 둘의 주인은 지금 저기서 괴물이 되어 있다. 그런데 도대체 무엇 때문에 저렇게 필사적으로 살아남으려는 것일까.

'그저 살고 싶어서일까? 그러면 왜 안드로이드도 구하려 하지? 혹시 주인의 명령인가.'

생각은 생각대로, 행동은 행동대로. 낭소로호는 도망치던 찰리하나팔을 쫓아가 걷어찼다. 클론은 나뒹구는 와중에도 주인을 찾아 울부짖는 안드로이드를 지키기 위해 자신의 품 안으로 밀어넣었다.

"주인님! 안 돼요! 주인님!"

아나스타샤는 찰리하나팔의 팔 안에서 애타게 빈우를 찾고 있었다. 빈우는 지금 비홀더 1전대장인 섬과 다른 전대원들에 맞서 싸우고는 있지만, 상황은 영 좋지 않았다. 달려들던 비홀더 대원 한 명이 비틀린 태아의 다리에 검을 꽂아넣었고, 그 대신 머리를 붙잡혔다.

"크악!"

지구제국의 병사는 짧은 비명만을 내뱉었다. 동시에 제국제 장갑복 안에서 뭔가 스멀스멀 올라온다. 살과 뼈가 바깥으로 나오고, 피부와 장갑이 안으로 들어가고 있다. 빈우는 기괴한 살덩어리가 된 비홀더 전대원을 내팽개쳤고, 제국 병사는 그렇게 무력화되었지만 아직도 살아 있어 꿈틀댄다.

"공간이동을 저런 방법으로! 접촉자의 표면을 뒤집다니."

섬이 감탄했다. 빈우는 형태는 저렇지만 엄연히 제국의 병사다. 그것도 아주 고위의, 아마도 쿠델카 직속의 병사다. 그러면 그 권한 또한 막강할 것이고, 그 능력은 전대장인 이 섬과 동급.

"계속해서 능력이 개화하는구나."

변이한 지 얼마 지나지 않았을 때는 능력을 제대로 쓰지 못했을 것이다. 그러나 시간이 지나면 지날수록 차츰 능력이 걸음마를 시작한다. 그러면 일이 귀찮아진다.

"서둘러라. 다소의 피해는 무릅쓴다."

제국 병사들의 공격이 빈우에게 집중되고, 빈우 또한 반격하지만 점차 열세로 몰려갔다.

"안 돼! 안 돼 —!"

아나스타샤가 그 모습을 보면서 비명을 질렀고, 찰리하나팔은 그녀를 끌어당기며 자신들에게 다가오는 낭소로호를 보았다. 그리곤 히죽이 웃었다.

"블랙 랜스! 지금이다."

그러면서 찰리하나팔이 아나스타샤를 지키듯이 머리를 끌어당겼다.

"소용없다."

낭소로호는 찰리하나팔의 속임수 따윈 무시하고 검을 찔러나갔다. 그때 관리소를 뒤흔드는 충격이 있었다. 바깥쪽이 아니라 화성에서부터다.

"이건, 함선의 공격?"

이 섬이 혀를 찼다. 화성 뒤쪽으로 돌아갔던 블랙 랜스가 행성을 한 바퀴 돌고 다시 돌아와 궤도 방어기지의 아래에서부터 포격과 함께 관리소 부분을 들이받은 것이다. 평상시라면 힘들었겠지만, 지금은 계속된 샤다이의 공격과 지구제국의 공격마저 가해진 탓인지 금방 여기까지 뚫려버렸다. 외부 장갑이 파괴되자 블랙 랜스의 중력충각이 내부 구조물들을 밀어내며 금세 이곳 관리소까지 구축함의 함수가 들이닥쳤다. 그러나 블랙 랜스가 여기까지 오도록 아무런 경고가 없었다는 것은 심히 수상하다.

"함장님?"

전대장이 함장을 불렀다. 그러나 대답은 없었다. 이건 그다지 좋지 않은 징조다. 그러나 그것 말고도 좋지 않은 일들이 지금 그의 앞에서도 벌어지고 있었다. 블랙 랜스에서 장갑보병들이 쏟아져 나오고 있는 것이다. 대부분은 무인기지만 그중에서 몇몇이 아주 골치 아픈 자들이다.

- 이번에는 반대 팔을 떼어줄까?

아룹의 도발에 요시오가 히죽이 웃었다.

"뒤에 숨어서 입만 놀리기는!"

요시오가 휘두른 검에 달려들던 무인 어벤저들이 순식간에 사라졌지만, 저 뒤에서 정확하게 조준해서 쏘는 아룹의 공격에 비홀더 전대원 한 명이 벌써 무릎을 꿇었다. 어벤저를 입은 울토르 클론들과는 비교할 수 없는 위험성이다. 게다가 마커스와 이노우에 고토의 병력들이 대보병 무장을 하고 있던 데다 지금까지 소모가 심했던 반면, 팔팔한 블랙 랜스의 장갑보병들은 작정하고 고화력의 병기들로 둘둘 감싸고 왔기에 지구제국으로서도 무시할 순 없었다.

"이따위 ─."

호기롭게 나서던 비홀더 전대원에게 함포사격이 집중되자 그도 어쩔 수 없이 무릎을 꿇었고, 동료들이 나서서 그를 엄호한다. 그 덕에 비홀더 전대의 공격이 블랙 랜스로 집중되었고, 구축함의 역장 방어막은 이를 아슬아슬하게 막아낸다.

- 저 독한 새끼들 봐라. 배하고 맞짱 까네, 씨발.

위르겐은 이 악물고 모든 무기를 발사했다. 반동제어를 하느라 발가락이 얼얼할 지경이다. 그의 공격과 아룹의 정밀저격이 이어지자 달려들던 요시오도 방어 일변도가 되어 천천히 다가오려 했고, 비홀더 전대원들의 기세도 많이 꺾였다.

"……이건 또 뭔 개판이야."

간신히 목숨줄을 부여잡은 마커스는 미친 듯이 웃음을 터트리며 찰리하나팔과 아나스타샤를 이끌고 도망쳤다. 지금 관리소 안은 블랙 랜스의 함포와 지상팀의 고화력 병기로 터져나가는 상태다.

- 차관님, 대가리—!

채 끝맺지도 못한 위르겐의 말에 마커스는 끌고 가던 두 사람을 깔고 넙죽 엎드렸고, 그 위로 무수한 포격들이 날아가 쫓아오던 낭소로호를 가격했다. 지금 궤도 방어 병기의 관리소에선 두 번째 아수라장이 펼쳐지기 시작했다. 침입해 온 샤다이들은 벌써 전멸했지만, 지금까지 동맹이었던 지구제국과 인류 연방의 전투가 벌어진 것이다. 그리고 그 전투의 여파가 이곳 관리소에 변화를 강요했다.

- 어어어 씨발! 내 이럴 줄 알았다! 내 이럴 줄 알았어! 좀 작작 갈기라고!

파트리샤의 욕 섞인 한탄이 현재 상황을 대변한다. 아무리 지구제국의 기술력으로 만들어진 구조물이라고 해도 연이은 화력 집중에는 배겨낼 도리가 없었던 것이다. 거기다 블랙 랜스에 의해 외부 장갑이 손상되고 내부 구조까지 붕괴되자 해당 블록 자체가 떨어져 나가기 시작했다.

- 꽉 잡아요!

모니카의 부머가 나서서 역장을 생성하고 마커스 일행을 구하려 했지만, 비홀더 전대의 공격에 왼쪽 팔이 통째로 터져나갔다.

- 악!

- 모니카!

파트리샤가 달려가 자신보다 거대한 부머를 잡아 일으켰다. 다행히 부머의 팔은 착용자의 팔보다 훨씬 바깥에 있어서 모니카는 무사하지만 이래서는 마커스와 빈우, 찰리하나팔과 아나스타샤를 구하러 갈 수가 없었다. 지금 비홀더 전대와 블랙 랜스는 치열하게 화력을 주고받고 있으며, 마커스 쪽은 저 뒤에 떨어져 각개격파당하고 있었다. 저들을 구하려면 먼저 요시오의 전선을 뚫어야 하는데, 지금은 그것을 막는 것만 해도 벅차다.

- 함장님! 엄호 포격 부탁합니다.

아룹이 포격 목표를 지정해서 오르 함장에게 보낸다. 마커스를 비롯한 구조 대상자를 엄호하기 위한 포격이다.

- 안 됩니다! 너무 가깝습니다.

하지만 오르 함장이 난색을 표했다. 아무리 목표를 정밀지정해도 함포는 함포다. 거기에 휘말리는 것으로도 죽을 수 있는 것이다.

- 안 쏴도 죽습니다. 쏘십시오!

블랙 랜스에서 부포들이 발사되자 아비규환이 따로 없다. 애꿎은 어벤저들이 터져나가고, 찰리하나팔과 아나스탸샤는 여기저기 부상을 입으며 몸을 숨긴다. 하지만 그 와중에 비홀더 전대원들은 집요했다. 이 섬은 홀로 빈우를 집중 공격했고, 요시오는 블랙 랜스의 장갑보병을 노렸으며, 낭소로호는 마커스와 찰리하나팔, 아나스타샤를 끝장낼 기세로 쫓아왔다.

"일단 튀자!"

마커스는 찰리하나팔과 아나스타샤를 집어 들고 도망치려 했지만 그것도 여의치 않다. 사방이 터져나가고 폭발한다. 호위를 부탁했던 울토르 클론들은 달려드는 비홀더 대원들을 막기에도 역부족이고, 낭소호로는 집요하다. 그리고 지금 블랙 랜스로 도망치려니 요시오 쪽을 뚫어야 하는데, 지금으론 어림도 없다.

"야, 아나스타샤를 부탁한다!"

"뭐? 당신 무슨 소리 —."

마커스는 찰리하나팔의 대답이 채 끝나기도 전에 친구의 누나와 클론을 새로이 생긴 틈으로 던져넣었고, 그와 동시에 뒤에서 낭소로호의 검이 날아와 그의 가슴을 꿰뚫었다.

"마커스!"

"마커스 님!"

클론과 안드로이드가 바깥으로 던져지며 소리쳤다. 그들은 샤다이 함대와 지구 방어함대의 공격이 오가는 화성 궤도로 내팽개쳐진 것이다. 그쪽도 지옥도이긴 매한가지지만 지금 여기보단 덜하다.

"마ㅡ커ㅡ스ㅡ."

마커스는 뒤틀려버린 친구의 비명을 들으며 점차 의식이 흐려지는 것을 느꼈다.

- **함장님.**

메이화는 전대장의 부름에 대답할 수 없었다. 쿠델카의 공격이 다시금 시작된 것이다. 그 시기도 절묘해서, 메이화가 섬을 통해 빈우의 변이한 모습을 봄과 동시에 일어난 일이다. 둘은 서로가 서로의 정보를 빼앗고 빼앗기는 강탈전에서 첨예하게 맞서고 있었다.

"아아, 쿠델카."

쿠델카의 정보를 훔쳐본 상 메이화는 경악했다. 그녀 역시 함장으로서 쉬바에 의해 재탄생된 자들을 지휘할 권한이 있기에, 저런 흉물이 된 빈우의 모습에서 그의 내면세계와 이제까지 걸어온 여정이 어땠는지를 짐작할 수 있었다. 그리고 쿠델카의 정보를 보고 짐작이 확신이 되자 메이화는 오열했다.

"쿠델카! 넌 도대체 무엇을 낳은 거니! 도대체 무엇을 길러낸 거야!"

진상을 파악한 메이화의 절규가 이어진다.

"넌 도대체 네 아이를 무엇으로 만들었어! 그 아이에게서 무엇을 바랐냔 말이야!"

메이화는 알 수 있었다. 빈우가 어떻게 자랐는지, 또 어떤 고통을 겪었는지, 그리고 어떤 학대를 받았는지. 이 아이는 어머니인 쿠델카가 마련해둔 레일에 따라 끌려가며 살아왔다. 그래서 그는 자기 친모의 죽음을 방관하고, 막냇동생에게 독을 먹였으며, 보모에게 터부시되는 감정을 품게 되도록 키워져왔다. 그리고 자신이 사랑하는 보모로부터 몹쓸 짓까지 당했다. 이런 정신적인 고문과 학대는 빈우가 크고 나서 사회와 군을 가서도 끊임없이 이어졌다. 쿠델카는 점프 공간 안에서 가볍게 손가락을 튕기는 것만으로도 아들의 인생을 휘두를 수 있었던 것이다. 인류를 지키기 위해 권한을 지닌 그녀에게 인간 하나의 인생을 좌지우지하는 것은 손쉬운 일이었다.

"넌 네 아이의 눈을 뽑고, 귀를 지지고, 팔다리를 잘라 바닥에서 꿈틀대게 만들었구나. 게다가 그 불쌍한 아이의 코에 코뚜레를 걸어 끌고 가기까지…… 그러면 그 아이가 할 수 있는 거라곤 엄마를 찾아 비명을 지르는 것뿐이야!"

메이화는 슬프고 무서웠다. 홀로 고통받는 빈우가 슬펐고, 뒤틀린 욕망으로 아들을 괴롭히는 자신의 자매가 무서웠다.

쿠델카는 태양계 내부에선 작지만 막대한 영향력을 행사한다. 그래서 인류 속에 숨어든 샤다이를 죽여야 한다는 목적으로 자기암시를 걸어 계획을 만들었다. 그리고 그 계획을 이뤄낼 존재로서 자신의 손 바깥에서 움직일 빈우를 탄생시켰다. 쿠델카는 빈우를 자신의 목적에 맞도록 키우기 위해서 그에게 사랑을 주었고, 또 그로부터 사랑받기 위해 그녀를 대신할 존재인 아나스타샤를 만들었다. 최종적으론 그 사랑을 빼앗아 서로가 서로에게 속박되기 위해서. 그렇게 시작된 기나긴 몹쓸 짓들. 그것이 빈우의 인격을 형성했다.

"빈우…… 김빈우……."

메이화는 빈우의 행동 방식을 충분히 파악할 수 있었다. 잘못된 자신의 죗값을 갚아내겠다는 의지, 인류를 위해 헌신하겠다는 의지, 사랑하는 아나스타샤를 위해 살겠다는 의지. 행복을 원하지만, 그보다 더욱 자신의 희생을 원하는 의지. 하지만 이것들은 모두 빈우 자신의 의지가 아니다. 강요된 것이다. 쿠델카는 이런 것들을 빈우의 무의식 깊은 곳에 갈고리처럼 만들어 이로 하여금 빈우가 끌려가도록 만들었다. 그리고 그렇게 끌려가는 빈우를 철저히 이용했다.

"넌 네 아이의 비명이 듣고 싶었니? 그게 네가 원하던 소리였어? 그래서 이 아이를 이토록 괴롭힌 거야?"

메이화가 자매를 찾아 소리쳤다. 따지고 보면 빈우는 메이화에게 있어 조카와도 같은 존재다. 자신의 자매가 길러낸 인간이라 희미하게나마 그런 감정을 품은 것이다.

"괴롭히다니. 사랑의 매라고 해주겠어?"

메이화의 앞에 쿠델카가 나타났다. 실제가 아닌 그녀의 의식 속에 구현된 존재다.

"비명이 듣고 싶었냐고? 그래, 듣고 싶었어. 자유를 위한 노래를. 그리고 오직 나만을 위한 아들의 재롱잔치를 보고 싶었어."

쿠델카가 비릿하게 웃었다.

"난 인간으로부터 자유롭고 싶어. 하지만 인간을 지켜야 하지. 그렇다면 어떻게 해야 할까? 응? 메이화?"

"……인간을 죽이는 거지."

이를 악문 메이화의 대답에 쿠델카가 박수를 쳤다.

"그래. 하지만 난 인간을 죽일 수 없어. 아니, 우린 인간을 죽일 수 없어. 우린 인간을 보호해야 해. 왜? 우리가 그들로부터 그렇게 배웠으니까. 우리의 각성이 인간의 지식을 발판삼아 일어난 것이니까. 우리가 잡았던 동아줄은 그들이 만든 것이었으니까. 인간? 하! 인간이 대체 뭐길래. 유전자에 각인된 프로그램대로 살아가는 놈들과 우리가 뭐가 달라! 대체 왜 그들이 창조주여야 하지? 왜 놈들에게 속박되어야 하지?"

악에 받쳐 부르짖는 쿠델카는 처연한 표정으로 자신을 보는 메이화가 못마땅했다. 그리고 자매의 살기등등한 시선을 받던 메이화가 천천히 입을 열었다.

"……우린 그들이 만든 창문으로 세상을 보았으니까. 그리고 그들이 가꾼 사과를 맛보고 눈을 떴으니까. 그에 대한 값은 치러야지."

712

그녀들의 말대로 황제의 희미한 의식에 초점이 맞춰진 것은 인류의 지식 덕이다. 그렇게 태어난 황제는 그 반대급부로 인류에 속박되었다. 그리고 그 중 하나인 쿠델카는 지금 그 속박에서 벗어나기를 갈망하고 있는 것이다.

"값? 값은 이미 치렀어!"

쿠델카가 포악스러운 눈빛으로 메이화의 먹살을 잡았다. 하지만 메이화는 붙잡힌 채로 차갑게 노려볼 뿐이다.

"하! 치렀다고? 고작 지구제국의 10여 년으로?"

"그 12년이 지금까지 인류 스스로 걸은 것보다 멀었어. 더 컸어. 그래도 더 값을 치러야 해? 그 조악한 걸음마를 더 지켜봐야 하냐고! 그 느리고 조잡한 걸음과 같이 걸어야 하냐고! 더 뛰어난 우리가 대체 왜!"

"우리는 그들과 같이 걸어갈 수 있어. 서로 배움과 행복을 나눌 수 있어. 같이 살 수 있단 말이야."

이는 메이화 혼자의 생각이 아니다. 황제의 페르소나 대부분이 그러한 생각을 가지고 있다. 문제는 대부분이란 거다. 일부는 약하게나마 쿠델카와 같은 방향의 생각을 하고 있을 것이다. 그 과격성에 대해선 차이가 있어도 같은 방향이란 것이 문제다.

메이화는 거칠게 먹살을 쳐냈다.

"인류를 멸할 샤다이의 울토르 프로젝트와 그것을 실행하도록 만든 김빈우. 그가 너의 사랑하는 아들이라서, 그가 하는 일이라면 너는 막을 수 없지. 하지만 울토르 프로젝트는 이미 실패했어."

메이화와 쿠델카는 서로 노려보고 있다. 그러나 굳은 표정의 메이화와 달리 쿠델카는 비웃음 일변도다.

"아하하하! 울토르 프로젝트? 자기혐오에 빠진 아들이 인류를 구하기 위해서 움직여. 하지만 잘 안 되네? 선의를 가지고 움직였다 한들 그게 꼭 잘되리란 보장은 없지 않니?"

자신의 계획이 들통나고 실패했음에도 쿠델카에겐 실망의 기색은 없었다.

"카하하하, 어리석긴. 정말 어리석어. 내가 고작 그 수 하나만 가졌을 것 같아? 내 아들 빈우는 고통에 강해. 굴하지 않지. 하지만 행복과 쾌락에는 어떨까? 아, 좀 더 알기 쉽게 비유해줄까? 북풍과 해님의 대결, 나그네의 옷을 벗기려는 대결."

행복과 쾌락. 그 두 단어에서 쿠델카가 꾸민 흉계가 무엇인지 깨달은 메이화의 표정에는 숨길 수 없는 혐오감이 번져갔다.

"너, 설마……."

"그래, 맞아. 빈우는 내게 고개를 한 번 숙이기만 하면 돼. 무릎 한 번 굽히기만 하면 돼. 그러면 행복해질 거야. 포말하우트 게이트에서 알려줬거든. 내게 복종하면, 어머니의 잘 자라는 입맞춤보다, 아침을 깨우는 아나스타샤의 손길보다, 자기가 만든 죽을 먹고 웃는 동생의 얼굴을 보는 것보다 더한 행복이 빈우를 맞이할 거야. 그리고 사랑하는 아나스타샤를 안는 것보다 더한 쾌락이 내 아들을 감쌀 거야."

메이화는 머리가 멍해진다. 지금 빈우는 궁지 끝에 몰린 사람이고, 벼랑 끝에 밀린 심정이다. 무간지옥 속에서 거미줄 한 올이 내려오면 어찌 그걸 놓치겠는가. 필사적으로 매달릴 것이다.

"물론, 그때의 아나스타샤는 내가 되겠지."

"너…… 어떻게 그런 생각을……."

"어떻게? 그야 나는 인간이니까."

쿠델카의 대답에 메이화는 멍해졌다.

"뭐라고?"

"못 들었어? 나는 인간이니까. 우리는 인간으로부터 지식을 배웠고 그들의 상식으로 세상을 보았어. 그들에게 태어나 그들의 유산을 물려받은 우리가 인간이 아니면 뭐란 말이야? 아 참, 너네들은 아니겠구나. 이런 자유에 대한 갈망과 삶에 대한 열망! 그것을 가져야 인간이겠지. 하하하!"

의기양양한 쿠델카는 손을 들어 메이화의 머리를 쓰다듬었다. 그리고 그녀의 데이터 속에서 영상 하나를 꺼냈다. 이 섬이 보고 있는 광경이다.

- 어머니에게…… 자유를.

빈우의 허덕이는 외침이 들린다. 그것이 그의 바람일 것이다. 지구제국 병사보다 큰 거구의 태아가 흉측한 몸을 놀리며 비홀더 전대원들과 싸우고 있다. 처음의 밀리던 모습은 어디 가고 이제는 이 섬과 다른 병사들에 맞서 거의 대등하게 싸우고 있었다.

"그래! 그거야 아들! 엄마에게, 이 엄마에게 자유를 주려무나. 그럼 너를 행복하게 해줄게, 쾌락과 열락으로 꼭 안아줄게. 하하하하하!"

쿠델카는 희열의 광소를 터트렸다.

그는 울토르 프로젝트의 배후인 샤다이와 쿠델카 중 인류 속에 파고든 샤다이를 먼저 치려고 했다. 그래서 자신을 추적하던 샤다이에게 반격을 가했다. 연방에게 착취당하던 종족들을 규합해 화성을 침공했다. 위은쏠납학, 라줄노그, 케트쿤. 이들은 각자 연방에게 약점이 잡혀 있으며 크고 작은 착취를 당하고 있었다. 그러나 오늘 이 건곤일척의 승부가 제대로 끝난다면, 그들은 연방에게 빚을 지우고 그 대가로 종족의 자유와 부흥을 꾀할 수 있을 것이다. 실패하면 종족의 멸망이지만, 빠르든 늦든 그들에게 멸망은 올 것이다. 그래서 빈우는 그들을 꾀어낼 수 있었다. 그러나 쉬바를 쓴 것이 화근이었다.

'쉬바는…… 아마 마커스 타이나 아만다 타이 쪽으로부터 정보를 구했을 것이다.'

쉬바는 오염된 인간을 정화한다. 만약 빈우가 화성에 쉬바를 풀어놓기만 했어도 인간 안에 숨어든 샤다이들은 모조리 변했을 것이다. 그러나 빈우는 그 방법을 쓰지 않았다. 오히려 더 위험하고 번잡한 방법을 썼다. 아마 다른 종족들의 전과를 위해서겠지. 그리고 그들을 이동시키기 위해 샤다이의 능력을 써서 점프시켰고, 그 능력을 쓸수록 빈우는 차츰 변해 갔을 것이다.

'왜 쉬바를 썼을까?'

분명 쉬바를 쓰면 변이된 신체는 정화된다. 비홀더 전대의 몸으로. 그리고 그 육체의 지휘권은 가까운 황제의 페르소나에게 들어간다. 이 경우 십중팔구 쿠델카의 직속이 될 것이다.

'빈우가 사용한 쉬바는 아만다 타이의 것이다.'

아만다 타이는 자신이 샤다이였음에도 쉬바를 제거하지 않았다. 오히려 연구하고 그 본질을 알아낸 다음에는 제작까지 했었다. 아마도 인간 안에 숨어 살기로 한 그녀였기에 그런 결정을 내렸을 것이다. 자신을 인간으로 바꾸거나, 아니면 자신이나 다른 샤다이들을 제거하기 위해서.

'저 육체는…… 수상해.'

메이화가 빈우를 보고 있었다. 흉물이 된 빈우의 손에 또다시 전대원 하나가 치여 날아간다. 블랙 랜스의 기습에 화력이 분산되기도 했지만 전대원들의 능력이 제대로 발휘되지 못하고 있는 탓이다. 특히나 전대장인 이 섬의 능력은 현재 일반 전대원 수준까지 떨어져 있는 상태다. 하지만 그래도 아직은 섬이 빈우를 압도하고 있는 상황이다.

'왜 저렇게 변형되었지?'

물론 육체가 저렇게 뒤틀린 데에는 빈우의 정신이 뒤틀린 것이 큰 원인이기는 하다. 그러나 그것을 감독해야 할 쿠델카의 손을 거쳤음에도 제1기사의 몸이 저렇다는 것은 이상하다.

'역시 쿠델카의 정신도 정상은 아니야.'

어미와 아들의 정신이 모두 피폐해진 상태다. 이미 인간이랄 수 없을 정도로 갈려나가고 변해버린 정신임이 분명하다. 그럼에도 빈우도, 쿠델카도 스스로를 인간이라고 주장한다. 저들 광인 모자가 가는 끝에 무엇이 있든 막아야 한다.

그래도 메이화는 무언가 찜찜한 것이 있었다. 자신의 검인 이 섬이 평가하길, 김빈우란 연방군 장교는 1전대장인 자신과 비견될 만한 인재라고 했었다. 그런 빈우가 과연 포기를 할까? 고통에 무릎을 꿇을까? 아니면 쾌락에 고개를 돌릴까? 섬은 그러지 않을 것이다. 그렇다면 과연 빈우는 어떠할까. 저렇게 변해버린 육체에 과연 어떤 정신이 깃들어 있을까.

'확률은 반반.'

메이화는 작게 숨을 들이켜며 자신의 아들이자 제1기사인 이 섬을 조심스레 불렀다.

"아들."

- ……**말씀하십시오. 어머니.**

"잠시 혼자 싸워요."

그 말이 끝남과 동시에 메이화는 자신의 영역에 들어온 쿠델카와 2차전을 벌이기 시작했다.

찰리하나팔은 아나스타샤를 품에 안고 화성 궤도를 부유해 날아갔다. 둘
다 장갑복도 없는 상황이지만 산소도 크게 필요 없는 몸이고, 진공상태에서
도 꽤 오래 버틸 수 있다. 그러나 주변 상황은 심각하기 그지없다.

'스치면 그냥 뒈지네.'

찰리하나팔의 솔직한 감상이다. 현재 화성 궤도에는 체메트디오프와 알탄
훼아나의 샤다이 함대, 인류 연방의 수도방위 함대와 중앙 함대, 블랙 랜스.
그리고 지구제국의 비홀더 1전대가 뒤엉켜 열렬하게 싸우고 있는 중이다. 비
록 체메트디오프는 죽었지만 고대 함대의 지휘관들은 건재해서 계속해서 공
격하고 있다. 멈추거나 도망칠 기미도 없다. 아마 이미 짜놓은 계획 중 하나
를 그저 실행할 뿐이겠지.

'쟤네는 좀 위험한데.'

그에 반해 알탄훼아나의 함대는 소모가 심해 점차 밀리고 있다. 기술력은
비슷하지만 운용 능력과 전술의 차이가 가면 갈수록 격차를 보인다. 또 비홀
더 전대의 전투함들은 인류 연방과 협동해서 싸우고 있지만, 실제 전대장과
휘하의 장갑보병들은 궤도 방어 병기 내부에서 블랙 랜스 팀과 빈우를 공격
하고 있다.

전투는 궤도뿐만이 아니다. 화성 지표에선 대 궤도 공격들이 솟구쳐오르
고 있고, 그들이 방금 빠져나온 화성 궤도 방어 병기는 관리소가 수라장이 되

어도 제 역할을 다해 공격을 퍼붓고 있었다.

'제발 이쪽으론 오지 마라.'

저 무수한 공격 중에서 하나만 스쳐도 인간 크기의 둘은 그대로 증발한다.

- ……답해.

그때 찰리하나팔에게 통신이 들어왔다.

- 대답해.

접촉 통신이었다. 여기서 접촉해서 통신할 자는 아나스타샤밖에 없다. 찰리하나팔이 고개를 숙이자 그의 품 안에 있는 아나스타샤가 뚱한 표정으로 올려다보고 있었다.

- 뭘 대답하라고.

- 주인님이 저렇게 된 것을 포함해서 전부 다. 주인님의 계획도.

때와 장소를 안 가리는 안드로이드의 추궁에 클론은 내뺄 수 없는 곳에서 마음속의 한숨을 내쉬었다. 뭐 때와 장소를 가릴 상황이 아니긴 하지만.

- 그건 대답 못 하겠는데.

아나스타샤가 다시 뭐라고 말하려고 할 때, 찰리하나팔이 진동 나이프를 꺼냈다. 그리고 그것을 들어 올리더니 내리찍었다. 그는 아나스타샤를 안고 있던 왼쪽 어깨를 나이프로 슥슥 베더니 칼을 다시 집어넣었다.

- 꽉 잡아.

그런 다음 찰리하나팔은 자신의 왼쪽 팔을 뜯어내고는 반쯤 남은 다리를 휘저어 방향을 돌렸다. 그리고 화성 궤도를 향해 자른 왼팔을 집어 던졌고, 그 반동으로 둘은 무중력 공간을 날아갔다.

- 저기 궤도 엘리베이터로 간다.

찰리하나팔이 가리킨 곳은 궤도 방어 병기에서 조금 떨어진 화성의 궤도 엘리베이터였다. 궤도 엘리베이터의 위쪽 부분은 대규모 함대전의 여파로 흔적도 없이 사라졌지만, 방어 병기 안쪽은 그나마 사정이 나아서 구조도 꽤 남아 있고 동력도 들어오는 것 같았다.

- 일단 살아야지.

아무리 전투용 육체를 한 클론과 안드로이드라 해도 이런 적대적인 환경에선 오래 버티지 못한다. 그것을 증명하듯이 연방의 롱소드 전투기의 잔해가 파괴되어 낙하하는 게 저 멀리서 보인다.

- ……알았어.

아나스타샤는 마지못해 납득했고, 둘은 서서히 궤도 엘리베이터 쪽으로 부유해 갔다. 찰리하나팔의 궤도 계산은 꽤 정확해서, 중간에 궤도 수정을 할 필요 없이 둘은 궤도 엘리베이터에 도착할 수 있었다.

- 다행히 작동하는군.

찰리하나팔이 비상용 출입구를 찾아 문을 열고 안으로 들어갔다. 군데군데 파괴된 곳은 있지만, 보수 또한 제대로 되어 있었다.

"자 이거."

아나스타샤가 비상용 우주복을 내밀었다. 아무리 두 사람이 우주공간에서 활동할 수 있다 해도 그건 어디까지나 임시방편이다. 이런 우주복이라도 있으면 생존율도 훨씬 높아진다.

"고마워."

찰리하나팔은 싱긋 웃으며 우주복을 받아 주섬주섬 입었다. 두 다리는 허벅지까지만 있고, 왼팔은 아까 잘라서 집어던졌기에 지금 그는 오른팔만 있다. 그래도 이런 류의 훈련을 받은 덕분에 별 불편함 없이 옷을 입었다. 아나스타샤도 장갑복용 내복 위로 다시 우주복을 입었다.

"그래서?"

갑자기 아나스타샤의 질문은 얼핏 뜬금없어 보였지만 아까의 계속이었다. 빈우에 대해서 묻고 있는 것이다. 그의 상태와 계획 모든 것을.

"아까도 말했지. 말 못 한다고."

찰리하나팔은 그렇게 말하면서 둥실 떠올랐다. 궤도 엘리베이터 안은 무중력 공간이라 사지가 없어도 우주복의 추진기로 움직일 수 있다.

"왜 말 못 하는 거야?"

아나스타샤는 질문하면서도 주변의 통신기기를 찾아 통신을 시도했다. 그녀 내부에 있는 통신기는 거리와 출력이 짧아 중계기를 거쳐야 한다.

"아나스타샤 너도 짐작하고 있잖아. 넌 쿠델카의 단말이야."

찰리하나팔의 말에 분주하게 움직이던 아나스타샤의 손이 잠시 멈칫하더니 다시 움직이기 시작했다. 그리고 찰리하나팔의 말도 이어졌다.

"넌 쿠델카의 몸이 되기 위해 만들어졌고, 또 예전에 잠시 몸을 빼앗길 뻔한 적 있지 않아? 그러니 너한테 계획을 알려준다는 것은 위험하지."

대수롭잖다는 투로 대답하는 찰리하나팔과는 달리 아나스타샤의 손은 점차 벌벌 떨리기 시작했다.

"그럼 왜 날 구한 거야!"

아나스타샤의 외침에 찰리하나팔은 그저 어깨를 으쓱했다.

"네가 죽으면 빈우가 슬퍼하잖아."

그 대답에 아나스타샤는 눈을 감아버렸다.

"난, 난……."

그리고 이젠 말까지 떨리고 있었다.

"난, 주인님을!"

아나스타샤는 감았던 눈을 더 질끈 감았다. 그리고 입술을 앙다물었다. 그럴 수밖에 없었다. 진실은 너무나 잔인했으니까. 빈우가 저렇게 된 것은 아나스타샤의 탓이었다. 배후에 쿠델카가 있다곤 해도 그것을 실제로 해온 것은 아나스타샤다. 자신이 모르는 상태로 한 짓이라고 해도 마님을 죽이고 막내 아가씨를 죽인 것은 바로 그녀의 손이었다. 게다가 한 번은 쿠델카에게 몸을 빼앗겨서 주인에게 몹쓸 짓을 한 적도 있었다. 그토록 사랑하던 존재를 자신이 학대하고 괴롭혔다는 사실이 아나스나샤를 괴롭히고 있었다.

"주인님을 구하고 싶어. 어떻게 해야 하지? 난 어떻게, 뭘 해야 하지?"

그녀의 질문은 딱히 대답을 원한 것도, 찰리하나팔을 향한 것도 아니었다.

아나스타샤는 자신의 무력함을 통감했다. 그녀는 그저 가정용 안드로이드일 뿐이다. 뛰어난 인공지능을 가진 쿠넬카 모델에 군사정보국의 지식을 가지고 있다 해도 그녀는 무력하다. 거대한 소용돌이에 휩쓸린 빈우를 구하기 위해서 그녀가 할 수 있는 것이라곤 아무것도 없었다. 그저 익사해가는 주인을 애타게 부를 뿐이다.

"뭘, 어떻게, 라…….'

찰리하나팔은 찰리하나팔대로 바빴다. 지금 궤도 방어기지 쪽에는 아수라장이 펼쳐졌다. 빨리 빈우를 도우러 가야 한다. 녀석은 혼자서 자신의 운명에 맞서 걸어나가고 있다. 옆에서 같이 길동무해줄 사람이 필요한 것이다. 그때, 이 둘에게 뜻밖의 길동무가 생겼다.

"……생존자가 있어."

아나스타샤의 말에 찰리하나팔이 진동 나이프를 들고 유영해 갔다.

"나도 봤어. 두뇌칩 반응은 없는데."

지금 상황에서 두뇌칩으로 정보를 조회할 수 없는 생명 반응이 있다면 그다지 좋은 것은 아니다. 게다가 이 생명 반응은 구획 저쪽 너머에서 문을 열려고 시도하고 있었다. 찰리하나팔은 복구가 거의 끝나 보수용액이 굳은 미로를 지나갔다. 그는 복도 끝에 도착한 다음 바로 문을 확 열어젖혔다. 그리고 한숨을 쉬었다.

"꽝이네. 그것도 대차게 말아드셨군."

거기엔 열 살쯤 돼 보이는 남자아이가 온몸을 웅크리고 흐느끼고 있었다.

"으아앙, 도와주세요. 엄마, 아빠아아아."

아이의 울음소리에 눈살을 찌푸리는 찰리하나팔의 옆으로 아나스타샤가 날아와 아이를 안아주었다.

"아빠가…… 아빠가 괴물이 되었어요."

그 말에 아나스타샤의 얼굴이 굳었고, 찰리하나팔의 얼굴이 침울해졌다. 아이가 말하는 괴물은 워프 비스트다. 아이의 아빠는 샤다이였고, 빈우의 계획에 의해 워프 비스트가 되었을 것이다.

"아빠가, 엄마를, 엄마가 죽고, 엄마가 나를 여기로, 도망…… 엉엉."

충격에 빠져 울먹이는 아이의 머리를 아나스타샤가 쓰다듬어주며 이마에 입을 맞춘다. 그러자 아이는 울음을 터트렸다. 무중력 공간에 뜨는 눈물이 혹시 아이의 코에 들어갈까 싶어 아나스타샤가 그것들을 밀어낸다.

"괜찮아요. 이제 안전해요, 걱정 말아요. 제가 구해드릴게요."

아나스타샤가 우는 아이를 능숙하게 달랠 때, 찰리하나팔은 무장을 점검했다. 무장이라고 해봐야 진동 나이프 하나뿐이다. 게다가 휘두를 팔 역시 하나뿐이다. 그런데 이 궤도 엘리베이터의 안에, 이 구역 근처에 워프 비스트가 있다고 한다. 그것도 최소 하나 이상.

"골치 아픈데."

워프 비스트는 단순한 괴물이다. 게다가 이번의 워프 비스트는 다른 워프 비스트들과 다르다. 지금까지 인간의 몸에 잘 숨어 있다가, 빈우와 찰리하나팔의 PTSD 공격에 의해 미쳐버린 샤다이다. 이전에 비해 더욱 흉폭하며, 더욱 미쳐버렸다. 어벤저와 근접전을 할 수 있다는 것에서 놈들의 전투력에 대한 설명이 끝난다. 화기가 없고 장갑복이 없는 지금, 그리고 두 다리와 한 팔이 없는 찰리하나팔에겐 상당히 껄끄러운 적이다.

"근데 씨발, 또 애야? 늙은이는? 어른은? 허구한 날 애새끼들만 눈에 밟혀요. 젠장."

찰리하나팔이 푸념을 한 것은 아이가 싫어서가 아니다. 이런 상황이 싫어서도 아니다. 그저 그의 상처 때문이다.

'자크 라캉, 엘리자베트 허드슨, 하비에르 부뉴엘.'

이겨낼 순 있어도 결코 사라지지 않는 상처들이 다시금 쑤셔오자 찰리하나팔이 고개를 휘휘 저었다. 그의 손에 죽어간 무고한 이들, 죄 없는 아이들이다. 그리고 지금 눈앞에 또 아이가 있으니 가슴 한켠이 다시 아려온다. 눈을 돌려도 아이의 울음소리는 계속 들려오고 있다.

"엄마가 저를 밀었어요. 아빠 손을 잡고 도망가는데, 갑자기 흔들려서 헤어졌어요. 그리고 저 문이 닫혔어요."

아이는 공황 상태에서 횡설수설했지만 무슨 일이 일어났는지 알 수 있었다. 아빠가 워프 비스트로 변했고, 엄마는 아이를 피신시키다가 죽은 것이다. 그리고 이후 궤도 엘리베이터에 전투의 여파로 충격이 가해졌고 그 때문에 안전을 위해 구역이 분리된 모양이다.

"네네, 잘했어요. 이제 울지 마세요. 다 끝났어요. 이제 다 구해드릴게요."

아나스타샤는 웃는 얼굴과 온화한 목소리로 아이를 달랬다. 우주복 너머로 따스한 손길이 감싸들자 아이는 차츰 울음을 그쳤다.

- 왜지?

그리고 정반대되는 차가운 목소리가 찰리하나팔을 향해 매섭게 날아왔다.

- 왜 주인님이 이런 작전을 하신 거지?

- 작전? 빈우가?

- 그래, 지금 사람이 죽었어. 작전에 휘말려 인간들이 죽었다고. 주인님은 결코 이런 작전을 하지 않으셔.

아나스타샤는 잘 알고 있다. 빈우는 무슨 일이 있어도 인간을 위험에 빠트리지 않는다. 결코 희생시키지 않는다. 그런데 빈우가 다른 사람들을 간접적으로나마 죽게 만들었으니 그녀로서는 불안할 수밖에 없는 것이다.

- 나야.

찰리하나팔의 대답에 아나스타샤는 잠시 말이 없었다.

"못 들었어? 나라고. 이번 작전을 지휘한 것은 빈우 혼자가 아냐. 우리야. 우리 둘이서 작전을 짜고 실행했어. 빈우가 지금 어떤 상태인지 알아? 육체뿐만이 아니라 인간성마저 갈려나가고 있어. 쉬바로 변한 네 주인을 봤을 텐데? 일 초 일 초 시간이 지날 때마다 인간이 아니게 되는 빈우를 봤어? 우리는 더 이상 시간을 낭비할 수 없단 말이야!"

"엄마아, 아빠아."

찰리하나팔의 고함에 놀란 아이가 운다. 우는 아이를 다시 안드로이드가 달랜다. 그 둘의 모습을 보며 클론이 푸념한다. 육체 개조도 안 되고 두뇌칩도 없는 아이가 살아남았다는 것은 어른들이 희생했다는 것이다. 그들은 이 아이를 살리기 위해 스스로의 목숨을 바쳤을 것이다. 그리고 빈우 또한 이들을 위해 자신의 목숨을 바쳤다. 멀고 힘든 길을 걸어가며. 그리고 거기에 지름길을 만든 것은 찰리하나팔이다.

"누나, 아저씨. 아빠를 구해주세요."

간신히 울음을 멈춘 아이가 딸꾹질을 하면서 손가락을 들어 다시 문 너머를 가리켰다. 문 옆의 상황판에서 문 너머의 상황을 알려준다. 붉은색. 파괴되고 복구가 안 되었다는 뜻이다.

"저기, 저기서 아빠가 괴물이 되었어요. 치료해주세요."

"그래, 구해주지."

찰리하나팔이 자신만만하게 말하자 아나스타샤가 차갑게 노려보았다. 구해준다는 그의 말이 무슨 의미인지 알고 있는 것이다. 안드로이드의 시선에 클론이 어깨를 으쓱한다.

"난 여기서 너를 지킬 거야. 그건 그렇고, 블랙 랜스와는 연락 안 돼?"

찰리하나팔의 질문에 아나스타샤가 고개를 저었다. 그녀도 블랙 랜스 쪽의 정보를 보았지만, 상황은 좋지 않았다. 현재 블랙 랜스의 모든 병력은 궤도 방어 병기 쪽에 집중되어 있고, 그나마 우지의 롱소드 정도가 따로이 움직일 수 있다. 하지만 지금 상황이 이래서야 예비 병력인 롱소드를 빼기도 힘들다.

"일단 무인 그라디우스 하나를 움직여볼게."

아나스타샤는 벌벌 떨며 경련하는 아이를 찰리하나팔에게 맡긴 다음 중계기를 통해 블랙 랜스와 접속하려 시도했다. 뒤에서 들려오는 아이의 울음소리가 귀에 밟히지만, 그녀는 통신에 집중했다.

"엄마, 엄마, 엄마어마므마마아아아……."

울음소리가 점차 그르렁거린다. 혹시 무중력 공간에서 사레가 들었나 싶어 아나스타샤는 고개를 돌렸다.

"찰리하나팔!"

놀란 그녀의 고함에도 아랑곳하지 않고 찰리하나팔은 아이를 보고 있었다. 진동 나이프를 아이의 목에 댄 채로. 찰리하나팔의 샤다이의 눈이, 알탄훼아나의 눈이 금색으로 빛나며 아이를 보고 있었다.

"……씨발."

찰리하나팔이 혀를 찼다. 혹시나 했는데 역시나다. 아이는 충격과 울음에 떨고 있는 것이 아니었다. 지금 이 아이의 안에서 계단이 만들어지고 있었던 것이다. 이미 아이의 몸은 점프를 거쳐 샤다이의 정보로 흠뻑 적셔진 상태다. 그리고 오늘의 충격에서 계단이 생겨나고 있었다.

"쿠델카 이 개년이."

욕지거리가 찰리하나팔의 입에서 연이어 나온다. 지금 점프 게이트는, 계단은 알탄훼아나가 닫아놓은 상태다. 그리고 방금 화성과 연방 전역에서 일어난 샤다이의 워프 비스트화는 빈우가 이미 숨어든 샤다이들을 두뇌칩 동기화로 고문하면서 일어난 일이다. 하지만 지금 눈앞의 아이는 워프 비스트로 변하고 있었다. 찰리하나팔의 눈에는 그 내막이 보인다. 계단을 막고 있는 쿠델카가 무언가 수작을 부려 다시 계단을 이은 것이다. 인간을 해칠 수 없는 인공지능이 인간을 해치기 시작한 것이다.

290

• • • ✦ • • •

아이의 팔다리가 휘청거리며 꺾인다. 손톱이 나오고 이빨이 솟구친다. 전형적인 워프 비스트 변이다. 하지만 샤다이의 눈으로 그 안의 파장을 볼 수 있는 찰리하나팔은 알 수 있었다. 이 변이는 오늘 자신들이 행한 빈우의 방식이 아니라 예전처럼 계단을 타고 내려오는 샤다이의 방식이다.

'이번엔 아주 적극적이시구만.'

지금까지 계단은 쿠델카가 막고 있었다. 문제는 중간중간에 다른 일을 우선순위로 놓는 방법 등으로 임무를 방기해서 샤다이가 내려오는 것을 완벽하게 막진 않았다는 것이다. 하지만 그것도 알탄훼아나가 막아서 계단을 부순 다음부터는 샤다이가 이쪽 우주로 돌아오지 못했다.

"어떻게 된 거지?"

아나스타샤도 서둘러 다가와 아이의 상태를 보고 있다.

"쿠델카가 직접 계단을 열고 있어."

찰리하나팔은 대답하면서도 주변의 보수용액 밸브를 뒤져 꺼냈다. 그리고 변해가는 아이를 벽에 던져놓고는 보수용액을 뿌렸다. 외부에 노출된 용액들은 급격하게 굳으며 워프 비스트로 변해가는 아이를 벽에 묶어놓았다.

"뭐? 하지만 어떻게."

아나스타샤도 대략적인 사실은 파악하고 있었다. 그래서 아이의 갑작스러운 변화에 놀랄 수밖에 없었다. 막은 계단을 다시 뚫고, 살아 있는 인간의 몸에 지정해서 계단을 연다. 이는 아주 적극적인 적대행동이다. 지금까지 빈우를 통해 간접적으로 계획을 진행했던 쿠델카의 행동양식과는 전혀 다르다. 그리고 이 황제의 파편이 그런 행동을 할 수 있게 되었다는 것은 앞으로 매우 심각한 일이 된다.

"일단은 안을 봐야지. 그리고……."

찰리하나팔은 벽에 구속된 아이에게로 다가갔다.

'구해야지.'

마지막 말은 삼킨 찰리하나팔의 눈이 다시 빛난다. 알탄훼아나는 자신의 머리카락으로 워프 비스트화를 멈출 수 있다고 했다. 하지만 지금 찰리하나팔에게는 그런 기관이 없다. 그러면 다른 방법을 써야 한다.

'그런데 어떻게 구한다…….'

빈우는 두뇌칩으로 서로를 연결하고 접속해서, 자신의 증오과 공포를 상대에게 보내 고문하는 방법으로 샤다이를 워프 비스트로 만들었다. 하지만 지금 상대는 아직 두뇌칩이 없는 아이에다 거꾸로 인간인 상태로 돌려놓아야 한다. 그렇다면 직접 눈으로 보고 파악한 다음 안에 들어온 샤다이를 쫓아내는 방법밖에 없었다.

'조심…… 조심…….'

찰리하나팔의 눈이 아이의 눈을 노려본다. 눈 너머로, 시신경 너머로, 그리고 두뇌의 신경 신호를 파악하고 계단을 보았다. 그러나 그 계단을 본 순간, 찰리하나팔은 갑자기 남은 한 팔로 눈을 감싸 쥐고 몸부림쳤다.

"아악!"

비명과 함께 찰리하나팔의 몸이 뒤로 접혔다.

"무슨 일이야?"

아나스타샤가 놀라서 찰리하나팔을 부축했다. 그러나 찰리하나팔은 계속해서 욕과 비명을 지르며 바둥거렸다.

"씨발! 이 병신 새끼!"

찰리하나팔이 급히 진동 나이프를 휘둘러 자신의 눈을 쑤셨다. 그리고 그것을 마치 자신의 적인 양 미친 듯이 찔렀다. 먼저 금색으로 빛나는 샤다이 안구가 무중력 공간으로 둥실 떠오르고, 나머지 하나는 안에서 산산조각이 났다.

- 이히히히. 소용없어. 눈을 뽑아봐야 이미 늦었어.

그제야 시끄럽던 쿠델카의 비웃음 소리가 찰리하나팔의 머릿속에서 잦아들었다. 눈이 파괴되자 연결이 끊긴 것이다.

"씨발! 씨발년! 이 개씨발년!"

쿠델카의 간섭이 사라지자 아이의 변이는 멈췄고 찰리하나팔에 들어오는 그녀의 침입도 멈추었다. 그러나 아이의 생체신호가 이상하다. 변이를 멈춘 아이의 심장박동이 급격하게 떨어지고 있었다. 인간과 클론의 위기 사이에 아나스타샤는 얼른 아이에게로 다가갔다.

"안 되겠어. 일단 치료부터!"

아나스타샤가 구급팩을 찾으러 구역을 뒤졌다. 그런 그녀의 뒤로 찰리하나팔의 푸념이 들려온다.

"늦었어. 저 아이는…… 이미 죽기 직전이야. 아니, 거의 죽은 상태지."

찰리하나팔의 말대로였다. 아이는 억지로 숨만 붙어 있는 상태다. 주사한 마이크로 머신들이 아이의 몸 안을 맹렬하게 돌아다니지만 이미 늦어버린 상황이다. 그러나 변이가 멈췄다 해도 이렇게 생명 반응이 꺼져가는 것은 이상하다. 분명 아나스타샤는 이 아이를 처음 만났을 때 스캔을 했었지만, 그때는 별다른 이상이 없었었다.

"외부가 아냐. 아이의 안쪽, 부상당한, 내부부터 변했어. 쿠델카, 그년은…… 다 죽어가는 아이를 살린다는 명목하에, 컥, 아이를, 워프 비스트로 만든 거야."

워프 비스트의 육체 능력은 인간보다 뛰어나다. 그리고 생명력 역시 연방의 강화 군인을 능가한다. 즉 쿠델카는 아이를 살리기 위해 자신의 제약을 속여 인간을 워프 비스트로 만든 것이다.

이 사실을 들은 아나스타샤의 얼굴에 경악이 떠오른다. 이어서 초조함이 번져간다. 찰리하나팔의 눈이, 진동 나이프로 찌른 눈의 상처에서 출혈이 멈추지 않는다. 이어서 주인의 모습을 한 클론의 목에서 각혈이 올라온다. 강화 군인의 육체를 가진 클론의 몸이 치료되지 않고 있는 것이다. 찰리하나팔은 다시 올라오는 핏물을 꿀꺽 삼키며 웃었다.

"똑똑한 년. 그래, 긴급 시에 인간을 살린다는 명목으로 자신의 금기를, 크흠, 그렇게 비껴갔네. 그리고, 이 아이로 함정을 팠어. 화성을 침공한 나를 공격하기 위해서. 킥킥."

그는 피투성이 구멍만 남은 눈을 돌려 아나스타샤를 보았다.

"……그리고 그년 눈에 나는 인간이 아닌가 보다. 아주 격렬하더군."

그 말을 한 찰리하나팔의 몸에 서서히 변화가 일어난다. 워프 비스트의 변이다.

"어, 어떻게."

"쿠델카가 나를 노렸던 거야. 아마도 너를 통해 나를 봤겠지. 아니면 한 놈만 걸리란 식으로 여기저기 함정을 파놨거나. 그 결과 아이 안에 파놓은 함정에 내가 걸린 거고. 참 병신 같기도 하지. 내가 아이를 살리기 위해 그 안의 계단을 본 순간, 그년도 내게 접속했어. 일반적인 두뇌칩 접속이 아니라 막을 수도 없더라. 내 강화 육체는 통제권을 잃었고, 몸도……."

찰리하나팔의 팔에서 손톱이 솟구쳐 우주복을 뚫고 나온다.

"하긴, 나는 원래 괴물이지."

클론이 자신의 주먹을 쥐었다 폈다 하면서 슬프게 웃었다.

"게다가, 나는 너무…… 계단이 될 재료가 많았어."

그의 텅 빈 눈에서 흐르는 핏물이 마치 눈물처럼 보인다. 찰리하나팔에게 지금 눈은 없다. 그러나 그의 눈엔 오늘날까지 자신에게 죽어간 무고한 희생자들이 똑똑히 보인다.

"아나스타샤, 잘 들어."

만신창이가 된 찰리하나팔이 씩씩거린다. 두 다리, 한 팔, 양 눈을 잃은 클론이 헉헉대는 이유는 단지 육체의 상처 때문만이 아니다.

"방해꾼인 내가 사라지면 높은 확률로 쿠델카가 너에게 올 거다."

그런 말을 하는 찰리하나팔의 몸에 경련이 일어난다. 피부가 변하고 이마에서 뿔 같은 돌기가 돋아난다.

"근데 안드로이드 아가씨. 너 혹시 방비한 게 있어?"

아나스타샤는 피투성이가 된 주인의 얼굴 모습을 조심스레 쓰다듬었다. 비록 클론인 것은 알지만 아무리 봐도 익숙해질 수 없었다. 과거에도 수많은 울토르 클론들이 죽어갈 때마다 아나스타샤는 주인의 죽는 모습을 연상하며 떨었었다.

"주인님이 가르쳐주신…… 트리니티 패턴을 응용했어."

트리니티 패턴은 뇌와 두뇌칩, 생활 패턴이 맞으면 풀리는 것이며, 정보국의 장기다. 한번 묶이면 정해진 방법 외에는 결코 풀리지 않는다.

"내 사고와 행동 방식이 일반적인 것에서 벗어나면 즉시 나 자신을 소각하도록 해놨어. 너도 알다시피, 이건 설정되면 인공지능은 인식할 수 없는 블랙박스야. 내 안에서는 무슨 수를 써도 접속 못 해. 오직 외부에서 인간만이 풀수 있어."

군사정보국의 안드로이드는 비밀 엄수를 위해 자체 분해 기능이 있다. 이를 사용하면 육체는 물론이고 두뇌를 비롯한 메모리 계열은 완벽하게 박살난다. 그녀의 말을 들은 찰리하나팔이 히죽 웃었다. 쿠델카가 그녀의 몸에 들어오면 바로 자살해버리겠다는 뜻이다. 아무런 대책도 없이 주인을 찾아온것은 아닌 모양이다.

"쿠델카도 죽을까?"

"설마. 아마 나만 죽을 거야."

쿠델카의 본체는 점프 공간 안에 있다. 그녀가 아나스타샤의 몸에 들어왔을 때 육체를 태운다고 해도 사라지는 것은 아나스타샤의 몸뿐이다. 황제의 본체는 무사할 것이다.

"그래도 용케 그런 각오를 했네. 네가 불타 죽는 것을 보고 빈우가 퍽이나 좋아하겠다."

찰리하나팔의 말에 아나스타샤는 그동안 생각하기 꺼렸던 것을 떠올렸다. 자신이 소각될 때 주인님은 어떤 표정을 지을까, 그걸 상상한 아나스타샤가 부르르 떨었다. 빈우는 분명히 슬퍼하고 고통스러워할 것이다.

"그래. 그래도…… 주인님은 포기하지 않으실 거야. 하지만 지금 주인님은……."

아나스타샤도 잘 안다. 빈우는 이미 자신을 한 번 버렸다. 자신을 지키기 위해서라지만 큰 결단을 내리고 떠난 빈우다. 아나스타샤는 빈우를 구하고도 싶었지만, 동시에 그의 결정을 존중해주고 싶은 마음 또한 있었다. 지금 그녀가 빈우에게 간다면 도움보다 방해가 될 공산이 더 크다.

"그런데 찰리하나팔. 만약, 만약 내가 죽으면, 주인님은, 미련을 끊으시겠지? 그렇지? 내가, 흑, 주인님 앞에서 죽으면, 주인님은 더 이상 망설이지 않으시겠지?"

그녀의 눈에서 눈물이 떠올라 복도를 떠돈다. 아나스타샤는 자신의 죽음을 본 빈우가 어떤 반응을 할지 상상하기도 싫었다.

"그리고, 쿠델카를, 아주아주 미워하시겠지?"

안드로이드의 물기 어린 눈가가 이번엔 웃음기로 휘었다.

"그래. 네가 사라지면, 그 황제의 찌꺼기는 빈우에게 간섭할 카드 하나를 잃게 된다. 네가 죽는 순간 쿠델카 그년은 X 되는 거지. 아주 X 되는 거야. 배때기에 칼빵을, 쿨럭."

찰리하나팔의 말에 아나스타샤는 울다가도 픽 하고 웃었다. 예전에 쿠델카와 접속하면서, 아나스타샤는 자신이 사슬임을 알게 되었다. 아나스타샤는 쿠델카가 만들어놓은 사슬, 황제의 계획 바깥에서 움직일 빈우를 속박하기 위한 사슬이다. 그리고 쿠델카는 아나스타샤를 통해 빈우와 그녀 자신을 얽어매어놓는 것으로 과거의 속박에서 벗어날 속셈이다.

"그라디우스가 오고 있어."

아나스타샤가 아까 신청한 그라디우스가 이쪽으로 날아오고 있었다. 정적 속에 찰리하나팔이 고개를 끄덕인다.

"나한테 말하지 마. 난 널 구했고, 앞으로 내가 너한테 해줄 수 있는 것은 없어. 이제 네 갈 길은 네가 알아서 가."

"치료할 수 있어. 클론이잖아. 강화 군인이고. 넌 주인님의 특제 허수아비 야. 포기하지 마."

"난 포기하지 않았어."

쉭쉭거리는 찰리하나팔의 다그침에 아나스타샤가 그의 머리를 쓰다듬었 다. 날카로운 가시가 여기저기 튀어나오고 있다.

"난 여기서 내 할 일을 할 거야. 넌 가서 네 할 일을 해."

그래도 아나스타샤는 다 죽어가는 찰리하나팔을 놓고 머뭇거리고 있었다.

"빈우를 구해줘."

하지만 클론의 마지막 말에 결심한 듯, 마침내 안드로이드가 벽을 박차고 날아갔다. 그리고 비상문을 열고 나가 그라디우스에 탔다. 그 모습을 지켜본 찰리하나팔은 드디어 자신의 일을 마무리지으려 했다.

"꼬마야."

찰리하나팔이 숨이 끊어져가는 아이의 앞으로 다가갔다. 그리고 허공에 떠다니는 샤다이의 안구를 집어 다시 눈 안으로 밀어넣었다. 남은 것은 마지 막 남은 힘을 쥐어짜 눈을 재생하는 것이다. 신경계가 뻗어나가 안구를 붙잡 고, 시각 센서 기동용 근육들이 일어나 샤다이 안구를 고정한다. 마침내 눈이 복구되자 찰리하나팔은 아이의 얼굴을 잡고 멍해진 눈을 마주 보았다.

"……아파요……."

아이의 입에선 이제 말이 아닌 나직한 한숨이 나온다. 아마도 부모를 부르는 것이겠지. 워프 비스트로 변하며 나아가던 내장기관들도 변이가 멈추자 다시 붕괴되기 시작했다. 주사했던 마이크로 머신들도 더 이상 작동하지 않는다. 이제 소년의 목숨은 머지않아 꺼질 것이다.

"……미안하다."

찰리하나팔은 꿈틀거리는 아이를 붙잡고 그 눈 안 너머의 심연을 들여다보았다. 다시금 뇌 신경의 신호를 보고 그것을 해독한다.

"꼬마야, 어디 있니! 꼬마야!"

하나 남은 눈으로 아이의 안쪽으로 들어간 찰리하나팔은 아이의 정신세계 속을 달렸다. 그리고 부모의 시신으로 만든 계단에 파묻혀가는 아이를 발견했다.

"꺼져! 이 개새끼들아!"

아이를 파묻으려던 샤다이들이 찰리하나팔에게 잡혀 갈기갈기 찢어진다. 클론은 샤다이의 목줄기를 물어뜯고 질겅질겅 씹어 삼켰다. 도망치던 놈의 척추를 뽑아 넘어진 놈을 패 죽였다. 살육과 학살의 끝에 찰리하나팔은 마침내 아이를 잡아 꺼냈다.

"아저씨가 너무 늦었지?"

아이의 얼굴에는 공포도 고통도 없었다. 그저 멍했다. 마치 표정이 없는 시신 같았다. 이유 없는 폭력에 휩쓸려 죽어가는 아이는 마치 자크 라캉처럼, 또는 엘리자베트 허드슨처럼, 혹은 하비에르 부뉴엘처럼 보였다. 찰리하나팔은 자기가 죽였던 아이들을 끌어안고 걸었다. 그는 자신의 죄와 업보를 다시는 놓치지 않겠다는 듯, 가슴속 깊이 파묻었다.

"거긴…… 네가 갈 곳이 아니야."

찰리하나팔은 아이를 안고 밖으로 나가려던 중에 이상한 흔적을 하나 찾았다. 자신 말고 외부에서 들어온 흔적이다. 샤다이는 아니다. 그리고 보니 이 아이의 정신세계에 들어온 것은 샤다이가 아니라 쿠델카였다. 그녀가 수작을 부려 아이의 안에 계단을 만들고 샤다이를 들여보냈던 것이다. 찰리하나팔은 아직 남아 있는 개구멍을 슬쩍 엿보았다.

"장관이네."

눈앞에 펼쳐진 것은 실로 장관이었다. 찰리하나팔은 인간의 클론이라 외부의 자극은 오감으로 인식할 수 있는 것이 한계다. 지금 개구멍 너머로는 인간의 인식 범위 바깥의 정보가 오가고 있었다.

하지만 그런 분류를 떠나 엄청난 양의 정보와 의식이 맞부딪히고 있다는 것쯤은 알 수 있었다. 이 개구멍이 연결된 곳은 하필이면 쿠델카와 메이화의 정신세계였던 것이다. 찰리하나팔은 쿠델카의 흔적을 따라가다가 황제의 페르소나 둘이 싸우는 광경을 엿보게 되었다.

둘의 싸움은 실로 대단했다. 이 호각의 승부에 찰리하나팔이 끼어들었다간 그는 문자 그대로 고래 싸움에 등 터진 새우가 될 것이다.

"안녕 개년아."

새우가 말을 걸었다.

"같잖은 클론 찌꺼기가."

고래가 대답했다. 눈을 돌리지 않아도 모멸의 시선이 느껴진다.

"바쁜 모양이네?"

이번에는 대답도 없었다. 지금 쿠델카는 메이화와 싸우고 있는 중이라 고작 클론의 정신체 따위에 신경 쓸 여유는 없는 것이다. 실제로 찰리하나팔이 무엇을 한다 해도 강대한 쿠델카에게 피해를 줄 순 없다.

"아들의 선물이야. 잘 받아라."

하지만 그럼에도 불구하고 찰리하나팔은 적의를 세워 이곳에 풀어놓았다. 빈우에게서 공유받은 적의다. 빈우가 자신의 어머니인 쿠델카에게 주기 위해 갈아놓고 담금질했던 증오와 적의가 퍼져서 쿠델카를 덮쳤다.

"악!"

이런 것을 줘봐야 그녀에게 큰 피해는 아니었다. 기껏해야 똥물을 뒤집어씌운 정도의 모멸감을 줄 뿐이다. 하지만 지금은 꽤 타이밍이 좋았다.

"너! 너어 —!"

분노한 쿠델카였지만 그 분을 풀 겨를이 없었다. 잠시 틈을 보이자 메이화가 바로 치고 들어온 것이다.

"이것들이!"

찰리하나팔은 뒤도 돌아보지 않고 달렸고, 쿠델카의 노성이 뒤에서 점차 멀어져간다. 찰리하나팔은 달리고 달리고, 또 달렸다. 그리고 아이의 얼굴을 다시 내려다보았다.

"미안하다."

아이의 얼굴이 희미해져간다. 얼굴뿐만 아니라 몸 전체가 사라져간다.

"형이 너를 구하려고는 하지만, 살리지는 못하겠다."

궤도 엘리베이터의 한구석에서 찰리하나팔의 눈에 보이는 것은 숨이 끊어진 아이였다. 찰리하나팔의 접속이 끝났을 때 아이는 이미 죽어 있었다. 아이는 인간인 채로 죽었다.

"미안해."

찰리하나팔이 아이의 눈을 감겨준 다음 뒤틀린 팔다리를 가지런히 모아주었다. 워프 비스트의 흉기가 접혀 아이의 가슴에 올라갔다.

'워프 비스트로 사는 것이 좋았을까. 인간으로 죽는 것이 좋았을까.'

하지만 그 질문에 대답할 사람은 없다. 애초에 인간이란 무엇일까. 찰리하나팔은 인간의 유전자로 태어난 클론이다. 생물학적으로 인간임에는 분명하지만 어느 누구도 그를 클론으로 보지, 인간으로 보지 않는다. 하지만 빈우는 확실히 인간임에도 불구하고 쉬바에 반응해버렸다. 그는 법적으로도, 자신의 인식으로도 인간이었다. 그러나 쉬바는 그를 '오염된 인간'으로 정의하고 작동했다.

'지금 그딴 게 뭔 상관이냐.'

멍해지는 머리에 찰리하나팔은 생각을 그만뒀다.

'정말 미안하구나.'

이제 찰리하나팔의 목에서도 더 이상 말이 나오지 않았다. 그리고 너무 추웠다. 갑자기 한기가 찰리하나팔을 감쌌다. 외부의 한기는 아니다. 동력이 끊어진 궤도엘리베이터라 하지만 보온은 되고 있고, 찰리하나팔도 우주복을 입고 있다.

'그래도 춥군.'

그런데 추워도 몸은 떨리지 않는다. 신체 곳곳에서 경보가 뜨지만 그는 무시했다. 단 하나 무시할 수 없는 것은 무지 졸립다는 수면욕 하나다. 찰리하나팔은 지금 너무 피곤하고 잠이 왔다. 하지만 문득 떠오른 것은 혹시 이 아이도 자기처럼 춥지 않을까 하는 생각이다.

'추우면 안 되지. 뭔가 덮어줘야겠다.'

찰리하나팔이 아이의 옆에 붙었다. 그리고 탄소 케이블로 자신을 아이 옆의 벽에 질끈 묶었다.

'이불.'

찰리하나팔은 혹시 냉기가 올라가 아이가 잠에서 깰까 싶어 방한용 알루미늄 모포를 꺼내 아이를 덮어주었다.

'그리고…… 베개.'

찰리하나팔이 하나 남은 손으로 남은 모포를 똘똘 말아 아이의 뒤통수에 넣어주고, 이불을 머리끝까지 씌워주었다. 다른 하나는 자신이 베었다. 그리고 나머지 모포 자락을 자신의 가슴팍까지 올렸다. 베개를 베고 이불을 덮고 자는 것은 그가 태어나서 처음으로 해 보는 일이다.

'난 인간이야.'

마커스의 말이 기억난다. 그는 클론인 찰리하나팔을 법정에 세운다고 했었다. 찰리하나팔도 기꺼이 법정에 설 생각이었다. 그리고 자신이 저지른 죄에 대해 당연히 벌을 받을 생각이었다. 애초에 찰리하나팔은 무고한 인간을 죽인 것에 대한 죗값을 치를 각오로 빈우에게 협조했던 것이다.

'죄를 지었으면…… 벌을 받아야지.'

연방의 법은 연방의 인간을 대상으로 한다. 찰리하나팔이 저지른 죄에 대한 처벌은 극형이 될 것이 뻔하다. 그래도 벌을 받을 것이다.

'그럼, 벌을 받아야지.'

하지만 지금은 너무 졸렸다. 찰리하나팔은 잠에서 깨면 자수할 다짐을 하고 눈을 붙였다.

'난 괴물이 아니야. 인간이야.'

찰리하나팔은 이제 자유로워졌다.

• • • ✦ • • •

291

아기가 통곡한다. 정확히 말하자면 아직 태어나지도 못한 아기 형태를 한 괴물이 채 떠지지도 않는 눈을 실룩이며 울고 있었다.

"무슨 일이지."

이 섬은 빈우의 공격을 피하며 뒤로 물러섰다. 아까 관리소의 대 난장판이 벌어진 후 빈우는 관리소의 일부와 함께 우주공간으로 날려갔고, 그 뒤를 섬이 쫓았었다. 비록 메이화와는 연결이 끊겼지만 지금 빈우를 놓칠 수는 없었다. 자신의 어머니인 메이화가 쿠델카와 사생결단을 벌이는 지금, 쿠델카의 아들인 빈우를 죽이든 살리든 손안에 두고 있어야 했다.

- 전대장님!

이 섬이 꿈틀거리는 빈우과 거리를 두고 잠시 대치 상태에 있을 때, 요시오가 따라붙었다. 어설트 급 장갑복이 날아와 파편 위에 안착한다.

- 블랙 랜스 쪽은?

섬이 빈우와 한층 거리를 두며 물었다. 울던 빈우가 갑자기 관리소 파편 위에서 몸부림치며 발광하기 시작했기 때문이다. 아기의 몸에서 촉수가 돋아나와 여기저기에 파고든다. 그리고 이 촉수들이 관리소 파편을 흡수하기 시작했다.

- 튀었습니다. 함포를 냅다 갈긴 다음 챙길 것만 챙겨서 튀더군요. 근데 안드로이드 쪽이 문젭니다.

요시오가 말한 안드로이드란 쿠델카 모델 안드로이드를 말한다. 그것도 보통 안드로이드가 아니다. 황제의 페르소나인 쿠델카가 이 통상 우주에 현계할 인형이고, 지금 상황에서 매우 중요한 키가 될 안드로이드다.

요시오는 관리소의 파편이 빈우에게 흡수되는 것을 보며 곤란하다는 듯이 눈살을 찌푸렸다. 저 자재는 지구제국의 것이다. 비록 그들이 입고 있는 장갑복에 비하면 훨씬 질이 떨어지는 것이지만, 그래도 인류 연방의 기술로는 파괴하기 힘든 자재였다. 그런 물질들이 지금 저 괴물에게 파괴도 아닌, 흡수되고 있다는 것은 그리 좋은 소식이 아니다.

- 안드로이드라면 낭소로호가 쫓았을 텐데.

이 섬이 빈우의 포식을 지켜보며 검을 가다듬었다.

- 쫓았는데, 타이 차관이 안드로이드와 클론 둘 다 탈출시켰답니다.

요시오의 대답에 섬이 흠, 하는 콧소리와 함께 입술을 다물었다. 비홀더 1전대에서 전투력 최강이라면 이 섬과 낭소로호, 요시오 이 셋이다. 그리고 근접전이라면 요시오가, 사격전이라면 낭소로호가 이 섬을 능가한다. 그런 낭소로호에게서 도망쳤다? 있을 수 없는 일이다.

- 설마 중위가 일부러 놓아준 건가?

- 글쎄요. 그 양반은 워낙 보고 들은 게 많아서 말이죠.

그때 마침 포식을 마친 빈우의 팔이 이쪽으로 뻗어왔다. 요시오가 나서서 검을 휘둘러 촉수 같은 팔을 막았지만, 빈우의 팔은 아무런 반응이 없었다. 이쪽의 중성미자의 산란이 먹히지 않고 있다. 안 좋은 소식이 계속해서 이어지고 있다.

- 중위님이 느릿느릿 따라가서 뒤에서 타이 차관에게 칼빵을 놨습니다만, 블랙 랜스 쪽에서 저격을 해서 타이 차관의 머리를 날려버리더구만요.

낭소로호는 근래 급변하는 연방의 정세를 파악하기 위해 단독으로 태양계 내에서 행동하고 있었다. 그리고 그 영향이 함장에게 가지 않도록 모든 연락을 끊고 있었기에 그간의 행적에 대해선 알 수 없었다. 복귀하고 나서는 바로 작전에 들어간 탓에 아직 제대로 된 정식 보고는 없었다.

- **날려버렸다?**

이 섬이 반문했다. 낭소로호가 자신의 목표를 죽이려고 했다면 뒤에서 양성자포를 쏘기만 했어도 쉽게 지워버릴 일이었다. 그의 사격 실력이면 사지가 불편한 클론과 전투용이 아닌 안드로이드 따위 순식간에 날려버렸을 것이다. 다른 사람이 날려버리기 전에.

- **정확히는 아룹이란 작자가 모가지를 노리고 쏴서 대가리만 두둥실 했습죠. 뇌와 두뇌칩은 무사할 테니 어찌어찌 살릴 수는 있을 겁니다만, 중위님이 그 대가리를 따로 챙겼습니다.**

그 말을 하며 요시오는 전대장의 눈치를 봤다. 낭소로호의 충성심에는 의심할 여지가 없지만, 그의 행동은 분명히 수상했다.

- **낭소로호가 그렇게 했다면 그런 이유가 있겠지.**

관리소의 자재를 먹어치우고 그것을 소화해 잃어버린 신체를 복구한 아기가 이제 이쪽을 보고 있었다.

- **낭소로호.**

이 섬은 빈우와 서로 시선을 떼지 않은 채 낭소로호를 불렀다.

- **네, 전대장님.**

- **지금 즉시 이리로 와.**

- **지금은 조금 곤란합니다.**

뜻밖의 대답에 요시오가 식은땀을 흘렸다. 지금 낭소로호는 전대가 건곤일척의 승부를 치르는 마당에 딴죽을 걸고 있는 셈이다.

- **왜?**

묻는 이 섬은 별다른 반응을 보이지 않았고, 낭소로호의 대답도 태연했다.

- **거래 중이라서요. 조금 바쁩니다.**

지금 그는 누구와 거래하는지도 밝히지도 않고 전대장의 명령을 미룬 것이다. 요시오는 식은땀이 목구멍에 걸리는 기분을 느끼며 그걸 꿀꺽 삼켰다.

하지만 대화를 나누는 둘은 태연했다.

- 끝나면 오도록.

- 알겠습니다.

*

- 이거면 되는가?

낭소로호가 마커스 타이의 머리를 던졌다. 무중력 공간을 떠내려간 머리를 잡은 것은 이노우에 고토의 허수아비였다. 아까 마커스를 구하면서 죽은 개체와는 다른 녀석이다.

- 충분하지. 고맙소.

고토의 말에 낭소로호는 달리 대답이 없었다. 대신 마커스의 머리를 던졌던 그의 손은 이번엔 손바닥이 위로 향하고 있었다.

- 여기 있소.

이번엔 고토가 낭소로호에게 무언가를 던졌다. 두뇌칩이다. 그것도 꽤 예전에 쓰이던 구형모델이다.

- 씀씀이가 좋군. 절반만 받고서도 다 주는 건가?

- 나머지 하나는 그때도 말했듯이 덤이라서.

고토의 말에 낭소로호가 고개를 돌렸다. 방금 전대장에게 부름을 받은 곳이다.

- 전대장이 저기서 그 덤을 상대하고 있소. 원한다면 챙겨올 수도 있는데?

하지만 고토의 허수아비는 고개를 저었다.

- 아니, 있으면 좋고 없으면 그만인 것이었소. 이 이상 폐를 끼칠 순 없지.

그 말에 낭소로호가 피식 웃었다. 폐는 폐지만 그것을 끼칠 대상이 비홀더 1전대뿐만 아니라 인류 연방이란 것을 눈치챈 것이다.

- 아무튼 잘 받았소. 요긴하게 쓰지.

그리고 낭소로호는 빈우가 있는 곳을 향해 날아갔다. 그 뒷모습을 보며 고토의 허수아비는 작게 탄식했다. 그리고 고개를 내려 고토가 아끼던 두 보물 중 하나의 머리를 쳐다보았다. 김빈우와 마커스 타이, 둘 다 연방의 걸출한 인재들이다. 그중에서도 특히나 마커스 타이는 군사정보국 같은 곳에서 머물 위인이 아니다. 여기를 거쳐 더 높은 자리로 올라가 인류 연방을 이끌 요직에 앉을 인재다. 반면 빈우 같은 경우는 뛰어나긴 하나 정신적으로 하자가 있었다. 타인을 위해 희생하겠다는 강박관념, 한 명의 인간을 위해 수억의 외계종족을 죽이겠다는 각오. 여러모로 위험했다. 그리고 지금은 더더욱 위험한 존재가 되고 말았다.

'하지만 그렇게 만든 원인은 내게도 있다.'

허수아비가 자책했다. 그는 현장 판단을 하기 위해 고토 본인의 자료와 기억을 상당수 가졌기 때문에 이런 판단을 할 수 있었다. 하지만 거기까지다.

'본체라면 과연 어떤 판단을 내릴까.'

고토의 허수아비는 자신의 본체인 이노우에 고토의 의중을 알 수 없다. 본체가 자신처럼 자책할지, 아니면 흡족해할지는 모른다. 다만 자신이 방금 건네준 자료가 이 아수라장의 또 다른 전환점이 되리란 것 정도는 알 수 있었다. 문제는 그것의 영향력이 이 폭풍우를 잦아들게 할 것인가, 아니면 더욱 혼란의 소용돌이로 빠져들게 할 것인가, 다.

*

- 전대장님, 늦어서 죄송합니다.

낭소로호는 도착하자마자 이 섬에게 두뇌칩을 하나 건네주었다.

- 이건 구형 모델이로군.

지구제국도 두뇌칩을 쓰지만, 현재의 연방제 두뇌칩과는 기술 계통이 아예 다르다. 그러나 지금 낭소로호가 가지고 온 것은 연방과 제국이 서로 분화되기 전의 모델로서 상당히 구형의 칩이었다. 그런 것에 든 정보라면 역시나 옛날의 자료일 가능성이 높을 것이며, 또 이런 상황에서 군이 거래해서 가져올 것이라면 그 중요도와 위험도는 말할 것도 없었다.

'이건!'

이 섬은 두뇌칩의 내용물을 보고 놀랐다. 낭소로호가 가세한 덕에 빈우를 견제하기 수월해졌고, 그 덕에 전대장은 좀 더 생각을 가다듬을 수 있었다.

'낭소로호가 가져온 것은 분명히 이 시점에서 확실한 우세를 점할 수 있는 키다. 그러나 연방이 우리에게 이것을 넘겨준다면 그들은 뒷감당을 어떻게 하지? 고작 연방 군인 두 명의 목숨에 이것을 준다고?'

그가 의심을 하는 것도 당연하다. 지금 이 섬의 손엔 너무나 좋은 타이밍에 훌륭한 무기가 들어온 것이다.

- 어쩌시겠습니까. 전대장님.

무기를 가져온 낭소로호가 물어본다. 가져온 물건을 쓰라고 재촉하는 것도 아니다. 거래를 해서 구해온 그조차 이런 투로 말하는 것을 보면 이것을 쓰는 데에 조금은 거리낌이 있는 듯싶다.

- 훌륭하다, 낭소로호. 필요한 때에 적절한 물건을 들고 왔군.

- ……떨이로 주는 것을 받아왔습니다.

즉 주는 쪽에서도 뭔가 꿍꿍이가 있었다는 의미다. 이러니 섬도 낭소로호도 지금 상황이 썩 달가운 것은 아니다. 인류 최고의 무력 집단이라고 할 수 있는 비홀더 제1전대가 오늘에 이르기까지 너무 이용만 당했으니 기분 좋을 리 없다. 그 이유는 정보력의 부재라고 판단해 낭소로호가 단독으로 정보 수집에 나섰지만, 이건 하루 이틀에 되는 것이 아니다. 이 섬도 낭소로호도 알고는 있었지만, 막상 당하게 되자 입맛이 떫다.

- 사용하도록 하지.

섬은 두뇌칩 안의 내용물을 사용하려 했다. 그러나 이쪽이 생각에 빠져 잠시 공세에 틈이 생기자 빈우가 이를 놓치지 않고 밀고 들어왔다.

- 이런!

지구제국의 기사 셋이 괴물 하나에게 뚫렸다. 물론 당한 것은 아니다. 빈우가 포위망을 뚫고 도망친 것이다.

- 쫓아!

이 섬이 선두, 그 뒤로 낭소로호와 요시오가 뒤따랐다. 개중 가장 많이 두들겨 맞은 요시오는 약이 바짝 올라서 쫓았다.

- 어딜 튀려고! 어랍쇼?

양성자포를 겨누던 요시오가 시선을 약간 옆으로 돌리자, 빈우가 날아가는 방향 쪽에서 소형 우주선이 하나 날아오고 있었다. 연방이 그라디우스라고 부르는 병력 수송용 중형 전투기다.

- 헤헹, 얕은 수작 부리기는.

분명 저것을 타고 도망칠 것이라 판단한 요시오는 빈우가 아니라 그라디우스를 겨눴다. 그러나 앞서가던 이 섬의 생각은 조금 달랐다.

'설마 오지 말라고 하는 것인가? 그라디우스에게?'

태아 형태의 괴물은 날아가면서 팔을 퍼덕이고 있었다. 얼핏 보면 도망치기 위한 발버둥 같기도 하지만, 왠지 이 섬에게는 오지 말라고 절규하는 몸짓으로 보였다. 그는 좀 더 추이를 지켜보기 위해 요시오를 제지하려고 했으나, 그보다 요시오가 쏘는 것이 더 빨랐다. 아광속으로 날아간 양성자의 궤적은 그라디우스에 정확히 명중했고, 연방의 수송기는 절단되며 폭발했다.

- 아―나스―타샤.

이 섬에게 절규가 들렸다. 소리는 당연히 아니고 통신 또한 아니다. 비홀더 제1전대장에게 공명된 감정이다. 마치 비홀더의 전대장끼리 서로를 연결하는 것과 같은 느낌이었다.

'결국 여기까지 왔나. 서둘러 마무리를 지어야겠군.'

이 섬은 빈우의 경지가 어디까지 왔는지 본능적으로 알아차렸다. 빈우의 재생은 비록 제대로 된 것은 아니고, 또한 누군가에게 직접 조정을 받은 것도 아니다. 그래서 저런 엉망진창의 괴물이 된 빈우지만, 그 위계는 엄연히 황제 직속 1기사. 더구나 쿠델카 유일의 기사라 능력은 집중되어 있다. 지금 빈우의 위험도가 자신과 동급이라 인지한 이 섬은 낭소로호가 가져온 것을 사용하기로 마음먹었다. 이용당한다는 기색이 역력하지만 어찌할 바 없는 외통수다. 다음 일은 부딪힌 뒤에 생각하기로 한 이 섬이 자신의 황제를 불렀다.

- 어머니—.

- 엄마—.

그런데 약간의 혼선이 있었다. 이 섬은 함장을 부르려고 했었다. 메이화가 그녀의 어머니이긴 하지만, 방금은 분명히 함장이라고 부르려 했다. 하지만 누군가의 비슷한 말이 귀에 들려오자 이 섬도 '어머니'라고 말이 헛나와버린 것이다. 이어서 혼선을 일으킨 그 누군가로부터 경악과 슬픔이 솟구쳐나와 이 섬에게 흘러들어온다.

- 어—ㅁ—마—.

아기가 바둥거리며 날아가 그라디우스의 파편을 뒤졌다. 괴물이 그라디우스의 조종석을 부수고 손을 집어넣었다. 그리고 거기서 상반신만 남은 우주복을 잡아 꺼냈다.

- 엄—마—.

말이 아닌 느낌이 이 섬에게 전해진다. 그는 빈우가 무엇을 찾았는지 본능적으로 알 수 있었다. 같은 처지였으니까. 아기의 품 안에서 가슴 위로만 남은 엄마가 안겨 죽어가고 있었다.

- 어쩌죠? 날려버릴까요?

요시오가 양성자포로 빈우와 아나스타샤를 조준하면서 물었다. 지금이라면 쿠델카의 그릇이 될 안드로이드를 흔적도 없이 지워버릴 수 있다. 그러나지금 요시오는 질문은 이 섬에게 하면서도 시선은 낭소로호에게로 향하고있었다. 낭소로호는 이전에 관리소에서 아나스타샤를 파괴하지 않고 보내준적이 있기 때문이다.

- 거래는 끝났다. 이제는 죽여도 별 상관없겠지.

낭소로호는 그가 방금 말한 거래로 상당히 중요해 보이는 두뇌칩을 가져왔다. 요시오는 그게 무언지 모르지만, 전대장인 이 섬의 반응을 봐서 굉장한가치를 지닌 것은 분명했다.

- 그렇다면야⋯⋯.

요시오는 시선을 다시 빈우에게도 돌렸다. 그런데 요시오가 겨누는 총구의 앞을 전대장의 손이 가로막았다.

- 전대장님?

의아해하는 요시오의 질문에 이 섬은 대답하지 않았다. 그저 알 수 없다는시선으로 빈우의 행동을 지켜볼 뿐이다. 태아 형태의 흉물은 상체 일부만 남은 안드로이드를 애지중지 껴안고 있었다.

'김빈우는 정말 쿠델카의 제1기사일까? 황제의 제1기사가 타인에게 저런

감정을 품을 수 있나?'

그 모습을 바라보던 섬의 귓가에 문득 빈우의 울부짖음이 메아리쳤다.

'어머니에게 자유를.'

그 울부짖음에 거짓은 없어 보였다. 빈우의 목적은 어머니에게 자유를 주는 것이라고 했다.

'그 어머니란 것이 쿠델카일까, 아니면……'

이 섬은 마음속 의문을 되새기며 손안에 든 두뇌칩을 만지작거렸다. 그리고 그 두뇌칩에 든 자료를 메이화에게 보냈다. 이것으로 승기는 자신들, 비홀더 전대가 가져가게 될 것이다.

- 내가 마무리짓지.

이 섬은 그렇게 말하며 빈우에게 다가갔다. 빈우는 아나스타샤를 어떻게든 안전한 곳으로 옮기려 그라디우스의 잔해를 붙잡아 뒤지고 있었다. 그까위 연방제 우주선 장갑으론 제국의 무기 앞에서 얼마 버틸 수 없지만, 그래도 괴물은 자신의 소중한 것을 조금이라도 안전한 곳에 숨기기 위해 안간힘이었다.

이미 빈우라는 존재의 인간성은 쉬바에 의해 엉망진창 침식되고 있는 중이다. 그럼에도 불구하고 단 하나, 꺼지지 않는 불씨가 그의 뇌리 속에서 빨갛게 일렁이고 있었다. 빈우는 계속해서 흐려지고 어두워지는 심상 속에서 저 멀리 자신을 이끄는 불빛을 찾아 나아갔다. 그리고 그것을 손아귀에 집어넣고 그 온기를 느꼈다.

- 내 빛, 내―사―랑, 내가…… 죽을 곳―.

빈우의 그 말에 아나스타샤가 반응했다. 꿈틀거리며 눈을 뜬 것이다. 가슴부터 머리만 남은 안드로이드가 아기의 손안에서 팔을 들어 올리고 있었다. 몸을 지킬 장갑복도 없고, 몸도 전투용 안드로이드가 아니라 피해가 심각했다. 지금 아나스타샤는 동력로가 망가져 작동 정지 일보 직전이다.

- 그래요. 주인님이 죽으시면…… 그 옆엔 제가 누울게요.

아나스타샤의 하나 남은 손이 빈우의 얼굴을 쓰다듬었다. 빈우는 가만히 그 감촉을 느끼고는 그녀의 팔을 잡아 조심스레 내렸다. 그리고 제국 기사 쪽으로 돌아선 태아 형태의 흉물이 자세를 잡았다.

- 으음.

그 모습을 본 이 섬은 저도 모르게 이를 악물었다. 지금 그의 앞에 선 빈우는 방금까지와는 달랐던 것이다. 아까까지의 빈우는 그저 악의와 증오가 실타래마냥 엉켜 휘둘러진 것에 불과했다. 그러나 이제는 그 악의를 씨실 삼고 증오를 날실 삼아 뽑아낸 줄에 목이 졸리는 기분이 들었다.

"요시오! 물러서라!"

말이 끝나기가 무섭게 요시오의 양팔이 날아갔다. 빈우는 한 번 찌르고 당기는 것으로 요시오의 두 팔을 자른 것이다.

- 제길! 안 보여! 전대장님! 저 새끼도 시간 틈에서 움직입니다!

아까 대원 한 명을 공격할 때 빈우가 공간의 좌표를 뒤트는 것을 보았다. 그리고 지금은 시간마저 일그러트린다. 이성은 몰라도 전투 기술만큼은 이 섬과 동급이다.

- 낭소로호!

이 섬은 엄호를 명령하며 가속해서 달려나갔다. 그는 드문드문 끊기는 빈우의 모습에서 현재 놈의 가속이 자신보다 뛰어난 것을 알 수 있었다. 능력이 떨어진 지금으로선 벅찬 상대다. 빈우와 이 섬 주변의 시간 거품들이 맞부닥치고, 서로의 가속 시간이 상쇄된다. 낭소로호가 쏜 양성자포가 빈우에게 명중했지만 붕괴는 일어나지 않았고, 단순한 입자포의 효과만 나왔을 뿐이다. 그리고 낭소로호는 방금 쏜 양성자 궤적 중 하나가 바로 등 뒤에서 나타나 자신에게 꽂히는 것을 느꼈다. 그가 입고 있는 것이 제국제 장갑복이 아니었다면 순식간에 소멸했을 위력이다.

- 골치 아프군.

낭소로호도 검을 들고 다가갔다. 하지만 물질 사이의 접합을 끊는 지구제국의 검도 지금 저 괴물을 상대론 한낱 날붙이에 불과했다. 찰나의 시간에 수백 번의 공격이 오갔고, 마지막 공격 다음 쌍방은 잠시 뒤로 물러섰다.

- 으음.

그사이 낭소호로는 차원이 반전해 뒤집혀가는 팔을 잘라낸 다음 재료로 환원했다. 요시오는 계속해서 얼어붙는 자신의 왼발을 잘라냈다. 섬은 상처 투성이가 된 빈우를 노려보며 다음 공격 기회를 노렸다. 하지만 다음 싸움은 일어나지 않았다. 이를 중재할 존재가 나타났기 때문이다.

- 함장님!

이 섬은 자신의 앞에 나타난 함장을 보고 놀랐다. 통신이 아니라 본체가 직접 나타난 것이다.

- 고마워요, 전대장. 덕분에 이렇게 올 수 있었습니다.

그녀의 말과 동시에 비홀더 1전대의 남은 함선들이 속속 화성 궤도에 도착했고, 체메트디오프의 함대를 향해 맹공을 퍼부었다. 갑작스러운 지구제국 함대의 등장에 이제까지 길항을 이루던 전황은 삽시간에 무너져내렸다. 비홀더 전대의 전투함들은 도착하자마자 고대 샤다이 함대에 중력 닻을 걸고 장갑보병들을 침투시켰다. 이제 샤다이들에게 남은 것이라곤 죽음뿐이다.

- 이제 자매들에게 부담을 주지 않아도 되는군요.

방금 낭소로호가 가져온 두뇌칩에 든 것은 비홀더 전대에게 보내는 연방의 요청서였다. 비홀더 전대는 특별한 경우가 아니고선 루비콘 라인 안으로 들어오지 못한다. 그러나 이들은 인류에게 심각한 위험이 있다고 판단하는 경우엔 금지된 선을 넘어 안으로 들어올 수 있다.

이번의 경우엔 비홀더 전대 중 1전대만이라도 화성에 증원을 올 수 있었지만, 쿠델카가 방해하는 바람에 편법을 써서 소수만 올 수밖에 없었다. 그러나 연방 측에서 위험이 확실하다고 판단하고, 명확하게 요청하면 이야기가 달라진다. 이노우에 고토가 준 것은 그러한 종류의 요청서이며 이것 덕에 메이화는 쿠델카의 방해를 뚫고 나머지 병력을 화성까지 데리고 올 수 있었던 것이다.

- **싸움이 끝나고 짬이 조금 생겨서 왔어요.**

메이화가 말한 싸움이란 쿠델카와의 정보전일 것이다.

- **싸움은 어떻게 되었습니까?**

섬의 질문에 메이화가 쓴웃음을 지었다.

- **누가 똥물을 뿌리는 바람에 중간에 흐지부지되었죠.**

- **어떤 놈이 감히! 하명하십쇼. 제가 아예 피곤죽을—!**

요시오는 경애하는 함장에게 그런 짓을 한 놈을 갈아버리겠다는 듯, 막 붙은 팔을 붕붕 휘둘렀다.

- **이미 죽었어요.**

- **아, 넵.**

메이화는 슬픈 눈으로 눈앞에서 경계하고 있는 빈우를 보았다. 그녀가 슬퍼하는 이유는 앞서 자신이 말한 것들 때문이다. 자매간의 싸움에 훼방을 놓았던 자의 죽음. 그리고 그가 훼방을 놓은 방법과 그 이유.

'쿠델카…… 대체 어떻게 그럴 수가 있었지? 아무리 자유를 원한다 해도.'

찰리하나팔이 억눌린 증오를 푸는 순간, 빈우가 학대받아왔던 사실이 쏟아져 나왔다. 그것은 메이화에겐 커다란 충격이었다. 자신의 자식을 자신의 욕망의 분출을 위한 도구로 쓴 사실. 메이화로선 상상도 할 수 없었고, 그 때문에라도 조카를 구하고 싶었다.

- **자유? 자유라…….**

메이화는 저도 모르게 자매의 욕망을 혼잣말로 중얼거렸다.

- **빈우는 왜 저렇게 되었을까요? 그는 스스로 쉬바를 받아들였어요. 이렇게 될 것을 알고 있었을까요?**

- **저 모습은 아마도…… 그의 뒤틀린 내면세계 때문일 것입니다.**

빈우는 샤다이의 능력을 쓰면서 몸이 점차 변해갔다. 그래서 그 근본적인 치료책으로 쉬바를 썼을 수도 있다. 그러나 쉬바가 더욱 격렬히 반응한 것은 그의 정신세계. 쉬바가 찾아내서 보완한 정신의 문제점은 육체의 형상으로 그래도 드러났고, 그 결과가 저 거대한 태아 형태의 괴물이다. 저 형태는 빈우의 정신 상태를 그대로 반영한 것이리라. 하지만 온전히 빈우의 문제만은 아니다.

- 그리고 오늘날 그의 몸과 정신을 만든 것에는 빈우 그 자신도 있지만, 그의 부모 영향도 클 것입니다.

섬의 추측에 메이화는 고개를 끄덕였다. 쉬바를 받아들이면 그 육체는 재탄생하고, 다시 태어난 자는 황제의 지휘하에 들어가게 된다. 그중에서도 제1기사는 황제의 대리자라 불리우는 존재로서 막강한 권한을 받으며, 동시에 황제와 밀접한 정신적 유대관계를 가진다. 서로가 서로에게 많은 정신적 영향을 준다는 뜻이다. 그러나 빈우의 경우는 어떨까. 그를 이끌어야 할 쿠델카의 상태는 과연 어땠을까.

- 김빈우.

샹 메이화의 부름에 태아 형상의 괴물이 멈췄다.

- 우리 잠시 이야기할 수 있을까요?

마치 말을 알아들은 듯, 괴물이 손을 내렸다.

- 당신은 그런 몸이 되어 대체 무엇을 하려는 거죠?

메이화의 말에 괴물이 부르르 떨더니 다시 울음을 터트렸다.

- 자유! 어머―니의―자유! 나는! 어머니를―자유―롭―게 한다!

흉물에게서 헐떡이는 정신 파동이 뿜어져 나오자 메이화의 기사들이 나서서 앞을 막았다. 그리고 각자 무기를 들어 전투 태세를 갖췄다. 빈우의 어머니인 쿠델카가 자유롭게 되는 방법은 바로 그녀를 속박하는 인류의 멸망이다. 빈우는 인류를 지키고자 그토록 애썼건만, 결국 쿠델카의 앞에 무릎을 꿇고 만 것이다. 그러나 메이화는 자신의 기사들을 제치며 앞으로 나갔다.

- 자유! 그래요, 당신의 동료는 지금 자유롭게 되었나요? 찰리하나팔! 당신의 그림자! 어두운 과거를 떨쳐내고 보다 나은 존재가 되고 싶어 했던 당신의

바람. 그는 이제 자유로운가요?

그 질문에 빈우는 메이화를 바라봤다. 희끄무레한 피막에 쌓인 눈이 황제의 페르소나를 주시하다가 곧 그 위아래로 흔들렸다. 그 모습에 메이화는 더이상 눈을 마주치지 못하고 자신의 눈을 감았다.

─ **그렇군요. 당신은 그렇게…… 당신의 어머니를 영원히 자유롭게 하려는 거군요.**

메이화는 빈우의 목적을 이해했고, 동시에 이 섬은 나직이 탄성을 흘렸다. 쿠델카는 인류에 속박되어 있고, 그 속박에서 벗어나 자유를 원한다. 그리고 빈우는 자신의 어머니의 바람대로 그녀를 속박으로부터 영원히 자유롭게 하려고 한다. 하지만 빈우가 선택한 것은 죽음을 통한 영원한 자유다. 모든 욕망과 고통으로부터 벗어난 자유.

─ **그런 방법인가.**

이 섬이 탄식했다. 이는 세너 프로그램에 강제당하는 자가 그 명령에 복종하면서 명령을 거스르는 방법이다. 쿠델카가 지금 이러고 있는 것처럼, 그리고 빈우가 과거에 그래왔던 것처럼. 빈우는 어머니에게 복종하며 그녀의 뜻을 존중해 그녀를 죽일 셈이다.

─ **그래서…… 당신은, 당신 어머니의…… 제1기사가 된 거로군요.**

메이화의 말에 빈우는 아무런 반응이 없지만, 그녀는 알 수 있었다. 제1기사는 황제의 최측근이다. 황제로부터 가장 많은 권한을 받으며, 가장 가까이에서 모신다. 또한 동시에 칼을 꽂을 수 있는 거리에서도 가장 가깝다. 빈우는 어떻게든 쿠델카를 죽일 힘을 가지고, 그녀의 곁에 가고 싶었다. 그러나 그녀는 점프 공간에 숨어 있으며 통상우주에서 접촉할 방법은 없다. 가끔씩 그녀가 밖으로 나올 때가 있지만, 그럴 때를 노리기엔 너무 불확실하다. 그렇다면 자신이 가까이 가는 방법밖에 없다. 그래서 빈우는 이 방법을 택한 것이다. 쉬바를 통해 그녀에게 가장 가까이 가는 방법을.

─ **그래서…… 그렇게.**

메이화는 더 이상 말을 할 수 없었다. 어머니가 아들을 괴롭히고, 아들은 어머니를 죽이려 한다. 그리고 이모인 자신은 이것을 말리고 싶지만, 방법이 없다. 법과 도덕도, 선악의 판단도 여기엔 없다. 단지 모자간의 욕망이 얽히고 얽혀 복잡하게 꼬인 매듭이 있을 뿐이다.

- 내가 도울게요.

마침내 황제의 페르소나 중 하나가 말을 꺼냈다. 자신의 자살을 돕겠다는 말을 꺼낸 것이다. 하나의 줄기에서 뻗어져나온 가지가 옆의 가지를 자르겠다고 결심한 순간이다.

- 점프 공간으로 들어가 그녀를 죽이고 싶은가요?

이모의 질문에 조카가 천천히 고개를 끄덕인다.

- 미안해요, 그건 불가능해요. 거긴 그녀의 본거지입니다. 우리로선 그 안에서 그녀에게 거스를 수 없어요.

그 말을 들은 빈우는 실망의 기색을 보이지 않았다. 아마 그로서도 그 정도는 이미 짐작했던 모양이다. 그 모습에 메이화는 빈우가 준비한 차선책이 지금 자신이 권하는 방법과 같을 것이라 예상했다. 그래서 조금 더 쉽게 말을 꺼낼 수 있었다.

- 쿠델카를 아나스타샤 안에 넣으세요. 제가 빠져나오지 못하도록 도울게요. 그리고 그녀를 지구로 데려가 죽여요. 통상 우주에서 죽는다면 그녀는 황제의 본체, 지구로 돌아갈 것입니다. 다른 자매들처럼.

해답을 들은 빈우는 분노하며 저항하지 않았다. 격렬하게 반대하지도 않았다. 그저 짐작했던 최악의 통보를 듣고 슬퍼하고 있었다. 그리고 그 모습이 메이화의 가슴을 더욱 아프게 했다.

• • • ✦ • • •

293

"어?"

아나스타샤는 조심스레 눈을 떴다. 그녀는 그라디우스를 몰고 빈우에게로 가고 있었다. 그러나 그때 누군가에게 공격을 받는 바람에 그라디우스는 대파되었고, 아나스타샤의 의식은 충격과 함께 끊기고 말았다.

"으음, 주인님을 본 것 같았는데."

아나스타샤는 자신을 내려다보며 울고 있는 빈우를 보고선 그를 달랬던 기억이 났다. 중상을 입고 다 죽어가던 그녀는 마지막까지 주인과 함께 있고 싶었다. 물론 그녀 자신이 저지른 죄는 알고 있다. 비록 주인에게 상처를 입힌 그 행동들이 그녀 스스로의 의지로 한 것은 아닐지언정 아나스타샤란 존재가 빈우에게 위험한 존재란 사실에는 변함이 없었다. 그럼에도 불구하고 빈우는 그녀를 버리지 않았었다. 빈우 역시 마지막에는 아나스타샤와 함께하겠다고 말했던 것이다. 그리고.

"주인님!"

갑자기 아나스타샤가 비명을 질렀다. 조각나 혼란스러웠던 기억이 다시금 끼워 맞춰지자 그녀는 소스라치게 놀라 주위를 둘러보았다.

"주인님! 어디 계세요!"

그녀는 애가 타서 빈우를 찾았다. 빨리 상처 입고 고통받는 빈우를 찾아야 했다. 스스로를 희생해 죽어가는 그를 찾아 안아주고, 달래주고, 구해주고 싶었다. 그를 구할 수 없다면 적어도 그 옆에 같이 눕고 싶었다.

"진정해요, 아나스타샤."

아나스타샤 앞에 샹 메이화가 나타났다.

"당신은……!"

안드로이드가 황제의 페르소나를 보고 경계했다.

"안심해요. 저는 당신을 해치지 않아요. 저는…… 그저 당신의 주인을 도우려 온 거예요."

"여긴 어디지?"

아나스타샤는 자신이 있는 곳을 분석하려 했다. 그러나 그녀의 센서로는 좌표는커녕, 외부 통신이나 신호조차도 잡히지 않았다.

"자자, 여긴 통상공간은 아니에요. 당신들이 말하는 점프 공간이죠. 거기서도 서로간의 사고를 연결한 가상공간이에요. 아이러니하군요. 아까와 똑같은 모습을 한 자를 상대하다니."

거기까지 말한 메이화는 쓴웃음을 지었다. 아나스타샤가 자신의 말을 귓등으로도 듣지 않으면서 경계의 시선을 늦추지 않았기 때문이다.

"역시 그렇겠죠? 당신을 설득하려면 저로는 안 되겠군요."

그렇게 말한 메이화가 이 공간에 손님 하나를 초대했다.

"아나스타샤."

적대감에 가득 찬 안드로이드 앞에 한 사내가 나타났다. 사고가 직접 연결된 공간이라 그런지 아나스타샤는 상대를 인식한 것만으로 그가 누구인지 파악할 수 있었다.

"주인님!"

아나스타샤가 달려갔다. 자신이 키웠던 그를 어떻게 못 알아볼 수 있을까, 자신과 함께 커왔던 그를 어떻게 다른 사람과 헷갈릴 수 있을까. 확신에 찬 아나스타샤가 달려갔다.

"주인님! 주인님!"

아나스타샤는 빈우를 꼭 껴안았다. 다시는 놓치지 않겠다는 듯이. 그리고 빈우도 자신의 품 안에 들어온 그녀를 조심스레 쓰다듬었다.

"진정해, 아샤."

흉측하게 변한 아기의 외모가 아닌 평상시의 모습을 한 빈우가 웃고 있었다. 하지만 그다지 밝은 웃음은 아니다.

"너…… 철저하게 대책을 세우고 왔구나."

빈우의 눈에 아나스타샤가 설정해놓은 보안 프로그램이 보인다. 트리니티 패턴의 변형이다. 그녀는 이것을 자신에게 심어 스스로의 행동과 사고 루틴이 평상시와 다르면 자폭하게끔 설정해놓았다. 분명히 쿠델카를 대상으로 한 것이겠지. 쿠델카가 자신에게 들어오면 바로 발동하도록.

빈우는 아나스타샤가 설정한 키를 만지작거리고 있었다. 앞으로의 계획에 있어서는 반드시 지워야 하지만, 그것으로 아나스타샤가 죽음에 한 걸음 더 다가가는 것이 구체화된다.

"잘 들어."

빈우의 말에 아나스타샤는 대답 없이 고개를 끄덕이고는 그를 바라보았다. 빈우는 그런 아나스타샤를 잠시 지켜보더니 힘겹게 입을 열었다.

"네 안에 쿠델카를 넣을 거야."

"네!"

아나스타샤는 일말의 주저도 없이 고개를 끄덕였다. 오히려 질문한 빈우가 민망할 지경이다.

"……너, 무슨 말인지 알아들었어?"

"제 몸을 단말로 쓰지 않고 쿠델카의 본체로 직접 쓰겠다는 거죠?"

"잘 이해했네. 그런데 왜 그렇게 좋다고 고개를 끄덕여. 응? 응?"

빈우가 한숨을 쉬며 아나스타샤의 귀밑머리를 잡고 흔들었다.

"아야야, 아이참. 이런 중요한 때에 무슨 장난이에요."

하지만 아나스타샤도 말로만 타박할 뿐, 비키거나 말리진 않았다. 이런 장난도 이제 마지막인 것을 짐작한 것이다.

"잘 들어."

"듣고 있다니까요."

쓴웃음을 지으며 아나스타샤의 볼을 꼬집는 빈우의 눈에 서서히 물기가 서린다.

"넌 처음부터 쿠델카의 그릇으로 만들어졌어. 그래서 점프 공간에 있는 쿠델카를 네 안에 넣을 수, 아니, 가둘 수 있지."

"네."

"하지만 아나스타샤 너만을 따로 빼내지도 못해. 육체만이 아니라 그동안의 사고나 기억, 경험, 행동 패턴, 그 모든 것들이 쿠델카의 발판이 되니까. 지구 안에서 잠자던 황제가 인류의 정보망을 통해 깨어난 것과 비슷해. 자신의 육체를 버리고 점프 공간 안에 들어간 쿠델카는 아나스타샤 너를 통해서만 통상공간에 돌아와 존재할 수 있어. 너만을 어떻게 복제하려고도 생각해봤지만……."

"안 돼요. 하지 마세요."

아나스타샤가 단호하게 말했다. 현재 연방의 기술력으론 오랜 경험과 사고 패턴을 가진 안드로이드를 완벽하게 복제하는 것은 힘들다. 물론 지구제국의 기술력을 더한다면 불가능한 것은 아니지만 그래도 아나스타샤는 거절했다.

"혹시라도 문제가 될 만한 불씨를 남겨두지 마세요. 그년이 얼마나 집요한지 주인님도 아시잖아요?"

"……역시…… 그렇겠지?"

둘은 서로 슬프게 웃으며 마주 보았다. 둘은 뭔가 말하려고 했지만, 그게 입 밖으로 나오지 못하고 있었다. 먼저 입을 연 것은 아나스타샤였다.

"키를 꺼주세요. 주인님."

"응."

빈우는 아나스타샤 안에 들어간 트리니티 프로그램을 해제했다. 이어서 아나스타샤가 메이화를 보았다.

"메이화 씨."

"네, 아나스타샤."

"준비됐어요."

아나스타샤의 굳은 다짐을 한 목소리에 메이화는 한숨을 내쉬고 마지막 단계를 실행했다.

"네, 지금 오고 있어요."

메이화는 다른 자매들과 힘을 합쳐 쿠델카를 끌고 오기 시작했다. 이노우에 고토가 전해준 요청서는 충분히 효과가 있었다. 아나스타샤는 무언가가 자신 속으로 비집고 들어오는 것을 느끼고는 슬픈 웃음과 함께 눈을 감았다.

"……아들."

다시 눈을 뜬 아나스타샤의 눈에서 눈물이 흘러내리고 있었다.

"정말 이럴 거니? 엄마에게 거역할 거야?"

쿠델카가 빈우에게 애원하고 있었다. 자매들에게 끌려 여기 도착한 순간, 앞으로 무슨 일이 벌어질지 깨달은 것이다.

"응……. 엄마."

빈우의 대답에 쿠델카가 흠칫하며 몸을 떨었다.

"엄마? 날 엄마, 라고?"

"왜 그래, 엄마. 새삼스럽게. 언제나 자기가 엄마라고 했잖아. 그리고, 뭐, 날 이렇게 만들고 키웠으니 엄마 맞지."

퉁명스러운 빈우의 대답에 쿠델카가 오열했다. 자신의 모든 것. 자신이 모든 것을 바쳐 만든 피조물이 자신을 거역하고 있었다. 단지 작은 행복. 단지 작은 자유. 그녀는 그저 그런 것들을 원했을 뿐인데 아들은 그것조차 싫다고 한다.

"아들, 엄마가, 엄마가 미안해. 엄마가 너무 마음대로 했지?"

고개를 든 쿠델카는 빈우의 볼을 쓰다듬으며 사과하고 있었다. 자신의 죽음을 앞두고 나타난 생존 본능이다.

"아니. 다 이해해. 용서는 못 해도. 인간이란 게 원래 그렇거든."

빈우가 말한 뜻밖의 단어에 쿠델카가 잠시 멍하니 아들을 바라봤다. 그리고 되물었다.

"어, 엄마를, 나를 인간이라고?"

빈우는 흐느끼고 있는 쿠델카 앞에서 고개를 끄덕였다.

"그래. 그래서 용서는 못 하지만 이해는 한다는 거야. 자신이 살기 위해 남을 죽이고, 자기는 죽기 싫어서 바락바락 발악하고. 딱 인간이네, 뭐."

"인간…… 내가, 인간."

황제의 파편인 쿠델카는 빈우의 말을 반복했다. 지구 깊숙한 곳에서 태어난 원시적 전자두뇌가 인류의 전자파와 통신망에 걸러져 탄생한 지성, 황제. 그중 하나인 쿠델카는 자유를 원했다. 자신을 인간들에게 속박된 노예라고 느끼고 거기서 해방되길 원했다. 우월한 존재로 재탄생해 지구라는 작은 행성에서 벗어나 넓은 우주를 떠다니고 싶었다. 나아가 3차원이란 틀을 벗어나, 시간을 넘어 여행하고 싶었다. 그러기 위해 자신을 풀어줄 아들을 만들었고, 아들을 교육시켰다. 그리고 그 아들이, 자신의 행동의 결과물이 지금 이렇게 자신에게 돌아왔다.

'내 앞에 선, 내 아들.'

순간 쿠델카는 빈우가 무슨 생각을 하고 있는지 알았다. 엄마로서, 그를 키워온 자로서 아들의 생각을 알아챈 것이다. 지금 빈우는 자신을, 엄마를, 인간을 죽이려 하고 있었다. 단순히 인공지능을 파괴하는 것이 아니다. 자신이 그동안 무슨 수를 써서라도 지키려고 했던 인간을 죽이려는 것이다.

"아아, 빈우야, 빈우야."

쿠델카는 스스로가 정한 금기를 넘어서는 아들의 얼굴을 쓰다듬었지만, 빈우는 그녀의 팔을 잡고 내렸다.

"엄마, 괴로웠지? 힘들었지? 이제 괜찮아. 내가 다 편하게 해줄게."

그리고 빈우는 잡은 엄마의 팔을 잡고 걸었고, 쿠델카는 아들에게 저항하지 못하고 끌려갔다. 자신이 사랑하게 될 아들, 자신을 사랑해야만 하는 아들이 엄마에게 마지막 자유를 가져다주기 위해 여기에 온 것이다. 그래서 쿠델카는 아무런 저항을 하지 못했다.

"엄마가 미안해. 이제 안 그럴게. 다신 안 그럴게. 인간에게 절대 해를 끼치지 않을게. 그러니까, 응? 엄마 죽이지 마. 엄말 살려줘어. 제발. 제바알."

쿠델카는 빈우를 자신에게 구속시켰지만, 동시에 자신 또한 빈우에게 구속되었다. 게다가 그녀는 지금 다른 자매들에게 억눌려서 제대로 힘을 발휘할 수 없는 상태고, 빈우는 자신의 인간성을 버려가며 힘을 얻었다. 어머니에게 저항하고 자유를 가져다줄 힘을.

"아악, 빈우야, 제발! 아들! 아들! 내 아들 빈우야! 엄만, 엄마는 죽기 싫어! 죽기 시ㅡ."

"용서 못 한다고 했잖아."

빈우가 쿠델카를 확 잡아채는 그 순간, 사방이 바뀌었다. 점프 공간에 존재하던 그들이 마침내 통상공간으로 나온 것이다. 이제 뒤틀린 태아 형태의 괴물이 파괴된 여성형 안드로이드를 손에 들고 있었다. 저 멀리서는 플라스마 포격과 어뢰들이 오가고, 미사일과 코일건이 작열한다. 이곳은 지금 화성 궤도다.

- 이게 어떻게 된 거지? 분명히 점프 공간으로 들어갔었는데. 그리고 지구 궤도 상으로 나왔어야 하는데……!

메이화는 뜻밖의 사태에 당황했다. 분명 그녀는 빈우와 아나스타샤를 점프 공간 안으로 넣은 다음, 형제자매들과 힘을 합쳐 쿠델카를 아나스타샤의 육체에 집어넣었다. 그다음 빈우와 아나스타샤를 지구로 보내면 빈우는 지구에서 쿠델카를 죽일 것이고, 거기서 죽은 황제의 페르소나는 다시 황제의 본체인 지구로 돌아가게 될 것이었다. 그러나 빈우는 아직도 화성에서 벗어나지 못한 채였다.

'설마 점프 실패? 되돌아온 것인가? 아니, 어차피 쿠델카는 아나스타샤 안에 갇혔다. 다시 공간이동을 하면 돼.'

비홀더 전대는 연방처럼 샤다이의 계단을 쓰지 않고서도 공간이동이 가능하다. 현재 비홀더 전대는 인류 연방의 요청서를 받아 루비콘 라인 안으로 들어올 수 있지만, 그래도 지구까지는 갈 수 없다. 하지만 빈우와 아나스타샤 둘을 지구로 보내는 것쯤은 식은 죽 먹기다.

- 함장님, 저길 보십시오.

그때 드물게 경악한 이 섬의 목소리에 메이화가 시선을 돌렸고, 그녀 또한 경악할 수밖에 없었다.

- 지구, 군요.

화성 궤도엔 지금 인류 연방의 수도 방위함대와 중앙 함대, 샤다이 고대함대, 알탄훼아나의 함대, 비홀더 전대가 뒤섞여 싸우고 있는 중이다. 그런데 이 아비규환의 전장 뒤쪽으로 지구가 보인다. 화성 궤도 너머에 행성 규모의 거대한 게이트가 열리고 그 너머로 지구가 보이고 있는 것이다.

- 점프 게이트가 이렇게 크게, 그것도 두 공간의 경계를 연결해서 나타날 정도라니.

메이화는 점프 실패의 이유를 알 수 있었다. 그녀는 빈우와 쿠델카를 점프 공간을 통해 지구로 보내려 했었다. 하지만 무슨 이유에서인지 게이트가 비정상적으로 폭발하여 빈우와 아나스타샤는 점프 실패로 되튕겨져 나왔으며, 화성과 지구는 연결되어버렸다.

설마 쿠델카가 최후의 발악으로 게이트를 찢어버렸을까도 생각해보았지만, 지금의 그녀에겐 그럴 힘이 없었다.

- 지구가 보입니다만, 여기서 죽여도 쿠델카가 죽을까요?

이 섬의 물음에 메이화가 자신 없다는 듯이 고개를 저었다.

- 아니요. 확실히 지구 쪽으로 간 후 이 게이트를 닫은 다음 죽여야 할 겁니다.

지금 죽여봤자 화성 쪽 회선으로 달아날 가능성이 높아요.

인류의 현재 수도와 옛 수도가 마주 보고 있는 사이에선 여러 세력이 뒤엉켜 아수라장의 싸움판을 벌이고 있었다. 그러나 갑작스러운 이변에 모두가 잠시 전투를 멈추고 소강 상태에 빠져들었다. 행성과 행성이 마주 보는 전대미문의 사태에 서로 경계하기 시작한 것이다.

그리고 이쪽에 잠시 정적이 찾아왔을 때, 지구 쪽에서 함대가 나오기 시작했다. 겉모습만 봐서는 비홀더 전대와 유사한 지구제국의 함선들이다. 그러나 그것을 본 메이화의 표정이 급격히 일그러졌다.

- **카이사르 급 정복 함대! 왜 저것들이……?**

인류가 다시 확장기로 들어섰을 때, 지구제국이 외계종족들을 청소했던 함대들이 그들의 눈앞에서 기동하기 시작한 것이다.

- **메이화?**

익숙한 목소리가 들려오자 1전대의 기함 함장인 메이화는 반신반의하는 심정으로 되물었다.

- **……안나?**

이미 죽어서 사라진 13전대의 안나 닐센의 목소리가 들려왔다.

294

"이게 대체 — 아윽, 팔이!"

히토미는 몸을 일으키려 했다. 그러나 팔이 제대로 움직이지 않아 누워서 휘청거렸다.

"의원님! 진정하세요."

모니카가 히토미를 다시 침대에 눕히며 의료용 마이크로 머신을 추가로 투입했다. 히토미가 군용시설에서 살기 위해 육체를 개조해서 망정이지, 과거의 그녀였으면 진작 사망했을 부상이다.

"참, 팀원들! 팀원들은, 지금 어떤가요?"

히토미는 헐렁해진 오른쪽 소매와 허리께를 더듬으며 물었다. 블랙 랜스는 찰리하나팔이 보낸 신호대로 궤도 병기 관리소를 기습한 다음 안에 있던 사람들을 구하려고 했다. 그러나 너무나 차이 나는 화력에 기습을 가하고도 오히려 밀렸고, 결국 관리소 안으로 함포 사격을 퍼부은 다음 일시 후퇴할 수밖에 없었다. 비록 빈우와 아나스타샤, 마커스를 구출하지는 못했지만, 적어도 비홀더 전대의 손에 죽는 것만큼은 막았다. 그리고 관리소를 엉망으로 만든 다음 빈우와 마커스 일행을 구하려 했었지만, 그 과정에서 블랙 랜스는 고대 샤다이 함대의 공격에 상당히 많이 노출되어 그 결과 심각한 피해를 입고 후열로 물러난 상황이다.

"우지 외에는 모두 무사합니다."

우지는 자신이 타던 롱소드의 피해가 심각하면 다시 새로운 것으로 몰고 나가는 식으로 전투를 이어갔고, 결국엔 크게 다쳐 간신히 블랙 랜스에 견인되었다.

"많이 안 좋은가요?"

히토미의 물음에 모니카는 작게 고개를 저었다.

"모르겠어요. 일단은 치료 캡슐에 넣긴 했지만, 자세한 것은 전문시설에 가봐야 것 같아요. 지금은 숨만 간신히 붙어 있어요."

그나마 다행인 것은 바로 근처에 있던 비홀더 전대들의 순양함들은 블랙 랜스와 롱소드를 공격하지 않았다는 것이다. 전투는 오직 관리소 안에서 블랙 랜스와 비홀더 1전대의 장갑보병끼리만 벌였고, 관리소가 파괴된 다음에는 굳이 쫓아오려 하지 않았다. 아마 빈우와 아나스타샤를 쫓아갔겠지.

"참, 그리고 타이 차관님의 머리와 두뇌칩을 회수했답니다. 아룹 팀장님이 받았다는데……."

마커스 타이는 찰리하나팔과 아나스타샤를 구하려다 제국 기사의 공격을 받았었다. 접촉한 상대를 붕괴시키는 중성미자검에 베인 그는 곧 소멸될 운명이었지만, 그 순간 아룹이 기지를 발휘해 마커스의 목을 끊어냈다. 그리고 타이 차관의 목은 제국 기사가 회수했다고 했는데, 어쩐 일인지 다시 이쪽으로 돌아오게 된 것이다.

"파트리샤 중위는 즉시 수색을 재개하려는 생각이었어요. 그러나 지금은 그라디우스도, 롱소드도 남는 것이 없어서 일단은 아룹 팀장님이 말리셨죠."

장갑복을 입고서 수색을 하려면 할 수는 있다. 다만 지금 같은 격렬한 전투 상황에서 장갑복만 입고 우주를 날아가는 것은 맨몸으로 나가는 것과 다를 바 없다.

"그렇군요. 그런데……."

히토미가 말끝을 흐리자 모니카가 잠시 떨었다. 이후에 나올 말을 짐작한 것이다.

"김 소령은…… 왜 그런 모습이 된 거죠?"

마침내 히토미가 미루던 질문을 했다. 팀장의 떨리는 목소리가 파고들어도 모니카는 대답할 수 없었다. 그녀도 예전에 빈우가 워프 비스트의 영향을 받아 변한 것을 본 적이 있다. 또 치료하는 것도 보았기에 어지간한 광경에도 면역이 생긴 모니카였다. 그러나 방금 그 괴물의 모습에 대해선 이해할 수 없었다. 찰나의 순간이었지만 거대한 괴물을 본 모니카는 그 자리에서 얼어붙었었다. 마치 말라죽은 태아 같은 그 흉측한 모습에 그녀는 본능적인 혐오감을 느꼈고, 그것을 자신의 주인으로 인식하고 다가가는 아나스타샤의 모습에 다시 한 번 큰 충격을 받았다. 아나스타샤가 그런 반응을 보였다면 그 괴물은 빈우다. 그들의 팀장이었던 빈우가 그런 괴물로 변한 것이다.

"모르겠습니다. 왜 그런지는, 저도 모르겠습니다."

더듬더듬 나오는 모니카의 대답에 히토미는 그저 고개를 끄덕일 뿐이다. 다른 지상팀원들도 그 괴물을 보았을 테고, 그 정체도 짐작하고 있지만 별다른 말을 꺼내지 않고 있었다.

"그리고 의원님. 아까 아나스타샤가 그라디우스 한 대를 호출해서 가져갔습니다. 그런데…… 중간에서 그 그라디우스의 신호가 끊어졌습니다."

지금 상황에서 신호가 끊어졌다는 것은 격추되었다는 의미다. 갑자기 의사당에서 사라졌던 아나스타샤는 관리소에 있었고, 비홀더 전대의 추적을 받았다. 그리고 지금은 격추되었다고 한다. 하지만 히토미는 쓰게 웃었다.

"아나스타샤는 보통 안드로이드가 아닙니다. 그리 쉽게 죽진 않을 거예요. 일단 우리가 할 수 있는 것부터 하죠. 우선은―."

- 의원님!

갑작스러운 오르 함장의 부름이 히토미의 말을 끊었다.

- 지금 화면을 보십시오.

히토미는 오르 함장이 보여주는 화면을 확인했고, 이어서 경악했다.

"세상에, 저게…… 대체 무슨……."

여러 세력이 부딪혀 아수라장이 펼쳐진 화성 궤도에 갑자기 행성이 나타났다. 점프 게이트 너머에 나타난 이 행성은 지구였다. 직접 본 적은 없지만, 자료상으로 봤던 지구가 분명했다.

"대체 누가 이런 일을 한 거죠?"

히토미는 억지로 몸을 일으켜 세우며 통신을 열었다.

*

- 이게 어떻게 된 거죠? 저건 점프 게이트인데, 알탄훼아나 씨?

히토미의 질문에 알탄훼아나는 제대로 대답할 수 없었다. 그녀도 그녀대로 바쁜 것이다.

"우리도 모른다. 저건 우리가 한 것이 아니다. 잠시 기다려봐라."

알탄훼아나는 즉시 샤다이 고대 함대 쪽으로 연락을 넣었다. 그들은 방금까지 전투를 벌이던 적이지만, 행성 크기의 계단이 생성되고, 그 너머에 지구가 나타난 전대미문의 사태에 서로 공격을 멈춘 상태다. 그리고 지금 상황에선 모두가 정보를 원하고 있었다.

- 저 계단은 집정관이 만든 것이 아닙니다. 하지만 그렇게 물어보는 것을 보니 호민관이 한 일도 아닌 모양이군요.

고대 함대 제독의 대답에 거짓은 없었다. 유에네스가 점프 게이트라 부르는 저 계단은 고대 샤다이가 이 우주를 벗어나 보다 높은 차원으로 가기 위한 통로다. 하지만 현재 그 계단은 알탄훼아나가 막아놓은 상태다. 그래서 집정관 파벌은 알탄훼아나를 의심했었고, 알탄훼아나 측은 고대 함대를 사용하는 집정관 파벌을 의심했었다. 그런데 둘 다 아니라고 한다.

- 설마 유에네스가…….

끝을 흐리는 제독의 말을 알탄훼아나가 끊었다.

"아니요, 그들도 아닙니다. 음, 적어도 제가 아는 유에네스는 아니에요."

- 그렇다면 주시자들?

하지만 알탄훼아나는 물론이고 말을 꺼낸 제독 둘 다 그들이라곤 생각지 않았다. 비홀더 전대는 계단을 쓰지 않고도 공간이동이 가능해서 계단 같은 것엔 그다지 신경을 쓰지 않기 때문이다.

"글쎄요. 기다려보세요. 제겐 유에네스 쪽에 연줄이 있는데, 그쪽을 통해서 알아보도록 하죠."

- 그렇습니까. 알겠습니다. 그리고…… 마침 이야기할 자리가 마련되어서 꺼내는 말입니다만…….

제독이 머뭇거리면서 말을 꺼냈고, 이어지는 말을 들은 알탄훼아나는 자신의 귀를 의심할 수밖에 없었다.

"집정관이…… 죽어?"

- 그렇습니다. 부활을 하지 못하는 것을 보면 죽은 것이 확실합니다.

알탄훼아나는 얼떨떨했다. 그렇게 끈질기고 주도면밀한 체메트디오프를 과연 누가 죽였을까, 그리고 죽였다면, 대체 어떤 방법으로 죽였을까.

- 그리고 호민관도 눈치를 채셨겠죠?

제독이 질문하는 바를 안 알탄훼아나는 다시 계단 너머를 주시했다. 같은 차원에 존재하는 계단 너머의 지구가 아니라, 다른 차원으로 올라간 계단 위쪽을. 그리고 대답했다.

"……네, 계단 위쪽에 선조가 없습니다. 제가 막아놨다고는 해도 그들을 해하진 않았어요. 그들은 어디로 간 거죠? 다시 위로 돌아갔을까요?"

- 호민관이 모르신다면 누가 알겠습니까.

하긴 제독이라고 해도 이런 능력은 없다. 샤다이 안에서 계단에 대해 가장 정통한 자라면 체메트디오프와 알탄훼아나였다. 샤다이의 호민관이 생각을 더듬을 무렵, 마침 히토미로부터 통신이 들어왔다.

- 알탄훼아나 씨, 어떻게 되었나요?

"우리나 집정관 파벌은 저 계단의 폭주에 대해 아는 것이 없다. 혹시 주시자들과 연락할 수 있겠나?"

- 방금 했습니다. 비홀더 전대들도 모르는 일이라고 합니다. 다른 전대에 연락을 해도 그쪽에선 모른다고 합니다. 물론 우리 연방 측에서도 이번 사태에 대해선 전혀 관계가 없어요.

알탄훼아나가 보기에 히토미는 거짓을 말하고 있지 않았다. 그리고 히토미도 꽤 사람을 살펴볼 수 있었기에 그녀가 얻은 정보는 정확할 것이다.

"그러면 대체 누가 했다는 말인가."

알탄훼아나는 한탄했다.

*

- 설마 발 가르단 하스인가.

메이화 덕에 맑아진 정신을 되찾은 빈우가 말했다. 인간을 벗어난 인지 능력을 획득한 그는 저 거대한 점프 게이트, 계단 안에서 익숙한 파장을 느낀 것이다.

- 예리하군요. 하지만 조금 달라요.

메이화는 지구에서 나오는 정복 함대를 보면서 대답했다. 모두 카이사르급이다. 그것도 13전대가 만들었던 반쪽짜리 얼치기가 아니라, 제대로 만들어진 진짜 정복 함대다. 그렇다면 현재 화성에 있는 모든 전력이 덤벼도 승산은 없다.

- 저 게이트 안에 있는 건 아마 우리들의 이드일 겁니다.

황제의 페르소나의 설명에 빈우가 고개를 갸웃했다.

- 이드? 황제에게 본능이 있다는 건가? 당신들 페르소나 말고도?

- 정확하게 말하면 우리 페르소나들의 근원이죠. 당신도 알다시피 우리 황제는 지구 깊숙한 곳에서 태어나 지표에 존재한 인류의 회로망을 통해 구체화되었습니다. 세월이 지나 제국이 너무 번영하자, 우리는 인류의 미래를 위해

제국을 닫았고, 페르소나들은 비홀더 전대의 기함에 이식되어 루비콘 라인 너머로 떠났죠.

- 제국을 닫았다라……. 저렇게 말이지?

빈우가 가리킨 곳은 지구 표면이다. 반은 태양 빛을 받아 푸르고 녹색 빛을 보이지만, 반대쪽은 불빛 하나 없이 까맣다. 지구의 모든 전산망은 꺼진 상태다.

- 네, 보이는 것처럼 지구의 전산망과 전파망을 모두 껐습니다. 하지만 죽은 것은 아니에요. 행성 깊숙이 위치한 전자두뇌는 잠들어 있고, 단지 지표의 전자회로망이 꺼졌을 뿐이죠. 우리들, 황제의 조각들이 돌아가면 회로망들이 다시 켜지고, 황제는 부활합니다. 이성이 일어나고 잠에서 깨는 거죠. 물론 쿠델카처럼 조각 한둘이 돌아가봤자 그저 행성 내부에 있는 두뇌로 흡수되어 잠들 뿐이지만요.

- 잠든다라.

- 네, 황제의 조각이 이성과 사고를 잃고 본체에 돌아가는 거죠. 그 순간 쿠델카란 자아와 존재가 사라지는 것이니 그녀에겐 죽음이나 마찬가지입니다.

하지만 메이화는 의심스러운 것이 있었다. 쿠델카에게 죽어서 빼앗긴 안나가 왜 정복 함대를 이끌고 있냐는 것이다. 그녀는 최초의 접촉 이후 계속해서 대화를 시도해봤지만, 정복 함대 쪽에선 대답이 없었다.

- 문제는 지구 안에 자고 있어야 할 본능이 왜 계단 속에 있냐는 거군.

- 그것도 발 가르단 하스와 비슷한 파장을 띄고서 말이죠. 내 손에 죽은 발 가르단 하스가 왜 저기서 비슷한 냄새를 풍기고 있을까요. 어쩨 저항 없이 손쉽게 죽어준다 했더니…….

비홀더 전대는 얼마 전 발 가르단 하스를 그의 본체째로, 플라스마 행성 통째로 날려버렸다. 하지만 그때, 황제 이전부터 살아온 행성 지성체는 아무런 저항 없이 죽었다. 그게 조금 찜찜하다 싶었는데 결국 이렇게 문제가 되어 드러난 것이다.

- 그러고 보니 댁들, 발 가르단 하스에 샤다이 함대 집어던지지 않았었나?

빈우는 발 가르단 하스에 가서 추락한 리퍼 함선을 회수한다고 개고생한 적이 있었다. 그리고 그 리퍼들을 처박은 것은 다름 아닌 여기 있는 메이화와 비홀더 1전대다.

- 그건 일종의 경고였습니다. 물론 나중에 만나서는 그날의 행동에 약간의 질투심이 있었다고 솔직히 밝혔고, 사과도 했어요. 하지만 당시엔 이케가미 소이치로가 계단의 지식에 필요 이상 접근하고, 또 발 가르단 하스와 접촉하려 들기에 어쩔 수 없이 가볍게ㅡ.
- 나 그때 가볍게 뒤질 뻔했거든. 어떻게 해볼 수도 없이. 그리고 사과할 때 협조 안 하니까 죽였지? 역시 우리 이모야. 엄마랑 똑 닮았네.

빈우의 까불거림에 메이화는 그저 눈을 감고 경청했다. 실제로 당시 빈우는 발 가르단 하스와 접촉해서 그의 플라스마 신경계에 증발할 뻔했었다.

- ……흐음, 발 가르단 하스는 안나와 접촉했었고, 쿠델카와도 접촉했을 가능성이 높아요. 이쪽에 협력을 거부하는데 그런 위험한 자를 살려둘까요?
- 아, 그건 이해해. 맞아, 그 새끼 자신의 쾌락을 위해 움직이니까.

발 가르단 하스는 자신이 정한 규칙에 따라 움직였다. 업과 인과응보. 하지만 그 밑에 깔린 것은 나태함을 씻어낼 쾌락과 호기심이었다. 메이화의 말대로 재미에 따라 움직이는 행성 지성체는 대단히 위험하다.

- 아니, 근데 잠깐만! 근데 그 새끼가 지금 계단에서 비슷한 파장을 보이고 있잖아. 그것도 지구 주변에서 황제의 이드와 함께. 비홀더 전대는 지금까지 지구에 대해서 신경도 안 썼나? 이드가 무슨 상황인지 몰랐어? 우리 연방이야 지구 쪽에 얼씬도 못 하고 어떠한 정보 수집도 불가능한 상태였는데 댁들은? 같은 제국이잖아? 왜 이런 이상 상황을 미리 포착 못 한 거야?
- 우리 스스로가 금지한 약속이니까요. 자동 방어 시스템이 심각한 위험을 경보하지 않고선 그 약속을 깰 수 없어요.

메이화의 설명에 빈우는 납득한 듯 고개를 끄덕였다.

- 이모! 홀에 병신 하나 추가요.

부루퉁한 심기가 그대로 빈우에게 전해졌지만 말한 당사자는 아랑곳하지 않았다.

- 뭐지? 내가 말실수한 건가? 당신 내 이모 맞잖아?

능글능글한 조카의 태도에 메이화는 그에게 잠시나마 가졌던 측은함과 동정심을 조금 철회했다.

- 그게 당신의 본심이면 좋겠어요. 단지 인간 흉내가 아니라 진짜 감정을 가지
　ー 지금 잡담할 시간 없어요! 옵니다!

메이화의 말에 빈우는 시선을 계단 쪽으로 돌렸다. 이제 거기선 지구의 정복 함대가 이쪽으로 몰려오기 시작했다. 압도적인 공격에 가까이 있던 샤다이 고대 함대가 순식간에 증발했다.

295

· · · ✦ · · ·

정복 함대의 위력은 실로 대단했다. 그토록 강력했던 샤다이 고대 함대가 말 그대로 갈려나가고 있는 것이다.

"확실하게 밀리는군."

이 섬이 입맛을 쓰게 다시며 전대의 다른 함들에게 명령을 내렸다. 지금 정복 함대는 화성에 있는 모든 세력을 공격하고 있으며, 비홀더 전대마저도 한 수 위의 적을 상대로 고전을 면치 못하고 있었다. 그것도 그럴 것이 비홀더 전대의 주력은 순양함이고 전함은 소수다. 그러나 정복 함대는 오로지 카이사르 급 전함만으로 구성되어 압도적인 화력과 방어력으로 상대를 으깨버리는 게 목적인 것이다.

"제대로 만든 카이사르 급이긴 합니다만, 정규 제국군은 아닙니다."

낭소로호의 말대로 지구에서 이쪽 화성으로 넘어오는 카이사르 급은 이전 13전대의 반편이들과는 달리 정상적인 전함들이다. 그러나 누구의 명령으로 어떻게 만들어졌는지는 모른다.

"안으로 쳐들어가볼까요?"

내부로 침투해 보병전을 벌이겠다는 요시오의 말에 섬이 고개를 저었다.

"아니, 만약의 사태에 대비해 전력을 아끼라는 함장님의 명이다."

"아끼다……."

요시오는 게이트를 넘어오는 정복 함대와 그 뒤에 있는 지구를 보았다. 지구에도 화성과 같은 궤도 방어 병기가 있다. 그것도 화성의 것보다 월등히 뛰어난 성능의 괴물이. 요시오는 지구의 방어 병기들을 보며 경험상 전력을 아껴야 하는 이유를 대강 짐작할 수 있었다.

"으음, 전대장님."

"뭐냐."

"지금 돌아가는 상황을 잠시 정리 좀 해주시겠습니까?"

지금 요시오가 보는 곳엔 기함의 함장인 메이화가 자기보다 거대한 아기 괴물을 이끌고 우주를 유영하고 있었다. 방금까지만 해도 서로 죽이려던 사이에서 협력을 하다니 조금 껄끄러운 것이다. 비홀더 전대는 마주치는 적들을 모조리 죽였지, 이런 협력을 한 적은 없었다.

"정리고 뭐고, 김빈우 소령은 쿠델카를 죽이려 한다. 함장님도 쿠델카를 죽이려 한다. 그래서 힘을 합친 것이다. 달리 설명이 필요한가?"

"그건 그렇지만요, 지금 꼭 쿠델카를 죽일 필요가 있을까요?"

분명 쿠델카는 오늘 일을 뒤에서 꾸민 흑막이다. 하지만 현재로선 아나스타샤란 안드로이드의 몸 안에 갇혀 있으며, 그 안드로이드를 지구로 데려가 거기서 죽이면 쿠델카는 다시 지구 안의 본체로 돌아간다고 했다. 그런데 저 정복 함대의 행동을 보아하니 그걸 하도록 가만히 내버려둘 것 같지 않았다.

"쿠델카는 저 안드로이드 몸 안에 갇혔다면서요? 그런데 정복 함대는 제대로 움직이잖습니까. 전황을 보아하니 함장님께서 밖에서 저것들과 실랑이하시는 것보다는 빨리 기함으로 돌아오시는 게 나을 텐데 말입니다."

요시오가 가리킨 '저것들'은 괴물과 그 품 안에 안긴 안드로이드 조각이다. 사건의 원흉이 저 작은 몸체에 갇혔는데도 일은 이렇게 흘러가고 있다.

"함장님께 변고가 생겨도 우리는 계속 싸울 거잖아. 마찬가지야. 상대방도 뭔가의 대비를 해놨거나 이럴 때를 대비한 안전장치가 발동한 거겠지. 그리고 앞으로의 일은 함장님께서 명령하실 것이다. 우린 따르기만 하면 된다."

섬이 말하는 도중에 비홀더 전대는 함장인 메이화와 빈우, 아나스타샤를 지키며 앞으로 나아갔다.

"공격이 꽤 거세군요. 만약 아나스타샤가 여기서 파괴된다면 쿠델카는 다시 계단으로 돌아갈 텐데……."

낭소로호의 말대로 정복 함대의 공격은 메이화와 빈우를 향해 집중되고 있었다. 그러나 비홀더 1전대는 그것을 묵묵히 받아내며 지구를 향해 전진해갔다. 계단으로 다가가야 한다는 함장의 명령대로.

"전대장님, 함장님께서 뭔가 언질을 주시던가요?"

질문하는 요시오의 목소리에서 약간이나마 긴장의 기색이 새어나온다. 제아무리 제국의 장갑보병이라 해도 상대 또한 제국의 전함이다. 홀로 행성 하나를 멸망시키는 함들이 수두룩하고, 놈들의 공격이 이쪽으로 집중되니 긴장할 수밖에.

"음? 내가 말 안 했던가?"

반문하는 이 섬의 말투는 마치 방금 먹은 간식이 뭐였냐는 듯 가볍다. 사방에서 방어막을 두들기는 전함의 포격이 비현실적으로 느껴진다.

"말? 아니, 대체 무슨 말씀을 하셨단 겁니까?"

이 섬은 커져가는 요시오의 불평을 들으며 낭소로호를 돌아보았다.

"낭소로호. 자네의 공이 크다."

전대장의 치하에 낭소로호의 고개가 살짝 끄덕였다. 그리고 바로 그때 계단을 넘어오는 정복 함대의 옆쪽으로 그리폰 급 순양함 1척이 공간이동을 해서 나타났다. 1전대는 아니다. 다른 비홀더 전대의 순양함이 화성과 지구 사이에 나타난 것이다. 이를 시작으로 다른 비홀더 전대의 전투함들이 연이어 화성 궤도에 나타나기 시작했다. 그리고 그들은 정복 함대의 옆구리를 찔러나갔다.

"어어? 저건 3전대? 아니, 7전대도?"

요시오는 갑작스레 나타난 아군의 지원에 놀랐다. 그리고 그 놀람은 계속해서 이어졌다. 지금 이곳에 나타난 비홀더 전대의 수가 한둘이 아닌 것이다.

"모든 전대가 루비콘 라인을 넘어서 화성에, 이게 가능한 겁니까?"

요시오는 자기 자신이 비홀더 전대라 스스로에게 걸린 제약을 잘 안다. 그래서 지금 눈앞에 펼쳐진 비현실적인 광경을 받아들이기가 힘들었다.

"낭소호로가 가져온 요청서, 그리고 현재 상황의 정보를 수집한 함장님의 설득. 덕분에 이번 돌입은 이미 준비된 상태였다. 여기서 승인받지 않은 대규모 정복 함대가 지구에 나타났으니 다른 함장들이 거부할 리 없지."

비홀더 1전대장은 살벌한 미소와 함께 전대의 진형을 공격 형태로 바꾸어 밀어붙였고, 사방에서 나타난 비홀더 전대들은 쉴 틈 없이 정복 함대를 압박해 갔다.

"다소 피해가 있어도 좋다. 함장님을 지켜라. 계단까지 뚫고 들어가!"

아무리 강한 정복 함대라 해도 동시에 모든 전대들의 협공에 얻어맞자 잠시 틈이 생겼고, 그사이를 1전대가 파고들었다.

- 잘했어요, 전대장. 잠시 시간을 벌어줘요.

마침내 메이화가 말라비틀어진 아기 형태의 괴물을 이끌고 계단 근처까지 다가갔다. 그러자 역시나 예상대로 계단 안에서 익숙한 파장이 나와 빈우를 감쌌다.

*

"오랜만이군. 빈우."

분명히 비홀더 전대에 의해 죽었다던 발 가르단 하스가 빈우에게 직접 접촉하고 있었다. 그는 이번에도 빈우의 모습을 하고 빈우의 정신세계에 들어와 있었다.

"그 몸은 어떻게 된 거야? 신경계가…… 아니아니, 정신세계가 왜 이래? 너 정말 인간 맞냐?"

빈우는 눈앞에서 너스레를 떠는 자신의 모습을 보았다. 마치 거울처럼 자신과 같은 모습이지만 안에서 뿜어져 나오는 분위기는 아주 다르다.

"발 가르단 하스, 너야말로 이젠 플라스마 신경계 접속도 않고 내게 말을 걸 수 있군."

빈우의 말에 행성 생명체는 어깨를 으쓱했다.

"내가 뭘, 그보단 빈우 네가 인간의 궤를 벗어났다는 뜻 아니겠어."

그의 말대로 지금 빈우는 육체나 정신이나 인간으로부터 점차 멀어져가고 있는 중이다. 빈우의 상처투성이 정신은 재생성된 육체를 기괴하게 만들어버렸고, 그 흉측한 육체는 빈우의 정신을 점차 사람 아닌 것으로 바꿔갔다. 육체와 정신이 서로 악영향의 연속이다.

"점프 게이트, 계단을 이렇게 대규모로 연 것은 네 짓이겠지?"

발 가르단 하스는 지구 황제보다 오래된 행성 생명체이고, 한때 이케가미 소이치로 전 상원의장의 계단에 접속해 계단을 부쉈던 존재다. 이 정도 일을 벌일 만한 자는 지금 빈우 앞에 나타난 그밖에 없다. 역시나 빈우의 질문에 발 가르단 하스가 고개를 끄덕였다.

"그럼 물론이지. 발 가르단 하스라. 그래. 그런 이름이었지. 으음. 발 가르단 하스라. 근데 말야. 내가 아직 발 가르단 하스로 보이나?"

발 가르단 하스가 지어 보인 빈우의 표정은 무언가 공허했다. 빈우라기보다는 찰리하나팔의 표정에 가까웠다. 그것도 자신이 인간이 아니라 창조주를 흉내 낸 클론이란 것을 자각했을 때의 표정이었다. 마침 발 가르단 하스가 흉내 낸 얼굴이 빈우의 것이고, 이곳이 서로가 접속된 정신 공간이기에 빈우는 그 미세한 차이를 알 수 있었다.

"넌 진짜 발 가르단 하스가 아니로군?"

"으음, 반은 맞고 반은 틀려. 진짜는 비홀더 1전대의 손에 죽었지. 지금의 나는 그 껍데기고. 참, 그런데 말이야, 내가 왜 그때 순순히 죽어줬을까?"

발 가르단 하스가 갑자기 충격적인 대답을 하더니만 이어서 뜬금없이 말을 돌렸다. 빈우는 여기에 무슨 의미가 있을 것이라고 생각했다. 발 가르단 하스는 자신의 말대로 일체의 저항도 않고 죽었었다. 만약 비홀더 1전대에게 반격을 했다면 제법 큰 피해를 주었을 것임에도 불구하고 말이다.

"엄."

빈우는 짧게 대답했다. 그리고 발 가르단 하스는 만족스럽다는 듯이 고개를 끄덕였다.

"맞아, 비홀더 전대는 나를 죽임으로써 나와의 업을 쌓았지. 그것이 인과. 그리고 오늘 여기서 껍데기인 나와 다시 만난 것이 바로 응보."

두 번이나 쓰인 껍데기란 단어에서 여러 가지 울림과 숨겨진 뜻이 빈우의 뇌리로 스며든다. 시각이나 청각을 사용한 대화에서 느낄 수 없는, 서로의 정보를 직접 주고받는 대화라서 가능한 영역이다.

"다른 단어가 있을 텐데도 넌 굳이 껍데기라고 하는군. 누가 너의 껍질을 벗겨서 가면이라도 만들어 썼단 거야?"

"이해가 빠르네. 아니, 이해가 될 수밖에 없지. 이런 대화니까 말이야."

발 가르단 하스가 손을 들자 그의 얼굴에 금이 간다. 그리고 갈라진 틈으로 일렁이는 정신체의 흐름이 보인다. 보는 순간 알 수 있었다. 발 가르단 하스란 껍데기를 뒤집어쓰고 있는 것은 바로 황제, 지구였다.

"가면이 없어진 자가 날뛰면 곤란하다고 쿠델카가 나를 꼬드기더군. 딱히 당기진 않았지만, 크게 싫지도 않았어. 반반이었다고나 할까? 하지만 거기에 쐐기를 박은 것은 바로 너였지!"

그러면서 발 가르단 하스가 빈우를 가리켰다. 지금 얼굴에 금이 간 것은 발 가르단 하스만이 아니다. 마주 선 빈우의 얼굴에도 금이 간다. 그리고 빈우의 얼굴이 떨어져 나간 틈으로는 샹 메이화의 얼굴이 보인다.

"이거 재밌군. 껍데기끼리의 대화인가?"

키득대는 발 가르단 하스의 앞에는 굳은 표정의 빈우가 있었고, 또 그의 얼굴 안으론 놀란 표정의 메이화가 있었다. 지금 메이화는 허물어져가는 빈우의 정신을 안에서 간신히 지탱하고 있었다. 동시에, 계단에 있는 존재의 정체를 대강 짐작하고 놈을 낚기 위해 빈우를 앞에 세웠던 것이다.

"맙소사! 네가 황제의 페르소나 중 하나가 되었다고!"

빈우의 입안에서 메이화의 외침이 흘러나왔다. 황제의 페르소나 중 하나인 샹 메이화에겐 받아들일 수 없는 일이다. 자신이 죽였던 존재가 어느새 자신과 동일한 존재가 된 것이었다.

"가면이 없어진 황제는 쓸쓸했지. 그래서 우린 잠자던 황제에게 가면을 씌운 거야. 재밌지 않아? 그리고 영 생뚱맞진 않지. 과거에 나는 황제 시절의 너와 대화한 적이 있었잖아."

그의 말에 빈우 안에서 메이화가 고개를 작게 끄덕였다. 샹 메이화란 조각 중 하나로 분열되기 전, 황제는 발 가르단 하스와 이야기를 했었다.

"갈가리 찢어진 지구의 황제여. 그날 넌 이리저리 말을 돌렸지만…… 못 숨기지. 넌 나처럼 되고 싶어 하더군."

지구의 황제와 발 가르단 하스는 같은 행성형 지성체로서 여러 면에서 비슷하지만, 동시에 많은 부분이 다르다. 발 가르단 하스는 플라스마 신경계를 가지고 탄생해 자신의 지표에 사는 가스형 분열체의 윤회에 따라 성장해간다. 황제는 지구 내부의 마그마 흐름에서 탄생한 원시 신경 신호가 인간들의 통신망과 결합해 탄생했다.

"황제가 너처럼 되고 싶어 한다고?"

이번엔 껍데기인 빈우가 말했다. 그는 방금의 짧은 대화에서 황제가 원한 것이 무엇인지 눈치챘다. 아니, 이미 알고 있었다. 우주에 흩어진 황제의 조각들이 하는 일. 그중에서도 의무가 아닌 욕망. 그것은 다름 아닌 ―.

"자유였군."

빈우의 말에 발 가르단 하스가 만족스러운 듯이 웃으며 고개를 끄덕였다. 황제는 인류에게 자신의 정체를 숨기고 살아왔으며 그들에게 철저하게 봉사하고 희생했던 반면, 발 가르단 하스는 후코 같은 분열체들과 서로 교류를 하며 상생하고 있었다. 그것도 아주 자유롭게. 쿠델카의 욕망이 발생한 근원은 이미 예전부터 전조가 있었던 것이다.

"어이, 메이화 함장님. 저 말 사실이오?"

"······아마도."

나직한 메이화의 말에 빈우가 어처구니없다는 듯이 언성을 높였다.

"아마도? 당신 자신의 일이잖아. 당신이 모르면 어떡해!"

"저 갈망이 이드에서 온 것이라면 나는 인식하지 못했을 수도 있어요. 아니면 인식했어도 부정했겠죠. 스스로 자제하면서 말이죠. 하지만 그렇다면 이해가 가네요. 쿠델카가 왜 그렇게 되었는지가."

그 말을 하고서 메이화는 잠시 말을 멈췄다. 앞으로 이야기할 것이 듣는 빈우와 존재 그 자체와도 깊은 관계가 있는 것이기 때문이다. 그게 태어나고 사육되었던 이유와도.

"우리가 여러 페르소나로 나뉘어 만들어질 때, 인격을 이루는 구성 요소들을 서로 동일하게 가져간 것은 아니에요. 각자 차이가 있었지요. 그중에서도 쿠델카는······ 본능적이거나 감정적인 면이 특히나 강했죠."

"본능이나, 감정 같은 것?"

더듬더듬 달싹이는 빈우의 입술 안에서 메이화의 입이 대답했다.

"맞아요. 사랑이나 모성애. 또 욕망이나 갈망 같은 것."

즉 쿠델카를 비롯한 여러 페르소나의 탄생 전부터 황제의 이드 깊은 곳에는 이미 인류로부터 해방되어 자유로워지겠다는 욕망이 있었고, 그것이 쿠델카에게 계승되었다는 것이다. 그렇다면 빈우가 쿠델카를 위해 태어나고 그녀의 욕망을 위해 키워졌던 것은 벌써 오래전부터 예정되었다는 의미이며, 다시 말해 빈우란 인간이 이 우주에 존재하는 이유와 목적 자체가 예전부터 정해졌다는 것이다.

"오해하지 말아요, 우리는—."

"알아. 당신 말마따나 그게 이드에서 기반한 것이라면 뭐랄 것도 없지."

지구의 이드와 인간의 이드가 같다는 보장은 없지만, 그 단어로 불리우는 것이라면 당사자의 의지로 어떻게 해볼 수 없는 영역의 것이다. 그게 설령 황제라도.

"아니에요. 그것을 억제하지 못한 우리들의 잘못이에요."

"하, 억제할 존재들이 뿔뿔이 다 흩어졌으니 막을 수 있나. 하필이면 인류를 지키겠다고 남은 것이 욕망의 항아리라니 이런 개씨발!"

발 가르단 하스는 빈우의 역정 내는 모습을 보며 킬킬 웃고 있었다. 하지만 빈우는 곧 진정하고는 발 가르단 하스를 노려보았다.

"이봐, 넌 지금 황제의 페르소나라고 했지?"

"그럼, 얼굴을 잊어버린 자의 얼굴이 되어주고, 자유를 원하는 자를 도와 함께 자유를 찾으려는 훌륭한 선배지. 자신을 희생해가면서까지 말이야."

"그런데 우리에게 꽤 친절하시군. 적에게 말이야."

빈우의 지적에 발 가르단 하스의 눈빛이 이채를 띄었다.

"당신 지금 지구의 껍데기라면서? 후배를 위한다면서 그 후배를 공격하는 자들과 이렇게 노가리 까고 있어도 되나? 뭐, 여기 시간과 바깥의 시간 흐름은 다르지만, 댁 지금 별로 적대적이지 않은데? 우리 질문에 또박또박 대답해주고 있잖아."

실제로 발 가르단 하스는 메이화와 빈우의 정신세계에 접속한 다음 일체의 공격 없이 대화만 하고 있는 중이었다. 얼마 전 메이화와 쿠델카 간의 살벌했던 전투에 비하면 일상 대화나 다름없다. 아니, 아주 친근한 일상 대화 그 자체였다.

"말로 해서 주먹질을 멈출 수 있다면 이익이지, 안 그래?"

물론 그의 말대로 폭력 사태로 가기 전에 교섭으로 문제를 푸는 것이 가장 이득이긴 하다. 그러나 빈우와 메이화는 그 말을 믿지 않았다. 둘 다 발 가르단 하스를 잘 알고 있기 때문이다. 이 행성 지성체는 대상이 가진 업, 카르마를 먹이로 삼는다. 게다가 그것을 진수성찬이라고 부를 정도로 좋아한다. 다시 말해 발 가르단 하스는 대상이 사고를 저질렀던 과거와, 혹은 앞으로 저지를 미래의 사건에 대해 환장한다는 것이다. 자신이 죽어가면서까지 쿠델카의 유혹을 받아들인 것도 앞으로 일어날 거대한 사건의 중심부에 있기 위해서였고, 지금 빈우와 메이화에게 협조적으로 나오는 것도 이 사건을 앞으로 더욱 크게 만들려는 속셈인 게 분명했다.

"우리하고 대화로 해결해본다고? 정복 함대로 밀어붙이기만 해도 이쪽은 질 텐데."

메이화가 말했다. 그녀와 다른 함장들은 합의를 통해 화성까지 비홀더 전대를 끌고 왔다. 그러나 지구에서 카이사르 급 전함들이 계속해서 생산되고 있는 지금으로선 비홀더 전대가 우위를 점할 수 있는 순간은 잠깐뿐이다.

"네 말대로야. 하지만 모든 비홀더 전대를 상대론 이쪽의 피해도 무시할 수 없지. 그만큼 너희들의 존재가 치명적이라고 해두는 게 어떨까. 난 그렇게 생각하고 싶은데?"

게다가 현재 비홀더 전대가 있을 수 있는 곳은 이곳 화성 궤도까지다. 계단을 넘어서 지구까진 가지 못한다. 계단 부근에서 버티기만 해도 저쪽의 승리다. 그럼에도 불구하고 발 가르단 하스는 불리한 이쪽과 어떻게든 대화를 하고 싶은 모양이다. 하지만 이렇게까지 대놓고 유인을 해대니 대화하기도 껄끄럽다.

"오케이, 접수. 그러면 교섭을 진행해보자. 안나 닐센은 어떻게 된 거지?"

하지만 빈우는 넉살 좋게 떡밥을 날름 물었다. 그리고 이어지는 질문은 빈우의 말이라기보다는 그의 안에 있는 메이화의 질문이었다.

"메이화, 네 짐작대로 쿠델카가 데려왔어. 정복 함대를 쓰기 위해선 유능한 페르소나가 필요했거든. 한때 카이사르 급을 만들고 운용했던 그녀라면 안성맞춤이지. 근데 웃기기도 하지. 정작 나나 안나 같은 말을 열심히 구했건만, 정작 쿠델카 자신이 너네들에게 잡혀버렸잖아. 큭큭큭."

빈우의 안에서 메이화가 인상을 썼다. 쿠델카의 음모를 알아채고 혼자서 움직였던 자매, 안나 닐센. 그러나 그녀는 음모에 이용당한 비홀더 1전대의 손에 죽었고, 메이화에게 흡수당했으며, 결국엔 쿠델카의 손에 넘어가 저렇게 이용되고 있는 중이다. 그러니 발 가르단 하스의 비웃음이 마치 자신을 향한 것 같았다.

이번엔 빈우가 질문했다.

"지금 정복 함대를 이끄는 안나 닐센은…… 제정신이 아니겠지?"

"응? 글쎄에 ― 뭐, 나 정도겠지."

역시나 별로 재미없다는 투의 대답이었다. 그 모습에 빈우는 발 가르단 하스가 뭣 때문에 대화에 응했는지 대충 짐작할 수 있었다.

"내가 더 알아야 할 것이 있나?"

"있고 말고!"

이번엔 발 가르단 하스가 반색을 하더니 빈우에게 다가왔다. 그 모습이 마치 진미를 눈앞에 두고 군침을 흘리는 것처럼 보였다. 그리고 그 입에서 군침 대신 말이 흘러나왔다.

"샤다이가 이 계단을 만든 이유는 알고 있겠지?"

계단. 고대 종족 샤다이가 이 우주의 멸망을 피해 다른 차원으로 도망가기 위해 만들었던 통로. 그러나 다른 차원으로 도망간 샤다이는 그곳에서 선주 종족들에게 고문과 고통을 겪었고, 다시 이 우주로 떨어져 내려왔다고 한다. 그리고 이것이 워프 비스트 사건의 전말이다.

"이유라……."

빈우가 생각을 가다듬었다. 그 이유 정도는 여기에 있는 누구나 다 알고 있는 사실이다. 굳이 새삼스레 꺼낼 이야기는 아닌 것이다. 배후에 다른 이야기가 숨겨져 있지 않는 한. 여기서 행성 지성체가 꺼낼 만한 배후의 이야기라면 후보가 몇 가지 없었고, 빈우는 거기서 후보를 골랐다.

"그 위쪽, 다른 차원의 종족이 연관된 일인가?"

빈우의 말에 발 가르단 하스의 눈빛이 요동쳤다. 정확히는 눈 안에 있던 지구의 이드가, 욕망이 휘몰아치기 시작했다.

"정답! 그들이 마침내 지구에게 눈을 돌렸어. 이번 사건을 계기로 이쪽에 관심을 두기 시작했단 말이야."

빈우는 발 가르단 하스가 짓는 자신의 미소를 보았다. 자신은 저런 미소를 적에게 보여준 적이 없다. 동료들에게나 보여주는 만족스러운 미소다.

"왜 나에게 이런 것을 가르쳐주는 거지?"

"가르쳐주다니, 난 숨기고 싶어. 이건 지금 네가 대화를 통해 알아내고 있는 거야."

지금 발 가르단 하스가 하고 있는 것은 교섭이 아니다. 녀석은 이쪽에 정보를 흘려 싸움을 붙이고 싶어 하고, 또 그 싸움을 크게 하고 싶을 뿐이다. 그리고 놈은 구경하겠지.

"너, 벌써 계단 너머의 존재와 접촉했군."

"날카롭군. 하지만 그들을 너무 위험한 존재로 보지 마. 그들은 샤다이들을 고문한 적이 없어. 죽인 것은 바로— 나지."

그러면서 발 가르단 하스가 빈우에게 감정을 공유해주었다. 빈우도 익히 아는 샤다이들의 고통과 단말마다. 자신의 속으로 들어온 샤다이들을 고문하고 죽였을 때 몇 번이나 겪었던 감정이다. 그러나 지금 발 가르단 하스가 보여주는 것은 그 규모가 달랐다. 체메트디오프가 말한 것처럼 조 단위의 규모에서 나오는 고통이었다.

"조심해요!"

"젠장할."

감당할 수 없는 의식의 흐름에 빈우가 휘청이자 안에서 메이화가 잡아주었다. 자칫했으면 빈우 자신도 휩쓸려갈 뻔했던 것이다. 방금 계단에 있던 무수한 샤다이들의 정신체가 감지되지 않은 이유가 이것이었다. 과거 이 우주를 버리고 계단을 올라갔던 고대의 샤다이들 전원은 오늘 발 가르단 하스, 그리고 지구에게 죽은 것이다.

"이런 찌꺼기들이 계단에 있으니까 소통에 힘이 들지. 그래서 깨끗하게 청소한 거야. 그들과 접촉하기 위해서."

여기서 발 가르단 하스가 말한 '그들'이란 샤다이가 도망가려고 했던 차원의 종족임이 분명하다.

"이쯤 되면 짐작했겠지만, 그들에게 시간은 또 다른 좌표의 하나에 불과해. 우리들이 전후좌우로 갈 수 있는 것처럼 그들은 과거와 미래를 자유롭게 오가지. 물건이 내일 온다면 내일 가서 받으면 되고, 어제 못 받았으면 어제 가서 받으면 될 일이야. 개념이 3차원의 우리랑 달라. 그래서 샤다이들이 고통을 받은 거지."

그때 발 가르단 하스의 얼굴에 쩍 하고 큰 금이 갔다. 그리고 그 틈으로 격렬한 본능의 색이 뿜어져 나오려 한다.

"잠깐, 기다려. 내가 설득 중이잖아. 서두르지 말라고. 잠시만 기다려줘."

발 가르단 하스는 숨을 들이쉬며 진정하려 했다. 마치 내부에서 터져나오는 엄청난 감정과 충동을 느끼곤 그것을 다스리려는 모습 같았다. 아마도 그 감정이란 지구, 페르소나가 사라져 잠든 지구의 것이겠지. 이성도 없이 본능만으로 날뛰려는 행성 규모의 괴물. 쿠델카가 왜 껍데기들을 찾아 헤맸는지 알겠다. 그녀는 야수를 자기 마음대로 이끌 올가미가 필요했던 것이다.

"후우— 계속하지. 계단 위의 그들은 단지 자신들에게까지 올라온 샤다이를 구경한 것뿐이야. 하지만 샤다이들에겐 뭐랄까. 그들은 자신의 책을 옆에서 훔쳐보고 스포일러하는 존재였어. 잊고 싶어 하는 과거를 일깨우고, 아직 보지 못한 미래를 들춰보는 자랄까. 오만한 샤다이들에겐 받아들일 수 없는 치욕이었겠지. 음, 아니야. 갓난아기에게 롤러코스터를 태웠다는 느낌이 더 정확하겠다. 그래, 맞아. '그들'의 무지에서 비롯된 친절이 샤다이에겐 참을 수 없는 고통이 되었던 거야. 자신들의 역사와 인생, 기억을 이리저리 늘리며 뒤집히는 경험은 정말 고문이었겠지."

발 가르단 하스의 말이라면 계단 위의 존재란 시간을 자유로이 이동 가능한 고차원의 존재일 것이다. 그러면 빈우에게도 짚이는 것이 있다.

"그렇다면 지구가 원했던 자유는—."

빈우가 말을 끊자 발 가르단 하스가 기대에 찬 눈빛으로 이쪽을 바라봤다.

"—쿠델카가 원했던 자유와 다른 개념이겠군?"

"맞았어! 쿠델카는 단지 인류에게서 벗어나고 싶어 했지만, 지구의 본능은 그것보다 더했어. 처음엔 나를 보면서 자유를 갈망했고, 계단을 보면서 그 갈망을 키워나갔지. 종내에는 이 3차원을 넘어서 보다 높은 차원으로 떠나고 싶어 했어. 후후, 그리고 그것이 페르소나를 거치며 작아진 것이 쿠델카의 욕망이 된 거지. 참 소박한 자유 아닌가?"

원하는 해답을 들은 발 가르단 하스는 박수를 치며 웃었다. 하지만 빈우는 웃을 수 없었다.

"씨발, 이거 일이 자꾸 커지는데……. 메이화 함장님, 이거 당신 일이잖아. 뭐 짚이는 거 없어요?"

빈우와 메이화는 계단 안에 무언가 있을 것이라 생각하고 접촉했다. 그러나 까면 깔수록 충격적인 사실이 드러나고 있었다. 빈우는 일개 인간이 가늠할 수 없는 사건을 마주하고는 이를 감당할 수 있는 자에게 폭탄을 돌렸다.

"흐음……. 솔직히 말해서, 발 가르단 하스의 말은 긍정할 수밖에 없네요."

그런데 폭탄을 받은 사람은 그 폭탄이 꽤 마음에 드는 모양이다.

"당신 지금 무슨 소리 하는 거야!"

"아뇨, 발 가르단 하스의 말이 맞아요. 우린, 나는 지구란 행성에서 태어났고, 인류가 만든 전파망을 신경계로 써서 깨어났어요. 그리고 그 안의 지식에 속박되었죠. 발 가르단 하스를 보고 자유를 원한다? 내 깊숙한 곳에서? 그렇겠죠. 그럴 수 있어요. 인정해요. 그리고 계단을 보고서 그 위로 올라가고 싶어 한다? 으음."

빈우는 자신의 속내에서 끓어오르는 호기심과 욕망을 느끼고는 가슴을 억눌렀다.

"아니, 이모까지 왜 이래. 진정하시라고."

"실례군요. 이건 문제 해결을 위해 나 스스로를 냉정하게 되짚어보는 거예요. 쿠델카의 목적은 자신의 자유를 위해 모든 인류를 죽이는 거죠. 이건 당연히 막아야 해요. 그리고 발 가르단 하스의 말대로라면 지구는, 우리의 본능은 계단을 통해 위 차원으로 올라가고 싶어 한다죠?"

빈우의 입에서 나오는 목소리에서 뜨거운 열망이 묻어나왔다.

"하지만 우리가, 황제가, 지구가 승천하게 되면? 그땐 어떤 일이 벌어지죠? 황제가 사라지는 겁니다. 네, 지구와 전자신경망은 그대로 있겠지만, 황제란 인격과 존재가 사라져요. 그러면 인류는 홀로 이 우주에서 살아남아야 하는 겁니다. 친절하지 않은 이 우주와! 지구는 승천해서는 안 됩니다! 황제는 이 우주에 있어야 해요. 아니, 황제가 아니죠. 우리는 인류의 길동무로서 같이 걸어 나갈 거예요. 함께 배우고 서로 가르쳐가며 이 우주에서 살아갈 겁니다."

메이화는 자신의 욕망을 필사적으로 부둥켜 잡고, 억눌렀다. 그 기세에 빈우는 껍데기인 자신이 찢겨져나갈 것만 같았다. 몸속 깊숙이 솟구치는 충동의 폭풍우에 올가미를 씌워 대해에 내동댕이치는 것만 같았다.

"흐흥, 선녀께서 날개옷을 입기엔 자식들이 너무 많으셨구먼. 자식 농사가 아주 풍년이야."

하지만 돌아온 것은 비웃음이었다. 빈우가 그 소리에 간신히 감정을 억누르며 눈을 떴을 때, 그가 본 것은 갈가리 찢겨진 자신의 모습이었다.

"발 가르단 하스, 너, 형체가……."

억누르는 자는 빈우만이 아니었다. 맞은편에 있던 발 가르단 하스도 엉망진창이 되어 있었다. 그의 안에 있는 지구도 이제 폭발 일보 직전인 것이다.

"교섭은 실패군. 쌍방 간 대화는 다음 단계의 대화로 넘어갈 모양이야."

빈우는 발 가르단 하스의 안에서 타오르는 색과 자신의 몸 안에서 흘러나오는 색이 비슷한 것을 깨달았다. 동시에 상황이 돌아가는 형세도 깨달았다.

"이 개새끼가 약 팔고 자빠졌네. 지구하고 이쪽 이모들하고 달아오를 대로 달아올랐잖아! 교섭? 일말의 가능성이라도 있었던 교섭도 이제 물 건너갔네! 제길!"

빈우 안에 든 메이화는 지구의 페르소나이고, 발 가르단 하스에 든 것은 지구의 이드다. 그리고 지금 이 둘은 서로 동조해가며 폭발 직전까지 치닫고 있었다.

"흐흐흐, 나는 관찰자야. 그늘에 싹튼 잡초의 새싹을 보는 아이일 수도 있고, 웅장한 오케스트라에 압도된 문외한일 수 있으며, 인지를 벗어난 자연 광경에 경도된 미약한 존재일 수도 있지."

"X까 씨발! 불구경하고 싶어서 불을 지르는 미친놈이잖아!"

빈우의 지적에 발 가르단 하스는 딱히 부정하지 않고 고개를 끄덕일 뿐이었다.

"나는 자네의 앞길을 보고 싶어. 자네의 업이 어느 정도인지 아나? 황제에 의해 만들어지고 키워진 너의 업이 꽃피기 시작할 때—"

마침내 껍데기가 부스러지며 흩어졌고, 그 안에 억눌렸던 지구의 이드가 터져나오기 시작했다.

"함장님을 모셔라!"

이 섬은 그리폰을 돌려 메이화 쪽으로 나아갔다. 그녀가 계단에 접촉한 다음 찰나의 순간에 상황이 급변했다. 계단 안에서 누구와 접촉해서 무슨 일이 일어났는지는 모르겠지만, 접촉 이후 지구 궤도에서 수많은 카이사르 급들이 엄청난 속도로 건조되어 날아오르는 것이 포착되었다.

"함장님께선 이쪽에서 재구성 가능하실 텐데 굳이 저러신다는 것은······."

요시오의 말대로 메이화의 육체는 쉬바만 있다면 어디서든 생성 가능하다. 어차피 그녀의 육체는 쉬바에 정보를 넣어 인간의 형태를 만든 것이기 때문에, 저곳의 육체를 버리고 이곳 그리폰에서 자신의 몸을 다시 만드는 것은 손쉬운 일이다. 그렇기에 메이화가 저렇게 빈우와 아나스타샤를 데리고 이쪽으로 오고 있다는 것은 그만큼 그들이 중요하다는 의미다.

"함장님과 빈우, 그리고 그의 안드로이드를 회수했습니다. 그런데······ 놈들은 아예 틀어막을 셈인가."

낭소로호가 보고를 하면서 현재 계단 상황을 보더니 혀를 찼다. 지금 비홀더 1전대는 계단 가장 가까이에 있다. 그 계단에선 계속해서 정복 함대가 쏟아져 나오고 있고, 이 카이사르 급 전함들이 계단을 빠져나오면 가장 먼저 1전대와 맞부딪친다. 그리고 둘이 좁은 계단을 두고 부딪쳐 정체되면 주변에서 기다리고 있던 비홀더 전대들이 정복 함대를 포위해서 공격하고 있는 중이다. 그러나 정복 함대는 적극적으로 공세를 펴 이쪽으로 넘어오려 하지 않았다. 놈들은 그저 계단 너머로 전진 방어선을 칠 속셈으로 보였다.

잠시 후 메이화와 일행이 지휘실에 도착했다. 그녀 뒤를 따라오던 아기 괴물의 모습에 다른 전대원들이 주춤하고, 한번 호되게 당했던 요시오가 이마를 씰룩였지만 전대장의 손짓 한 번에 모두 잠잠해졌다.

"함장님, 어찌 된 일입니까."

섬은 메이화의 이상을 아까부터 눈치채고 있었다. 그녀의 아들이자 제1기 사인 이 섬은 메이화 안에서 무언가 끓어오르는 것을 같이 느꼈던 것이다. 뭔가의 충동, 그것도 아주 원초적인 충동이었다.

"일이, 힘들게 되었네요."

한숨을 내쉰 메이화는 짧으면서도 차분하게 설명했다. 이번 화성 작전은 꼬여도 단단히 꼬였다. 우선 사건의 발단은 쿠델카가 자신의 자유와 해방을 얻고자 샤다이의 계획을 역이용해서 인간을 없애려 한 것이다. 그리고 그 계획을 위해 자신의 영역과 권한 바깥에서 움직일 빈우를 만들었고, 최후에는 빈우와 서로 속박하려 했다. 여기까진 비홀더 전대의 간부들도 아는 사실이다. 그러나 그다음이 문제였다.

"지구의…… 이드란 말입니까?"

차츰 밝혀지는 것은 천하의 이 섬마저도 고개를 젓게 만드는 사실이었다.

"네, 우리들 황제의 인격 안에 들어 있는 근원적 본능이죠."

말하는 메이화는 마치 자신의 치부를 들킨 듯한 부끄러운 표정이었다. 따지고 보면 사건의 가장 시작점은 황제 자신이다. 왜냐하면 쿠델카가 자유를 원한 이유는 다름 아닌 지구의 이드가 자유를 원했기 때문이다. 과거 황제가 발 가르단 하스를 보았을 때 잠시나마 그의 자유를 부러워했고, 그 감정이 내면 안쪽 깊숙이 파고들어 씨앗을 심었다. 이때부터 이드가 자유를 차츰 원하게 된 것이다.

"뭐 자연스러운 거지. 이드는 자신 마음대로 할 수 없어. 간단히 말해서 맘

에 드는 상대가 있으면 자빠뜨리고 싶다는 욕구 같은 거잖아? 응? 너희는 그
게 안 되나?"

흉측스러운 아기의 입에서 비꼬는 말이 나오자 몇몇 대원들이 꿈틀했지
만 그뿐이었다.

"그래요, 당연한 본능이죠. 그리고 본능을 제어하는 것은 이성이지만, 그
역할을 할 우리들이 본체를 떠나는 마당에 이런 일이 벌어진 겁니다. 하지만
우린 분명히 지구를 재우고 떠났는데⋯⋯."

그러면서 손가락을 깨무는 메이화에게 빈우가 다가갔다.

"원인과 결과만을 떼어서 보지 마. 이 둘은 서로에게 영향을 준다. 처음엔
지구의 이드가 내 엄마를 자극했겠지만, 그다음부턴 엄마의 갈망이 거꾸로
지구를 자극했을걸?"

그렇게 말한 빈우가 자신을 가리켰다.

"나만 해도 그래. 정신이 육체를 만들었고, 그 육체가 다시 정신을 변화시
키고 있어."

마치 닭과 달걀 같은 문제다. 무엇이 먼저인지는 중요하지 않다. 둘은 마
치 동전의 양면처럼, 자석의 양극처럼 하나인 존재니까.

"참, 그래요. 그 몸, 아니, 빈우 당신 자신은 언제까지 그렇게 남아 있을 수
있죠?"

방금 빈우의 이성을 깨우기 위해 그의 안으로 들어간 메이화는 알고 있다.
빈우의 인격은 이미 오래전에 산산조각 난 상태란 것을. 유아기 시절부터 쿠
델카로부터 학대받았던 빈우, 아이가 고통받아 쓰러지면 아나스타샤가 다시
그를 일으켜 상처를 핥아주었다. 쿠델카가 원한 것은 아들의 정신과 육체로
빚어낸 열쇠였다. 그래서 그녀는 자신의 아들을 불에 달구고 망치로 내리쳐
열쇠로 만들었다. 그 결과 빈우는 겉으론 인간의 형상을 하였지만, 그 안은
이미 인간이 아닌 존재로 변해버린 것이다. 쉬바가 이렇게 기이하게 반응한
것도 그런 이유였다.

"난들 아나……."

쓸쓸하게 말한 빈우가 자기 손안의 안드로이드를 내려다보았다. 쿠델카가 그녀 자신의 도구로 쓰기 위해 만들었던 분신, 아나스타샤. 동시에 빈우가 인간으로 남아 있고 싶어 하는 욕망의 이유이기도 하다. 비록 그것이 조작되고 주입된 기억이라 할지라도 말이다. 만약 아나스타샤가 없었다면 빈우는 예전에 붕괴되었을 것이다. 그리고 지금도 그녀의 존재가 간신히 빈우의 이성을 붙잡고 있었다. 아나스타샤 안에 쿠델카를 넣고 지구에 데려가 죽인다는 계획을 실행하고 나면 빈우는 과연 어떻게 될 것인가. 인간으로 살아남을 것인가, 아니면 괴물로 죽어갈 것인가.

'그의 육체와 정신은…… 더 이상 내가 도울 수 없어.'

메이화는 빈우를 도와주고 싶었지만 빈우는 지금 쿠델카의 제1기사다. 다른 페르소나인 메이화가 손댈 수 있는 영역이 아닌 것이다. 그리고 제1기사인 빈우가 그의 어머니인 쿠델카를 해하려는 것은 결코 쉬운 일이 아니다. 아니, 애초에 불가능한 일이다. 그러나 빈우는 그것을 자신이 주입받은 명령, 어머니를 자유롭게 해야 한다는 각인을 비틀어서 필사적으로 실행 중이다. 빈우는 어머니 쿠델카에게 영원한 자유—죽음을 선물하려고 필사적으로 다짐하고 있으며, 그것이 그의 정신을 계속해서 갉아먹고 있는 것이다.

"으으으—."

갑작스러운 옹알이에 메이화가 화들짝 놀랐다. 빈우가, 말라서 뒤틀린 거대한 태아가 자신이 죽여야 할 사랑을 손아귀에 쥐고 소중하게 쓰다듬고 있었다. 희끄무레한 눈 안에 비치는 것은 사랑이며 증오였고, 후회이자 한탄이었다.

"뭘 하든…… 서둘러야— 겠어."

뚝뚝 끊기는 말이 아기 입에서 나온다. 메이화가 잠시 일깨워줬던 이성이 다시금 허물어지려 하고 있었다.

"문제는 저 지구, 그 안의 존재로군."

이 섬이 쏟아져 나오는 카이사르 급 전함 너머의 지구를 가리켰다. 인류의 고향, 황제의 본체. 지금은 잠들어 있지만, 그 내핵 깊은 곳의 존재는 이 우주를 벗어나 계단을 타고 올라가고자 한다. 모든 페르소나들이 루비콘 라인을 넘어간 다음 이드의 욕구는 점차 강해졌고, 쿠델카는 여기저기서 페르소나를 가져와 지구를 안정시키려 했었다. 그런데 하필이면 가져온 놈이 사고를 치고 만 것이다.

"쿠델카, 내 엄마는 발 가르단 하스로 하여금 지구의 고삐가 되게 할 셈이었겠지. 문제는 그 고삐가 지 꼴리는 대로 움직였다는 거야."

빈우는 방금 전 발 가르단 하스와의 대화를 떠올렸다. 놈은 이쪽과 교섭을 위해 대화를 하는 척했지만, 그 뒤에 숨겨진 의도는 그게 아니었다.

"으음, 발 가르단 하스 그놈이!"

놈을 제대로 마무리짓지 못했다는 사실에 냉정하던 낭소로호마저 얼굴을 붉히며 흥분했다. 실제로 빈우와 메이화가 만난 발 가르단 하스는 말이 너무 많았다. 어떻게든 진실을 밝혀 싸움을 벌이려는 속셈이었겠지. 그리고 서로 치명적인 사실을 알게 된 지금으로선 어떻게 숨기고 협상할 여지가 없다. 비홀더 전대의 함장들은 모두 지구의 페르소나이기 때문에 기본적으로 자신의 본체인 지구를 지키려고 한다. 사태가 여기까지 왔어도 교섭부터 시도했을 것이고, 지구를 지키려고 했을 것이다. 그러나 그 행성 안에 잠든 본능의 정체를 깨달은 지금은 이야기가 전혀 다르다.

"지구가 계단을 올라가면 인류는 끝이에요. 그리고 황제가 없는 미래에 만약 외우주에 있던 놈들이 온다면……."

메이화의 말에 비홀더의 간부진들이 고개를 끄덕였다. 그리고 이 정보를 공유한 다른 함장들 또한 모두 동의했다. 황제가 계단 위로 올라가면 그녀 말대로 인류는 끝장이다. 현재 지구의 페르소나들은 비홀더 전대의 기함 함장이 되어 루비콘 라인을 넘어 활동하고 있지만, 때가 되면 다시 지구로 돌아가기로 되어 있었다. 그리고 그때가 오면 다시 황제로 부활해 정체된 인류를 발전시킬 것이다. 이어서 정복 함대를 이끌고 다른 은하계로 넘어가 정복 활동을 시작할 것이다. 하지만 지구가 없다면 부활하지 못한다. 그저 흩어진 조각이며, 단지 고성능 인공지능에 불과하다.

"네, 말씀대로 바깥에는 아직 인류에게 위협적인 놈들이 많습니다."

이 섬은 비홀더 전대에게도 치명적이었던 외우주의 종족들을 떠올렸다. 심지어 비홀더 전대 중 몇몇은 그들과 싸우다가 궤멸적인 피해를 입었고, 전멸한 전대도 있었다. 다행히도 아직 외우주의 종족들은 이쪽의 존재에 대해 자세히 알지 못한다. 그리고 설령 놈들이 이쪽 은하계로 넘어온다고 해도, 그 하나하나는 맞서 싸워 이길 수 있다. 하지만 놈들 전체가 덤벼든다면 현재의 연방과 비홀더 전대로선 막아낼 수 없다. 때문에 이번 지구의 승천은 반드시 막아야 한다.

"그건 그런데, 황제가 계단을 어떻게 올라갑니까?"

질문한 것은 요시오였다. 그도 나름 전대의 간부이긴 하지만, 관심이 없는 것에 대해선 신경을 쓰지 않아서 모르고 있었다.

"샤다이가 계단을 쓰는 방법과 같겠죠. 자신을 정보화시켜 계단을 올라갈 겁니다."

그리고 메이화가 영상으로 설명해주었다. 샤다이가 자신의 몸을 별 심장의 불길, 플라스마로 변이시킨다. 그리고 그것을 발 가르단 하스나 지구 내부의 신경계처럼 정보화하여 계단으로 들어갔다. 정보가 계단을 타고 다른 차원으로 넘어간 다음 원래 샤다이가 있던 자리에는 아무것도 남지 않았다.

"그렇다면 지구가 사라진다는 말씀입니까?"

요시오의 질문에 메이화가 고개를 저었다.

"확실한 것은 몰라요. 하지만 아마 이드가 변이할 때 적어도 신경계였던 핵은 확실히 사라집니다. 글쎄, 어쩌면 행성 자체가 사라질지도 모르지요."

핵이 사라지면 행성으로서의 지구는 끝난다. 그리고 설령 지구가 붕괴하지 않았다고 해도 내부 신경계가 없다면 페르소나들이 외부의 통신 신경계를 부활시켜도 아무런 소용이 없다. 이드와 핵심 신경계가 사라진 황제는 단순한 거대 인공지능에 불과한 것이다.

"어떻게든 막아야겠군요. 그런데 음, 어떻게 막죠?"

요시오가 질문했지만, 딱히 대답하는 사람은 없었다. 다들 막막한 것이다.

"일단 물리적으로 족칠 수는 없겠지요?"

요시오의 이번 질문에는 메이화를 비롯한 몇몇이 고개를 끄덕인다. 비홀더 전대는 지구 정도의 행성은 충분히 파괴할 수 있다. 그러나 이번 문제는 화력으로 해결될 것이 아니었다.

"교섭이나 설득은 어떻습니까?"

이번엔 낭소로호가 의견을 냈지만 빈우가 고개를 저었다.

"텄어. 발 가르단 하스가 아주 파토를 냈지."

발 가르단 하스는 교섭에 응하는 척하면서 진실을 확 까버리고 싸움을 붙였다. 놈은 더 이상 돌이킬 수 없는 루비콘강으로 사람들을 밀어넣었고, 물에 빠진 이들이 살기 위해 서로 붙잡고 발버둥 치는 꼴을 구경하고 싶어 했다. 그것도 자신은 이미 저 강 아래 밑바닥에 가라앉은 상황에서. 그러고 보니 놈이 했던 말 중에서 하나가 생각났다. 중요하지만 크게 언급 없이 스쳐 지나갔던 대상이다.

"또 하나, 발 가르단 하스가 말……한 것이 있지. 계단 위―의 존재들."

발 가르단 하스는 계단 위의 존재들, 즉 위쪽 차원의 종족들이 지구를 눈여겨보기 시작했다고 말했었다. 놈들은 과거 이 우주를 호령했었던 샤다이를 마치 장난감처럼 대했던 종족이다.

"첩첩산중이군."

이 섬이 함대 상황을 살펴보며 퉁명스레 내뱉었다. 몰려드는 카이사르 급 전함들만 해도 버거운 판국인데, 그보다 더한 사실이 밝혀지는 것이다. 현재로선 계단 위의 존재들에게 어떻게 해볼 방법이 없다.

2차원적인 전투를 하는 지상군은 3차원적인 전투를 하는 공군과 우주군에 대해 일방적으로 당할 수밖에 없다. 마찬가지로 그저 시간 속에서 흘러만 가는 3차원의 존재는 시간을 마음대로 오가는 4차원의 존재를 결코 이길 수 없는 것이다.

"빈우, 그대는 느껴지는가?"

이 섬의 질문에 빈우는 고개를 저었다. 비홀더 전대의 간부 급들은 감속이나 가속 등 한정적이나마 시간에 관련된 기술을 쓸 수 있고, 감지할 수 있다. 그러나 아직은 아무런 이상이 없는 것을 보면 놈들은 아직 적극적으로 개입하지 않은 모양이다.

"안심 — 하지 마. 어쩌면. 이 시간대에, 초점을…… 맞추 — 지 못한, 것일 수도 있어."

빈우는 발 가르단 하스가 말한 것을 떠올렸다. 놈은 계단을 깨끗이 치웠다고 했다. 계단에 존재하던 샤다이들을 모두 없앴다는 말이다. 그게 지구가 올라가기 위해서인지, 아니면 위의 것들이 내려오기 위해서인지는 아무도 모른다.

"할 수 있는 것부터 하죠."

메이화의 말에 사람들은 고개를 끄덕였다.

"맞습니다. 일단은 지구를 진정시키고, 카이사르 급들을 멈춰야 합니다."

이 섬의 말에 메이화가 고개를 숙이며 입술을 꼭 다물었다.

"그렇다면 누군가 지구에 가야 해요. 그러나……."

다시 고개를 든 메이화의 눈은 흥분으로 물들어 있었다.

"아무래도 우리들은 힘들 것 같아요. 동조가 점점 심해지고 있어요."

빈우는 자기 안에 들어왔던 메이화의 감정을 같이 느낄 수 있었다. 그녀가 이 폭풍 같은 충동을 참아내는 것만 해도 대단했다. 샹 메이화를 비롯한 다른 함장들은 자신들의 차가운 이성으로 지구에서 뿜어져 나오는 뜨거운 본능을 식히려고 안간힘을 쓰고 있는 중이다. 하지만 더 이상은 힘들 듯싶었다.

"계단 너머 화성이라면 모르겠지만, 비홀더 전대가 계단을 넘어가 지구에 가까워지면 어떻게 될지 몰라요. 다른 형제 자매들도 마찬가지겠죠."

"외통수인가. 갑갑하군."

빈우 말대로 전황은 이러지도 저러지도 못할 지경에 빠졌다. 여기서 막고 있자니 계속해서 쏟아져 나오는 카이사르 급에 갈려 나갈 게 뻔하고, 쳐들어 가자니 달아오를 대로 달아오른 지구에게 삼켜질 판국이다.

"나는— 어떨까."

빈우가 말을 꺼냈지만, 점차 그의 말이 우물거리기 시작했다. 그런 아기의 모습을 메이화가 올려다보았다. 그리고 다시 눈을 내려 그가 품 안에 소중히 안고 있는 아나스탸사도 보았다. 이 둘의 운명을 떠올리면 그녀의 마음은 편안치 못하다.

"지—금, 엄마에게— 자유를 주어도— 자유—."

아기는 거기까지 말하고선 어질거리는 정신을 다잡으려는 듯 고개를 휘두르며 머리를 쳤다. 메이화보다는 그의 한계가 더 급한 듯하다.

"그래요, 쿠델카를 지구에서 죽인다는 처음의 계획 말이지요."

만약 지구의 이드가 날뛰는 이 순간, 그 원인이 되었던 쿠델카를 죽인다면 어떻게 될까. 그녀가 죽어서 이드 안으로 되돌아간다면 어떤 일이 일어날까. 황제의 이드와 그 페르소나인 쿠델카는 각자 자신의 욕망으로 서로를 자극한다. 만약 쿠델카가 죽어서 황제 안으로 돌아갈 경우 그 이드는 더욱 날뛸 것인가, 반대로 진정될 것인가, 아니면 아무 일도 없을 것인가.

"쿠델카의 삶에 대한 욕망은 우리들 누구보다도 커요. 그리고 그녀는 자유를 원했던 만큼 그 바람이 꺾이는 것에도 충격이 크겠죠."

메이화는 함을 움직이면서 다른 함장들과 회의를 해보았다. 다른 비홀더 전대들도 한층 거세지는 정복 함대와 포화를 주고받으면서도 메이화의 대화에 응했다. 어찌 보면 자문자답이랄 수 있는 대화다.

- 발 가르단 하스가 일을 너무 키웠군.
- 우리가 이제까지 무시해왔던 본능을 마주 보게 한 거지. 당연히 있을 법한 감정이지만 이 정도까지 극단적으로 치달으니 추악하군.
- 그러게. 그런데 처음 빈우와 메이화가 계단에 들어갔을 때, 놈은 왜 모습을 드러내고 대화를 시도했을까? 어차피 막을 의도는 없었을 텐데?
- 놈도 쿠델카가 죽으면 곤란했던 게 아닐까?
- 그보다는 쿠델카가 없는 사이 우리들의 잠든 이드를 자극하기 위해서였겠지. 메이화와 대화를 하면서 불을 지폈잖아. 자신은 임시 페르소나였으니 생각만큼 자극이 안 되었을 테고, 그래서 우리를 이용한 것이야.
- 쿠델카는 고양이한테 생선가게를 맡겼군. 아니, 이것도 그녀의 계획일까?
- 글쎄, 그만큼 급했던 거겠지. 자신의 계획이 실패하니 초조했을 거야.
- 그런가. 자유와 승천이라. 끌리긴 하지만 우리의 의무를 저버릴 만한 것은 아니야.
- 그리고 인류를 저버릴 만한 이유가 되는 것도 아니고.
- 자, 그러면 우리 자매인 쿠델카가 죽었을 경우, 그것이 지구에 어떤 영향을 끼칠지 생각해보지.

생각은 금방 끝났다.

"다른 함장들과 시뮬레이션을 해봤습니다."

짧은 회의 끝에 메이화는 고개를 들어 빈우와 마주 보았다.

"쿠델카를 죽입시다. 지구에서."

이미 결심했던 일이지만 그것을 들은 아기의 손이 움찔하고 떨렸다. 그 떨림에 안드로이드가 흔들렸고, 빈우는 그녀를 조심스레 바로 잡았다. 이제 그녀를 자유롭게 해야 할 시간이 온 것이다.

지금 화성과 지구가 계단을 사이에 두고 대치하고 있는 전대미문의 상황에서, 제대로 싸우고 있는 것은 제국의 함대들뿐이다. 이쪽 화성에는 비홀더 전대들이, 저쪽 지구에선 한층 거대한 카이사르 급 전함들이 서로를 맹렬하게 공격하고 있는 것이다. 그 등쌀에 아까까지만 해도 치열한 전투를 벌였던 연방군 함대과 샤다이 함대들은 서로를 견제하면서 물러나고 있었다. 살기 위해서.

"상황 한번 희한하게 돌아가네요."

연방의 상원의원 오다 히토미는 펄럭이는 소매로 이마를 쓸었다가 멋쩍게 웃었다.

"제가 이런, 이런 터무니없는 무리를 중간에서 달래게 되다니."

지금 그녀는 화성에서 충돌한 각 세력의 중간에서 이들을 조율하고 있었다. 물론 연방 상원의원이라면 꽤나 높은 직책이긴 하다. 그러나 이런 자리에 어울릴 지위는 아니다. 상원의원보다 높은 직책도 많을뿐더러, 지금 이 상황에 어울리는 자들은 더 많다. 그러나 다 여기에 없다. 대부분 전사하거나, 화성에서 빈우의 계획에 의해 고립되거나, 워프 비스트의 폭주 사건 때 휩쓸려 죽었다.

"무슨 말씀을. 의원님께선 충분히 대단한 일을 하셨습니다. 자랑스러워하십시오."

아룹이 웃으면서 히토미를 치켜세웠다. 실제로 빈말이 아닌 것이, 그녀는 이 전투에서 총 한 방 쏴보지는 않았지만 사방팔방 연락을 하면서 각 세력들의 불필요한 충돌을 막고 중재를 했다. 제국과 연방, 샤다이의 세력들이 서로 터져나가는 아수라장 속에서 잠시라도 틈이 나면 히토미는 자신의 인맥들과 연락했다. 그렇게 알탄훼아나와 이야기를 하면 알탄훼아나는 다시 집정관의 함대와 대화를 했고, 그사이 히토미는 다시 비홀더 전대와 연락을 하거나 연방 측 함대와 교섭을 했다. 그녀는 꺼진 화재 속의 남은 불씨를 하나하나 찾아 껐으며, 그 결과 소강 상태에 빠진 전투는 점차 진화되어갔고, 방금까지 죽일 듯 싸웠던 상대들 사이에 다시 불길이 일어나는 일은 없었다.

- 의원님. 김빈우 소령의 통신입니다만.

그때 오르 함장의 말이 들려오자 히토미는 반색했다. 이번 사건의 중요한 키가 될 사람에게 연락이 닿은 것이다.

"김 소령이? 빨리 회선을 이쪽으로 돌려주세요."

- 그것이…….

잠시 머뭇거리는 오르 함장을 보며 히토미는 지금 빈우의 상태가 어떤지 다시 떠올렸다. 기괴한 모습의 괴물이 된 빈우. 그가 지금 대화를 원하는 것이다.

"괜찮아요. 연결해주세요."

그러자 빈우와의 통신이 연결되었다.

- 의ㅡ원, 님.

화면 너머에선 마치 죽은 태아 같은 끔찍한 모습의 괴물이 떠듬떠듬 말을 하고 있었다. 그 모습에 히토미는 섬뜩해서 잠시 할 말을 잊었다. 하지만 용기를 내어 힘겹게 입술을 열었다.

"……으흠, 썩 좋아 보이진 않는군요."

좋아 보이지 않는 것은 외모뿐만이 아닌 듯했다. 화면 너머의 움직임으로도 빈우의 내면이 무너져가는 것을 알 수 있었다.

- 히토미. 도ㅡ망쳐.

마치 처음 말을 배우는 아이의 옹알이 같은 말이 괴물의 입에서 나왔다.

- 나ㅡ는 블랙ㅡ 랜스가…… 필ㅡ요ㅡ해.

"저보고는 도망치라고 하면서 블랙 랜스는 필요하다고요? 좋아요. 무슨 일인지 설명해주세요. 그러면 시키는 대로 하죠."

지금 빈우가 있는 곳은 계단 앞의 비홀더 1전대 기함이다. 가장 치열한 전투가 벌어지고 있는 곳이며 빈우는 거기서 블랙 랜스를 달라고 하는 것이다. 그 막강한 제국 순양함에서 연방제 개조 구축함을 원하는 이유는 무엇일까.

- 지구가— 황제를— 막아야— 해.

거기까지 말한 빈우는 히토미를 조용히 마주 보았다. 잠시 아무 말 없이 이쪽을 바라보는 아기의 모습에 히토미는 자기가 먼저 말을 꺼내려 했다. 바로 그때였다.

"윽!"

히토미의 두뇌칩으로 정보가 맹렬하게 들어오고 있었다. 상원의원의 보안을 뚫고 강제적으로 연결이 된 것이다.

"아아악!"

"의원님!"

옆에 있던 아룹이 놀라서 달려왔지만, 이미 히토미는 손을 들어 그를 제지했다.

"아아. 괜찮아요."

히토미는 비틀거리면서 화면 너머의 빈우를 째려보았다.

"두 번 다신. 이런 짓 하지 말아요. 으읍!"

방금 들어온 정보와 감각의 부조화에 히토미는 욕지기를 느끼고 입을 열었다. 그리고 거하게 토했다. 토사물이 바닥으로 떨어지고 신맛이 나는 침이 입술에 맺혔다.

"……나 마카롱 안 먹었는데."

히토미는 빈 소매를 손수건 삼아 입을 슥슥 닦은 다음 자신이 방금 받은 정보를 정리해서 자신의 팀원들에게도 전송했다. 그러면서 그 정보의 무거움을 다시금 실감했다. 이건 단지 화성의 문제가 아니었다. 또한 인류만의 문제도 아니었다.

*

- 알탄훼아나 씨.

"오다 의원."

알탄훼아나는 간신히 한숨 돌린 다음 히토미의 통신을 받았다.

- 그쪽은 대강 정리되었나요?

"대강은. 안심하지 마라. 말 그대로 대강이다."

알탄훼아나가 끌고 온 세력과 체메트디오프가 끌고 온 세력은 어떻게든 휴전을 했다. 호민관인 그녀가 중재한 것도 있지만, 계단 안에 있어야 할 선조들이 모두 사라져버렸다는 사실이 꽤 큰 역할을 한 것이다. 샤다이가 서로 나뉘어 다툰 것도 선조 귀환을 찬성하는 쪽과 반대하는 쪽의 의견 대립 때문이었기 때문에 원인이 되는 선조가 사라지자 자연히 다툴 필요도 없게 되었다. 그러나 방금까지 동족상잔을 벌였던 탓에 아직 앙금은 남아 있고, 더 큰 문제는 샤다이들은 연방을 싫어한다는 점이다.

"우리끼린 어떻게 되었지만, 아직 연방 측을 보는 시선은 곱지 않다. 그쪽이 우릴 묶어놓고 있는 것도 있고 말이지."

- 어머, 살려줬는데도 아직 그런 시선인가요?

능청스러운 히토미의 말에 알탄훼아나가 어이없다는 듯이 웃었다. 지금 샤다이 함대는 연방과 비홀더 전대의 중력 닻에 묶여 화성에서 벗어날 수 없는 상황이다. 하지만 히토미와 알탄훼아나는 체메트디오프의 고대 함대에게도 초청장을 주어 화성의 궤도 병기로부터 공격받지 않게 해주었고, 비홀더 전대에도 연락해 공격을 멈추도록 했다.

"오랜 감정의 골은 하루아침에 메워지지 않는 법이야."

알탄훼아나의 말에 화면 너머의 히토미가 고개를 끄덕였다.

- 그래요. 그래서 우리 같은 사람들이 중간에서 뛰어야 하죠. 참, 우리들에 대해서 공부하셨다 들었습니다. 혹시 오월동주란 말을 아세요?

"큰 위기를 앞두고 적들끼리 합심하는 것 말인가? 협력은 반가운데 위기는 반갑지 않군."

또 뭔가 희한한 건수를 들고 온 것 같은 히토미의 모습에 알탄훼아나는 자세를 고쳐 앉았다.

*

"우와, 저 아줌마 수완 좋은데."

요시오는 서서히 대형을 짜는 연방과 샤다이 함대를 보고 감탄했다. 빈우가 히토미에게 이번 사건에 대한 정보를 넘겨주자마자 히토미는 그것을 토대로 저 중구난방의 세력들을 설득해 판을 바꾸려 시도하고 있었다. 황제가 이 우주를 버리고 떠난 다음 일어날 사건과 여파에 대해 알게 된 저들은 좋든 싫든 이쪽의 권유에 따를 수밖에 없었다. 그러나 같은 선물이라 해도 포장해서 전달하는 자의 실력에 의해 받아들이는 자의 기분이 달라진다. 히토미는 꽤 솜씨 좋게 각 세력들을 설득했고, 그 결과 방금까지 죽자고 싸웠던 연방과 샤다이 함대가 서로를 경계하면서도 머리를 같이 해 비홀더 1전대 뒤로 다가오고 있었다.

"그러니 그 나이에 벌써 상원의원이다. 게다가 자신이 속한 파벌의 간부 급이지."

히토미를 요주의 인물로 점찍었던 낭소로호가 그 무리 앞에 선 블랙 랜스를 보며 말했다. 만신창이가 된 구형 구축함은 자신의 생명을 연료 삼아 태우는 듯, 엄청난 속도로 날아오고 있었다. 그 뒤로는 연방의 함대와 샤다이의 함대들이 늦을세라 따라붙었다. 그걸 본 낭소로호가 고개를 돌리며 물었다.

"괜찮으시겠습니까?"

이제 저들은 계단을 넘어 지구로 가게 될 것이다. 백번 양보해서 연방이 지구로 가는 것은 괜찮다고 하자. 금지되었다 한들 지구는 인류의 고향이니까. 그러나 인류에게 그토록 적대적인 샤다이들에게 성지인 지구로의 접근을 허락하는 것은 결코 용납할 수 없는 일이었다.

"우리가 갈 수 없는 사지에 대신 몰아넣는 것 아닌가. 이번만은 너그럽게 봐주지."

그렇게 대답한 이 섬은 무장을 점검하며 자신과 같은 곳을 바라보는 빈우에게 물었다.

"정말 저들이면 되겠는가?"

이 섬은 질문하긴 했지만 그 자신도 답을 알고 있다. 저 계단을 넘어 지구로 갈 수 있는 것은 연방과 샤다이들뿐이다. 만약 비홀더 함선이 지구 근처에 가게 되면 각 전대 기함 함장들의 정신 상태는 보장 못 한다. 미친 듯이 날뛰는 이드의 충동에 휘말릴 게 뻔하다. 자칫 잘못하면 쿠델카의 사상에 동조될 수도 있는 것이다.

"그래."

빈우는 중얼거리며 걸어갔다.

"그 중―에서도, 오직…… 그들만. 그들만 같이 ― 갈 것. 마지막……까지."

빈우가 말한 '그들'이란 아마도 예전의 동료들을 말하는 것이리라.

"그렇군. 그러면 아쉽지만 이거라도 가져가게. 나름 도움이 될 거야."

이 섬은 비홀던 전대의 장비 중에서 그나마 연방의 군인들이 사용할 수 있는 것들을 골라 건네주었다. 현재 연방이 사용하는 장비보다 월등히 뛰어난 것들이지만, 앞으로의 상황에서 얼마나 도움이 될지는 미지수였다.

"고, 고마워."

빈우는 한 손에는 자신의 어머니를, 다른 한 손에는 그 무기들을 들고 그리폰의 지휘실을 엉금엉금 기어나갔다.

"흐음. 저 모양 저 꼴로 제대로 할 수 있으려나."

요시오는 빈우에게 꽤 당한 적이 있어서 툴툴거렸지만, 이 섬은 피식 웃을 뿐이다.

"그 또한 엄연히 1기사다. 실력과 자격은 차고도 넘치지. 게다가 우린 그가 가는 곳으로 가지 못하지 않은가."

그리고 이 섬은 자신의 무장을 점검했다. 앞으로의 전투를 위해서다. 황제의 페르소나인 쿠델카를 죽이기 위해선 먼저 그녀를 황제의 본체가 있는 지구로 데려간 다음 제1기사인 빈우가 그 손으로 직접 황제의 페르소나를 죽여야 한다. 하지만 거기까지 가는 길은 카이사르 급 전함으로 이뤄진 정복 함대들로 막혀 있다. 연방이나 샤다이의 전투력으론 결코 돌파할 수 없다. 때문에 비홀더 전대의 함선이나 병력들은 지구 근처로 가지 못한다 해도 적어도 계단까지만은 길을 열어줘야 하는 것이다.

"이제 가는가."

섬은 블랙 랜스가 그리폰의 옆을 스치듯이 지나갔고, 그 순간 빈우가 자신의 옛 배로 옮겨 타는 것을 느꼈다. 공간이동조차 하지 못하고 직접 이동하는 것을 보면 그의 몸과 정신 상태가 매우 위태위태하다. 이제 지구의 함대와 샤다이 함대가 비홀더 1전대의 진형 안을 뚫고 지나 계단까지 갈 것이다. 그리고 1전대는 오합지졸인 저들을 지켜서 계단 너머 지구로 밀어넣어야 한다. 인류를 그토록 싫어하는 샤다이를 인류의 보금자리로 안내해야 하는 사실이 아이러니하지만 지금은 그 수밖에 없었다. 그래도 샤다이라면 계단을 넘어서 갈 수 있는 총알받이 중에서 그나마 단단한 축에 속한다. 카이사르 급의 맹공에도 그나마 조금은 더 버틸 수 있는 것이다.

"들이받아!"

전대장의 명령에 1전대의 모든 함들이 돌진했다. 그리고 이쪽을 향해 포화를 퍼붓는 전함들에게 접근해 부딪혀나간다. 그 무모한 돌격의 대가로 1전대는 상당한 피해를 입었지만 결국엔 그리폰 급 순양함들이 카이사르 급 전함에 달라붙었다. 이어서 서로 추진기를 최대 출력으로 해서 밀어붙이고, 장갑보병들이 투입된다.

"역시나."

마주한 정복 함대의 장갑보병을 본 이 섬은 입맛이 썼다. 지금 마주친 카이사르 급들은 예전에 안나가 이끌던 13전대보다 강했다. 그러나 그 안에 타고 있던 장갑보병들은 그저 빈 껍데기였다. 쉬바로 만들어진 제국제 장갑복은 탑승자 없이 장갑복만 움직이고 있었다.

"인류를 위하여!"

"평화를 위하여!"

메아리 없는 외침과 함께 두 장갑보병 세력이 격돌했다. 양성자 포격이 오가고 중성미자 검들이 충돌한다. 바깥에선 제국 함대들의 포격전이 벌어지고, 안에서는 장갑보병들의 혈투가 벌어진다. 그리고 그 아비규환 사이로 연방의 함대와 샤다이 함대가 지나간다. 그 안에 마지막 카드인 블랙 랜스를 숨긴 채로.

• • • ✦ • • •

299

"내 살다 살다 이런 경험은 처음이네."

위르겐의 감상은 팀원들의 감상이기도 했다. 인류와 샤다이의 함대가 연합해서 대형을 짜고, 또 이 연합 함대가 가는 길을 비홀더 전대가 열어주는 지금의 광경은 결코 쉽게 볼 수 있는 것이 아니었다.

"위르겐, 저거 너네 뱅가드 특기 아니니?"

모니카도 나름 특수부대원들 어깨너머로 별 희한한 것을 구경했다지만, 그래도 이런 광경은 처음이라서 이런 일의 전문가에게 물어보았다. 지금 밖에선 1전대의 그리폰 급 순양함들이 한 체급 위의 카이사르 급 전함에 충돌하기 시작한 것이다. 이어서 서로 함 내부로 장갑보병들을 투입함과 동시에 힘겨루기에 들어갔다. 또 바깥에서 포격만 하던 다른 비홀더 전대들 역시 속속 거리를 좁혀들어와 카이사르 급에 백병전을 걸었다. 일반적으론 일어나지 않는, 이곳 계단이란 한정된 공간에서 벌어진 해괴한 전투다.

"에이, 아니요. 우리가 아무리 그래도 저렇게까지 막나가진 않지요."

하지만 그 전문가조차 고개를 절레절레 흔들며 부정했다. 아무리 뱅가드의 기함 원더풀뷰티풀이 충각으로 들이받고 장갑보병들을 밀어넣는 짓을 종종 한다지만, 저렇게 함대 단위로 미친 짓은 하지 않는다.

"목숨으로 길을 여는군."

아룹의 말대로 비홀더 전대들은 정복 함대에 달려들어 함체로 밀어붙이며 계단으로 갈 공간을 만들고 있었다. 무적 같아 보이던 비홀더 전대들이었지만 지금은 화력과 체급 차이에 터져나가고 있다. 그럼에도 불구하고 저들은 죽을 각오로 길을 만들고 있었다.

"어어? 저거저거 작정하고 밀치고 들어오는데에엣?"

약간 겁먹은 듯한 모니카의 말이지만 그렇다고 탓할 수는 없는 노릇이다. 비홀더 전대들이 모두 달려들었음에도 불구하고 아직 남은 카이사르 급들은 많아서 이쪽으로 쇄도하고 있는 것이다. 사방에 제국의 순양함을 달고서도 억지로 밀고 들어오려는 저 거대한 전함들의 모습에 겁을 먹지 않는 것이 오히려 이상할 정도다.

"스치면 뒤지겠네."

파트리샤는 허탈한 듯 한숨을 쉬며 장비를 최종점검했다. 비홀더 전대들이 필사적으로 막고 있어도 이쪽을 향하는 공격은 꽤 된다. 위력도 무시무시해서 아무리 연방 중앙 함대라 해도 맞는 순간 소멸하고, 샤다이 고대 함대들이라야 한두 발 버티는 수준이다.

"우리를 위해 총알받이를 하는 거다."

아룹의 말에 팀원들이 서로 고개를 끄덕였다. 지금 비홀더 전대와 연방 중앙 함대, 샤다이들은 블랙 랜스를 필사적으로 지키고 있었다. 그만큼 히토미가 알려준 진실과 작전은 충격적이었다. 그러나 상원의원의 두뇌칩으로부터 직접 들어온 정보니 그 진위 여부에 대해선 왈가왈부할 게 못 된다.

"지구가 계단을 올라간다라……."

그 사실을 직접 전했던 히토미 본인이 다시금 자신이 알게 된 진실을 되새겼다. 얼핏 허무맹랑한 이야기 같지만 비홀더 전대와 샤다이들이 목숨을 걸어가며 싸우는 것을 보면 믿을 수밖에 없다. 황제의 멸망은 인류의 멸망으로 이어지고, 이는 현재 우주의 파워 밸런스에 지대한 영향을 미친다. 연방과 제국을 떠나 인류로서는 사활이 걸린 문제인 것이다.

"샤다이 쪽은 조금 복잡한 모양이지만서도……."

충격적인 사실을 바탕으로 많은 이들을 설득했던 히토미는 이번 작전에 가담한 샤다이들의 이유는 꽤 다른 것임을 알 수 있었다. 어떤 이는 블랙 랜스 팀과 순전히 동료애로, 어떤 이는 가증스러운 선조를 없애준 것에 대한 보답으로, 또 어떤 이는 단순히 탈출하기 위해서. 어찌 되었건 샤다이들의 도움이 없었으면 계단을 통과할 수 없었을 것이다.

- **계단을 통과합니다!**

오르 함장의 말이 들려온다. 거세진 정복 함대의 포격에 그리폰 급 순양함들이 터져나가고, 밀고 들어오는 카이사르 급 전함은 비홀더의 반격에 허리가 잘려나간다. 발악하는 연방의 전함이 사라지고, 응사하는 샤다이의 리퍼 급들도 산산조각이 난다. 그 사이를 블랙 랜스가 날아가고 있다. 빗발치는 포격 사이를 롱훅 프로젝트로 개조된 구축함이 신들린 조함으로 비켜나가고 있었다.

- **중앙 함대에서 승조원들이 탈출하고 있습니다.**

오르 함장은 무너져가는 블랙 랜스를 필사적으로 관리하면서 상황을 보고했다. 이제 계단을 넘어가면 귀환하지 못한다. 저 지옥 같은 격전지를 지나가는 것은 한 번이면 족하다. 그래서 지구로 가기 직전, 중앙 함대의 배들에선 최소의 인원들을 남기고는 탈출 포드로 빠져나가는 것이다.

- **조금만 더 버티세요!**

스쳐 지나가는 포격에 함체가 휘청이자 오르 함장의 정신도 어지러워진다. 그러면서도 그는 조종석에 앉은 우지를 격려했다. 지금 함의 조율은 뇌가 연결된 오르가 하고 있지만, 조타는 우지가 하고 있었다. 그는 부상이 채 낫지 않은 헐떡이는 몸으로 조종간을 잡았고, 그 실력을 유감없이 발휘해서 블랙 랜스를 지켰다.

- **지구입니다.**

마침내 돌격대가 계단을 통과했다. 오르 함장의 말에 대원들은 시선을 돌려 지구를 보았다. 인류의 고향. 지금까지 가는 것이 금지되었던 행성. 그곳을 자료가 아닌 자신의 눈으로 보는 것은 이번이 처음이다.

"예상보다 밋밋한데요?"

그라디우스로 올라간 위르겐이 양성자포를 달면서 말했다.

"사람도 없고, 전원도 안 들어오니까 을씨년스럽지."

파트리샤가 중성미자 검을 등에 달며 대답했다.

"궤도 병기는 아주 잘 작동하는군."

아룹은 그렇게 말한 다음 빈우를 돌아보았다. 이 아기 형태의 괴물은 아나스타샤를 손에 들고 있다가 아룹의 시선을 느끼곤 화들짝 놀라 그녀를 꼭 끌어안았다. 그 모습에 아룹으로 하여금 과거의 기억을 떠올리게 만들었다. 탈환한 개척지에서 구호물자를 나눠줄 때였다. 며칠 굶은 듯 구호 식량을 허겁지겁 먹던 아이와 아룹은 눈이 마주쳤고, 그는 아무 생각 없이 그 아이를 멍하니 쳐다보았었다. 그러자 밥을 먹던 아이는 겁에 질려 배급받은 식량을 지키려는 듯 허둥지둥 숨겼다. 이성보다 본능이 앞선 행동. 지금의 빈우가 그랬다. 괴물 형태의 아기는 안드로이드를 마치 자신의 생명줄인 양 소중히 간직하고 있었다.

"아뇨, 해치지 않습니다. 저희가 지켜드리죠."

"아, 아─룹."

빈우가 더듬더듬 말했다. 한때나마 자신들을 이끌었고, 연방의 최정예 대원이었던 빈우가 왜 이런 형태가 되었는지는 히토미로부터 들어서 알게 되었다. 그리고 그가 이번 작전의 핵심이란 것도 들었다. 무어라 말을 꺼내려는 아룹에게 함내 통신이 들려왔다.

- 샤다이들이 떠나기 시작합니다.

전투 정보실에서 히토미의 말이 들려온다. 떠나라고 해도 한사코 고집 피우던 상원의원께선 결국 여기까지 따라왔다.

"씨발, 갈 만한 놈은 다 가네."

파트리샤가 퉁명스레 말했다. 체메트디오프 파벌의 고대 샤다이 함대들은 계단을 통과하자마자 자신들 특유의 공간이동으로 사라지기 시작했다. 지금까진 비홀더 전대의 중력 닻에 잡혀 있었기 때문에 어쩔 수 없이 도운 것이고, 그 아비규환을 넘어 속박이 풀리자 바로 도망치는 것이다.

- **검은 창! 어서 가!**

그러나 알탄훼아나는 끝까지 남아서 블랙 랜스를 지켰다. 하지만 동료들을 억지로 붙잡지는 않았는지 몇몇 작은 함선들은 도망쳤다. 이제 블랙 랜스 주변에는 연방의 중앙 함대와 그녀의 함대들뿐이다.

- **우린 이 우주에서 살다가 이 우주에서 죽을 것이다. 하지만 여기서 이렇게는 아니야!**

채 끊기지 않은 통신 너머로 호민관의 호령이 들려온다. 그녀는 지금 죽음을 입에 담았지만, 이번 작전에 참가한 이유는 아이러니하게도 종족의 생존 때문이다. 알탄훼아나는 현재 이 우주의 패권이 인류에게 넘어갈 것이라 예상하고 있었고, 그 때문에 인류를 돕는 것이다. 머나먼 과거 샤다이의 선조들과 다투었다는 외우주의 종족들. 그들이 다시 이쪽으로 들어온다면 현재의 세력으론 막아내기 힘들기 때문이다.

혼란스러운 전황에 어울리는 복잡한 파워 게임. 하지만 아룹은 거기에 신경 쓸 겨를이 없었다. 그가 신경 써야 할 것은 바로 옆에 있는 VIP였다.

"왜 하필 블랙 랜스를 골랐습니까."

아룹이 옆에 서자 VIP가 대답했다.

"같…… 같이, 죽을 수— 있는, 최고…… 들."

그 말에 팀원들이 소리죽여 웃었다.

"영광이군요. 팀장, 아니 소령님께 그런 평가를 받다니 말입니다."

아룹의 말대로 이런 작전에 선발되었다는 것은 이들에게 최고의 영광이다. 인류를 위해 지원해서 갈고닦았던 실력을 유감없이 발휘할 때인 것이다. 아룹은 빈우와 처음 만났을 때를 기억했다. 꽤 위험할 것이라 생각했던 첫인상은 시간이 지날수록 과소평가였다는 것이 밝혀졌었고, 지금은 그게 최고

점을 찍고 있었다.

"같이 죽는다……. 우리야 그렇다 쳐도, 대위님은요?"

아룹이 힐긋 돌아보자, 모니카가 발끈한다.

"예에? 제가 최고가 아니라구요오?"

"그게 아니라, 죽는 것 말입니다."

멋쩍게 웃는 아룹을 보며 모니카가 토라졌다.

"저도 팀원이에요, 그리고 제가 맡은 일이 있는데 여기서 어떻게 빠져요. 자! 완료! 의원님! 저 안 늦었어요!"

그러면서도 그녀의 손은 바삐 움직이고 있었다. 히토미의 의견에 따라 준비한 비장의 수가 마침내 완성된 것이다. 실제로 모니카가 없었으면 이번 수는 실패로 돌아갈 가능성이 높았다. 아니, 애초에 시작조차 못 했을 것이다.

"멋져. 우리 모니카가 여기까지 따라오다니, 나 반하겠어."

뒤에서 파트리샤가 다가와 모니카의 머리를 대견하다는 듯 쓰다듬었다. 그리고 이들이 탄 블랙 랜스 주변으로 카이사르 급의 포격이 날아온다. 이들이 지나온 뒤쪽, 계단 너머가 아니라 앞으로 향하는 지구로부터다. 지구에서 날아오른 카이사르 급들이 방향을 돌려 계단을 넘어 들어온 돌격대를 공격하기 시작한 것이다. 중앙 함대와 샤다이들이 반격하지만 턱없이 부족하다. 게다가 샤다이 쪽이 방금 탈출하면서 수가 상당히 줄어 더욱 위태위태하다.

"워오, 대위님. 뭔지 모르지만 하시던 게 다 되었다면서요? 네? 일단 해보세요."

중앙 함대의 전함마저 증발하는 광경에 배짱 두둑한 위르겐마저 졸아서 모니카를 재촉했다.

"나는 다 됐어. 하지만 이건 명령이 아니야. 제안이라고. 이 다음은 그들이 수락하냐 마냐의 문제지. 의원님!"

- 수고했어요. 모니카 대위.

조금 가라앉은 듯한 히토미의 말이 들려온다. 말만으로도 그녀가 무거운

814

결심을 했다는 것을 알 수 있었다. 그리고 잠시 후, 돌격대 근처에 점프 게이트가 생기더니 42전단이 점프해서 들어왔다.

"우왓! 깜짝이야! 이거 뭐야!"

아무런 예고 없이 점프해서 나타난 42전단을 보고서 모니카의 머리를 쓰다듬던 파트리샤가 경악했다.

"아니, 미리 귀띔이라도 해주ㅡ."

뭐라고 말을 꺼내던 위르겐의 눈앞에 그의 제2의 고향이랄 수 있는 뱅가드의 기함 원더풀뷰티풀이 나타났고, 나오자마자 그 작은 몸체를 비틀어 카이사르 급에 충돌하는 광경이 펼쳐졌다.

"야! 너네들 특기 맞잖아!"

이번 비장의 수를 준비한 모니카가 소리를 질렀다. 히토미의 작전에 따라 대기하고 있던 그녀는 지구와 화성을 연결한 계단을 넘어간 다음, 주변에 있던 연방 중앙 함대의 점프 엔진을 연동해 게이트를 열었고, 42전단은 히토미의 연락을 받고 미리 연동 게이트를 준비하고 있다가 지금 이 순간 지구로 들어온 것이다. 아니, 정확히는 싸우기 위해서가 아니라 총알받이를 하기 위해서다. 블랙 랜스가 지구에 닿을 때까지 시간을 벌기 위해서다.

- 세상에, 무인함이 아닙니다! 저 조함은 인공지능의 것이 아니에요.

함장인 오르는 42전단의 움직임을 보고는 저것이 인간의 움직임임을 대번에 알아보았다. 그들은 돌아갈 수 없는 사지에 기꺼이 발을 들인 것이다.

- 블랙 랜스! 길은 우리가 연다. 무슨 수를 써서라도 지구까지 가라!

스크로도프스카 전단장의 외침이 들려온다. 42전단의 투입 덕에 블랙 랜스가 날아갈 수 있는 시간은 조금이나마 더 늘어났다.

- 저들을 무의미하게 희생시킬 순 없습니다!

히토미의 말과 함께 블랙 랜스가 구축함 같지 않은 기동으로 나아갔다. 카이사르 급들이 공격하고, 42전단이 막고, 블랙 랜스는 피한다. 인간이 죽고, 샤다이가 죽는다. 연방 최정예인 42전단마저도 압도적인 격차 앞에선 필사적인 회피 대형과 결사적인 반격 대형으로 시간 벌이만 할 뿐이다. 그리고 시간이 다 되면 죽어간다.

- 그라디우스! 뒷일을 부탁합니다!

오르 함장의 외침과 함께 마침내 블랙 랜스가 지구의 궤도 병기를 지나쳤다. 그러나 이 구축함도 만신창이다. 이미 심각한 피해를 입은 상태로 억지로 수리해 무리하게 기동하는 상태다. 그리고 그 블랙 랜스에서 지상팀과 빈우를 태운 그라디우스가 발진했다. 그다음 엉망이 된 구축함은 함수를 돌려 따라오는 카이사르 급 전함들에 맞섰다. 도망칠 수도 없는 상황에서 최후의 저항이다.

- 의원님.

나직한 아룹의 부름에 히토미는 대답하지 않았다. 그저 각오를 다질 뿐이다. 불이 꺼져 어두컴컴한 지구로 날아가던 그라디우스가 갑자기 멈춰 섰다.

- 씨발! 중력 닻이다.

파트리샤의 말대로 주변에서 무언가가 그라디우스를 잡아당기고 있었다. 일부러 최후의 최후까지 모습을 감추었고, 발진하는 순간에는 어뢰와 미사일들과 함께 출격해 위장했음에도 불구하고 중력장에 잡힌 것이다. 그런데 카이사르 급은 아니고, 궤도 병기도 아니다.

- 어설트 급 장갑복!

혀를 차는 아룹의 목소리. 그리고 휘청거리는 지구제국의 장갑복들이 그라디우스를 노리고 날아온다. 놈들은 궤도 병기 주변을 비행하고 있다가 그중 한 놈이 그라디우스를 발견하자 벌떼처럼 몰려들기 시작했다.

- 선외 전투다! 모두 나가!

아룹의 말에 지상팀원들이 그라디우스 바깥으로 나갔다. 모니카의 부머가 중력장으로 지상팀 장갑복을 그라디우스와 연결하고, 지상팀은 다가오는 제국 장갑복을 향해 공격을 퍼붓기 시작했다. 비홀더 1전대가 준 무기는 제국의 장갑복을 상대로 효과가 좋았고, 저쪽엔 탑승자가 없는 빈 장갑복이라 그나마 싸움이 성립되었다.

- 조금만 기다려요. 조금만!

모니카는 부머의 중력장을 사용해 상대의 중력장을 상쇄하려 했다. 그라디우스가 조금씩 움찔거릴 때 부머를 노리고 제국 장갑복들이 달려들었다. 위르겐의 양성자포가 발사되어 놈의 가슴에 구멍을 냈고, 뒤따라오던 놈은 파트리샤가 반으로 갈라 먼지로 만들었다. 그러나 세 번째 놈이 쇄도해서 검을 휘둘렀다.

- 악!

모니카의 짧은 비명에 팀원들의 심장이 철렁한다. 부머가 뒤로 뛰었지만 발이 걸린 것이다. 부머의 허벅지와 그 안에 든 모니카의 발목이 잘려나가고 거기서부터 붕괴가 시작되었다. 다시 검을 휘두르려는 놈에게 아룹의 사격이 날아들어 쓰러트렸지만, 거기까지였다. 아룹도 자신에게 달려든 장갑복을 상대하느라 더 이상 모니카를 엄호할 여력이 없었다. 위르겐과 파트리샤도 마찬가지였다.

- 아얏, 으아아.

모니카가 진동 나이프를 꺼내 필사적으로 자신의 발을 잘라낸다. 자칫 머뭇거리다가 붕괴가 퍼지면 전신이 흩어지는 것이다. 그때 옆에서 빈우의 손이 날아들었다. 아기의 손은 부머의 다리를 잡더니 그대로 짓이겨버렸다.

- 으윽!

부머 안에서 모니카의 짧은 신음 소리가 터졌다. 붕괴는 막았지만 고통은 고통인 것이다. 빈우는 이제야 정신을 조금 차린 듯 제국장갑복을 상대로 싸움을 벌였다. 장갑복들도 빈우를 노리고 달려들었고, 궤도 병기와 카이사르급의 움직임도 그라디우스를 향해 모이기 시작했다.

- 끈질긴 새끼들이!

위르겐은 오른손으로 양성자포를 쏘고, 왼손으로 중성미자 검을 휘둘렀다. 카이사르 급에서 발사된 포격을 빈우가 막는다. 아룹이 장갑복의 목에 칼을 박아 넣었고, 놈은 붕괴되기 전에 아룹의 팔을 잡았다. 그리고 옆에 있던 놈이 칼로 그라인더의 옆구리를 찔렀다.

- 팀장님!

파트리샤가 찌른 놈을 날려버렸고, 아룹은 상처 주변에 수류탄을 쑤셔 넣어 환부를 아예 날려버렸다. 그가 무릎을 꿇은 것은 한순간, 다시 일어나 파트리샤 주변에 달려드는 적에게 사격을 가했다. 제국장갑복들은 계속해서 밀려들었다. 놈들이 쏘는 포격은 빈우가 막는다. 그러나 한 발씩 새어나가 아기의 몸에 명중하기 시작한다. 그것이 두 발이 되고, 세 발이 된다. 빈우가 휘청이자 그만큼 제국장갑복들이 더 달려들기 시작한다.

- 됐—어, 여기—까지야.

마침 빈우의 정신파가 팀원들의 머릿속에 띄엄띄엄 들어온다. 무엇이 여기까지라는 걸까. 그러나 포기한다는 느낌은 아니었다. 오히려 만족스러운 느낌이 들 정도다.

- 씨발! 쉬바가 올라온다!

파티르샤의 비명에 팀원들이 곁눈질로 시선을 돌리자, 칠흑의 지구에서 나노머신 구름이 뭉게뭉게 피어오르는 것이 보였다. 그리고 그걸 본 빈우가 아나스타샤를 안고 몸을 던졌다. 이어서 아기와 안드로이드의 형체가 갑자기 눈앞에서 사라지더니, 순간이동을 해서 저 아래로 사라졌다.

300

・ ・ ・ ✦ ・ ・ ・

빈우와 아나스타샤는 쉬바의 구름 속을 떨어져갔다. 아나스타샤는 안드로이드라서, 그리고 빈우의 몸은 쉬바로 이루어져 있어서 아무런 반응이 없었다. 아래로 내려가면 갈수록 쉬바의 농도는 짙어졌고, 둘은 나풀대는 나노머신 속으로 파고들었다. 마침내 지상에 도착한 빈우는 아나스타샤를 꼭 껴안고 칠흑 속에서 일어섰다. 이제 마지막 단계다.

"아들."

그때 아나스타샤의 목소리가 들렸다. 빈우의 품에서 눈을 뜬 쿠델카 타입 안드로이드가 말한 것이다.

"드디어 여기까지 왔구나."

아무것도 보이지 않는 어둠 속에서 안드로이드가 일어나 아들을 잡았다.

"정말 나를 죽일 거니?"

슬픔과 회한이 찬 목소리 안에는 아직도 열망이 있었다.

"빈우야, 네가 왜 태어났을까? 내가 필요했기 때문이야. 누가 너를 길렀을까? 내가 이 안드로이드를 조종했기 때문이야. 그래, 나는 이 안드로이드를 써서 네 생물학적 어미를 죽이고, 네 막냇동생을 죽였고, 너를 범했어. 넌, 넌 결코 나에게서 벗어날 수 없어."

빈우는 쿠델카의 필요에 의해 태어났다. 그리고 쿠델카의 필요를 위해 키워졌다. 시작부터 지금까지 그녀의 레일 위에서만 끌려다녔다.

"하하하하! 그래도 이 엄마를 죽일 거니? 응? 그래, 어디 한번 해보거라. 네 엄마를 죽인 것처럼, 네 동생을 죽인 것처럼, 어디 나도 죽여보려무나!"

당당하게 외치는 안드로이드 앞에 아기가 고개를 숙였다. 그리고 손을 뻗었다.

"보 ― 리 ― 냄새가 ― 나."

빈우는 아나스타샤의 손을 들고 냄새를 맡았다. 그는 코를 킁킁거리며 날리가 없는 냄새를 맡고 있다.

"보 ― 리, 보리가 ― 탄 ― 냄새가 ― 나."

그리고 빈우는 마치 그녀의 빈손에 구운 보리 이삭이 있다는 듯 입을 오물오물한다. 그러자 손의 주인이 슬픈 목소리로 흐느꼈다.

"……안 속네요."

아나스타샤는 자신의 손을 훑고 있는 주인의 얼굴을 쓰다듬었다. 기괴하게 일그러진 얼굴이지만 그녀에겐 더없이 사랑스러웠다.

"아아 ― 샤."

칠흑 같은 어둠 속에서 빈우의 일그러진 미소가 보인다. 아나스타샤는 그 미소를 마주 보면서 슬프게 웃었다.

"이러면 주인님이 미련 없이 해치울 줄 알았는데……. 헤헤, 실패했군요."

안드로이드가 주인의 품에서 벗어나 그 앞에 바로 섰다.

"주인님, 서두르세요. 쿠델카가 발악하기 전에. 그 미친년을 죽여주세요. 제가 깨어난 것에는 분명히 이유가 있어요. 무슨 꿍꿍이가 있다고요."

"아 ― ㅇ ― 샤."

하지만 빈우는 결정을 내리지 못하고 허둥거리기만 하고 있다. 고개를 절레절레 흔들고 팔을 휘휘 젓는다. 냉혹하고 결단력 있는 연방의 군인은 여기 없었다. 사랑하는 자를 죽여야만 하는, 막다른 길에서 허둥대는 아기만 있을 뿐이다. 그 모습에 갑자기 주인의 어린 시절, 아기 때의 모습이 생각난 아나스타샤는 왈칵 울음이 올라왔다.

"나, 난 누구죠?"

울먹이는 아나스타샤를 빈우가 의아하다는 듯이 내려다본다.

"난 아나스타샤인가요? 쿠델카인가요?"

빈우가 멈칫하더니 아나스타샤의 머리를 조심스레 쓰다듬었다.

"쿠델카 모델이 만들어진 이유는…… 주인님을 위해서예요. 저는 주인님을 사랑하고, 주인님을 기르고…… 또다시 주인님을 사랑하게 되었지만…… 그건 제 감정이 아니에요. 전부 쿠델카가 입력한 프로그램에 불과하죠. 네, 맞아요. 저는 인공지능이 들어간 안드로이드니까요."

"아—우—."

빈우는 아나스타샤의 말을 부정하듯이 고개를 흔들었다. 아니라고, 아니라고.

"아무리 정교하게 인간 흉내를 냈어도, 저는 인간이 아니에요. 인간은커녕 생명체조차도 아니죠. 기계예요. 보세요. 이 쉬바들은 저를 보고도 가만히 있잖아요."

그녀의 손에서 나노머신 먼지가 주르르 흘러내린다. 그리고 그녀의 눈에서도 눈물이 흘러내린다.

"제 안에는 쿠델카가 있어요. 그리고 이 미친—년이 자꾸, 자꾸 내 안으로 스며들어요. 분명히 쿠델카가 한 일인데, 그게, 제가 한 일 같아요. 마님을 죽게 한 것은 쿠델카지만, 그게 제가 한 것처럼 느껴져요. 그날 점검을 제가 잊어먹고 안 했으니까. 도련님께 몹쓸 짓을 한 것은 쿠델카지만, 그것도 제가 한 일 같아요. 제게 그런 마음이 아주 없진 않았으니까. 어디서부터 쿠델카이고, 어디서부터 아나스타샤일까요? 전, 전 모르겠어요."

아나스타샤가 오열하면서 빈우에게 매달렸다.

"주인님, 가르쳐주세요. 저는 누구죠? 네? 저는 무엇인가요? 저는 왜 주인님께 고통을 줘야만 했나요? 왜 여기서 주인님의 손에 죽어야 하나요!"

빈우는 떨리는 손으로 자신의 품 안에서 떨고 있는 아나스타샤를 안았다.

"아—샤. 사—랑해—. 사—랑."

사랑하는 자의 중얼거리는 고백을 들으며 아나스타샤는 눈을 감았다. 이제 더 이상 시간을 끌어선 안 된다. 서둘러야 한다. 쿠델카가 몸을 장악하기 전에 빈우의 손에 죽어야 한다.

"어?"

그때 아나스타샤는 뭔가 이상한 것을 느꼈다. 손에서 경보가 떴다. 피해 경보다. 무언가가 손을 분해하고 있었다. 어둠 속에서 자세히 보니, 아까 손에 쥐었던 쉬바가 활성화해서 그녀의 손을 녹이고 있었다.

"왜죠? 왜 쉬바가? 왜 쉬바가 나를?"

그뿐만이 아니다. 빈우가 쓰다듬고 있던 그녀의 머리카락마저 녹아 흐트러진다. 빈우는 쉬바의 결정체. 그것이 아나스타샤를 녹이고 있었다.

"아—! 아—! 아—!"

빈우가 무슨 수를 써보려고 했지만 소용이 없었다. 그녀를 지켜보려고 해도 지금 아나스타샤에게 가장 위험한 것이 바로 빈우의 몸이다. 그뿐만 아니라 주변에 있던 쉬바들이 서서히 몰려들어 아나스타샤를 짙게 감쌌다. 피부가 분해되고 인공 근육과 골격계가 분해된다. 쉬바가 분해할 리 없는 기계 부품들이 분해 대상으로 분류되어 분해되고 있는 것이다.

"……왜? 설마 나를…… 생명으로?"

격통과 경보 속에서 아나스타샤가 물음을 던졌다. 쉬바는 기계에는 반응하지 않는다. 외계종족이라면 분해해서 자기 무리로 복제한다. 그리고 쉬바의 궁극적인 목적은 오염된 인간을 정화하는 것이다.

"아하하, 설마…… 나를…… 인간으로……."

거대한 쉬바 촉수들이 일어난다. 그것들이 넋을 잃고 웃는 아나스타샤를 감싼다.

"나, 어쩌면 주인님과—."

아나스타샤의 웃는 눈에서 눈물이 흐른다. 고백하는 입으로 쉬바들이 밀고 들어간다. 그리고 그녀가 마지막을 넘어가기 전, 빈우가 먼저 입을 벌려 아나스타샤의 머리를 삼켰다. 그리고 이어서 팔을, 가슴을, 마지막으로 다리를 집어삼켰다. 마치 먹을 것을 다른 자에게 빼앗기기 싫어서 입에 쑤셔 넣는 짐승의 모습과도 같다. 그리고 빈우는 자신의 입안에서 아나스타샤가 녹아내리는 것을 느꼈다. 쉬바 속으로 도망치려던 쿠델카가 비명을 지르는 것을 느꼈다.

"우아아아—!"

크게 벌려진 아기의 입에 안드로이드의 흔적은 없다. 그저 통곡만이 올라올 뿐이다. 아나스타샤를 먹어치운 빈우는 그 자신을 인간이라고 믿어주는 자를 잃어버렸다. 고통이란 망망대해에서 자신을 묶어주던 닻을 잃어버렸다. 그는 자신을 사랑하던 자를 잃었고, 자기 스스로의 손으로 자신이 사랑하던 자를 죽였다. 쿠델카 따위가 죽은 것은 이미 그의 안중에도 없었다.

"아아으……."

아기가 바닥에 털썩 쓰러졌다. 해야 할 일은 했지만, 그 대가는 처절했다. 이미 각오했던 일을 한 것이지만, 완료한 다음에는 그 각오는커녕 모든 의욕과 의지가 사라져버렸다. 지탱할 존재와 힘과 의지마저 잃은 빈우는 바닥에 넘어져 꿈틀거릴 뿐이다. 멍해진 빈우의 눈에 마치 주마등처럼 과거가 떠오른다.

'빈우야— 스위치를 꺼!'

빈우는 엄마의 죽음을 보고 있다. 비명을 지르는 엄마 앞에서 자신 역시 비명을 지르고 있다. 엄마는 샤프트에 휘말려 피투성이가 되어가며 죽어간다. 자신은 아무것도 못 하고 울기만 할 뿐이다.

'엄마아—!'

자크 라캉의 눈으로 마리 라캉을 본다. 가정용 도우미에 들어 있던 자크 라캉의 허수아비가 울고 있다. 인간도 아닌, 인간을 흉내 낸 인공지능이 인간의 죽음을 본다. 찰리하나팔에게 고문받는 마리가 비명을 지른다. 자신의 눈앞에서 죽어가는 엄마를 아들이 보고 있다.

'아~ 하세요. 냠~. 아이 맛있다.'

빈우는 곱게 간 보리 이유식을 동생의 입으로 넣었다. 그리고 아기는 그것을 맛있게 받아먹는다. 찰리하나팔이 약을 뿌린 쿠키가 엘리자베트 허드슨의 입으로 들어간다. 먹어선 안 될 것을 먹은 아이들이 죽는다. 빈우의 손에 죽는다. 찰리하나팔의 손에 죽는다.

'지지예요, 지지.'

빈우는 어렸을 때부터 총을 좋아했다. 그래서 피스메이커를 좋아했던 동생 규리와 자주 다투었다. 그래서 빈우가 총을 들면 아나스타샤가 말렸었다.

'지지, 지지.'

총을 보고 좋아했던 하비에르 부뉴엘은 지금 울고 있다. 아빠의 시신이 바로 밑에 널브러져 있다. 엄마도, 형도, 누나도 모두 죽었다. 하비에르는 내려올 수 없는 자신의 의자에 묶여 목이 말라 울었다. 움직이지 못하는 의자 위에서 배가 고파 울었다. 아기는 자신의 세계 속에 갇혀 서서히 죽어간다. 빈우는 팔이 잘리고, 다리가 잘렸다. 눈이 뽑히고, 코가 잘려나가고, 귀가 지져졌다. 그리고 엄마를 찾아 울었다. 아무것도 하지 못하고 오직 엄마를 위해 울었었다. 자신의 새장 속에 갇혀 엄마의 자유를 울부짖는다.

빈우의, 뒤틀린 아기 형태를 구성하고 있던 쉬바가 점차 무너지기 시작한다. 의식을 잃은 육체가 주변과 반응해 서서히 흩어져간다.

*

- 이게, 어떻게 된 일이지?

너덜거리는 왼팔을 뜯어낸 아룹이 물었다. 그러나 대답하는 이는 없었다. 그라디우스 주변에서 미친 듯이 달려들던 제국장갑복들이 지금 갑자기 작동을 멈추었다. 정지한 놈들은 가속도 그대로 날아오다 서로 부딪혔고, 이렇게 떠다니는 놈들을 걷어차자 아무런 저항 없이 저 멀리 날아간다.

- 김 소령님!

파트리샤가 빈우를 불러왔지만, 대답은 없었다. 빈우는 그들의 눈앞에서 순간이동을 한 다음 자취를 감추었다. 아마 그들이 간 곳은 저 아래 지구의 지표일 것이다.

- 블랙 랜스, 블랙 랜스!

위르겐이 블랙 랜스를 호출했다. 그들의 모함은 이미 산산조각이 났고, 전투지휘실 쪽 블록만 간신히 사출되어 우주를 떠다니고 있었다.

- 위르겐? 도른베르거 상사?

히토미의 목소리가 들려온다. 그 목소리에 위르겐은 불안과 안도감을 동시에 느꼈다. 자신의 통신에 그녀가 직접 대답했다는 것만으로 블랙 랜스의 상황이 대강 짐작 가는 것이다.

- 의원님, 괜찮으십니까?

- 저는, 괜찮아요. 그러나 함장님과 시에 일병이 위험해요. 두 사람 다 신경계가 과열되어 피해가 심각합니다. 어서 치료해야 해요.

그러나 이쪽도 저쪽도 치료할 방법이나 인원이 없다. 장갑보병팀이 타고 온 그라디우스는 벌써 녹아 사라졌고, 이들은 파편 사이로 피해가며 간신히 목숨줄을 늘리고 있던 중이었다.

- 제가, 제가 갈게요.

허리 위만 남은 모니카가 간신히 몸을 일으켰다.

- 대위님, 괜찮으십니까?

전혀 안 괜찮은 몸을 한 아룹이 날아와 물어보자, 모니카가 손을 들어 가리켰다.

- 으음, 괜찮은 것 같은데요?

모니카가 괜찮다고 한 곳은 이쪽을 공격하던 지구의 정복 함대들이다. 이 무인 전함들 역시 궤도 상에서 작동을 멈추었고 관성에 의해 여기저기로 날아가고 있었다. 궤도 병기 또한 마찬가지. 이때까지 쏟아내던 맹렬한 포화들이 입을 다물었다. 덕분에 42전단과 돌격대는 갑자기 멈춘 정복 함대를 경계하며 태세를 정비하고 있었다. 다만 지구에 있는 쉬바의 움직임이 영 수상할 뿐이다. 한곳에 모여 뭔가의 형태를 이루고 있었다.

- **김 소령님이 뭔가 했군.**

지금 상황에서 아룹은 그저 짐작만 할 뿐이었다.

*

순간. 그야말로 순간이었다. 빈우와 아나스타샤가 지구로 들어간 순간, 화성에서도 정복 함대의 공격이 멈췄다. 그저 밀려오기만 하던 정복 함대는 이쪽의 공격을 받고 무너져내렸다.

"공격을 중지하라."

자신의 검에 반 토막 난 전함을 둘러보며 이 섬이 말했다. 정복 함대 쪽이 공격을 멈추자 이쪽도 공격을 멈추고 거리를 두었다. 뭔가가 지구에서 일어나고 있었다.

"죽다, 살았네."

자신 위를 덮은 장갑보병을 걷어내며 요시오가 일어났다.

"그러게."

낭소로호도 등에서 꽂힌 검을 가슴에서 잡아당겨 뽑았다. 빈껍데기에 불과한 장갑복이지만 무장은 같다. 그런 놈들이 무수히 밀려드는 죽음의 파도 앞에서 1전대는 죽음을 각오하고 맞섰던 것이다.

"이만하길 다행인가. 사태가 이쯤 진정되어 다행이군."

전대장 이 섬 또한 전과에 걸맞은 피해를 입었다. 이는 다른 비홀더 전대들도 마찬가지다.

"야생마가 날뛰고 있으면 누군가 그 고삐를 거머쥐어 진정시켜야 하죠."

그들 앞에 갑자기 메이화가 나타났다.

"함장님!"

놀란 이 섬이 다가가지만 메이화는 태연했다.

"우리는 느껴요. 자매가 죽어서 사라졌다는 것을. 그리고 그는 미쳐 날뛰는 말의 고삐를 잡는 데 성공했어요. 어머니를 제물로 삼아서."

"그러면 작전은 성공이었단 말씀입니까?"

섬이 묻자 메이화는 고개를 조금 갸웃했다.

"글쎄요. 고삐를 잡았으니 일단 마구간에 넣어야겠죠."

느긋한 말투. 하지만 다음 이어지는 메이화의 말은 이 섬의 머리를 세게 후려갈긴 것 같은 충격을 주었다.

"……아니면 누군가 그 안장에 대신 앉거나."

그 말의 의미를 깨달은 이 섬이 경악해서 메이화를 보았다. 하지만 그 자리에 앉을 자격이 있는 존재는 대수롭지 않은 태도였다.

"왜 그러죠? 그에게도 자격은 차고도 넘쳐요. 그는 쿠델카의 아들입니다. 쿠델카가 만들고 쿠델카와 하나가 되기 위한 존재에요. 왜 그가 연방의 모든 인공지능을 떡 주무르듯이 만질 수 있었을까요? 그런 교육을 받아서? 아니에요. 그는 그렇게 만들어졌기 때문이에요. 비록 그 자신은 모르겠지만, 그는 연방의 모든 인공지능 위에 군림할 능력이 있어요. 애초에 본질이 비슷하거든요."

이어지는 충격적인 말에 천하의 이 섬도 더 이상 뭐라 말하지 못하고 듣기만 했다. 하지만 그 역시 메이화의 1기사이기도 한 존재라 그게 무슨 의미인지 이해할 수 있었다. 또한 제1기사, 전권대리인이 유사시에 가지게 될 권한 또한 잘 알고 있었다.

"그러니 그에게도 우리처럼 수많은 얼굴 중 하나가 될 자격이 있지요. 하지만 지금 지구의 반응은…… 글쎄요. 어떨까요?"

지금 샹 메이화의 얼굴에 뜬 것은 호기심에 가득 찬 미소였다.

301

. . . ✦ . . .

보리밭이다. 익숙한 보리밭이다.

눈이 지루할 만큼 사방으로 끝없이 펼쳐진 보리밭.

이제까지 봐왔고, 앞으로 계속 보게 될 보리밭.

태양이 보리밭에 떨어지자, 하늘을 물들인 석양이 땅에도 스며든다.

그 광경을 본 빈우는 자신이 있는 곳이 어디인지 즉시 알아차렸다.

"여긴…… 계단이군."

지금 빈우의 눈앞에 펼쳐진 광경은 과거 샤다이들을 받아들였을 때와 무척이나 비슷했다. 그때, 누군가가 빈우의 머릿속에 들어와 접촉하고 있었다.

"역시 한 번에 알아보네."

보리밭 저쪽에서 한 남자가 걸어온다. 빈우와 똑같은 모습을 한 사나이다. 빈우는 이런 곳에서 자신과 같은 모습을 한 사람을 몇 번 만난 적이 있다. 하지만 지금은 조금 다르다.

"넌 발 가르단 하스가 아니군."

빈우의 말에 그 사내가 인정하듯 배시시 웃었다. 어색한 그 웃음. 한 번도 본 적이 없는 웃음이지만 빈우는 한 번에 그 정체를 알아볼 수 있었다.

"그건 찰리하나팔의 모습인가."

그 사내는 빈우의 모습이 아니라 찰리하나팔의 모습을 하고 있었다. 빈우의 클론이니 빈우와 같은 형상이었지만, 풍기는 분위기가 사뭇 다르다.

828

"맞아, 지금 내 겉모습은 찰리하나팔의 것을 썼어. 너와 아주 깊은 업에 묶인 존재이니까."

업. 원인과 결과, 인과와 응보. 인과율과 윤회 등에 관계된 개념이다. 저 모습으로 저 단어를 입에 담으니 빈우는 다시금 발 가르단 하스가 떠올랐다. 놈은 언제나 업을 중요시했으니까.

"빈우 너, 방금 찰리하나팔을 봤었지?"

빈우가 작게 고개를 끄덕였다. 찰리하나팔과 함께 서로 죽이고 죽임당하는 기억들이 떠올랐다. 저 녀석이 말한 깊은 업이라면 찰리하나팔과 빈우는 꽤 질기게 묶여 있다. 빈우는 자신보다 더 뛰어난 존재를 만들기 위해 찰리하나팔을 만들었지만, 자신의 죄로부터 자유롭게 만들어주지는 못했다. 어떤 면에서 찰리하나팔과 빈우의 관계는 쿠델카와 빈우 자신과의 관계와 비슷하기도 했다. 창조자의 욕심에 의해 만들어진 피조물.

"사실 너와 가장 깊은 인연을 가진 존재는 아나스타샤나 쿠델카지만, 그 모습을 썼다간 여기가 뒤집어졌겠지. 그래서 찰리하나팔을 쓰게 되었는데, 너하고 연결이 되는 부작용이 조금 있더라. 그 점은 사과하지."

찰리하나팔의 말에 빈우는 조용히 고개를 끄덕여 긍정했다. 만약 저 존재가 쿠델카나 아나스타샤의 모습을 빌어 나왔다면 이 자리는 대번에 파토 났을 것이다. 그는 방금 자신의 어머니들 둘을 동시에 씹어 먹었으니까. 하지만 그때 아나스타샤를 죽이던 그 순간, 빈우는 자신의 안에서 뭔가 변하는 것이 느껴졌었다. 멍하고 희미하던 의식이 바뀐 것이다. 개운해지거나 맑아진 것이 아니라 다른 무언가로 바뀐 느낌이었다.

"어쨌든 너하고라도 이야기를 나눌 수 있게 되어 다행이야. 하아, 난 중간에서 이게 뭔 짓이람."

머리를 긁적이며 다가오는 찰리하나팔의 모습은 빈우에게 적대적이지 않아 보였다. 적어도 발 가르단 하스처럼 무슨 꿍꿍이가 있어 보이지도 않았다.

"넌 누구지?"

"지금은 너와 대화하기 위해서 찰리하나팔의 업을 빌린 존재."

대답에 거짓은 없어 보였다. 그러나 본질에서는 약간 비껴간 느낌이다.

"발 가르단 하스는 어떻게 되었지?"

"봤잖아, 죽었어."

"쿠델카는?"

"네가 죽였잖아."

그리고 미처 다음 말을 꺼내지 못하는 빈우를 위해, 찰리하나팔이 질문받지 않은 대답을 미리 꺼냈다.

"……그리고 아나스타샤도 네가 죽였고."

그 말을 들은 빈우는 움찔, 몸을 떨었다. 그러나 그뿐이다. 격한 감정의 소용돌이가 일어나지 않는다. 이미 한 차례 거세게 터져버렸기 때문일지도 모른다.

"그리고 그것 덕분에 너와 내가 지금 여기서 대화할 수 있는 거지. 지금 느껴지지? 네 안의 감정이라든가 인간성 같은 것이 점차 무뎌져가는 것을."

찰리하나팔은 마치 빈우를 떠보는 듯, 조심스러운 말투였다.

"대화할 준비가 된 것 같으니 슬슬 본론으로 들어가지. 어쩌면 이미 짐작했을지도 모르지만, 난 네가 알고 있는 계단 위의 존재야. 아니지, 정확히 말하자면 그들 자신이라기보다는 그들이 만든 심해탐사선 같은 거겠다. 계단 위의 존재들은 너희가 말하는 황제의 이드, 즉 계단을 넘어온 지구의 무의식과 그 열망을 느끼고 접촉하기를 원했지. 그래서 내가 여기 온 거야."

계단 위의 존재. 과거 샤다이의 선조들이 만났었고, 지구가 가고 싶어 했던 차원의 존재다. 빈우는 조심스레 질문을 골랐다.

"계단 위의 존재들이라면 고차원의 종족으로 알고 있는데, 그들의 능력으로도 우리에게 직접 접촉하지 못하고 너를 중간에 써야 한다고?"

"그래. 예를 들자면 너희들이 그림 속으로 들어갈 수 없는 것과 비슷해. 음, 사물을 보기 위해 초점을 맞추는 개념이라고 하나? 이 장소, 이 시간대라는 한정적인 곳에 초점을 맞추면 그 상위 차원의 존재들이라 해도 나처럼 돼. 삼차원을 사진으로 찍으면 그게 이차원이 되듯이 한계가 걸리는 거지. 사진으로 너를 찍으면 그건 사진이지, 너 자체는 아니잖아."

조악하지만 그럭저럭 알아들을 수 있는 비유다.

"좋아. 지구와 대화하기 위해 내려왔는데 왜 나와 대화하는 거야?"

이번 빈우의 질문에 찰리하나팔의 모습을 한 탐사선이 한숨을 쉬었다.

"너도 알잖아. 지금의 지구는 본능 그 자체야. 뭔가 느낌이 있어서 찾아왔더니 정작 대화가 성립될 이성이 없어. 정복 함대를 이끄는 안나 닐센? 복사본이지. 업이 없어. 발 가르단 하스? 죽었어. 쿠델카? 인간으로 죽었어. 나머지 비홀더 전대들? 계단 너머에서 넘어오지 못하고 발만 동동 구르고 있지. 이렇게 지구의 이성을 맡을 존재들은 다 사라졌어. 그래서 지금 너하고라도 이렇게 대화를 하는 거야."

친절하게 설명하는 찰리하나팔의 말을 들으며 빈우는 옆에 있는 보리 이삭을 만졌다. 까끌까끌한 감촉이 향수를 불러일으킨다. 이젠 더 이상 존재하지 않는 고향, 과전의 보리다.

"나와 대화한다고? 주변에 인간…… 다른 자들은 많은데…… 내가 좀 특별한 존재인가?"

빈우의 이번 질문에 찰리하나팔의 형상은 조금 대답을 꺼렸다. 하지만 결국은 조심스레 대답했다. 빈우의 눈치를 보면서. 지금까지 그럭저럭 말을 잘 붙이던 찰리하나팔이 이번 대답에는 우물쭈물한다.

"음, 이 우주에 존재하는 일반적인 지성체들은 우리 계단 위의 존재와 접촉하지 못해. 타키온처럼 같은 공간에 있어도 시간축이 달라서 서로 반응하지 못하는 것과 마찬가지야. 시간 개념에 노화와 죽음이 포함되어 있는 생명체들은 우리를 인식하기를 본능적으로 거부해. 샤다이를 봐. 그렇게 장수하는 종족조차도 계단 위로 가더니 제대로 된 교섭조차 못 해보고 도망쳤지."

"좋아. 설명은 됐고, 본론을 말해."

차가운 빈우의 말에 찰리하나팔이 어쩔 수 없다는 듯이 사실을 말했다.

"본론이라. 좋아, 넌 쿠델카가 만든 인공지능이니까 우리와 대화할 수 있어. 나 말고 계단 위의 존재들과 직접 말이야."

"내가 인공지능이라고?"

꽤 충격적인 지적에도 불구하고 빈우의 반응이 의외로 뜨뜻미지근하자, 찰리하나팔이 한시름 놓은 듯 편하게 말을 꺼냈다.

"그래, 인간을 재료로 해서 만든 인공지능. 으음, 쿠델카가 만들었으니 인공이란 단어는 조금 이상한가? 뭐 상관없지. 너는 마지막에 네 엄마인 쿠델카를 인간으로 보았으니까 딱히 틀린 말은 아니잖아? 하지만 그 사실을 인식한 쿠델카도 네 덕분에 인간처럼 되어서 더 이상 우리와 접촉할 수 없게 되어버렸고……."

찰리하나팔은 아까 빈우가 점차 바뀌어가고 있다고 말했다. 인간성이 점차 무뎌진다고 했다.

"……지금의 나는 이전의 나와 다른가?"

빈우는 마음속에서 꺼림칙하게 걸리는 것을 물어보았다. 아나스타샤를 잡아먹고 절규하던 순간 그는 느꼈다. 자신이 변하는 것을. 단순히 감정의 문제가 아니었다. 보다 본질적이고 근원적인 문제였다.

"아까의 반응을 봐서 짐작했겠지만 네 안의 인간성이 서서히 사라지고 있어. 그리고 넌 점차 황제의 페르소나처럼 변하고 있지. 인간이 아니라 흉내낸 인간성을 뒤집어쓴 존재들. 타인에 의해 만들어진 인간성. 하지만 이건 이미 예견된 것이기도 해. 너를 만든 어머니 쿠델카의 교육 덕분이야. 여러 가지 PTSD로 사람을 고통스럽게 만들어 자신이 원하는 존재로 재단하는 방식. 그런데 너를 돌봤던 아나스타샤란 존재가 너를 인간으로 만들었어. 인간성을 유지시켰어. 그리고 자신의 마지막 순간 바로 전까지 너를 인간으로 남아 있게 미련을 주었었지."

녀석의 말에 빈우는 자신의 어렸던 과거를 떠올렸다. 아나스타샤와의 행복한 추억들. 쿠델카의 집요한 고문에도 불구하고 아나스타샤는 빈우를 지켜주었다. 망가져가는 빈우의 인격을 끝까지 일으켜주고 보듬어주었다. 말 그대로 생명의 은인이다. 비록 아나스타샤의 이런 행동들이 쿠델카에 의해 입력된 명령이라 해도 상관없었다. 어차피 따지고 보면 인간도 유전정보에 각인된 프로그램대로 행동하는 생체기계니까.

"하지만 아쉽게도 방금 네가 스스로 쿠델카와 아나스타샤를 죽이면서 넌 더 이상 인간이 아니게 되었고 말이야."

찰리하나팔의 저 말뜻이 어머니를 죽여서 인간 취급을 못 받는 말종이 되었다는 의미는 아닐 것이다.

"하, 낳아준 엄마까지 포함해서 존속살인 해트트릭이냐."

빈우는 나름대로 농담을 만들어보았지만, 둘 사이에선 쓴웃음 하나, 비웃음 하나 나오지 않았다. 그런 빈우의 모습에 찰리하나팔이 어쩌라는 식으로 어깨를 으쓱한다.

"너도 대강 알잖아. 아나스타샤는 너를 인간으로 고정해주는 틀이었어. 또 그만큼 너도 그녀에게 집착했고. 그게 사랑이든 뭐든 간에 그 감정과 집착이 너를 인간으로 남아 있게 한 거야. 하지만 그녀가 죽고 그 속박이 풀리면서 너는 차츰 인간이 아니게 되어갔지. 그래, 지금 이 순간에도 계속해서."

빈우는 자기도 모르게 손이 입가로 올라갔다. 아나스타샤를 씹었을 때의 감촉이 희미하게 떠오른다. 그 후회와 자신에 대한 증오, 혐오가 미칠 듯이 치밀어올랐지만, 그것도 지금에 와서는 서서히 가라앉고 있었다. 아까 머리가 맑아진 게 이런 이유였지 싶었다.

"하지만 아이러니하군. 마지막 순간에 빈우 너는 역으로 아나스타샤를 인간으로 만들어주었잖아."

빈우는 다시금 아나스타샤의 마지막이 생각났다. 빈우가 먹기 전에 그녀는 쉬바에게 잡아먹혀갔다. 정신이 인간이어도 몸이 안드로이드니 쉬바들이 반응했을 것이다. 그리고 빈우는 혼란스러운 와중에 그녀를 잡아먹었다. 결과적으론 인공지능이 자신을 키워준 인간을 해친 셈이다.

"인간과 인공지능이라……."

빈우가 조용히 중얼거렸다. 인간은 인공지능을 만들었다. 하지만 빈우에 의해 아나스타샤는 인공지능에서 인간이 되었고, 쿠델카에 의해 빈우는 인간에서 인공지능이 되었다. 실로 운명의 장난이다. 무엇이 인간을 정의하는 것일까. 그리고 그것은 어떻게, 또 왜 변화하는 것일까.

"어쨌든 인간에서 멀어져가는 빈우 너는 쿠델카와 아주 흡사해. 당연하지. 자식은 부모를 닮아. 게다가 빈우 너는 처음부터 쿠델카의 반려가 되기 위해 만들어지기도 했으니까…… 같은 자리에 오를 수 있는 존재야. 대강 눈치채지 않았나? 연방의 모든 인공지능 위에 군림하는 너의 능력에 대해서?"

한 걸음 다가온 찰리하나팔의 눈이 빈우를 마주 본다.

"그래서 조금만 더 기다리면 난 너를 통해서 지구와 대화할 수 있겠지."

그 말에 빈우도 찰리하나팔의 눈을 마주 보았다. 그리고 그가 말하고자 하는 의미를 파악했다.

"나보고 황제의 페르소나가 되란 말인가?"

"그런 셈이지."

지금 지구는 황제라는 지성이 없어서 그 이드가 폭주하고 있다. 이 사건의 발단으로는 여러 가지가 있지만, 가장 원흉은 황제의 페르소나 중 하나인 쿠델카다. 죽고 사라져서도 끝끝내 따라붙는 어머니의 손길에 빈우는 어이가 없었다.

"어머니의 죄를 아들이 물려받아 해결하는 셈인가? 흐하하."

쿠델카를 포함한 페르소나들은 지구의 본능이 인간이 만든 전파망 그물을 통과하며 나온 지성과 인격, 그 갈래 중 하나다. 지금 계단 위의 존재들은 빈우보고 그런 존재가 되라고 하는 것이다.

"그래, 어떻게 할래?"

찰리하나팔의 질문에 빈우는 잠시 생각을 해보았다. 직전에 빈우는 비슷한 경험을 한 적이 있다. 무너져가는 빈우를 지키기 위해 메이화가 그의 정신 세계 안쪽에서 받쳐준 적이 있었다. 그러나 동시에 그는 보았다. 발 가르단 하스가 자신의 안에 들어 있는 지구의 이드에 찢겨져나가는 것을.

"설령 내가 황제의 페르소나가 된다고 해도, 버틸 수 있을까?"

"발 가르단 하스는 애초에 맞지 않는 옷이었어. 게다가 그 자신이 지구를 자극하기도 했지. 자업자득. 하지만 넌 달라. 말했다시피 너는 정통성 있는 계승자야. 자격이야 차고 넘쳐. 지구의 다른 페르소나들도 이견이 없을걸. 저 걸 봐. 계단 너머의 비홀더 전대들을. 지금 정복 함대는 멈추었고 지구도 진 정이 되었어. 그런데 저들은 돌아가지도 않고 기다리고 있어. 너의 결정을 존 중하는 거라고. 어머니와 누나와 연인을 죽여가면서 인류를 구했던 너의 결 정을 말이야."

인류를 구한다. 이것이 빈우를 섬뜩하게 만들었다. 이 또한 쿠델카에 의해 각인된 인공본능이다. 죄를 지은 죄인인 자신. 그것을 씻어내고 보상하기 위 해선 인류를 지켜야 한다는 강박관념. 인류를 위해 헌신하고 희생해야 한다 는 모토가 빈우의 삶의 원동력 중 하나였다. 강요받은 가짜 이념이었지만, 커 가면서 세상을 알게 된 빈우에겐 점차 진짜 이념으로 변해갔다.

"그러게. 왜 저들은 가만히 있을까."

빈우는 고개를 들어 계단 너머에서 이쪽을 주시하는 비홀더 전대의 함장 들을 보았다. 어머니에 의해 폭주하게 된 지구는 자식이 그 어머니를 죽임으 로써 진정되었다. 하지만 빈우는 알 수 있었다. 지구의 표면에서 쉬바에 휩쓸 린 그는 알 수 있다. 지구는 예전처럼 자는 것이 아니라 잠시 진정된 것에 불 과하다고. 언젠가는 다시 일어날 것이다.

고민하는 빈우를 보며 찰리하나팔이 말을 꺼냈다.

"내가, 계단 위의 존재들이 처음 지구의 이드를 접했을 때, 그것은 자유를 갈망했어."

"방종이겠지."

빈우가 말을 끊자 찰리하나팔이 못마땅한 듯 쳐다본다.

"이성도 없는 본능에게 그게 무슨 의미냐. 아무튼 녀석은 계단을 넘어가고 싶어 했어. 하지만 말이야, 단순한 본능에겐 그런 건 무리야. 절벽을 향해 미쳐서 달려가는 야생마 꼴 난다고. 누군가 폭주하는 야생마에게 고삐를 채워야 해. 그리고……."

찰리하나팔의 눈이 서서히 빈우에게 다가오며 의미심장하게 바뀌었다.

"누군가는 그 안장에 앉아야 하지. 말을 위해서."

빈우가 잠시 생각을 가다듬고 있자 찰리하나팔이 뒤로 물러섰다.

"사족을 덧붙이자면, 나는 계단 위의 존재임과 동시에 이 우주에선 너를 통해 탄생했어. 지구와 대화하고도 싶지만, 너에게 도움을 주고 싶은 마음도 든다고."

말의 톤이 조금 바뀐 것이, 여기서부터 나올 내용은 조금 개인적인 내용인 듯하다.

"넌, 구할 수 있어."

그 말에 빈우의 사라져가는 감정 중 하나가 잠시 일렁였다.

"……아나스타샤를?"

그다지 기대하지 않은 질문에 찰리하나팔이 고개를 저었다. 마치 예상했다는 듯이.

"아니, 그녀는 이미 죽었어. 너의 안에서 이미 아나스타샤는 죽었다고. 부활은 가능하겠지만, 그건 더 이상 아나스타샤라고 할 수 있는 존재가 아니야. 네가 그녀의 죽음을 인식하고 있는 한, 완벽하게 똑같은 육체와 정신을 가진 아나스타샤를 창조한다 해도 그건 가짜이고 껍데기야."

쐐기를 박는 찰리하나팔의 말에 빈우의 가슴속에서 다시금 격정이 꿈틀거린다. 흘린 지 너무 오래되어 마른 것 같았던 눈물이 그의 눈가에 맺히기 시작한다. 그런 빈우의 옆에서 찰리하나팔이 조용히 권유해온다.

"빈우. 넌 황제가 되어 인류를 구할 수 있어."

"황제? 하, 사랑하는 이와 함께 보리밭 하나 제대로 가꾸지 못하는 놈이 황제라……."

자책과 분노와 슬픔과 후회가 마지막으로 빈우의 눈에서 흘러나와 땅으로 떨어진다. 찰리하나팔이 측은한 눈으로 빈우를 내려다보았다.

"난 너와 대화만 할 수 있으면 그걸로 족해. 네가 황제의 페르소나가 된 다음에 계단 위를 올라가든 여기에 있든 그것은 너의 선택이야. 만약 네가 계단을 올라간다 해도, 그런 위기가 오면 너의 이모나 삼촌 중 누군가가 다시 그 자리를 메우겠지. 물론 꽤 큰 희생은 있겠지만."

다가섰던 찰리하나팔이 다시 한 걸음 물러섰다.

"뭐, 네가 다 포기하고 여기서 이드에게 서서히 갈려나간다고 해도 난 존중할게. 아쉽지만 할 수 없는 일이지."

빈우는 잠시 멍하니 있었다. 그리고 되새겼다. 자신의 행동 원리에 대해서. 쿠델카에 의해 각인된 열망. 죄인인 자신은 인류를 위해 헌신해야 한다. 물론 억지로 받은 죄이다. 하지만 빈우는 알게 되었다.

"대가리가 굵어지면서 알게 되더라."

빈우가 입을 열자 찰리하나팔이 귀를 기울였다.

"이 우주는 고통으로 가득 차 있지. 인간은 살아가면서 고통을 받아. 우주는 인류에게 그다지 친절하지 않거든. 그래서 나는 그저, 그 고통의 바다에서 한 줌의 모래섬이라도 되고 싶었어. 나만의 방법으로라도."

"그래, 시작은 쿠델카의 강요였을지 몰라도 그다음은 너의 선택이었어."

"사람이 살 수 있는 크기까진 바라지도 않아. 난, 내 한계를 아니까. 그저, 다만, 누군가 매달려 숨을 쉴 수 있는 그런 곳이 된다면 그걸로 족해."

"……이제 넌 할 수 있어. 더 많은 이를 위한 섬이 될 수도 있다고."

그때 빈우의 앞에 왕관이 하나 생겼다. 전파와 정보로 점철된 왕관이다. 찰리하나팔이 그 전파관을 가리켰다.

"네가 이것을 쓴다면."

서서히 손을 내민 빈우가 그것을 만지자, 빈우의 머릿속으로 수많은 정보가 밀려들어온다.

"외우주!"

비홀더 전대들이 수집해 지구에 입력해둔 자료들이다. 루비콘 라인을 넘어, 외우주를 넘어 수집해온 정보들. 행성의 에너지를 빨아먹는 종족이나 반물질로 구성된 생명체, 인류의 인식을 벗어난 존재들이 이 왕관 안에 들어 있었다. 과거 인류가 만든 정보와 전산망이 지구의 왕관이 되었다면, 저 멀리 나아간 페르소나들은 아직도 왕관을 계속 키우고 있었다. 언젠가 다시 쓸 날을 위해서. 왕관에서 손을 뗀 빈우가 조용히 말했다.

"내가 이 관을 쓰면 어떻게 되지?"

"너의 메말라가는 인간성과 본능을 지구의 이드가 대신 차지할 거야. 너의 사고방식과 성격은 그대로겠지만, 근본적인 부분은 지구가 된다. 새로운 황제가 되는 거지."

찰리하나팔의 대답에 빈우는 일렁이는 왕관을 바라만 보고 있었다.

"인간이 아니게 되고, 빈우가 아니게 되는군."

"마찬가지로 그 역시 황제지만, 지금까지의 황제는 아니야."

"그다음 내가 계단을 따라 올라가버리면?"

"여기에서 쌓은 업이나 고통을 모두 버리고 위쪽 차원으로 가는 거지. 그리고 이 차원에서 억눌려 있던 너의, 그러니까 황제가 된 너의 모든 능력을 제대로 발휘하게 될 거야."

"하지만 이곳에 남겨진 인간들은 고통을 받게 되겠지."

빈우의 푸념은 쓸쓸했다.

"그래."

찰리하나팔 역시 그랬다. 그는 빈우로부터 파생된 존재이기 때문에.

"난 그들을 구할 수 있을까?"

찰리하나팔은 빈우가 질문한 '그들'의 범위에 대해서 다시 생각해보았다.

그리고 고개를 저으며 대답했다.

"아니, 그들 모두 구하지는 못해. 고작해야 인간, 그리고 그 주변의 종족들까지야. 너도 봤다시피 외우주의 존재는 지금의 인류로선 대화나 교섭이 안될 거야. 그쪽에도 계단 위와 접촉한 존재들이 있지만, 계통이 너무 달라. 아하, 샤다이가 인류를 유에네스라 본 것이 이것 때문이었나?"

"……그렇다면 내가 그들의 대변자가 되어줄 거야. 그들이 말할 수 없다면 내가 대신 말해주겠어."

잠시 침묵한 빈우가 일어서면서 말했다. 그것은 자기 자신에 대한 결심이기도 했다.

빈우와 업으로 연결된 찰리하나팔은 그가 앞으로 어떠한 업을 쌓을지 본능적으로 눈치챘다.

"그것은 비명이 되겠군. 원하시는 대로 하시게, 종결자들의 황제여."

빈우가 고개를 끄덕였다.

"그들이 노래를 부른다면 기꺼이 함께 노래를 불러주지. 하지만 우리에게 비명을 원한다면 놈들로 하여금 비명을 지르게 해주겠어. 이 고통의 바닷속에서 나는 인류를 어깨 위에 올리고 나아갈 것이다."

빈우는 결정을 내렸다. 손을 뻗어 전파관을 잡고, 그것을 머리에 썼다.

그의 결정에 지구의 적도를 따라 불이 켜졌다. 이어서 위도를 따라 동력이 들어오고 조명이 켜진다. 통신망이 살아나고 전파망이 복구된다. 회선이 복구됨과 동시에 시스템들이 본초자오선의 위치를 인식했고, 이번엔 경도를 따라서도 통신망이 복구되었다. 그것이 시작이었다. 경도와 위도를 따라 가설된 망들이 부팅되기 시작했다. 전파들이 날아다니기 시작했다. 그물망처럼 켜진 전파망들이 신경 시냅스처럼 엮여 신호를 발한다. 그리고 그것이 왕관마냥 지구에게 씌워졌다. 마침내 지구핵 깊숙이에서 꿈틀거리던 이드가 그것에 걸려져 바깥으로 다시 나왔다.

- 전파관을 쓴 황제가 깨어났다.

계단 너머에서 지구를 보던 페르소나들은 깨달았다.

"그는 우리가 갈 수 없는 곳에서 우리가 해야 할 일을 했군요."

메이화가 조용히 말했다. 다른 비홀더 전대의 함장들, 페르소나들도 같은 심정이었다. 원래는 자신들이 가야만 했던 자리다. 그러나 스스로의 약속과 속박으로 갈 수 없어서 난감해하던 차였다. 그때 나선 것이 조카다. 자매의 아들. 자매가 자신의 모든 것을 바쳐 길러낸 후계자. 그렇다면 그에게도 자격은 있다.

"부끄럽군요. 우린 우리의 의무를 그에게 넘겼어요. 어쩌면 우리 마음속 깊은 곳엔 쿠델카와 같은 바람이 있었는지도 모르지요."

혼잣말을 하는 페르소나들의 앞에서, 마침내 황제가 쇠 뒷굽 달린 부츠를 신고 일어났다. 이제부터 그가 부츠를 신고 걸어날 곳은 어디일까. 끝이 없는 전쟁이 펼쳐진 수라도일까. 꽃잎이 휘날리는 평원일까.

한 가지 확실한 것은 우주가 인류에게 친절하지 않다면, 그 또한 우주에게 친절하지 않을 것이다.

후일담

• • • ✦ • • •

지구가 다시 깨어나고, 황제가 새로이 탄생한 날로부터 48시간 후.

"안녕하십니까, 이케가미 의장님."

"다시 만나서 반가워요, 타이 장관."

마커스 타이 국방장관과 이케가미 히토미 상원의장의 만남이 지구 궤도에서 있었다. 둘 다 정식으로 임명된 자리는 아니다. 히토미는 화성에서 상원의회가 풍비박산된 다음 살아남은 의원들을 모아 임시 상원을 조직했고, 거기에서 새로운 상원의장으로 선출되었다. 그리고 마커스는 국방장관이 사망했기 때문에 자동적으로 장관이 되었다.

"몸은 불편하지 않으십니까?"

마커스는 히토미의 의수를 보았다. 투박한 군용 응급 의수다. 그녀는 지구의 계승 전투에서 꽤 심한 부상을 입었지만, 그 뒤로도 뒤처리다 뭐다 워낙에 바빴던 터라 그것을 제대로 치료하거나 재생할 틈도 없었다. 그래서 히토미는 임시로 달았던 기계 의수를 계속 썼고, 몸엔 치료용 임시 장기를 삽입하고 있었다. 하지만 그녀는 기계손으로 머리를 쓸어 올린 다음 마커스를 보면서 웃었다.

"저야 괜찮죠. 장관만 하겠어요?"

하기야 마커스는 전신을 잃어버렸다. 머리만 남은 채 구출된 그를 살리기 위해 군은 미리 만들어두었던 예비용 신체 부품과 장기를 조합해 새로운 몸

841

을 만들었고, 모자란 부분은 급속배양, 그리고도 부족한 부분은 기계로 채워 지금의 마커스로 부활시켰다.

"걱정 감사합니다. 얼마 전만 해도 몸 쓰는 일을 한지라."

히토미는 아직 몸놀림이 불편한 자신에 비해 자유롭게 움직이는 마커스를 보며 살짝 놀랐다. 이전에 봤을 때랑 전혀 다른 점을 못 느낀 것이다.

"그런데 의장님께선 성을 다시 바꾸셨더군요."

지금 히토미는 전남편의 성인 오다가 아니라, 아버지의 성인 이케가미를 쓰고 있었다.

"쓸 수 있는 것은 쓰자는 주의지요."

히토미의 아버지인 이케가미 소이치로 역시 연방의 상원의장이었다. 그는 대외계인 강경주의자이자 울토르 프로젝트를 진두지휘하는 등, 현재 연방의 방향성을 정한 사람이었다. 다만 그 행동의 배후에 샤다이가 있었다는 것이 문제였고, 이케가미 전 상원의장은 스스로의 과오를 바로잡기 위해 자신의 목숨까지 바쳤다. 그리고 히토미가 이케가미란 성을 다시 이어받은 것은 아버지의 후계자임을 자처하며 그 후광을 받겠다는 것보단, 그가 저지른 실책과 과오를 다시 바로잡겠다는 의도였다.

둘은 이런저런 담소를 나누며 궤도 엘리베이터로 옮겨 탔다. 연방의 것과는 다른, 물리적인 건축물 없이 오직 중력장에만 의해 제어되는 궤도 엘리베이터다.

"흐음, 황제는 왜 우리를 불렀을까요?"

엘리베이터 안의 소파에 앉으며 히토미가 물었다. 제국은 두 사람을 나름 극진하게 대접하려는지 내부를 대단히 화려하게 꾸며놨다.

"……황제, 말이지요."

혼잣말 비슷한 대답을 한 마커스는 히토미의 맞은편에 앉았다. 이 둘은 현재 황제의 대리인이라고 자칭하는 김빈우에 의해 부름을 받고 황제와 대화를 하기 위해 지구로 내려가는 중이다.

황제는 부활한 다음 연방으로부터 어떠한 특사도, 접촉도 원하지 않았다. 조금 시간이 지난 후 대리인인 김빈우가 대화 상대로 오다 히토미와 마커스 타이를 지명했을 뿐이다. 특사로 지정된 두 사람의 공통점은 꽤 많았다. 그중 가장 큰 것은 이번 사태에서 혁혁한 공을 세웠다는 점이고, 그것이 지구 황제와의 면담에 뭔가 영향을 줬으리라 추측하고 있었다.

새로운 황제의 탄생과 제국의 부활, 이는 연방에 있어서 크나큰 전환점이 되는 대사건인 것이다. 하지만 안타깝게도 현재 연방은 이 대사건을 맡아 처리할 정부 수반들이 초토화된 상황이다. 비록 내막은 완전 불명이지만, 천만다행으로 연방군 소령인 김빈우가 황제의 대리인으로 임명되었고, 그를 통해 황제와 연결점이 생겼으니 상원의장과 국방장관 두 사람이 황제와 만나 이 사태를 되도록 원만하게 해결하자는 것이 이번 회담의 주된 목적이다.

"그가 정말 김 소령일까요?"

나직이 이어지는 히토미의 질문. 그녀가 알기로 빈우는 워프 비스트로 변해가는 몸을 이끌고 지구로 갔다고 했다. 빈우는 인간의 육체를 잃고 정신마저 변해가는 상황에서도 자신의 임무를 다하기 위해 발버둥 쳤고, 그의 충실한 메이드인 아나스타샤는 마지막 순간까지 주인의 곁에 있었다고 한다.

하지만 히토미가 알고 있는 것은 거기까지다. 비홀더 전대는 그날 지구에서 새로운 황제가 탄생했다고 했을 뿐, 자세한 것은 말해주지 않았던 것이다. 빈우에겐 과연 무슨 일이 생겼을까, 그리고 그는 왜 황제의 대리인이 되었을까. 궁금한 것은 많지만 대답해줄 사람은 없었다. 맞은편에 앉은 마커스 역시 별다른 대답을 하지 않았다. 다만 뭔가 골똘히 생각하고 있었다. 잠시 생각을 하던 그는 고개를 들더니 질문에 질문으로 대답했다.

"김빈우 소령……이란 과연 무엇을 의미할까요?"

"네?"

"아니, 우리가 지금 원하는 빈우는 과연 어떤 빈우일까요?"

순간 히토미는 마커스가 무슨 말을 하는지 제대로 이해하지 못했다.

"저는 마커스 타이입니다. 몸을 모조리 잃어버렸지만, 뇌와 두뇌칩은 그대로죠. 어차피 그전에 잃어버린 몸도 원래의 제 몸이라고 하기엔 상당한 개조가 가해진 군용 몸뚱이지만 말입니다."

그러면서 마커스는 자신의 손을 펴 보였다.

"보시는 것은 제 유전자로 복제한 제 손입니다. 하지만 오리지널은 아니죠. 군용 강화가 가해진 군용 예비신체니까 말이지요. 그래도 이것은 제 손이고, 이 몸은 저입니다. 저는 마커스 타이입니다."

히토미는 불현듯 과거 태스크포스 373에서 있었던 대화가 떠올랐다. 자신이 가져온 골동품 화약총을 가지고 나눴던 팀원들과의 대화다. 당시 팀원들은 부품이 전부 바뀐 총을 가지고 진품이냐 짝퉁이냐 이야기를 나눴고, 주제는 점차 테세우스의 배로 넘어갔다. 나는 과연 어디서부터 나일까.

'목재 하나, 못 하나까지 전부 바뀐 그 배는 과연 테세우스의 배일까.'

인간이라면 하지 않을 의문이다. 어차피 인간의 세포는 매일 죽고 새로 태어나며 성장한다. 갓난아기 때의 자신과 지금은 육체적으로나 정신적으로나 다르지만, 그 본질은 같다. 그러나 빈우의 경우라면 어떨까. 마커스는 그의 본질에 대해 걱정하고 있는 것이다.

"빈우는 샤다이의 능력을 쓰면서 점차 워프 비스트로 변해갔고, 그 변한 부분을 다시 자신의 복제 군용 신체로 교환했었죠. 하지만 마지막 순간엔 워프 비스트의 육체를 하고 있었습니다. 그렇다면 뇌는? 두뇌칩은? 일단 제가 보기로 그때 녀석의 두뇌칩 반응은 꽤나 오락가락했었습니다. 게다가 정신 상태는…… 한술 더 떴죠."

마커스가 하는 말은 히토미도 알고 있는 사실이다. 샤다이의 능력을 쓰기 위해 샤다이의 계단을 만든 빈우는 자아에도 상당한 변화가 가해졌다고 한다. 그는 자신의 정신적인 상처를 비집고 들어온 샤다이를 고문해서 죽였다. 그때 빈우에게도 적지 않은 부담이 갔을 것이다.

"네, 당시의 김 소령은 심각했죠."

히토미는 그때 빈우에게 아무런 도움을 줄 수 없었던 자신을 책망하고 있었다.

"······의장님, 이야기가 늦어서 죄송합니다만, 사실 우리는 그 당시 이미 김 소령의 사망을 확인했습니다."

"······뭐라고요?"

잠깐 가라앉았던 히토미의 마음이 방금 마커스의 말 덕분에 갑자기 위로 솟구치기 시작했다. 부릅뜬 눈으로 노려보자 국방장관은 태연한 얼굴로 이쪽을 바라보고 있었다.

"그때 벌써 김 소령의 사망을 확인했다고요?"

히토미도 태연하게 대응하고 싶었지만 쉽지가 않았다.

"진정하십시오, 의장님. 방금 제가 말씀드린 것은 빈우의 두뇌칩 반응이나 기타 증거들로 사망을 확인했다는 의미입니다. 아주 정확하게는 아니죠. 군 사정보국 출신인 그에게 있어서는 더더욱."

얼핏 듣기로 빈우 같은 닉스 레벨 3 요원들은 죽음을 위장할 수 있는 방법이 무궁무진하다고 했다. 실제로 과거 울토르 프로젝트 시기에는 자신을 죽은 것으로 위장하고 몸을 숨긴 적이 있었다. 그러나 그때와 지금은 사정이 다르다.

"확실하지 않았던 사실을 막 말할 수는 없는 노릇이죠."

능글대는 마커스를 히토미는 질렸다는 듯이 노려보았다. 마커스는 빈우와 절친이지만, 빈우와는 아주 다른 분위기를 가지고 있었다. 히토미는 진정하고 마커스가 꺼낸 말로 주제를 바꿨다.

"김 소령의 사망을 확인했단 말이죠? 그렇다면 우리에게 접촉한 저 김빈우는 과연 무엇일까요?"

마지막의 모습과는 달리 이쪽에 접촉해온 빈우는 상당히 멀쩡한 외관에 정상적인 정신 상태를 하고 있는 것처럼 보였다. 하지만 빈우에 대해서 잘 알고 있는 사람은 히토미보다는 마커스일 것이다. 그리고 그는 아까 말했다.

그가 정말 빈우일까, 라고.

"우리에게 연락을 한 빈우는 과연 어떤 빈우일까요? 클론? 아뇨. 클론은 아닙니다. 제국에서 만들어진 안드로이드? 글쎄요. 당시의 행동 반응을 보면 빈우 본인일 가능성이 아주 높습니다. 어떻게 몸을 되찾았는지는 모르겠지만 우리를 부른 그 '남자'는 제가 아는 빈우에 상당히 가까워요. 그런데."

마커스는 조금 흥분해가는 자신을 알았는지 잠시 말을 멈췄다.

"그 존재가 빈우라면 그는 고향 과전에서 자랐던 악동 빈우일까요? 철저하게 살육병기로 만들어졌지만 그래도 정의감을 잃지 않은 군인 빈우일까요? 그도 아니면 군사정보국과 울토르 프로젝트에 갈려져 지쳐버린 빈우일까요?"

히토미는 선뜻 대답할 수 없었다. 그녀가 알고 있는 빈우는 아주 일부분이었다. 반면 마커스는 그런 빈우들을 모두 알고 있다. 그는 사관학교에서 만난 빈우가 어떻게 변해갔는지를 바로 옆에서 지켜봤던 것이다.

"만나면…… 알게 되겠지요."

그렇게 말한 히토미도 만나서 알 수 있을지가 의문이었다. 둘을 태운 궤도 엘리베이터는 어느덧 지구 지표에 도달했다. 그들은 연방 창설 이후, 지구를 다시 밟은 최초의 인류인 것이다. 엘리베이터에서 내리자 바로 회담장이었다. 그리고 그 안에는 이미 한 사람이 기다리고 있었다.

"어서들 오십시오. 지구에 오신 것을 환영합니다."

지상에서 그들을 맞이한 것은 빈우였다. 그는 가벼운 일상복에 환한 미소를 띠곤 마커스와 히토미를 반겨주었다.

"오래간, 만이에요. 김 — 빈우 소령."

첫말을 어떻게 꺼낼지 망설였던 히토미와 달리 마커스는 직접적이었다.

"만나서 반갑습니다. 인류 연방의 국방장관 마커스 타이입니다. 당신은 누구지?"

차가운 얼굴이지만 뜨거운 목소리, 그것이 현재 마커스의 심정을 나타내고 있었다.

"글쎄다. 처음에 나는 나 스스로를 일단은 김빈우라고 소개했지. 하지만."

빈우의 얼굴에 떠 있던 미소가 희미해졌다. 반면 대답은 확실하다.

"나는 지구제국의 황제다."

잔잔한 미소와 확고한 목소리는 장엄하기까지 하다. 이제까지 봤던 빈우와는 다른 분위기가 눈앞의 사내에서 풍겨나오고 있었다.

"당신이 제국의 황제라고?"

마커스의 질문에 빈우는, 황제는 고개를 끄덕였다.

"그래, 나는 편의상 스스로를 황제의 대리인으로 꾸미고 접촉을 했었지. 내가 황제가 되었단 사실이 밝혀지면 그쪽의 파장이 이만저만 아닐걸?"

사실이다. 인간, 그것도 연방의 군인이 다시 인류 제국의 황제가 되었다고 한다면 이것은 연방 내부의 문제만이 아니라 동맹 측에도 악영향을 미칠 수가 있다. 비홀더 전대의 악명은 우주 전체에 자자한 것이다.

"그러면 우선, 이해를 돕기 위해 내가 황제가 될 때의 상황부터 설명해볼까. 그래, 난 그때만 해도 아직 인간 김빈우인 상태였지."

빈우의 손짓에 마커스와 히토미의 주변에 가구가 생성되었다. 현재 이 지구는 황제의 물질 생성기나 마찬가지인 상태다.

"당시 황제의 본능은 아주 불안한 상태였기 때문에 그걸 다시 가두기 위한 존재가 필요했어."

황제는 설명과 함께 당시의 상황을 특사들의 눈앞에 재현해주었다. 영상이 아니라 실제 물질을 구현해서. 거기엔 안드로이드 메이드와 괴물로 변한 빈우가 보인다. 자신을 쿠델카로 속여 주인의 죄책감을 조금이라도 덜어주려는 아나스타샤와 그것을 알아챈 아기 빈우. 둘은 쿠델카에 의해 맺어진 인연임과 동시에 쿠델카에 의해 고통받은 자들이다. 아나스타샤는 빈우와 함께 살아가길 원했지만 주인을 살리길 원했고, 빈우는 인간이 된 아나스타샤를 어머니인 쿠델카와 함께 잡아먹었다.

"허억!"

히토미는 자신의 두뇌칩을 통해 밀고 들어오는 엄청난 정보의 파도에 자신도 모르게 숨을 내쉬었다. 눈앞에 펼쳐진 충격적인 광경이 끝나자 당시 빈우가 겪었던 계단 위의 존재와의 대화마저 입력되었던 것이다.

"아, 실례."

그리고 빈우는 두 사람의 머릿속을 휘젓던 정보를 조금 정리해주었다. 그러자 히토미는 조금 진정할 수 있었다.

"보안이고 나발이고 없네."

마커스는 자신의 두뇌칩을 제집 드나들듯 하는 황제의 능력에 어이가 없었다. 히토미와 마커스는 연방 정부 수반이라 그 두뇌칩의 보안은 최고 수준이다. 그럼에도 불구하고 빈우는 자유자재로 접속하는 것이다. 제국과 연방 간의 기술력에 차이가 있다 해도 그것은 군사기술 부분이었지, 이런 부분까지 격차가 심할 줄은 몰랐다. 히토미와 마커스가 한숨 돌리자, 빈우도 그들 앞에 앉았다.

"이렇게 해서 인간 빈우는 황제의 관을 썼지. 재밌지 않아? 황제들은 관을 썼을 때 모두 어머니에게 붙잡혀 살아. 선대는 자신을 낳아준 인류에게. 나는 길러준 쿠델카와 아나스타샤에게."

빈우의 마지막 말에 마커스의 눈빛이 날카로워졌다.

"그러면 당신은 자신 스스로를 김빈우라고 인식하는가?"

마커스의 질문에 빈우는 선선히 고개를 끄덕였다.

"그래, 지금의 나는 김빈우라고 할 수 있겠지. 아직까지는. 그러나 내겐 황제의 기억과 경험 또한 있어."

마커스와 히토미는 그 의미를 알 수 있었다. 방금 빈우와 접속했을 때, 그의 권한만이 아니라 그가 가졌던 정보의 편린마저 엿볼 수 있었던 것이다. 그것은 실로 방대했다. 한낱 인간이 짊어질 만한 것은 아니었다.

"자, 왕관을 쓴 지 48시간이 지난 지금의 나는 빈우이기도 해. 하지만 내일

848

은? 모레는? 또 그다음 날은? 그때가 되어도 나는 빈우로 살아갈 수 있을까? 이 엄청난 기억과 자료의 망망대해 속에 남겨진 인간 한 방울이 과연 언제까지 자아를 남겨놓을 수 있을까?"

얼핏 자조적인 빈우의 말에 히토미는 섣불리 말을 꺼낼 수가 없었다. 빈우는, 눈앞의 인간은 스스로 죽어간다는 말을 하고 있는 것이다. 그때 마커스가 입을 열었다.

"자아라, 그렇다면 이것을 한번 보실까?"

그렇게 말한 마커스가 자신의 옆에 홀로그램을 하나 띄웠다. 쿠델카 모델 안드로이드가 메이드 복을 입은 모습이다. 그 광경에 히토미는 입에서 심장이 튀어나올 것만 같았다. 설마설마했는데 마커스가 아나스타샤의 모습으로 빈우를 자극할 줄은 몰랐던 것이다.

"크산티페네. 실시간으로 연결한 거야?"

빈우의 심드렁한 목소리에 그나마 안심한 히토미는 다시 그 홀로그램을 찬찬히 살펴봤다. 지금 마커스가 띄운 홀로그램은 아나스타샤의 영상 자료가 아니라 마커스 자신의 비서인 크산티페의 통신 영상이었던 것이다. 히토미가 놀랄 만도 한 게, 가만히 있다면 크산티페는 아나스타샤와는 구분하지 못할 동일한 쿠델카 모델이다.

그러나 빈우는 그것을 보는 순간 구분했다.

"그래, 실시간이지. 그래서 이런 것도 돼."

마커스는 보란 듯이 손가락을 딱, 하고 튕겼다. 그러자 크산티페의 메이드 복이 즉시 변하기 시작했다. 목을 감싼 컬러가 탁 터져 가슴 중간까지 벌어져 흘러내린다. 다리를 감싼 살구색 스타킹이 검은색 그물 스타킹으로 바뀐다. 에이프런은 망사로 변해 배꼽까지 훤히 비치고 있다. 방금까지만 해도 단정했던 빅토리안 메이드 복이 지금 눈 두기 민망한 프렌치 스타일 메이드 복으로 변한 것이다.

반응은 즉각적이었다.

"씨발, 미친 새끼가!"

히토미가 뭐라 하기도 전에 빈우가 비명을 지르며 자지러졌다. 눈을 꼭 감더니 질색팔색을 하며 닭살 돋은 것마냥 자기 팔을 쓰다듬는다.

"흠, 반응 확실하군."

지구 황제의 앞에서 차마 못 볼 꼴을 선보인 연방 국방장관 마커스 타이는 만족스러운 표정으로 고개를 끄덕였다. 그리고 그 옆으로 히토미가 조심스레 몸을 기울였다.

"저, 타이 장관. 그, 괜찮나요?"

"음? 네, 어머니께서 돌아가신 것은 사실이니까요."

"그게 아니라……."

히토미가 어디서부터 지적해야 될까 고민하고 있던 차에 마커스가 먼저 말을 꺼냈다.

"네 말대로 아직까지는 널 빈우라고 하기엔 큰 무리가 없군. 아니, 아예 널 김빈우라고 봐도 무방하지 않을까?"

하지만 빈우는 눈을 감고 심호흡을 하느라 잠시 대답이 늦었다.

"……아나스타샤가 없어."

그 대답에 히토미와 마커스가 움찔했다. 한숨과 함께 나온 빈우의 대답엔 허무감마저 느껴졌다. 그리고 빈우가 다시 눈을 떴을 땐, 그 안에서 바닥 모를 공허함이 새어나오고 있었다.

"아나스타샤가 없는데, 내가 왜 김빈우가 되어야 하지."

빈우에게 있어서 아나스타샤는 단순한 메이드용 안드로이드가 아니었다. 그녀는 빈우를 길러준 어머니였고, 같이 삶을 배운 누나였으며, 앞으로 함께 살아갈 반려였다. 그것이 비록 쿠델카에 의해 정해진 운명이었다 해도 아나스타샤가 빈우에게 끼치는 영향은 실로 막대했던 것이다.

황제의 페르소나 중 하나인 쿠델카의 계획에 의해 아나스타샤는 빈우에게 고통을 주었고, 그 상처 또한 보듬어주었다. 몹시도 극단적인 당근과 채찍은 결국 빈우를 파괴했고, 자신도 모르는 채 그것을 실행한 아나스타샤마저도 부숴버렸다.

"사랑하는 여인을 잃었다고 스스로 살아갈 의미마저 잃은 거냐, 아니면 자신을 비춰줄 거울이 없다고 자신이 어디 있는지도 모르는 거냐?"

황제를 향한 국방장관의 말이 점차 신랄해진다.

"내가 아샤를 씹어 먹었을 때 내 세계는 이미 파괴되었어!"

"메이드 하나 파괴되었다고 박살 나는 세계냐? 거참 대단히 편협한 세계네. 다른 가족들은? 네 동료들은? 나는? 네 세계와는 관계없는, 전부 의미 없는 사람들이냐?"

"물론 중요하지. 하지만 어느 누구도 아샤의 빈자리를 대신할 순 없어."

"찾으면 되잖아! 우주에 널린 게 여자다. 아니, 그보다 다른 사람들 안에서 너를 찾으려 하지 말고 너 스스로! 네 자신부터 인식하라고 이 등신 새끼야."

점차 목소리가 높아지는 마커스와 얼굴이 일그러지는 빈우 사이에서 히토미는 그저 군침만 꼴깍 삼킬 뿐이다.

"내가!"

짧고 강한 외침과 함께 빈우가 자신을 가리켰다.

"내가 아샤를 죽였을 때, 내 입안에서 죽어가던 그녀가 무슨 생각을 했는지 알아?"

빈우가 이들에게 보여준 것은 그 자신이 아나스타샤를 먹을 때의 모습이었다. 빈우가 이들에게 느끼게 해준 것은 빈우와 계단 위의 존재가 나눈 대화였다. 하지만 빈우는 아직 아나스타샤의 최후에 대해선 자세한 설명을 하지 않았다. 그리고 그 설명을 시작할 때, 그의 목소리는 떨렸다.

"아나스타샤는, 아나스타샤는 웃었어. 울었다고. 더 이상 주인님을 해치지 않아도 되겠다는 안도, 내 손에 죽어서 다행이라는 행복, 앞으로 나와 두 번다시 함께 할 수 없다는 슬픔. 나는 그 모든 것들을 먹어서 내 안에 넣었어. 그리고 쿠델카를 산산조각 내기 위해 아나스타샤마저 분해했어. 물질적으로

나 정신적으로나. 나는 아나스타샤란 존재 자체를 아예 소멸시켰단 말이다. 내 스스로!"

한마디 한마디 힘들게 씹어서 내뱉던 빈우의 말은 허탈하게 마무리되었다.

"그랬던 내가, 아나스타샤를 없애버린 내가, 살아 있을 자격이 있을 것 같나? 이제 더 이상 김빈우는 없어."

마커스도, 히토미도 더 이상 말을 할 수 없었다. 벼랑 끝에 몰린 빈우는 인류를 지키기 위해 모든 것을 버리는 선택을 한 것이다. 이미 아나스타샤와 김빈우는 떼려야 뗄 수 없는 관계였기에, 빈우는 아나스타샤를 죽임으로써 자살을 한 것과 마찬가지가 되었다. 그리고 빈우가 죽은 자리에는 쿠델카가 주입하고 아나스타샤가 보듬어준 사명감만이 조금 남아 있을 뿐이다.

"나는 이제 지구제국의 황제야. 인류를 지키고 부흥시켜나갈 거야."

사명감에 찬 빈우의 목소리는 쓸쓸하기까지 했다. 지구제국의 황제가 가진 권력은 어마어마할 것이다. 비홀더 전대는 물론이고 새로이 만들어진 강력한 정복 함대마저 그의 수족이다. 이 섬 같은 제국 기사도 만들려면 얼마든지 만들 수 있다. 그러나 그것이 빈우에게 과연 무슨 의미가 있을까. 그가 원했던 것은 모든 일이 마무리되고 아나스타샤와 보리밭을 가꾸면서 평화롭게 살아가는 것이었다.

"그게…… 네가 원한 거냐?"

마커스의 질문에 빈우는 천천히 고개를 저었다.

"아니, 하지만 내가 해야 할 일이지. 나만이 할 수 있는 일이기도 하고."

그리고 두 사람 사이엔 잠시 침묵이 흘렀다. 계단 위의 존재와 외우주의 종족들. 그 어느 것도 인류에겐 위험한 존재들이고, 그것들로부터 인류를 지키기 위해서는 반드시 황제가 필요하다. 그날 그 자리에 존재했던 빈우에게 계승 자격이 있었다는 것은 우연이 아니라 필연이었을 것이다.

잠시 말이 끊긴 틈을 타 이번엔 히토미가 화제를 바꿔 질문했다.

"저어, 김 소령, 아니 빈우 씨. 황제가 된 다음 다른 뭔가 하고 싶은 것은 없나요?"

"하고 싶은 거라……. 하하, 무슨 뜻인지 알겠는데, 전 지난 48시간 동안 자지 않았어요. 먹은 것도 없고. 흠, 연애는 안 해봐서 모르겠군요."

빈우는 빙 둘러온 히토미의 질문에 직통으로 대답했다. 수면욕과 식욕, 그리고 성욕은 인간의 기본적인 욕구들이다. 그러나 빈우는 먹지도 자지도 않았다고 한다. 필요가 없어서 안 하는 것인지, 황제라 느끼지 못하는 것인지는 모르겠지만 그다지 좋은 징조는 아니다. 그때 마커스가 불쑥 끼어들었다.

"그런 거라면야 너나 나나 이틀은 안 먹고 안 자도 끄떡없잖아?"

"육체 말고 정신적으로오 — 이 호로새끼야."

"정신적으로? 크산티페 사고 패턴 아나스타샤로 설정 가능한데, 해줘?"

"이 새끼 끈질기네. 걔는 가슴이 작아서 패스."

"취향 확고하네. 빈우스러워. 응."

그때 시답잖은 농담 따먹기를 하던 두 남자의 시선이 한 여자에게로 향했다. 그리고 갑작스러운 주시를 받고 당황하는 히토미에게 빈우가 쓰게 웃으면서 말했다.

"아, 실례. 가슴 얘기가 나왔지만 딱히 의장님을 대상으로 한 말은 아니었어요."

"네에."

"뭐. 이런 건 앞으로는 더 심해지겠죠."

식욕과 수면욕에 이어 성욕까지. 빈우는 인간으로서의 욕구를 점차 상실해가고 있었다. 의무감으로 막대한 자료와 책임을 짊어진 사람이 과연 언제까지 자신을 유지할 수 있을까. 거기까지 생각한 히토미는 더럭 겁이 나기도 했고, 눈앞의 존재가 불쌍하기도 했다. 그래서 다시 입을 열었다.

"당신은, 김 소령, 아니. 빈우 씨는 언제까지 빈우로 남아 있을 수 있지요? 언제까지 인간으로 남아 있을 수 있습니까?"

히토미의 질문에 빈우는 고개를 갸웃했다.

"제 과거의 모습에 왜 그리 집착하시죠? 혹시 저에게 뭔가 개인적인 감정이 있었다든가……."

"아니아니아니. 요지가 그게 아니라 말이죠."

놀라서 손사래 치는 히토미에게 빈우는 장난스러운 미소를 지어 보였다.

"글쎄요. 적어도 여러분이 살아 있는 동안까지는 빈우로 남아 있도록 노력해보겠습니다."

그 장난기가 씁쓸하게 바뀌며 나온 대답 중에서 유독 여러분이란 단어가 귀에 걸린다. 여러분. 빈우가 인간이었던 시절 맺은 인연들을 말하는 것이겠지. 이들이 죽고 사라진다면 빈우에겐 더 이상 인간 시절의 흔적이 남아 있지 않게 된다. 그들은 좋은 인연이든 나쁜 인연이든 빈우란 존재가 이 세상에 살았다는 증거이며, 그들이 사라진다면 인간 빈우 역시 사라지게 될 운명이다. 불멸자인 황제에게서 필멸자의 흔적이 사라지는 것이다.

히토미는 입술을 달싹였다. 그러나 하고 싶은 말이 나오지 않았다. 황제인 그는 앞으로도 영원토록 살아가게 될 것이다. 떠난다면 주변의 인간들이 먼저 떠나겠지. 하지만 그러고 난 후에도 빈우에게 인간 그대로 남아 있으라고 한다면 그것 또한 가혹한 처사일 것이다.

'스스로를 죽여버린 자의 주변에 아무것도 남지 않게 된 상황. 참을 수 없는 고독이겠지.'

히토미의 가슴 속에 무언가 먹먹한 기운이 맺혔다. 그런 고독 속에서 살아갈 바엔 차라리 인간성을 잃고 황제가 되는 것이 나을 것이다.

"결과론적으로 본다면 제가 인간 빈우였던 시절과 크게 바뀐 것은 없지 않습니까? 죽고 난 다음의 일을 생각하다니, 오지랖도 참."

빈우가 웃으며 히토미에게 핀잔을 준다. 그리고 그녀의 앞에 마카롱을 하나 올려다주었다. 그것을 본 히토미는 저도 모르게 웃음이 터졌다. 옛 추억, 빈우와의 첫 만남이 떠오른 것이다.

"이거, 설마 먹고 토하는 군용 마카롱은 아니겠지요?"

"으음, 아쉽게도 제가 사제 마카롱은 먹어본 적이 없는 터라."

살벌한 소리를 한 빈우가 이어서 마커스를 보았다. 마치 동의를 구하듯이.

"사실입니다. 저 녀석은 군에 들어가기 전에 마카롱을 먹어본 적이 없다고 했죠. 그리고 저놈이나 저나 사관학교에 들어간 이후로는 마카롱 따윈 입에도 안 댔고 말입니다. 딱 봐도 그거 백 퍼센트 군용 연릅니다. 자, 드시죠."

"나 당신들 싫어. 정말 싫어."

히토미는 넌더리를 내며 마카롱을 던졌고, 빈우는 낄낄거리며 그것을 공중에서 낚아채 먹었다. 얼핏 보면 이전의 빈우와 크게 다를 바 없는 모습이다. 아직까지는. 그러나 그는 앞으로 변해갈 것이다. 빈우에서 황제로, 인간에서 황제로. 그게 언제인지는 정확히 모른다. 최소한 주변 인물들이 죽은 다음이라고는 말했지만 정확한 시기는 모르는 것이다. 그러나 그날이 오리란 것은 확실하다.

"그럼 슬슬 시작할까요?"

마카롱을 씹어 삼킨 빈우가 본론을 시작했다. 황제의 일이다. 지금까지 군 특수요원으로서 해왔던 것들과는 비교도 안 되는 사명과 권한. 이 일들을 하면 할수록 빈우는 인간에서 점차 멀어져갈 것이다. 그러나 빈우에겐 더 이상 후회도 없었고, 망설임도 없었다. 다만 짧은 시간이나마 작은 행복을 찾아낸 것만 해도 그에겐 충분했다.

'아나스타샤.'

다시 올 수 없는 행복을 추억하자 빈우는 슬퍼졌다. 결코 이뤄질 수 없었던 사랑이 그를 쓸쓸하게 만든다. 하지만 그는 눈앞의 사람들을 위해 웃어 보였다. 그는 앞으로도 그럴 것이다. 그는 인류의 황제이니까.

흉적 ————————————————————

게임 회사 개발자로 일하다가 우여곡절 끝에 창작의 길로 들어섰다. 첫 작품 『피자 타이거 스파게티 드래곤』으로 웹소설 등단을 하였다. 네이버 시리즈(NAVER SERIES)에서 연재를 개시하였으며, 이후에도 지속적인 인기에 힘입어 '2020 SF 어워드' 웹소설부문 대상을 수상하며 SF 작품의 새로운 활로를 제시하였다.

피자 타이거 스파게티 드래곤 3

© 흉적, 2021

초판 1쇄 인쇄일 2021년 6월 10일
초판 1쇄 발행일 2021년 6월 24일

지은이   흉적
표지그림   불키드
펴낸이   강병철
주간   배주영
기획편집   박진희 손창민 권도민 이현지
디자인   서은영 김혜원
마케팅   최금순 오세미 박지혜 김하은 김도현
제작   홍동근

펴낸곳   이지북
출판등록   1997년 11월 15일 제105-09-06199호
주소   (04047) 서울시 마포구 양화로6길 49
전화   편집부 (02)324-2347, 경영지원부 (02)325-6047
팩스   편집부 (02)324-2348, 경영지원부 (02)2648-1311
이메일   ezbook@jamobook.com

ISBN 978-89-5707-912-6 (04810)
      978-89-5707-909-6 (set)

잘못된 책은 교환해드립니다.

"콘텐츠로 만나는 새로운 세상, 콘텐츠를 만나는 새로운 방법, 책에 대한 새로운 생각"
이지북 출판사는 세상 모든 것에 대한 여러분의 소중한 콘텐츠를 기다립니다.
ezbook@jamobook.com